PROPRIÉTÉS PHYSIQUES (air, eau, Terre)

Air (sec, à 20°C et 101,3 kPa)	
Masse volumique	1,29 kg/m^3
Chaleur massique à pression constante	$1,00 \times 10^3$ J/kg·K
Rapport des chaleurs massiques	1,40
Vitesse du son	343 m/s (331 m/s à 0°C)
Eau (20°C et 101,3 kPa)	
Masse volumique	$1,00 \times 10^3$ kg/m^3
Vitesse du son	1460 m/s
Indice de réfraction	1,33
Chaleur massique à pression constante	4180 J/kg·K
Chaleur de fusion (0°C)	$3,33 \times 10^5$ J/kg
Chaleur de vaporisation	$2,26 \times 10^6$ J/kg
Terre	
Masse	$5,98 \times 10^{24}$ kg
Rayon moyen	$6,37 \times 10^6$ m
Distance moyenne Terre-Soleil	$1,49 \times 10^8$ km
Distance moyenne Terre-Lune	$3,80 \times 10^5$ km
Accélération gravitationnelle moyenne	9,81 m/s^2
Pression atmosphérique normale	101,325 kPa

mécanique

PHYSIQUE I

mécanique

PHYSIQUE I

DAVID HALLIDAY

ROBERT RESNICK

Traduction et adaptation

Professeurs de physique au Séminaire de Sherbrooke

RÉGINALD SAUVAGEAU
RÉJEAN TANGUAY
SERGE GAGNON

Révision linguistique **PIERRE HÉBERT**

5757, RUE CYPIHOT, SAINT-LAURENT (QUÉBEC) H4S 1X4
TÉLÉPHONE : (514) 334-2690 TÉLÉCOPIEUR : (514) 334-4720

Le présent ouvrage a été traduit de l'américain avec l'autorisation de
John Wiley & Sons, Inc.

Maquette de la couverture: Communications Coricom Limitée

Dépôt légal: 3e trimestre 1979
Bibliothèque nationale du Québec
Bibliothèque nationale du Canada
Imprimé au Canada

ISBN 2-7613-0011-4

15 16 17 18 19 II 98765
2321 ABCD

préface

La traduction française de *Physics* de Halliday et Resnick veut mettre à la disposition des francophones un manuel qui a fait ses preuves chez nos voisins américains. Ce manuel constitue, à notre avis, un outil précieux sur plusieurs plans. Il permet à l'étudiant une étude solide des principes de base de la physique tout en les reliant aux phénomènes de tous les jours. Il invite l'étudiant et le professeur à des réflexions et à des discussions sérieuses sur une foule de sujets qui n'ont pas de réponses uniques et bâties sur mesure. Il laisse enfin au professeur beaucoup de souplesse dans son enseignement puisque ce manuel se prête aussi bien à la méthode magistrale qu'à l'apprentissage individualisé.

Le texte fait usage des notions élémentaires de calcul différentiel et intégral, mais l'accent est mis surtout sur la compréhension des principes de la physique classique et sur la résolution des problèmes, sans donner trop d'importance au formalisme mathématique, qui n'est qu'un moyen de mieux synthétiser une idée.

L'insertion de sections spéciales, de questions de réflexion et la façon de présenter la matière révèlent chez les auteurs une volonté d'ordre pratique, ainsi qu'une ouverture aux théories modernes et aux discussions historiques et philosophiques. Le livre renferme aussi un large éventail d'exemples, de problèmes solutionnés ou à résoudre. Enfin, les procédés pédagogiques les plus efficaces ont fait l'objet d'une préoccupation constante. L'équipe de la traduction a voulu respecter cette volonté des auteurs.

L'emploi toujours croissant du système métrique nous a incités à ne faire usage que des unités et de la nomenclature du Système international. L'homogénéité des unités élimine donc une difficulté inutile à l'étude de la physique.

Pour aider les étudiants et les professeurs à mieux organiser l'apprentissage et à faire un meilleur usage du grand nombre de problèmes, les auteurs ont regroupé ces problèmes, les ont disposés par ordre croissant de difficulté et ont donné les réponses aux numéros impairs, à la suite du problème plutôt qu'à la fin du livre. Bien sûr, l'arrangement par section et par ordre croissant n'a rien d'absolu, compte tenu de plusieurs facteurs propres à chaque utilisateur. Enfin, on a coiffé certaines sections des mots « Note » ou « Notions avancées ». On le comprendra, ces parties, bien que non indispensables à la suite logique du texte, présentent des faits pertinents ou une étude plus poussée, selon le cas, de nature à capter l'attention ou à répondre aux interrogations des étudiants plus intéressés. La distinction est parfois arbitraire, nous en convenons.

Ce manuel, à notre avis, est plus qu'un simple livre de physique; il constitue une méthode d'apprentissage de la physique, basée sur la compréhension et la discussion des lois et des phénomènes. On pourrait reprocher aux auteurs la répétition dont ils font usage; il faut plutôt y voir un souci constant d'aider l'étudiant à saisir les différents aspects d'un problème.

Nous espérons que cette adaptation française de *Physics,* attendue depuis si longtemps, contribuera à faciliter la compréhension de la physique.

L'équipe de la traduction.

table des matières

5
DYNAMIQUE D'UNE PARTICULE — I
70

6
DYNAMIQUE D'UNE PARTICULE — II
95

7
TRAVAIL ET ÉNERGIE
114

8
LA CONSERVATION DE L'ÉNERGIE
132

9
CONSERVATION DE LA QUANTITÉ DE MOUVEMENT
160

10
COLLISIONS
185

11
CINÉMATIQUE DE ROTATION
213

12
DYNAMIQUE DE ROTATION — I
229

1
unités de mesure

1-1 GRANDEURS PHYSIQUES, ÉTALONS ET UNITÉS

Les éléments fondamentaux de la physique consistent dans les grandeurs physiques employées pour exprimer ses lois. Mentionnons entre autres: la masse, le temps, la force, la vitesse, la densité, la résistivité, la température, l'intensité lumineuse et le champ magnétique. Plusieurs de ces expressions, comme la longueur et la force, font partie de notre vocabulaire quotidien. On peut dire par exemple: « la *longueur* du travail m'importe peu pourvu qu'on ne me *force* pas à le faire. » En physique cependant, on doit définir d'une façon claire et précise les mots associés aux grandeurs physiques de telle sorte qu'il n'y ait pas de confusion.

Nous dirons qu'une grandeur physique, la masse par exemple, est déterminée lorsque l'ensemble des manipulations nécessaires pour la mesurer, ainsi que l'unité de la grandeur physique, sont définis. Pour ce faire, nous choisissons un étalon. Nous pouvons définir le kilogramme d'une façon arbitraire. L'important, c'est qu'il soit défini d'une façon utile et pratique, et qu'un consensus international soit atteint.

Il y a tellement de grandeurs physiques qu'il est devenu difficile de les classer de façon cohérente. Elles ne sont pas toutes indépendantes les unes des autres. Par exemple, la vitesse est égale au rapport d'une longueur à une unité de temps. Il s'agit de choisir, parmi toutes les grandeurs physiques, celles que l'on appellera grandeurs fondamentales. Les autres grandeurs seront alors des grandeurs dérivées. Nous choisissons un étalon pour chacune des grandeurs fondamentales. Par exemple, si la longueur est une grandeur fondamentale, nous choisirons un étalon, le mètre, et nous en donnerons une définition opérationnelle (voir section 1-3).

Plusieurs questions surgissent. Combien de grandeurs fondamentales choisirons-nous? Quelles seront ces grandeurs? Qui en fera le choix?

La réponse aux deux premières questions réside dans le choix du plus petit nombre de grandeurs physiques qui nous permet de décrire la physique de la façon la plus simple. Plusieurs choix sont possibles; par exemple, dans un système donné, la force peut être une grandeur fondamentale, ce qui n'est pas le cas dans le système que nous avons choisi (voir section 1-2).

La réponse à la troisième question dépend d'un consensus international. Le Bureau international des poids et mesures, situé près de Paris et établi en 1875, représente l'autorité mondialement reconnue en cette matière. Cet organisme entretient des relations continuelles avec des laboratoires analogues dans le monde entier.[1] Périodiquement, la Conférence générale des poids et mesures se réunit et fait des résolutions et des recommandations. La première rencontre a eu lieu en 1889 et la quatorzième, en 1971.

Une fois l'étalon déterminé, l'étalon de longueur par exemple, il faut établir un procédé qui permette de mesurer la longueur d'un objet en le comparant à cet étalon. À cette fin, il doit être accessible. On veut aussi obtenir une réponse uniforme chaque fois que l'on compare l'étalon et l'objet. L'étalon doit par conséquent être invariable. Ces deux conditions sont souvent incompatibles. Supposons que vous choisissiez la longueur comme grandeur fondamentale, et que vous la définissiez comme étant la distance entre le nez et le bout des doigts lorsque le bras est tendu. Vous nommez cette longueur *mètre*. Vous avez alors un étalon accessible, mais non invariable. Les besoins actuels de la science et de la technologie sont surtout orientés vers l'invariabilité. Nous obtiendrons l'accessibilité en créant des répliques et nous concentrerons nos efforts sur l'invariabilité.

Nous faisons souvent des comparaisons avec l'étalon primaire d'une façon fort indirecte. Dans le cas de la longueur, examinons les problèmes posés par la mesure (1) de la distance entre la Terre et la galaxie d'Andromède, (2) de la hauteur d'une personne, et (3) de la distance entre les noyaux dans la molécule NH_3. Dans ces trois cas, la technique employée pour comparer l'étalon avec la longueur à mesurer varie énormément. On ne peut certainement pas employer une règle à mesurer dans le premier et dans le troisième cas.

1-2 LE SYSTÈME INTERNATIONAL D'UNITÉS [2]

La quatorzième Conférence générale des poids et mesures (1971), se basant sur les résultats des réunions précédentes et des comités internationaux, a choisi les sept grandeurs du tableau 1-1 comme grandeurs fondamentales. C'est la base du Système international d'unités (SI).

Tout au long du livre, nous donnerons des exemples de grandeurs dérivées du SI, comme la vitesse, la force ou la résistance électrique. Par exemple, l'unité SI de force, appelée le *newton*, N, est définie par les unités de base suivantes:

$$1 \text{ N} = 1 \text{ kg} \cdot \text{m/s}^2$$

Souvent, l'expression de la valeur numérique de certaines quantités physiques nécessite l'emploi de nombres très grands ou très petits (par exemple: le rayon de la terre et l'intervalle de temps s'écoulant entre deux phénomènes nucléaires).

[1] Voir « Standards of Measurement », Allen V. Astin, *Scientific American*, juin 1968, ainsi que « A Short History of Measurement Standards at the National Physical Laboratory », H. Barrell, *Contemporary Physics 9*, 205 (1968).

[2] Voir les publications suivantes:
— « Guide de familiarisation au système métrique », CAN-3-001-02-73
— « Guide d'usage du système métrique », ISBN 0-7744-0127-3
— « Unités de mesure du système international », B.N.Q. 9990-901
— « Principes d'écriture des unités de mesure et des symboles de grandeur », B.N.Q. 9990-911
— « Physique et SI », MEQ, 16-3171.

Tableau 1-1
Unités de base SI

Grandeur	Unité	Symbole
Longueur	mètre	m
Masse	kilogramme	kg
Temps	seconde	s
Courant électrique	ampère	A
Température thermodynamique	kelvin	K
Quantité de matière	mole	mol
Intensité lumineuse	candela	cd

À cette fin, la quatorzième Conférence générale des poids et mesures a recommandé les préfixes du tableau 1-2. Ainsi, le rayon de la Terre ($6{,}37 \times 10^6$ m) s'écrira 6,38 Mm, et un intervalle de temps typique à la physique nucléaire ($2{,}35 \times 10^{-9}$s) s'écrira 2,35 ns. On a utilisé les racines grecques comme préfixes pour les multiples et les racines latines pour les sous-multiples.

Tableau 1-2
Préfixes SI

Facteur	Préfixe	Symbole	Facteur	Préfixe	Symbole
10^1	déca	da	10^{-1}	déci	d
10^2	hecto	h	10^{-2}	centi	c
10^3	kilo	k	10^{-3}	milli	m
10^6	méga	M	10^{-6}	micro	μ
10^9	giga	G	10^{-9}	nano	n
10^{12}	téra	T	10^{-12}	pico	p
10^{15}	péta	P	10^{-15}	femto	f
10^{18}	exa	E	10^{-18}	atto	a

Pour compléter le tableau 1-1, nous avons besoin d'une marche à suivre qui nous dira comment produire en laboratoire les sept unités fondamentales du SI. Nous approfondirons la marche à suivre pour la longueur, la masse et le temps dans les trois prochaines sections. On rencontre aussi deux autres systèmes d'unités. L'un est le système gaussien, qu'on rencontre souvent dans les articles sur la physique. Nous ne l'utiliserons pas dans ce livre. L'autre est le système anglais; il disparaît progressivement pour faire place au SI. Il existe des tables de conversion du système international au système gaussien et du système anglais au SI.[3] Un appendice, à la fin de ce volume, fournit un certain nombre de facteurs de conversion.

1-3 *L'ÉTALON DE LONGUEUR*[4]

Le premier étalon de longueur était une tige de platine iridié, gardée dans des conditions spéciales de température et de pression au Bureau international des poids et mesures. La distance entre deux lignes fines gravées sur des plaques d'or aux extrémités de la tige déterminait le *mètre*. La tige, entreposée dans une chambre à température et à pression contrôlées, était supportée mécaniquement

[3] Voir « Conversion to the Metric System », Lord Ritchie-Calder, *Scientific American*, juillet 1970. Le journal *Metric News* (Swani Publishing Company, P.O. Box 248, Roscoe, Illinois 61073) nous donne les informations les plus récentes reliées aux problèmes de la métrisation. La publication « Metric System Guide » (J.J. Keller Associates, 145 W. Wisconsin Avenue, Neenah, Wisconsin 54956) serait également à voir.

[4] Voir « The Metre », H. Barrell, *Contemporary Physics 3*, 415 (1962).

de façon à ne pas créer de tensions pouvant la déformer en cours d'entreposage. A l'origine, le mètre avait été défini comme un dix-millionième de la distance séparant le pôle nord de l'équateur, le long du méridien passant par Paris. Des mesures très précises, prises après la construction de l'étalon, montrèrent une légère différence (0,023%) de sa valeur primaire.

À cause de son inaccessibilité, des copies du mètre-étalon furent faites et envoyées dans des laboratoires à travers le monde. Ces étalons secondaires furent employés à calibrer d'autres tiges, encore plus accessibles. Ainsi, jusqu'à récemment, les règles à mesurer provenaient plus ou moins directement du mètre-étalon.

Il y a plusieurs objections à choisir le mètre comme étalon primaire de longueur. Il pourrait être détruit et, de plus, il n'est pas très accessible. À titre d'exemple, mentionnons que lors de l'incendie du Parlement de Londres en 1834, l'étalon anglais de longueur (le yard) et l'étalon de poids (la livre) furent détruits. Le Bureau international des poids et mesures fut déclaré par la France zone neutre internationale. Il fut ainsi préservé des batailles qui se déroulèrent en France à l'époque de la Seconde Guerre mondiale.

De plus, le procédé de mesure actuel par comparaison ne répond plus aux besoins de la science et de la technologie moderne. Les corrections délicates effectuées pendant les voyages spatiaux illustrent clairement ce fait. Si on ne pouvait exprimer la distance en fonction du temps avec précision, ces missions spatiales seraient beaucoup plus difficiles.

J. Babinet suggéra le premier, en 1828, que la longueur d'onde de la lumière soit employée comme étalon de longueur. L'invention de l'interféromètre donna aux hommes de science un instrument de haute précision. On emploie, dans ce cas, une onde lumineuse en guise d'instrument de mesure. La lumière visible a une longueur d'environ 0,5 μm (tableau 1-2). Avec le procédé des ondes lumineuses, on peut mesurer des longueurs de plusieurs centimètres avec une précision équivalant à une fraction de longueur d'onde et obtenir une précision d'une partie sur 10^9.

En 1960, la onzième Conférence générale des poids et mesures adopta un étalon atomique pour le mètre. La longueur d'onde dans le vide de la radiation rouge orangé provenant de la transition $2p_{10}-5d_5$ du $^{86}_{36}$Kr, fut choisie comme étalon. Cette radiation est émise lorsque le gaz est soumis à une décharge électrique. Plus précisément, le mètre est maintenant défini comme l'équivalent de 1 650 763,73 longueurs d'ondes de cette radiation. On obtient ce nombre en mesurant soigneusement la longueur du mètre-étalon en termes de cette longueur d'onde. Cette comparaison se fit de façon à ce que le nouvel étalon soit aussi cohérent que possible avec l'ancien étalon provenant de la tige de platine iridié. Le nouvel étalon permet des mesures de longueur avec une précision dix fois supérieure.

Le choix d'un étalon atomique offre d'autres avantages que la précision. On trouve le Krypton 86 partout dans la nature. La radiation émise par cet atome est la même dans tout l'univers et, lors de la transition choisie, elle est fortement monochromatique. On peut obtenir l'isotope à l'état très pur.

Une fois cet étalon de nature atomique établi, nous avons besoin de certains étalons secondaires calibrés sur le premier afin de les employer comme instruments de mesure. Dans le cas des distances atomiques, moléculaires ou astronomiques, nous ne pouvons pas comparer la distance en question à l'étalon primaire. Par exemple, nous connaissons les distances des étoiles rapprochées parce que leur position, par rapport à des étoiles beaucoup plus distantes, change lorsque la Terre se déplace sur son orbite. Si nous mesurons la variation angulaire (parallaxe) de la position d'une étoile par rapport aux étoiles éloignées, et que nous connaissons le diamètre de l'orbite de la Terre autour du Soleil, nous pouvons calculer la distance d'une étoile rapprochée.

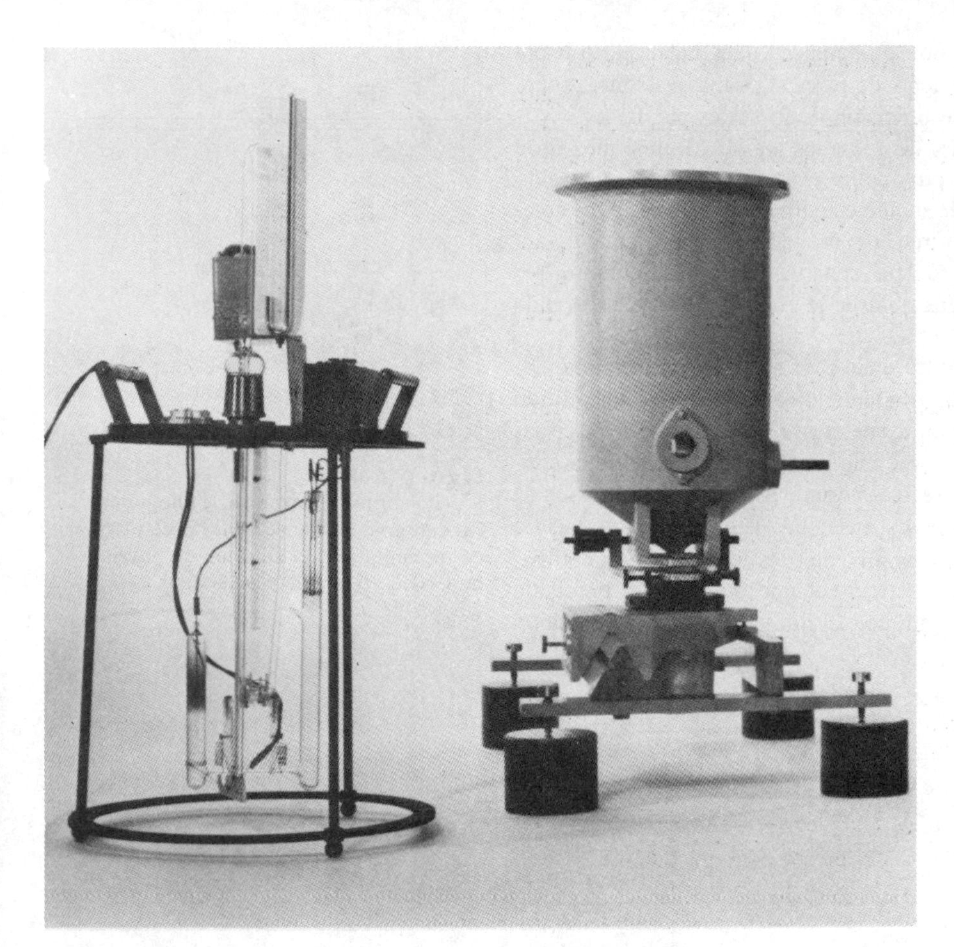

figure 1-1
On montre ici une source au krypton 86. Celle-ci a été retirée de l'enveloppe dans laquelle elle est normalement située. Lorsqu'elle fonctionne, la lampe est refroidie à l'azote liquide. (Courtoisie du National Physical Laboratories, Teddington, Angleterre.)

Le tableau 1-3 donne les valeurs de certaines distances typiques. Observez l'écart de 10^{37} qui existe entre les plus petites et les plus grandes distances.

Tableau 1-3
Quelques distances caractéristiques

Longueur	Mètres
Distance de la plus proche galaxie (Andromède)	2×10^{22}
Rayon de notre galaxie	6×10^{19}
Distance de la plus proche étoile (Alpha du Centaure)	$4{,}3 \times 10^{16}$
Distance moyenne entre Pluton et le Soleil	$5{,}9 \times 10^{12}$
Rayon du Soleil	$6{,}9 \times 10^{8}$
Rayon de la Terre	$6{,}4 \times 10^{6}$
Hauteur du mont Everest	$8{,}9 \times 10^{3}$
Grandeur d'une personne	$1{,}8 \times 10^{0}$
Épaisseur d'une page de livre	1×10^{-4}
Taille du virus de la polyomyélite	$1{,}2 \times 10^{-8}$
Rayon d'un atome d'hydrogène	$5{,}0 \times 10^{-11}$
Rayon effectif du proton	$1{,}2 \times 10^{-15}$

1-4 *ÉTALON DE MASSE*

L'étalon de masse dans le SI est un cylindre de platine iridié conservé au Bureau international des poids et mesures. On lui a assigné arbitrairement la masse de 1 kg. Des étalons secondaires ont été envoyés dans des laboratoires de standardisation de par le monde.

On trouve les masses des corps à l'aide de balances. Ces balances utilisent le principe de l'annulation de deux moments de force. Les masses sont susceptibles aujourd'hui d'être mesurées à une précision de 2 parties par 10^8.

Le tableau 1-4 nous donne les valeurs de certaines masses. Remarquez qu'il y a un rapport d'environ 10^{70} entre la plus petite et la plus grande valeur. La plupart des mesures de masse se font de manière indirecte avec le kilogramme-étalon. Par exemple, nous pouvons mesurer la masse de la Terre en connaissant la force d'attraction gravitationnelle entre deux sphères de plomb. Leurs masses doivent être connues par comparaison directe avec le kilogramme-étalon à l'aide d'une balance (à fléau, par exemple).

À l'échelle atomique on utilise un autre étalon de mesure comme unité SI. C'est la masse de l'atome du carbone 12, à laquelle on a assigné, par convention internationale, une valeur de douze (12) unités de masse atomique (u). Nous pouvons trouver les masses d'autres atomes avec une précision remarquable en employant un spectomètre de masse. Le tableau 1-5 donne les valeurs des masses de quelques atomes. L'incertitude des mesures est aussi indiquée. Nous avons besoin d'un second étalon de masse pour la raison suivante: les techniques de comparaison des masses atomiques entre elles permettent une plus grande précision que leur comparaison à l'étalon-kilogramme. L'équivalence entre les deux étalons est la suivante:

$$1 \text{ u} = 1{,}660 \times 10^{-27} \text{ kg}.$$

figure 1-2
L'étalon primaire de masse, le kilogramme, est conservé au Canada par la section de mécanique de la Division de physique du CNRC. Il est placé sous deux cloches de verre.

Tableau 1-4
Masse de quelques objets typiques

Objet	Kilogrammes
Notre galaxie	$2{,}2 \times 10^{41}$
Le Soleil	$2{,}0 \times 10^{30}$
La Terre	$6{,}0 \times 10^{24}$
La Lune	$7{,}4 \times 10^{22}$
La masse de l'eau de tous les océans	$1{,}4 \times 10^{21}$
Un transatlantique	$7{,}2 \times 10^{7}$
Un éléphant	$4{,}5 \times 10^{3}$
Une personne	$5{,}9 \times 10^{1}$
Un raisin	$3{,}0 \times 10^{-3}$
Un grain de poussière	$6{,}7 \times 10^{-10}$
Un virus	$2{,}3 \times 10^{-13}$
Une molécule de pénicilline	$5{,}0 \times 10^{-17}$
Un atome d'uranium	$4{,}0 \times 10^{-26}$
Un proton	$1{,}7 \times 10^{-27}$
Un électron	$9{,}1 \times 10^{-31}$

Tableau 1-5
Quelques masses atomiques

Isotope	Masse (unités de masse atomique)	
$^{1}_{1}H$	1,007 825 22	± 0,000 000 02
$^{12}_{6}C$	12,000 000 00	(exactement)
$^{64}_{29}Cu$	63,929 756 8	± 0,000 003 5
$^{102}_{47}Ag$	101,911 576	± 0,000 024
$^{137}_{55}Cs$	136,907 074	± 0,000 005
$^{190}_{78}Pt$	189,959 965	± 0,000 026
$^{238}_{94}Pu$	238,049 582	± 0,000 011

1-5 ÉTALON DE TEMPS [5]

La mesure d'un intervalle de temps revêt deux aspects. Pour les fins civiles et parfois scientifiques, nous voulons connaître l'heure des événements pour en établir une chronologie. Dans la plupart des travaux scientifiques, toutefois, nous désirons savoir la durée d'un événement. Ainsi, un étalon convenable de temps doit permettre de répondre aux questions suivantes: quand l'événement s'est-il produit? quelle fut sa durée? Le tableau 1-6 montre quelques intervalles de temps susceptibles d'être mesurés. L'écart entre le plus grand et le plus petit est d'environ 10^{40}.

Nous pouvons employer n'importe quel phénomène périodique comme étalon de temps: un pendule, un système à ressort ou un cristal de quartz, par exemple. La mesure du temps consiste à compter le nombre de répétitions du phénomène.

Tableau 1-6
Quelques intervalles de temps

Intervalle de temps	Secondes
Âge de la Terre	$1,3 \times 10^{17}$
Âge des pyramides	$1,2 \times 10^{11}$
Espérance de vie pour un homme (Canada et États-Unis)	2×10^{9}
Période de rotation de la Terre autour du Soleil	$3,1 \times 10^{7}$
Période de rotation de la Terre sur elle-même	$8,6 \times 10^{4}$
Période de révolution d'un satellite	$5,1 \times 10^{3}$
Période de demi-vie d'un neutron libre	$7,0 \times 10^{2}$
Temps entre deux battements de coeur	$8,0 \times 10^{-1}$
Période de vibration d'un diapason (la-440)	$2,3 \times 10^{-3}$
Temps de demi-vie du muon	$2,2 \times 10^{-6}$
Période d'oscillation des micro-ondes (3 cm)	$1,0 \times 10^{-10}$
Période de rotation d'une molécule	1×10^{-12}
Temps de demi-vie du pion neutre	$2,2 \times 10^{-16}$
Période d'oscillation des rayons gamma (1 MeV) (calculée)	4×10^{-21}
Temps pris par la lumière pour franchir une distance égale au diamètre d'un noyau atomique (calculée)	2×10^{-23}

Aujourd'hui encore, l'étalon civil de temps est le jour. La seconde est définie comme étant 1/86 400 du jour. On appelle temps universel (TU) le temps ainsi défini en fonction de la rotation de la Terre. Le temps universel doit être mesuré par des observations astronomiques s'étendant sur plusieurs semaines. Les horloges à cristaux fonctionnent grâce aux vibrations d'un cristal de quartz entretenues électriquement. Elles servent d'étalons secondaires de temps. Les meilleures d'entre elles peuvent présenter une erreur maximale de 0,02 s pour une année.

L'une des utilisations les plus répandues de l'étalon de temps est la mesure des fréquences. Dans la bande des fréquences-radio, on effectue les mesures à l'aide d'horloges au quartz et de procédés électroniques qui fournissent une précision d'au moins une partie sur 10^{10}. Ajoutons que nous avons souvent besoin de mesures aussi précises. Toutefois, cette précision est cent fois supérieure à celle qui est impliquée lors de la calibration de l'horloge au quartz elle-même, qui s'effectue grâce à des observations astronomiques. Afin de ré-

[5] Voir « Accurate Measurement of Time », Louis Essen, *Physics Today*, 1960.

pondre à la nécessité d'un meilleur étalon de temps, on a mis au point dans différents pays des horloges atomiques dont le fonctionnement est basé sur les vibrations d'un atome.

Un type particulier d'horloges atomiques, basé sur une fréquence caractéristique associée au césium 133, fonctionne depuis 1955 au National Physical Laboratory en Grande-Bretagne. La figure 1-3 montre une horloge similaire appartenant au Conseil national de recherches du Canada. À la Conférence générale des poids et mesures (1967), on a défini la *seconde* en se servant de la période de vibration de l'horloge au césium. La seconde fut définie comme étant 9 192 631 770 périodes d'un mode de vibration caractéristique du césium 133. On a ainsi atteint une précision mille fois plus grande que les mesures associées aux méthodes astronomiques. Avec cette précision (1 partie par 10^{12}), deux horloges au césium ne différeront que d'une seconde au bout de 6000 ans. On croit même pouvoir construire des horloges atomiques d'une plus grande précision.

figure 1-3
L'horloge atomique Cs V située à la section Temps et fréquence de la division de physique du CNRC. Elle est la base de l'échelle du temps officiel canadien. (Bruce Kane, CNRC.)

La figure 1-4 nous montre les variations, sur une durée de trois ans, de la période de rotation de la Terre, révélées par une horloge au césium. Notez que la vitesse de rotation est élevée en été, faible en hiver (hémisphère nord) et décroît régulièrement d'une année à l'autre. On peut se demander la cause de ce phénomène. Provient-il de l'horloge atomique ou est-il causé par la variation de la période de rotation de la Terre? On peut répondre de deux manières.

En premier lieu, la simplicité relative de l'atome, comparée à celle de la planète, nous porte à penser que la période de rotation de la Terre serait en cause. Les marées occasionnent des frottements entre les eaux et la surface des fonds marins. Cela entraîne un ralentissement de la période de rotation de la Terre. De plus, les mouvements saisonniers des vents provoquent un ralentissement de la vitesse de rotation de la Terre. On peut aussi mettre en cause le gel et le dégel des calottes polaires.

En second lieu, le système solaire nous offre d'autres cas de mouvements périodiques pouvant servir d'horloges naturelles. Les périodes des planètes et de leurs satellites sont des exemples parmi plusieurs. Le temps de rotation de la Terre varie par rapport à ces mouvements. Ces dernières variations sont similaires à celles illustrées dans la figure 1-4 mais observables avec une précision moins grande.

On peut rendre accessible à tous l'unité de temps étalon, grâce à la transmission radio[6]. La station CHU, à Ottawa, en est un exemple. Elle émet à des fréquences de 3,3 MHz, 7,335 MHz et 14,670 MHz régularisées par comparaison à des horloges au césium. On définit le *hertz* (Hz), l'unité de fréquence, comme étant un cycle par seconde.

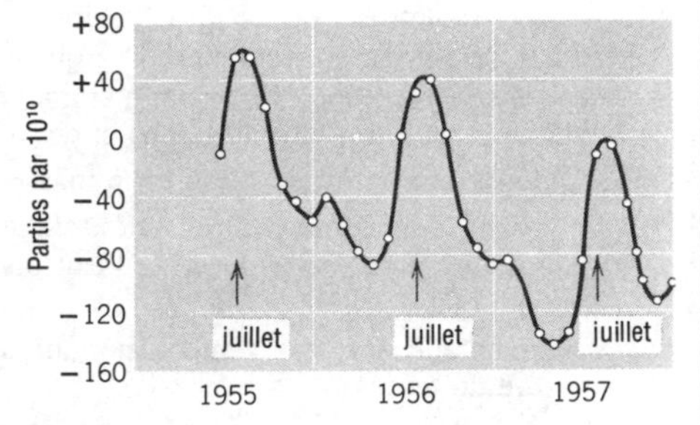

figure 1-4
Variation de la vitesse de rotation de la Terre mesurée avec une horloge au césium. (Adapté de L. Essen, *Physics Today*, juillet 1960.)

questions

1. Discutez l'affirmation suivante: « Une fois que l'on a décidé de donner à notre mesure de référence le qualificatif d'étalon, il est invariable. »
2. Plusieurs scientifiques croient en la possibilité d'une perception extrasensorielle. En supposant que ce phénomène soit une réalité de la nature, quelles quantités physiques choisiriez-vous pour le décrire quantitativement?
3. Selon plusieurs physiciens et philosophes, lorsque nous ne pouvons pas décrire les manipulations nécessaires pour déterminer une grandeur physique, nous disons que cette grandeur est inexistante. Par conséquent, elle ne possède pas de réalité physique. Tous les scientifiques n'appuient pas cette affirmation. Quelles sont, selon vous, les limites et la valeur d'un tel point de vue?
4. Pensez-vous que la définition d'une grandeur physique pour laquelle on n'a pas donné de méthode de mesure ait du sens?
5. Donnez des caractéristiques, autres que l'accessibilité et l'invariabilité, que devrait posséder un étalon correspondant à une grandeur physique.
6. Peut-on imaginer un système d'unités dans lequel le temps ne serait pas inclus? (Tableau 1-1)
7. Des sept unités de base du tableau 1-1, seul le kilogramme a un préfixe (kilo pour mille). Serait-il plus sage de redéfinir la masse du cylindre de platine iridié conservé au Bureau international des poids et mesures en fonction du gramme?
8. Peut-on définir la température comme une grandeur qui serait dérivée en utilisant la longueur, la masse et le temps? Pensez à un pendule.
9. Le mètre fut défini à l'origine comme étant un dix-millionième de la longueur du quart du méridien passant par Paris. Cette définition (voir section 1-3) mène à une différence de 0,023% par rapport au mètre-étalon. Faut-il en déduire que le mètre-étalon est imprécis?
10. Lors de la définition du mètre comme étalon de longueur, on spécifie la température. Pourquoi? Peut-on dire que la longueur est une grandeur fondamentale même si une autre grandeur physique, comme la température, est nécessaire à sa définition?
11. Quelqu'un vous affirme que les dimensions de tous les objets sur Terre ont été réduites de moitié par rapport à celles qu'ils avaient la journée précédente. Comment pouvez-vous réfuter cette affirmation?
12. Est-ce que la longueur d'une courbe peut être mesurée? Comment?
13. Proposez un moyen de mesurer: *(a)* le rayon de la Terre; *(b)* la distance entre la Terre et le Soleil; *(c)* le rayon du Soleil.
14. Proposez un moyen de mesurer: *(a)* l'épaisseur d'une feuille de papier; *(b)* l'épaisseur de la paroi d'une bulle de savon; *(c)* le diamètre d'un atome.
15. Pourquoi a-t-on jugé utile de se donner deux étalons de masse, le kilogramme-étalon et la masse du carbone 12?
16. Comment obtenir la relation entre la masse du kilogramme-étalon et la masse de l'isotope carbone 12?

[6] Voir « Nouvel étalon pour l'horloge atomique », *Science Dimension, vol. 7 no 1, 1975.*

17. Le kilogramme-étalon est-il accessible, invariable, reproductible et indestructible? Peut-il se comparer facilement à la quantité à mesurer? Un étalon de nature atomique serait-il meilleur? Pourquoi n'employons-nous pas un étalon de nature atomique comme pour la mesure du temps et de la longueur?
18. Proposez une façon de mesurer la masse des objets du tableau 1-4.
19. Proposez des noms d'objets dont la masse est intermédiaire entre celle d'un transatlantique et celle de toute l'eau contenue dans les océans. Estimez la masse de ces objets.
20. Nommez plusieurs mouvements périodiques naturels pouvant servir d'étalons pour la mesure du temps.
21. On peut définir la seconde comme valant 1,20 pulsation cardiaque du président du Conseil national de recherches du Canada. Galilée employa une définition similaire dans quelques-uns de ses travaux. Hormis la question d'invariabilité, pourquoi pensez-vous qu'une définition basée sur l'horloge atomique est meilleure?
22. À quels critères de qualité une bonne horloge doit-elle répondre?
23. Le temps que met la Lune à retrouver une même position par rapport aux étoiles lointaines est appelé mois sidéral (27,3 jours). Par contre, le temps qui s'écoule entre deux phases identiques (deux pleines lunes, par exemple) est appelé mois lunaire. (29,5 jours). On observe que le mois lunaire est plus long que le mois sidéral. Pourquoi?
24. Donnez les inconvénients du pendule s'il servait d'étalon pour mesurer le temps.
25. Concevez une façon de définir un étalon de longueur en fonction d'un étalon de temps et vice versa. Songez à une horloge à pendule. Dans ce cas, est-ce que la longueur et le temps peuvent servir de grandeurs fondamentales?

problèmes

SECTION 1-2

1. Avec les préfixes du tableau 1-2, exprimez d'une autre façon les quantités suivantes: *(a)* 10^6 appels téléphoniques; *(b)* 10^{-6} appels téléphoniques; *(c)* 10 cartes à jouer; *(d)* 10^9 boutons; *(e)* 10^{12} taureaux; *(f)* 10^{-1} camarade.

SECTION 1-3

2. Estimez votre hauteur en mètres.
3. Exprimez en centimètres par seconde une vitesse de 72 km/h. Utilisez les facteurs de conversion suivants: 1 km = 1000 m, 1 m = 100 cm, 1 h = 60 min, 1 min = 60 s.
4. Une fusée atteint une hauteur de 300 km. Combien de mètres cela représente-t-il?
5. *(a)* Dans les compétitions d'athlétisme, des parcours de 100 m et de 100 verges sont utilisés. Lequel est le plus long et de combien? *(b)* On conserve les records du mille anglais et du « mille métrique » (1500 mètres). Dans quel cas le coureur parcourt-il la plus grande distance?
6. L'immensité des espaces sidéraux, en regard des distances terrestres, nécessite l'emploi d'unités de longueur spéciales qui puissent nous aider à comprendre les distances astronomiques. Une *unité astronomique* (UA) est égale à la distance approximative entre la Terre et le Soleil, soit 149,600 Gm. Le *parsec* (pc) est la distance à laquelle 1 UA sous-tend un angle de 1 seconde d'arc. *L'année lumière* est la distance que parcourt dans le vide une onde électromagnétique, pendant un an (la vitesse de la lumière est de 3×10^8 m/s). Exprimez la distance de la Terre au Soleil en parsec et en années-lumières. Exprimez une année-lumière et un parsec en kilomètres.
7. Les experts machinistes aimeraient disposer de jauges précises au dix millionième de centimètre. Montrez que le mètre-étalon ne peut pas atteindre cette précision mais que l'étalon au $^{86}_{36}$Kr le peut. Employez les données de ce chapitre.
8. Donnez la relation existant entre: *(a)* un mètre carré et un centimètre carré; *(b)* un mètre carré et un kilomètre carré; *(c)* un mètre cube et un centimètre cube.

9. On admet que la distance du Soleil à la Terre est égale à 400 fois la distance de la Lune à la Terre. Imaginons maintenant une éclipse totale du Soleil. *(a)* Quel est le rapport entre le diamètre du Soleil et celui de la Lune? *(b)* Quel est le rapport entre le volume du Soleil et celui de la Lune? *(c)* Par un soir de pleine Lune, vous placez une pièce de monnaie à une certaine distance de votre oeil de façon à masquer exactement le disque lunaire. Évaluez expérimentalement l'angle sous-tendu par la pièce de monnaie. Avec ce résultat expérimental et la distance Terre-Lune ($3{,}8 \times 10^5$ km), estimez le diamètre de la Lune.

SECTION 1-4

10. Au moyen des facteurs de conversion appropriés et des données du chapitre, calculez le nombre d'atomes d'hydrogène nécessaires pour obtenir une masse de 1 kilogramme.
11. Avec la valeur numérique du nombre d'Avogadro, vous pouvez supposer que la masse de la Terre vaut 10 moles de kilogrammes. Que signifie cet énoncé et quelle est sa précision? La masse de la Terre est $5{,}98 \times 10^{24}$ kg.
12. *(a)* En supposant que la masse volumique (masse/volume) de l'eau soit de 1 gramme par centimètre cube, exprimez cette masse volumique en kilogrammes par litre. *(b)* Supposons que l'on prenne exactement 10 heures pour vider un réservoir de 1,00 litre d'eau. Quel est le débit moyen, en kilogrammes par seconde, de l'eau sortant du réservoir?
13. On peut dire, dans certaines situations, que le nombre de secondes dans une année est $\pi \times 10^7$. Quelle est, en %, la précision de cette valeur?
Réponse: −0,44%.
14. *(a)* Une unité de temps quelquefois employée en physique des infiniment petits est le « shake ». Le « shake » équivaut à 10^{-8} s. Y a-t-il plus de « shakes » dans une seconde que de secondes dans une année? *(b)* L'espèce humaine est apparue sur Terre il y a un million d'années environ, alors qu'on a estimé l'âge de l'univers à 10^{10} années. Si l'âge de l'univers représentait une journée, estimez l'âge de l'humanité en secondes.
15. La vitesse maximale de certains animaux est ici donnée, approximativement, en kilomètres par heure. *(a)* un escargot: 3×10^{-2}; *(b)* une araignée: 1,2; *(c)* un écureuil: 12; *(d)* un homme: 28; *(e)* un lapin: 35; *(f)* un renard: 42; *(g)* un lion: 50; *(h)* un guépard: 70. Transformez ces vitesses en mètres par seconde.
16. À l'aide de la figure 1-4, donnez la différence de temps de la période de rotation terrestre au mois de juillet et au mois de mars.
17. Cinq horloges sont vérifiées en laboratoire. Le tableau suivant reproduit le temps indiqué par ces horloges lors de l'émission du signal horaire d'une station de radio.

Horloge	Dim.	Lun.	Mar.	Mer.	Jeu.	Ven.	Sam.
A	12:36:40	12:36:56	12:37:12	12:37:27	12:37:44	12:37:59	12:38:14
B	11:59:59	12:00:02	11:59:57	12:00:07	12:00:02	11:59:56	12:00:03
C	15:50:45	15:51:43	15:52:41	15:53:39	15:54:37	15:55:35	15:56:33
D	12:03:59	12:02:52	12:01:45	12:00:38	11:59:31	11:58:24	11:57:17
E	12:03:59	12:02:49	12:01:54	12:01:52	12:01:32	12:01:22	12:01:12

Classifiez ces horloges par ordre décroissant de précision.
Réponse: C, D, A, B, E. Le critère important est la constance de la variation journalière et non sa grandeur.

18. Sachant que la longueur du jour augmente uniformément de 0,001 s par siècle, calculez l'allongement du jour après 20 siècles. Ce ralentissement de la vitesse de rotation de la Terre est mis en évidence par l'observation des éclipses solaires survenues durant cette période.
19. Exprimez la vitesse de la lumière, 3×10^8 m/s, en: *(a)* mètres/nanoseconde et *(b)* en millimètres par picoseconde.
20. L'unité astronomique (UA) est la distance moyenne de la Terre au Soleil, soit approximativement 149 000 000 km. La vitesse de la lumière vaut environ $3{,}0 \times 10^8$ m/s. Exprimez la vitesse de la lumière en unités astronomiques par minute.
21. Un vaisseau spatial file à 30 000 km/h. Quelle est sa vitesse en années-lumière par siècle? L'année-lumière représente la distance franchie par la lumière en un an. (La vitesse de la lumière est de 3×10^8 m/s.)

22. *(a)* Le rayon du proton vaut environ 10^{-15} m, et le rayon de l'univers, environ 10^{28} cm. Comparez le diamètre de la Terre avec la valeur qui se situe approximativement au milieu de ces deux extrêmes sur une échelle logarithmique. *(b)* La durée de vie d'un pion est d'environ 2×10^{-16} s. L'âge de l'univers est d'environ 4×10^{9} années. Déterminez un intervalle de temps ayant une signification physique et qui se situe à mi-chemin entre ces deux extrêmes sur une échelle logarithmique.

2
les vecteurs

2-1
SCALAIRES ET VECTEURS

On utilise le mot *déplacement* pour signifier un changement de position. Lorsqu'un objet se déplace d'une position A à une position B, (fig. 2-1*a*), on peut représenter son déplacement par une flèche joignant ces deux points; la tête de la flèche est placée au point B pour indiquer que le mouvement s'est effectué *de A vers B*. La flèche ne donne aucune précision sur la façon dont s'est effectué le trajet; elle n'indique que l'effet résultant du mouvement de l'objet.

La figure 2-1*b* illustre la trajectoire suivie par un objet, c'est-à-dire l'ensemble des points occupés successivement par ce corps. La trajectoire, dans ce cas, est bien différente du déplacement AB. Le point P sur cette figure est une position intermédiaire occupée par l'objet. Le déplacement AP représente le chan-

figure 2-1
Les vecteurs déplacements. *(a)* Les vecteurs AB et $A'B'$ sont identiques puisqu'ils ont la même longueur et la même orientation. *(b)* La trajectoire de A à B peut être une courbe quelconque, et le déplacement n'en demeure pas moins le vecteur AB. Le vecteur AP représente le déplacement entre le point A et un point intermédiaire P sur la trajectoire. *(c)* Le déplacement AB est suivi d'un autre, BC. AC représente le déplacement total.

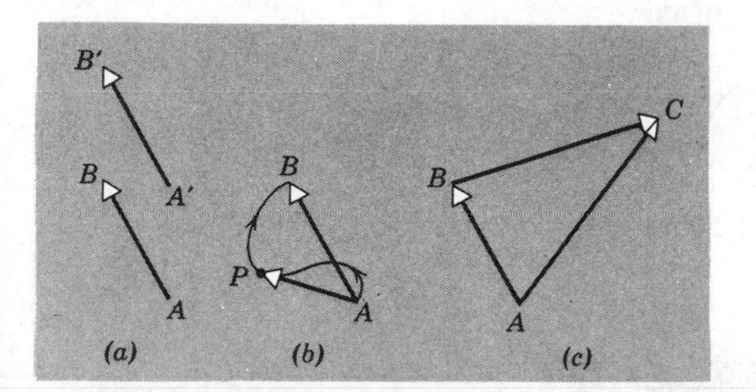

gement de position effectué pendant cet intervalle de temps. De plus, tout déplacement $A'B'$ (fig. 2-1a) parallèle à AB, qui a la même orientation et la même longueur que ce dernier, représente le même changement de position, c'est-à-dire le même déplacement. Deux éléments entrent donc dans la définition d'un déplacement: sa *grandeur* et son *orientation*.

Un premier déplacement AB, suivi d'un deuxième BC (fig. 2-1c) donne un déplacement total AC. Dans ce cas, on dit que AC est la *somme* ou la *résultante* des déplacements AB et BC. Cette somme, notons-le, n'est pas une somme algébrique et un chiffre seul est insuffisant pour la déterminer.

Les grandeurs physiques qui se comportent comme des déplacements s'appellent des *vecteurs*.[1] Les vecteurs sont donc caractérisés par une *grandeur*, parfois appelée *module*, et par une *orientation*. Ils obéissent de plus à certaines lois spéciales d'addition et de produit dont l'explication viendra plus loin. Parmi les grandeurs physiques qui se comportent comme des déplacements, l'on retrouve la force, la vitesse, l'accélération, le champ électrique et le champ magnétique. Plusieurs lois de la physique de même que plusieurs définitions y gagnent en clarté et en précision lorsqu'elles sont écrites sous forme vectorielle.

Les grandeurs physiques qui sont complètement déterminées par un nombre exprimé dans une unité convenable s'appellent des *scalaires*. La masse, le temps, la densité, l'énergie et la température sont des scalaires. Ce sont les lois de l'algèbre ordinaire qui s'appliquent aux scalaires.

2-2 *L'ADDITION DE VECTEURS. LA MÉTHODE GÉOMÉTRIQUE*

On représente un vecteur par une flèche. La longueur de la flèche doit être proportionnelle à la grandeur du vecteur; ceci suppose qu'on se choisisse une unité de mesure, c'est-à-dire une échelle. La direction de la flèche représente celle du vecteur; la pointe de la flèche en précise le sens. Un déplacement de 10 m dans la direction nord-est aura, avec une échelle d'un centimètre pour deux mètres, une longueur de 5 cm et un angle de 45°, l'angle de 0° indiquant la direction est. De plus, la pointe de la flèche sera à l'extrême droite. Dans un texte dactylographié ou manuscrit, on peut représenter un vecteur en posant une flèche au-dessus du symbole qui le désigne. Lorsqu'on voudra la grandeur du vecteur, sa grandeur seulement, on utilisera $|\vec{\mathbf{d}}|$, ou, plus fréquemment, le symbole « d » en italique.

La figure 2-2 reprend les vecteurs de la figure 2-1c qu'on désigne maintenant par les lettres $\vec{\mathbf{a}}$, $\vec{\mathbf{b}}$ et $\vec{\mathbf{r}}$. On peut écrire la relation entre ces vecteurs de la façon suivante:

$$\vec{\mathbf{a}} + \vec{\mathbf{b}} = \vec{\mathbf{r}}. \qquad (2\text{-}1)$$

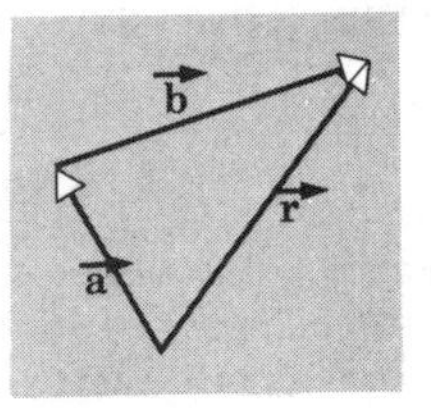

figure 2-2
L'addition vectorielle $\vec{\mathbf{a}} + \vec{\mathbf{b}} = \vec{\mathbf{r}}$. Comparer avec la figure 2-1c.

Cette équation vectorielle représente une somme de vecteurs. Pour effectuer une telle somme, selon la méthode géométrique, on dessine le vecteur $\vec{\mathbf{a}}$, puis on ajoute le vecteur $\vec{\mathbf{b}}$, de telle sorte que l'origine de $\vec{\mathbf{b}}$ touche la pointe de $\vec{\mathbf{a}}$; enfin, la flèche joignant l'origine de $\vec{\mathbf{a}}$ à la pointe de $\vec{\mathbf{b}}$ constitue le vecteur somme $\vec{\mathbf{r}}$. Celui-ci représente un déplacement équivalent, en longueur et en direction, aux déplacements successifs $\vec{\mathbf{a}}$ et $\vec{\mathbf{b}}$. On peut généraliser le procédé pour additionner plusieurs déplacements successifs. Cette méthode s'appellent aussi *méthode graphique* ou *méthode du triangle*.

Il faut noter que le symbole « + » dans l'équation 2-1 n'a pas tout à fait le sens qu'on lui donne en algèbre, ou en arithmétique. L'addition vectorielle exige

[1] Le mot vecteur, dérivé du mot latin *vector*, pouvait signifier « conducteur », « porteur » ou « messager » et suggère ainsi la notion de déplacement.

donc des opérations différentes de celles de l'algèbre. La figure 2-3 permet de prouver deux propriétés importantes de l'addition vectorielle:

$$\vec{a} + \vec{b} = \vec{b} + \vec{a}, \qquad \text{(commutativité)} \qquad (2\text{-}2)$$

et

$$\vec{d} + (\vec{e} + \vec{f}) = (\vec{d} + \vec{e}) + \vec{f}. \qquad \text{(associativité)} \qquad (2\text{-}3)$$

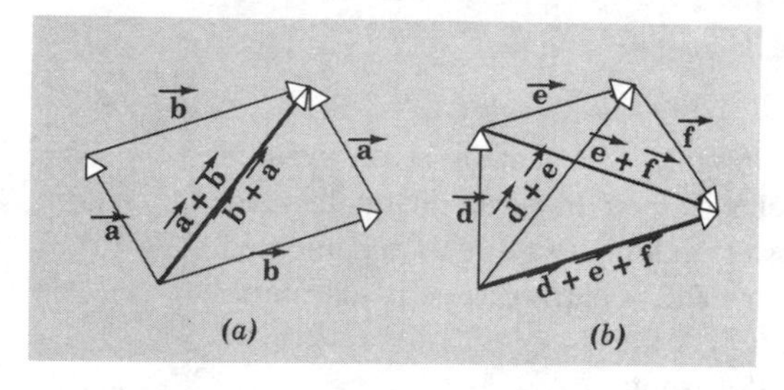

figure 2-3
(*a*) La loi de commutativité s'applique à l'addition vectorielle: $\vec{a} + \vec{b} = \vec{b} + \vec{a}$
(*b*) La loi d'associativité s'applique à l'addition vectorielle: $\vec{d} + (\vec{e} + \vec{f}) = (\vec{d} + \vec{e}) + \vec{f}$

Ces propriétés impliquent que ni l'ordre des vecteurs ni la façon de les regrouper n'influencent le résultat de la somme vectorielle. Ces propriétés appartiennent aussi à l'algèbre ordinaire.

La soustraction vectorielle se résume à une addition vectorielle si on définit le vecteur négatif $(-\vec{b})$ comme ayant la même grandeur et la même direction que $\vec{b}$ mais un sens contraire. Ainsi,

$$\vec{a} - \vec{b} = \vec{a} + (-\vec{b}) \qquad (2\text{-}4)$$

La figure 2-4 illustre ce résultat.

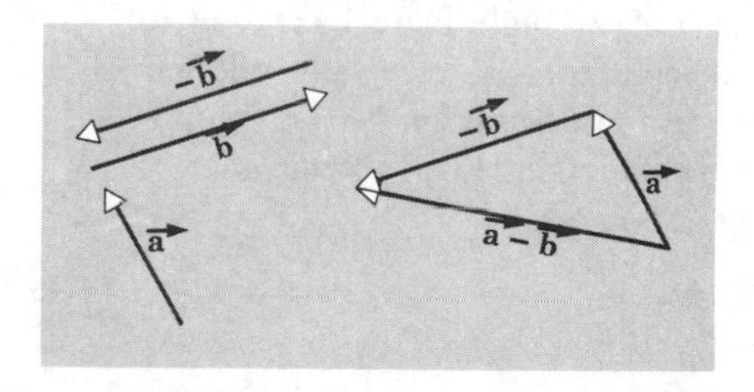

figure 2-4
La soustraction de deux vecteurs: $\vec{a} - \vec{b} = \vec{a} + (-\vec{b})$.

Les lois qu'on vient d'établir s'appliquent non seulement aux vecteurs déplacements mais à toutes les autres grandeurs vectorielles.

2-3 *L'ADDITION DE VECTEURS. LES COMPOSANTES D'UN VECTEUR. LA MÉTHODE ANALYTIQUE.*

La méthode graphique nous permet de bien visualiser l'opération d'addition vectorielle; elle s'avère cependant peu utile si on recherche la précision numérique, surtout pour un calcul impliquant trois dimensions. La présente section propose une méthode précise qui utilise les projections d'un vecteur sur les axes d'un système de coordonnées.

La figure 2-5*a* nous montre un vecteur $\vec{a}$, placé au centre d'un système de coordonnées orthogonal. Les composantes a_x et a_y sont obtenues en menant, à partir de la pointe du vecteur $\vec{a}$, des perpendiculaires aux axes « x » et « y » respectivement. Ce procédé sert aussi pour un vecteur à trois dimensions.

Un vecteur peut avoir des composantes différentes si on utilise un système de coordonnées différent. Si, par exemple, le système de coordonnées de la figure 2-5*a* subissait une rotation de 10° dans le sens antihoraire, les composantes de $\vec{a}$ seraient différentes. Il est possible aussi que le système de coordonnées ne soit pas orthogonal, c'est-à-dire que les axes n'aient pas entre eux un angle de 90°. On se rend compte qu'il faut très bien définir le système de coordonnées, sans quoi les composantes n'ont aucun sens.

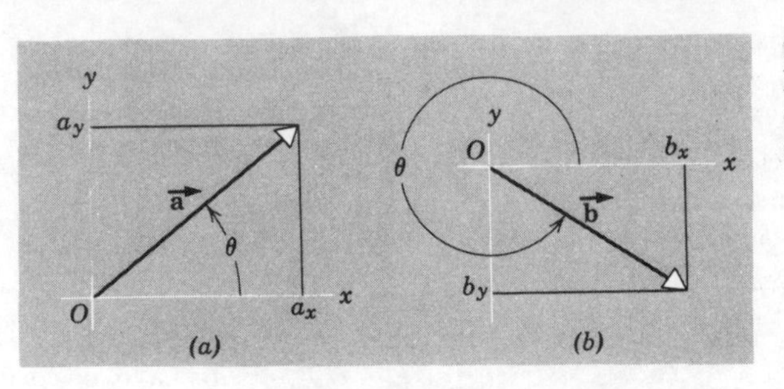

figure 2-5
Deux exemples montrant la façon d'obtenir les composantes d'un vecteur dans un système de coordonnées.

De plus, il n'est pas nécessaire que les origines du vecteur et du système d'axe coïncident. Le vecteur demeure inchangé peu importe où on le place sur le système de coordonnées, pourvu que sa grandeur et sa direction demeurent les mêmes. On obtient ses composantes en traçant, à partir des deux extrémités du vecteur, des perpendiculaires aux axes.

Les composantes a_x et a_y, dans la fig. 2-5*a*, sont:

$$a_x = a \cos \theta \qquad \text{et} \qquad a_y = a \sin \theta, \tag{2-5}$$

où θ est l'angle entre la direction positive de l'axe « x » et la direction du vecteur $\vec{\mathbf{a}}$. Le sens antihoraire est le sens positif de mesure d'un angle. C'est donc θ qui détermine le signe des composantes a_x et a_y. Par exemple, dans la figure 2-5*b*, b_y est négatif et b_x est positif. Les composantes d'un vecteur sont des grandeurs scalaires, puisqu'une valeur algébrique est suffisante pour les déterminer.

Les composantes d'un vecteur peuvent être utilisées pour le définir. Ainsi, au lieu des nombres a (grandeur du vecteur) et θ (angle entre l'axe x et le vecteur), il est possible de se servir des composantes a_x et a_y pour définir un vecteur. On peut donc utiliser indifféremment la description par les composantes ou la description par la grandeur et la direction. Pour obtenir a et θ, à partir des composantes, on voit, sur la fig. 2-5*a*, que

$$a = \sqrt{a_x^2 + a_y^2} \tag{2-6a}$$

et que

$$\tan \theta = a_y / a_x. \tag{2-6b}$$

Les signes de a_x et de a_y déterminent le quadrant où ils se trouvent.

Quand on décompose un vecteur, il s'avère parfois utile de définir un vecteur unitaire dans une direction donnée. Ainsi, le vecteur $\vec{\mathbf{a}}$ de la figure 2-6*a* peut s'écrire:

$$\vec{\mathbf{a}} = \vec{\mathbf{u}}_a a, \tag{2-7}$$

où $\vec{\mathbf{u}}_a$ est un vecteur unitaire dans la direction de $\vec{\mathbf{a}}$. Mieux encore, on peut choisir les vecteurs unitaires dans la direction des axes du système de coor-

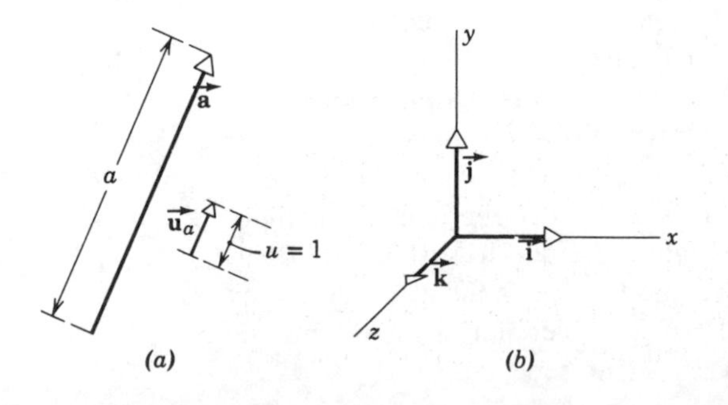

figure 2-6
(*a*) On peut écrire le vecteur $\vec{\mathbf{a}}$ de la façon suivante: $\vec{\mathbf{u}}_a a$, où $\vec{\mathbf{u}}_a$ est un vecteur unitaire dans la direction de $\vec{\mathbf{a}}$.
(*b*) Les vecteurs unitaires $\vec{\mathbf{i}}$, $\vec{\mathbf{j}}$ et $\vec{\mathbf{k}}$ sont utilisés pour indiquer la direction positive des axes x, y et z respectivement.

données. Dans le système cartésien, on est convenu d'utiliser les symboles $\vec{\mathbf{i}}$, $\vec{\mathbf{j}}$ et $\vec{\mathbf{k}}$ pour désigner des vecteurs unitaires dans la direction positive des axes x, y et z respectivement (fig. 2-6b). Il n'est pas nécessaire que $\vec{\mathbf{i}}$, $\vec{\mathbf{j}}$ et $\vec{\mathbf{k}}$ soient à l'origine du système de coordonnées; ils peuvent subir une translation, pourvu que leur direction demeure la même.

Les vecteurs $\vec{\mathbf{a}}$ et $\vec{\mathbf{b}}$ de la figure 2-5 peuvent donc être écrits à l'aide de leurs composantes et des vecteurs unitaires, de la façon suivante:

$$\vec{\mathbf{a}} = \vec{\mathbf{i}}a_x + \vec{\mathbf{j}}a_y \tag{2-8a}$$

et

$$\vec{\mathbf{b}} = \vec{\mathbf{i}}b_x + \vec{\mathbf{j}}b_y \tag{2-8b}$$

La figure 2-7 illustre cette opération. L'équation vectorielle 2-8a est équivalente aux deux équations 2-6a et 2-6b; on y établit la correspondance entre le vecteur ($\vec{\mathbf{a}}$, ou a et θ) et ses composantes (a_x et a_y). On appelle ordinairement $\vec{\mathbf{i}}a_x$ et $\vec{\mathbf{j}}a_y$ les *composantes vectorielles* de $\vec{\mathbf{a}}$; elles apparaissent comme des vecteurs sur la figure 2-7a. Le mot *composante*, utilisé seul, désigne les scalaires a_x et a_y.

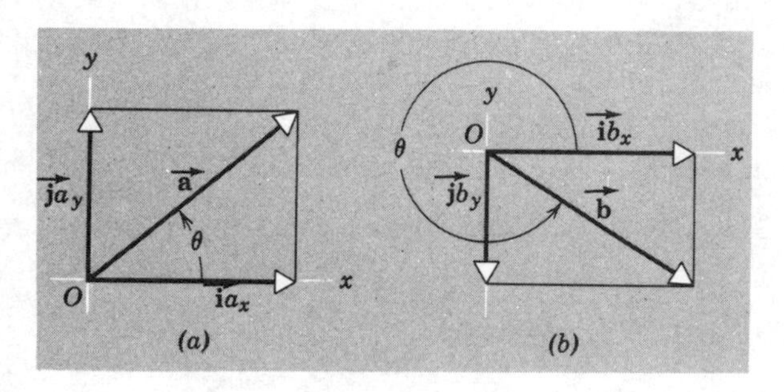

figure 2-7
Deux exemples montrant la façon d'obtenir les composantes d'un vecteur dans un système de coordonnées. Comparer avec la figure 2-5.

Considérons maintenant l'addition vectorielle par la méthode analytique. Soit $\vec{\mathbf{r}}$ la somme de deux vecteurs $\vec{\mathbf{a}}$ et $\vec{\mathbf{b}}$. On se limitera ici à deux dimensions: x et y.

$$\vec{\mathbf{r}} = \vec{\mathbf{a}} + \vec{\mathbf{b}}. \tag{2-9}$$

Dans un système de coordonnées, deux vecteurs, comme $\vec{\mathbf{r}}$ et $\vec{\mathbf{a}} + \vec{\mathbf{b}}$, sont égaux si et seulement si leurs composantes sont égales, c'est-à-dire:

$$r_x = a_x + b_x \tag{2-10a}$$

et

$$r_y = a_y + b_y. \tag{2-10b}$$

Ces deux équations algébriques équivalent ensemble à l'équation vectorielle 2-9. Les équations 2-6a et 2-6b permettent de calculer la valeur de r et celle de l'angle entre l'axe des x et le vecteur $\vec{\mathbf{r}}$, soit:

$$r = \sqrt{r_x^2 + r_y^2}$$

et

$$\tan\theta = r_y/r_x.$$

Voici en résumé la démarche à suivre pour additionner des vecteurs selon la méthode analytique: *(a)* obtenir les composantes d'un vecteur selon un système de coordonnées; *(b)* additionner les composantes de chacun des axes séparément (la somme algébrique des composantes sur un axe particulier égale la composante du vecteur somme selon cet axe); *(c)* reconstituer le vecteur somme, ses composantes étant connues. On peut généraliser le procédé pour additionner plusieurs vecteurs dans un système de coordonnées à trois dimensions (problèmes 13 et 18).

L'avantage de cette méthode, c'est qu'elle permet de travailler avec des triangles rectangles, simplifiant de beaucoup les calculs. De plus, un choix judicieux du système de coordonnées facilite grandement la recherche des composantes. Par exemple, on peut orienter les axes de telle sorte qu'un des vecteurs soit parallèle à un des axes.

EXEMPLE 1

Un avion parcourt 200 km en ligne droite dans une direction de 22,5° à l'est du nord. Quelle distance parcourt-il dans la direction nord et dans la direction est?

Le système de coordonnées choisi pour résoudre ce problème est simple; la direction positive des x pointe vers l'est, la direction positive des y, vers le nord. Le vecteur déplacement est dessiné à partir de l'origine, en faisant un angle de 22,5° avec l'axe des y dans la direction des aiguilles d'une montre, c'est-à-dire dans la direction négative. La grandeur de la flèche représente une longueur de 200 km. Si on appelle ce vecteur $\vec{d}$, on peut dire que d_x représente la distance parcourue vers l'est et d_y, la distance vers le nord.

De plus, comme on le voit sur la figure 2-8 et d'après la définition de l'angle θ (pris à partir de la direction positive des x),

$$\theta = 90{,}0° - 22{,}5° = 67{,}5°$$

En utilisant l'équation 2-5, on peut dire que

$$d_x = d \cos \theta = (200 \text{ km}) \cdot \cos 67{,}5° = 77 \text{ km}$$

et

$$d_y = d \sin \theta = (200 \text{ km}) \cdot \sin 67{,}5° = 185 \text{ km}$$

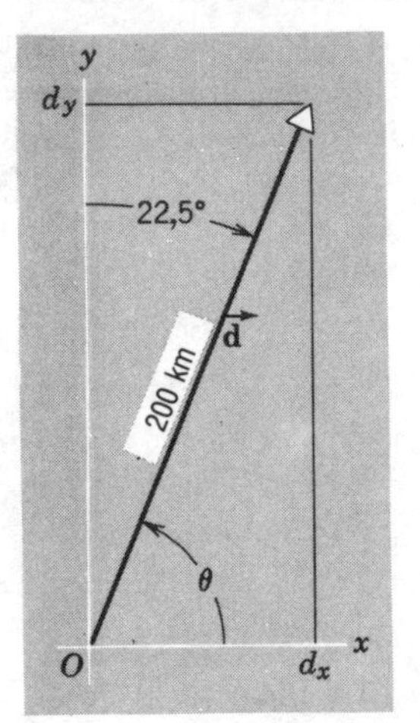

figure 2-8
Exemple 1

EXEMPLE 2

Une automobile parcourt 30 km vers l'est. Elle tourne ensuite en direction du nord et fait 40 km. Calculez le déplacement total de l'automobile.

On choisit un système de coordonnées fixe par rapport à la Terre, la direction positive des x pointant vers l'est, et celle des y vers le nord. Les deux déplacements sont tracés comme l'illustre la figure 2-9. Le déplacement équivalent à la somme des deux déplacements s'obtient en effectuant la somme vectorielle de $\vec{a}$ et de $\vec{b}$, c'est-à-dire: $\vec{r} = \vec{a} + \vec{b}$. Puisque $\vec{b}$ n'a pas de composante x et $\vec{a}$ pas de composante y, on obtient, selon l'équation 2-10:

$$r_x = a_x + b_x = 30 \text{ km} + 0 = 30 \text{ km},$$
$$r_y = a_y + b_y = 0 + 40 \text{ km} = 40 \text{ km}.$$

La grandeur et l'orientation de $\vec{r}$ sont donc (fig. 2-6):

$$r = \sqrt{r_x^2 + r_y^2} = \sqrt{(30 \text{ km})^2 + (40 \text{ km})^2} = 50 \text{ km},$$

$$\tan \theta = r_y/r_x = \frac{40 \text{ km}}{30 \text{ km}} = 1{,}33, \qquad \theta = \tan^{-1}(1{,}33) = 53°.$$

Le vecteur déplacement total, ou vecteur résultant $\vec{r}$, a une grandeur de 50 km et fait un angle de 53° au nord de l'est.

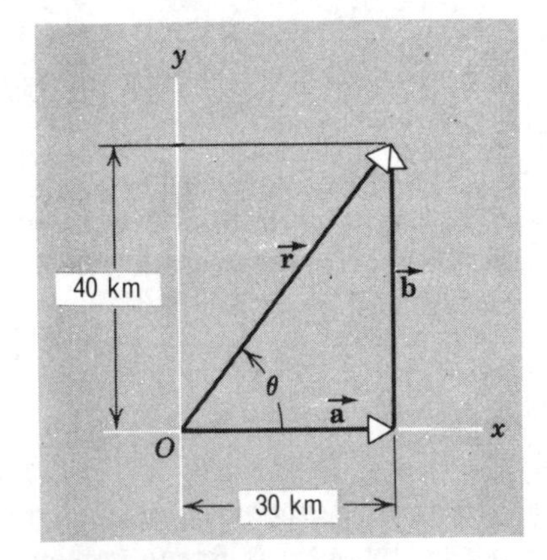

figure 2-9
Exemple 2

EXEMPLE 3

On définit trois vecteurs coplanaires de la façon suivante:

$$\vec{a} = 4\vec{i} - \vec{j},$$

$$\vec{b} = -3\vec{i} + 2\vec{j},$$

et

$$\vec{c} = -3\vec{j}$$

Effectuez la somme vectorielle de ces trois vecteurs.

D'après l'équation 2-10, on peut dire que:

$$r_x = a_x + b_x + c_x = 4 - 3 + 0 = 1,$$

et

$$r_y = a_y + b_y + c_y = -1 + 2 - 3 = -2.$$

donc

$$\vec{r} = \vec{i}r_x + \vec{j}r_y$$

$$= \vec{i} - 2\vec{j}.$$

La figure 2-10 nous montre les quatre vecteurs. L'équation 2-6 nous dit que la grandeur de $\vec{r}$ est $\sqrt{5}$ et que l'angle entre la direction positive des x et $\vec{r}$, mesuré dans le sens antihoraire, c'est-à-dire positivement, est

$$\tan^{-1}(-2/1) = 297°.$$

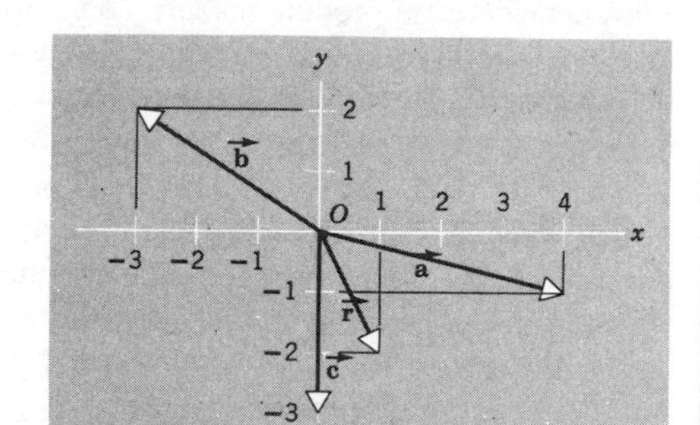

figure 2-10
Trois vecteurs, $\vec{a}$, $\vec{b}$, $\vec{c}$ et leur somme vectorielle $\vec{r}$.

2-4 *MULTIPLICATION OU PRODUIT DE VECTEURS*[2]

L'addition vectorielle s'effectue entre vecteurs semblables. Autrement dit, les vecteurs déplacements s'additionnent entre eux. Il en est de même des vecteurs vitesses. Il est impensable d'additionner des grandeurs scalaires de nature différente comme la masse et la température; il est aussi impensable d'additionner des quantités vectorielles comme le déplacement et le champ électrique.

Toutefois, il en va autrement pour la multiplication. Les grandeurs scalaires, comme les grandeurs vectorielles de nature différente, peuvent se multiplier pour donner des quantités physiques nouvelles. Le mot multiplication possède ici un sens large; la multiplication de deux scalaires est bien différente de la multiplication de deux vecteurs qui possèdent, eux, une grandeur et une orientation. On en énoncera les règles.

Auparavant, il est utile de définir les produits suivants: (1) produit d'un vecteur par un scalaire; (2) produit de deux vecteurs dont le résultat est un scalaire; (3) produit de deux vecteurs dont le résultat est un vecteur. Il y a, bien sûr, d'autres possibilités, mais on se limitera à ces trois pour le moment.

La multiplication d'un vecteur par un scalaire est simple à comprendre: le produit d'un scalaire k par un vecteur $\vec{a}$, qu'on écrit $k\vec{a}$, est un nouveau vecteur dont la grandeur est k fois la grandeur du vecteur $\vec{a}$. L'orientation du nouveau vecteur est inchangée si k est positif, elle est inversée si k est négatif. Ajoutons que diviser un vecteur est équivalent à multiplier ce vecteur par l'inverse multiplicatif du scalaire.

Quand on multiplie deux vecteurs, on doit distinguer entre le *produit scalaire* (indiqué par un point entre les deux vecteurs) et le *produit vectoriel* (indiqué par un × entre les vecteurs).

Le *produit scalaire*, qu'on écrit $\vec{a} \cdot \vec{b}$, est défini par

$$\vec{a} \cdot \vec{b} = ab \cos \phi, \qquad (2\text{-}11)$$

[2] Les notions de cette section ne serviront que beaucoup plus tard dans ce livre. Le professeur qui le désire peut différer l'étude de cette section. Nous avons préféré l'insérer dans ce chapitre au profit d'un traitement global de ces notions d'algèbre vectorielle. Nous voulons aussi faciliter la tâche à l'étudiant qui voudrait s'en servir comme référence.

où a est la grandeur du vecteur $\vec{a}$, b la grandeur du vecteur $\vec{b}$ et cos ϕ, le cosinus de l'angle (le plus petit des deux) compris entre les deux vecteurs[3] (voir fig. 2-11).

Puisque a et b sont des scalaires et que cos ϕ est un nombre pur, sans dimension physique, le produit scalaire de deux vecteurs est un scalaire. On peut aussi considérer le produit scalaire comme le produit de la grandeur d'un vecteur par la grandeur de la composante du deuxième vecteur dans la direction du premier. La figure 2-11 illustre bien cette définition.

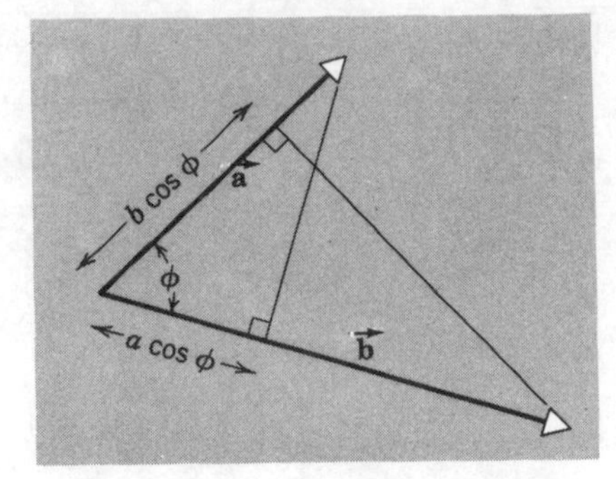

figure 2-11
Le produit scalaire $\vec{a} \cdot \vec{b} = ab \cos \phi$ est le produit de la grandeur de l'un des vecteurs (a, par exemple) par la composante de l'autre vecteur dans la direction du premier ($b \cos \phi$).

On aurait pu définir le produit scalaire comme étant une opération quelconque, $a^{1/3} \cdot b^{1/4} \cdot \tan (\phi/2)$, par exemple. On a préféré lui donner un sens qui s'avère très utile en physique et dans d'autres domaines scientifiques. La définition du produit scalaire permet de décrire un nombre important de grandeurs physiques. Citons, parmi ces grandeurs, le travail, l'énergie potentielle et la puissance. Lorsqu'on abordera ces grandeurs physiques, on mettra en évidence le fait qu'il s'agit d'un produit scalaire.

Le *produit vectoriel* de deux vecteurs $\vec{a}$ et $\vec{b}$ est un vecteur $\vec{c}$ et on écrit ce produit: $\vec{c} = \vec{a} \times \vec{b}$. La *grandeur* de $\vec{c}$ est définie par l'expression

$$c = a \cdot b \sin \phi \tag{2-12}$$

où ϕ est l'angle[3] (le plus petit des deux) compris entre $\vec{a}$ et $\vec{b}$.

La *direction* de $\vec{c}$ est perpendiculaire au plan formé par $\vec{a}$ et $\vec{b}$. Pour trouver le sens, il faut se référer à la figure 2-12[4], qui illustre deux méthodes: la méthode de la vis et la méthode de la main droite. Dans la méthode de la vis, on commence par placer l'axe de la vis perpendiculairement au plan formé par $\vec{a}$ et $\vec{b}$. Si on tourne la vis pour amener le vecteur $\vec{a}$ sur le vecteur $\vec{b}$, c'est-à-dire d'un angle ϕ de $\vec{a}$ vers $\vec{b}$, le sens positif est donné par le sens où avance la vis. La règle de la main droite est simple, elle aussi. Quatre doigts de la main droite entourent la perpendiculaire au plan formé par $\vec{a}$ et $\vec{b}$; le pouce demeure droit. Si les bouts des doigts sont dans la direction de rotation qui amène $\vec{a}$ vers $\vec{b}$ selon l'angle le plus petit, alors le pouce donne le sens du produit vectoriel $\vec{a} \times \vec{b}$.

L'ordre des vecteurs, dans le produit vectoriel, est important parce que $\vec{a} \times \vec{b}$ est différent de $\vec{b} \times \vec{a}$: le produit vectoriel n'est pas commutatif. La multiplication algébrique ou arithmétique, on le sait, possède cette propriété. On peut vérifier (fig. 2-12c) que $\vec{a} \times \vec{b} = -\vec{b} \times \vec{a}$. Les grandeurs sont les mêmes, puisque $ab \sin \phi = ba \sin \phi$, tandis que les sens de $\vec{a} \times \vec{b}$ et de $\vec{b} \times \vec{a}$ sont opposés. En effet, la vis avance dans un sens lorsqu'elle tourne d'un angle ϕ de $\vec{a}$ vers $\vec{b}$; elle avance dans le sens contraire quand elle tourne de $\vec{b}$ vers $\vec{a}$. La règle de la main droite donne des résultats identiques. Essayez.

Si l'angle ϕ entre $\vec{a}$ et $\vec{b}$ est de 90°, les vecteurs $\vec{a}$, $\vec{b}$ et $\vec{c}$ ($\vec{c} = \vec{a} \times \vec{b}$) forment un système de coordonnées orthogonal, à trois dimensions.

La raison pour laquelle on définit ainsi le produit vectoriel est simple: il est utile en physique. On rencontre des grandeurs physiques vectorielles dont le produit est un vecteur. Citons, par exemple, le moment d'une force, le moment cinétique, la force sur une particule chargée en mouvement dans un champ

[3] Il y a deux angles compris entre deux vecteurs selon le sens de rotation choisi. Dans la multiplication de deux vecteurs, on choisira toujours le plus petit des deux. Le choix de l'angle n'importe pas dans l'équation 2-11, puisque $\cos (2\pi - \phi) = \cos \phi$. Mais, dans l'équation 2-12, le choix de l'angle revêt beaucoup d'importance puisque $\sin (2\pi - \phi) = -\sin \phi$.

[4] Le procédé décrit dans la fig. 2-12 est purement conventionel. Deux vecteurs tels que $\vec{a}$ et $\vec{b}$ forment un plan, et on peut élever de ce plan deux perpendiculaires de sens opposé. On a choisi par convention d'utiliser la main droite, ou la vis qui avance lorsqu'on tourne à droite. On aurait pu tout aussi bien utiliser la main gauche ou la vis qui avance lorsqu'on tourne à gauche. La direction du produit vectoriel $\vec{a} \times \vec{b}$ aurait été opposée.

magnétique et le flux d'énergie électromagnétique. Lorsqu'on abordera ces notions plus tard, on comprendra mieux la nature du produit vectoriel.

Le produit scalaire représente le plus simple des produits de deux vecteurs; l'ordre des vecteurs dans ce produit est sans importance. Le produit vectoriel est à peine plus difficile; l'ordre des vecteurs affecte le signe du produit, ce qui implique un sens contraire. Il existe d'autres produits de vecteurs qui ont leur utilité eux aussi. Les tenseurs, par exemple. On obtient un tenseur en multipliant chacune des trois composantes d'un vecteur par les composantes d'un autre vecteur. Un tenseur (de second rang) se définit par neuf nombres, un vecteur trois et un scalaire un seulement. Dans ce livre, on n'utilisera que les vecteurs et les scalaires.

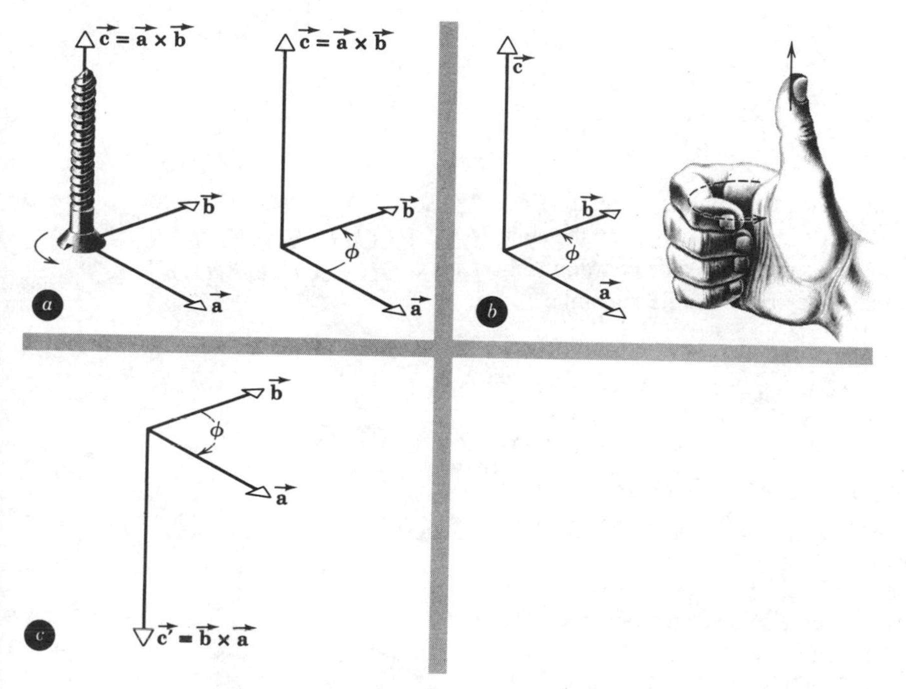

figure 2-12
Le produit vectoriel.
(a) La direction de $\vec{c}$, dans le produit vectoriel $\vec{c} = \vec{a} \times \vec{b}$, est donnée par la direction d'avancement de la vis lorsqu'on la tourne de $\vec{a}$ vers $\vec{b}$, en utilisant le plus petit des angles compris entre les deux vecteurs.
(b) On peut aussi indiquer la direction de $\vec{c}$ par la « règle de la main droite »: Si on tient la main droite de telle sorte que les doigts, en se fermant, indiquent la direction de $\vec{a}$ vers $\vec{b}$ par le plus petit angle, alors le pouce indique la direction de $\vec{c}$.
(c) Le résultat du produit vectoriel change de signe lorsqu'on inverse l'ordre des vecteurs: $\vec{a} \times \vec{b} = -\vec{b} \times \vec{a}$. Appliquez les règles de la main droite et de la vis pour vérifier les signes contraires de $\vec{c}$ et de $\vec{c}'$.

EXEMPLE 4

Un vecteur $\vec{a}$, dans le plan x-y, a une grandeur de 7,4 unités et une direction faisant un angle de 250° à partir de la direction positive de l'axe des x. Un vecteur $\vec{b}$, dont la grandeur est de 5 unités, est parallèle à l'axe des z. Calculez *(a)* le produit scalaire $\vec{a} \cdot \vec{b}$; *(b)* le produit vectoriel $\vec{a} \times \vec{b}$.

(a) Les vecteurs $\vec{a}$ et $\vec{b}$ étant perpendiculaires, l'angle entre eux est de 90°, et $\cos \phi = \cos 90°$. Alors, selon l'équation 2-11, le produit scalaire vaut:

$$\vec{a} \cdot \vec{b} = ab \cos \phi = ab \cdot \cos 90° = 7{,}4 \times 5{,}0 \times 0 = 0$$

Les vecteurs étant perpendiculaires, aucun des deux n'a de composantes dans la direction de l'autre.

(b) La grandeur du produit vectoriel est donnée par l'équation 2-12:

$$|\vec{a} \times \vec{b}| = ab \sin \phi = (7{,}4)(5{,}0) \sin 90° = 37.$$

La direction du produit vectoriel est perpendiculaire au plan formé par les vecteurs $\vec{a}$ et $\vec{b}$. Par conséquent, le vecteur produit appartient au plan x-y (perpendiculaire à $\vec{b}$ qui, lui, est parallèle à z) et fait un angle de 250° − 90° = 160° à partir de la direction positive des x (perpendiculaire à $\vec{a}$). La figure 2-13 illustre le produit vectoriel. Le sens est conforme à la règle de la main droite.

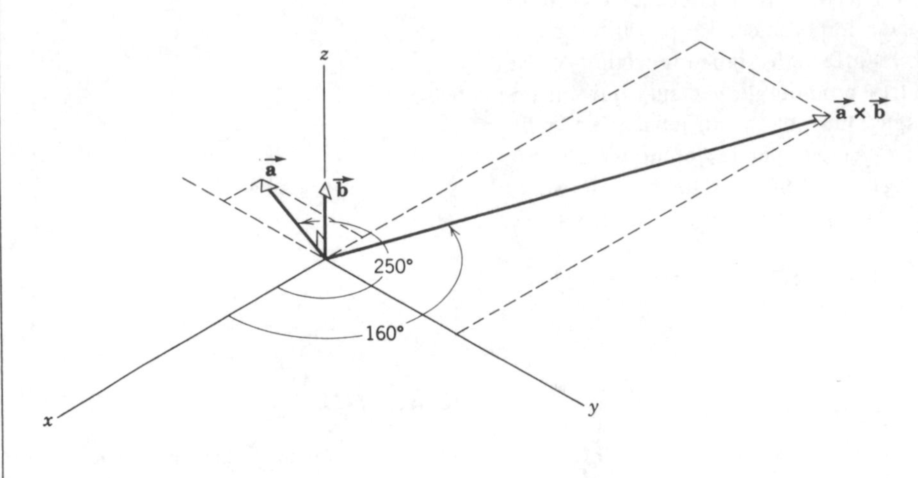

figure 2-13
Exemple 4

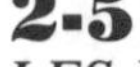

2-5 *LES VECTEURS ET LES LOIS DE LA PHYSIQUE.*

Indéniablement, les vecteurs sont utiles en physique. Examinons la véracité de cette affirmation. Imaginons trois vecteurs $\vec{a}$, $\vec{b}$ et $\vec{r}$ dont les composantes sont respectivement $a_x, a_y, a_z; b_x, b_y, b_z$ et r_x, r_y, r_z dans un système de coordonnées xyz. Supposons de plus que ces vecteurs soient reliés par l'égalité suivante:

$$\vec{r} = \vec{a} + \vec{b}. \qquad (2\text{-}13)$$

L'équation 2-10, appliquée à 3 dimensions, nous dit que:

$$r_x = a_x + b_x; \qquad r_y = a_y + b_y; \qquad \text{et} \qquad r_z = a_z + b_z \qquad (2\text{-}14)$$

Considérons maintenant un autre système de coordonnées $x'y'z'$ ayant les propriétés suivantes: (1) son origine ne coïncide pas avec l'origine du système xyz; (2) ses trois axes ne sont pas parallèles aux axes correspondants de l'autre système. En d'autres mots, le second système de coordonnées a subi une translation et une rotation par rapport au premier. Les composantes des vecteurs $\vec{a}$, $\vec{b}$ et $\vec{r}$ dans ce deuxième système seront en général différentes. On peut les représenter par $a_{x'}, a_{y'}, a_{z'}$ et par $b_{x'}, b_{y'}, b_{z'}$; les nouvelles composantes, toutefois, seront reliées entre elles (voir le problème 39) selon l'équation 2-10, c'est-à-dire:

$$r_{x'} = a_{x'} + b_{x'}; \qquad r_{y'} = a_{y'} + b_{y'}; \qquad \text{et} \qquad r_{z'} = a_{z'} + b_{z'}. \qquad (2\text{-}15)$$

Dans le nouveau système, il est aussi possible d'écrire (éq. 2-13):

$$\vec{r} = \vec{a} + \vec{b}.$$

Un langage plus formel dira: les relations vectorielles demeurent invariantes à la suite d'une translation ou d'une rotation de coordonnées. C'est un fait connu que les expériences et les lois de la physique gardent la même forme lorsque le système de coordonnées subit une translation ou une rotation. Le langage vectoriel est donc tout indiqué pour exprimer les lois de la physique. Si on peut exprimer une loi sous forme vectorielle, l'invariance de cette loi sous la translation et la rotation est assurée par cette simple propriété géométrique des vecteurs.

- **Note**

Jusqu'en 1956, on pensait que les lois de la physique étaient variables à la suite de toute transformation des systèmes de coordonnées, y compris la substitution d'un système de coordonnées orthogonal gauche par un système droit (voir fig. 2-14).

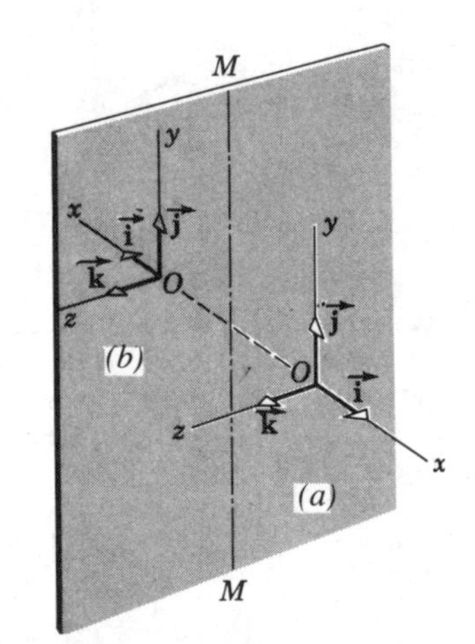

figure 2-14
(a) un système de coordonnées droit ou direct;
(b) un système de coordonnées gauche ou inverse. Noter que l'un est l'image de l'autre dans le miroir *MM*. Ces systèmes sont invariables à la suite d'une rotation. Noter aussi que dans le système *(a)*, $\vec{i} \times \vec{j} = \vec{k}$, alors que dans *(b)*, $\vec{i} \times \vec{j} = -\vec{k}$.

Toutefois, des expériences récentes sur la désintégration de certaines particules élémentaires montrent le contraire. En d'autres mots, l'expérience et son image dans un miroir donneraient des résultats différents.[5] Ce résultat surprenant conduit les chercheurs à repenser la question de la symétrie dans les lois de la physique. Ces études constituent un des défis de la physique moderne. •

questions

1. Trois astronautes quittent Cap Kennedy pour la Lune, puis reviennent amerrir dans le Pacifique quelques jours plus tard. Un amiral leur a serré la main au départ, puis, pour leur retour, navigue à leur rencontre dans le Pacifique. Qui, de l'amiral ou des astronautes, accomplit le plus grand déplacement?
2. Est-il possible que l'addition de deux vecteurs de grandeur différente donne une résultante nulle? Même question pour trois vecteurs.
3. La grandeur d'un vecteur peut-elle être nulle si une des composantes est non nulle?
4. Peut-on appeler *vecteur* une quantité physique dont la grandeur est nulle?
5. Trois vecteurs dont la somme est nulle sont nécessairement dans le même plan. Vrai ou faux? Démontrez.
6. Un vecteur unitaire a-t-il des unités?
7. Énumérez des grandeurs scalaires. La valeur d'une grandeur scalaire dépend-elle du système de coordonnées choisi?
8. On peut ordonner chronologiquement des événements. Par exemple, l'événement b peut précéder l'événement c et suivre l'événement a. Le temps a donc un sens qui permet de distinguer le passé, le présent et le futur. Le temps serait-il, par conséquent, un vecteur? Sinon, pourquoi?
9. La commutativité et l'associativité s'appliquent-elles à la soustraction vectorielle?
10. Le produit scalaire peut-il être une grandeur négative?
11. *(a)* Si $\vec{\mathbf{a}}\cdot\vec{\mathbf{b}} = 0$, $\vec{\mathbf{a}}$ et $\vec{\mathbf{b}}$ sont-ils nécessairement perpendiculaires entre eux? *(b)* Si $\vec{\mathbf{a}}\cdot\vec{\mathbf{b}} = \vec{\mathbf{a}}\cdot\vec{\mathbf{c}}$, est-ce que $\vec{\mathbf{b}}$ est égal nécessairement à $\vec{\mathbf{c}}$?
12. Les vecteurs $\vec{\mathbf{a}}$ et $\vec{\mathbf{b}}$ doivent-ils être nécessairement parallèles pour que $\vec{\mathbf{a}} \times \vec{\mathbf{b}} = 0$?
13. *(a)* Montrez que si toutes les composantes d'un vecteur sont inversées, le vecteur lui-même est inversé. *(b)* Montrez que si on inverse toutes les composantes d'un produit vectoriel, on ne change pas le produit vectoriel. *(c)* Le résultat du produit vectoriel est-il véritablement un vecteur?
14. Nous avons défini l'addition, la soustraction et la multiplication de vecteurs. Pourquoi, d'après vous, n'avons-nous pas parlé de la division vectorielle? Est-il possible de définir cette opération?
15. Est-on obligé de définir un système de coordonnées quand *(a)* on additionne deux vecteurs; *(b)* on réalise un produit scalaire; *(c)* on réalise un produit vectoriel; *(d)* on recherche les composantes d'un vecteur?
16. On utilise, par convention, la main droite pour définir les lois de l'algèbre vectorielle. Quelles conséquences entraînerait l'utilisation de la main gauche?

problèmes

SECTION 2-2

1. Comment peut-on disposer deux vecteurs, l'un de 4 m, l'autre de 3 m, pour obtenir un vecteur résultant *(a)* de 7 m; *(b)* de 1 m; *(c)* de 5 m?
   Réponse: Les vecteurs doivent être: *(a)* parallèles et de même sens; *(b)* parallèles et de sens contraire; *(c)* perpendiculaires.
2. Quelles doivent être les propriétés des vecteurs $\vec{\mathbf{a}}$ et $\vec{\mathbf{b}}$ pour que:
   (a) $\vec{\mathbf{a}} + \vec{\mathbf{b}} = \vec{\mathbf{c}}$ et $a + b = c$,
   (b) $\vec{\mathbf{a}} + \vec{\mathbf{b}} = \vec{\mathbf{a}} - \vec{\mathbf{b}}$,
   (c) $\vec{\mathbf{a}} + \vec{\mathbf{b}} = \vec{\mathbf{c}}$ et $a^2 + b^2 = c^2$.
3. On additionne deux vecteurs $\vec{\mathbf{a}}$ et $\vec{\mathbf{b}}$ pour obtenir un troisième vecteur $\vec{\mathbf{c}}$. Montrez que le module de $\vec{\mathbf{c}}$ ne peut être plus grand que $a + b$ ni plus petit que $|a - b|$, les barres verticales signifiant *valeur absolue*.

[5] C.N. Yang et T.D. Lee se sont vu attribuer le prix Nobel de Physique en 1957, en récompense pour leurs travaux théoriques sur ce sujet. Voir « The Overthrow of Parity » par Philip Morrison, *Scientific American*, avril 1957, pour des informations claires et simples à ce sujet.

4. Une auto parcourt une distance de 50 km vers l'est, puis une autre distance de 30 km vers le nord, et enfin 25 km dans une direction à 30° à l'est du nord. Tracez le diagramme des vecteurs et trouvez le déplacement total.
5. Il a fallu trois coups à un golfeur inexpérimenté pour loger sa balle dans le trou, une fois le vert atteint; un premier coup de 4 m vers le nord, un deuxième de 2 m dans la direction sud-est, et un troisième de 1 m dans la direction sud-ouest. Quel déplacement aurait accompli la balle si le golfeur avait réussi à la « caler » au premier coup? *Réponse:* 2 m, 20,5° à l'est du nord.
6. Un vecteur $\vec{a}$ est dirigé vers l'est et sa grandeur est de 5,0 unités. Un vecteur $\vec{b}$ est dirigé vers le nord-ouest et sa grandeur est de 4,0 unités. Construisez le diagramme des vecteurs et trouvez approximativement la grandeur et la direction de la résultante dans les deux cas suivants: *(a)* $\vec{a} + \vec{b}$; *(b)* $\vec{b} - \vec{a}$.

SECTION 2-3

7. Trouvez la somme des vecteurs $\vec{c}$ et $\vec{d}$ dont les composantes selon les axes x, y et z, exprimées en kilomètres, sont:
$$c_x = 5{,}0,\ c_y = 0,\ c_z = -2{,}0;\ d_x = -3{,}0,\ d_y = 4{,}0,\ d_z = 6{,}0.$$
Réponse: $r_x = 2{,}0$ km; $r_y = r_z = 4{,}0$ km.
8. Un homme sort de chez lui. Il marche 300 m vers l'est, puis 600 m vers le nord. Il se trouve à ce moment sur une falaise. Pour en évaluer la hauteur, il tire de sa poche une pièce de monnaie qu'il laisse tomber. Il établit la hauteur à 100 m. *(a)* Dessinez un système de coordonnées et placez les trois vecteurs déplacements de la pièce de monnaie. *(b)* Trouvez une expression qui décrit le déplacement de la pièce de monnaie, en faisant appel aux vecteurs unitaires. *(c)* Sachant que l'homme revient chez lui par un chemin différent, trouvez son déplacement total.
9. Soient les deux vecteurs suivants: $\vec{a} = 4\vec{i} - 3\vec{j} + \vec{k}$ et $\vec{b} = -\vec{i} + \vec{j} + 4\vec{k}$. Déterminez: *(a)* $\vec{a} + \vec{b}$; *(b)* $\vec{a} - \vec{b}$; *(c)* un vecteur $\vec{c}$ pour que $\vec{a} - \vec{b} + \vec{c} = 0$.
10. Une chambre possède les dimensions suivantes: 3 m × 4 m × 5 m. Une mouche part d'un coin et se rend au coin diamétralement opposé. *(a)* Quelle est la grandeur de son déplacement? *(b)* La trajectoire suivie par la mouche peut-elle être plus petite que la grandeur du déplacement? plus grande? égale? *(c)* Choisissez-vous un système de coordonnées et trouvez les composantes du déplacement de la mouche. *(d)* Si la mouche avait marché au lieu de voler, quelle aurait été la longueur du plus court tracé possible?
11. Sachant que $\vec{a} = 4\vec{i} - 3\vec{j}$ et que $\vec{b} = 6\vec{i} + 8\vec{j}$, trouvez la grandeur et la direction de $\vec{a}$, $\vec{b}$, $\vec{a} + \vec{b}$, $\vec{b} - \vec{a}$, et $\vec{a} - \vec{b}$.
12. Deux vecteurs sont placés au centre d'un système de coordonnées orthogonal. Leurs grandeurs respectives sont $\vec{a}$ et $\vec{b}$ et ils font un angle θ entre eux. Prouvez, en utilisant les composantes selon les axes, que la grandeur de la somme de ces deux vecteurs peut être égale à:
$$r = \sqrt{a^2 + b^2 + 2ab\cos\theta}.$$
13. Généralisez la méthode analytique pour décomposer et additionner trois vecteurs et plus.
14. La grandeur des vecteurs $\vec{a}$ et $\vec{b}$ est la même, soit 10 unités. La fig. 2-15 nous donne leur orientation. Si l'addition de ces deux vecteurs donne le vecteur $\vec{r}$, trouvez: *(a)* les composantes x et y de $\vec{r}$; *(b)* la grandeur de $\vec{r}$; *(c)* l'angle que fait $\vec{r}$ avec l'axe x.
15. Une particule accomplit trois déplacements successifs, dans un même plan: 4,0 m au sud-ouest, 5,0 m vers l'est, 6,0 m dans une direction à 60° au nord de l'est. Orientez votre système de coordonnées de telle sorte que l'axe des y pointe vers le nord et l'axe des x vers l'est et calculez *(a)* les composantes de chaque déplacement; *(b)* les composantes du déplacement total; *(c)* la grandeur et la direction du déplacement total; *(d)* le déplacement qu'il faudrait effectuer pour ramener la particule au point de départ.
Réponse: *(a)* $a_x = -2{,}8$ m, $a_y = -2{,}8$ m;
$b_x = +5{,}0$ m, $b_y = 0$;
$c_x = +3{,}0$ m, $c_y = +5{,}2$ m.
(b) $d_x = +5{,}2$ m, $d_y = +2{,}4$ m.
(c) 5,7 m, 25° au nord de l'est
(d) 5,7 m, 25° au sud de l'ouest.

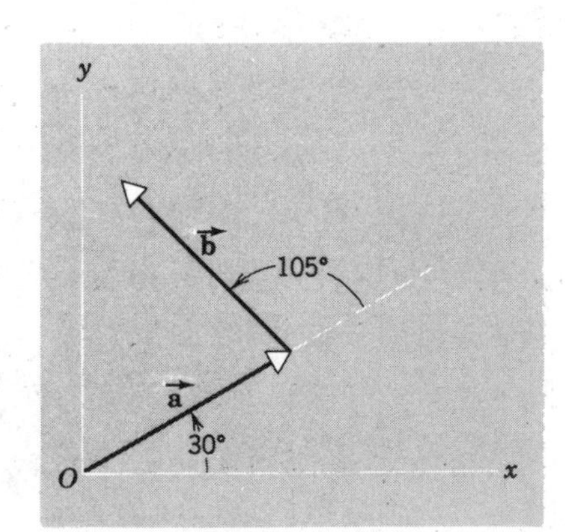

figure 2-15
Problèmes 14 et 25

16. En utilisant une échelle où 1 cm représente 1 m, exprimez graphiquement l'addition des vecteurs du problème 15. Déterminez, avec le plus de précision possible, la grandeur et la direction du vecteur résultant.
17. Une personne s'envole de Washington pour se rendre à Manille. *(a)* Décrivez le vecteur déplacement. *(b)* Quelle est sa grandeur si la latitude et la longitude des deux villes sont respectivement de 39° nord, 77° ouest et 15° nord, 121° est. (Le rayon de la Terre est d'environ 6400 km). *Réponse:* 11 230 km.
18. Généralisez la méthode analytique pour pouvoir décomposer et additionner des vecteurs à trois dimensions.
19. Soit N un entier supérieur à un; alors:

$$\cos 0 + \cos \frac{2\pi}{N} + \cos \frac{4\pi}{N} + \cdots + \cos (N-1) \frac{2\pi}{N} = 0;$$

c.-à-d.:

$$\sum_{n=0}^{n=N-1} \cos \frac{2\pi n}{N} = 0.$$

De plus:

$$\sum_{n=0}^{n=N-1} \sin \frac{2\pi n}{N} = 0.$$

Démontrez ces deux expressions, sachant qu'on peut les considérer comme la somme de N vecteurs d'égale longueur, chacun faisant un angle de $2\pi/N$ avec le précédent.

SECTION 2-4

20. Un vecteur **d** dont la grandeur est de 2,5 m pointe vers le nord. Trouvez la grandeur et la direction des vecteurs suivants:

$$(a)\ -\vec{\mathbf{d}},\ (b)\ \vec{\mathbf{d}}/2{,}0,\ (c)\ -2{,}5\vec{\mathbf{d}}\ \text{ et }\ (d)\ 4{,}0\vec{\mathbf{d}}.$$

21. En vous référant au système de coordonnées de la fig. 2-6*b*, montrez que

$$\vec{\mathbf{i}} \cdot \vec{\mathbf{i}} = \vec{\mathbf{j}} \cdot \vec{\mathbf{j}} = \vec{\mathbf{k}} \cdot \vec{\mathbf{k}} = 1$$

et

$$\vec{\mathbf{i}} \cdot \vec{\mathbf{j}} = \vec{\mathbf{j}} \cdot \vec{\mathbf{k}} = \vec{\mathbf{k}} \cdot \vec{\mathbf{i}} = 0.$$

22. Montrez que, dans le système de coordonnées orthogonal droit de la fig. 2-6*b*,

$$\vec{\mathbf{i}} \times \vec{\mathbf{i}} = \vec{\mathbf{j}} \times \vec{\mathbf{j}} = \vec{\mathbf{k}} \times \vec{\mathbf{k}} = 0$$
$$\vec{\mathbf{i}} \times \vec{\mathbf{j}} = \vec{\mathbf{k}};\ \vec{\mathbf{k}} \times \vec{\mathbf{i}} = \vec{\mathbf{j}};\ \vec{\mathbf{j}} \times \vec{\mathbf{k}} = \vec{\mathbf{i}}.$$

23. Montrez que, pour tout vecteur $\vec{\mathbf{a}}$, on obtient les résultats suivants: *(a)* $\vec{\mathbf{a}} \cdot \vec{\mathbf{a}} = a^2$; *(b)* $\vec{\mathbf{a}} \times \vec{\mathbf{a}} = 0$.
24. On dispose d'un vecteur $\vec{\mathbf{a}}$ orienté selon la direction positive de l'axe x, d'un vecteur $\vec{\mathbf{b}}$ orienté selon la direction positive de l'axe y et d'un scalaire d. En utilisant un système de coordonnées orthogonal droit, *(a)* trouvez la direction de $\vec{\mathbf{a}} \times \vec{\mathbf{b}}$; *(b)* trouvez la direction de $\vec{\mathbf{b}} \times \vec{\mathbf{a}}$; *(c)* trouvez la direction $\vec{\mathbf{b}}/d$; *(d)* que représente $\vec{\mathbf{a}} \cdot \vec{\mathbf{b}}$?
25. Utilisez les vecteurs $\vec{\mathbf{a}}$ et $\vec{\mathbf{b}}$ du problème 14 pour effectuer les opérations suivantes: *(a)* $\vec{\mathbf{a}} \cdot \vec{\mathbf{b}}$; *(b)* $\vec{\mathbf{a}} \times \vec{\mathbf{b}}$.
Réponse: (a) -26 *(b)* $97\vec{\mathbf{k}}$.
26. La grandeur d'un vecteur $\vec{\mathbf{a}}$ est de 10 unités, alors que celle d'un vecteur $\vec{\mathbf{b}}$ est de 6 unités. Leur direction diffère de 60°. Trouvez *(a)* le produit scalaire des deux vecteurs; *(b)* le produit vectoriel des deux vecteurs.

27. Montrez que la surface du triangle formé par les vecteurs $\vec{a}$ et $\vec{b}$ et par la droite joignant leur extrémité est égale à $\frac{1}{2}|\vec{a} \times \vec{b}|$. Les barres verticales signifient *valeur absolue* (fig. 2-16).

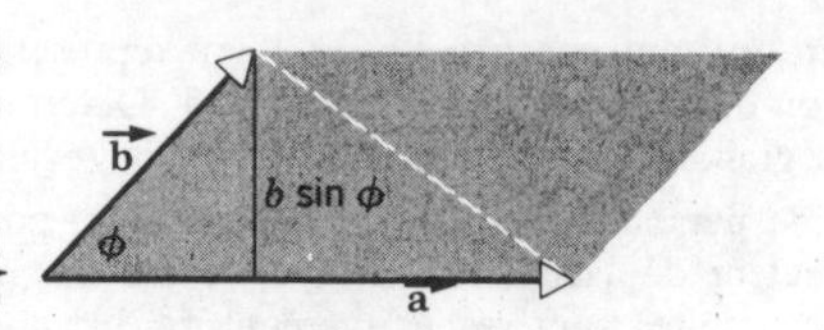

figure 2-16
Problèmes 27 et 28

28. Montrez que la grandeur du produit vectoriel de deux vecteurs $\vec{a}$ et $\vec{b}$ correspond à la surface du parallélogramme ayant comme côtés ces mêmes vecteurs $\vec{a}$ et $\vec{b}$ (fig. 2-16). Ceci ne vous suggère-t-il pas une façon de représenter une surface par un vecteur?

29. Montrez que $\vec{a} \cdot (\vec{b} \times \vec{c})$ est égal au volume d'un parallélépipède formé par ces trois vecteurs $\vec{a}$, $\vec{b}$ et $\vec{c}$.

30. Prouvez l'assertion suivante: si la somme de deux vecteurs est perpendiculaire à leur différence, la grandeur de ces vecteurs est la même.

31. *Produit scalaire en notation vectorielle unitaire*. Les vecteurs $\vec{a}$ et $\vec{b}$ peuvent être représentés, en utilisant leurs composantes, comme ceci:

$$\vec{a} = \vec{i}a_x + \vec{j}a_y + \vec{k}a_z$$

et

$$\vec{b} = \vec{i}b_x + \vec{j}b_y + \vec{k}b_z.$$

Montrez que:

$$\vec{a} \cdot \vec{b} = a_x b_x + a_y b_y + a_z b_z$$

(*Suggestion:* référez-vous au problème 21.)

32. Utilisez la définition du produit scalaire $\vec{a} \cdot \vec{b} = ab \cos \theta$ et la relation $\vec{a} \cdot \vec{b} = a_x b_x + a_y b_y + a_z b_z$ (problème 31), pour calculer l'angle entre les vecteurs suivants: $\vec{a} = 3\vec{i} + 3\vec{j} - 3\vec{k}$ et $\vec{b} = 2\vec{i} + \vec{j} + 3\vec{k}$.

33. *Produit vectoriel en notation vectorielle unitaire*. Montrez que: $\vec{a} \times \vec{b} = \vec{i}(a_y b_z - a_z b_y) + \vec{j}(a_z b_x - a_x b_z) + \vec{k}(a_x b_y - a_y b_x)$.
(*Suggestion:* voir le problème 22.)

34. Soient les trois vecteurs suivants: $\vec{a} = 3\vec{i} + 3\vec{j} - 2\vec{k}$, $\vec{b} = -\vec{i} - 4\vec{j} + 2\vec{k}$, et $\vec{c} = 2\vec{i} + 2\vec{j} + \vec{k}$. Effectuez les opérations énumérées ci-dessous: *(a)* $\vec{a} \cdot (\vec{b} \times \vec{c})$; *(b)* $\vec{a} \cdot (\vec{b} + \vec{c})$; *(c)* $\vec{a} \times (\vec{b} + \vec{c})$.

35. Les vecteurs $\vec{b}$ et $\vec{c}$ sont les diagonales de deux faces adjacentes d'un cube dont la grandeur de l'arête est a. (fig. 2-17) *(a)* Trouvez les composantes du vecteur $\vec{d} = \vec{b} \times \vec{c}$. *(b)* Trouvez les valeurs de: $\vec{b} \cdot \vec{c}$, $\vec{d} \cdot \vec{c}$ et $\vec{d} \cdot \vec{b}$. *(c)* Trouvez l'angle compris entre la diagonale du cube, $\vec{e}$ (fig. 2-17), et la diagonale d'une des faces, $\vec{b}$.

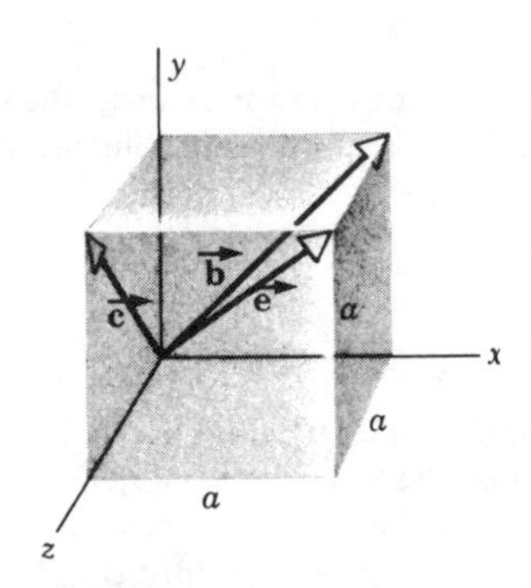

figure 2-17
Problème 35

36. Supposons que $\vec{a}$, $\vec{b}$ et $\vec{c}$ soient trois vecteurs non coplanaires et qu'ils ne soient pas non plus mutuellement perpendiculaires. *(a)* Montrez que

$$\vec{a} \cdot (\vec{b} \times \vec{c}) = \vec{b} \cdot (\vec{c} \times \vec{a}) = \vec{c} \cdot (\vec{a} \times \vec{b}).$$

(b) Soit

$$\vec{A} = \frac{\vec{b} \times \vec{c}}{v}, \vec{B} = \frac{\vec{c} \times \vec{a}}{v}, \vec{C} = \frac{\vec{a} \times \vec{b}}{v},$$

où $v = \vec{a} \cdot (\vec{b} \times \vec{c})$. Effectuez le produit scalaire de chacun des vecteurs $\vec{a}$, $\vec{b}$, $\vec{c}$ avec chacun des vecteurs $\vec{A}$, $\vec{B}$, $\vec{C}$ *(c)* Si $\vec{a}$, $\vec{b}$, $\vec{c}$ ont la dimension de longueur, quelles sont les dimensions de $\vec{A}$, $\vec{B}$, $\vec{C}$?

37. Deux vecteurs $\vec{a}$ et $\vec{b}$ ont des composantes définies, en unités arbitraires, par $a_x = 3{,}2$; $a_y = 1{,}6$; $b_x = 0{,}50$, $b_y = 4{,}5$. *(a)* Trouvez la valeur de l'angle compris entre $\vec{a}$ et $\vec{b}$. *(b)* Trouvez les composantes d'un vecteur $\vec{c}$ qui serait perpendiculaire à $\vec{a}$, qui appartiendrait au plan *x-y* et dont la grandeur serait 5,0 unités.
Réponse: (a) 57°. *(b)* $c_x = \pm 2{,}2$ unités; $c_y = \mp 4{,}5$ unités.

38. *(a)* On a vu que le produit vectoriel n'était pas commutatif, c.-à-d. que $\vec{a} \times \vec{b} \neq \vec{b} \times \vec{a}$. Montrez que la loi de commutativité s'applique au produit scalaire $\vec{a} \cdot \vec{b} = \vec{b} \cdot \vec{a}$. *(b)* Montrez que la loi de distributivité s'applique au produit scalaire et au produit vectoriel, c.-à-d. que

$$\vec{a} \cdot (\vec{b} + \vec{c}) = \vec{a} \cdot \vec{b} + \vec{a} \cdot \vec{c} \quad \text{et que} \quad \vec{a} \times (\vec{b} + \vec{c}) = \vec{a} \times \vec{b} + \vec{a} \times \vec{c}.$$

(c) Est-ce que la loi de l'associativité s'applique au produit vectoriel, ou autrement dit, est-ce que: $\vec{a} \times (\vec{b} \times \vec{c}) = (\vec{a} \times \vec{b}) \times \vec{c}$? Peut-on parler d'une loi d'associativité pour le produit scalaire?

39. *L'invariance de l'addition vectorielle sous une rotation du système de coordonnées.* La figure 2-18 nous montre deux vecteurs $\vec{a}$ et $\vec{b}$ et des systèmes de coordonnées x-y et x'-y'. Le système x'-y' a subi une rotation de ϕ par rapport au système x-y. Montrez analytiquement que $\vec{a} + \vec{b}$ a la même grandeur et la même direction indépendamment du système de coordonnées utilisé.

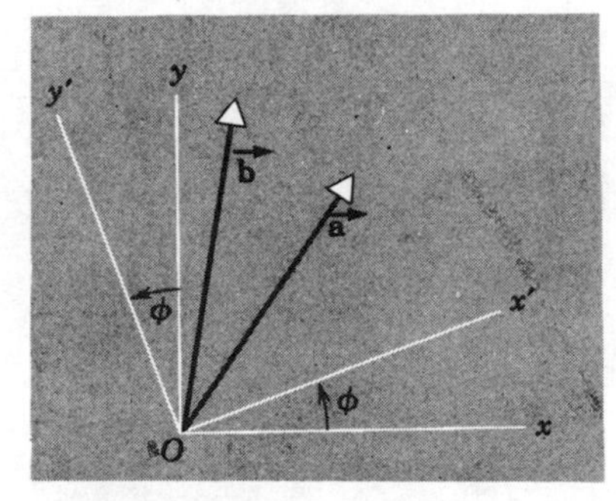

figure 2-18
Problème 39

3 mouvement rectiligne

3-1 MÉCANIQUE

La plus ancienne des sciences physiques, la mécanique, étudie le mouvement des corps. Le calcul de la trajectoire d'une balle de base-ball ou d'une sonde spatiale, et l'analyse de traces dans une chambre à bulles, sont autant de problèmes qui l'intéressent (fig. 10-11 et appendice F).

La *cinématique*, une partie de la mécanique, vise uniquement la description du mouvement. La *dynamique*, par contre, fait le lien entre le mouvement et les forces qui le causent. Nous définirons, dans ce chapitre, certaines quantités qui nous permettront d'étudier le mouvement rectiligne. Le chapitre 4 traitera de quelques cas de mouvement en deux ou en trois dimensions, tandis que le chapitre 5 abordera la dynamique en général.

3-2 CINÉMATIQUE D'UNE PARTICULE

Un corps peut présenter à la fois un mouvement de translation et de rotation. Une balle de base-ball, par exemple, peut tourner sur elle-même tout en se déplaçant selon une certaine trajectoire. Le mouvement peut aussi s'accompagner de vibrations, comme c'est le cas pour la chute d'une goutte d'eau. Il est possible cependant d'éviter pour le moment toutes ces considérations en étudiant le mouvement d'un corps idéalisé appelé *particule*. Une particule, c'est un point géométrique, un corps sans dimensions, de sorte que les mouvements de rotation et de vibration peuvent être mis de côté.

Un tel objet n'existe évidemment pas dans la nature. Ce concept de particule s'avère cependant très utile parce que plusieurs corps se comportent à peu près comme des particules. Il n'est pas nécessaire qu'un corps soit petit pour être considéré comme une particule. Par exemple, par rapport à la distance qui existe entre eux, la Terre et le Soleil peuvent être considérés comme des particules, et, dans cette optique, on peut apprendre beaucoup sur le mouvement du Soleil et des planètes. Une balle de base-ball, une molécule, un proton, un électron peuvent être vus comme des particules. Même un corps trop grand pour être assimilé à une particule n'en demeure pas moins constitué d'un grand nombre de particules; à cet effet la connaissance du mouvement des particules est toujours utile. Il sera cependant plus simple de nous limiter au mouvement d'une particule.

Les corps animés seulement d'un mouvement de translation se comportent comme des particules. Un observateur peut reconnaître un mouvement de *translation* quand les axes d'un système de référence x', y' et z', lié à l'objet en mouvement, demeurent constamment parallèles aux axes de son système x, y, z. La figure 3-1 nous fait voir le mouvement de translation d'un corps se déplaçant de A à B puis à C. À noter que la trajectoire n'est pas nécessairement une ligne droite. Il faut remarquer également que chacun des autres points de l'objet décrit une trajectoire semblable. On peut donc traiter le corps comme une particule puisqu'en décrivant le mouvement d'un point, on décrit le mouvement de tous les autres points.

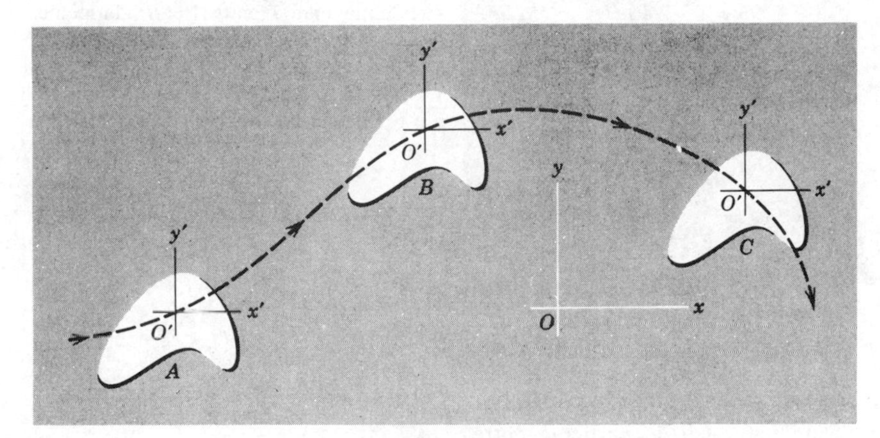

figure 3-1
Mouvement de translation d'un corps. On représente ici un mouvement en deux dimensions. La translation peut aussi se produire en trois dimensions.

3-3 *VITESSE MOYENNE*

Le déplacement, la vitesse et l'accélération d'une particule sont des quantités vectorielles. Comme ce chapitre ne s'intéresse qu'au mouvement à une dimension, nous n'aurons pas vraiment besoin d'utiliser le calcul vectoriel. Cependant, il nous semble opportun d'étudier d'abord le mouvement dans le plan (il sera plus facile de le généraliser à trois dimensions) pour ensuite nous ramener au cas plus particulier du mouvement rectiligne. Cette façon de procéder nous permettra de ne pas oublier le caractère vectoriel de tout mouvement.

Le vecteur vitesse d'une particule est le taux de variation de son vecteur position par rapport au temps. La position d'une particule par rapport à un système de référence est représentée par un vecteur tracé depuis l'origine du système jusqu'à la particule elle-même. Supposons qu'à l'instant t_1 une particule se trouve au point A (fig. 3-2*a*). Sa position dans le plan x-y est représentée par le vecteur $\vec{\mathbf{r}}_1$. Un instant plus tard, à t_2, la particule peut se trouver à la position B, représentée par le vecteur $\vec{\mathbf{r}}_2$. Le vecteur déplacement de la particule entre A et B est $\Delta\vec{\mathbf{r}}$ $(= \vec{\mathbf{r}}_2 - \vec{\mathbf{r}}_1)$, et l'intervalle de temps est Δt $(= t_2 - t_1)$. Le *vecteur vitesse moyenne* de la particule durant cet intervalle se définit ainsi:

$$\bar{\vec{\mathbf{v}}} = \frac{\Delta\vec{\mathbf{r}}}{\Delta t} = \frac{\text{(vecteur déplacement)}}{\text{(intervalle de temps)}} \qquad (3\text{-}1)$$

Le trait au-dessus du vecteur $\vec{\mathbf{v}}$ signifie valeur moyenne de $\vec{\mathbf{v}}$. La quantité $\bar{\vec{\mathbf{v}}}$ est un vecteur, puisqu'elle provient du quotient du vecteur $\Delta\vec{\mathbf{r}}$ par le scalaire Δt.

Son orientation (direction et sens) est la même que celle de $\Delta\vec{r}$ et sa grandeur est $|\Delta\vec{r}/\Delta t|$. Sa grandeur s'exprime en unités de distance par unités de temps, des mètres par seconde par exemple.

La vitesse définie par l'équation 3-1 se nomme *vitesse moyenne* parce que la connaissance du déplacement dans l'intervalle donné ne nous renseigne pas suffisamment sur ce qui s'est passé entre les points A et B. La trajectoire peut être courbe ou droite; le mouvement, uniforme ou variable. La vitesse moyenne ne tient compte que du déplacement vectoriel et du temps total écoulé. Par exemple, supposons qu'une personne quitte son domicile pour une randonnée en auto et qu'elle revienne après un temps Δt (disons 5 h après). Sa vitesse moyenne pour l'aller-retour sera nulle, car son déplacement est nul.

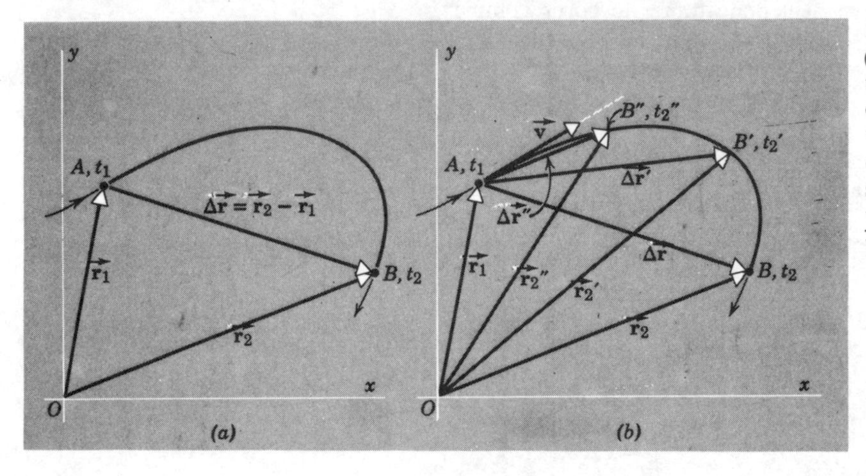

figure 3-2
(a) Une particule va de A à B dans un temps Δt $(= t_2 - t_1)$ subissant un déplacement $\Delta\vec{r}$ $(= \vec{r}_2 - \vec{r}_1)$. Le vecteur-vitesse moyenne $\bar{\vec{v}}$ entre A et B a la même orientation que $\Delta\vec{r}$. *(b)* A mesure que B se rapproche de A, la vitesse moyenne tend vers la vitesse instantanée $\vec{v}$ au point A; $\vec{v}$ est tangent à la trajectoire au point A.

Si nous déterminons d'autres points sur la trajectoire de la particule entre A et B (fig. 3-2*a*) et si nous mesurons le temps d'arrivée à chaque point, nous pouvons décrire le mouvement avec plus de précision. Si la vitesse moyenne demeure constante (en grandeur et en direction) quels que soient les couples de points choisis, on dira alors que la particule possède un vecteur vitesse constant, c'est-à-dire que la trajectoire est rectiligne et que la grandeur de la vitesse est constante.

3-4 *VITESSE INSTANTANÉE*

Supposons qu'une particule se déplace de telle sorte que sa vitesse moyenne, évaluée à différents intervalles de temps, *ne soit pas* constante. On dira que cette particule se déplace à vitesse variable. Nous devons alors chercher à déterminer sa vitesse à tout instant, soit sa *vitesse instantanée*.

Une vitesse peut varier en grandeur ou en direction, ou les deux à la fois. Dans le cas du mouvement illustré dans la figure 3-2*a*, la vitesse moyenne, évaluée durant l'intervalle $t_2 - t_1$, peut différer en grandeur et en direction de la vitesse moyenne durant l'intervalle $t_2' - t_1$. Dans la figure 3-2*b*, on illustre ce cas par des points B, B' et B'' de plus en plus près du point A. Les points B' et B'' représentent deux positions intermédiaires de la particule aux instants t_2' et t_2''. Les vecteurs $\vec{r}_2'$ et $\vec{r}_2''$ représentent ces positions respectives. On observe que les vecteurs déplacement $\Delta\vec{r}$, $\Delta\vec{r}'$ et $\Delta\vec{r}''$ n'ont pas la même direction et qu'ils diminuent de plus en plus. Également, les intervalles de temps correspondants Δt $(= t_2 - t_1)$, $\Delta t'$ $(= t_2' - t_1)$ et $\Delta t''$ $(= t_2'' - t_1)$ deviennent de plus en plus petits.

En poussant plus loin ce processus, en rapprochant B de A, on s'aperçoit que le rapport du déplacement au temps tend vers une valeur limite. Bien que le déplacement devienne très petit, l'intervalle de temps devient aussi très petit et le rapport n'est pas nécessairement une petite quantité. De même, à mesure que le déplacement diminue, il tend vers une direction limite, soit la tangente à la trajectoire au point A. Cette valeur limite du rapport $\Delta\vec{\mathbf{r}}/\Delta t$ est appelée *vitesse instantanée* au point A, ou vitesse de la particule à l'instant t_1.

Si $\Delta\vec{\mathbf{r}}$ désigne le déplacement sur un petit intervalle Δt suivant l'instant t, la vitesse au temps t est la valeur limite du rapport $\Delta\vec{\mathbf{r}}/\Delta t$ lorsque Δt tend vers zéro. Alors, si $\vec{\mathbf{v}}$ représente la *vitesse instantanée*, on écrit:

$$\vec{\mathbf{v}} = \lim_{\Delta t \to 0} \frac{\Delta\vec{\mathbf{r}}}{\Delta t}.$$

La direction de $\vec{\mathbf{v}}$ représente la direction de $\Delta\vec{\mathbf{r}}$ lorsque le point B tend vers A ou lorsque Δt tend vers zéro. Comme nous l'avons vu, cette direction est celle de la tangente à la trajectoire au point A.

En calcul différentiel, la valeur limite de $\Delta\vec{\mathbf{r}}/\Delta t$ lorsque Δt tend vers zéro s'écrit $d\vec{\mathbf{r}}/dt$ et s'appelle *dérivée* de $\vec{\mathbf{r}}$ par rapport au temps. On a alors:

$$\vec{\mathbf{v}} = \lim_{\Delta t \to 0} \frac{\Delta\vec{\mathbf{r}}}{\Delta t} = \frac{d\vec{\mathbf{r}}}{dt}. \tag{3-2}$$

La grandeur de la vitesse instantanée est donnée par la relation suivante:

$$v = |\vec{\mathbf{v}}| = |d\vec{\mathbf{r}}/dt|. \tag{3-3}$$

La notion mathématique du point servait à définir la notion physique de la particule. De même, la vitesse est une notion physique définie avec la notion mathématique de dérivée. En fait, le calcul différentiel fut développé dans le but de fournir un outil plus approprié au traitement des problèmes fondamentaux de la mécanique.

La prochaine section nous permettra d'analyser la notion de vitesse instantanée dans le cas particulier d'un mouvement rectiligne.

3-5 *MOUVEMENT RECTILIGNE — VITESSE VARIABLE*

De nouveau, nous allons considérer le mouvement rectiligne comme un cas particulier d'un mouvement dans le plan.

La figure 3-3 illustre la trajectoire d'une particule dans le plan x-y. Au temps t, le vecteur $\vec{\mathbf{r}}$ représente sa position (fig. 3-3a) et le vecteur $\vec{\mathbf{v}}$ sa vitesse tangente à la trajectoire (fig. 3-3b). On peut écrire (éq. 2-8):

$$\vec{\mathbf{r}} = \vec{\mathbf{i}}x + \vec{\mathbf{j}}y, \tag{3-4}$$

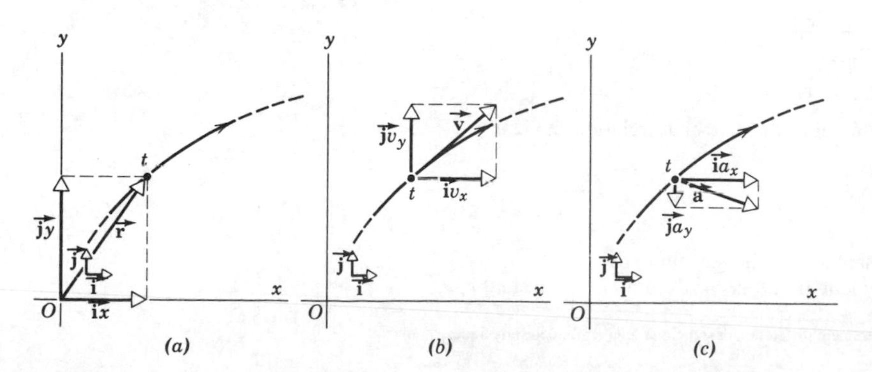

figure 3-3
La particule, au temps t, est caractérisée par *(a)* un vecteur position $\vec{\mathbf{r}}$; *(b)* une vitesse instantanée $\vec{\mathbf{v}}$; *(c)* une accélération instantanée $\vec{\mathbf{a}}$. Les composantes $\vec{\mathbf{i}}x$ et $\vec{\mathbf{j}}y$ de l'équation 3-4, $\vec{\mathbf{i}}v_x$ et $\vec{\mathbf{j}}v_y$ de l'équation 3-5 et $\vec{\mathbf{i}}a_x$ et $\vec{\mathbf{j}}a_y$ de l'équation 3-10 sont représentées.

où $\vec{\mathbf{i}}$ et $\vec{\mathbf{j}}$ sont des vecteurs unitaires selon les directions positives des axes x et y respectivement, alors que x et y sont les composantes scalaires du vecteur $\vec{\mathbf{r}}$.

Puisque les vecteurs $\vec{\mathbf{i}}$ et $\vec{\mathbf{j}}$ sont constants, les équations 3-2 et 3-4 nous permettent d'écrire:

$$\vec{\mathbf{v}} = \frac{d\vec{\mathbf{r}}}{dt} = \vec{\mathbf{i}}\frac{dx}{dt} + \vec{\mathbf{j}}\frac{dy}{dt},$$

et

$$\vec{\mathbf{v}} = \vec{\mathbf{i}}v_x + \vec{\mathbf{j}}v_y \qquad \text{(mouvement dans le plan)} \tag{3-5}$$

où v_x ($= dx/dt$) et v_y ($= dy/dt$) sont les composantes scalaires du vecteur $\vec{\mathbf{v}}$.*

Considérons maintenant un mouvement rectiligne selon l'axe x (le choix de l'axe est arbitraire). La composante $v_y = 0$, de sorte que l'équation 3-5 s'écrit maintenant comme ceci:

$$\vec{\mathbf{v}} = \vec{\mathbf{i}}v_x \qquad \text{(mouvement rectiligne).} \tag{3-6}$$

Puisque $\vec{\mathbf{i}}$ est orienté positivement selon x, v_x aura une valeur positive ($+ v$) si $\vec{\mathbf{v}}$ est orienté selon $\vec{\mathbf{i}}$, et négative (de valeur $- v$) si $\vec{\mathbf{v}}$ est dirigé dans le sens contraire de $\vec{\mathbf{i}}$. En une dimension, une seule alternative est possible pour l'orientation de $\vec{\mathbf{v}}$; la notation vectorielle n'est donc pas essentielle. Il suffira alors d'écrire les valeurs algébriques de v_x.

EXEMPLE 1

Le calcul d'une limite. Pour illustrer le calcul d'une limite en une dimension, examinons le tableau suivant, où sont consignées des données obtenues sur un mouvement rectiligne selon x. Les symboles utilisés réfèrent à la figure 3-4, qui représente le mouvement de gauche à droite de la particule selon la direction positive de l'axe x. À $t_1 = 1{,}00$ s, la particule est à $x_1 = 100$ cm, alors qu'à t_2 elle est à la position x_2. En restreignant de plus en plus l'intervalle $t_2 - t_1$ on obtient les résultats suivants:

x_1, cm	t_1, s	x_2, cm	t_2, s	$x_2 - x_1 = \Delta x$, cm	$t_2 - t_1 = \Delta t$, s	$\Delta x/\Delta t$, cm/s
100,0	1,00	200,0	11,00	100,0	10,00	+10,0
100,0	1,00	180,0	9,60	80,0	8,60	+9,3
100,0	1,00	160,0	7,90	60,0	6,90	+8,7
100,0	1,00	140,0	5,90	40,0	4,90	+8,2
100,0	1,00	120,0	3,56	20,0	2,56	+7,8
100,0	1,00	110,0	2,33	10,0	1,33	+7,5
100,0	1,00	105,0	1,69	5,0	0,69	+7,3
100,0	1,00	103,0	1,42	3,0	0,42	+7,1
100,0	1,00	101,0	1,14	1,0	0,14	+7,1

L'équation 3-2, valide dans le cas général d'un mouvement à trois dimensions, nous donne la valeur de $\vec{\mathbf{v}}$:

$$\vec{\mathbf{v}} = \lim_{\Delta t \to 0} \frac{\Delta \vec{\mathbf{r}}}{\Delta t} = \frac{d\vec{\mathbf{r}}}{dt}.$$

Dans le cas d'un mouvement à une dimension selon l'axe x, cette relation devient tout simplement ceci:

$$v_x = \lim_{\Delta t \to 0} \frac{\Delta x}{\Delta t} = \frac{dx}{dt}. \tag{3-7}$$

Il est clair, d'après le tableau, qu'en choisissant x_2 de plus en plus près de x_1, Δt tend vers zéro, et le rapport $\Delta x/\Delta t$ tend vers la valeur limite de $+ 7{,}1$ cm/s. À l'instant t_1,

* Les symboles, v du texte et v des équations, quoique légèrement différents, désignent la même grandeur physique: la vitesse.

la vitesse v_x est donc de + 7,1 cm/s. Puisque cette vitesse v_x est positive, le vecteur vitesse $\vec{v}$ (égal à $\vec{i}v_x$ selon l'équation 3-6) pointe vers la droite, comme nous le voyons sur la figure 3-4. Ce vecteur est tangent à la trajectoire.

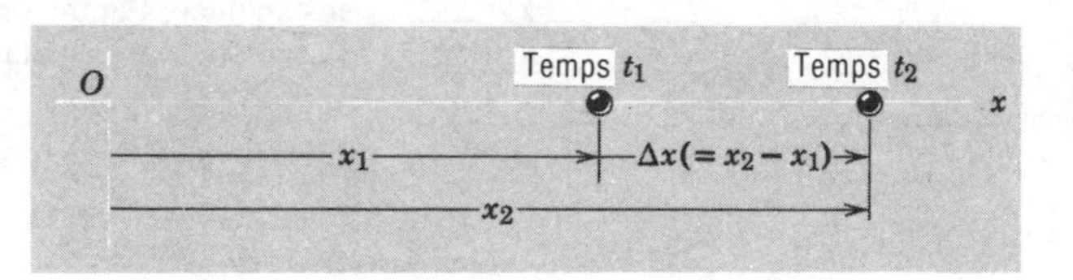

figure 3-4
Une particule se déplaçant vers la droite, selon l'axe des x.

EXEMPLE 2

La figure 3-5*a* représente six instantanés successifs d'un mobile qui accélère le long de l'axe x. À $t = 0$, sa position est $x = +1{,}00$ m à la droite de l'origine; à $t = 2{,}5$ s, il s'arrête à $x = +5{,}00$ m; à $t = 4{,}0$ s, il est revenu à $x = +1{,}40$ m. La figure 3-5*b* contient le graphique $x = f(t)$ de ce mouvement. La vitesse moyenne pendant l'intervalle (0 − 4) s s'obtient en divisant le déplacement (ou changement de position), +0,40 m, par l'intervalle de temps, 4,0 s. D'où: $\bar{v}_x = +0{,}10$ m/s. Le vecteur vitesse moyenne $\vec{\bar{v}}$ pointe vers la direction positive de l'axe x (c'est-à-dire vers la droite sur la figure 3-5*a*) soit la même orientation que le déplacement. On peut aussi obtenir v_x en calculant la pente de la droite pointillée *af* sur la figure 3-5*b*; la pente est égale au quotient du déplacement *gf* par l'intervalle de temps *ga*. (À remarquer que la pente n'est pas égale à la tangente de l'angle *fag* mesuré à l'aide d'un rapporteur. Cet angle a une valeur arbitraire, puisqu'il dépend de la graduation des axes x et t.)

On trouve la vitesse v_x à tout instant t en évaluant la pente de la courbe 3-5*b* à cet instant. L'équation 3-7 est la définition même d'une pente en calcul différentiel. Dans notre exemple, la pente au point b, donc la valeur de v_x en b, est de +1,7 m/s; la pente en d est nulle et, en f, sa valeur est de −6,2 m/s. Si, à tout instant t, on détermine la pente dx/dt, on peut alors tracer la courbe vitesse-temps (fig. 3-5*c*). Notons que, pour l'intervalle $0 < t < 2{,}5$ s, v_x a une valeur positive. C'est pourquoi le vecteur vitesse $\vec{v}$, dans la figure 3-5*a*, est orienté vers la droite. Par contre, pour l'intervalle $2{,}5 \text{ s} < t < 4{,}0$ s, v_x a une valeur négative. Dans la même figure 3-5*a*, le vecteur vitesse $\vec{v}$ est donc dirigé vers la gauche.

3-6 *ACCÉLÉRATION*

Il arrive souvent que la vitesse ou la direction (ou les deux à la fois) d'un mobile en mouvement change. On dit alors qu'il y a accélération. *L'accélération d'une particule est le taux de variation du vecteur vitesse par rapport au temps.* Supposons qu'à l'instant t_1 une particule se trouve au point A (fig. 3-6) et se déplace dans le plan x-y à une vitesse instantanée $\vec{v}_1$; un peu plus tard, à l'instant t_2, elle peut se trouver en B avec une vitesse $\vec{v}_2$. L'accélération moyenne $\vec{\bar{a}}$ de A à B est définie comme la variation du vecteur vitesse par unité de temps, soit:

$$\vec{\bar{a}} = \frac{\vec{v}_2 - \vec{v}_1}{t_2 - t_1} = \frac{\Delta\vec{v}}{\Delta t}. \qquad (3\text{-}8)$$

La quantité $\vec{a}$ est un vecteur, puisqu'elle provient de la division du vecteur $\Delta\vec{v}$ par le scalaire Δt. L'accélération est donc caractérisée par une grandeur et une orientation. Son orientation est la même que $\Delta\vec{v}$ et sa grandeur est $|\Delta\vec{v}/\Delta t|$. La grandeur de l'accélération s'exprime en unités de vitesse par unités de temps, comme, par exemple, des mètres par seconde, par seconde (noté m/s^2 et lu « mètres par seconde carrée »).

Le vecteur $\vec{\bar{a}}$ de l'équation 3-8 est appelé *accélération moyenne* parce qu'on ignore comment varie la vitesse à l'intérieur de l'intervalle Δt. On ne connaît que la variation totale du vecteur vitesse et le temps total. Si la variation du vecteur vitesse par unité de temps, $\Delta\vec{v}/\Delta t$, demeure constante, quel que soit

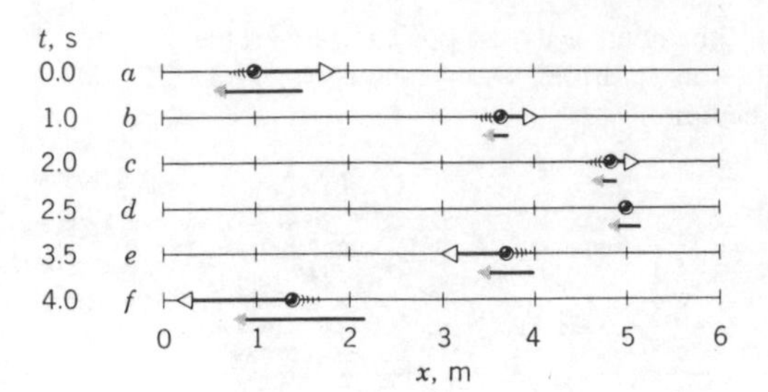

figure 3-5
(a) Six « instantanés » consécutifs d'une particule se déplaçant selon l'axe des x. Le vecteur lié à la particule est la vitesse instantanée; l'autre vecteur représente l'accélération instantanée.

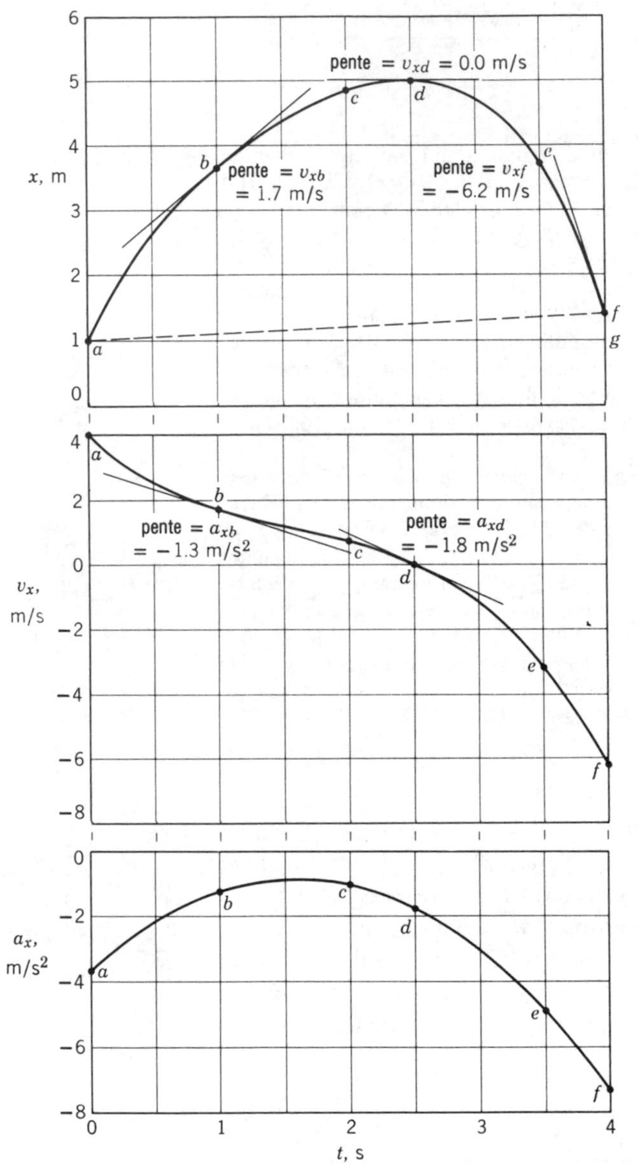

(b) Graphique de x en fonction de t décrivant le mouvement de la particule.

(c) Graphique de v_x en fonction de t.

(d) Graphique de a_x en fonction de t.

l'intervalle Δt choisi, on dit alors que l'accélération est *constante*. Une accélération constante implique donc que la variation de vitesse $\Delta\vec{\mathbf{v}}$ est uniforme, dans le temps, en grandeur et en direction. Si $\Delta\vec{\mathbf{v}}$ est nul, c'est-à-dire si la vitesse est constante en grandeur et en direction en tout temps t, alors l'accélération est nulle.

Si l'accélération moyenne d'une particule, évaluée sur différents intervalles, n'est pas constante, on dit que la particule subit une accélération variable. L'accélération peut varier en grandeur ou en direction, ou les deux à la fois. Il sera alors utile de déterminer l'accélération de la particule à un instant donné, soit l'accélération instantanée.

L'accélération instantanée se définit ainsi:

$$\vec{a} = \lim_{\Delta t \to 0} \frac{\Delta \vec{v}}{\Delta t} = \frac{d\vec{v}}{dt}. \tag{3-9}$$

L'accélération d'une particule à un temps t est donc égale à la valeur limite du rapport $\Delta\vec{v}/\Delta t$ au temps t, lorsque $\Delta\vec{v}$ et Δt tendent vers zéro. Le vecteur accélération instantané $\vec{a}$ présente la même orientation que le vecteur $\Delta\vec{v}$ évalué à la limite quand Δt tend vers zéro. La grandeur de l'accélération instantanée $\vec{a}$ est tout simplement $a = |\vec{a}| = |d\vec{v}/dt|$. Lorsque l'accélération est constante, l'accélération instantanée est égale à l'accélération moyenne. Vous remarquerez que la relation entre $\vec{a}$ et $\vec{v}$ dans l'équation 3-9 est semblable à celle entre $\vec{v}$ et $\vec{r}$ dans l'équation 3-2.

Deux cas peuvent illustrer le fait que l'accélération peut résulter d'un changement en grandeur ou en direction du vecteur vitesse. Le premier cas est celui d'un mouvement rectiligne où la vitesse varie uniformément (comme à la section 3-8). Ici la vitesse ne change pas en direction mais sa grandeur varie uniformément dans le temps. Le deuxième cas est celui d'un mouvement circulaire à vitesse constante (section 4-4): le vecteur vitesse varie constamment en direction mais non en grandeur. C'est donc un cas de mouvement accéléré où le vecteur accélération change constamment de direction. Nous étudierons plus loin d'autres cas importants de mouvement accéléré.

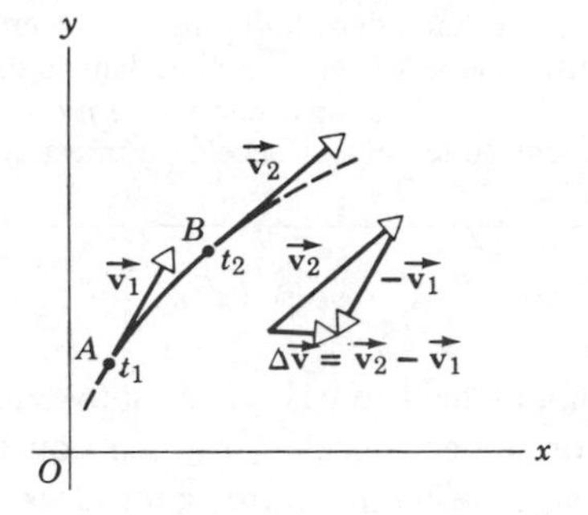

figure 3-6
Une particule a une vitesse $\vec{v}_1$ au point A et $\vec{v}_2$ au point B. Le triangle illustre la variation du vecteur vitesse $\Delta\vec{v}(= \vec{v}_2 - \vec{v}_1)$ entre les points A et B.

3-7 MOUVEMENT RECTILIGNE — ACCÉLÉRATION VARIABLE

Dans le cas d'un mouvement dans le plan (fig. 3-3), les équations 3-5 et 3-9 nous permettent d'écrire la relation suivante:

$$\vec{a} = \frac{d\vec{v}}{dt} = \vec{i}\frac{dv_x}{dt} + \vec{j}\frac{dv_y}{dt}$$

ou

$$\vec{a} = \vec{i}a_x + \vec{j}a_y, \tag{3-10}$$

où a_x $(= dv_x/dt)$ et a_y $(= dv_y/dt)$ sont les composantes scalaires du vecteur accélération $\vec{a}$ (fig. 3-3c).

Revenons maintenant à un mouvement à une dimension selon l'axe des x. Étant donné que v_y est nulle, a_y est nulle de sorte que

$$\vec{a} = \vec{i}a_x. \tag{3-11}$$

Puisque $\vec{i}$ est orienté selon la direction positive de l'axe des x, a_x aura une valeur positive lorsque $\vec{a}$ pointera vers $+x$, et négative dans le cas contraire.

EXEMPLE 3

La figure 3-5a représente un mouvement avec accélération variable selon l'axe des x. Afin de déterminer l'accélération[1] a_x à tout instant, il nous faut évaluer dv_x/dt à chaque instant. Il s'agit tout simplement de la pente de la courbe $v_x(t)$ à tout temps t. La pente au point b dans la figure 3-5c est $-1{,}3$ m/s², et celle au point d est $-1{,}8$ m/s². Nous

[1] Lorsque le mouvement est rectiligne, on utilise a_x pour signifier l'accélération; c'est la même règle que pour la vitesse. Pour les mouvements en une dimension, a_x peut être considérée comme la seule et unique composante du vecteur $\vec{a}$.

retrouvons ces valeurs dans la figure 3-5*d*. Remarquez que a_x est négative à tout instant, ce qui signifie que le vecteur $\vec{a}$ pointe dans la direction négative de l'axe des x. Il s'ensuit que v_x décroît dans le temps, comme le montre la figure 3-5*c*. Nous avons affaire ici à un mouvement où le vecteur accélération est constant en direction mais non en grandeur (fig. 3-5*a*).

3-8 MOUVEMENT RECTILIGNE — ACCÉLÉRATION CONSTANTE

Étudions maintenant le cas où le mouvement est non seulement rectiligne mais aussi uniformément accéléré (a_x est constante). L'accélération moyenne pour tout intervalle de temps correspond alors à l'accélération instantanée a_x. Soit $t_1 = 0$ et $t_2 = t$; si v_{x0} est la vitesse au temps $t = 0$, et v_x la vitesse au temps t, alors a_x peut être décrite de la façon suivante:

$$a_x = \frac{\Delta v}{\Delta t} = \frac{v_x - v_{x0}}{t - 0}$$

ou

$$v_x = v_{x0} + a_x t. \qquad (3\text{-}12)$$

Cette équation nous dit que la vitesse v_x, au temps t, sera la somme de sa valeur v_{x0} au temps $t = 0$ et du changement de vitesse $a_x t$ durant le temps t.

La figure 3-7*c* représente un graphique de v_x en fonction de t lorsque a_x est une constante; c'est le graphique de l'équation 3-12. Notez que la pente de la courbe $v_x(t)$ est constante; il doit en être ainsi puisque, par hypothèse, a_x, ou dv_x/dt, est constante (fig. 3-7*d*).

Quand la vitesse v_x varie uniformément dans le temps, la vitesse moyenne sur un intervalle de temps quelconque est la demi-somme des valeurs de v_x au début et à la fin de l'intervalle.

Il s'ensuit que la vitesse moyenne $\overline{v_x}$ entre $t = 0$ et $t = t$ est

$$\overline{v_x} = \tfrac{1}{2}(v_{x0} + v_x). \qquad (3\text{-}13)$$

Cette équation ne tient plus si l'accélération n'est pas constante. Dans ce cas, la courbe $v_x = f(t)$ ne serait plus une droite.

Si la position de la particule à $t = 0$ est x_0, la position au temps $t = t$ sera la suivante:

$$x = x_0 + \overline{v_x}t$$

ce qui donne, en utilisant l'équation 3-13:

$$x = x_0 + \tfrac{1}{2}(v_{x0} + v_x)t. \qquad (3\text{-}14)$$

Le déplacement durant le temps t est $x - x_0$. On choisit souvent l'origine de telle sorte que $x_0 = 0$.

À part les conditions initiales du mouvement, c'est-à-dire les valeurs de x et de v_x à $t = 0$, on compte quatre paramètres du mouvement. Ce sont: x, la position; v_x, la vitesse; a_x, l'accélération; t, le temps. Si nous savons que l'accélération est constante (sans connaître sa valeur), la connaissance de deux des paramètres nous permettra de trouver les deux autres. Par exemple si a_x et t sont connus, l'équation 3-12 nous donne la valeur de v_x et, alors, l'équation 3-14 permet de trouver la valeur de x.

Dans la plupart des problèmes sur le mouvement uniformément accéléré, on connaît deux paramètres, à partir desquels on en détermine un troisième. Par conséquent, il est utile de trouver des relations entre ces différents paramètres. L'équation 3-12 contient v_x, a_x, et t mais non x; l'équation 3-14 contient x, v_x et t mais non a_x. Pour compléter notre système d'équations, il nous faut deux autres relations, l'une impliquant x, a_x et t mais non v_x, et l'autre impliquant x, v_x et a_x mais non le temps t. On peut les obtenir à partir des équations 3-12 et 3-14.

figure 3·7

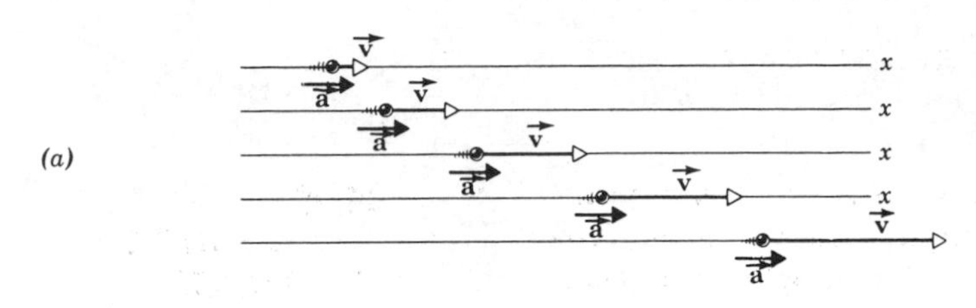

(a) Cinq « instantanés » consécutifs d'un mouvement rectiligne uniformément accéléré. Les vecteurs $\vec{v}$ sont liés à la particule. Les autres représentent l'accélération $\vec{a}$.

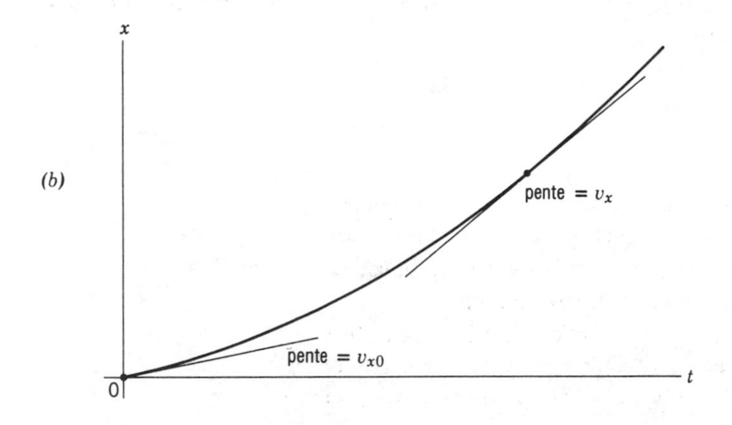

(b) Le déplacement varie selon l'équation $x = v_{x0}t + \frac{1}{2}a_xt^2$. La pente augmente uniformément et donne la valeur de la vitesse v_x à tout instant.

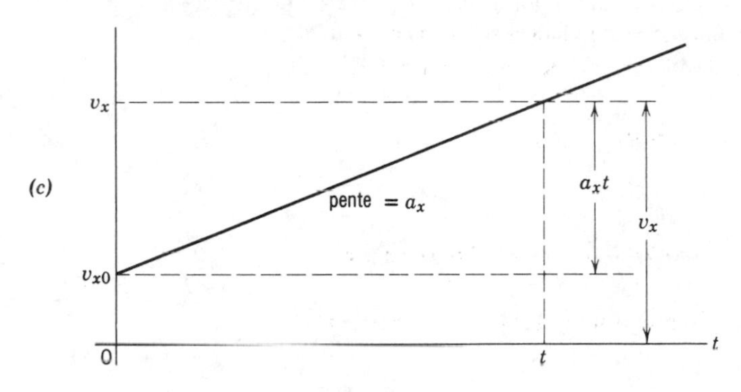

(c) La vitesse v_x augmente uniformément selon l'équation $v_x = v_{x0} + a_xt$. La pente est constante et donne la mesure de l'accélération a_x à tout instant.

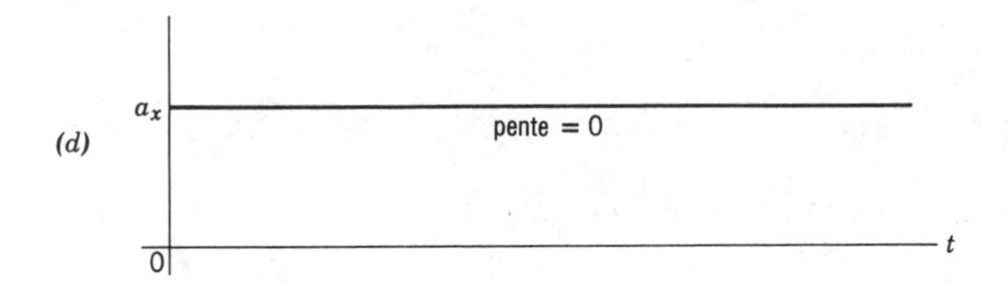

(d) L'accélération a_x est constante; la pente est nulle. La figure 3-5 présente des graphiques semblables dans le cas où l'accélération est variable.

Ainsi, en substituant dans l'équation 3-14 la valeur de v_x de l'équation 3-12, on élimine v_x et on a

$$x = x_0 + v_{x0}t + \tfrac{1}{2}a_xt^2. \qquad (3\text{-}15)$$

Quand on isole le paramètre t de l'équation 3-12 et que l'on substitue cette valeur de t dans l'équation 3-14, on trouve

$$v_x^2 = v_{x0}^2 + 2a_x(x - x_0). \qquad (3\text{-}16)$$

Les équations 3-12, 3-14, 3-15 et 3-16 (tableau 3-1) forment un ensemble complet de relations décrivant le mouvement rectiligne uniformément accéléré.

Tableau 3-1
Équations de la cinématique du mouvement rectiligne uniformément accéléré.
(La position x_0 et la vitesse v_{x0} au temps $t = 0$ sont les conditions initiales.)

Numéro de l'équation	Équation	Contenu x	v_x	a_x	t
3-12	$v_x = v_{x0} + a_x t$	×	√	√	√
3-14	$x = x_0 + \frac{1}{2}(v_{x0} + v_x)t$	√	√	×	√
3-15	$x = x_0 + v_{x0}t + \frac{1}{2}a_x t^2$	√	×	√	√
3-16	$v_x^2 = v_{x0}^2 + 2a_x(x - x_0)$	√	√	√	×

Un cas particulier de mouvement uniformément accéléré est celui où l'accélération est nulle, c'est-à-dire $a_x = 0$. Les quatre équations du tableau 3-1 nous donnent alors les résultats attendus $v_x = v_{x0}$ (la vitesse est constante) et $x = x_0 + v_{x0}t$ (le déplacement augmente linéairement dans le temps).

EXEMPLE 4

La figure 3-7*b* représente la courbe $x = f(t)$ d'un mouvement uniformément accéléré. C'est le graphique de l'équation 3-15, où $x_0 = 0$. La pente de la tangente à la courbe au temps t est une mesure de la vitesse v_x à cet instant. Remarquez que la pente augmente continuellement à partir de v_{x0} à $t = 0$. Le taux de croissance de cette pente donne l'accélération a_x, qui est constante dans ce cas. La courbe de la figure 3-7*b* est une parabole, puisque l'équation 3-15 est l'équation d'une parabole ayant une pente v_{x0} à $t = 0$. En dérivant l'équation 3-15, c'est-à-dire

$$x = x_0 + v_{x0}t + \tfrac{1}{2}a_x t^2$$

on obtient la valeur de v_x:

$$dx/dt = v_{x0} + a_x t \qquad \text{ou} \qquad v_x = v_{x0} + a_x t.$$

En dérivant une seconde fois, on obtient la valeur de l'accélération:

$$dv_x/dt = a_x = \text{constante}.$$

La courbe $x = f(t)$ du mouvement rectiligne uniformément accéléré sera donc toujours une parabole.

3-9 *COHÉRENCE DES UNITÉS ET DES DIMENSIONS*

Nous ne devons pas nous sentir obligés de mémoriser les équations du tableau 3-1. Il est plus important de bien comprendre le raisonnement qui nous a amenés à les trouver. Leur utilisation fréquente dans la solution des problèmes permettra une meilleure compréhension et aidera à les mémoriser.

On peut utiliser dans ces équations n'importe quelle *unité* convenable de distance et de temps. Si nous choisissons d'exprimer le temps en secondes et la distance en mètres, il faudra, pour être cohérents, exprimer la vitesse en m/s et l'accélération en m/s². Si les unités d'une grandeur, comme la vitesse, ne sont pas cohérentes avec les unités d'une autre grandeur, comme l'accélération, il faudra alors faire un changement d'unités pour les rendre cohérentes.

Le choix des unités des grandeurs fondamentales déterminera les unités des grandeurs dérivées. N'oubliez jamais, après un calcul, d'indiquer les unités du résultat final. Autrement, le résultat n'a aucune signification.

EXEMPLE 5

Une particule subit une accélération constante de 5,00 cm/s² pendant 0,50 h. Si, au début de l'intervalle, la vitesse de la particule était de 3,0 m/s, trouvez sa vitesse finale. On a

$$\Delta t = t - t_0 = 0{,}50 \text{ h} \times \left(\frac{60 \text{ min}}{1 \text{ h}}\right) \times \left(\frac{60 \text{ s}}{1 \text{ min}}\right) = 1800 \text{ s}.$$

Donc

$$v_x = v_{x0} + a_x t = 3{,}0 \text{ m/s} + (0{,}05 \text{ m/s}^2)(1800 \text{ s}) = 93{,}0 \text{ m/s}.$$

Une bonne façon de déceler une équation fautive est de vérifier les *dimensions* de tous les termes. Les dimensions de n'importe laquelle quantité physique peuvent toujours s'exprimer en fonction de dimensions plus fondamentales comme la masse, le temps et la distance. Les dimensions d'une vitesse sont une longueur *(L)* sur un temps *(T)*; les dimensions d'une accélération sont une longueur *(L)* sur un temps au carré (T^2), etc. *Toute équation physique doit contenir des termes ayant les mêmes dimensions.* On ne peut, par exemple, égaler un terme ayant les dimensions d'une vitesse avec un autre ayant les dimensions d'une accélération. Dans une équation, il est utile d'écrire toutes les quantités en fonction des dimensions fondamentales L, M, T et de traiter par la suite ces symboles algébriquement. Par exemple, pour vérifier l'équation 3-15 ($x = x_0 + v_{x0}t + \frac{1}{2} a_x t^2$) du point de vue dimensionnel, il suffit de noter d'abord que x et x_0 sont des longueurs. Par conséquent, les deux autres termes doivent être aussi des longueurs. Les dimensions du terme $v_{x0}t$ sont les suivantes:

$$\frac{\text{longueur}}{\text{temps}} \times \text{temps} = \text{longueur} \quad \text{ou} \quad \frac{L}{T} \times T = L,$$

et celles de $\frac{1}{2}a_x t^2$ sont

$$\frac{\text{longueur}}{\text{temps}^2} \times \text{temps}^2 = \text{longueur} \quad \text{ou} \quad \frac{L}{T^2} \times T^2 = L.$$

L'équation est donc correcte du point de vue dimensionnel. Vérifiez toujours les dimensions des équations utilisées.

EXEMPLE 6

On réduit la vitesse d'une voiture filant vers l'est de 70 à 50 km/h sur une distance de 80 m.

(a) Calculez la grandeur et la direction de l'accélération en supposant qu'elle soit constante.

Choisissons arbitrairement la direction ouest-est comme étant la direction positive de l'axe des x. On connaît x et v_x, et on cherche a_x. Faute d'information sur le temps, l'équation 3-16 est donc tout indiquée (tableau 3-1). On a $v_x = +50$ km/h, $v_{x0} = +70$ km/h et $x - x_0 = 0{,}08$ km. En isolant a_x dans l'équation 3-16, on obtient:

$$a_x = \frac{v_x^2 - v_{x0}^2}{2(x - x_0)},$$

c'est-à-dire:

$$a_x = \frac{(50\ \text{km/h})^2 - (70\ \text{km/h})^2}{2(0{,}08\ \text{km})} = -1{,}5 \times 10^4\ \text{km/h}^2 = -1{,}16\ \text{m/s}^2.$$

L'accélération négative signifie que le vecteur $\vec{\mathbf{a}}$ est dirigé vers l'ouest. La voiture se déplace donc vers l'est tout en subissant une accélération vers l'ouest. Lorsque la vitesse d'un corps décroît, on dit qu'il décélère.

(b) Calculez le temps de la décélération.

Si nous n'utilisons que les données originales du problème, l'équation 3-14 est appropriée. En isolant t dans cette équation, on a:

$$t = \frac{2(x - x_0)}{v_{x0} + v_x},$$

ou

$$t = \frac{(2)(0{,}08\ \text{km})}{(70 + 50)\ \text{km/h}} = 1{,}33 \times 10^{-3}\,\text{h} = 4{,}8\ \text{s}.$$

Si nous utilisons le résultat de *(a)*, c'est l'équation 3-12 qui convient alors. En isolant de nouveau t, on a:

$$t = \frac{v_x - v_{x0}}{a_x}$$

ou

$$t = \frac{(50 - 70)\ \text{km/h}}{-1{,}5 \times 10^4\ \text{km/h}^2} = 1{,}33 \times 10^{-3}\,\text{h} = 4{,}8\ \text{s}.$$

(c) En supposant que la voiture continue à décélérer au même taux, quel temps lui sera nécessaire pour s'immobiliser, à partir d'une vitesse de 70 km/h?

C'est l'équation 3-12 qui nous servira ici. On a $v_{x0} = 70$ km/h, $a_x = -1{,}5 \times 10^4$ km/h² et la vitesse finale $v_x = 0$. En isolant t dans l'équation 3-12, on a:

$$t = \frac{v_x - v_{x0}}{a_x},$$

ou

$$t = \frac{(0 - 70)\ \text{km/h}}{-1{,}5 \times 10^4\ \text{km/h}^2} = 4{,}67 \times 10^{-3}\,\text{h} = 16{,}8\ \text{s}.$$

(d) Calculez la distance requise pour immobiliser la voiture à partir de la même vitesse de 70 km/h.

Le choix de l'équation 3-15 s'impose ici. On a $v_{x0} = 70$ km/h, $a_x = -1{,}5 \times 10^4$ km/h², et $t = 4{,}67 \times 10^{-3}$ h. De l'équation 3-15, $x = x_0 + v_{x0}t + \frac{1}{2}a_x t^2$, on tire la valeur suivante:

$$\begin{aligned} x - x_0 &= v_{x0}t + \tfrac{1}{2}a_x t^2 \\ &= (70\ \text{km/h})(4{,}67 \times 10^{-3}\ \text{h}) + \tfrac{1}{2}(-1{,}5 \times 10^4\ \text{km/h}^2)(4{,}67 \times 10^{-3}\ \text{h})^2 \\ &= 0{,}16\ \text{km} = 160\ \text{m} \end{aligned}$$

EXEMPLE 7

Un noyau d'hélium (particule alpha) se déplace à l'intérieur d'un cylindre de 2,0 m de longueur faisant partie d'un accélérateur de particules. *(a)* Sachant que la particule entre dans le tube à une vitesse de $1{,}0 \times 10^4$ m/s et qu'elle en sort à $5{,}0 \times 10^6$ m/s, évaluez le temps qu'elle passe dans le tube. Supposez que l'accélération est constante. *(b)* Calculez l'accélération que la particule a reçue durant ce temps.

(a) Établissons un axe x parallèle à l'axe du cylindre et positif dans le sens du mouvement de la particule. L'origine est choisie à l'entrée du cylindre. On a x et v_x, et on

cherche t. Puisque a_x est inconnue pour le moment, c'est l'équation 3-14 qui nous servira. En posant $x_0 = 0$ et en isolant t dans l'équation 3-14, on a:

$$t = \frac{2x}{v_{x0} + v_x},$$

ou

$$t = \frac{(2)(2{,}0 \text{ m})}{(500 + 1) \times 10^4 \text{ m/s}} = 8{,}0 \times 10^{-7} \text{ s},$$

$$= 0{,}80 \ \mu\text{s}$$

(b) L'équation 3-12 nous permet de calculer a_x:

$$a_x = \frac{v_x - v_{x0}}{t} = \frac{(500 - 1) \times 10^4 \text{ m/s}}{8{,}0 \times 10^{-7} \text{ s}} = +6{,}3 \times 10^{12} \text{ m/s}^2,$$

Bien que cette accélération soit énorme, elle n'agit que sur un temps très faible. Le vecteur accélération $\vec{a}$ est orienté selon la direction positive de l'axe, c'est-à-dire dans le sens du mouvement de la particule.

3-10 CHUTE LIBRE

La chute libre d'un corps est sans doute l'exemple le plus connu des mouvements uniformément accélérés. Lorsque la résistance de l'air est négligeable, on observe que tous les corps, peu importe leur grosseur, leur poids ou leur nature, tombent, en un endroit précis de la Terre, avec la même accélération. Si la chute ne se prolonge pas trop, l'accélération demeure constante durant tout le mouvement. C'est ce qu'on nomme « chute libre ».

L'accélération d'un corps en chute libre est appelée accélération gravitationnelle, et on la symbolise par $\vec{g}$. Près de la surface de la Terre, sa grandeur[2] est approximativement 9,8 m/s^2 ou 980 cm/s^2, et elle est dirigée vers le centre de la Terre. Nous reportons à plus tard l'étude des variations de $\vec{g}$ en fonction de la latitude et de l'altitude.

- **Note**

Il y a longtemps que le mouvement en chute libre intéresse la philosophie de la nature. Aristote affirmait que « le mouvement vers le bas d'un corps doué de pesanteur se fait d'autant plus rapidement que le corps est gros ». Ce n'est que plusieurs siècles plus tard que Galilée (1564-1642), à partir d'expériences, découvrit la vérité et osa remettre en question l'autorité d'Aristote en la matière. Vers la fin de sa vie, Galilée écrivit un traité de mécanique où il exposait sa théorie du mouvement.

Beaucoup de gens sont portés à croire, comme Aristote, que les objets plus pesants tombent plus rapidement. L'expérience suivante semble leur donner raison: lorsqu'on laisse tomber en même temps une balle et une feuille de papier, la balle atteint le plancher bien avant la feuille de papier. Mais, si on reprend l'expérience en prenant soin de bien froisser le papier, on observe que les deux objets touchent le sol presque en même temps. Dans le premier cas, c'est l'effet de la résistance de l'air qui retarde la chute de la feuille de papier. Dans le deuxième cas, la résistance de l'air sur la feuille est minimisée de sorte que les deux objets touchent le sol à peu près en même temps. Sans doute, on peut réaliser une expérience plus probante dans le vide. Même si le vide n'est pas parfait, on peut montrer qu'une plume et une boule de plomb mille fois plus pesante tombent en même temps.

[2] Voir « Absolute value of g at the National Bureau of Standards » par D.R. Tate, *J. Res. NBS 70C*, avril-juin, 1966.

À l'époque de Galilée cependant, il n'y avait pas moyen de créer un vide, même partiel, et on ne disposait d'aucun instrument permettant de mesurer des temps avec une précision suffisante. Malgré tout, Galilée fit triompher sa théorie, en montrant d'abord la similitude entre le mouvement d'une balle roulant au bas d'un plan incliné et celui d'une balle tombant en chute libre.[3] Le plan incliné ne sert qu'à réduire l'accélération gravitationnelle, donc à ralentir le mouvement. Il eut l'idée d'utiliser un clepsydre comme chronomètre; ainsi, il put mesurer la vitesse et l'accélération du mouvement.[4] Galilée montra que si l'accélération le long du plan incliné était constante, l'accélération gravitationnelle devait l'être aussi; l'accélération le long du plan incliné n'est qu'une composante de l'accélération gravitationnelle et le rapport de ces deux accélérations est constant.

Ses expériences lui montrèrent que les distances parcourues durant des intervalles de temps consécutifs étaient proportionnelles aux nombres impairs 1, 3, 5, 7, . . . etc. Les distances totales parcourues après chaque intervalle étaient donc proportionnelles à 1 + 3, 1 + 3 + 5, 1 + 3 + 5 + 7, . . . c'est-à-dire proportionnelles à 1^2, 2^2, 3^2, 4^2 etc. Mais, si la distance parcourue est proportionnelle au temps au carré, la vitesse acquise est donc proportionnelle au temps, ce qui est typique d'un mouvement uniformément accéléré. Il trouva que la masse de la balle n'influençait aucunement ses résultats. •

3-11 *ÉQUATIONS DU MOUVEMENT EN CHUTE LIBRE*

Choisissons un système de référence lié à la Terre. L'axe des y sera orienté positivement vers le haut. Le vecteur $\vec{\mathbf{g}}$ est donc dirigé selon la direction négative de l'axe des y (notez l'arbitraire du choix: dans un autre problème, il pourrait être plus commode de choisir un axe des y orienté positivement vers le bas). Nos équations du mouvement uniformément accéléré peuvent être utilisées. Il suffit de remplacer x par y et de poser $y_0 = 0$ dans les équations 3-12, 3-14, 3-15 et 3-16 pour obtenir les équations équivalentes suivantes:

$$\begin{aligned} v_y &= v_{y0} + a_y t, \\ y &= \tfrac{1}{2}(v_{y0} + v_y)t, \\ y &= v_{y0}t + \tfrac{1}{2}a_y t^2, \\ v_y^2 &= v_{y0}^2 + 2a_y y. \end{aligned} \qquad (3\text{-}17)$$

Soulignons que $a_y = -g$, g étant la grandeur de l'accélération gravitationnelle; également, la position initiale coïncide avec l'origine du système, d'où $y_0 = 0$.

EXEMPLE 8

On laisse tomber un corps en chute libre. Déterminez la position et la vitesse du corps après 1,0, 2,0, 3,0 et 4,0 s.

Plaçons l'origine à la position initiale. On connaît la vitesse initiale, l'accélération et le temps. La position y se calculera en utilisant l'équation

$$y = v_{y0}t - \tfrac{1}{2}gt^2.$$

Puisque $v_{y0} = 0$, $g = 9{,}8$ m/s² et $t = 1$ s, on a

$$y = 0 - \tfrac{1}{2}(9{,}8 \text{ m/s}^2)(1 \text{ s})^2 = -4{,}9 \text{ m}.$$

La vitesse au temps $t = 1{,}0$ s nous sera donnée par l'équation

$$v_y = v_{y0} - gt$$

c'est-à-dire:

$$v_y = 0 - (9{,}8 \text{ m/s}^2)(1 \text{ s}) = -9{,}8 \text{ m/s}.$$

[3] Voir « Galileo's Discovery of the Law of Free Fall » par Stillman Drake, *Scientific American*, mai 1973.
[4] Voir « The Role of Music in Galileo's Experiments » par Stillman Drake, *Scientific American*, juin 1975.

Après 1 s, le mobile a chuté de 4,9 m et sa vitesse, dirigée vers le bas, est de 9,8 m/s; les signes négatifs pour y et v_y indiquent bien l'orientation vers le bas de ces deux quantités vectorielles.

Montrez que les valeurs y, v_y, et a_y aux temps $t = 2{,}0$, 3,0, et 4,0 s sont bien celles représentées sur la figure 3-8.

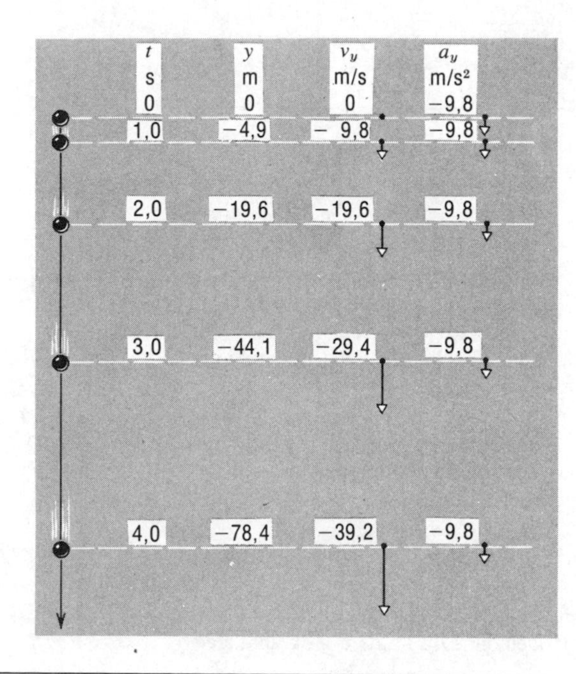

figure 3-8
Un corps en chute libre; les paramètres y, v_y et a_y de la particule sont donnés à chaque seconde.

EXEMPLE 9

A partir du sol, on lance une balle verticalement vers le haut à une vitesse de 25 m/s. Pour simplifier les calculs, utilisez $g = 10\ \text{m/s}^2$.

(a) Dans combien de temps la balle atteint-elle sa hauteur maximum?

A sa hauteur maximum, $v_y = 0$ et on a $v_{y0} = 25$ m/s. Pour obtenir le temps t, utilisons l'équation $v_y = v_{y0} - gt$. Alors,

$$t = \frac{v_{y0} - v_y}{g}$$

$$t = \frac{(25 - 0)\ \text{m/s}}{10\ \text{m/s}^2} = 2{,}5\ \text{s}.$$

(b) A quelle hauteur s'élève la balle? Si on utilise les données initiales du problème, l'équation choisie sera $v_y{}^2 = v_{y0}{}^2 - 2gy$. Alors,

$$y = \frac{v_{y0}{}^2 - v_y{}^2}{2g},$$

$$= \frac{(25\ \text{m/s})^2 - 0}{2 \times 10\ \text{m/s}^2} = 31\ \text{m}.$$

(c) A quels moments la balle sera-t-elle à 30 m au-dessus du sol? Utilisons l'équation $y = v_{y0}t - \frac{1}{2}gt^2$. On a:

$$\tfrac{1}{2}gt^2 - v_{y0}t + y = 0,$$

$$\tfrac{1}{2}(10)t^2 - (25\ \text{m/s})t + 30 = 0$$

$$5t^2 - 25t + 30 = 0.$$

Les solutions sont $t = 2{,}0$ s et $t = 3{,}0$ s.

A $t = 2{,}0$ s, la balle monte à une vitesse de 5 m/s. En effet,

$$v_y = v_{y0} - gt = 25\ \text{m/s} - (10\ \text{m/s}^2)(2{,}0\ \text{s}) = 5\ \text{m/s}.$$

A t = 3.0 s, la balle redescend avec la même vitesse. En effet

$$v_y = v_{y0} - gt = 25 \text{ m/s} - (10 \text{ m/s}^2)(3{,}0 \text{ s}) = -5 \text{ m/s}.$$

Remarquons que durant cet intervalle de 1,0 s la vitesse a varié de −10 m/s, ce qui correspond bien à une accélération de −10 m/s².

Il faut vous convaincre que, si la résistance de l'air est négligeable, le temps de montée est égal au temps de descente de la balle, et les vitesses vers le haut et vers le bas en un même point sont égales.

---

questions

1. Pouvez-vous citer un cas où la Terre ne pourrait être considérée comme une particule?
2. À chaque seconde, un lapin franchit la moitié de la distance qui le sépare d'une pomme de laitue. Réussira-t-il à attraper la laitue? Quelle est la valeur limite de sa vitesse moyenne? Tracez les graphiques de sa vitesse et de sa position en fonction du temps.
3. La physique définit la vitesse moyenne comme la grandeur du vecteur vitesse moyen. En langage courant on parle de la vitesse moyenne comme du rapport de la distance totale parcourue au temps écoulé. Les deux définitions sont-elles différentes? Si oui, donnez un exemple.
4. Quand la vitesse est constante, la vitesse moyenne diffère-t-elle de la vitesse instantanée?
5. Si l'accélération a_x est variable, est-il possible d'exprimer la vitesse moyenne d'une particule à l'aide de la relation $\frac{1}{2}(v_{x0} + v_x)$? Démontrez à l'aide d'un graphique.
6. L'indicateur de vitesse d'une voiture enregistre-t-il une vitesse instantanée ou une vitesse moyenne?
7. *(a)* Est-ce qu'une vitesse instantanée nulle implique nécessairement une accélération nulle? *(b)* Un corps peut-il se déplacer à vitesse constante tout en ayant un vecteur vitesse variable? *(c)* Si le vecteur vitesse d'un corps est constant, sa vitesse (en grandeur) peut-elle être variable?
8. Est-il possible que la vitesse d'un objet soit dirigée vers l'est, alors que son accélération est dirigée vers l'ouest?
9. La direction du vecteur vitesse peut-elle varier même si l'accélération est constante?
10. Un mobile peut-il augmenter sa vitesse tout en subissant une accélération décroissante? Expliquez.
11. Laquelle des situations suivantes est impossible? *(a)* Un corps ayant une vitesse vers l'est et une accélération vers l'est. *(b)* Un corps ayant une vitesse vers l'est et une accélération vers l'ouest. *(c)* Un corps ayant une vitesse nulle et une accélération non nulle. *(d)* Un corps ayant une accélération constante et une vitesse variable. *(e)* Un corps ayant une vitesse constante et une accélération variable.
12. À $t = 0$ et de la position $y_0 = 0$, on lâche une particule ($v_{y0} = 0$). L'équation 3-17 nous révèle que la particule se trouvera à la position y à $t_1 = +\sqrt{2y/a_y}$ et à $t_2 = -\sqrt{2y/a_y}$. Que signifie ce temps négatif?
13. Dans nos équations utilisées en cinématique, remplacez t par $-t$. Qu'arrive-t-il? Expliquez.
14. Vous lancez une balle verticalement vers le haut. Si vous tenez compte de la résistance de l'air, le temps de montée sera-t-il plus grand ou plus petit que le temps de descente?
15. *(a)* Vous lancez une balle vers le haut sur une planète où l'accélération gravitationnelle est $2g$. Comparez la hauteur maximum atteinte sur cette planète avec celle que vous auriez obtenue sur la Terre. *(b)* Le fait de doubler la vitesse initiale de la balle changera-t-il quelque chose?
16. Pour un mouvement en deux dimensions, l'accélération peut-elle être unidimensionnelle?
17. Au sommet d'une falaise, une personne lance une balle vers le haut avec une vitesse initiale u; elle lance ensuite, du même point, une autre balle avec une vitesse u vers le bas. Quelle balle frappera le sol avec la plus grande vitesse? Négligez la résistance de l'air.

18. Un tube disposé en rectangle est situé dans un plan vertical (fig. 3-9). Par le coin droit supérieur, vous introduisez deux billes. Une des billes fait le trajet *AB* et l'autre le trajet *CD*. Laquelle des deux billes arrivera la première au coin gauche inférieur?

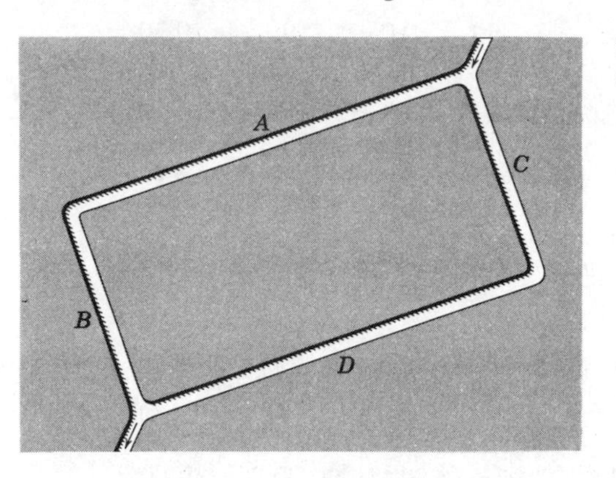

figure 3-9
Question 18

19. On peut qualifier des relations de *générales* lorsque leur validité est indépendante du système de référence choisi. En exigeant que de telles relations soient cohérentes au point de vue des unités, on s'assure que leur validité ne sera pas fonction du choix des unités. Avons-nous alors vraiment besoin d'unités ou de système de références?

20. D'après ce que vous savez de sa mesure, quelles sont les *dimensions* d'un angle? Une quantité peut-elle avoir des unités sans avoir de dimensions?

21. Selon Aristote, si m est une pierre légère et M une pierre pesante, M devrait tomber plus rapidement que m. Galilée a voulu montrer l'illogisme d'Aristote en utilisant l'argument suivant. Attachons m et M ensemble pour former une nouvelle pierre $(m + M)$. En tombant, m devrait retarder M car elle tend à tomber plus lentement et la nouvelle pierre devrait tomber plus rapidement que m mais plus lentement que M; mais, selon Aristote, $(M + m)$ est plus pesant que M et devrait donc tomber plus rapidement que M.

    Si vous admettez le raisonnement de Galilée, pouvez-vous conclure que M et m touchent le sol en même temps?

    Si vous pensez que le raisonnement de Galilée est incorrect, dites pourquoi.

problèmes

SECTION 3-3

1. Un automobiliste jette un coup d'oeil sur un accident venant de se produire au bord de la route. Pendant ce temps sa voiture file à 88 km/h. Quelle distance parcourt-elle pendant une seconde?
   Réponse: 24 m.

2. La vitesse maximum permise sur la Transcanadienne est passée de 110 km/h à 90 km/h par souci de conservation de l'énergie. Sur un parcours de 700 km, quel temps supplémentaire cette mesure entraînera-t-elle?

3. Comparez votre vitesse moyenne dans les deux cas suivants: *(a)* Vous marchez 60 m à une vitesse de 1,0 m/s et vous courez 60 m à une vitesse de 3 m/s selon une trajectoire rectiligne. *(b)* Vous marchez pendant 1 min à une vitesse de 1,0 m/s et vous courez ensuite pendant 1 min à une vitesse de 3 m/s.
   Réponses: (a) 1,5 m/s. *(b)* 2,0 m/s.

4. Un train se déplace d'abord vers l'est pendant 40 min à une vitesse constante de 60 km/h, puis dans une direction à 45° à l'est du nord pendant 20 min, et finalement vers l'ouest, pendant 50 min. Évaluez le vecteur vitesse moyen du train pendant cette randonnée.

5. Deux trains roulent l'un vers l'autre, sur la même voie, à une vitesse de 40 km/h. Au moment où les trains sont distants de 80 km, un oiseau commence un mouvement de va-et-vient d'un train à l'autre. La vitesse de croisière de l'oiseau est de 60 km/h. *(a)* Combien de fois l'oiseau peut-il parcourir la distance entre les deux trains avant la collision? Expliquez. *(b)* Quelle distance parcourt l'oiseau au total?
   Réponses: (a) un nombre infini. *(b)* 60 km.

SECTION 3-6

6. Voici un tableau donnant la position d'une particule sur l'axe des x à différents instants:

x (mètres)	0,080	0,050	0,040	0,050	0,080	0,13	0,20
t (secondes)	0,0	1,0	2,0	3,0	4,0	5,0	6,0

(a) Tracez un graphique du déplacement (et non de la position) en fonction du temps. *(b)* Évaluez la vitesse moyenne de la particule pour les intervalles 0,0 – 1,0 s; 0,0 – 2,0 s; 0,0 – 3,0 s; 0,0 – 4,0 s. *(c)* Calculez la pente de la courbe tracée en *(a)* pour les valeurs suivantes de t: 0,0; 1,0; 2,0; 3,0; 4,0; 5,0 s. *(d)* Faites un graphique des valeurs de la pente en fonction du temps. *(e)* À partir de la courbe tracée en *(d)*, trouvez l'accélération de la particule aux temps t = 2,0, 3,0 et 4,0 s.

SECTION 3-7

7. Le graphique de la figure 3-10*a* donne la position dans le temps d'une particule en mouvement rectiligne. *(a)* Déterminez, pour chaque intervalle, si la vitesse v_x est +, –, ou 0, et si l'accélération a_x est +, – ou 0. Les intervalles sont *OA*, *AB*, *BC* et *CD*. *(b)* D'après le graphique, y a-t-il des *intervalles* où l'accélération n'*est pas constante?* (Ne tenez pas compte de ce qui se passe en fin d'intervalle)

Réponses: (a) *(b)* non.

	v_x	a_x
OA	+	0
AB	+	–
BC	0	0
CD	–	+

8. Répondre aux mêmes questions qu'au problème précédent à partir du graphique de la figure 3-10*b*.

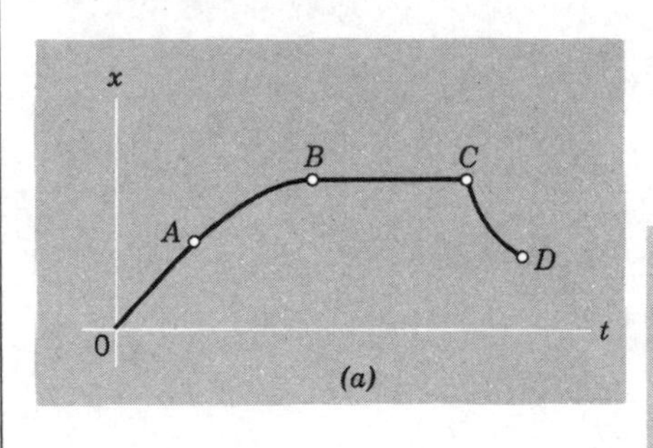

figure 3-10a
Problème 7

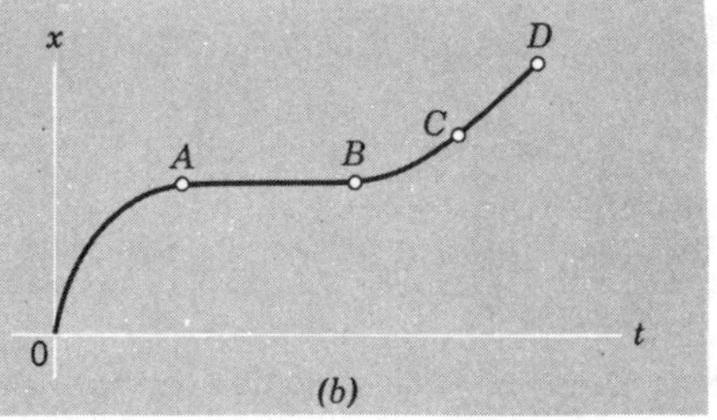

figure 3-10b
Problème 8

9. Un électron, d'abord immobile, subit une accélération augmentant linéairement dans le temps de la façon suivante: $a = kt$, où $k = (1{,}5\ \text{m/s}^2)/\text{s}$. *(a)* Tracez le graphique de a en fonction de t pour les 10 premières secondes. *(b)* À partir du graphique précédent, tracez la courbe $v = f(t)$ et évaluez la vitesse de l'électron 5 s après le départ. *(c)* À partir de la courbe $v = f(t)$ trouvez la courbe $x = f(t)$ et calculez la distance parcourue par l'électron durant les cinq premières secondes du mouvement.
Réponses: (b) 19 m/s *(c)* 31 m.

10. L'équation d'une particule en mouvement selon l'axe des x est la suivante:

$$x = \frac{v_{x0}}{k}\,(1 - e^{-kt})$$

où v_{x0} et k sont des constantes. *(a)* Tracez la courbe de x en fonction de t. Remarquez que $x = 0$ à $t = 0$ et $x = v_{x0}/k$ à $t = \infty$; la distance totale franchie par la particule est v_{x0}/k. *(b)* Montrer que la fonction vitesse sera $v_x = v_{x0}e^{-kt}$, ce qui fait que la vitesse décroît exponentiellement à partir d'une valeur v_{x0}, pour atteindre zéro après un temps infini. *(c)* Montrez que l'accélération variera selon $a_x = -kv_x$, de sorte que l'accélération est contraire mais directement proportionnelle à la vitesse. *(d)* Ce mouvement est un cas d'accélération variable. Est-ce possible, dans la réalité, de prendre un temps infini pour arrêter une particule ayant parcouru une distance finie?

11. Une particule se déplace selon l'axe des x. Sa position varie dans le temps selon le graphique de la figure 3-11. Tracez approximativement les courbes de la vitesse et de l'accélération en fonction du temps.

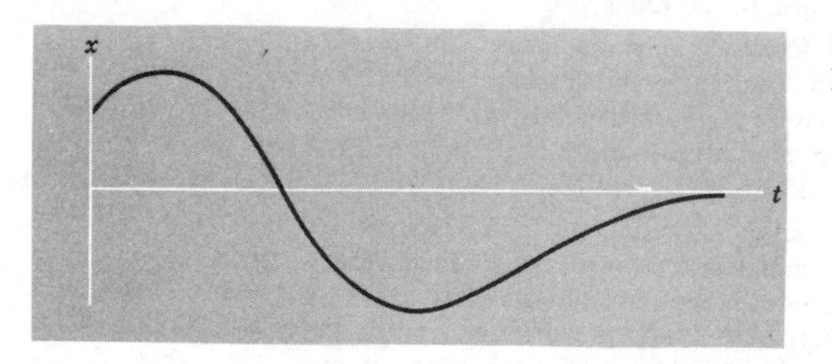

figure 3-11
Problème 11

SECTION 3-8

12. Un jumbo jet doit atteindre une vitesse de 360 km/h avant de prendre son envol. En supposant une accélération constante et une piste d'envol de 1,8 km, calculez l'accélération minimum requise.

13. Une automobile augmente uniformément sa vitesse de 25 à 55 km/h en 30 secondes. Un cycliste, dans le même temps, passe de 0 à 30 km/h. Comparez les accélérations.
Réponse: Une même accélération de 0,28 m/s^2.

14. Un chariot propulsé par une fusée se déplace sur une voie rectiligne horizontale. On l'utilise pour étudier les effets physiologiques des fortes accélérations sur le corps humain. Un tel chariot peut atteindre une vitesse de 1600 km/h en 1,8 s à partir du repos. *(a)* Comparez cette accélération avec g (supposez l'accélération du chariot constante). *(b)* Quelle distance parcourt le chariot pendant ce temps?

15. Un véhicule spatial se déplace en l'absence de tout champ de force avec une accélération constante de 9,8 m/s^2. *(a)* S'il part du repos, quel temps lui sera nécessaire pour atteindre une vitesse égale à un dixième de la vitesse de la lumière? *(b)* Quelle distance aura-t-il franchie pendant ce temps?
Réponses: (a) 36 jours *(b)* 4,6 × 10^{10} km.

16. Une flèche, propulsée par un arc, est accélérée sur une distance de 60 cm. Si l'arc imprime à la flèche une vitesse de 60 m/s, calculez l'accélération subie par la flèche. Justifiez toutes les hypothèses que vous devez faire.

17. Une rame de métro part d'une station en accélérant au taux de 1,20 m/s^2 sur la moitié de la distance la séparant de la prochaine station. Elle ralentit ensuite au même taux sur la dernière moitié du parcours. Si les stations sont distantes de 1100 m, trouvez: *(a)* le temps de parcours entre les stations; *(b)* la vitesse maximale de la rame de métro.
Réponses: (a) 60,6 s *(b)* 36,4 m/s.

18. Un avocat vient vous consulter sur un problème physique qu'entraîne une cause. Il s'agit de savoir si le conducteur d'un véhicule excédait la vitesse limite de 50 km/h au moment où il a freiné d'urgence. La longueur des traces laissées par le glissement des roues sur la route est de 5,85 m. L'agent de police, estimant que la décélération ne pouvait être supérieure à g, a arrêté le conducteur pour excès de vitesse. Le conducteur dépassait-il la vitesse permise? Expliquez.

19. Deux trains, l'un voyageant à 100 km/h et l'autre à 130 km/h, se dirigent l'un vers l'autre sur une même voie rectiligne. À 3 km l'un de l'autre, les conducteurs s'aperçoivent et appliquent les freins. Si les freins ralentissent chaque train au taux de 1 m/s^2, déterminez s'il y aura collision. *Réponse:* non.

20. Un train accélère à un taux constant à partir du repos. À un instant donné, sa vitesse est de 10 m/s et, 50 m plus loin, elle est de 15 m/s. Calculez: *(a)* l'accélération; *(b)* le temps requis pour franchir les 50 mètres; *(c)* le temps requis pour atteindre la vitesse de 10 m/s; *(d)* la distance parcourue pendant que le train a passé de 0 à 10 m/s.

21. Un électron ayant une vitesse initiale de 1 × 10^4 m/s entre dans une région large de 1,0 cm, où il est accéléré par un champ électrique (fig. 3-12). Il sort de cette région à une vitesse v_x = 4,0 × 10^6 m/s. Quelle a été son accélération, en supposant qu'elle soit constante? (Un tel phénomène se produit dans un tube à rayons cathodiques utilisé dans les téléviseurs et dans les oscilloscopes).
Réponse: 8,0 × 10^{14} m/s^2.

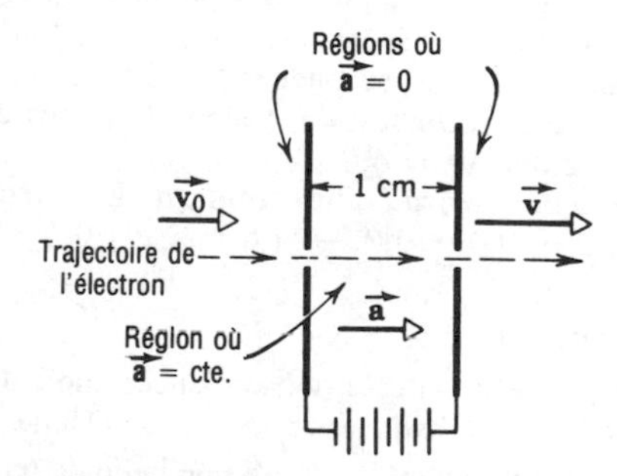

figure 3-12
Problème 21

22. Un méson est lancé à une vitesse de $5,00 \times 10^6$ m/s dans une région où un champ électrique lui donne une accélération de $1,25 \times 10^{14}$ m/s² dans le sens contraire de sa vitesse initiale. *(a)* Quelle distance parcourt le méson avant de s'arrêter? *(b)* Pendant combien de temps le méson reste-t-il au repos?

23. Une voiture en mouvement uniformément accéléré franchit la distance de 55 m entre deux points en 6,0 s. Lorsqu'elle arrive au deuxième point sa vitesse est de 14 m/s. *(a)* Quelle était sa vitesse lorsqu'elle est passée au premier point? *(b)* Quelle est son accélération? *(c)* À quelle distance du premier point l'auto est-elle partie, à partir du repos? *Réponses: (a)* 4,3 m/s *(b)* 1,6 m/s² *(c)* 5,9 m.

24. Une automobile, en route vers l'est, voit sa vitesse réduite de 72 km/h à 48 km/h sur une distance de 80 m. *(a)* Quelle est la grandeur et l'orientation de l'accélération, si elle est constante? *(b)* Quel temps a nécessité cette réduction de vitesse? *(c)* Si la voiture continue à ralentir au même taux, quel temps prendra-t-elle pour passer d'une vitesse de 48 km/h à une vitesse nulle? *(d)* Quelle distance sera parcourue dans ce cas? Voir la question 8.

25. Au moment où le feu de circulation passe au vert, un automobiliste démarre avec une accélération constante a_x de 2,0 m/s². Au même instant, un camion vient doubler l'automobile à une vitesse constante de 10 m/s. *(a)* Au bout de quelle distance l'automobiliste rattrapera-t-il le camion? *(b)* Quelle sera la vitesse de la voiture à cet instant? (Il est bon de tracer un graphique de x en fonction de t pour chaque véhicule). *Réponses: (a)* 100 m *(b)* 20 m/s.

26. Une automobile, se déplaçant à 56 km/h, se trouve à 35 m d'un obstacle lorsque le conducteur applique brutalement les freins. Quatre secondes plus tard, la voiture heurte l'obstacle. *(a)* Quelle était l'accélération de la voiture avant l'impact? *(b)* Quelle était la vitesse instantanée au moment de la collision?

27. Le conducteur d'un train se déplaçant à une vitesse v_1 aperçoit devant lui, à une distance d sur la même voie, un autre train se déplaçant dans la même direction à une vitesse inférieure v_2. Il applique les freins et donne au train une décélération a. Montrez que:

$$\text{si } d > \frac{(v_1 - v_2)^2}{2a}, \quad \text{il n'y aura pas de collision;}$$

$$\text{si } d < \frac{(v_1 - v_2)^2}{2a}, \quad \text{il y aura collision.}$$

(Il est opportun de tracer un graphique de x en fonction de t pour chaque train).

28. Le guide de l'automobiliste prétend qu'une automobile filant à 80 km/h peut s'arrêter sur une distance de 50 m. La distance de freinage est réduite à 21 m si la vitesse de la voiture est de 50 km/h. En acceptant l'hypothèse que le temps de réaction du conducteur et l'accélération communiquée à la voiture soient les mêmes dans les deux cas, évaluez: *(a)* le temps de réaction du conducteur et *(b)* l'accélération.

SECTION 3-9

29. L'équation du mouvement d'une particule selon l'axe des x est la suivante:

$$x = at^2 - bt^3,$$

où x est en mètres et t en secondes. *(a)* Quelles doivent être les dimensions et les unités de a et de b? *(b)* À quel instant la particule atteint-elle sa position maximale selon l'axe des x? Posez $a = 3,0$ et $b = 1,0$. *(c)* Calculez la distance totale parcourue par la particule durant les 4 premières secondes. *(d)* Évaluez le déplacement durant les 4 premières secondes. *(e)* Quelle est la vitesse de la particule à la fin de chacune des 4 premières secondes? *(f)* Quelle est l'accélération à la fin de chacune des 4 premières secondes? *(g)* Calculez la vitesse moyenne pour l'intervalle compris entre $t = 2,0$ s et $t = 4,0$ s.
Réponses: (a) a: LT^{-2}, m/s²; b: LT^{-3}, m/s³; *(b)* $t = 2$ s; *(c)* 24 m; *(d)* −16 m; *(e)* 3,0, 0,0, −9,0, −24,0 m/s; *(f)* 0,0, −6,0, −12,0, −18,0 m/s²; *(g)* −10 m/s.

SECTION 3-11

30. *(a)* À quelle vitesse doit-on lancer une balle verticalement vers le haut pour qu'elle atteigne une hauteur de 15 m? *(b)* Quelle sera le temps de vol de la balle?

31. On laisse tomber sur le sol une balle de tennis d'une hauteur de 1,5 m. Elle rebondit à une hauteur de 1,0 m. Si la balle a été en contact avec le sol pendant 0,010 s, calculez l'accélération moyenne lors du contact. *Réponse:* 990 m/s².

32. Une jeune fille est assise sur un viaduc surplombant une autoroute et rêve à Isaac Newton. Par mégarde elle laisse tomber une pomme par-dessus le parapet au moment où le devant d'un camion s'engage sous le viaduc. Si le véhicule se déplace à 55 km/h et a une longueur de 12 m, quelle doit être la hauteur du parapet par rapport au camion pour que la pomme frôle l'arrière du camion?

33. Du haut d'un plongeoir de 5 m on laisse tomber une balle de plomb dans un lac. Elle frappe l'eau à une certaine vitesse et conserve cette vitesse jusqu'au fond du lac. Elle atteint le fond 5,0 s après avoir été lâchée. *(a)* Quelle est la profondeur du lac? *(b)* Quelle est la vitesse moyenne de la balle? *(c)* Supposons que l'on vide le lac. On tire de nouveau la balle, du même plongeoir, et elle touche le fond 5,0 s après. Quelle est cette fois-ci la vitesse initiale de la balle?
Réponses: (a) 39 m *(b)* 9 m/s *(c)* 16 m/s vers le haut.

34. Une fusée est mise à feu verticalement et monte avec une accélération constante de 20 m/s² pendant 1,0 min. À ce moment, son carburant est épuisé et elle devient une particule en chute libre. *(a)* Quelle hauteur maximale atteindra-t-elle? *(b)* Quel sera le temps de vol de la fusée depuis son décollage jusqu'à son retour sur le sol?

35. Une montgolfière s'élève à une vitesse de 12 m/s et à une altitude de 80 m; on laisse alors tomber un paquet. Dans combien de temps le paquet atteindra-t-il le sol? *Réponse:* 5,4 s.

36. Du haut d'un pont de 44 m, on laisse tomber une roche dans l'eau. Une seconde après avoir lâché la première pierre, on en lance une deuxième. Les deux pierres frappent l'eau en même temps. *(a)* Quelle était la vitesse initiale de la seconde pierre? *(b)* Tracez le graphique de v en fonction de t pour chaque pierre en choisissant $t = 0$ comme l'instant où a été lancée la première pierre.

37. Un garçon se trouve sur un monte-charge extérieur qui s'élève à une vitesse constante de 8 m/s. Au moment où le monte-charge atteint une hauteur h de 25 m au-dessus du sol, le garçon lance une balle vers le haut. La vitesse initiale de la balle par rapport au monte-charge est $v_0 = 20$ m/s. *(a)* Quelle hauteur maximale atteint la balle? *(b)* Après combien de temps la balle revient-elle dans le monte-charge?
Réponses: (a) 65 m *(b)* 4,0 s.

38. On tire une flèche vers le haut à une vitesse initiale de 75 m/s. Si, en frappant le sol, elle s'enfonce de 15 cm, trouvez: *(a)* l'accélération requise pour arrêter la flèche; *(b)* le temps nécessaire pour l'arrêter. Négligez la résistance de l'air.

39. Un parachutiste tombe sur une distance de 50 m en chute libre. Lorsque son parachute s'ouvre, il décélère au taux de 2 m/s². Il se pose au sol avec une vitesse de 3,0 m/s. *(a)* Combien de temps passe le parachutiste dans les airs? *(b)* De quelle hauteur a-t-il sauté? *Réponses: (a)* 17 s *(b)* 290 m.

40. Pendant qu'un obus est tiré vers le haut par un canon, une fusée est propulsée verticalement sur sa rampe de lancement. Tracez qualitativement a_y, v_y et y en fonction du temps pour chaque mobile. Posez $t = 0$ à l'instant où l'obus quitte la bouche du canon et à l'instant où la fusée quitte le sol. Tracez les graphiques jusqu'au moment où les deux objets reviennent au sol. Négligez la résistance de l'air. Faites la description à partir d'un axe orienté positivement vers le haut.

41. On laisse tomber un objet en chute libre. Durant la dernière seconde, l'objet parcourt la moitié de sa hauteur totale de chute. Trouvez: *(a)* son temps de chute; *(b)* la hauteur de laquelle il est tombé; *(c)* Expliquez pourquoi vous avez dû rejeter l'une des deux solutions de l'équation quadratique du temps.
Réponses: (a) 3,4 s *(b)* 57 m.

42. On laisse tomber deux objets en chute libre à une seconde d'intervalle. Après combien de temps, par rapport au départ du premier objet, la distance entre les deux corps sera-t-elle de 10 m?

43. Du haut d'un édifice, on laisse tomber une boule d'acier. Une personne placée devant une fenêtre de l'édifice voit passer la boule. La fenêtre mesure 1,0 m de hauteur et le temps de passage de la boule est de 1/8 s. La boule continue sa chute, entre en collision avec le trottoir (supposez une collision parfaitement élastique) et rebondit jusqu'à la fenêtre de l'observateur 2,0 s après son premier passage au bas de la fenêtre. Quelle est la hauteur de l'édifice?
N.B.: Si la boule subit une collision parfaitement élastique, sa vitesse en un point en descendant devrait égaler sa vitesse au même point en montant.
Réponse: 17 m.

44. Des gouttes d'eau tombent d'une pomme de douche sur le plancher situé 2 m plus bas. Les gouttes tombent à intervalles réguliers. La première goutte frappe le sol

au moment où la quatrième goutte commence à tomber. Trouvez la position de chacune des gouttes à cet instant.

45. Un ascenseur accélère vers le haut à un taux de 1,0 m/s². Au moment où sa vitesse vers le haut est de 2,5 m/s, un objet se détache du plafond de l'ascenseur et tombe sur le plancher situé 2,7 m plus bas. Calculez: *(a)* le temps de chute de l'objet; *(b)* la distance de chute par rapport à la cage de l'ascenseur.
Réponses: (a) 0,71 s *(b)* 0,7 m.

46. Un chien assis devant une fenêtre regarde monter puis descendre un pot de fleurs. S'il le voit pendant un temps total de 1,0 s, à quelle hauteur le pot de fleurs s'est-il élevé au-dessus de la fenêtre, si celle-ci mesure 1,5 m de hauteur?

4 mouvement dans un plan

4-1 *DÉPLACEMENT, VITESSE ET ACCÉLÉRATION*

Dans ce chapitre, nous étudierons le mouvement à deux dimensions. Peu importe l'orientation du plan auquel appartiennent ces deux dimensions, on l'appellera le plan x-y pour des raisons de commodité. La figure 4-1 montre la trajectoire d'une particule dans un plan x-y. Le vecteur $\vec{\mathbf{r}}$ représente sa *position*, c'est-à-dire son déplacement à partir de l'origine. Le vecteur $\vec{\mathbf{v}}$ indique sa *vitesse*; ce vecteur doit être tangent à la trajectoire, comme on l'a illustré dans la section 3-4. Le vecteur $\vec{\mathbf{a}}$ désigne *l'accélération*. Il n'y a pas de correspondance directe entre la direction de l'accélération et la trajectoire. On abordera cette question plus loin dans le chapitre. Il nous suffit, pour le moment, de retenir que l'accélération est le taux de changement ou la dérivée de la vitesse en fonction du temps selon une trajectoire donnée.

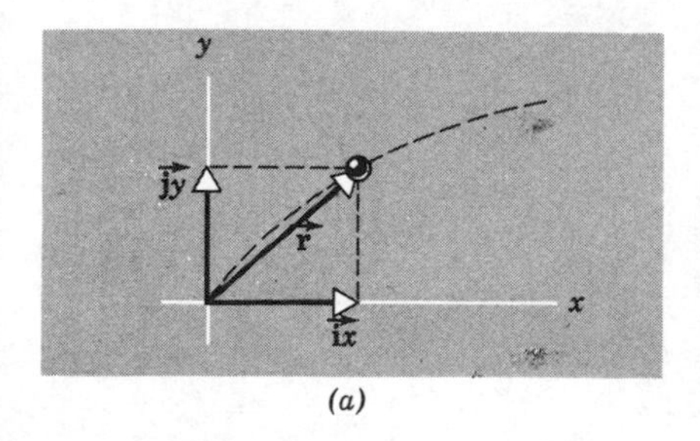

(a)

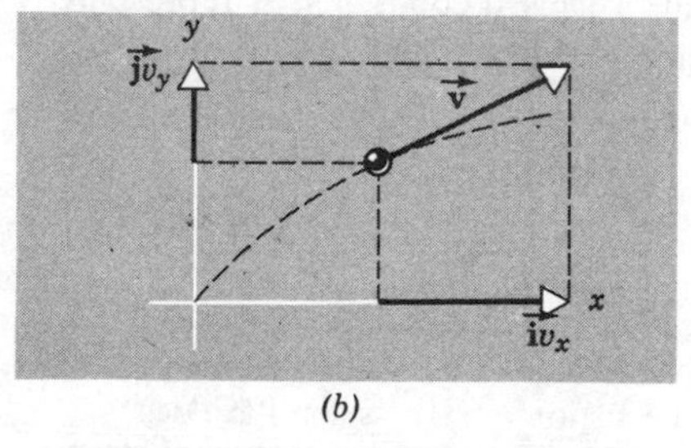

(b)

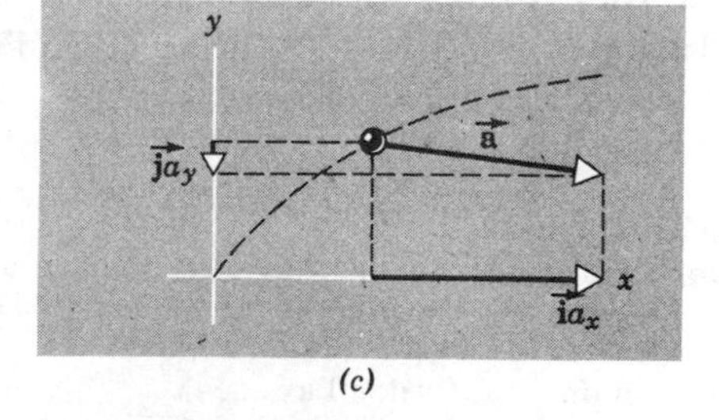

(c)

figure 4-1
Une particule se déplace selon une trajectoire curviligne dans le plan x-y. On a représenté *(a)* sa position $\vec{\mathbf{r}}$, *(b)* sa vitesse $\vec{\mathbf{v}}$ et *(c)* son accélération $\vec{\mathbf{a}}$, au temps t, en utilisant les composantes. Observez que les composantes x, y, v_x, v_y et a_x sont positives tandis que a_y est négative. Comparez avec la figure 3-3.

Les équations 3-4, 3-5 et 3-10 définissent et relient les notions de position, de vitesse et d'accélération. En fonction de leurs composantes et avec la notation vectorielle unitaire, ces vecteurs s'écrivent ainsi:

$$\vec{\mathbf{r}} = \vec{\mathbf{i}}x + \vec{\mathbf{j}}y, \tag{4-1}$$

$$\vec{\mathbf{v}} = \frac{d\vec{\mathbf{r}}}{dt} = \vec{\mathbf{i}}v_x + \vec{\mathbf{j}}v_y, \quad (4\text{-}2)$$

$$\vec{\mathbf{a}} = \frac{d\vec{\mathbf{v}}}{dt} = \vec{\mathbf{i}}a_x + \vec{\mathbf{j}}a_y. \quad (4\text{-}3)$$

On peut généraliser ces équations à trois dimensions en leur ajoutant les termes $\vec{\mathbf{k}}z$, $\vec{\mathbf{k}}v_z$ et $\vec{\mathbf{k}}a_z$ respectivement, $\vec{\mathbf{k}}$ étant le vecteur unitaire dans la direction z.

Au chapitre trois, nous avons considéré le mouvement dans une dimension, l'axe des x, par exemple. Les vecteurs $\vec{\mathbf{r}}$, $\vec{\mathbf{v}}$ et $\vec{\mathbf{a}}$ étaient dirigés selon cet axe, positivement ou négativement. Les composantes y, v_y et a_y étaient nulles et les équations qui décrivaient le mouvement ne contenaient que les nombres scalaires x, v_x et a_x. De même, si le mouvement avait lieu selon l'axe des y, les composantes selon l'axe des x étaient nulles, et seules les composantes y, v_y et a_y apparaissaient. Dans ce chapitre, toutefois, le mouvement s'effectuera dans le plan x-y, de telle sorte qu'on retrouvera simultanément des composantes x et y.

4-2 MOUVEMENT UNIFORMÉMENT ACCÉLÉRÉ

Considérons d'abord le cas particulier du mouvement uniformément accéléré dans un plan. Cette situation se présente quand la grandeur et la direction de l'accélération ne changent pas. Il en résulte, bien sûr, que les composantes a_x et a_y sont constantes. Ceci nous permet de décrire le mouvement comme la somme de deux composantes perpendiculaires de ce mouvement, ces composantes étant séparément et simultanément des mouvements uniformément accélérés. La particule, dans ce cas, décrit généralement une trajectoire curviligne. Ceci est vrai même si une des composantes de l'accélération, a_x par exemple, est nulle. Dans ce cas, la vitesse v_x est constante. Le mouvement d'un projectile illustre bien cette situation. La vitesse v_x, si on néglige la résistance de l'air, est constante, tandis que la composante du mouvement selon l'axe y subit une accélération constante $\vec{\mathbf{g}}$ dirigée vers le bas.

Pour obtenir les équations générales du mouvement uniformément accéléré dans un plan, nous posons les deux conditions suivantes:

$$a_x = \text{une constante} \qquad \text{et} \qquad a_y = \text{une constante}$$

et nous appliquons les équations résumées au tableau 3-1 à chacune des composantes x et y des vecteurs $\vec{\mathbf{r}}$, $\vec{\mathbf{v}}$, et $\vec{\mathbf{a}}$ (tableau 4-1).

Le paramètre t est le même dans les deux séries d'équations; il représente le temps, c'est-à-dire le moment où une particule a occupé la position décrite par les composantes x et y.

Tableau 4-1
Mouvement uniformément accéléré dans le plan x-y

Numéro de l'équation	Équation du mouvement selon l'axe des x	Numéro de l'équation	Équation du mouvement selon l'axe des y
4-4a	$v_x = v_{x0} + a_x t$	4-4a'	$v_y = v_{y0} + a_y t$
4-4b	$x = x_0 + \frac{1}{2}(v_{x0} + v_x)t$	4-4b'	$y = y_0 + \frac{1}{2}(v_{y0} + v_y)t$
4-4c	$x = x_0 + v_{x0}t + \frac{1}{2}a_x t^2$	4-4c'	$y = y_0 + v_{y0}t + \frac{1}{2}a_y t^2$
4-4d	$v_x^2 = v_{x0}^2 + 2a_x(x - x_0)$	4-4d'	$v_y^2 = v_{y0}^2 + 2a_y(y - y_0)$

On peut aussi exprimer les équations du tableau 4-1 sous forme vectorielle.

Par exemple, la substitution des équations 4-4a et 4-4a' dans l'équation 4-2 nous donne les relations suivantes:

$$\begin{aligned}\vec{\mathbf{v}} &= \vec{\mathbf{i}}v_x + \vec{\mathbf{j}}v_y \\ &= \vec{\mathbf{i}}(v_{x0} + a_x t) + \vec{\mathbf{j}}(v_{y0} + a_y t) \\ &= (\vec{\mathbf{i}}v_{x0} + \vec{\mathbf{j}}v_{y0}) + (\vec{\mathbf{i}}a_x + \vec{\mathbf{j}}a_y)t.\end{aligned}$$

La quantité dans la première parenthèse est le vecteur vitesse initiale $\vec{\mathbf{v}}_0$ (éq. 4-3). Ainsi, l'équation vectorielle

$$\vec{\mathbf{v}} = \vec{\mathbf{v}}_0 + \vec{\mathbf{a}}t \tag{4-5a}$$

est équivalente aux deux équations scalaires 4-4a et 4-4a' du tableau 4-1. Elle montre de façon simple et concise que la vitesse au temps t est la somme de deux termes; le premier représente la vitesse initiale $\vec{\mathbf{v}}_0$, la vitesse qu'aurait la particule en l'absence d'accélération; le second, le changement de vitesse $\vec{\mathbf{a}}t$ pendant l'intervalle de temps t. De la même façon, on peut montrer que les équations scalaires 4-4c et 4-4c' sont équivalentes à l'équation vectorielle suivante:

$$\vec{\mathbf{r}} = \vec{\mathbf{r}}_0 + \vec{\mathbf{v}}_0 t + \tfrac{1}{2}\vec{\mathbf{a}}t^2. \tag{4-5b}$$

La preuve de cette équivalence fait l'objet du problème 3.

4-3 *MOUVEMENT D'UN PROJECTILE*

La trajectoire d'un projectile est une application du mouvement curviligne à deux dimensions. Un objet lancé obliquement, comme une balle de base-ball ou de golf, fournit un parfait exemple de mouvement d'un projectile.[1] Dans l'étude du mouvement idéal, on néglige le frottement de l'air.

Dans ce mouvement, l'accélération $\vec{\mathbf{g}}$ est constante et dirigée vers le bas. La composante horizontale de l'accélération est nulle. Donc, les équations du tableau 4-1 s'appliquent, avec a_y qui est égale à $-g$ et a_x égale à 0, dans un système de coordonnées conventionnel.

Le fait de faire coïncider l'origine du système de coordonnées et la position initiale implique que, dans les équations du tableau 4-1, $x_0 = y_0 = 0$. Dans la réalité, ceci signifie que l'origine du système de coordonnées est placé au point où la balle quitte la main du lanceur ou encore au point où la fusée a épuisé son carburant et commence sa descente en chute libre.

La vitesse au début du mouvement, c'est-à-dire à $t = 0$, est $\vec{\mathbf{v}}_0$; elle fait un angle θ_0 avec la direction positive de l'axe des x. Les composantes x et y de $\vec{\mathbf{v}}_0$ (fig. 4-2) sont donc:

$$v_{x0} = v_0 \cos\theta_0 \qquad \text{et} \qquad v_{y0} = v_0 \sin\theta_0.$$

La composante horizontale de l'accélération étant nulle, la composante horizontale de la vitesse sera constante. On substitue dans l'équation 4-4a les valeurs $a_x = 0$ et $v_{x0} = v_0 \cos\theta_0$, et on obtient:

$$v_x = v_0 \cos\theta_0. \tag{4-6a}$$

Cette équation dit que la composante horizontale de la vitesse est égale, pendant le temps de l'envol, à sa valeur initiale.

[1] Consultez l'ouvrage de Galileo Galilei, *Dialogues concernant deux nouvelles sciences*, le « Quatrième jour », pour une discussion intéressante concernant les recherches de Galilée sur les projectiles.

La composante verticale de la vitesse va changer, puisqu'elle est soumise à une accélération constante. Si on pose:

$$a_y = -g \qquad \text{et} \qquad v_{y0} = v_0 \sin \theta_0,$$

l'équation 4-4a' devient:

$$v_y = v_0 \sin \theta_0 - gt. \qquad (4\text{-}6a')$$

La composante verticale de la vitesse est celle d'un corps en chute libre. En effet, le mouvement, vu d'un système de référence qui se déplacerait vers la droite à une vitesse v_{x0}, nous apparaîtrait comme celui d'un objet lancé verticalement vers le haut à une vitesse $v_0 \sin \theta_0$.

La grandeur du vecteur vitesse, à tout instant, a la valeur suivante:

$$v = \sqrt{v_x^2 + v_y^2}. \qquad (4\text{-}7)$$

L'angle entre le vecteur vitesse et l'horizontale est donné par l'expression suivante:

$$\tan \theta = \frac{v_y}{v_x}.$$

La vitesse est, en tout point, tangente à la trajectoire de la particule (fig. 4-2).

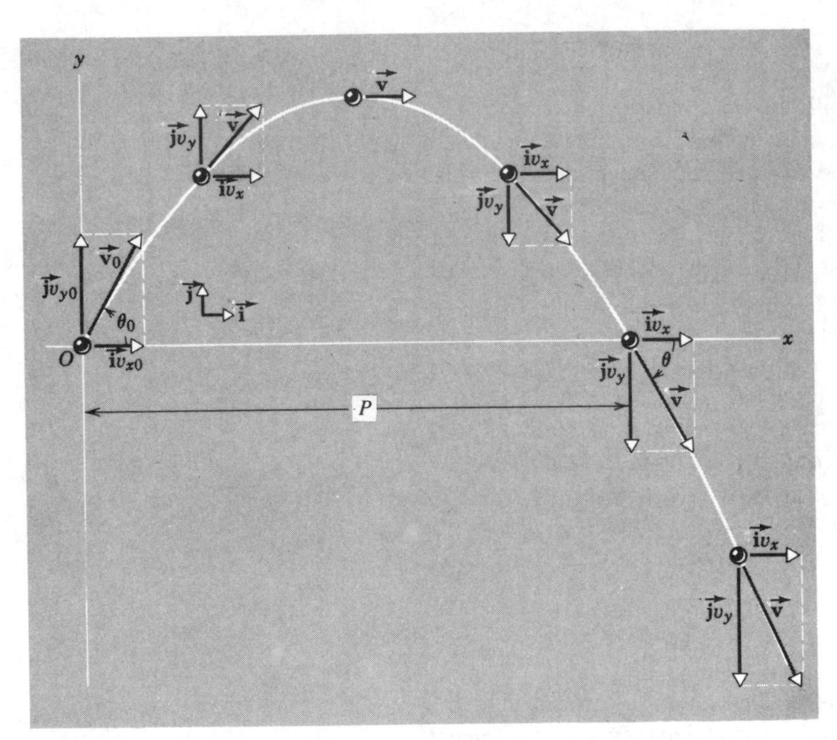

figure 4-2
La trajectoire d'une particule. On y voit la vitesse initiale $\vec{v}_0$ et ses composantes vectorielles, ainsi que la vitesse instantanée $\vec{v}$ et ses composantes vectorielles à cinq instants consécutifs. Observez que $v_x = v_{x0}$ sur tout le parcours. La distance P représente la portée.

On obtient la coordonnée horizontale x de la position, à chaque instant, en utilisant l'équation 4-4c dans laquelle $x_0 = 0$, $a_x = 0$ et $v_{x0} = v_0 \cos \theta_0$. Cette équation s'écrit ainsi:

$$x = (v_0 \cos \theta_0)t. \qquad (4\text{-}6c)$$

La coordonnée verticale est obtenue à partir de l'équation 4-4c', dans laquelle on a substitué $y_0 = 0$, $a_y = -g$ et $v_{y0} = v_0 \sin \theta_0$; elle est donnée par l'expression:

$$y = (v_0 \sin \theta_0)t - \tfrac{1}{2}gt^2. \qquad (4\text{-}6c')$$

Les équations 4-6c et 4-6c' nous donnent donc les coordonnées x et y de la position de la particule en fonction d'un paramètre commun t, le temps écoulé. En combinant ces équations de la position et en éliminant le paramètre t, on obtient:

$$y = (\tan \theta_0)x - \frac{g}{2(v_0 \cos \theta_0)^2} x^2. \qquad (4\text{-}8)$$

Sachant que, dans cette équation, v_0, θ_0 et g sont des constantes, on peut dire que l'équation 4-8 présente la forme suivante:

$$y = bx - cx^2.$$

C'est l'équation d'une parabole. La trajectoire de la particule est donc parabolique.[2]

EXEMPLE 1

Un avion vole horizontalement à une altitude de 5 km. Sa vitesse, constante, est de 500 km/h. Avec quel angle de visée ϕ, mesuré à partir de la verticale, une boîte de vivres doit-elle être larguée pour atteindre la cible (fig. 4-3)?

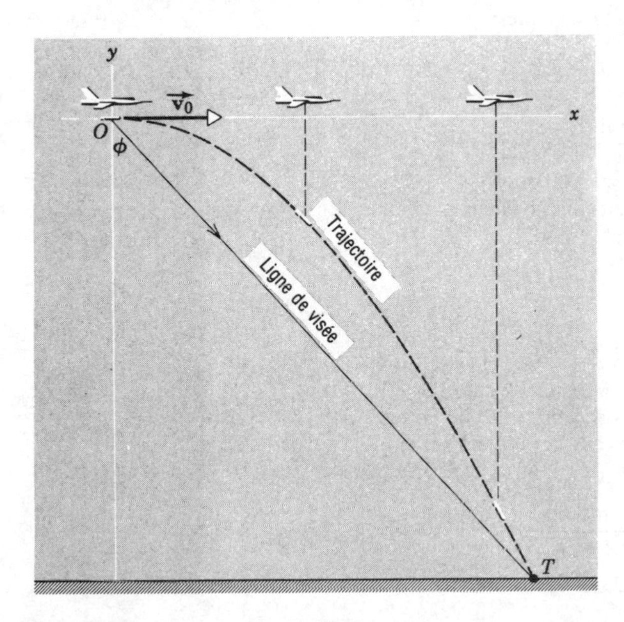

figure 4-3
Exemple 1. Un avion largue une boîte de vivres avec une vitesse initiale $\vec{v}_0$.

On choisit, pour résoudre le problème, un système de référence lié à la Terre, son origine coïncidant avec la position de la boîte quand elle commence à tomber. Le mouvement de la boîte à cet instant est identique à celui de l'avion. La vitesse initiale $\vec{v}_0$ du paquet est donc horizontale et est égale à 500 km/h. L'angle initial θ_0 est nul.

En posant $\theta_0 = 0$ et $y = 5{,}0$ km dans l'équation 4-6c', on peut déduire le temps de chute:

$$t = \sqrt{-\frac{2y}{g}} = \sqrt{-\frac{(2)(-5{,}0 \times 10^3 \text{ m})}{(9{,}8 \text{ m/s}^2)}} = 31{,}9 \text{ s}.$$

Notez que le temps de chute est indépendant de la vitesse de l'avion quand la vitesse initiale n'a qu'une composante horizontale (voir le problème 11 qui étudie une situation légèrement différente).

La distance horizontale parcourue par le paquet pendant ce temps est calculée grâce à l'équation 4-6c, $x = (v_0 \cos \theta_0)t$. En substituant les données du problème, on trouve la valeur suivante:

$$x = (500 \text{ km/h}) \times (10^3 \text{ m/km}) \times (1 \text{ h}/3600 \text{ s}) \times (31{,}9 \text{ s}) = 4430 \text{ m}.$$

[2] « La découverte par Galilée de la trajectoire parabolique » par Stillman Drake et James MacLachlan dans *Scientific American*, mars 1975.

L'angle de visée (fig. 4-3) sera:

$$\phi = \tan^{-1}\frac{x}{|y|} = \tan^{-1}\frac{4430\text{ m}}{5000\text{ m}} = 42°.$$

La trajectoire de la boîte de vivres, vue de l'avion, apparaît-elle parabolique?

EXEMPLE 2

Un joueur de soccer botte le ballon à un angle de 37° par rapport à l'horizontale à une vitesse de 15 m/s. (Le rapport des côtés d'un triangle rectangle qui a un angle de 37° est de 3:4:5 ou de 6:8:10.) On admet dans ce problème que la trajectoire du ballon s'effectue dans un même plan vertical.

(a) Trouvez le temps t mis par le ballon pour atteindre le point le plus élevé de sa trajectoire.

Au point le plus élevé de la trajectoire, la composante verticale de la vitesse est nulle. En isolant la variable t de l'équation 4-6a' on obtient:

$$t = \frac{v_0 \sin\theta_0 - v_y}{g}.$$

En substituant, dans cette équation, les données suivantes:

$$v_y = 0, \quad v_0 = 15\text{ m/s}, \quad \theta_0 = 37°, \quad g = 9{,}8\text{ m/s}^2,$$

on obtient:

$$t_1 = \frac{[15(\frac{6}{10}) - 0]\text{ m/s}}{9{,}8\text{ m/s}} = 0{,}92\text{ s}.$$

(b) Quelle est la hauteur maximale atteinte par le ballon?

C'est au temps $t = 0{,}92$ s que le ballon atteint sa hauteur maximale. En substituant les données du problème dans l'équation 4-6c', c.-à-d.:

$$y = (v_0 \sin\theta_0)t - \tfrac{1}{2}gt^2,$$

on obtient:

$$y_{\max} = (15\text{ m/s})(\tfrac{6}{10})(0{,}92\text{ s}) - \tfrac{1}{2}(9{,}8\text{ m/s}^2)(0{,}92\text{ s})^2 = 4{,}14\text{ m}$$

(c) Quelle est la portée du ballon et combien de temps dure l'envol?

On définit la *portée* R, comme étant la distance horizontale entre le point de départ et le point où le ballon revient au même niveau. On obtient le temps d'envol t_2 avec l'équation 4-6c', dans laquelle on pose $y = 0$ (le ballon revient à la hauteur initiale),

$$t_2 = \frac{2v_0 \sin\theta_0}{g} = \frac{2(15\text{ m/s})(\frac{6}{10})}{9{,}8\text{ m/s}^2} = 1{,}84\text{ s}$$

On observe que $t_2 = 2t_1$. Ceci nous montre que le ballon met le même temps pour monter et pour descendre.

On peut obtenir la portée en substituant cette valeur de t_2 dans l'équation 4-6c:

$$R = (v_0 \cos\theta_0)t_2 = (15\text{ m/s})(\tfrac{8}{10})(1{,}8\text{ s}) = 21{,}6\text{ m}$$

(d) Quelle est la vitesse du ballon lorsqu'il revient au sol? L'équation 4-6a nous permet de trouver la vitesse horizontale v_x:

$$v_x = v_0 \cos\theta_0 = (15\text{ m/s})(\tfrac{8}{10}) = 12\text{ m/s}$$

Avec l'équation 4-6a', on déduit la vitesse verticale v_y;

$$v_y = v_0 \sin\theta_0 - gt = (15\text{ m/s})(\tfrac{6}{10}) - (9{,}8\text{ m/s}^2)(1{,}84) = -9\text{ m/s}$$

Connaissant les vitesses horizontale et verticale, on calcule la grandeur de la vitesse résultante, à l'aide de l'équation 4-7:

$$v = \sqrt{v_x^2 + v_y^2} = \sqrt{(12\text{ m/s})^2 + (-9\text{ m/s})^2} = 15\text{ m/s}$$

Sa direction est donnée par l'expression suivante:

$$\tan\theta = v_y/v_x = -\tfrac{9}{12}$$

L'angle est de $-37°$, c'est-à-dire: 37° pris à partir de l'axe des x, dans le sens horaire. Notez que $\theta = -\theta_0$, en conformité avec la symétrie du problème (fig. 4-2).

EXEMPLE 3

Il existe, en physique, une expérience simple et populaire qui consiste à pointer le canon d'un fusil à air sur une cible qui commence à descendre en chute libre lorsque la balle quitte le canon du fusil. Cette expérience nous montre que, peu importe la vitesse de la balle, elle atteint toujours la cible.

La façon la plus simple de comprendre le phénomène est la suivante: en l'absence d'accélération gravitationnelle, ni la balle ni la cible ne chuteraient, et la balle suivrait la ligne de visée pour aller frapper la cible. (fig. 4-4). L'effet global de la gravitation consiste à donner aux deux corps une accélération égale, à partir d'une position qu'ils occuperaient si cette gravité n'existait pas. Par conséquent, après un temps t, la balle aura chuté d'une distance $\frac{1}{2}gt^2$ à partir d'un point qu'elle aurait occupé sur la ligne de visée; la cible aura chuté d'une distance égale, à partir de sa position initiale. Lorsque la balle atteint la ligne verticale de chute de la cible, la collision se produit, puisqu'ils ont parcouru la même distance. Si la vitesse de la balle est plus grande que celle qui est illustrée sur la figure 4-4, sa portée sera plus grande, et elle franchira la ligne de chute à un point plus élevé, mais, ayant franchi cette distance dans un intervalle de temps plus court, la cible aura chuté d'une distance moindre, et la collision se produira. L'argument est le même si la vitesse de la balle est plus petite; la collision, cette fois, se produit plus bas.

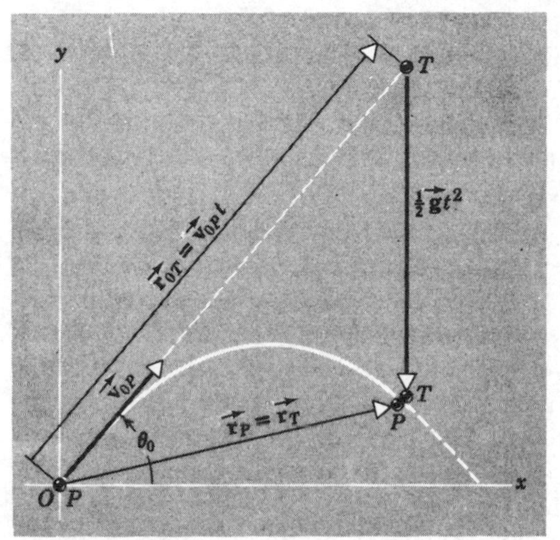

figure 4-4
Exemple 3. On peut considérer le déplacement d'un projectile, par rapport à l'origine du mouvement, comme la somme, à chaque instant, de deux vecteurs: $\vec{v}_{0P}t$, dirigé selon $\vec{v}_{0p}$, et $\frac{1}{2}\vec{g}t^2$, dirigé vers le bas.

On peut analyser le problème d'une façon plus formelle. Utilisons l'équation 4-5*b*:

$$\vec{r} = \vec{r}_0 + \vec{v}_0 t + \tfrac{1}{2}\vec{a}t^2$$

qui décrit les positions du projectile et de la cible en tout temps. Dans le cas du projectile P, $\vec{r}_0 = 0$ et $\vec{a} = \vec{g}$, d'où il résulte que:

$$\vec{r}_P = \vec{v}_{0P}t + \tfrac{1}{2}\vec{g}t^2.$$

Quant à la cible, $\vec{r}_0 = \vec{r}_{0T}$, $\vec{v}_0 = 0$ et $\vec{a} = \vec{g}$, d'où il résulte que:

$$\vec{r}_T = \vec{r}_{0T} + \tfrac{1}{2}\vec{g}t^2.$$

Pour qu'il y ait collision, il faut que $\vec{r}_P = \vec{r}_T$. Les expressions établies pour $\vec{r}_T$ et $\vec{r}_P$ nous montrent que cette collision se produira si $\vec{r}_{0T} = \vec{v}_{0P}t$, c'est-à-dire au temps $t = r_{0T}/v_{0P}$ pris par le projectile pour franchir la distance le séparant de la cible selon la ligne de visée, dans l'hypothèse d'une vitesse uniforme.

4-4 *MOUVEMENT CIRCULAIRE UNIFORME*

Dans la section 3-6 nous avons dit que l'accélération résultait d'un changement de vitesse. Dans le cas simple d'une chute libre, seule la grandeur de la vitesse varie, la direction demeurant constante. Mais, dans le cas d'une particule décrivant une trajectoire circulaire avec une vitesse dont la grandeur est constante, qu'on appelle le *mouvement circulaire uniforme,* le vecteur vitesse change de direction continuellement. Il nous faut maintenant chercher l'expression de l'accélération dans le cas du mouvement circulaire uniforme.

La figure 4-5*a* illustre cette situation. Soit P la position de la particule au temps t, et P' sa position un instant plus tard, $t + \Delta t$. La vitesse $\vec{v}$ au point

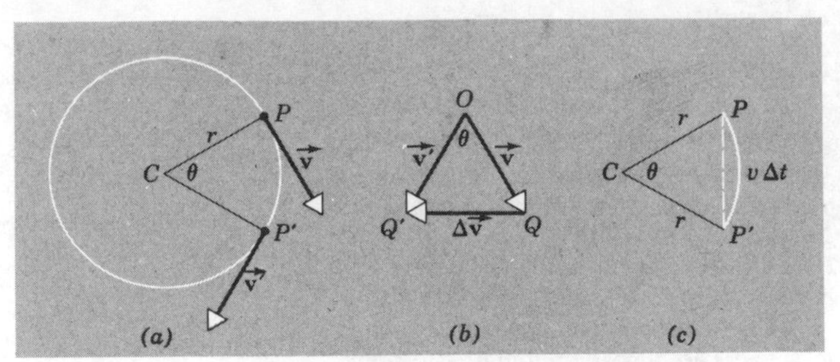

figure 4-5
Mouvement circulaire uniforme. La particule décrit un cercle; la grandeur de sa vitesse est constante. Les vecteurs $\vec{v}$ et $\vec{v}'$ représentent les vitesses vectorielles aux points P et P', $\Delta\vec{v}$ est le changement de la vitesse obtenu lorsque l'on passe de P à P'.

P est tangente à la courbe à ce point. Il en est de même pour $\vec{v}'$ en P'. La grandeur des vecteurs $\vec{v}$ et $\vec{v}'$ est la même, mais leur direction est différente. La longueur de la trajectoire décrite durant l'intervalle de temps Δt est représentée par l'arc PP' qui est égal à $v\ \Delta t$, où v désigne la grandeur de la vitesse.

Redessinons les vecteurs $\vec{v}$ et $\vec{v}'$ (fig. 4-5*b*), mais cette fois en faisant coïncider leur origine avec le point O. Rien ne nous empêche d'effectuer cette translation, à condition que la grandeur et l'orientation de chaque vecteur demeurent inchangées. Ce schéma (fig. 4-5*b*) nous permet de mieux visualiser le changement de vitesse subi par la particule en passant de P à P'. Ce changement, $\vec{v}' - \vec{v} = \Delta\vec{v}$, représente le vecteur qu'il faut ajouter à $\vec{v}$ pour obtenir $\vec{v}'$. Remarquez qu'il pointe approximativement vers le centre du cercle C.

Le triangle OQQ', formé des vecteurs $\vec{v}$, $\vec{v}'$ et $\Delta\vec{v}$, et le triangle CPP' (fig. 4-5*c*), formé de la corde PP' et des rayons CP et CP', sont semblables. En effet, ce sont deux triangles isocèles et l'angle θ, dans les deux cas, est le même, car les côtés $\vec{v}$ et $\vec{v}'$, CP et CP' sont respectivement perpendiculaires. La relation de proportionnalité des triangles semblables nous permet donc d'écrire, sur une base approximative:

$$\frac{\Delta v}{v} = \frac{v\ \Delta t}{r}\ \text{(approximativement)}$$

En effet, l'arc PP' est substitué à la corde PP'. Cette relation gagne en exactitude à mesure que Δt diminue, puisque l'arc et la corde se rapprochent l'un de l'autre. On observe aussi que $\Delta \mathbf{v}$ tend de plus en plus, lorsque Δt diminue, vers une direction perpendiculaire à $\mathbf{v}$ et à $\mathbf{v}'$ à la fois. Cette direction pointe toujours plus vers le centre du cercle. En transformant la relation précédente, on en déduit celle-ci:

$$\frac{\Delta v}{\Delta t} = \frac{v^2}{r}\ \text{(approximativement)}$$

Cette expression est aussi approximative, mais devient exacte à la limite, quand Δt tend vers zéro. L'expression finale de la grandeur de l'accélération s'écrit donc ainsi:

$$a = \lim_{\Delta t \to 0} \frac{\Delta v}{\Delta t} = \frac{v^2}{r}. \tag{4-9}$$

L'accélération instantanée, $\vec{a}$, pointe vers le centre du cercle.

La figure 4-6 rend compte de la relation instantanée entre les vecteurs $\vec{v}$ et $\vec{a}$ à différents moments du mouvement. La direction de $\vec{v}$ change continuellement, tandis que sa grandeur demeure constante. Il en résulte une accélération (non nulle) de grandeur constante mais dont la direction change continuellement. La vitesse $\vec{v}$ est tangente au cercle, et l'accélération pointe vers le centre du cercle.

Voilà pourquoi l'accélération, dans le cas du mouvement circulaire, est dite *radiale* ou *centripète*. Le mot *centripète* dérive de deux mots latins, et signifie « tendant vers le centre ».

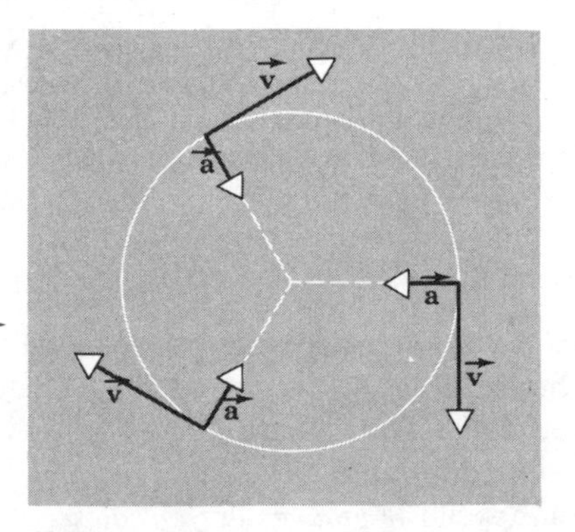

figure 4-6
L'accélération, dans le mouvement circulaire uniforme, est toujours dirigée vers le centre du cercle, et, par conséquent, perpendiculaire à la vitesse.

Dans les cas du mouvement en chute libre et du projectile, la grandeur et la direction de l'accélération sont constantes, ce qui nous permet d'employer les équations du tableau 4-1 qui ne sont utilisables, il faut le rappeler, que dans le seul cas où l'accélération est constante en grandeur et en direction. Il est donc interdit de les utiliser en traitant le mouvement circulaire uniforme, puisque la direction de $\vec{\mathbf{a}}$ n'y est pas constante.

Les unités de l'accélération centripète sont les mêmes que celles d'une accélération qui résulte du changement de la grandeur de la vitesse. Les dimensions en sont les mêmes aussi:

$$\frac{v^2}{r} = \left(\frac{\text{longueur}}{\text{temps}}\right)^2 \bigg/ \text{longueur} = \frac{\text{longueur}}{(\text{temps})^2} = \frac{L}{T^2}$$

ce qui représente bel et bien les dimensions d'une accélération. Les unités sont des m/s^2.

L'accélération qui résulte du changement de l'orientation de la vitesse est tout aussi réelle et vraie que celle qui vient du changement de la grandeur de la vitesse. En effet, l'accélération est définie comme le taux de variation de la vitesse et la vitesse, en sa qualité de vecteur, peut varier en grandeur et en direction. Si une grandeur physique est un vecteur, il faut tenir compte de tout ce qui touche sa direction, puisque, on vient de le voir, un changement de direction présente des implications aussi réelles et importantes qu'un changement de grandeur.

Il nous paraît utile d'ajouter que le mouvement n'est pas nécessairement dans la même direction que l'accélération, et qu'il n'y a pas en général de relation entre les directions de $\vec{\mathbf{a}}$ et de $\vec{\mathbf{v}}$. La figure 4-7 nous donne des exemples de mouvements dans lesquels l'angle entre $\vec{\mathbf{v}}$ et $\vec{\mathbf{a}}$ varie de 0 à 180°. C'est dans un cas seulement que l'on voit le mouvement orienté selon $\vec{\mathbf{a}}$, lorsque $\theta = 0°$.

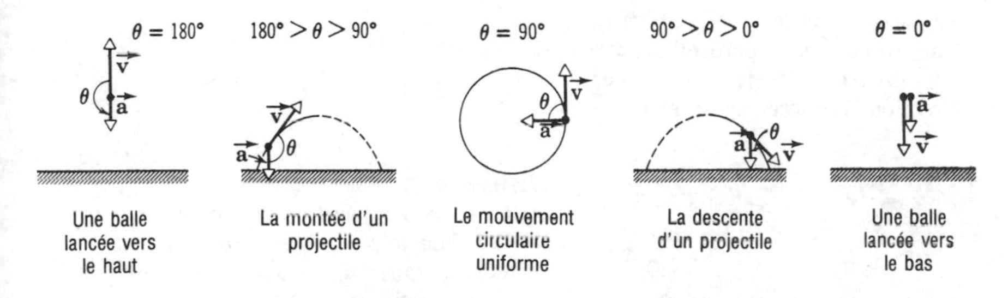

figure 4-7
Cette figure veut illustrer la relation entre $\vec{\mathbf{v}}$ et $\vec{\mathbf{a}}$ dans différentes situations.

EXEMPLE 4

La Lune met 27,3 jours pour effectuer une révolution autour de la Terre (mois sidéral). En supposant que l'orbite soit circulaire, avec un rayon de $3{,}85 \times 10^8$ m, calculez l'accélération centripète subie par la Lune.

Nous connaissons le rayon et le temps d'une révolution, appelé aussi période T (27,3 d ou $2{,}36 \times 10^6$ s). La vitesse de la Lune (en la supposant constante) est donc:

$$v = 2\pi r/T = 1020 \text{ m/s}.$$

L'accélération centripète se calcule à l'aide de l'équation 4-9:

$$a = \frac{v^2}{r} = \frac{(1020 \text{ m/s})^2}{3{,}85 \times 10^8 \text{ m}} = 0{,}00273 \text{ m/s}^2, = 2{,}73 \times 10^{-3} \text{ m/s}^2,$$

ce qui équivaut à $2{,}78 \times 10^{-4}$ g.

EXEMPLE 5

Calculez la vitesse d'un satellite, sachant qu'il est situé à une altitude, h, de 230 km au-dessus de la surface de la Terre, et que l'accélération gravitationnelle à cet endroit est de 9 m/s^2. Le rayon R de la Terre est de 6370 km.

Comme tout objet à la surface de la Terre, le satellite connaît une accélération gravitationnelle dirigée vers le centre. C'est cette accélération qui maintient le satellite sur son orbite. L'accélération centripète est donc égale à 9 m/s².
L'équation 4-9 nous dit que $a = v^2/r$.
En substituant les données du problème, on trouve:

$$g = v^2/(R + h).$$

d'où il résulte que

$$\begin{aligned} v &= \sqrt{(R + h)g} = \sqrt{(6370 \text{ km} + 230 \text{ km})(10^3 \text{ m/km})/(9 \text{ m/s}^2)} \\ &= 7{,}7 \times 10^3 \text{ m/s} = 27\,720 \text{ km/h} \end{aligned}$$

- **Notions avancées**

Démontrons, à nouveau, l'équation 4-9, en utilisant cette fois une méthode vectorielle. La figure 4-8*a* montre une particule animée d'un mouvement circulaire uniforme autour du centre O d'un système de référence x-y. L'emploi des coordonnées polaires r et θ, au lieu des coordonnées orthogonales x et y, s'avère particulièrement utile dans cette situation. En effet, dans le mouvement circulaire uniforme, le rayon demeure constant, tout comme la coordonnée r; de plus, la vitesse circulaire étant constante, θ sera une fonction linéaire du temps. Les coordonnées x et y, quant à elles, se comportent de façon beaucoup plus complexe dans cette sorte de mouvement.
Les deux systèmes de coordonnées sont reliés par les expressions suivantes:

$$r = \sqrt{x^2 + y^2} \quad \text{et} \quad \theta = \tan^{-1} y/x \tag{4-10a}$$

ou leurs réciproques:

$$x = r\cos\theta \quad \text{et} \quad y = r\sin\theta. \tag{4-10b}$$

Dans le système de coordonnées orthogonales, on utilisait les vecteurs unitaires $\vec{\mathbf{i}}$ et $\vec{\mathbf{j}}$ pour décrire un mouvement dans le plan x-y. Nous trouvons plus utile, ici, d'introduire deux nouveaux vecteurs unitaires: $\vec{\mathbf{u}}_r$ et $\vec{\mathbf{u}}_\theta$. Comme $\vec{\mathbf{i}}$ et $\vec{\mathbf{j}}$, ces vecteurs sont unitaires et sans dimension; ils n'indiquent que la direction.

Le vecteur unitaire $\vec{\mathbf{u}}_r$ indique en tout point la direction d'accroissement de $\vec{\mathbf{r}}$; il pointe donc, à partir de l'origine, vers l'extérieur du cercle. Le vecteur unitaire $\vec{\mathbf{u}}_\theta$ indique en tout point la direction d'accroissement de θ; il est toujours tangent au cercle qui passe en ces points et est dirigé dans le sens antihoraire. Comme on le voit sur la figure 4-8*a*, les vecteurs $\vec{\mathbf{u}}_r$ et $\vec{\mathbf{u}}_\theta$ sont perpendiculaires entre eux, comme l'étaient les vecteurs $\vec{\mathbf{i}}$ et $\vec{\mathbf{j}}$. Ils diffèrent toutefois de ces derniers en ce qu'ils varient continuellement de direction. Les vecteurs unitaires $\vec{\mathbf{u}}_r$ et $\vec{\mathbf{u}}_\theta$ ne sont donc pas constants.

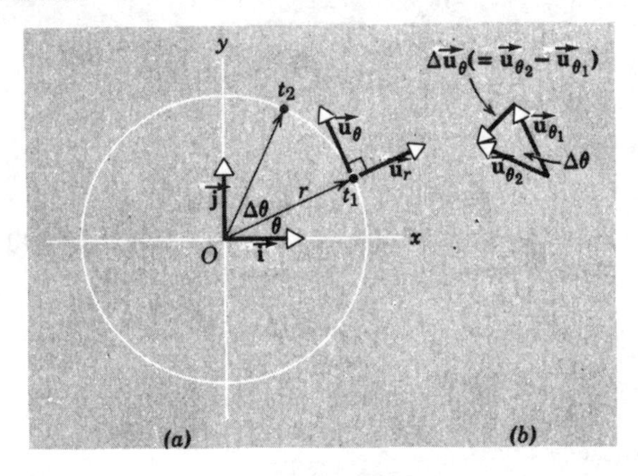

figure 4-8
(a) La particule décrit un cercle de rayon r dans le sens antihoraire. *(b)* Les vecteurs unitaires $\vec{\mathbf{u}}_{\theta 1}$ et $\vec{\mathbf{u}}_{\theta 2}$ aux temps t_1 et t_2 respectivement et la variation $\Delta\vec{\mathbf{u}}_\theta$ (= $\vec{\mathbf{u}}_{\theta 2} - \vec{\mathbf{u}}_{\theta 1}$).

En utilisant les vecteurs unitaires $\vec{\mathbf{u}}_r$ et $\vec{\mathbf{u}}_\theta$, le mouvement circulaire uniforme dans le sens antihoraire peut s'écrire sous la forme suivante:

$$\vec{\mathbf{v}} = \vec{\mathbf{u}}_\theta v. \tag{4-11}$$

Cette relation nous dit que la direction du vecteur vitesse est celle de $\vec{\mathbf{u}}_\theta$, c'est-à-dire tangente au cercle, et que sa grandeur ($\vec{\mathbf{u}}_\theta$ étant unitaire) est constante et égale à $\vec{\mathbf{v}}$.

L'expression de l'accélération est obtenue en combinant les équations 4-3 et 4-11, soit:

$$\vec{\mathbf{a}} = \frac{d\vec{\mathbf{v}}}{dt} = \frac{d\vec{\mathbf{u}}_\theta}{dt} v. \tag{4-12}$$

Dans l'équation 4-11, v est une valeur constante; $\vec{\mathbf{u}}_\theta$, cependant, ne l'est pas; il change de direction pendant le mouvement de la particule. Pour évaluer $d\vec{\mathbf{u}}_\theta/dt$, reportons-nous à la figure 4-8*b*. On y voit le vecteur $\vec{\mathbf{u}}_{\theta_1}$, devenu le vecteur $\vec{\mathbf{u}}_{\theta_2}$ après un intervalle de temps $\Delta t = t_2 - t_1$. Le vecteur $\Delta\vec{\mathbf{u}}_\theta = \vec{\mathbf{u}}_{\theta_2} - \vec{\mathbf{u}}_{\theta_1}$ pointe vers le centre, et cela d'autant plus que $\Delta t \to 0$. En d'autres mots, $d\vec{\mathbf{u}}_\theta$ possède l'orientation $-\vec{\mathbf{u}}_r$. L'angle entre $\vec{\mathbf{u}}_{\theta_2}$ et $\vec{\mathbf{u}}_{\theta_1}$, dans la figure 4-8*b*, est l'angle $\Delta\theta$ balayé, pendant le temps Δt, par le rayon qui relie le centre du cercle et la particule. La grandeur de $\Delta\vec{\mathbf{u}}_\theta$ est tout simplement $\Delta\theta$. Il ne faut pas oublier que $\vec{\mathbf{u}}_{\theta_1}$ et $\vec{\mathbf{u}}_{\theta_2}$ sont des vecteurs unitaires. On en déduit donc ceci:

$$\frac{d\vec{\mathbf{u}}_\theta}{dt} = -\vec{\mathbf{u}}_r \lim_{\Delta t \to 0} \frac{\Delta\theta}{\Delta t} = -\vec{\mathbf{u}}_r \frac{d\theta}{dt}$$

ce qui donne, avec l'équation 4-12:

$$\vec{\mathbf{a}} = \frac{d\vec{\mathbf{u}}_\theta}{dt} v = -\vec{\mathbf{u}}_r \frac{d\theta}{dt} v. \quad (4\text{-}13)$$

De plus, $d\theta/dt$ est le taux de changement de la position angulaire, c'est-à-dire la vitesse angulaire de la particule. Le mouvement est uniforme, ce qui donne, pour $d\theta/dt$:

$$\frac{d\theta}{dt} = \frac{2\pi \text{ radians}}{\text{temps pour une révolution}} = \frac{2\pi}{2\pi r/v} = \frac{v}{r}.$$

En substituant ces données dans l'équation 4-13, on arrive à la valeur de $\vec{\mathbf{a}}$:

$$\vec{\mathbf{a}} = -\vec{\mathbf{u}}_r \frac{v^2}{r} \quad (4\text{-}14)$$

Cette équation nous révèle que la grandeur de l'accélération centripète est v^2/r (éq. 4-9) et que son orientation est vers le centre du cercle (observez le facteur $-\vec{\mathbf{u}}_r$). L'équation vectorielle 4-14 nous donne donc la *grandeur* et *l'orientation* de l'accélération centripète $\vec{\mathbf{a}}$. Remarquez que la grandeur de l'accélération est constante et que son orientation varie continuellement, puisque $\vec{\mathbf{u}}_r$ change à chaque nouvelle position de la particule. Cette constatation était tout à fait prévisible.

4-5 *ACCÉLÉRATION TANGENTIELLE ET MOUVEMENT CIRCULAIRE*

Nous abordons maintenant la situation plus générale du mouvement circulaire avec une vitesse v variable. On en fera l'étude avec la méthode vectorielle en coordonnées polaires.

Comme auparavant, la vitesse est donnée par l'équation 4-11:

$$\vec{\mathbf{v}} = \vec{\mathbf{u}}_\theta v$$

sauf qu'ici, les facteurs v et $\vec{\mathbf{u}}_\theta$ varient tous les deux. La formule de la dérivée d'un produit nous permet de formuler, pour l'accélération, l'expression suivante:

$$\vec{\mathbf{a}} = \frac{d\vec{\mathbf{v}}}{dt} = \vec{\mathbf{u}}_\theta \frac{dv}{dt} + v \frac{d\vec{\mathbf{u}}_\theta}{dt} \quad (4\text{-}15)$$

Le premier terme de cette équation n'apparaissait pas dans l'équation 4-12, puisque la vitesse était constante, ce qui donnait une dérivée nulle. Le deuxième terme de l'équation 4-15, nous l'avons vu dans la section précédente, est égal à $-\vec{\mathbf{u}}_r(v^2/r)$. En substituant cette expression dans l'équation 4-15, on trouve:

$$\vec{\mathbf{a}} = \vec{\mathbf{u}}_\theta a_T - \vec{\mathbf{u}}_r a_R, \quad (4\text{-}16)$$

dans laquelle

$$a_T = dv/dt \quad \text{et} \quad a_R = v^2/r.$$

Le premier terme, $\vec{\mathbf{u}}_\theta a_T$ représente la composante vectorielle de l'accélération qui est tangeante à la trajectoire de la particule et qui résulte de la variation de la *grandeur* de la vitesse. On appelle ce terme *l'accélération tangentielle*. Le second terme, $-\vec{\mathbf{u}}_r a_R$ est la composante vectorielle dirigée vers le centre du cercle; elle résulte du changement de *direction* de la vitesse de la particule. On appelle ce terme *l'accélération centripète*.

La grandeur de l'accélération instantanée est donnée par l'expression suivante:

$$a = \sqrt{a_T^2 + a_R^2} \quad (4\text{-}17)$$

Dans le cas où la grandeur de la vitesse est constante, nous avons:

$$a_T = dv/dt = 0$$

et l'équation 4-16 est identique à l'équation 4-14.

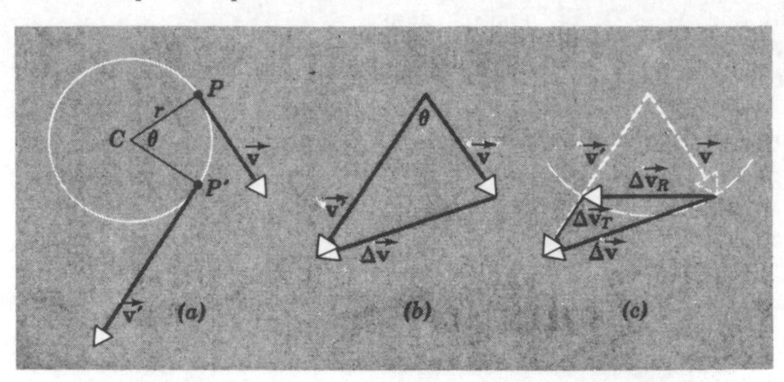

figure 4-9
(a) Lorsque la grandeur de la vitesse varie, le mouvement circulaire n'est plus uniforme. *(b)* La variation de vitesse $\Delta\vec{v}$, en passant de P à P', comprend deux parties, illustrées en *(c)*. *(c)* $\Delta\vec{v}_R$ est le changement de direction de $\vec{v}$ et $\Delta\vec{v}_T$, la variation de la grandeur de $\vec{v}$. A la limite, lorsque $\Delta t \to 0$, $\Delta\vec{v}_R$ pointe vers le centre du cercle et $\Delta\vec{v}_T$ est tangent à la trajectoire.

Lorsque la grandeur de la vitesse v n'est pas constante, a_T est différente de zéro, et a_R varie aussi continuellement. De plus, si la grandeur de la vitesse varie à un taux qui n'est pas constant, a_T varie elle aussi d'un point à l'autre de la trajectoire.

Les formules a_T $(= dv/dt)$ et a_R $(= v^2/r)$ peuvent s'appliquer même si le mouvement n'est pas circulaire. Dans ce cas, le rayon de courbure de la trajectoire tient lieu de rayon du cercle. Dans ces situations générales, comme dans le mouvement circulaire, a_T constitue l'accélération tangente à la trajectoire et a_R, l'accélération perpendiculaire à la courbe. La figure 4-10 est une photographie de la trace en forme de spirale laissée par un électron qui pénètre à haute vitesse

figure 4-10
La trace en forme de spirale laissée par un électron qui pénètre à haute vitesse dans une chambre à bulles (courtoisie de Lawrence Radiation Laboratory). On a tiré cette image d'un cahier spécialement préparé pour l'observation en stéréoscopie. Ce cahier et le matériel qui l'accompagne portent le titre: *Introduction to the Detection of Nuclear Particles in a Bubble Chamber,* The Ealing Press, Cambridge, Massachusetts (1964). Lorsqu'on le regarde en stéréoscopie, en se servant de jumelles spéciales, l'électron semble se diriger vers nous et vers le centre de la spirale. Son vecteur vitesse ne repose donc pas dans le plan de la figure; il est incliné vers le haut. Le mouvement s'effectue par conséquent à trois dimensions et non à deux comme c'est le cas pour les autres exemples du chapitre.

dans une chambre à bulles. Cette enceinte est remplie d'hydrogène liquide. L'électron, perdant son énergie à mesure qu'il voyage dans la chambre, présente ainsi une diminution de vitesse; il en résulte une accélération tangentielle a_T donnée par dv/dt. L'accélération centripète a_R en tout point vaut v^2/r, où r est le rayon de courbure à chaque point de la trajectoire; la vitesse v et le rayon r diminuent tous les deux à mesure que l'électron perd son énergie. La force qui courbe la trajectoire de l'électron est due à la présence d'un champ magnétique perpendiculaire au plan de la page. Cette force sera étudiée en électromagnétisme. •

4-6 *VITESSE RELATIVE ET ACCÉLÉRATION*

Dans les sections précédentes, nous avons étudié l'addition des vitesses dans un système de coordonnées unique. Voyons maintenant la relation entre la vitesse d'un objet déterminée par un observateur S (système de référence S) et la vitesse du même objet déterminée par un autre observateur S' (système de référence S') en mouvement par rapport au premier.

Posons que S est immobile par rapport à la Terre, son système de référence. L'autre observateur, S', est en mouvement. Il peut s'agir d'un passager dans un train, par exemple; son système de référence est le train. Ils suivent tous les deux le mouvement d'un même objet, disons une automobile sur la route ou une personne qui court dans le train. Chacun mesure un déplacement, une vitesse et une accélération *par rapport à son propre système de référence*. Comment comparer les mesures effectuées par les deux observateurs? Dans cette section nous nous limiterons au cas le plus simple, où l'un des systèmes de référence se déplace à vitesse constante $\vec{\mathbf{u}}$ par rapport à l'autre.

La figure 4-11 nous montre deux systèmes de référence: l'un, le système S, représenté par les axes x-y, est immobile par rapport à la Terre, l'autre, le système S', représenté par les axes x'-y', se déplace à vitesse constante $\vec{\mathbf{u}}$ par rapport au premier. La région ombrée nous fait mieux voir ce second système de référence. On peut l'imaginer comme étant tracé sur le plancher d'un wagon plat.

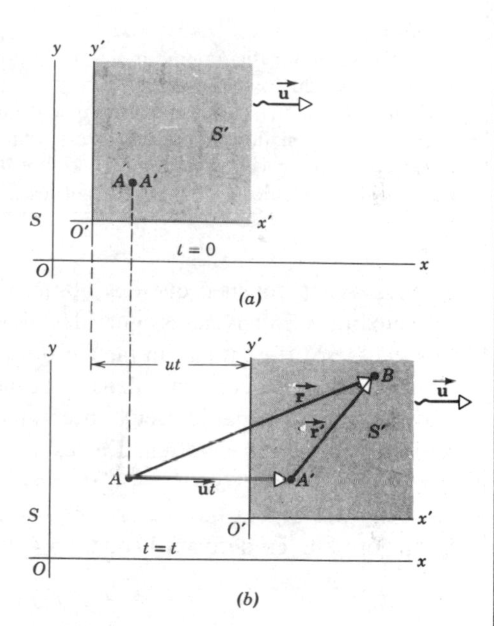

figure 4-11
Deux systèmes de référence, S (x, y) et S' (x', y'); S' se déplace vers la droite à vitesse constante u par rapport à S.

Initialement, une particule (une balle sur le plancher du wagon) occupe une position désignée par A dans le système S et par A' dans le système S'. Après un temps t, le wagon et son système de référence S' se sont déplacés d'une distance ut vers la droite, tandis que la particule a atteint le point B. Le déplacement de la particule à partir de sa position initiale *dans le système S* est représenté par le vecteur $\vec{\mathbf{r}}$ qui joint les points A et B. Le déplacement, *dans le système S'*, est représenté par le vecteur $\vec{\mathbf{r}}'$, joignant les points A' et B. Ces vecteurs diffèrent puisque le point de référence A' s'est déplacé selon l'axe x sur une distance ut. La figure 4-11 nous montre que le vecteur $\vec{\mathbf{r}}$ est la somme de $\vec{\mathbf{r}}'$ et de $\vec{\mathbf{u}}t$:

$$\vec{\mathbf{r}} = \vec{\mathbf{r}}' + \vec{\mathbf{u}}t. \qquad (4\text{-}18)$$

En dérivant l'équation 4-18, on trouve:

$$\frac{d\vec{\mathbf{r}}}{dt} = \frac{d\vec{\mathbf{r}}'}{dt} + \vec{\mathbf{u}}.$$

Mais $d\vec{\mathbf{r}}/dt$ et $d\vec{\mathbf{r}}'/dt$ sont les vitesses instantanées mesurées dans les systèmes de référence S et S' respectivement; l'équation précédente peut donc s'écrire ainsi:

$$\vec{\mathbf{v}} = \vec{\mathbf{v}}' + \vec{\mathbf{u}}. \qquad (4\text{-}19)$$

La vitesse $\vec{\mathbf{v}}$ de la particule, dans le système S, est donc la somme vectorielle de la vitesse $\vec{\mathbf{v}}'$ dans le système S' et de la vitesse $\vec{\mathbf{u}}$ dans le système de référence S' par rapport à S.

EXEMPLE 6

(a) La boussole d'un avion indique qu'il se dirige vers l'est. Les stations de météorologie mesurent un vent vers le nord. Tracez un diagramme de la vitesse de l'avion vu du sol.

L'objet, ici, c'est l'avion. La Terre constitue le système de référence immobile S; l'air qui se déplace vers le nord est le système S' en mouvement par rapport à S. Identifions les paramètres: $\vec{\mathbf{u}}$ est la vitesse de l'air par rapport à la Terre, $\vec{\mathbf{v}}'$ est la vitesse de l'avion par rapport à l'air, $\vec{\mathbf{v}}$ est la vitesse de l'avion vu du sol. La vitesse $\vec{\mathbf{u}}$ pointe vers le nord, la vitesse $\vec{\mathbf{v}}'$, vers l'est. La relation $\vec{\mathbf{v}} = \vec{\mathbf{v}}' + \vec{\mathbf{u}}$ détermine la vitesse de l'avion vu du sol, comme l'illustre la figure 4-12*a*.

L'angle α est l'angle entre la direction est et la trajectoire de l'avion vu du sol. Il est calculé d'après l'équation suivante:

$$\tan \alpha = u/v'.$$

Les directions de $\vec{\mathbf{v}}'$ et de $\vec{\mathbf{u}}$ étant perpendiculaires entre elles, la grandeur de $\vec{\mathbf{v}}$ est:

$$v = \sqrt{(v')^2 + u^2}.$$

Si on suppose que l'avion file à 300 km/h et que la vitesse du vent mesurée au sol est de 60 km/h, on obtient

$$v = \sqrt{(300)^2 + (60)^2} = 306 \text{ km/h}$$

pour la vitesse de l'avion vu du sol, et la direction est:

$$\alpha = \tan^{-1} 60/300 = 11{,}30°$$

au nord de l'est.

(b) Dessinez un diagramme montrant la direction que le pilote doit garder pour que son avion, vu du sol, vole vers l'est.

Évidemment, il doit lutter partiellement contre le vent; une des composantes de la vitesse de l'avion doit annuler la vitesse du vent. Sa vitesse relative au sol sera plus petite que dans le cas précédent. La figure 4-12*b* illustre le diagramme des vecteurs. Vous devriez calculer θ et v en utilisant les mêmes données qu'en (a) pour $\vec{\mathbf{u}}$ et $\vec{\mathbf{v}}'$.

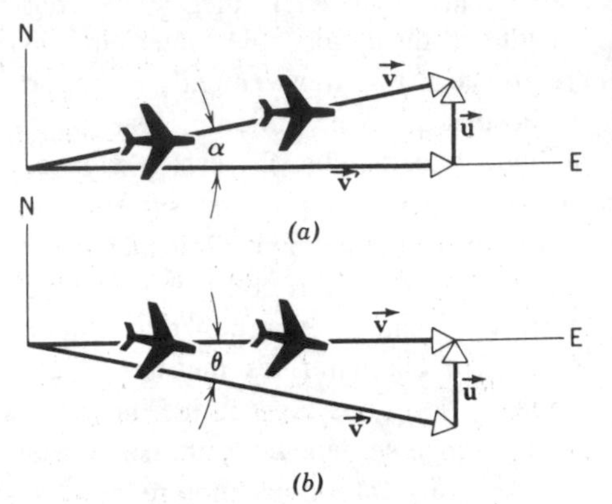

figure 4-12
Exemple 6.

Nous avons constaté que des observateurs, en mouvement les uns par rapport aux autres, peuvent assigner des vitesses différentes à une même particule. Ces vitesses diffèrent par un facteur qui est la vitesse relative des observateurs, qu'on a supposée constante dans notre analyse. Il s'ensuit que la variation de vitesse enregistrée par les deux observateurs sera la même, et qu'alors ils mesureront la même accélération. En résumé: *l'accélération d'une particule est la même dans tous les systèmes de référence en mouvement rectiligne uniforme les uns par rapport aux autres, c'est-à-dire* $\vec{\mathbf{a}} = \vec{\mathbf{a}}'$. Le résultat se déduit de façon formelle en dérivant l'équation 4-19:

$$d\vec{\mathbf{v}}/dt = d\vec{\mathbf{v}}'/dt + d\vec{\mathbf{u}}/dt.$$

Mais $d\vec{\mathbf{u}}/dt = 0$, puisque la vitesse $\vec{\mathbf{u}}$ est constante, de telle sorte que

$$d\vec{\mathbf{v}}/dt = d\vec{\mathbf{v}}'/dt, \text{ c'est-à-dire } \vec{\mathbf{a}} = \vec{\mathbf{a}}'.$$

questions

1. Dans l'étude du mouvement d'un projectile en l'absence de résistance de l'air, est-il toujours nécessaire de considérer le mouvement en trois dimensions plutôt qu'en deux?
2. Dans le saut en longueur, est-ce que la hauteur atteinte peut avoir des implications sur la longueur? Quels sont les facteurs qui déterminent la longueur du saut?
3. Pourquoi les électrons du tube à rayons cathodiques ne descendent-ils pas autant que l'eau qui sort d'un boyau, la gravité étant pourtant la même dans les deux cas? Supposez dans les deux cas une vitesse initiale horizontale.
4. A quel point de la trajectoire d'un projectile la vitesse est-elle minimum? maximum?
5. Supposons qu'on puisse varier à volonté l'angle d'inclinaison d'un plan. A quel angle doit-on incliner ce plan pour qu'une bille qui tombe verticalement et qui frappe élastiquement ce plan incliné ait une portée maximale?

6. Quel avantage y a-t-il, s'il y en a, à utiliser les radians plutôt que les degrés pour mesurer les angles?
7. Un pilote termine sa descente en piqué en décrivant un arc de cercle. On lui affirme qu'il a été soumis, à ce moment, à une accélération égale à 3 g. Expliquez le sens de cette assertion.
8. Une bille trouée glisse le long d'un fil métallique enroulé en forme de spirale. Décrivez qualitativement l'accélération subie par la bille qui se déplace à vitesse constante, et sans friction, vers le centre de la spirale.
9. Pourrait-on représenter l'accélération d'un projectile en utilisant ses composantes tangentielle et radiale? Si oui, y a-t-il avantage à le faire?
10. Sur une petite longueur d'arc, le cercle est une bonne approximation de la parabole. Quelle serait alors l'expression du rayon de l'arc de cercle qui décrirait approximativement le mouvement d'un projectile dans la région immédiate du point maximum de la trajectoire? La vitesse initiale est v_0 et l'angle initial θ_0.
11. Un individu est assis dans un wagon qui voyage à une vitesse constante. Il lance soudainement une balle directement vers le haut. La balle tombera-t-elle derrière lui? en face de lui? dans ses mains? Qu'est-ce qui arrive si le train accélère pendant que la balle est dans les airs? s'il s'engage dans une courbe?
12. Un homme qui se trouve sur la promenade extérieure du wagon de queue échappe une pièce de monnaie en se penchant sur la rampe. Décrivez la trajectoire de la pièce selon les points de vue *(a)* de l'homme sur la promenade du wagon; *(b)* d'une personne qui se tient immobile sur le bord de la voie ferrée; *(c)* d'une personne qui se trouve dans un second train qui rencontre le premier sur une voie parallèle.
13. Un autobus dont le pare-brise est vertical voyage à une vitesse v_a par un temps d'orage. La pluie tombe verticalement à une vitesse v_p au niveau du pare-brise. Quel angle fait la pluie en frappant le pare-brise?
14. Au cours d'une averse, on observe que la pluie tombe verticalement. On doit se déplacer d'un endroit à un autre sous cette pluie. Si on veut frapper le moins de gouttes possible, faut-il courir le plus vite possible, le moins vite possible ou à une vitesse intermédiaire?
15. Où est l'erreur dans cette image (fig. 4-13)? Le bateau vogue vent arrière.
16. Un ascenseur descend à vitesse constante. Un des passagers lance vers le haut une pièce de monnaie. Quel sera l'accélération calculée par *(a)* le passager de l'ascenseur; *(b)* une personne au repos par rapport à l'ascenseur?

figure 4-13
Question 15.

problèmes

SECTION 4-1

1. Prouvez que les composantes scalaires d'un vecteur $\vec{\mathbf{a}}$ défini par l'équation

$$\vec{\mathbf{a}} = \vec{\mathbf{i}}a_x + \vec{\mathbf{j}}a_y + \vec{\mathbf{k}}a_z$$

peuvent s'écrire ainsi:

$$a_x = \vec{\mathbf{i}} \cdot \vec{\mathbf{a}}, \; a_y = \vec{\mathbf{j}} \cdot \vec{\mathbf{a}}, \quad \text{et} \quad a_z = \vec{\mathbf{k}} \cdot \vec{\mathbf{a}}.$$

SECTION 4-2

2. La position d'une particule en fonction du temps est donnée par l'expression suivante:

$$\vec{\mathbf{r}}(t) = \vec{\mathbf{i}} + 4t^2\vec{\mathbf{j}} + t\vec{\mathbf{k}}.$$

(a) Écrivez les expressions de la vitesse et de l'accélération en fonction du temps. *(b)* Quelle est la forme de la trajectoire de la particule?

3. Montrez que l'expression vectorielle *(a)* des équations 4-4b et 4-4b' est:

$$\vec{\mathbf{r}} = \vec{\mathbf{r}}_0 + \tfrac{1}{2}(\vec{\mathbf{v}}_0 + \vec{\mathbf{v}})t,$$

(b) des équations 4-4c et 4-4c' est:

$$\vec{\mathbf{r}} = \vec{\mathbf{r}}_0 + \vec{\mathbf{v}}_0 t + \tfrac{1}{2}\vec{\mathbf{a}}t^2.$$

(c) Montrez aussi que les équations 4-4d et 4-4d' combinées donnent l'expression vectorielle suivante:

$$\vec{\mathbf{v}} \cdot \vec{\mathbf{v}} = \vec{\mathbf{v}}_0 \cdot \vec{\mathbf{v}}_0 + 2\vec{\mathbf{a}} \cdot (\vec{\mathbf{r}} - \vec{\mathbf{r}}_0).$$

SECTION 4-3

4. Un projectile parvient au sommet de sa trajectoire. *(a)* Exprimez sa vitesse en fonction des paramètres v_o et θ_o. *(b)* Quelle est son accélération? *(c)* Comparez la direction de l'accélération à celle de la vitesse. Voir la question 10.
5. Une balle en mouvement tombe d'une table d'un mètre de haut. Si elle frappe le plancher à 1,5 m du bord de la table, calculez la vitesse initiale de la balle au moment où elle commence à tomber. *Réponse:* 3,4 m/s.
6. Une balle sort du canon d'un fusil à une vitesse de 500 m/s. On veut atteindre une cible 50 m plus loin. A quelle hauteur au-dessus de la cible doit-on viser pour faire mouche?
7. *(a)* Montrez que la portée d'un projectile qui possède une vitesse initiale v_o et un angle d'élévation θ_o peut s'écrire sous la forme suivante: $R = (v_o{}^2/g) \sin 2\theta_o$. Montrez alors que la portée est maximale si l'angle est de 45° (fig. 4-14).
   (b) Montrez que la hauteur maximale atteinte est donnée par la relation suivante:
   $$y_{max} = (v_o \sin \theta_o)^2/2g.$$
   (c) A quel angle initial la portée et la hauteur maximale atteinte sont-elles égales? *Réponse:* 76°.
8. On tire horizontalement une balle avec une carabine qui est à 44 m au-dessus d'un terrain plat; la balle part à 240 m/s. *(a)* Combien de temps met la balle pour toucher le sol? *(b)* A quelle distance horizontale frappe-t-elle le sol? *(c)* Quelle est la composante verticale de sa vitesse lorsqu'elle touche le sol?
9. On lance une balle vers le haut à partir du sol. On observe que sa vitesse, à une hauteur de 9,1 m, est $\vec{v} = 7{,}6\vec{i} + 6{,}1\vec{j}$ en m/s (l'axe des x est horizontal, l'axe des y, vertical). *(a)* Jusqu'à quelle hauteur montera la balle? *(b)* Quelle sera sa portée? *(c)* Quelle sera sa vitesse (grandeur et direction) lorsqu'elle touchera le sol?
   Réponses: (a) 11 m *(b)* 22 m *(c)* 17 m/s, 63° sous l'horizontale.
10. Les électrons, les noyaux, les atomes et les molécules, comme toute matière, subissent l'effet de la gravitation. Étudions séparément les cas d'un faisceau d'électrons, de noyaux, d'atomes et de molécules qui se déplacent sur une distance horizontale de 1 m. Supposons les vitesses suivantes: pour un électron, $3{,}0 \times 10^7$ m/s; pour un neutron lent, $2{,}2 \times 10^2$ m/s; pour un atome de néon, $5{,}8 \times 10^2$ m/s. En admettant que le faisceau se déplace dans le vide et que sa vitesse initiale soit horizontale, trouvez la déviation (distance verticale par mètre) subie dans chaque cas. Comparez ces résultats à ceux que vous obtiendriez avec un faisceau de balles de golf (composez-vous des données raisonnables). Quel est le facteur déterminant?
11. Un bombardier, au cours d'une descente en piqué à 53° par rapport à la verticale, laisse tomber une bombe à une altitude de 730 m. La bombe explose au sol 5,0 s plus tard. *(a)* Quelle était la vitesse du bombardier lorsqu'il a largué la bombe? *(b)* Quelle est la distance horizontale parcourue par la bombe? *(c)* Quelles étaient les composantes horizontale et verticale de la vitesse de la bombe juste avant de toucher le sol?
    Réponses: (a) 200 m/s *(b)* 810 m *(c)* $v_h = 160$ m/s, $v_v = 170$ m/s.
12. Lors d'un botté de dégagement, on a calculé que le ballon avait une vitesse de 20 m/s et un angle d'élévation de 45°. Un joueur adverse, posté sur la ligne des buts à 50 mètres du botteur, part à ce même moment pour attraper le ballon. Quelle doit être sa vitesse minimale s'il veut réaliser un attrapé? (Voir à ce sujet: « Catching, a Baseball » par Seville Chapman dans *American Journal of Physics,* oct. 1968).
13. Les électrons d'un tube à rayons cathodiques possèdent une vitesse horizontale de $1{,}0 \times 10^9$ cm/s. Ils pénètrent dans une région entre deux plaques horizontales de 2,0 cm de long où un champ électrique les soumet à une accélération de $1{,}0 \times 10^{17}$ cm/s² vers le bas. Trouvez *(a)* le déplacement vertical subi par les électrons en passant entre les plaques; *(b)* la vitesse (grandeur et direction) des électrons en sortant des plaques.
    Réponses: (a) 2,0 mm *(b)* $v_x = 1{,}0 \times 10^9$ cm/s; $v_y = 0{,}2 \times 10^9$ cm/s vers le bas.
14. Un joueur frappe la balle dans la direction du champ gauche. La clôture est à 105 m du centre et haute de 8 m. Si la balle est frappée à un mètre du sol et qu'elle part à une vitesse de 35 m/s à un angle de 45°, y aura-t-il circuit?
15. Galilée, dans son livre *Deux nouvelles sciences*, déclare qu'on obtient des portées égales lorsqu'on s'écarte, en plus ou en moins, d'une quantité égale. à partir de l'angle de 45°. Démontrez cet énoncé (fig. 4-14).
16. Une balle roule sur le palier supérieur d'un escalier avec une vitesse horizontale de 1,5 m/s. Les marches ayant 20 cm de large et 20 cm de haut, sur quelle marche la balle rebondira-t-elle en premier?

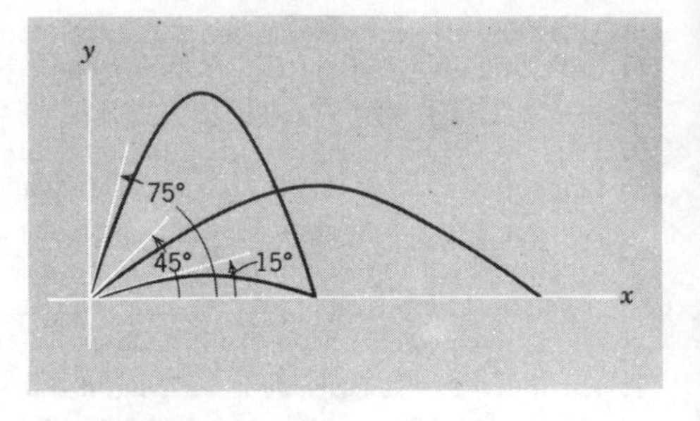

figure 4-14
Problèmes 7 et 15.

17. *(a)* Montrez que si l'accélération gravitationnelle varie d'une quantité dg, la portée du projectile (problème 7) change d'une quantité dR, où $dR/R = -dg/g$. La vitesse initiale est v_o et l'angle d'élévation θ_o. *(b)* Si l'accélération gravitationnelle varie d'une petite quantité Δg (à deux endroits différents sur la Terre), la portée varie d'une valeur ΔR. Si Δg et ΔR sont suffisamment petits on peut écrire $\Delta R/R = -\Delta g/g$. En 1936, aux jeux olympiques de Berlin (g = 9,8128 m/s²), Jesse Owen établissait au saut en longueur un record mondial de 8,09 m. De combien la longueur du saut aurait-elle changé si les compétitions avaient eu lieu à Melbourne (g = 9,7999), comme en 1956? (A ce sujet, consulter « Bad Physics in Athletic Measurements » par P. Kirkpatrick, *American Journal of Physics,* février 1944).
Réponse: Son saut aurait été plus long de 1 cm.
18. Un jongleur réussit à garder 5 balles en mouvement en les lançant successivement à une hauteur de 3,0 m. *(a)* Déterminez l'intervalle de temps qui sépare chaque lancer. *(b)* Déterminez les positions des autres balles au moment où une des balles lui tombe dans la main. (Négligez le temps pris pour transférer les balles d'une main à l'autre).
19. On a placé un canon de telle sorte que les boulets puissent atteindre le haut d'une colline dont l'angle d'élévation est α (fig. 4-15). La vitesse des boulets à la sortie du canon est v_o; à quel angle faut-il orienter le canon pour que la portée mesurée parallèlement au plan incliné soit maximale? *Réponse:* $\pi/4 + \alpha/2$.

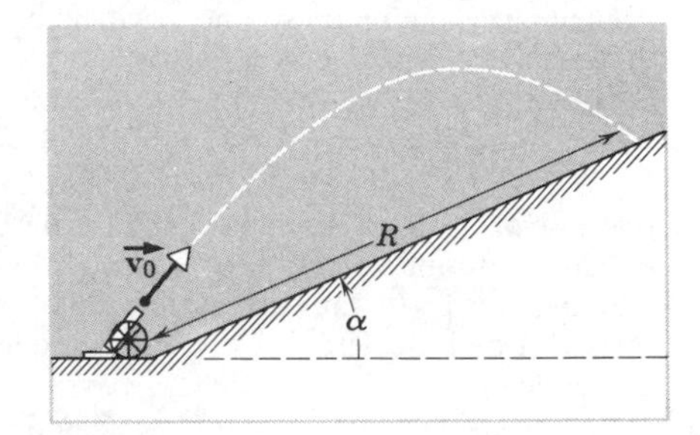

figure 4-15
Problème 19.

20. Le botteur d'une équipe de football peut imprimer au ballon une vitesse de 25 m/s. Entre quelles valeurs limites d'angle peut-il botter le ballon s'il veut réussir un placement de 50 m? Pour marquer, il faut que le ballon passe au-dessus de la barre horizontale des buts située à 3,44 m du sol.
21. Un radar surveille l'approche d'un projectile. Au moment où le projectile atteint son altitude maximale, le radar transmet les informations suivantes: la vitesse est horizontale et égale v; la distance du projectile au radar est l; l'angle de visée, au-dessus de l'horizontale, vaut θ. *(a)* Trouvez la distance D entre l'observateur et le point d'impact en fonction des paramètres v, l, θ et g. Supposez que le terrain est plat et que le radar est dans le plan vertical de la trajectoire. *(b)* Le projectile passe-t-il par-dessus le radar ou tombe-t-il en avant de lui?
Réponses: *(a)* $D = v\sqrt{(2l/g)\sin\theta} - l\cos\theta$. *(b)* Le projectile passe par-dessus le radar si D est positif; il tombe en avant si D est négatif.
22. On lance des projectiles à partir d'un point situé à une distance R de l'escarpement d'une falaise qui a une hauteur h. Les projectiles touchent le sol à une distance x du pied de la falaise. Comment doit-on ajuster les valeurs de v_o et de θ_o pour qu'ils tombent le plus près possible du pied de la falaise? On suppose que θ_o peut prendre n'importe quelle valeur, tandis que v_o varie de 0 à une certaine valeur maximale (fig. 4-16).

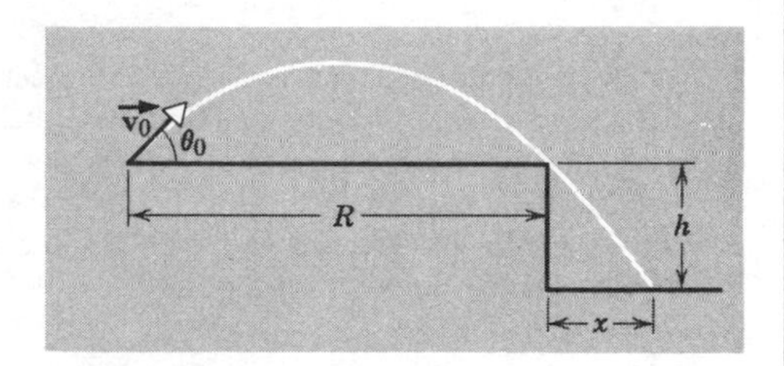

figure 4-16
Problème 22.

SECTION 4-4

23. On croit que certaines étoiles à neutrons, étoiles extrêmement denses, tournent sur elles-mêmes à une fréquence de un tour par seconde. Si de telles étoiles possèdent un rayon de 20 km, quelle est l'accélération d'un corps situé sur la ligne équatoriale de cette étoile? *Réponse:* 8×10^5 m/s².
24. Un électron pénètre dans un champ magnétique et subit une déviation perpendiculaire à la direction de son mouvement. Quelle est la vitesse de l'électron si l'accélération radiale exercée sur lui est de $3{,}0 \times 10^{14}$ m/s², et le rayon de courbure de 0,15 m?
25. Dans le modèle de Bohr de l'atome d'hydrogène, l'électron tourne autour du proton à une vitesse de $2{,}18 \times 10^6$ m/s. Si le rayon de la trajectoire est de $5{,}28 \times 10^{-11}$ m, quelle est l'accélération subie par l'électron? *Réponse:* $9{,}00 \times 10^{22}$ m/s².
26. Une particule se tient immobile sur le sommet d'un hémisphère de rayon R. Trouvez la vitesse horizontale minimale qu'il faut lui donner pour qu'elle quitte l'hémisphère sans glisser sur sa surface.
27. En raison du mouvement de rotation de la Terre autour de son axe, tous les objets à sa surface se déplacent avec un mouvement circulaire uniforme. *(a)* Quelle est l'accélération centripète d'un objet à l'équateur? *(b)* Quelle est l'accélération d'un objet à une latitude de 60°? *(c)* De quel facteur la vitesse de rotation de la Terre devrait-elle augmenter pour que l'accélération centripète soit égale à g?
Réponses: *(a)* $3{,}4 \times 10^{-2}$ m/s² *(b)* $1{,}7 \times 10^{-2}$ m/s² *(c)* 17.
28. Un jeune garçon s'amuse à faire tourner une roche au bout d'une corde de 1,2 m dans un plan horizontal à une hauteur de 1,8 m au-dessus du sol. La vitesse de-

venant trop grande, la corde se brise et le caillou part horizontalement pour tomber 9,1 m plus loin. Quelle était l'accélération centripète au moment de la rupture?

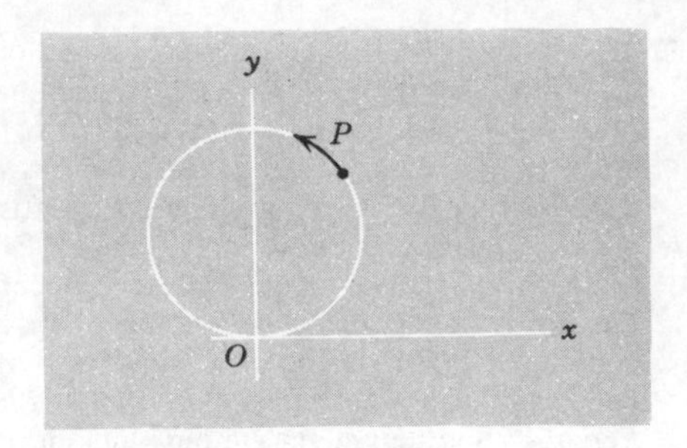

figure 4-17
Problème 29.

29. Une particule P décrit un mouvement circulaire uniforme de 3,0 m de rayon à une fréquence de un tour en 20 s, dans le sens antihoraire (fig. 4-17). La particule passe au point O, centre du système de coordonnées, à $t = 0$ s. Trouvez: *(a)* la grandeur et la direction du vecteur position à $t = 5{,}0$ s, 7,5 s, et 10,0 s; *(b)* la grandeur et la direction du déplacement effectué pendant l'intervalle de temps allant de la 5e à la 10e seconde; *(c)* le vecteur vitesse moyenne pendant cet intervalle; *(d)* le vecteur vitesse instantanée au début et à la fin de l'intervalle (à $t = 5$ s et à $t = 10$ s); *(e)* le vecteur accélération moyenne pendant cet intervalle; *(f)* le vecteur accélération instantanée à $t = 5$ s et à $t = 10$ s.
Réponses: *(a)* 4,2 m, 45°; 5,5 m, 68°; 6,0 m, 90°; *(b)* 4,2 m, 135°; *(c)* 0,85 m/s, 135°; *(d)* 0,94 m/s, 90°; 0,94 m/s, 180°; *(e)* 0,27 m/s², 225°; *(f)* 0,30 m/s²; 180°; 0,30 m/s², 270°.

30. *(a)* Écrivez l'expression de la position $\vec{r}$ d'une particule qui décrit un mouvement circulaire uniforme, en utilisant les coordonnées orthogonales x-y et les vecteurs unitaires $\vec{i}$ et $\vec{j}$. *(b)* En utilisant le résultat obtenu en *(a)*, trouvez l'expression de la vitesse et de l'accélération. *(c)* Prouvez que l'accélération est dirigée vers le centre du cercle.

31. *(a)* Exprimez les vecteurs unitaires $\vec{u}_r$ et $\vec{u}_\theta$ en fonction des vecteurs $\vec{i}$ et $\vec{j}$, ainsi que de l'angle θ (fig. 4-8). *(b)* Écrivez une expression de la position $\vec{r}$ d'une particule qui décrit un mouvement circulaire uniforme, en utilisant les vecteurs unitaires $\vec{u}_r$ et $\vec{u}_\theta$. Montrez, en dérivant l'expression obtenue, qu'on obtient l'équation 4-11, c'est-à-dire: $\vec{v} = \vec{u}_\theta v$.

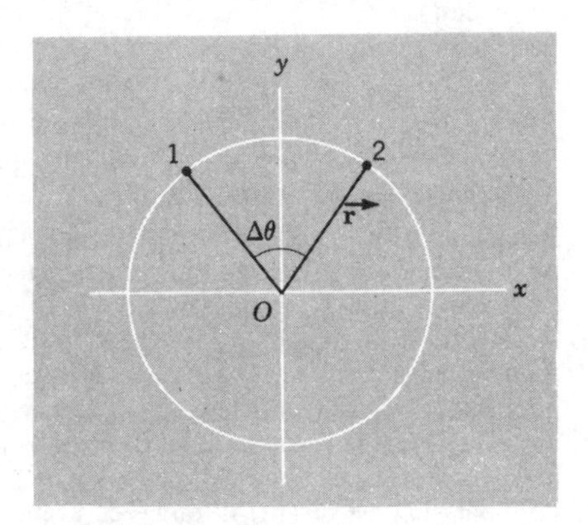

figure 4-18
Problème 32.

32. Une particule décrit un mouvement uniforme à une vitesse v. *(a)* Montrez que le temps t pour effectuer un déplacement angulaire $\Delta\theta$ est donné par l'expression suivante:

$$\Delta t = \frac{2\pi r}{v}\,\Delta\theta/360°,$$

où $\Delta\theta$ est en degrés et r est le rayon du cercle (fig. 4-18). *(b)* En utilisant les composantes x et y de la vitesse aux points 1 et 2, montrez que $\overline{a_x} = 0$ et $\overline{a_y} = -0.9\,v^2/r$ pour une paire de points symétriques par rapport à l'axe des y, avec $\Delta\theta = 90°$. *(c)* Montrez que si $\Delta\theta = 30°$, $\overline{a_x} = 0$ et $\overline{a_y} = -0{,}99\,v^2/r$. *(d)* Montrez que $\overline{a}_y \to -v^2/r$ lorsque $\Delta\theta \to 0$, et que la symétrie circulaire nous conduit à ce résultat pour n'importe quel point.

SECTION 4-5

33. Le mouvement d'une particule est décrit par les équations paramétriques suivantes:

$$x = R\sin\omega t + \omega R t,$$
$$y = R\cos\omega t + R,$$

où ω et R sont des constantes. Cette courbe, appelée cycloïde, est la trajectoire décrite par un point de la jante d'une roue qui roule, sans glisser, selon l'axe des x. *(a)* Tracez le graphique de la trajectoire, c'est-à-dire le graphique de y en fonction de x. *(b)* Calculez la vitesse et l'accélération instantanées d'un point lorsque sa composante y est maximale, minimale.
Réponses: *(b)* Pour la valeur minimale de y:

$$v_x = v_y = a_x = 0;$$
$$a_y = +\omega^2 R.$$

Pour la valeur maximale de y:

$$v_x = 2\omega R;\ v_y = a_x = 0;$$
$$a_y = -\omega^2 R.$$

SECTION 4-6

34. Des flocons de neige tombent verticalement à une vitesse de 8,0 m/s. A quelle vitesse (grandeur et direction) frappent-ils le pare-brise d'une voiture filant à 50 km/h sur une route droite?

35. Un train voyage à une vitesse de 25 m/s vers le sud par un temps d'orage. La pluie, poussée par un vent orienté vers le sud, fait un angle de 21,6° avec la verticale,

mesuré par un observateur au repos. Pour un passager du train, toutefois, la pluie semble tomber parfaitement verticale. Quelle est la vitesse de la pluie par rapport au sol? *Réponse:* 68 m/s.

36. Un hélicoptère survole un terrain plat à une vitesse constante de 4,9 m/s et à une altitude aussi constante de 4,9 m. On éjecte un paquet, horizontalement et vers l'arrière, à une vitesse de 12 m/s par rapport à l'hélicoptère. *(a)* Trouvez la vitesse initiale du paquet par rapport au sol. *(b)* Quelle distance horizontale sépare l'hélicoptère du paquet quand ce dernier touche le sol? *(c)* Quelle est la direction du vecteur vitesse au moment de toucher le sol?

37. Calculez les vitesses de deux objets s'ils se rapprochent de 4,0 m à chaque seconde lorsqu'ils se dirigent l'un vers l'autre et s'ils se rapprochent de 4 m à chaque 10 secondes lorsqu'ils voyagent dans le même sens. *Réponses:* 2,2 m/s; 1,8 m/s.

38. Un homme peut ramer à une vitesse de 6 km/h en eau calme. *(a)* Si le courant d'une rivière a une vitesse de 3 km/h, dans quelle direction doit-il orienter son bateau pour atteindre la rive opposée à un point directement en face de son point de départ? *(b)* Si la largeur de la rivière est de 6 km, quel temps mettra-t-il pour la traverser? *(c)* Quel temps mettra-t-il pour descendre la rivière d'une distance de 3 km et revenir à son point de départ? *(d)* Quel temps mettra-t-il pour remonter la rivière sur une distance de 3 km et revenir à son point de départ? *(e)* Dans quelle direction doit-il orienter son bateau pour effectuer la traversée en prenant le moins de temps possible?

39. Un avion file à 200 km/h par rapport à l'air. Pour ne pas perdre son cap (direction nord), il décide de survoler une autoroute qui est dans la ligne sud-nord. Un observateur au sol avertit ce pilote par radio qu'un vent souffle à 104 km/h, sans lui préciser la direction. Le pilote observe qu'en dépit du vent il réussit à parcourir en une heure 200 km en survolant l'autoroute. En d'autres mots, sa vitesse par rapport au sol est la même, avec ou sans vent. *(a)* Quelle est la direction du vent? *(b)* Dans quelle direction le pilote doit-il orienter son avion, ou, autrement dit, quel est l'angle entre l'axe de l'avion et l'autoroute?
Réponses: *(a)* 75° à l'est du sud. *(b)* 30° à l'est du nord.

40. Un pilote s'oriente vers l'est pour aller de A vers B puis vers l'ouest pour revenir au point A. La vitesse de l'avion par rapport à l'air est $\vec{\mathbf{v}}'$ et la vitesse de l'air par rapport au sol $\vec{\mathbf{u}}$. La distance séparant A et B est l et le pilote essaie de maintenir la vitesse $\vec{\mathbf{v}}'$ constante. *(a)* Si $u = 0$ (pas de vent), montrez que le temps de l'aller-retour est $t_0 = 2l/v'$. *(b)* Si le vecteur $\vec{\mathbf{u}}$, la vitesse du vent, est dirigé vers l'est (ou vers l'ouest), montrez que le temps pour l'aller-retour est le suivant:

$$t_E = \frac{t_0}{1 - u^2/(v')^2}.$$

(c) Si le même vecteur est dirigé vers le nord (ou le sud), montrez que le temps de l'aller-retour est le suivant:

$$t_N = \frac{t_0}{\sqrt{1 - u^2/(v')^2}}.$$

(d) En *(b)* et en *(c)*, on doit supposer que $u < v'$. Pourquoi?

41. Une personne peut atteindre le second étage d'un immeuble en 90 s, en gravissant les marches d'un escalier mécanique arrêté. Lorsqu'il fonctionne, l'escalier atteint le second étage en 60 s. Combien de temps mettrait la personne pour atteindre ce second étage si elle gravissait les marches pendant que l'escalier est en mouvement?
Réponse: 36 s.

42. Un homme désire atteindre la rive opposée d'une rivière large de 500 m en un point directement opposé à son point de départ. La vitesse du courant est de 2000 m/h et l'homme peut ramer en eau calme à une vitesse de 3000 m/h. Sachant que l'homme peut marcher à une vitesse de 5000 m/h, *(a)* trouvez le trajet (à pied et à rames, combinés) le plus rapide; *(b)* quel temps est nécessaire pour effectuer le trajet?

5 dynamique d'une particule—I

5-1 LA MÉCANIQUE CLASSIQUE

Dans les chapitres 3 et 4, nous avons étudié le mouvement d'une particule en insistant sur le mouvement rectiligne et sur celui dans un plan. Nous nous contentions alors de décrire le mouvement en fonction des vecteurs $\vec{\mathbf{r}}$, $\vec{\mathbf{v}}$ et $\vec{\mathbf{a}}$, sans nous préoccuper de ce qui produisait ce mouvement. Notre description du mouvement était surtout géométrique. Mais, dans le présent chapitre ainsi que dans le suivant, nous étudierons les causes du mouvement. Nous abordons ici l'étude d'une partie de la mécanique que l'on nomme: la *dynamique*. Comme précédemment, on traitera les corps comme des particules. Précisons quand même que nous aurons l'occasion, dans certains chapitres ultérieurs, de traiter aussi bien de groupes de particules que de corps rigides.

Nous avons constaté que le mouvement d'une particule est déterminé par la nature et la disposition des corps qui l'entourent. Le tableau 5-1 présente quelques particules placées dans un environnement donné.

Dans le texte qui suit, nous ne traiterons que de situations où les objets se déplacent à des vitesses très faibles comparées à celle de la lumière. Il s'agit ici du domaine très important de la *mécanique classique*. Précisons toutefois que nous n'étudierons pas, par exemple, le cas du mouvement d'un électron dans un atome d'uranium, ou encore celui de la collision entre deux protons dont la vitesse serait voisine de 0,90 c (c: vitesse de la lumière). Le premier de ces exemples nous amènerait à des considérations sur la théorie quantique alors que le second implique la théorie de la relativité. Nous reportons à plus tard toute approche de ces théories dont la mécanique classique est un cas particulier (voir la section 6-4).

La problématique de la mécanique classique peut se présenter ainsi: (1) considérons une particule dont certaines caractéristiques sont connues (par exemple: la masse, la charge, le moment dipolaire magnétique, etc.); (2) connaissant la vitesse initiale de cette particule, nous la plaçons dans un environnement bien déterminé. (3) En quoi consiste le mouvement de la particule?

Ce type de problème fut résolu par Isaac Newton (1642-1727) lorsqu'il présenta ses lois du mouvement et sa loi sur la gravitation universelle. Ainsi, avec nos connaissances actuelles des lois de la mécanique classique, le problème précédent peut se solutionner de la façon suivante[1]: (1) Nous introduisons la notion de *force* $\vec{\mathbf{F}}$, que l'on définit en considérant l'accélération $\vec{\mathbf{a}}$ subie par le corps soumis à cette force. (2) On développe une méthode permettant d'assigner une *masse* m à un corps, afin de comprendre pourquoi divers objets de nature identique, placés dans le même environnement, subissent des accélérations différentes. (3) Enfin, nous essayons de déterminer les forces agissant sur le corps en nous basant sur ses propriétés et sur celles de son environnement. Ce cheminement nous amène à rechercher les *lois de la force*. Essentiellement, la notion de force est un moyen de lier le mouvement d'une particule aux propriétés de son environnement. Cette notion apparaît à la fois dans les lois du mouvement (qui nous renseignent sur l'accélération reçue par un corps subissant l'action d'une force donnée) et dans les lois de la force (qui nous renseignent sur la façon d'évaluer la force agissant sur un corps donné, dans un environnement particulier). L'ensemble de ces lois constitue les lois de la mécanique, comme le suggère d'ailleurs le schéma suivant.

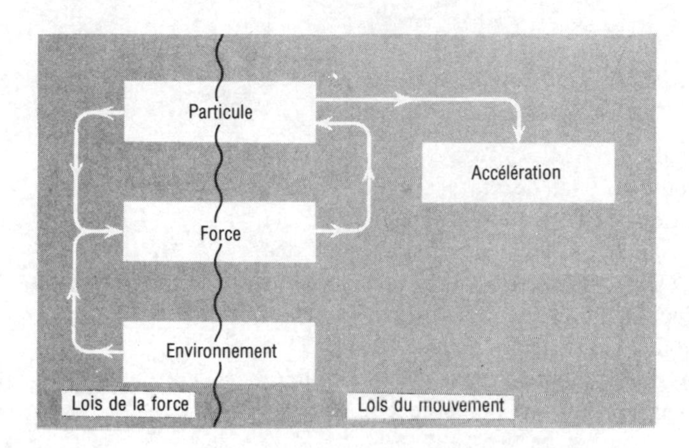

Pour être satisfaisante, l'étude de la mécanique ne doit pas être fragmentaire. Au contraire, nous devons considérer le sujet comme un tout et juger de la réussite de notre étude lorsque la réponse aux questions suivantes sera affirmative: (1) les résultats de notre étude sont-ils en accord avec l'expérience? (2) les lois de la force sont-elles simples? La mécanique newtonnienne répond brillamment à ces questions.

Jusqu'à présent, les termes de *force* et de *masse* ont été utilisés sans plus de précision: on a identifié la force à une influence de l'environnement et la masse à la résistance que présente un corps à subir l'accélération que lui communique une force. Cette dernière propriété se nomme également *l'inertie* du corps. Dans les prochaines sections nous nous proposons d'approfondir ces notions de force et de masse.

[1] Les textes suivants exposent les lois de la mécanique classique de la façon dont nous les comprenons maintenant: « Presentation of Newtonian Mechanics », par Norman Austern, dans l'*American Journal of Physics*, septembre 1961; « On the Classical Laws of Motion », par Leonard Eisenbud dans l'*American Journal of Physics*, mars 1958; et aussi « The Laws of Classical Motion: What's F? What's m? What's a? », par Robert Weinstock dans l'*American Journal of Physics*, octobre 1961.

Tableau 5-1

Le système	La particule	L'environnement
1.	Un bloc	Le ressort et la surface rugueuse
2.	Une balle de golf	La Terre
3.	Un satellite	La Terre
4.	Un électron	Une grosse sphère uniformément chargée
5.	Un barreau aimanté	Un autre barreau aimanté

5-2 *LA PREMIÈRE LOI DE NEWTON*

Pendant des siècles, le problème du mouvement et de ses causes fut un des thèmes principaux de la philosophie naturelle (à l'époque on nommait ainsi la physique). Toutefois, il fallut attendre Galilée et Newton avant de voir des progrès considérables dans ce domaine. Né en Angleterre l'année même de la mort de Galilée, Isaac Newton est le principal architecte de la mécanique classique.[2] Ses travaux complétèrent ceux de Galilée et de ses prédécesseurs. C'est en 1686 que Newton présenta ses trois lois du mouvement, dans un livre intitulé: *Philosophiae Naturalis Principia Mathematica,* titre que l'on abrège habituellement en disant: *Principia,* ou *Principes*.

Avant Galilée, la plupart des philosophes concevaient qu'une certaine influence, ou « force », était nécessaire pour maintenir un corps en mouvement. Pour eux *l'état naturel* d'un corps était celui de repos. Par exemple, pour qu'un corps se déplace en ligne droite et à vitesse constante, ils croyaient en la nécessité de l'action d'un agent extérieur car, autrement, le corps chercherait à retrouver son état naturel de repos.

Afin de vérifier expérimentalement le bien fondé de ces hypothèses, nous devons réussir à isoler le corps de son environnement, c'est-à-dire à éliminer toute force extérieure agissant sur lui. Ce n'est pas facile à réaliser mais nous y parvenons presque dans certains cas en rendant les forces très faibles. En réduisant graduellement l'effet des forces extérieures, nous pouvons déduire ce que serait le mouvement d'un corps en l'absence de ces forces.

Imaginons un bloc que l'on pousse sur une surface horizontale. Si nous laissons le bloc glisser sur la surface, il ralentit puis s'arrête. Ce genre d'observation servit à affermir l'idée que sans l'action d'un agent extérieur (ici, notre

[2] Newton inventa aussi le calcul « fluxionnel » (calcul différentiel), conçut l'idée de la gravitation universelle dont il déduisit la loi et découvrit les composantes de la lumière blanche. Ce fut un expérimentateur habile et un mathématicien de première classe, comparable à ceux que nous nommons aujourd'hui les « théoriciens de la physique ».

poussée sur le bloc), tout corps tend à retrouver son état naturel de repos. Nous pouvons contredire cette idée en recommençant notre expérience avec, cette fois, un lubrifiant placé entre la surface et le bloc. Nous constatons alors que le bloc perd moins rapidement sa vitesse, mais qu'il s'arrête quand même. Si nous utilisons un bloc aux faces polies, une surface lisse ainsi qu'un meilleur lubrifiant, nous observons que le bloc parcourt une distance encore plus grande avant de s'arrêter et qu'ainsi il subit une moins brusque diminution de sa vitesse.[3] À partir de ces observations, nous pouvons imaginer qu'en l'absence de tout frottement, le corps considéré se déplacerait indéfiniment à vitesse constante et en ligne droite. Ainsi, il faut une force extérieure pour *modifier* le mouvement d'un corps mais aucune force extérieure n'est nécessaire pour *conserver* son état de mouvement. Par exemple, notre main exerce une force extérieure sur le bloc lorsqu'on le met en mouvement, et la surface rugueuse fait de même pour le ralentir. Ces deux forces produisent une variation de vitesse et, par conséquent, une accélération.

Newton reprit cette idée et en fit la première de ses trois lois du mouvement qu'il énonça en ces termes: « *En l'absence de force extérieure agissant sur lui, tout corps conservera son état de repos ou de mouvement rectiligne uniforme.* »

La première loi de Newton fait ressortir l'importance des systèmes de référence. Car, en général, l'accélération d'un corps dépend du système de référence utilisé pour la mesurer. La première loi dit qu'en l'absence de tout objet dans le voisinage d'une particule, il est possible de trouver plusieurs référentiels dans lesquels cette particule ne subirait pas d'accélération. Précisons que s'il n'y a pas d'objet dans le voisinage d'un corps, cela signifie qu'aucune force n'agit sur lui, car nous associons chaque force à un objet de l'environnement. On nomme *inertie* cette propriété de la matière de conserver son état de repos ou de mouvement rectiligne uniforme, en l'absence de force extérieure. La première loi de Newton est souvent nommée la loi de l'inertie, et tout système de référence dans lequel elle s'applique est un système galiléen. De tels référentiels sont considérés fixes par rapport aux étoiles lointaines.

• **Note**

Dans ce livre, nous utiliserons presque toujours les lois de la mécanique classique du point de vue d'un observateur situé dans un système galiléen. Il est toutefois possible de résoudre des problèmes de mécanique en utilisant des référentiels non galiléens, mais cette façon de faire nous oblige à introduire des forces qui ne peuvent être associées à des objets de l'environnement dans lequel se trouve le corps observé. Un exemple de système non galiléen serait le cas d'un référentiel en rotation par rapport aux étoiles lointaines. On abordera ce sujet aux chapitres 6, 11 et 16. À toutes fins utiles, nous considérons un référentiel lié à la Terre comme un système galiléen; toutefois, au chapitre 16, nous évaluerons l'exactitude de cette affirmation. •

Il est important de noter que dans la première loi nous ne distinguons pas un corps au repos d'un corps en mouvement rectiligne uniforme, car, en l'absence de force, ces deux états de mouvement sont « naturels ». Ce fait devient évident quand un corps au repos, dans un système galiléen, est observé à partir d'un second référentiel se déplaçant à vitesse constante par rapport au premier. Dans le premier système de référence un observateur trouvera le corps au repos, tandis que, vu du second, ce corps se déplacera à vitesse constante. Les deux observateurs constateront que la vitesse du corps ne varie pas et, le corps ne subissant aucune

[3] Vous avez certainement réalisé en laboratoire une expérience avec une rondelle à glace sèche. Cet objet est conçu pour se déplacer sur une surface horizontale lisse en flottant sur un coussin de gaz CO_2. Le frottement entre la rondelle et la surface est très faible, à un tel point qu'il devient difficile de déceler la moindre baisse de vitesse sur des parcours de dimension raisonnable pour un laboratoire.

accélération, la première loi précise qu'il ne peut pas y avoir de force agissant sur lui.

Ajoutons que la première loi ne fait pas de distinction entre l'absence de force sur un corps et le cas où plusieurs forces en action présentent une résultante nulle. Par exemple, si la force exercée par notre main sur le bloc annule la force de frottement, alors le bloc se déplace à vitesse constante. Il en découle une autre façon d'énoncer la première loi: *lorsqu'aucune force résultante n'agit sur un corps, son accélération* $\vec{a}$ *est nulle*.

Par ailleurs, s'il existe une interaction entre un corps et les objets présents dans le même environnement, il se peut que l'état « naturel » de son mouvement en soit modifié. Pour approfondir ce point nous devons examiner attentivement le concept de force.

5-3 *LA FORCE*

Nous allons maintenant préciser le concept de force par une définition opérationnelle. Dans le langage courant, on associe une force à toute traction ou poussée qui pourrait être d'origine musculaire. Cependant, en physique cette définition n'est pas assez précise. Nous préférons définir une force en fonction de l'accélération qu'elle transmettra à un corps choisi comme étalon et placé dans un environnement approprié.

A cette fin, nous considérons commode d'utiliser (ou d'imaginer que l'on utilise), comme corps étalon, le kilogramme étalon (fig. 1-2). Cet objet a été choisi comme étalon de masse et on lui a attribué arbitrairement une masse m_0 de 1 kg exactement. Plus tard, nous verrons comment attribuer une masse à tout autre objet.

Choisissons de placer notre étalon sur une table horizontale présentant des effets de frottement négligeables. Nous attachons le corps à l'extrémité d'un ressort et tenons l'autre extrémité dans notre main (fig. 5-1*a*). Puis nous tirons sur le ressort horizontalement vers la droite de façon à ce que, par essai et erreur, nous parvenions à lui communiquer une accélération constante de 1,00 m/s². Nous affirmons alors que le ressort a exercé sur l'étalon une force constante de grandeur égale à 1,00 newton (1,00 N). Le ressort intervient ici comme agent d'action de l'environnement où se trouve le corps étalon. Notons également que pendant l'application de la force, le ressort demeure allongé d'une longueur Δl de plus que sa longueur normale (fig. 5-1*b*).

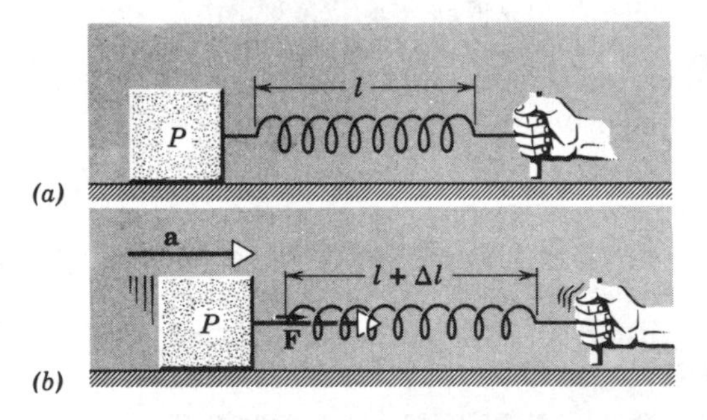

figure 5-1
(a) Une « particule » *P* (le kilogramme étalon) est au repos sur une surface horizontale sans frottement. *(b)* On accélère le corps en tirant le ressort vers la droite.

En employant un ressort plus rigide ou en étirant davantage le ressort déjà utilisé, il est possible de répéter l'expérience en communiquant cette fois-ci au corps une accélération de 2,00 m/s². Nous affirmons maintenant que le ressort exerce sur notre corps étalon une force de 2,00 N. En général, si nous observons le corps étalon subir une accélération a dans un certain environnement, nous disons alors que cet environnement exerce sur lui une force F. Cette force (en newtons) est numériquement égale à l'accélération (en m/s²).

Voyons maintenant si cette force, telle que nous l'avons définie, est une quantité *vectorielle*. Dans la figure 5-1*b* nous avons attribué à la force une certaine grandeur et il devient facile de préciser que son orientation sera celle de l'accélération transmise par la force. Toutefois, pour qu'une quantité physique soit vectorielle, il ne suffit pas qu'elle ait une grandeur et une orientation; elle doit également satisfaire aux lois de l'addition des vecteurs décrites au chapitre 2. Seule l'expérience permettra de savoir sûrement si les forces, telles que nous les définissons, obéissent à ces lois.

Imaginons une force de 4,00 N agissant le long de l'axe des x et une force de 3,00 N agissant selon l'axe des y. Quelle sera l'accélération de notre corps étalon si ces deux forces s'appliquent simultanément sur lui (lequel se trouve toujours sur une surface horizontale sans frottement)? Nous trouverions expérimentalement une accélération de 5,00 m/s², orientée suivant un angle de 37° par rapport à l'axe des x. Autrement dit, le corps a subi une force de 5,00 N ayant la même orientation. On obtient ce résultat d'addition vectorielle des forces en utilisant la méthode du parallélogramme. La conclusion qui ressort de ce genre d'expérience est qu'une force représente une quantité vectorielle: elle possède une grandeur, elle est orientée et enfin elle obéit aux lois de l'addition vectorielle.

Il arrive souvent de présenter les résultats de ce genre d'expérience en disant: *lorsque plusieurs forces agissent sur un corps, l'accélération résultante est la somme vectorielle des accélérations individuelles produites par ces forces.*

5-4 LA MASSE ET LA DEUXIÈME LOI DE NEWTON

Dans la section précédente, nous n'avons traité que du cas où l'accélération est communiquée à un objet particulier, soit le kilogramme étalon. En procédant ainsi nous avons pu définir une force quantitativement, et nous aimerions maintenant connaître l'effet de cette force sur d'autres objets. Étant donné le choix arbitraire de notre corps étalon, il ressort que tout objet possédera une accélération directement proportionnelle à la force qui lui est appliquée. Il subsiste toutefois un point à éclaircir: quel effet produira une *même force* agissant sur des *objets différents*? Notre expérience quotidienne fournit une réponse qualitative à cette question, c'est-à-dire qu'une même force produit des accélérations différentes. Ainsi, une balle de base-ball subira une accélération plus grande qu'une automobile soumise à la même force. Pour obtenir une réponse quantitative à cette question, il nous faut un moyen de mesurer la masse de notre corps. On définit la masse comme étant cette propriété d'un corps qui détermine sa résistance à subir une modification de son mouvement.

Revenons à l'exemple de la figure 5-1 où notre étalon possède une masse m_0 valant exactement un kilogramme, par définition. En tirant sur le ressort, on transmet au bloc une accélération a_0 de 2,00 m/s², puis on mesure minitieusement l'allongement Δl du ressort.

Maintenant, nous remplaçons le kilogramme étalon par un objet quelconque de masse m_1. Si on étire le ressort d'un même Δl, la force sur ce nouveau corps est identique à la première mais nous mesurons une accélération a_1 de 0,50 m/s².

Définissons le rapport entre les masses des deux corps comme étant égal au rapport inverse des accélérations communiquées aux corps, lorsqu'ils sont soumis à la même force:

$$m_1/m_0 = a_0/a_1 \quad \text{(sous l'action de la même force } \vec{\mathbf{F}}\text{)}$$

Utilisons les données établies plus haut:

$$\begin{aligned} m_1 = m_0(a_0/a_1) &= 1{,}00 \text{ kg } [(2{,}00 \text{ m/s}^2)/(0{,}50 \text{ m/s}^2)] \\ &= 4{,}00 \text{ kg.} \end{aligned}$$

On voit que le second objet, dont l'accélération n'est que le quart de celle du kilogramme étalon, possède par définition une masse quatre fois plus grande. C'est ainsi que l'on peut considérer la masse comme une mesure de l'inertie d'un corps.

D'autre part, lorsque l'on recommence l'expérience en utilisant une force différente et que nous l'appliquons successivement sur chaque corps, nous obtenons que le rapport des accélérations (a_0'/a_1') reste le même, c'est-à-dire:

$$m_1/m_0 = a_0/a_1 = a_0'/a_1'.$$

Le rapport entre les masses est donc indépendant de la force qu'on applique successivement à deux objets. Par ailleurs, ce procédé expérimental peut servir à déterminer la masse de tout objet. Par exemple, on détermine la masse (m_2) d'un objet quelconque en la comparant à celle du kilogramme étalon. Ceci dit, pour comparer deux corps quelconques m_2 et m_1, il suffit de comparer les accélérations a_2'' et a_1'' de ces deux objets soumis à la même force. Le rapport des masses, défini par la relation

$$m_2/m_1 = a_1''/a_2'', \quad \text{(sous l'action de la même force)}$$

est le même que celui qui est obtenu en prenant les valeurs de m_2 et m_1 trouvées par comparaison avec l'étalon. Lors d'une expérience analogue, nous pouvons démontrer que si l'on relie l'une à l'autre deux masses m_1 et m_2, elles se comportent alors comme un seul corps de masse $m_1 + m_2$. En d'autres termes, la masse est une quantité scalaire et s'additionne à d'autres masses comme le font des scalaires.

L'ensemble des définitions et des expériences que nous venons de décrire peut se traduire par une équation; il s'agit de l'équation fondamentale de la mécanique classique,

$$\vec{\mathbf{F}} = m\vec{\mathbf{a}}. \quad (5\text{-}1)$$

Précisons que, dans cette équation, $\vec{\mathbf{F}}$ représente la *somme vectorielle* de toutes les forces agissant sur le corps considéré, m est la masse de ce corps, et $\vec{\mathbf{a}}$ son vecteur accélération. Cette équation est l'expression de la deuxième loi de Newton. Lorsqu'on l'écrit sous la forme $\vec{\mathbf{a}} = \vec{\mathbf{F}}/m$, nous voyons aisément que l'accélération du corps est directement proportionnelle à la force résultante agissant sur lui, et qu'elle possède la même orientation. De plus, pour une force donnée, cette accélération est inversement proportionnelle à la masse du corps.

Ajoutons que la première loi du mouvement découle de la seconde comme étant le cas particulier où $\vec{\mathbf{F}} = 0$, ce qui entraîne $\vec{\mathbf{a}} = 0$. Autrement dit, si la force résultante appliquée sur un corps est nulle, alors ce corps ne subit aucune accélération. Il ressort donc qu'en l'absence de force résultante un corps restera au repos ou continuera son mouvement rectiligne uniforme; ceci est bien l'énoncé de la première loi de Newton. De tout ce que l'on vient de voir, nous déduisons que parmi les trois lois de Newton sur le mouvement, seulement la deuxième et la troisième (section 5-5) sont indépendantes. Nous nommons *statique* la partie de la dynamique traitant des systèmes où la force résultante $\vec{\mathbf{F}}$ sur un corps est nulle.

Puisque l'équation 5-1 est vectorielle, nous pouvons l'écrire sous la forme de trois équations scalaires,

$$F_x = ma_x, \qquad F_y = ma_y, \qquad \text{et} \qquad F_z = ma_z, \quad (5\text{-}2)$$

Ces équations relient les composantes x, y et z de la force résultante aux composantes x, y et z de l'accélération du corps ayant une masse m. Nous devons insister sur le fait que F_x représente la *somme* de toutes les composantes des forces agissant suivant l'axe des x, que F_y est la somme de toutes les composantes des forces agissant suivant l'axe des y et que F_z est la somme de toutes celles qui agissent suivant l'axe des z.

5-5 LA TROISIÈME LOI DE NEWTON

Les forces agissant sur un corps trouvent leur origine dans les objets qui constituent l'environnement où le corps se trouve. Toute force ne représente qu'un aspect de l'interaction de *deux* corps. C'est un fait bien connu expérimentalement que lorsqu'un corps exerce une force sur un autre, ce dernier exerce également une force sur le premier. Et puisque nous trouvons lors de chaque expérience que ces forces sont égales en grandeur mais orientées en sens inverse, il résulte qu'il devient impossible de trouver une seule force agissant isolément.

Dans l'interaction de deux corps, nous nommons force *d'action* la force exercée par l'un des corps, et force de *réaction* celle qui est exercée par l'autre. Toutefois, n'importe laquelle de ces forces peut être considérée comme l'action ou comme la réaction. Peu importe, car nous avons affaire à une interaction simultanée de deux corps et non à une situation de cause à effet.

C'est dans sa troisième loi du mouvement que Newton présenta cette propriété des forces: « *À toute action correspond toujours une réaction égale et opposée; cela signifie que les forces mutuelles qu'exercent deux corps l'un sur l'autre sont toujours égales en grandeur mais orientées en sens contraire.* »

Autrement dit, si le corps A exerce une certaine force sur un corps B, celui-ci exerce sur le corps A une force égale en grandeur mais dirigée en sens inverse; de plus, ces forces agissent suivant la droite joignant les deux corps. Il est important de noter que ces forces d'action et de réaction, qui interviennent toujours par paire, n'agissent pas sur le *même* objet. Dans le cas contraire, il deviendrait impossible d'accélérer un corps, puisque la force résultante serait toujours nulle.

Imaginez maintenant qu'un garçon frappe du pied une porte pour l'ouvrir. La force exercée par le garçon accélère la porte; celle-ci s'ouvre rapidement. Au même instant, la porte exerce sur le pied une force égale et opposée qui le décélère. Si le coup est violent, le garçon ressentira douloureusement la force de réaction, surtout s'il est pied nu.

Les exemples suivants illustrent l'utilisation de la troisième loi et permettent d'en préciser le sens.

EXEMPLE 1

Considérons un homme qui tire horizontalement une corde fixée à un bloc qui se trouve sur une table horizontale (fig. 5-2). L'homme tire la corde avec une force $\vec{\mathbf{F}}_{HC}$. La

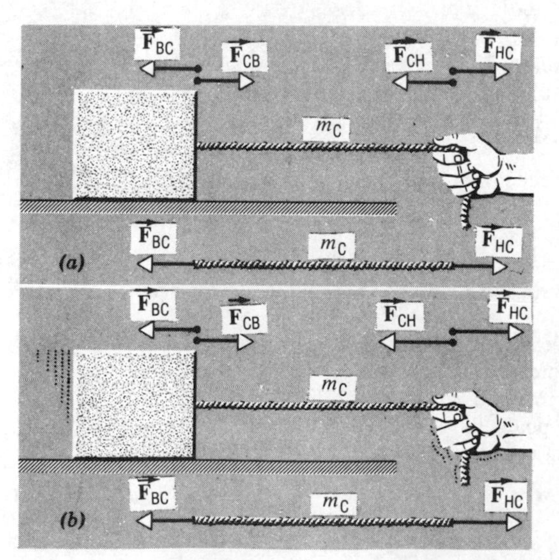

figure 5-2
Exemple 1. Un homme tire sur une corde attachée à un bloc. *(a)* Les forces qu'exercent l'homme et le bloc sur la corde sont égales et opposées. Ainsi, la force horizontale résultante sur la corde est nulle, comme on le montre sur la figure. La corde n'accélère pas. *(b)* L'homme applique sur la corde une force plus grande que celle qu'exerce le bloc. La force horizontale efficace a une grandeur $F_{HC} - F_{BC}$ et elle est orientée vers la droite, ce qui accélère la corde dans ce sens. On ne représente pas ici la force de frottement qui agit sur le bloc.

corde exerce sur l'homme une force de réaction $\vec{F}_{CH}$. D'après la troisième loi de Newton, $\vec{F}_{HC} = -\vec{F}_{CH}$. De plus, la corde exerce sur le bloc une force $\vec{F}_{CB}$ et le bloc exerce sur la corde une force de réaction $\vec{F}_{BC}$. Enfin, selon la même loi, $\vec{F}_{CB} = -\vec{F}_{BC}$. Supposons que la corde possède une masse m_C et que, pour mettre en mouvement le système bloc et corde, il faille leur fournir une accélération $\vec{a}$. Les seules forces qui agissent sur la corde sont $\vec{F}_{HC}$ et $\vec{F}_{BC}$, de telle sorte qu'elle est soumise à une force résultante $\vec{F}_{HC} + \vec{F}_{BC}$. Cette force résultante doit être différente de zéro pour accélérer la corde. En se basant sur la deuxième loi de Newton, on peut écrire

$$\vec{F}_{HC} + \vec{F}_{BC} = m_C\vec{a}$$

Puisque l'accélération de la corde est sur la même ligne d'action que les forces, nous pouvons abandonner la notation vectorielle et écrire l'équation en ne tenant compte que de la *grandeur* des vecteurs. On obtient ainsi

$$F_{HC} - F_{BC} = m_C a$$

Nous voyons donc qu'en général les forces $\vec{F}_{HC}$ et $\vec{F}_{BC}$ n'ont pas la même *grandeur* (fig. 5-2*b*). Ces deux forces agissent sur le même corps et ne forment pas une paire action-réaction.

Selon la troisième loi de Newton, les forces $\vec{F}_{HC}$ et $\vec{F}_{CH}$ sont toujours égales en grandeur. Il en est de même pour les forces $\vec{F}_{CB}$ et $\vec{F}_{BC}$. Toutefois, dans le cas particulier où l'accélération $\vec{a}$ du système est nulle, on constate que ces quatre forces sont toutes égales en grandeur (fig. 5-2*a*). Dans ce cas, nous pouvons imaginer que la corde transmet intégralement la force exercée par l'homme sur le bloc. En principe, on obtient le même résultat si $m_C = 0$, mais une corde sans masse n'existe pas. Nous négligeons cependant la masse de la corde dans bien des cas. De cette façon nous considérons que la force est transmise intégralement. D'autre part, la force exercée en tout point de la corde porte le nom de *tension* en ce point. Si nous voulons évaluer la tension en un point, il suffit de sectionner la corde et d'y insérer un dynamomètre. La tension est la même en tout point à la seule condition que la corde ne subisse aucune accélération, ou, encore, que sa masse soit négligeable.

EXEMPLE 2

Un ressort, auquel on a suspendu un bloc, est fixé à un plafond par l'une de ses extrémités (fig. 5-3). Comme le bloc et le ressort sont au repos, la somme vectorielle des forces appliquées à chaque objet doit être nulle. Supposons que les forces agissant sur le bloc soient les suivantes: $\vec{T}$ pour la tension dans le ressort due à l'allongement, et $\vec{W}$ pour le poids du bloc. La force $\vec{T}$ agit verticalement vers le haut tandis que la force $\vec{W}$ s'exerce verticalement vers le bas et provient de l'attraction terrestre sur le bloc. La figure 5-3*b* montre ces forces, qui sont les seules qui agissent sur le bloc.

Dans la deuxième loi de Newton, $\vec{F}$ représente la *somme vectorielle* de *toutes* les forces agissant *sur* un corps. Nous obtenons alors pour le bloc

$$\vec{F} = \vec{T} + \vec{W}.$$

Le bloc étant au repos, son accélération est nulle ($\vec{a} = 0$). Ainsi, à partir de la relation $\vec{F} = m\vec{a}$, nous obtenons que $\vec{T} + \vec{W} = 0$, c'est-à-dire

$$\vec{T} = -\vec{W}.$$

Puisque ces forces sont colinéaires, elles possèdent la même grandeur, soit

$$T = W.$$

Il en résulte que la tension dans le ressort est une mesure exacte du poids du bloc. Ce résultat servira plus tard lorsque nous présenterons une méthode pour mesurer les forces agissant sur des corps au repos.

Il est intéressant d'étudier les forces exercées sur le ressort; ces forces sont illustrées à la figure 5-3*c*: le vecteur $\vec{T}'$ représente la force que le bloc exerce sur le ressort: c'est la réaction à la force $\vec{T}$; $\vec{T}'$ possède donc la même grandeur que $\vec{T}$, soit $\vec{W}$; $\vec{P}$ est la force qu'exerce le plafond sur le ressort et $\vec{w}$ est le poids du ressort. Puisque le ressort est au repos et que toutes les forces qui agissent sont colinéaires, on a

$$\vec{P} + \vec{T}' + \vec{w} = 0$$

ou encore

$$P = W + w'.$$

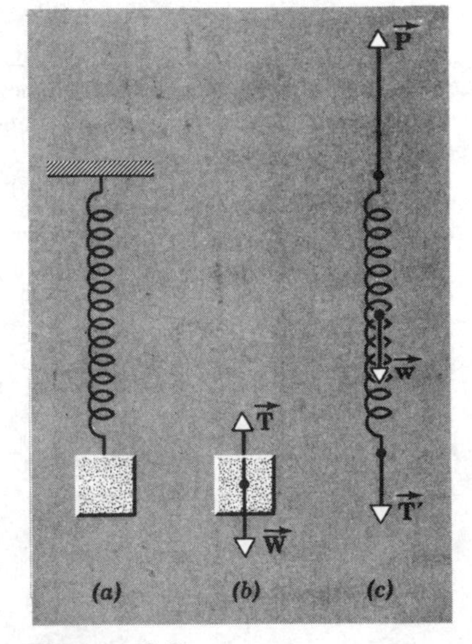

figure 5-3
Exemple 2. *(a)* Un bloc est suspendu à un ressort. *(b)* Ce diagramme illustre les forces agissant sur le bloc. *(c)* Voici les forces qui s'exercent sur le ressort.

Le plafond exerce donc sur le ressort une force orientée verticalement vers le haut, de grandeur égale à la somme des poids du bloc et du ressort.

D'après la troisième loi du mouvement, si $\vec{\mathbf{P}}'$ représente la force exercée par le ressort sur le plafond, elle doit avoir la même grandeur que $\vec{\mathbf{P}}$, qui est la réaction à cette force. Ainsi, la grandeur de $\vec{\mathbf{P}}'$ vaut $W + w$.

En général, le ressort exerce des forces différentes sur les corps attachés à ses extrémités, c'est-à-dire: $P' \neq T$. Mais, dans le cas particulier où le poids du ressort est négligeable ($w = 0$), nous obtenons $P' = W = T$. Comme nous l'avons établi pour une corde sans poids, on considère qu'un ressort sans poids transmet une force intégralement.

Dans ce problème il est intéressant de classer par paires les forces d'action et de réaction. La réaction à $\vec{\mathbf{W}}$, la force exercée par la Terre sur le bloc, sera une force qu'exercera le bloc sur la Terre. De même, la réaction à $\vec{\mathbf{w}}$ sera celle du ressort sur la Terre. À cause de la masse énorme de la Terre, nous ne nous attendons pas à ce que ces forces lui procurent une accélération perceptible, et, puisque la Terre ne figure pas dans notre schéma, on a omis de les illustrer. Les forces $\vec{\mathbf{T}}$ et $\vec{\mathbf{T}}'$ forment une paire de forces d'action et de réaction, au même titre que $\vec{\mathbf{P}}$ et $\vec{\mathbf{P}}'$. Notons toutefois que même si, dans notre problème, $\vec{\mathbf{T}} = -\vec{\mathbf{W}}$, ces forces ne constituent pas une paire action-réaction, car elles agissent sur le *même* objet.

5-6 *SYSTÈMES D'UNITÉS EN MÉCANIQUE*

On définit ainsi l'unité de force: c'est la force qui, appliquée à l'unité de masse, lui procurera une unité d'accélération. Dans le Système international d'unités (SI), l'unité de force donne, à une masse de 1 kg, une accélération de 1 m/s². Nous nommons cette unité le *newton* (symbole: N). Dans le système d'unités cgs (centimètre, gramme, seconde), la *dyne* est l'unité de force qui procure à une masse de 1 g une accélération de 1 cm/s². Sachant que 1 kg = 10^3 g et que 1 m/s² = 10^2 cm/s², nous obtenons que 1 N = 10^5 dynes.

Dans chacun de ces systèmes d'unités nous avons choisi la masse, la longueur et le temps comme grandeurs physiques fondamentales. Pour représenter ces grandeurs physiques, on a adopté des étalons, et les unités de mesure en découlent. La force apparaît comme une grandeur physique dérivée, obtenue à partir de la relation $\vec{\mathbf{F}} = m\vec{\mathbf{a}}$. Le tableau 5-2 résume les unités de force, de masse et d'accélération pour les deux systèmes.

Tableau 5-2
Unités pour la relation $\vec{\mathbf{F}} = m\vec{\mathbf{a}}$

Système d'unités	Force	Masse	Accélération
SI	newton (N)	kilogramme (kg)	m/s²
cgs	dyne	gramme (g)	cm/s²

Les *dimensions* associées à la force sont celles que l'on retrouve dans le produit de la masse par l'accélération. Dans un système où la masse, la longueur et le temps sont des grandeurs fondamentales, la force prend les dimensions suivantes: masse × longueur/temps², c'est-à-dire MLT^{-2}. C'est arbitrairement que nous adopterons, en mécanique, la masse, la longueur et le temps comme grandeurs physiques fondamentales.

5-7 LES LOIS DE FORCE

Les trois lois du mouvement que nous avons décrites ne constituent qu'une partie du programme d'étude de la mécanique esquissé dans la section 5-1. Il nous reste à inventorier les *lois de la force* qui nous permettent de calculer la force agissant sur un corps en fonction des propriétés du corps et celles de l'environnement. La deuxième loi de Newton,

$$\vec{\mathbf{F}} = m\vec{\mathbf{a}}, \tag{5-3}$$

n'est pas essentiellement une loi de la nature mais plutôt une définition de la force. Nous voulons identifier des fonctions du type suivant:

$$\vec{\mathbf{F}} = \text{une fonction des propriétés de la particule et de son environnement.} \tag{5-4}$$

Nous pourrons ainsi éliminer $\vec{\mathbf{F}}$ des équations 5-3 et 5-4, ce qui nous donnera une équation permettant de calculer l'accélération d'une particule en fonction de ses propriétés et de celles de l'environnement. La **force** ressort clairement comme une notion reliant l'accélération d'une particule aux propriétés de la particule et son environnement. On a indiqué précédemment que l'un des critères permettant de croire au succès de notre étude sur la mécanique serait de découvrir l'existence de lois simples comme celle de l'équation 5-4. Et si nous « croyons » aux lois de la mécanique classique, c'est que ces lois existent, et qu'elles se présentent sous une forme simple. Si ces lois s'étaient révélées très complexes, nous n'aurions certes pas facilement cru à un progrès sensible de la compréhension de la nature.

Il existe tant d'environnements différents pour une particule accélérée, qu'une discussion exhaustive de toutes les lois reliées à la notion de **force** s'avère impossible dans le cadre de ce chapitre. Cependant, nous avons regroupé dans le tableau 5-3 les lois impliquées dans les cinq situations déjà citées dans le tableau 5-1. Plusieurs de ces lois constituent des approximations ou décrivent encore des cas particuliers. Nous y reviendrons dans d'autres chapitres, afin de les étudier en détail.

Tableau 5-3
Lois reliées à la notion de force et descriptives des situations du tableau 5-1

Systèmes	Lois
1. Un ressort tendu déplace un bloc sur une surface horizontale et rugueuse.	(*a*) La force du ressort est $F = -kx$, où x est l'allongement du ressort et k, la constante qui décrit le ressort; $\vec{\mathbf{F}}$ est orientée vers la droite. (Voir le chapitre 15.) (*b*) La force de frottement est $F = \mu mg$, où μ est le coefficient de frottement et mg, le poids du bloc; $\vec{\mathbf{F}}$ est orientée vers la gauche. (Voir le chapitre 6.)
2. Le vol d'une balle de golf.	$\vec{\mathbf{F}} = mg$; $\vec{\mathbf{F}}$ est orientée vers le bas. (Voir la section 5-8.)
3. Un satellite artificiel.	$F = GmM/r^2$, où G est la *constante gravitationnelle*, M est la masse de la Terre, et r le rayon de l'orbite; $\vec{\mathbf{F}}$ est orientée vers le centre de la Terre. Cette équation représente la *loi de la gravitation universelle de Newton*. (Voir le chapitre 16.)
4. Un électron près d'une sphère chargée positivement.	$F = (1/4\pi\epsilon_0)eQ/r^2$, où ϵ_0 est une constante, e la charge de l'électron, Q la charge de la sphère, et r la distance qui sépare le centre de la sphère et l'électron; $\vec{\mathbf{F}}$ est orientée vers la droite. Cette équation représente la *loi de Coulomb sur l'électrostatique*.
5. Deux barreaux aimantés.	$F = (3\mu_0/2\pi)\mu^2/r^4$, où μ_0 est une constante, μ le moment dipolaire magnétique de chaque aimant et r la distance centre à centre des aimants. Nous supposons que $r \gg l$, où l est la longueur de chaque aimant. $\vec{\mathbf{F}}$ est orientée vers la droite.

5-8 LE POIDS ET LA MASSE

Par définition, le *poids* d'un corps est la force gravitationnelle que la Terre exerce sur lui. Puisqu'il représente une force, le poids est une quantité vectorielle et son orientation est celle de la force gravitationnelle, c'est-à-dire vers le centre de la Terre. Le poids s'exprime donc en newtons.

Lorsqu'un objet ayant une masse m tombe en chute libre, il subit l'accélération gravitationnelle $\vec{\mathbf{g}}$, et la force qui agit sur lui est son poids $\vec{\mathbf{W}}$. Si on applique la deuxième loi de Newton ($\vec{\mathbf{F}} = m\vec{\mathbf{a}}$) à cet objet, nous obtenons $\vec{\mathbf{W}} = m\vec{\mathbf{g}}$. Comme $\vec{\mathbf{W}}$ et $\vec{\mathbf{g}}$ sont deux vecteurs orientés vers le centre de la Terre, nous écrivons alors

$$W = mg \tag{5-5}$$

où W et g représentent la grandeur des vecteurs poids et accélération. Ainsi, pour retenir un objet, il faut exercer une force verticalement vers le haut égale en grandeur à W, pour annuler son poids. Dans la figure 5-3*a*, c'est la tension dans le ressort qui joue ce rôle.

Nous savons déjà que g possède la même valeur expérimentale pour tout objet *situé en un même lieu*. Ce résultat implique que le rapport des poids de deux objets doit être égal au rapport de leurs masses. Une balance à fléau, comme celles qui sont employées en chimie, permet de comparer des masses alors qu'en réalité nous comparons des forces gravitationnelles. Par exemple, lorsqu'on place un échantillon de sel sur un plateau de la balance et qu'une masse étalon de un gramme placée sur l'autre plateau de la balance l'équilibre, nous savons[4] que la masse du sel vaut un gramme. La même force gravitationnelle s'applique en effet sur chaque masse. Nous pourrions dire que le sel « pèse » un gramme, quoique le gramme soit une unité de masse et non de poids. Toutefois, on juge toujours important de distinguer clairement le poids de la masse.

Nous venons de voir que le poids, cette force orientée vers le centre de la Terre, représente une quantité vectorielle. La masse est une quantité scalaire reliée au poids par l'équation $\vec{\mathbf{W}} = m\vec{\mathbf{g}}$. Puisque $\vec{\mathbf{g}}$ varie d'un point à l'autre à la surface de la Terre, le poids $\vec{\mathbf{W}}$ d'un corps diffère d'un lieu à l'autre. Ainsi, le poids d'une masse de 1 kg située là où $g = 9{,}80$ m/s^2 vaut 9,80 N, alors que là où $g = 9{,}78$ m/s^2 le poids de cette masse vaut 9,78 N. Ajoutons que si on emploie un ressort pour déterminer ces poids, cette légère divergence se traduit par une différence dans l'allongement du ressort.

Alors que la masse représente une propriété intrinsèque d'un corps, et qu'elle ne varie pas, le poids dépend de la position relative par rapport au centre de la Terre. En conséquence, la lecture d'une balance à ressort (contrairement à une balance à fléau) varie selon le lieu.

Nous généraliserons la notion de poids au chapitre 16, alors qu'il sera question de gravitation universelle. Nous verrons que le poids d'un corps est nul dans toute région de l'espace où il n'existe aucun effet gravitationnel, bien que les effets de l'inertie, et par conséquent la masse du corps, demeurent inchangés. Dans un vaisseau spatial libre de toute influence gravitationnelle, un astronaute lève sans peine un gros bloc de plomb ($\vec{\mathbf{W}} = 0$), mais il pourra quand même se blesser s'il frappe le bloc de son pied ($m \neq 0$).

L'invariabilité de la masse d'un corps implique qu'une même force lui procurera toujours la même accélération, qu'il soit situé dans l'espace libre de toute contrainte gravitationnelle ou placé sur une surface horizontale à frottement nul sur la Terre. Mais, comme le poids d'un corps dépend de l'endroit où il se situe,

[4] Pour une plus grande précision, nous devons corriger le résultat obtenu en tenant compte de l'erreur due aux volumes d'air déplacés par l'échantillon de sel et l'étalon.

la force requise pour soulever le corps sera plus grande à la surface de la Terre qu'à un point situé dans l'espace. Au lieu de fournir sa masse, on donne souvent le poids de l'objet soumis à l'action de certaines forces. Nous pouvons obtenir l'accélération $\vec{\mathbf{a}}$ d'un corps soumis à une force $\vec{\mathbf{F}}$ si nous connaissons le poids W du corps. Les équations 5-3 et 5-5 fournissent le résultat:

$$m = W/g, \qquad \text{ce qui entraîne que} \qquad \vec{\mathbf{F}} = (W/g)\vec{\mathbf{a}} \qquad (5\text{-}6)$$

La quantité W/g joue le rôle de m dans l'équation $F = ma$ et, en fait, elle représente la masse d'un corps ayant un poids W. Par exemple, un homme dont le poids est de 686,00 N là où g = 9,80 m/s², possède une masse $m = W/g$ = (686,00 N)/(9,80 m/s²) = 70,00 kg. Notez que si l'homme se déplace là où g = 9,78 m/s², son poids devient $W = mg$ = (70,00 kg) (9,78 m/s² = 684,60 N.

5-9 *PROCÉDÉ STATIQUE POUR MESURER LES FORCES*

Dans la section 5-3, nous avons défini la force par la mesure de l'accélération transmise à un corps étalon par un ressort étiré. Il s'agit d'une méthode dynamique. Utile pour définir une force, ce procédé n'est cependant pas tellement pratique quand vient le temps de la mesurer. Un autre procédé se base sur le changement subi par la forme et par la dimension d'un corps (un ressort, par exemple) sur lequel la force s'applique sans que le corps soit accéléré. Il s'agit d'un procédé statique.

Cette méthode est fondée sur le principe qu'en l'absence de toute accélération, la somme vectorielle des forces agissant sur un corps est nulle. C'est donc la première loi du mouvement qui intervient ici. Une force unique peut agir sur un corps et l'accélérer, mais, pour annuler cette accélération on doit lui appliquer une force égale en grandeur et de sens contraire à la première. En pratique, nous maintenons le corps au repos. Il ne nous reste plus qu'à choisir une unité de force et nous pourrons ensuite mesurer des forces quelconques. Par exemple, nous pourrions choisir comme unité la force que la Terre exerce sur un étalon placé en un lieu particulier.

L'instrument le plus utilisé pour mesurer des forces de cette manière est la balance à ressort. Elle est constituée d'un ressort muni d'un index à l'une de ses extrémités, lequel se déplace devant une graduation. Toute force appliquée au ressort change sa longueur. Si on y suspend un poids de 1,00 N, il s'allongera jusqu'à exercer une force de grandeur égale au poids, mais en sens inverse. Un trait tracé sur la graduation à l'endroit où se trouve l'index indiquera une force de 1,00 N. En continuant de cette façon, nous pouvons compléter la graduation en utilisant des poids de 2,00 N, de 3,00 N, etc. Notre ressort sera alors calibré. Chaque fois que l'index pointera un trait donné de la graduation, nous dirons que le ressort subit la même force correspondante. Une balance graduée de la sorte peut servir à mesurer non seulement l'attraction de la Terre sur certains objets mais aussi toute force inconnue.

Le procédé décrit ci-dessus utilise implicitement la troisième loi de Newton, car nous supposons que la force exercée par le ressort sur le corps est égale en grandeur à celle qui est exercée par le corps sur le ressort. Or, c'est bien cette dernière force que l'on désire mesurer. De plus, la première loi est également concernée, puisque $\vec{\mathbf{F}}$ vaut zéro lorsque $\vec{\mathbf{a}} = 0$. Évidemment, si l'accélération du corps n'est pas nulle, son poids F_g ne déformera pas le ressort de la même longueur que lorsque $\vec{\mathbf{a}} = 0$. En fait, si le ressort et l'objet qu'on y accroche tombent en chute libre, leur accélération $\vec{\mathbf{a}}$ est égal à $\vec{\mathbf{g}}$. Le ressort ne subit aucune tension, puisqu'il n'est pas étiré.

5-10
QUELQUES APPLICATIONS DES LOIS DU MOUVEMENT DE NEWTON

Nous décrirons maintenant divers moyens de solutionner des problèmes de mécanique classique en les illustrant par des exemples. La deuxième loi de Newton établit que la somme vectorielle des forces agissant sur un objet est égale au produit de sa masse par son accélération. Les étapes dans la solution d'un problème sont les suivantes: (1) identifier le corps dont nous voulons étudier le mouvement (un manque de précision dans l'identification de ce corps devient une source d'erreur importante dans la solution du problème); (2) analyser l'environnement du corps, car les objets s'y trouvant (plans inclinés, ressorts, cordes, la Terre, etc.) exercent des forces dont il faut clairement identifier la nature; (3) choisir un système galiléen approprié en plaçant son origine et ses axes de coordonnées de manière à simplifier le plus possible l'étape suivante; (4) tracer un diagramme représentant le corps isolé de son environnement, le système de référence et *toutes* les forces agissant sur lui: c'est le diagramme des forces; (5) finalement, appliquer la deuxième loi de Newton (éq. 5-2) à chaque composante des forces et à chaque accélération.

Les exemples suivants illustrent la méthode d'analyse qui est utilisée dans l'application des lois de Newton. On traite chaque corps comme une particule ayant une masse définie de sorte que toutes les forces puissent être appliquées en un seul point. On néglige la masse des cordes et des poulies. Même si quelques-unes des situations analysées semblent faciles et artificielles, elles n'en constituent pas moins des modèles pour beaucoup de problèmes réels intéressants. L'importance de cette méthode d'analyse (vers laquelle doivent tendre tous nos efforts) vient principalement du fait qu'elle s'applique à toutes les situations modernes et complexes de la mécanique classique, jusqu'au lancement d'un vaisseau spatial vers la planète Mars.

EXEMPLE 3

La figure 5-4*a* montre un bloc suspendu à des cordes. Supposons que le noeud à la jonction des cordes représente le corps étudié. Sous l'action des trois forces (fig. 5-4*b*) le corps reste au repos. Supposons aussi que l'on donne la grandeur de l'une de ces forces. Comment pouvons-nous déterminer la grandeur des autres forces?

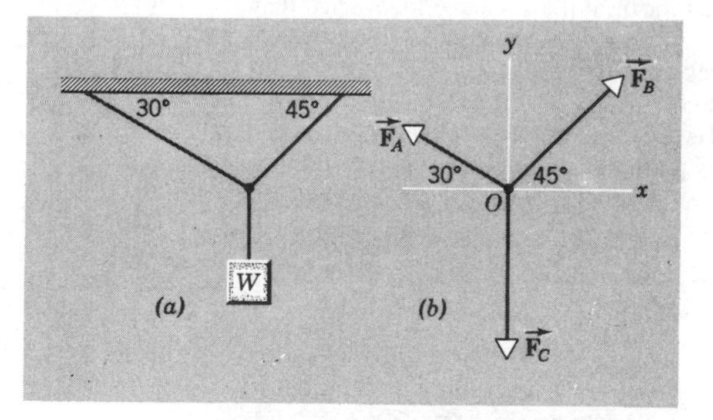

figure 5-4
Exemple 3. *(a)* Un objet est suspendu à des cordes. *(b)* Voici le diagramme des forces agissant sur le noeud. On néglige la masse des cordes.

Les *seules* forces agissant sur le corps sont $\vec{F}_A$, $\vec{F}_B$, et $\vec{F}_C$. Puisque le corps est au repos, son accélération est nulle, ce qui entraîne que $\vec{F}_A + \vec{F}_B + \vec{F}_C = 0$. Si nous choisissons les axes x et y tel que l'indique la figure, nous pouvons écrire cette équation vectorielle sous la forme de trois équations scalaires en utilisant l'équation 5-2:

$$F_{Ax} + F_{Bx} = 0,$$

$$F_{Ay} + F_{By} + F_{Cy} = 0,$$

$$F_{Az} = F_{Bz} = F_{Cz} = 0.$$

Tous les vecteurs reposent sur le plan x-y et aucune composante n'apparaît selon l'axe des z. L'analyse du diagramme des forces nous fournit les données suivantes:

$$(a)\quad F_{Ax} = -F_A \cos 30° = -0{,}866F_A,$$

$$F_{Ay} = F_A \sin 30° = 0{,}500F_A,$$

$$(b)\quad F_{Bx} = F_B \cos 45° = 0{,}707F_B,$$

$$F_{By} = F_B \sin 45° = 0{,}707F_B.$$

$$(c)\quad F_{Cy} = -F_C = -W,$$

La dernière triple égalité s'explique par le fait que la corde verticale transmet intégralement la force de l'une à l'autre de ses extrémités. En substituant ces résultats dans les équations, nous obtenons:

$$-0{,}866F_A + 0{,}707F_B = 0,$$

$$0{,}500F_A + 0{,}707F_B - W = 0.$$

Nous voyons ici que le fait de connaître la grandeur de l'une des trois forces permet de déterminer les deux autres. Par exemple, si $W = 100$ N, alors $F_A = 73{,}3$ N et $F_B = 89{,}6$ N.

EXEMPLE 4

Analysons le mouvement d'un bloc sur un plan incliné sans frottement.

(a) Le cas statique. La figure 5-5a montre un bloc ayant une masse m, au repos sur une surface lisse qui forme un angle θ avec l'horizontale. Le bloc est maintenu au repos par une corde attachée au mur vertical. Les forces qui agissent sur ce bloc sont illustrées à la figure 5-5b. Le vecteur $\vec{\mathbf{F}}_1$ représente la force qu'exerce la corde sur le bloc, $m\vec{\mathbf{g}}$ est la force exercée par la Terre sur le bloc, c'est-à-dire son poids, et $\vec{\mathbf{F}}_2$ est la force exercée par le plan incliné sur le bloc. Nous appelons cette dernière la *force normale*, car elle agit perpendiculairement à la surface de contact lorsqu'il n'y a aucune force de frottement entre les surfaces.[5] En présence de frottement, $\vec{\mathbf{F}}_2$ possède une composante parallèle au plan incliné. Nous indiquons *toutes* les forces appliquées au bloc pour mieux analyser son mouvement. En vertu du principe d'action-réaction, le bloc exerce également des forces sur son environnement (la corde, la Terre et la surface du plan incliné) mais ces forces n'affectent pas le mouvement du corps puisqu'elles n'agissent pas sur lui.

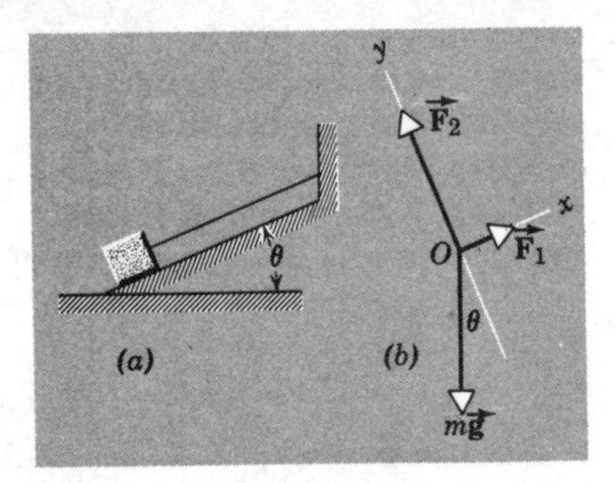

figure 5-5
Exemple 4. *(a)* Un bloc est maintenu par une corde sur un plan incliné sans frottement. *(b)* Voici le diagramme des forces s'exerçant sur le bloc.

Supposons que les valeurs de θ et de m soient connues. Comment déterminerons-nous F_1 et F_2? Puisque le bloc n'est pas accéléré, nous aurons:

$$\vec{\mathbf{F}}_1 + \vec{\mathbf{F}}_2 + m\vec{\mathbf{g}} = 0.$$

[5] La force normale est un exemple de force de contrainte qui limite la liberté de mouvement d'un objet. Il s'agit d'une force élastique qui résulte des déformations faibles que subissent les corps en contact, lesquels ne sont jamais parfaitement rigides comme nous le supposons généralement.

Plaçons maintenant notre système de référence de telle sorte que l'axe des x coïncide avec le plan incliné, tandis que l'axe des y lui est normal. Grâce à ce choix, seule la force $m\vec{g}$ nous oblige à utiliser ses composantes pour résoudre ce problème. Les deux équations scalaires que nous obtenons sont les suivantes:

$$F_1 - mg \sin \theta = 0, \quad \text{et} \quad F_2 - mg \cos \theta = 0,$$

Pour calculer F_1 et F_2, il suffit de connaître θ et m.

(b) Le cas dynamique. Supposons maintenant que l'on coupe la corde. Le vecteur $\vec{F}_1$ disparaît aussitôt et la force résultante sur le bloc est différente de zéro, ce qui provoque le mouvement de l'objet. Quelle accélération acquiert-il?

De l'équation 5-2, nous dérivons les relations suivantes:

$$F_x = ma_x \quad \text{et} \quad F_y = ma_y$$

conséquemment,
$$F_2 - mg \cos \theta = ma_y = 0,$$
et
$$-mg \sin \theta = ma_x,$$
ce qui entraîne que
$$a_y = 0, \qquad a_x = -g \sin \theta.$$

L'accélération du bloc s'oriente vers le bas du plan incliné et sa grandeur est $g \sin \theta$.

EXEMPLE 5

Soit un bloc qui a une masse m (fig. 5-6) et que l'on tire horizontalement sur une surface lisse à l'aide d'une force $\vec{P}$. La force $\vec{F}_N$ est la force normale exercée sur le bloc par la surface sans frottement et $\vec{W}$ est le poids du bloc.

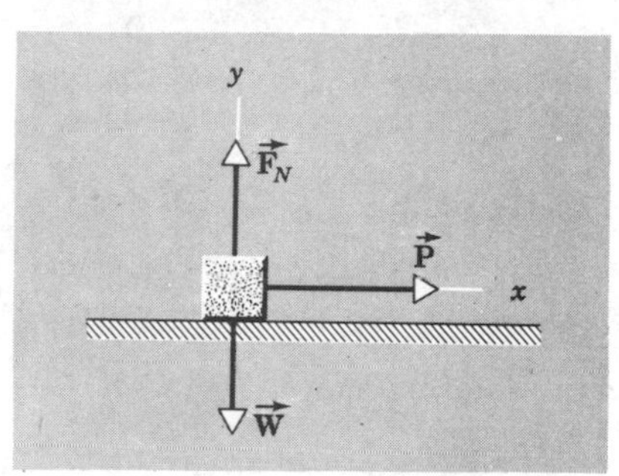

figure 5-6
Exemple 5. On tire un bloc horizontalement sur une table sans frottement. Le schéma illustre les forces agissant sur le bloc.

(a) Si le bloc possède une masse de 2,0 kg, quelle est la valeur de la force normale? Puisque $a_y = 0$, la deuxième loi du mouvement permet d'établir que:

$$F_y = ma_y \quad \text{ou} \quad F_N - W = 0,$$

d'où:
$$F_N = W = mg = (2{,}0 \text{ kg})(9{,}8 \text{ m/s}^2) = 20 \text{ N}.$$

(b) Quelle sera la force P nécessaire pour donner au bloc une vitesse de 4,0 m/s en 2,0 s, à partir du repos?

L'accélération est de

$$a_x = \frac{v_x - v_{x0}}{t} = \frac{4{,}0 \text{ m/s} - 0}{2{,}0 \text{ s}} = 2{,}0 \text{ m/s}^2.$$

D'autre part, selon la deuxième loi, $F_x = ma_x$ ou encore $P = ma_x$. La force P s'obtient ainsi:

$$P = ma_x = (2{,}0 \text{ kg})(2{,}0 \text{ m/s}^2) = 4{,}0 \text{ N}.$$

EXEMPLE 6

La figure 5-7 nous montre un bloc ayant une masse m_1, placé sur une surface horizontale sans frottement et relié à un bloc ayant une masse m_2 par l'intermédiaire d'une corde (masse négligeable). Imaginons que la poulie ne présente aucun frottement et qu'elle soit sans masse; cette poulie sert uniquement à changer la direction de la tension dans la corde. La grandeur de la tension est la même tout au long de la corde (voir l'exemple 2). Déterminez l'accélération du système ainsi que la tension dans la corde.

Supposons que l'on choisisse d'étudier le mouvement du bloc ayant une masse m_1. Ce bloc, considéré comme une particule, subit les forces indiquées à la figure 5-7*b*. La tension dans la corde ($\vec{\mathbf{T}}$) agit vers la droite, la Terre tire sur le bloc vers le bas avec une force $m_1\vec{\mathbf{g}}$ et la table lisse pousse sur lui vers le haut avec une force $\vec{\mathbf{F}}_N$. Comme le bloc accélère uniquement dans la direction x, $a_{1y} = 0$, nous pouvons écrire:

$$F_N - m_1 g = 0 = m_1 a_{1y},$$

et

$$T = m_1 a_{1x}. \tag{5-7}$$

De ces équations nous déduisons que $F_N = m_1 g$. Ne connaissant pas T, nous ne pouvons déterminer a_{1x}.

Pour trouver T, il nous faut considérer le mouvement du bloc m_2. La figure 5-7*c* montre les forces agissant sur ce corps. Sachant que m_2 et la corde accélèrent, nous ne pouvons conclure que $T = m_2 g$. En fait, cette égalité supposerait que la force résultante qui agit sur m_2 est nulle, condition possible seulement si le système ne subit aucune accélération.

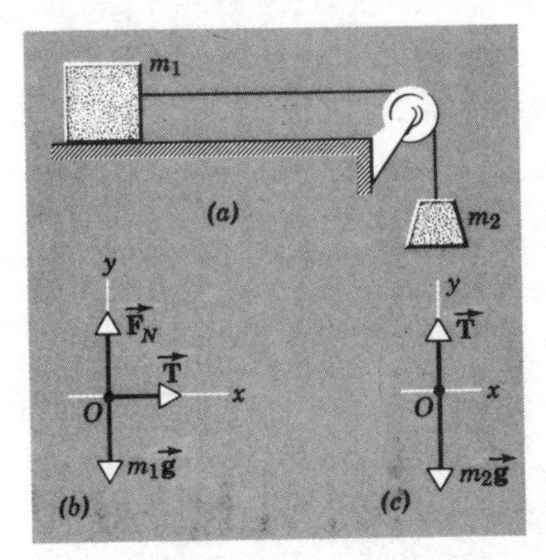

figure 5-7
Exemple 6. *(a)* Deux masses sont reliées à l'aide d'une corde; m_1 repose sur une table lisse et m_2 pend au bout de la corde. *(b)* Ce schéma montre les forces qui s'exercent sur m_1. *(c)* Voici le diagramme des forces pour m_2.

L'équation du mouvement pour le bloc suspendu se présente ainsi:

$$m_2 g - T = m_2 a_{2y}. \tag{5-8}$$

D'autre part, la direction de la tension dans la corde change au niveau de la poulie et, parce que la corde conserve sa longueur, nous pouvons écrire:

$$a_{2y} = a_{1x}.$$

Ceci nous permet de définir l'accélération du système seulement par a. À partir des équations 5-7 et 5-8, nous pouvons faire les transformations suivantes:

$$m_2 g - T = m_2 a, \tag{5-9}$$

et

$$T = m_1 a.$$

Conséquemment,

$$m_2 g = (m_1 + m_2)a, \tag{5-10}$$

ou encore

$$a = \frac{m_2}{m_1 + m_2} g,$$

et

$$T = \frac{m_1 m_2}{m_1 + m_2} g. \tag{5-11}$$

Ces résultats nous donnent l'accélération a du système et la tension T dans la corde.

L'équation 5-11 démontre clairement que la tension dans la corde est toujours inférieure à $m_2 g$. En effet, l'équation peut être écrite sous la façon suivante:

$$T = m_2 g \frac{m_1}{m_1 + m_2}.$$

Notons également que l'accélération est toujours inférieure à g. Le seul cas où $a = g$ se produit quand $m_1 = 0$ (éq. 5-10), ce qui signifie que le bloc n'est pas sur la table et qu'il n'y a pas de tension dans la corde (éq. 5-9).

L'équation 5-10 peut être dérivée facilement et d'une façon plus directe. La force efficace sur le système (masse $m_1 + m_2$) est fournie par $m_2 g$. Il s'agira d'appliquer la relation $F = ma$.

Par exemple, si nous posons $m_1 = 2{,}0$ kg et $m_2 = 1{,}0$ kg, nous avons:

$$a = \frac{m_2}{m_1 + m_2} g = \tfrac{1}{3} g = 3{,}3 \text{ m/s}^2,$$

$$T = \frac{m_1 m_2}{m_1 + m_2} g = (\tfrac{2}{3})(9{,}8) \text{ kg m/s}^2 = 6{,}5 \text{ N}.$$

EXEMPLE 7

Considérons deux masses inégales reliées l'une à l'autre par une corde passant par une poulie (frottement et masse négligeables; fig. 5-8*a*). Si la masse m_2 est plus grande que la masse m_1, calculez la tension dans la corde, ainsi que l'accélération des masses.

Par convention, une accélération dirigée vers le haut sera positive. Par exemple, si l'accélération de m_1 est a, celle de m_2 sera $-a$. On a représenté les forces agissant sur m_1 et m_2 dans la figure 5-8*b*, où T indique la tension dans la corde.

L'équation du mouvement pour m_1 s'écrit ainsi:

$$T - m_1 g = m_1 a$$

Pour m_2 on a:

$$T - m_2 g = -m_2 a.$$

En combinant ces équations on trouve:

$$a = \frac{m_2 - m_1}{m_2 + m_1} g, \qquad (5\text{-}12)$$

et

$$T = \frac{2 m_1 m_2}{m_1 + m_2} g.$$

Par exemple, si $m_2 = 2{,}0$ kg et $m_1 = 1{,}0$ kg, on obtient:

$$a = \tfrac{1}{3} g \qquad \text{et} \qquad T = \tfrac{4}{3} g = 13{,}1 \text{ N}.$$

Remarquons ici que la valeur de la tension sera toujours comprise entre le poids de m_1 et celui de m_2, qui dans notre exemple, valent respectivement 9,8 N et 19,6 N. On devait

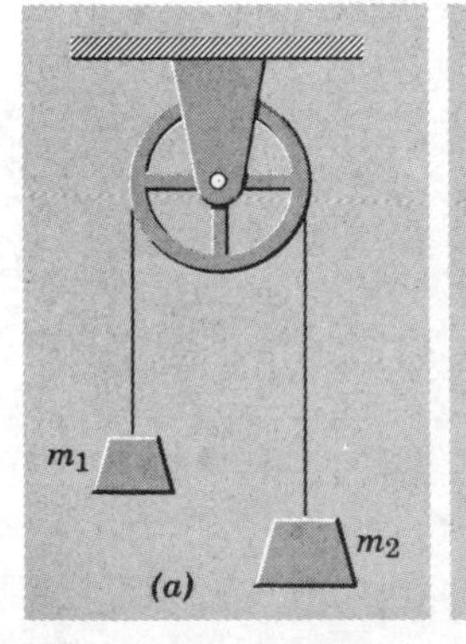

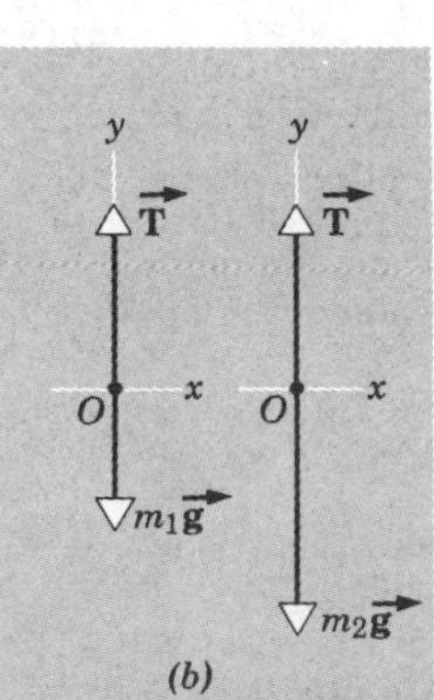

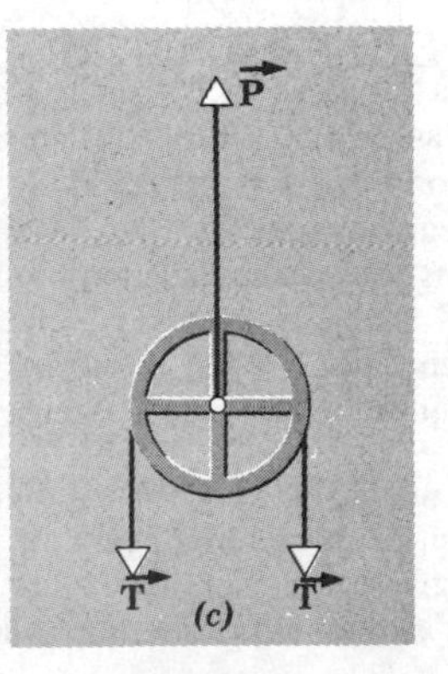

figure 5-8
Exemple 7. *(a)* Deux masses inégales sont suspendues à une corde par l'intermédiaire d'une poulie (machine d'Atwood). *(b)* Diagramme des forces pour m_1 et m_2. *(c)* Diagramme des forces pour la poulie (masse négligeable).

s'attendre à ce résultat, car T doit être supérieure à m_1g pour accélérer m_1 vers le haut, tandis que m_2g doit être supérieure à la tension T pour accélérer m_2 vers le bas. Dans le cas particulier où $m_1 = m_2$, l'accélération s'annule et $T = m_1g = m_2g$. C'est la situation d'équilibre.

La figure 5-8*c* illustre les forces agissant sur la poulie, qui a une masse négligeable. Si nous considérons cette poulie comme une particule, les forces agissent en son centre. Sur cette figure, P désigne la force exercée par le support sur la poulie et T, la force que chaque segment de corde exerce sur la poulie. Puisque cette poulie n'a aucun mouvement de translation, on peut poser la relation suivante:

$$P = T + T = 2T.$$

Par ailleurs, si la poulie avait une masse m, il faudrait ajouter sur le support une force mg. De plus, comme nous le verrons plus tard, le mouvement de rotation de la poulie introduirait une différence dans la tension qui s'exerce sur chaque segment de corde. Ce n'est pas tout, car le frottement au niveau du coussinet affecterait le mouvement de rotation, ainsi que la tension dans les segments de la corde.

EXEMPLE 8

Soit un ascenseur en mouvement vertical et soumis à une accélération a. Nous désirons connaître la force qu'exerce un passager sur le plancher de l'ascenseur.

Dans ce problème, une accélération vers le haut sera *positive* alors qu'une accélération vers le bas sera *négative*. Ainsi, une accélération positive signifiera que l'ascenseur se déplace vers le haut en augmentant sa vitesse, ou encore qu'il se déplace vers le bas en perdant de la vitesse. Par contre, une accélération négative signifiera que l'ascenseur monte en perdant de la vitesse ou descend en gagnant de la vitesse.

La troisième loi de Newton établit que la force exercée par le passager sur le plancher est égale en grandeur à la force exercée par le plancher sur le passager. Cela nous permet de calculer l'une ou l'autre des forces d'action ou de réaction.

Dans la figure 5-9 nous voyons que $\vec{W}$ représente le poids réel du passager et $\vec{P}$, la force exercée sur lui par le plancher, représente son poids *apparent* dû à l'accélération de l'ascenseur. La force résultante sur le passager est alors $\vec{P} + \vec{W}$, et, comme nous considérons positive une force orientée vers le haut, la deuxième loi de Newton ($F = ma$) nous permet d'écrire:

$$P - W = ma, \tag{5-13}$$

où m est la masse du passager et a son accélération (et celle de l'ascenseur).

Par exemple, supposons que le passager pèse 800 N et que l'ascenseur accélère vers le haut au rythme de 1,0 m/s². Calculons la masse (avec $g = 10$ m/s²):

$$m = \frac{W}{g} = \frac{800 \text{ N}}{10 \text{ m/s}^2} = 80 \text{ kg}$$

Utilisons l'équation 5-13:

$$P - 800 \text{ N} = (80 \text{ kg})(1{,}0 \text{ m/s}^2) = 80 \text{ N}$$

Le poids apparent P est donc de 880 N.

Pour mesurer directement le poids apparent du passager, il suffirait de le placer sur une balance à ressort fixée au plancher de l'ascenseur. Nous constaterions qu'un passager ayant un poids réel de 800 N verrait son poids atteindre 880 N. Ce passager se sentirait alourdi, car le plancher de l'ascenseur pousserait sur lui avec une force plus grande que son poids normal. Nous ressentons tous cette sensation lors du départ d'un ascenseur vers le haut.

D'autre part, en prenant une accélération de 1,0 m/s² vers le bas, $a = -1{,}0$ m/s² et $P = 720$ N. Le passager de 800 N se sentirait allégé lorsque l'ascenseur amorcera sa descente.

Si le câble de l'ascenseur se brisait accidentellement, ce dernier tomberait en chute libre avec une accélération $a = -g$, de sorte que P deviendrait égal à $W + (W/g)(-g) = 0$. Dans ce cas le passager et l'ascenseur n'agissent pas l'un sur l'autre. Sur la balance on noterait que le poids apparent du passager est nul. On dirait alors que le passager se

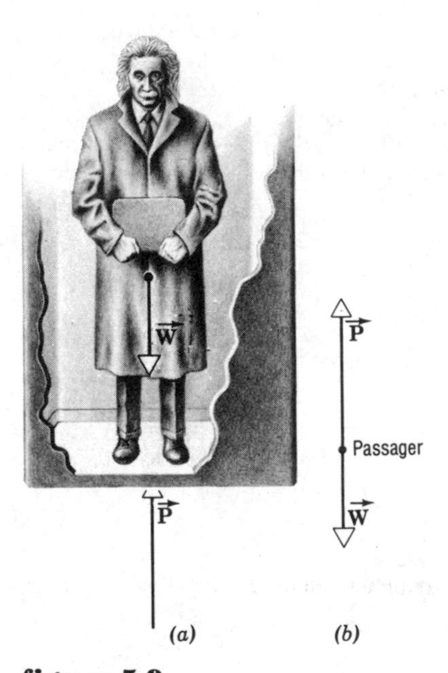

figure 5-9
Exemple 8. *(a)* Un passager se tenant debout sur le plancher d'un ascenseur. *(b)* Diagramme des forces pour le passager.

trouve en état d'apesanteur. Le poids réel du passager (cette attraction de la Terre sur lui) n'a pas changé, mais la force qu'il exerce sur le plancher et la réaction du plancher sur lui sont nulles.

questions

1. Déterminez votre poids en newtons.
2. *(a)* Lorsqu'un train accélère à partir du repos, vous enfoncez dans votre siège et, s'il freine brusquement, vous êtes projetés vers l'avant. Expliquez ce phénomène. *(b)* Que ressentez-vous lorsque le train s'engage dans une courbe, à vitesse constante?
3. Un bloc ayant une masse m est suspendu au plafond à l'aide d'une corde C. On attache une seconde corde D au-dessous du bloc (fig. 5-10). Si on tire brusquement sur la corde D, elle se brise, alors qu'en tirant graduellement c'est la corde C qui casse. Expliquez ce phénomène.

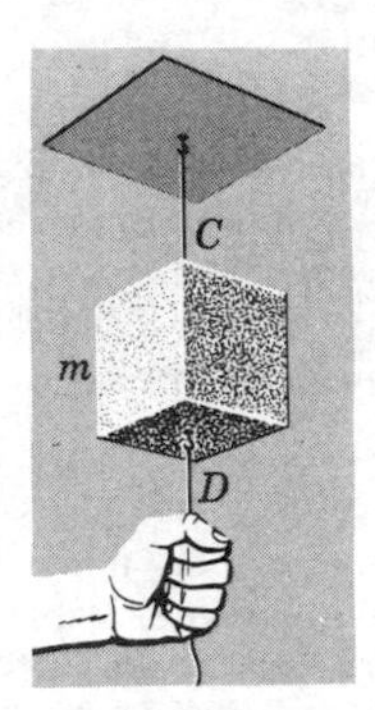

figure 5-10
Question 3

4. On commande à un cheval de tirer une charette. Celui-ci refuse même d'essayer et, pour sa défense, cite à sa façon la troisième loi de Newton: « La force de traction que j'exerce sur la charette est égale et de sens contraire à la force que la charette exerce sur moi. Si je ne peux pas agir sur la charette avec une force plus grande que celle qu'elle exerce sur moi, comment pourrais-je la faire bouger? » Que lui répondrez-vous?
5. Précisez si les paires de forces suivantes sont des exemples d'action-réaction. *(a)* La Terre attire une brique et la brique attire la Terre. *(b)* L'hélice pousse l'air vers l'arrière de l'avion et l'air propulse l'avion vers l'avant. *(c)* Un cheval tire une calèche et l'accélère, tandis que la calèche tire en sens inverse sur le cheval. *(d)* Un cheval tire sur un traîneau sans réussir à le faire bouger, tandis que le traîneau exerce sur le cheval une force vers l'arrière. *(e)* Un cheval tire une charette sans la faire avancer, pendant que la Terre exerce une force égale et opposée sur la charette.
6. Discutez l'énoncé suivant: la masse d'un corps est une mesure de sa quantité de matière.
7. Si la force, la longueur et le temps sont utilisés comme grandeurs fondamentales, quelles sont les dimensions de la masse?
8. La définition de la masse que nous avons donnée est-elle limitée à des objets initialement au repos?
9. Dites si les énoncés suivants concernant le poids et la masse d'un objet sont justes. *(a)* La masse et le poids d'un objet représentent la même grandeur physique que l'on exprime avec des unités différentes. *(b)* La masse est une propriété intrinsèque d'un objet alors que son poids provient de l'interaction de deux corps. *(c)* Le poids d'un objet est proportionnel à sa masse. *(d)* Des variations de poids entraînent des variations de masse.
10. Une force horizontale agit sur un objet libre de se déplacer. Cette force produira-t-elle une accélération si elle est plus faible que le poids de l'objet?
11. Le poids d'un corps en chute libre influence-t-il son accélération?
12. Un oiseau se pose sur un fil électrique. La tension du fil varie-t-elle? Si oui, comment cette variation de tension se compare-t-elle au poids de l'oiseau?
13. La figure 5-11 nous montre quatre forces de grandeurs égales. Comment pouvons-nous disposer trois d'entre elles pour qu'un corps qui y serait soumis demeure en équilibre de translation?

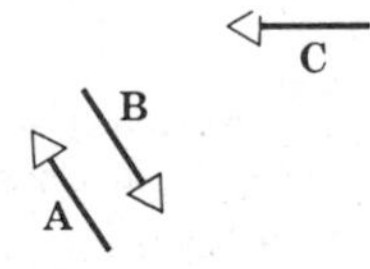

figure 5-11
Question 13

14. Pouvez-vous expliquer pourquoi les gouttes de pluie tombent à une vitesse constante durant la dernière partie de leur chute?
15. Au jeu de souque à la corde, trois hommes tirent en un point A de la corde vers la gauche et trois autres tirent en un point B vers la droite. Pendant que ces deux groupes exercent des forces égales en grandeur, nous suspendons un poids de 20,0 N au centre de la corde. *(a)* Ces hommes pourront-ils maintenir la section AB de la corde horizontale? *(b)* Si vous répondez non, justifiez votre réponse. Si vous répondez oui, déterminez la grandeur des forces aux points A et B.
16. Au jeu de souque à la corde, les deux équipes doivent exercer une traction égale l'une sur l'autre; sinon, celle qui pousse le plus fortement sur le sol sera l'équipe gagnante. Expliquez cette assertion.

17. Une corde ayant une masse négligeable est passée dans la gorge d'une poulie. On attache un miroir à une extrémité de la corde alors qu'un singe de même poids que le miroir tient l'autre extrémité. Le singe et le miroir sont au même niveau. De quelle façon le singe pourra-t-il fuir son image dans le miroir? Y parviendra-t-il en grimpant, en descendant ou en lâchant la corde?

18. Deux objets de masse égale sont posés sur les plateaux d'une balance à fléau qui se trouve dans un ascenseur. L'équilibre de la balance sera-t-il rompu si l'ascenseur accélère vers le haut ou vers le bas?

19. Supposons que vous êtes au repos sur une balance à ressort. Après avoir lu votre poids vous décidez de sauter. Au début de votre élan, la balance indique un poids inférieur à votre poids normal alors qu'à la fin elle indique un poids supérieur. Expliquez ce phénomène.

20. Un objet est suspendu par une corde au plafond d'un ascenseur. Parmi les situations suivantes, identifiez celle où la tension dans la corde sera la plus grande et celle où elle sera la plus petite. *(a)* L'ascenseur est au repos. *(b)* L'ascenseur monte avec une vitesse constante. *(c)* L'ascenseur descend en réduisant sa vitesse. *(d)* L'ascenseur descend en augmentant sa vitesse.

21. Une personne se tient sur une balance à ressort qui est placée dans un ascenseur. Identifiez parmi les situations suivantes celle qui donnera la plus grande valeur du poids et celle qui donnera la plus petite valeur. *(a)* L'ascenseur est au repos. *(b)* L'ascenseur, suite à la rupture des câbles, tombe en chute libre. *(c)* L'ascenseur accélère vers le haut. *(d)* L'ascenseur accélère vers le bas. *(e)* L'ascenseur se déplace à vitesse constante.

22. Dans quelles circonstances votre poids pourrait-il être nul? Votre réponse dépend-t-elle du choix du système de référence?

problèmes

SECTION 5-4

1. On relie deux masses m_1 et m_2 à l'aide d'un ressort sans poids, sur une table horizontale. Le frottement entre la table et les masses est négligeable. On écarte les masses d'une certaine distance, puis on les relâche. Trouvez le rapport des accélérations a_1 et a_2. *Réponse:* $a_1/a_2 = m_2/m_1$.

SECTION 5-5

2. *(a)* Une balance à ressort relie deux poids de 20 N comme l'illustre la figure 5-12*a*. Quelle mesure indique la balance? *(b)* On attache cette fois la balance au mur et on lui relie un des poids de 20 N (fig. 5-12*b*). Quelle mesure indique la balance?

3. Deux blocs reposent sur une table sans friction (fig. 5-13). *(a)* Si $m_1 = 2{,}0$ kg, $m_2 = 1{,}0$ kg et $F = 3{,}0$ N, quelle sera la force résultante exercée au point de contact des deux blocs? *(b)* Si on refait le problème *(a)* dans le cas où la force F agit sur m_2 vers la gauche, on obtient 2,0 N pour la force au point de contact. Pourquoi n'obtient-on pas la même réponse qu'en *(a)*? *Réponse: (a)* 1,0 N.

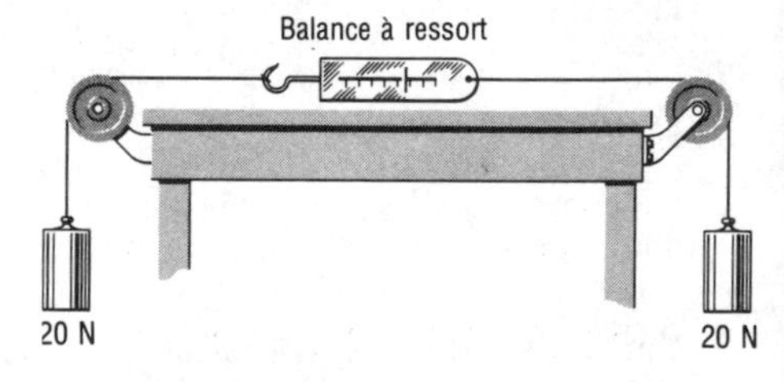

figure 5-12(a)
Problème 2*(a)*

SECTION 5-8

4. Un voyageur de l'espace a une masse de 75 kg. Calculez son poids *(a)* sur la Terre, *(b)* sur Mars, où $g = 3{,}8$ m/s² et *(c)* dans l'espace interplanétaire. *(d)* Quelle est sa masse à chacun de ces endroits?

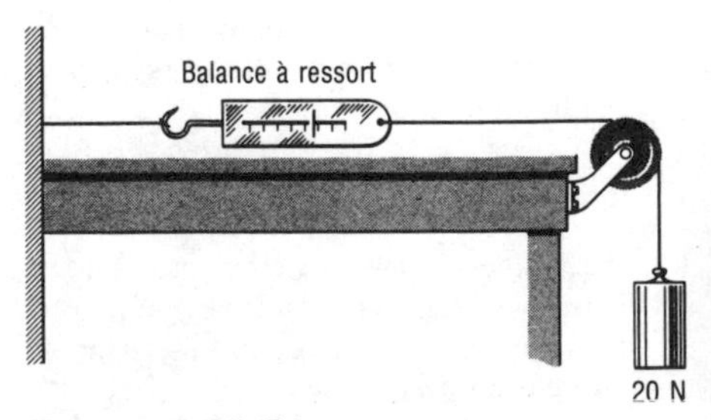

figure 5-12(b)
Problème 2*(b)*

SECTION 5-10

5. Une voiture de 13 000 N qui se déplace à 80 km/h peut s'immobiliser sur une distance de 61 m. Trouvez: *(a)* la force de freinage; *(b)* en combien de temps elle s'arrête. En supposant que la force de freinage ne varie pas et que la vitesse est de 40 km/h, trouvez: *(c)* sur quelle distance la voiture s'arrête et *(d)* le temps nécessaire. *Réponses: (a)* 5400 N; *(b)* 5,5 s; *(c)* 15 m; *(d)* 2,7 s.

6. Une masse m est soumise à l'action de deux forces $\vec{F}_1$ et $\vec{F}_2$ (fig. 5-14). Si $m = 5{,}0$ kg, $F_1 = 3{,}0$ N et $F_2 = 4{,}0$ N, trouvez la grandeur et l'orientation de l'accélération.

7. Un champ électrique exerce une force verticale constante de $4,5 \times 10^{-16}$ N sur un électron qui possède une vitesse horizontale de $1,2 \times 10^7$ m/s ($m_e = 9,1 \times 10^{-31}$ kg). De quelle distance verticale l'électron aura-t-il dévié lorsqu'il aura parcouru une distance horizontale de 3,0 cm?
Réponse: 1,5 mm.

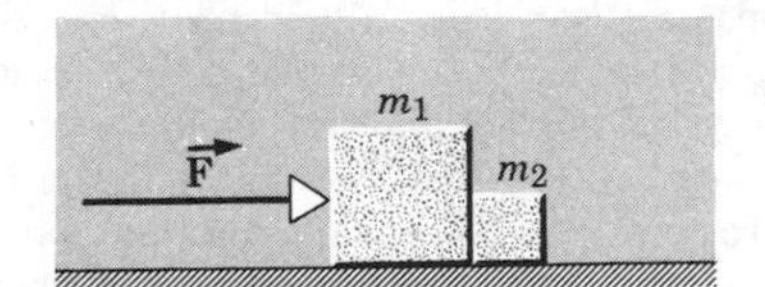

figure 5-13
Problème 3

8. Une masse de 2,0 kg est soumise à l'action de la force gravitationnelle et d'une force horizontale de 40 N. Trouvez: *(a)* son accélération $\vec{a}$ et *(b)* sa vitesse $\vec{v}$ en fonction du temps. Supposez qu'elle part du repos.

9. Une distance de 1,0 cm sépare la cathode et l'anode d'un tube à rayons cathodiques. Un électron part du repos et atteint l'anode à une vitesse de $6,0 \times 10^6$ m/s selon une trajectoire rectiligne ($m_e = 9,1 \times 10^{-31}$ kg). *(a)* Si l'accélération est constante, calculez la force exercée sur l'électron (il s'agit d'une force électrique). *(b)* En supposant que la trajectoire était rectiligne, on a négligé la force gravitationnelle agissant sur l'électron. Comparez la force électrique à la force gravitationnelle.

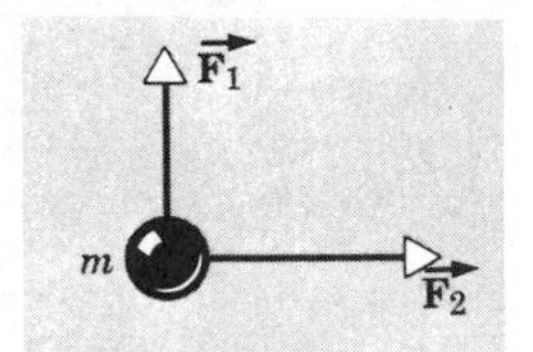

figure 5-14
Problème 6

10. Un individu de 80 kg saute d'une fenêtre sur le plancher d'un patio situé 0,50 m plus bas. En touchant le sol, il oublie de plier les genoux, de sorte que son mouvement s'arrête brusquement sur une distance de 2,0 cm. *(a)* Quelle est l'accélération moyenne subie par l'individu entre le moment où son pied touche le sol et celui où il est complètement immobile? *(b)* Quelle est la force moyenne comprimant les os de ses jambes lors de l'impact?

11. Imaginons deux corps sur lesquels n'agissent que les forces d'interaction. Si les deux partent du repos, montrez que la distance parcourue par chacun est inversement proportionnelle à leur masse respective.

12. Déterminez la force de frottement de l'air qui agit sur une masse de 0,25 kg tombant avec une accélération de 9,2 m/s².

13. On suspend une sphère chargée ayant une masse de $3,0 \times 10^{-4}$ kg. Sous l'influence d'une force électrique horizontale, la sphère demeure en équilibre lorsque la corde fait un angle de 37° avec la verticale. Trouvez *(a)* la grandeur de la force électrique et *(b)* la tension dans la corde.
Réponses: *(a)* $2,2 \times 10^{-3}$ N; *(b)* $3,7 \times 10^{-3}$ N.

14. On tire une masse M sur une surface horizontale sans frottement au moyen d'une corde de masse m. Le vecteur $\vec{P}$ est la force horizontale appliquée sur la corde (fig. 5-15). *(a)* Montrez que la corde doit courber, même si l'arc est à peine perceptible. En supposant que la corde est droite, trouvez: *(b)* l'accélération de la corde et celle de la masse M; *(c)* la force exercée sur la masse M par la corde et *(d)* la tension au point milieu de la corde.

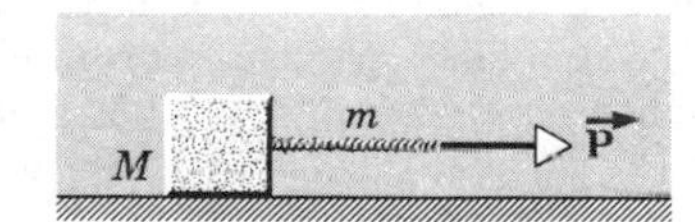

figure 5-15
Problème 14

15. Une force T_3 tire trois blocs sur une table horizontale sans friction. Les blocs sont reliés entre eux comme on le voit à la figure 5-16. Si $T_3 = 60$ N, $m_1 = 10$ kg, $m_2 = 20$ kg et $m_3 = 30$ kg, trouvez les tensions T_1 et T_2. Faites un parallèle avec les wagons d'un train tirés par une locomotive.
Réponses: $T_1 = 10$ N, $T_2 = 30$ N.

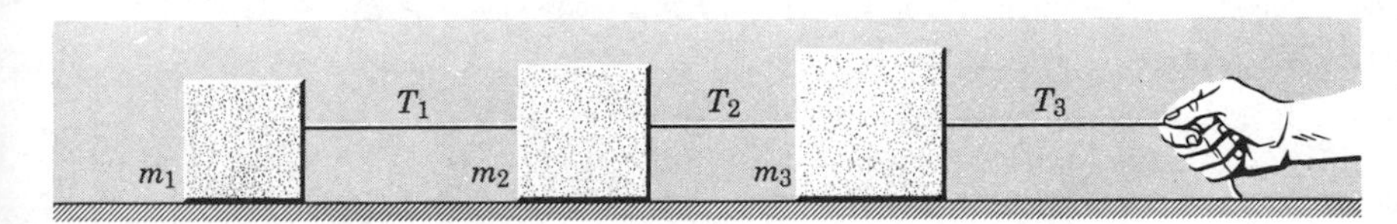

figure 5-16
Problème 15

16. La masse totale d'une fusée est de 50 000 kg. *(a)* Peu après la mise à feu, la fusée se tient en équilibre sans appui sur le sol. Déterminez la poussée des gaz à ce moment. *(b)* Quelle est la poussée des gaz lorsque la fusée accélère vers le haut à 20 m/s²?

17. De quelle manière devrait-on descendre d'un toit un objet de 500 N avec une corde qui ne peut pas supporter une tension supérieure à 400 N?
Réponse: Il faut descendre l'objet avec une accélération $\geqslant 2,0$ m/s².

18. Une masse glisse, sans frottement, le long d'un plan incliné de 16 m. La masse part du repos et atteint le bas du plan 4,0 s plus tard. Au moment où on lâche la première masse au haut du plan incliné, on en lance une deuxième à partir du bas du plan, de telle sorte que les deux masses atteignent le pied du plan incliné en même temps. *(a)* Trouvez l'accélération de chacune des masses sur le plan incliné. *(b)* Quelle est la vitesse initiale de la deuxième masse? *(c)* Jusqu'où monte-t-elle sur le plan incliné? *(d)* Quel est l'angle d'inclinaison du plan?

19. Deux blocs sont reliés par une corde passant sur une poulie. L'un des blocs, m_1 repose sur un plan incliné à 30° de l'horizontale, tandis que m_2 tombe verticalement (fig. 5-17). Sachant que $m_1 = 3{,}0$ kg, $m_2 = 2{,}0$ kg et que la force de frottement entre m_1 et le plan incliné est négligeable, *(a)* calculez l'accélération de chaque bloc; *(b)* quelle est la tension dans la corde?

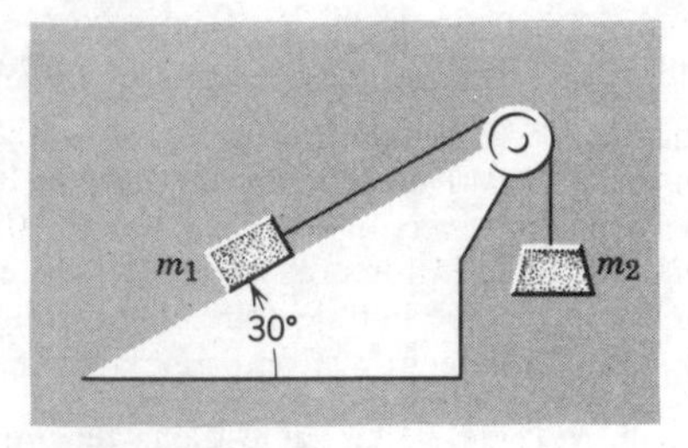

figure 5-17
Problème 19

20. On projette un corps vers le haut d'un plan incliné avec une vitesse initiale v_0. L'angle d'inclinaison du plan est θ et la force de frottement entre le plan et le corps est négligeable. *(a)* Jusqu'à quelle hauteur, parallèlement au plan, le corps montera-t-il? *(b)* Quel temps mettra-t-il pour monter? *(c)* Quelle vitesse atteindra-t-il en revenant à son point de départ? Exprimez numériquement vos réponses en posant $\theta = 30°$ et $v_0 = 1{,}0$ m/s.

21. Un câble d'acier tire un ascenseur de 25 000 N vers le haut avec une accélération de 1,0 m/s². *(a)* Quelle est la tension dans le câble? *(b)* Si l'ascenseur subit une accélération vers le bas de 1,0 m/s², tout en se déplaçant vers le haut, quelle est la tension dans le câble?

22. Une lampe est suspendue au plafond d'un ascenseur au moyen d'une corde verticale. *(a)* Calculez la masse de la lampe si la tension mesurée dans la corde est de 100 N lorsque la décélération de l'ascenseur, pendant sa descente, est de 2,5 m/s². (b) Quelle est la tension dans la corde lorsque l'ascenseur monte avec une accélération de 2,5 m/s²?

23. Un parachutiste de 80 kg descend avec une accélération de 2,5 m/s². La masse du parachute est de 5,0 kg. *(a)* Quelle force l'air exerce-t-il sur le parachute? *(b)* Avec quelle force l'homme tire-t-il sur les cordes du parachute?

24. Une montgolfière ayant une masse totale M descend verticalement avec une accélération a vers le bas. Quelle fraction de la masse doit délester le navigateur s'il veut obtenir la même accélération a vers le haut?

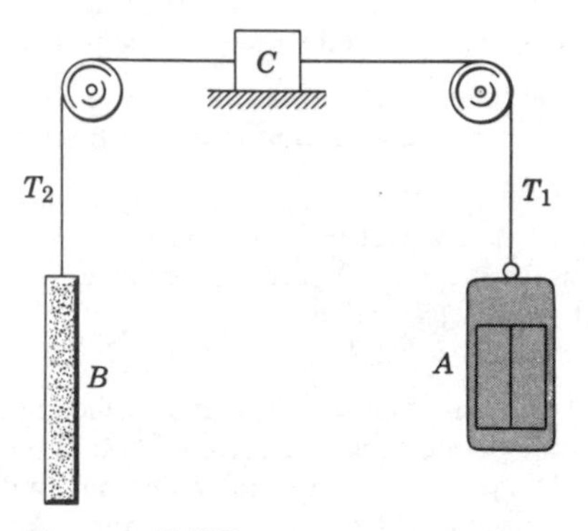

figure 5-18
Problème 25

25. La figure 5-18 montre les composantes d'un monte-charge: la cage (A), le contrepoids (B), le mécanisme d'entraînement (C), ainsi que le câble et les poulies. La masse de la cage est de 1100 kg et celle du contre-poids de 1000 kg. On néglige la force de frottement, ainsi que la masse du câble et des poulies. La cage accélère vers le haut à 2,0 m/s². L'accélération du contre-poids est la même mais vers le bas. *(a)* Quelle est la valeur de la tension T_1? *(b)* Quelle est la valeur de la tension T_2? *(c)* Quelle force exerce le mécanisme d'entraînement sur le câble?
Réponses: (a) $1{,}3 \times 10^4$ N; *(b)* $0{,}78 \times 10^4$ N; *(c)* $5{,}2 \times 10^3$ N vers le contre-poids.

26. Un homme de 100 kg décide de descendre d'une hauteur de 10 m au moyen d'une corde qui passe sur une poulie. À l'autre extrémité de la corde, il attache un sac de sable de 70 kg en guise de contre-poids. *(a)* À quelle vitesse touche-t-il le sol? *(b)* Peut-il faire quelque chose pour réduire sa vitesse?

27. Un individu exerce une force $\vec{F}$, vers le haut, sur l'axe d'une poulie (fig. 5-19). Les masses de la corde et de la poulie sont négligeables; la force de frottement du roulement sur bille est nulle. On attache deux masses, m_1 de 1,0 kg et m_2 de 2,0 kg, aux bouts opposés de la corde qui passe sur la poulie. La masse m est en contact avec le sol. *(a)* Dessinez le diagramme des forces exercées sur la poulie et sur chacune des masses. *(b)* Quelle est la plus grande valeur que peut prendre F si m_2 doit rester en contact avec le sol? *(c)* Quelle est la tension dans la corde lorsque F vaut 100 N? *(d)* En utilisant la tension calculée en *(c)*, trouvez l'accélération de m_1.
Réponses: (b) 39 N; *(c)* 50 N; *(d)* 40 m/s² vers le haut.

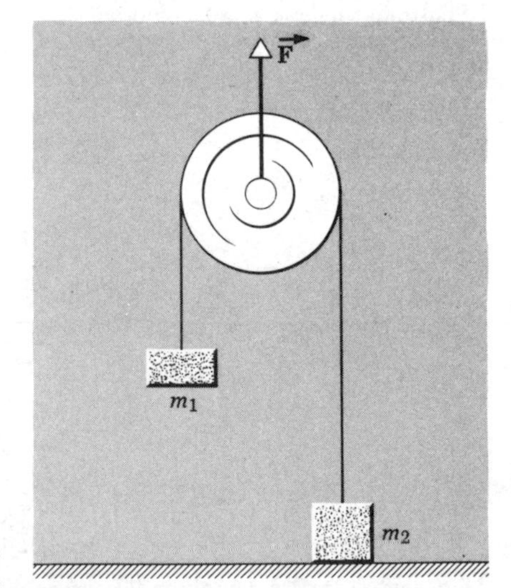

figure 5-19
Problème 27

28. Un singe de 10 kg grimpe à une corde ayant une masse négligeable. La corde passe sur la branche d'un arbre (frottement nul!) et, à l'autre bout, on a attaché une masse de 15 kg. *(a)* Expliquez quantitativement comment le singe pourra grimper tout en soulevant la masse de 15 kg. *(b)* Si, une fois la masse soulevée, le singe cesse de

grimper et s'accroche à la corde, quelle sera son accélération et la tension dans la corde?

29. Un fil à plomb suspendu au plafond d'un chariot sur rail peut servir d'accéléromètre. *(a)* Dérivez une expression générale reliant l'accélération horizontale du chariot à l'angle θ entre le fil et la verticale. *(b)* Calculez l'accélération lorsque $\theta = 20°$. *(c)* Calculez θ si $a = 5{,}0$ m/s². *Réponses: (a)* $a = g \tan \theta$; *(b)* 3,6 m/s²; *(c)* 27°.

30. Une chaîne flexible et uniforme de longueur l, dont le poids par unité de longueur vaut λ, passe dans la gorge d'une poulie ayant une masse et un frottement négligeables. On la lâche à partir du repos au moment où une longueur x pend d'un côté de la poulie (le reste de la chaîne, $l - x$, pend de l'autre côté). Trouvez l'accélération de la chaîne en fonction de x.

31. On relie deux particules de masse m à l'aide d'une corde de longueur $2l$. On applique une force $\vec{F}$ au milieu de la corde ($x = 0$), perpendiculairement à sa position initiale. Si la masse de la corde est négligeable, montrez que l'accélération de chaque particule, dans une direction perpendiculaire à $\vec{F}$, vaut:

$$a_x = \frac{F}{2m} \frac{x}{\sqrt{l^2 - x^2}}$$

où x est la distance perpendiculaire entre une des particules et la ligne d'action de la force $\vec{F}$. Discutez la situation lorsque $x = l$.

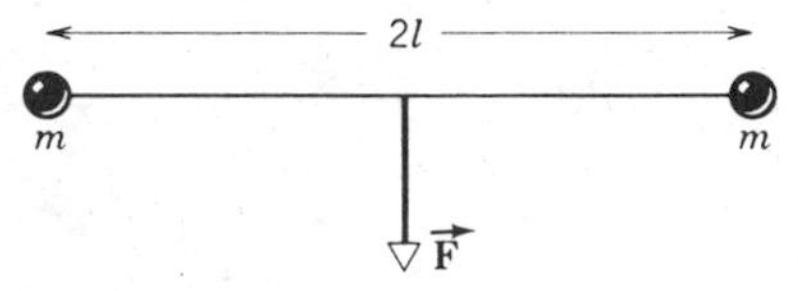

figure 5-20
Problème 31

32. On élève une chaîne constituée de cinq anneaux de 0,1 kg chacun avec une accélération de 2,5 m/s² (fig. 5-21). Trouvez: *(a)* la force d'interaction de chaque paire d'anneaux; *(b)* la force $\vec{F}$ appliquée à l'anneau supérieur et *(c)* la force résultante sur chaque anneau.

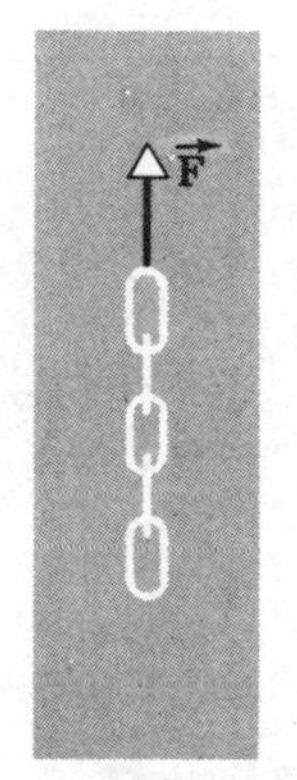

figure 5-21
Problème 32

33. *Vitesse limite.* La résistance de l'air sur le mouvement d'un corps en chute libre dépend de plusieurs facteurs, tels que la dimension du corps, sa forme, sa vitesse, ainsi que la densité et la température de l'air. Une hypothèse utile, bien qu'approximative, consiste à considérer la résistance de l'air proportionnelle à la vitesse et de sens opposé, c'est-à-dire $\vec{f}_R = -k\vec{v}$, où k est une constante qui tient compte de tous les facteurs, exception faite de la vitesse. Considérons un corps qui tombe dans l'air, à partir du repos. *(a)* Montrez, à l'aide de la deuxième loi de Newton, que

$$mg - kv = ma \qquad \text{ou} \qquad mg - k\frac{dy}{dt} = m\frac{d^2y}{dt^2}.$$

(b) Montrer que le corps cesse d'accélérer lorsqu'il atteint une vitesse $v_L = mg/k$, qu'on appelle *vitesse limite*. *(c)* Prouvez, en la substituant dans l'équation du mouvement de *(a)*, que la vitesse varie suivant l'expression $v = v_L(1 - e^{-kt/m})$. Tracez le graphique de la vitesse en fonction du temps. *(d)* Tracez qualitativement les courbes de y et de a en fonction du temps; rappelez-vous que l'accélération initiale est g et que l'accélération finale est nulle.

34. Un coin en forme de triangle rectangle ayant une masse M et formant un angle θ est immobile sur une table horizontale. On y dépose un bloc ayant une masse m (fig. 5-22). *(a)* Quelle accélération horizontale a faut-il communiquer au coin pour garder le bloc m immobile par rapport au coin? On suppose que toutes les forces de frottement sont négligeables. *(b)* Quelle force horizontale $\vec{F}$ doit-on appliquer au système pour obtenir ce résultat (mouvement relatif nul entre le cube et le coin)? *(c)* Supposons qu'aucune force ne soit appliquée sur M et que toutes les forces de frottement soient négligeables. Décrivez le mouvement qui en résulte.

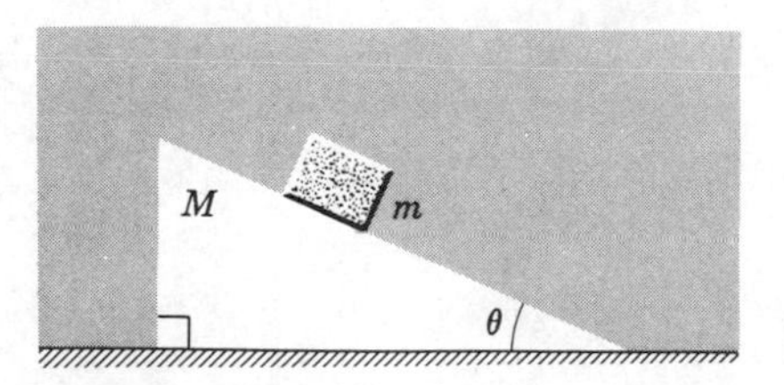

figure 5-22
Problème 34

35. Un bloc ayant une masse m glisse sans frottement sur un plan incliné qui fait un angle θ avec le plancher d'un ascenseur. Dans chacun des cas suivants, déterminez

l'accélération du bloc par rapport au plan incliné. L'ascenseur *(a)* descend à vitesse constante v; *(b)* monte à vitesse constante v; *(c)* descend avec une accélération a; *(d)* descend avec une décélération a; *(e)* tombe en chute libre suite à la rupture de son câble. *(f)* Quelle force le plan incliné exerce-t-il sur le bloc dans la situation *(c)*?

Réponses: *(a)* $g \sin \theta$ vers le bas du plan; *(b)* $g \sin \theta$ vers le bas du plan; *(c)* $(g - a) \sin \theta$ vers le bas du plan; *(d)* $(g + a) \sin \theta$ vers le bas du plan; *(e)* nulle. *(f)* $m(g - a) \cos \theta$.

6
dynamique d'une particule—II

6-1 *INTRODUCTION*

Au chapitre 5, nous avons traité de la dynamique des corps sous l'action de forces constantes en grandeur et en direction. Ces forces étaient exercées par la Terre ou par des cordes tendues, c'est-à-dire par des forces gravitationnelles ou élastiques. Dans ce chapitre, nous abordons une nouvelle force: le frottement.

Nous étudierons également la dynamique du mouvement circulaire uniforme dans le cas où la force est constante en grandeur mais non en direction. Au chapitre 10, nous nous intéressons à des cas de forces constantes en direction mais dont la grandeur sera fonction du temps, comme, par exemple les forces d'interaction de deux corps lors d'une collision. Enfin, le chapitre 15 nous fournira l'occasion d'analyser des cas de forces variables en grandeur et en direction, comme, par exemple, la force appliquée à une masse oscillant au bout d'un ressort.

6-2 *FORCES DE FROTTEMENT*[1]

Si nous lançons un bloc de masse m à une vitesse initiale v_0 sur un plan horizontal, il perd graduellement cette vitesse et s'arrête. On doit conclure qu'il a subi une accélération moyenne $\overline{\vec{\mathbf{a}}}$ qui s'opposait à son mouvement. Chaque fois que nous observons (dans un système galiléen) un mouvement accéléré, nous le relions à une force définie par la deuxième loi de Newton. Nous disons alors que le plan exerce sur le bloc un frottement de valeur moyenne $m\overline{\vec{\mathbf{a}}}$.

De fait, chaque fois que deux surfaces glissent l'une sur l'autre, des forces de frottement s'exercent sur chacune d'entre elles et s'opposent à leur mouvement relatif; les forces de frottement ne favorisent donc pas le mouvement.

[1] Voir « The friction of solids », par E. H. Freitag, dans *Contemporary Physics*, vol. 2, 1961, p. 198 pour une bonne référence de base; voir aussi le mot « Friction » dans Encyclopoedia Britannica, T. 3.

Même en l'absence de mouvement relatif, il peut y avoir frottement entre les deux surfaces.

Jusqu'à maintenant nous n'avons pas tenu compte du frottement, bien qu'il faille le subir tous les jours. C'est lui qui ralentit les arbres des moteurs. C'est lui encore qui gaspille plus de 20% de la puissance d'un moteur d'automobile. Les frottements entraînent l'usure et le blocage des pièces mobiles, en plus d'obliger ingénieurs et mécaniciens à tout mettre en oeuvre pour les contrer. D'autre part, sans frottement, la marche serait impossible; nous ne pourrions tenir un crayon; le transport sur roue n'existerait pas.

Nous cherchons à relier les forces de frottement aux propriétés d'un corps et de son environnement; nous voulons donc trouver la loi qui décrit correctement les forces de frottement. Dans ce qui suit, seul le glissement (non le roulement) d'une surface sèche (non lubrifiée) sur une autre retiendra notre attention. À l'échelle atomique le frottement est un phénomène complexe;[2] voilà pourquoi nous devrons nous contenter de lois plutôt empiriques et approximatives. On est loin de la simplicité et de la précision des lois décrivant les forces gravitationnelles ou les forces électrostatiques. Il est quand même étonnant, malgré la grande variété des surfaces rencontrées, de pouvoir expliquer à l'aide de quelques principes le comportement des forces de frottement.

Considérons un bloc au repos sur une surface horizontale (fig. 6-1). Attachons au bloc un ressort pour mesurer la force nécessaire pour le mettre en mouvement. On se rend compte, même en tirant faiblement, que le mouvement n'a pas lieu. Il faut en conclure qu'une force agissant le long des surfaces en contact vient équilibrer la force appliquée: c'est un frottement. En augmentant cette force, on atteint éventuellement une intensité qui déclenche le mouvement. Si l'on continue à appliquer la même force, le bloc accélère. Toutefois, en la diminuant, il est possible de garder le bloc en mouvement uniforme; cette force peut être très faible mais jamais nulle.

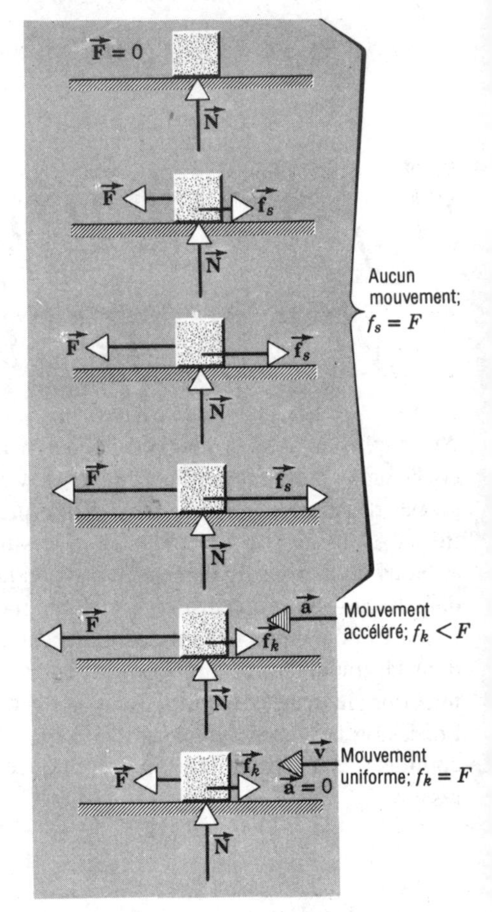

figure 6-1
Le bloc se met en mouvement au moment où la force appliquée $\vec{F}$ excède les forces de frottement. Sur les quatre premières figures la force appliquée passe de zéro à une grandeur $\mu_s N$. Aucun mouvement ne se produit, puisque la force de frottement ne fait que s'ajuster à la force appliquée. Dès que F devient plus grande que $\mu_s N$, le bloc se met en mouvement, comme l'illustre la cinquième figure. En général, $\mu_k N < \mu_s N$; il y a alors une force résultante vers la gauche et le bloc accélère. Sur la dernière figure, F équilibre $\mu_k N$. La force résultante est nulle et le bloc glisse à vitesse constante.

Les forces de frottement s'exerçant entre deux surfaces au repos l'une par rapport à l'autre se nomment forces de *frottement statique*. La force minimum nécessaire au déclenchement du mouvement correspondra au frottement statique maximum. Une fois le mouvement amorcé, les frottements diminuent, de sorte qu'une force plus faible suffit à conserver un mouvement uniforme. On appellera forces de *frottement cinétique* les forces s'exerçant entre deux surfaces en mouvement relatif.

La force maximum de frottement statique entre deux surfaces sèches non lubrifiées peut être décrite par deux lois empiriques. (1) Dans la plupart des cas elle est indépendante de la grandeur des surfaces en contact et (2) elle est proportionnelle à la force normale aux surfaces en contact. Cette force normale est celle qui s'exerce perpendiculairement aux surfaces en contact et provient de la déformation élastique des corps en contact. Dans le cas d'un bloc au repos ou en mouvement sur une table horizontale, cette force normale est égale à la valeur du poids du bloc. En effet, le bloc n'étant pas accéléré verticalement, la table exerce une poussée qui équilibre la force gravitationnelle sur le bloc, c'est-à-dire son poids.

On nommera *coefficient de frottement statique* le rapport de la force de frottement statique maximum à la force normale. Si f_s désigne la grandeur du frottement statique, alors:

$$f_s \leq \mu_s N, \tag{6-1}$$

où μ_s représente le coefficient de frottement statique et N la grandeur de la force normale. L'égalité existe seulement lorsque f_s atteint sa valeur maximum.

[2] Lire « Stick and Slip » par Ernest Robinowiez, *Scientific American*, mai 1956.

La force de frottement cinétique f_k entre des surfaces sèches non lubrifiées répond aux deux mêmes lois. (1) Dans la plupart des cas elle est indépendante de la grandeur des surfaces en contact et (2) elle est proportionnelle à la force normale.

La force de frottement cinétique est aussi, dans des limites raisonnables, indépendante des vitesses relatives des surfaces.

• **Note**

Léonard de Vinci (1452-1519) fut le premier à formuler ces deux lois sur les frottements. C'est un fait remarquable quand on pense qu'il les énonça deux siècles avant que Newton élabore le concept de force. Léonard s'exprimait ainsi: (1) « Le frottement créé par le même poids offrira la même résistance au tout début du mouvement bien que les surfaces en contact puissent varier » et (2) « le frottement sera double si on double le poids. » Le savant français Charles A. Coulomb (1736-1806) effectua plusieurs expériences sur les frottements et constata la différence entre les frottements statique et cinétique. •

On nommera *coefficient de frottement cinétique* le rapport de la grandeur de la force de frottement cinétique à la grandeur de la force normale. Si f_k désigne la force de frottement cinétique, alors:

$$f_k = \mu_k N, \tag{6-2}$$

où μ_k représente le coefficient de frottement cinétique.

Les facteurs μ_s et μ_k sont des constantes sans dimensions puisque tous deux proviennent du rapport de deux forces (en grandeur seulement).

Habituellement, pour deux surfaces données, $\mu_s > \mu_k$. Les valeurs de μ_s et de μ_k dépendent de la nature des surfaces en contact. Les deux constantes sont généralement plus petites que l'unité, mais rien n'empêche cependant qu'elles soient plus grandes. Il est à remarquer que les équations 6-1 et 6-2 ne sont pas vectorielles; ce sont des relations entre les *grandeurs* des forces *seulement*. La force de frottement et la force normale sont toujours mutuellement perpendiculaires.

• **Note**

À l'échelle atomique, même une surface très lisse n'est pas véritablement plane. La figure 6-2 montre, avec un fort grossissement, une coupe transversale d'une surface métallique extrêmement lisse. On peut donc croire que lorsque deux corps se touchent, la surface de contact à l'échelle microscopique est beaucoup plus faible que celle que l'on voit à l'échelle macroscopique; le rapport peut facilement être de l'ordre de $1:10^4$.

Cette aire de contact (microscopique) est proportionnelle à la force normale puisque chaque point de contact subit une déformation sous l'influence des forces qui s'exercent en chacun des points. Plusieurs de ces points de contact se soudent ensemble. En effet, à ces endroits, les molécules de chacune des surfaces sont très près les unes des autres et les forces intermoléculaires réalisent la jonction des surfaces.

Quand on glisse un corps (un objet métallique, par exemple) sur un autre, c'est la rupture de ces milliers de soudures microscopiques qui crée le frottement. Des méthodes expérimentales utilisant la radioactivité ont permis de vérifier qu'il y avait transfert de matière d'une surface à l'autre lors de ce processus de rupture. Si la vitesse relative des surfaces est suffisamment grande, il peut y avoir fusion en certains points de la surface de contact, même si la température moyenne de la surface reste faible.

Plusieurs facteurs influencent le coefficient de frottement: la nature des matériaux en présence, le fini des surfaces et les pellicules qui s'y forment, la température et le degré de contamination des surfaces. Par exemple, en plaçant des surfaces métalliques très propres dans une chambre à vide (pour éviter la formation de pellicule oxydante), le coefficient de frottement devient très élevé et les surfaces se soudent littéralement l'une à l'autre. Si on laisse entrer un peu d'air

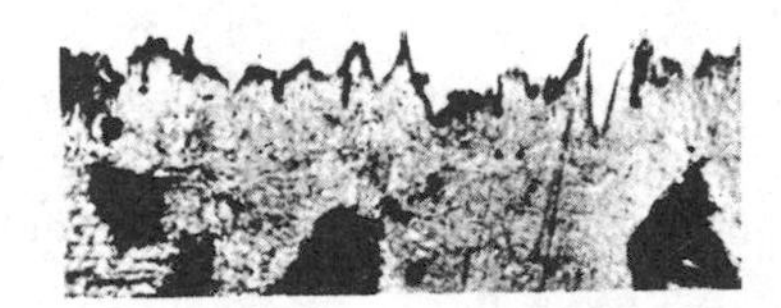

figure 6-2
Section d'une surface métallique polie vue avec un fort grossissement. On a pratiqué une coupe de façon à amplifier par un facteur dix les dimensions verticales par rapport aux dimensions horizontales. Les irrégularités de la surface atteignent, en hauteur, la valeur de plusieurs diamètres atomiques. Tiré de *Friction and Lubrication of Solids*, par F. P. Bowden et D. Tabor, Clarendon Press, 1950.

pour favoriser l'oxydation des surfaces, le coefficient de frottement diminue de façon appréciable.

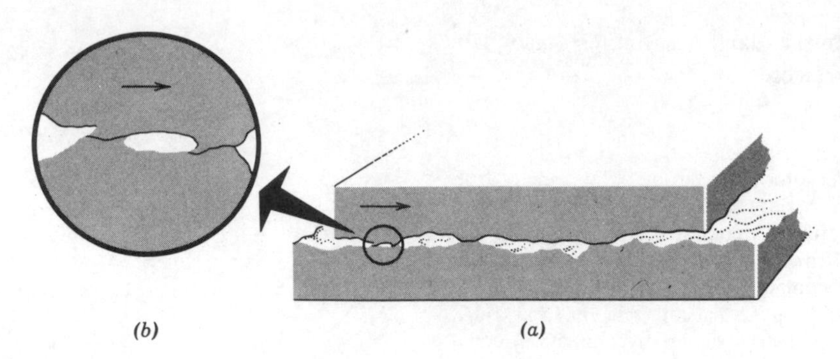

figure 6-3
Frottement de glissement. *(a)* Le corps du dessus glisse vers la droite sur celui du dessous. *(b)* Gros plan laissant voir deux petites soudures entre les surfaces. Afin de conserver le mouvement, il est nécessaire d'appliquer une force pour briser ces liens.

L'étude des frottements est donc des plus complexes. Aucune théorie véritable n'existe encore et on doit s'en remettre à des lois empiriques. Le phénomène d'adhésion des surfaces métalliques par frottement nous permet de mieux comprendre les deux lois énoncées auparavant. (1) La surface réelle (microscopique) de contact responsable de la force f_k est proportionnelle à la force normale, de telle sorte que f_k est proportionnelle à N (éq. 6-2). (2) La force de frottement est indépendante de la surface apparente (macroscopique) de contact; par exemple, pour faire glisser une brique sur une feuille de métal, vous devez exercer la même force peu importe sur quelle face repose la brique. Il faut donc que la surface où il y a contact réel soit la même pour chaque position possible de la brique sur la feuille de métal. Sur la plus grande face, les surfaces où il y a contact réel sont nombreuses mais petites; sur la plus petite face, les surfaces où il y a contact réel sont moins nombreuses (parce que la surface apparente de contact est plus petite) mais plus grandes parce que la charge de la brique répartie sur une plus petite surface engendre une pression plus forte, donc une déformation plus grande.

Les forces de frottement de *roulement* sont moins grandes que les forces de frottement de glissement; c'est l'avantage de la roue sur le traîneau. Cette réduction est redevable au fait que, lors d'un roulement, les points de soudures sont « décollés » au lieu d'être « cisaillés » lors d'un glissement.

La lubrification des surfaces sèches peut atténuer de beaucoup les frottements et faciliter le glissement. En Égypte, une murale de grotte remontant à 1900 av. J-C illustre un homme en train de répandre de l'huile sur le chemin d'un traîneau transportant une statue de pierre. Une technique encore plus efficace consiste à faire glisser les surfaces sur un coussin d'air (ou un autre gaz); le disque à glace sèche en constitue un exemple. Il est possible de réduire encore plus les frottements en utilisant, dans le vide, une suspension magnétique pour les corps en rotation. J.W. Beams a fait tourner ainsi un rotor de 14 kg à une fréquence de 1000 s^{-1}. Cette fréquence ne diminua que de 1 s^{-1} par jour lorsque le rotor fut laissé à lui-même[3]. •

Nous donnons maintenant quelques exemples d'applications des lois du frottement. Les coefficients de frottement seront supposés constants. En réalité, μ_k est une valeur moyenne acceptable qui ne varie que très peu en fonction de la vitesse de l'objet.

EXEMPLE 1

Un bloc repose sur un plan incliné à un angle θ avec l'horizontale (fig. 6-4*a*). En variant l'inclinaison du plan, on constate que le bloc commence à glisser lorsque $\theta = \theta_s$. Quel est le coefficient de frottement statique entre le bloc et le plan?

[3] Consulter « Ultrahigh-Speed Rotation », par Jesse W. Beams, *Scientific American,* avril 1961.

La figure 6-4 reproduit le diagramme des forces agissant sur le bloc, considéré ici comme une particule. Le vecteur $\vec{W}$ est le poids du bloc, $\vec{N}$ la force normale exercée sur le bloc par le plan incliné, et $\vec{f}_s$ représente la force de frottement exercée tangentiellement sur le bloc. Précisons que la force résultante $(\vec{N} + \vec{f}_s)$ n'est pas perpendiculaire au plan comme c'était le cas lorsqu'on avait $\vec{f}_s = 0$. Puisque le bloc est au repos,

$$\vec{N} + \vec{f}_s + \vec{W} = 0.$$

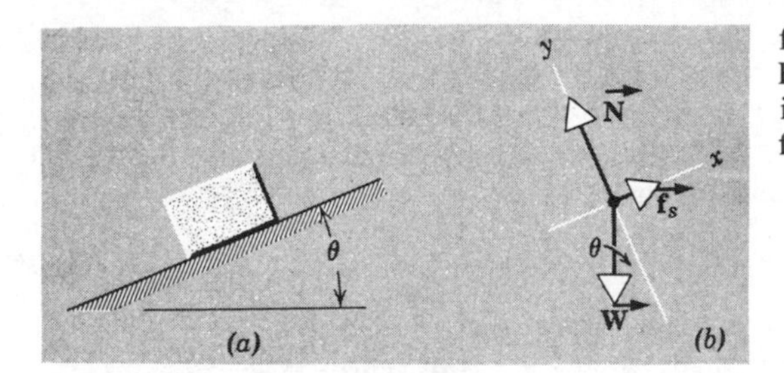

figure 6-4
Exemple 1. *(a)* Bloc au repos sur un plan incliné rugueux. *(b)* Diagramme des forces sur le bloc.

En décomposant les forces selon un axe des x parallèle au plan et un axe des y perpendiculaire au plan, on obtient:

$$N - W \cos \theta = 0,$$
$$f_s - W \sin \theta = 0. \qquad (6\text{-}3)$$

Par contre, $f_s \leq \mu_s N$. Si on augmente graduellement l'angle du plan, on déclenchera éventuellement le glissement du bloc; on aura alors $\theta = \theta_s$ et on pourra utiliser $f_s = \mu_s N$. Les équations (6-3) s'écriront ainsi:

$$N = W \cos \theta_s$$

$$\mu_s N = W \sin \theta_s,$$

$$\mu_s = \tan \theta_s.$$

La mesure de l'angle d'inclinaison qui déclenche le glissement du bloc représente donc une façon simple de déterminer expérimentalement le coefficient μ_s entre deux surfaces.

Également, on peut déterminer expérimentalement l'angle θ_k pour lequel le bloc glisse à *vitesse constante* le long du plan, en lui donnant au départ une légère poussée. On a alors:

$$\mu_k = \tan \theta_k,$$

où $\theta_k < \theta_s$. Essayez de déterminer les coefficients μ_s et μ_k lorsque vous faites glisser une pièce de monnaie sur votre livre.

EXEMPLE 2

Considérons une voiture roulant à une vitesse v_0 sur une route horizontale et droite. Le coefficient de frottement statique entre les roues et la route étant μ_s, trouvez la distance minimum requise pour immobiliser la voiture.

La figure 6-5 illustre les forces s'exerçant sur la voiture considérée comme une particule. La voiture se déplace selon la direction positive de l'axe des x. En supposant que la force f_s est constante, on a un mouvement uniformément accéléré. Puisque la vitesse finale est nulle, l'équation 3-16 s'écrit ainsi:

$$v^2 = v_0^2 + 2ax,$$

et on obtient la valeur de x:

$$x = -v_0^2/2a.$$

Le signe négatif indique que $\vec{a}$ pointe vers la direction négative de l'axe des x.

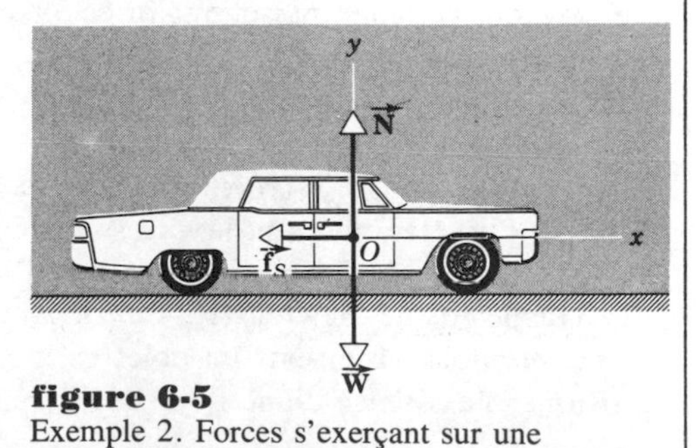

figure 6-5
Exemple 2. Forces s'exerçant sur une automobile en décélération.

Pour déterminer la valeur de a, il suffit d'écrire la deuxième loi de Newton en fonction de l'axe des x:

$$-f_s = ma = (W/g)a, \qquad \text{ou} \qquad a = -g(f_s/W).$$

Selon l'axe des y, on peut écrire:

$$N - W = 0, \qquad \text{ou} \qquad N = W;$$

ainsi:

$$\mu_s = f_s/N = f_s/W$$

et

$$a = -\mu_s g.$$

La distance requise pour immobiliser la voiture est donc:

$$x = -v_0^2/2a = v_0^2/2g\mu_s. \tag{6-4}$$

Une plus grande vitesse initiale entraîne nécessairement une plus grande distance de freinage; cette distance est même proportionnelle au carré de la vitesse initiale. Également, plus le coefficient de frottement est élevé, moins la distance de freinage est grande.

Nous avons utilisé le coefficient de frottement statique, et non cinétique, parce qu'on ne suppose aucun glissement entre les pneus et la route. Le frottement de roulement a été négligé. De plus, nous avons supposé que la force de frottement statique est maximum ($f_s = \mu_s N$), puisqu'il s'agissait de trouver la distance minimum. Une force de frottement plus faible entraînerait évidemment une distance plus grande. Le conducteur doit donc freiner à bloc, sans provoquer de glissement des roues. Sur une surface lisse, un freinage trop brusque peut entraîner un glissement. Le facteur μ_k doit alors remplacer μ_s, et la distance pour immobiliser la voiture augmente (éq. 6-4).

L'hypothèse selon laquelle la voiture est une particule est valable seulement si les roues sont bloquées. Lorsque les roues tournent, il faut considérer les forces et moments de forces qui s'appliquent sur les tambours des freins pour bien comprendre ce qui se passe du point de vue du travail et de l'énergie (voir questions 3, 4 et 5 du chapitre 8); l'équation 6-4 demeure cependant valable. La rotation des roues sera étudiée au chapitre 13.

À titre d'exemple, posons $v_0 = 90$ km/h et $\mu_s = 0{,}60$; on obtient:

$$x = \frac{v_0^2}{2\mu_s g} = \frac{\left(\frac{90}{3{,}6}\,\text{m/s}\right)^2}{2(0{,}60)(9{,}8\ \text{m/s}^2)} = 53\ \text{m}.$$

Remarquez que la masse de la voiture n'apparaît pas dans l'équation 6-4. Comment justifier l'habitude des automobilistes de placer des sacs de sable dans le coffre de leur voiture pour faciliter la conduite sur les surfaces glacées? (Suggestion: voir le problème 6-2.)

En quoi la force de frottement change-t-elle les résultats obtenus dans les exemples de la section 5-10?

6-3 DYNAMIQUE DU MOUVEMENT CIRCULAIRE UNIFORME

À la section 4-4, nous avons vu qu'un corps qui se déplace à une vitesse constante v sur un cercle de rayon r subissait une accélération centripète $\vec{\mathbf{a}}$ de grandeur v^2/r. Le vecteur $\vec{\mathbf{a}}$ est toujours orienté vers le centre du cercle. C'est donc un vecteur variable, puisque sa direction change constamment bien que sa grandeur demeure constante.

Il n'est pas nécessaire qu'il y ait mouvement dans la direction d'une accélération, car il n'existe pas de relation générale entre les directions des vecteurs $\vec{\mathbf{a}}$ et $\vec{\mathbf{v}}$ d'une particule (voir fig. 4-7). Dans le cas du mouvement circulaire uniforme, l'accélération $\vec{\mathbf{a}}$ et la vitesse $\vec{\mathbf{v}}$ sont toujours perpendiculaires.

Aucun corps ne peut accélérer sans l'intervention d'une force décrite par la deuxième loi de Newton ($\vec{\mathbf{F}} = m\vec{\mathbf{a}}$). Ainsi, dans un système galiléen, chaque fois que nous observons un objet en mouvement circulaire uniforme, on peut affirmer l'existence d'une force décrite par la relation

$$F = ma = mv^2/r.$$

Cette force agit sur l'objet, qui n'est pas en équilibre. À chaque instant, $\vec{F}$ pointe dans la même direction que $\vec{a}$, c'est-à-dire vers le centre du cercle. On doit toujours être capable d'identifier l'agent responsable de la force s'exerçant sur l'objet en mouvement circulaire.

La figure 6-6 illustre un disque qui est retenu par une corde et qui est animé d'un mouvement circulaire uniforme sur une table horizontale sans frottement. Ici la force $\vec{F}$ exercée sur le disque provient de la tension $\vec{T}$ dans la corde. Cette force $\vec{T}$ représente la force résultante sur le disque. Elle accélère le disque en changeant continuellement la direction de sa vitesse, lui permettant ainsi de décrire un cercle. Le vecteur $\vec{T}$ est constamment dirigé vers le centre du cercle et sa grandeur est mv^2/R. Si on coupait la corde à l'endroit où elle retient le disque, il n'y aurait plus sur lui de force résultante. Le disque serait alors projeté, avec une vitesse constante, sur une trajectoire rectiligne tangente au cercle à l'endroit où la corde aurait été coupée. Par conséquent, pour permettre au disque de décrire un mouvement circulaire, il faut exercer une force qui le tire constamment *vers le centre* du cercle.

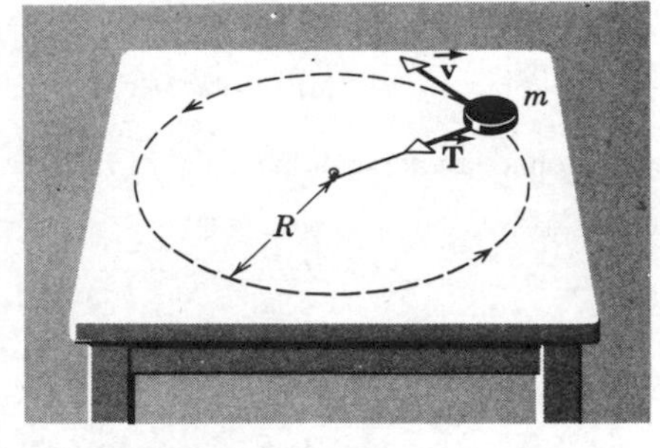

figure 6-6
Un disque de masse m effectue un mouvement circulaire uniforme sur une surface horizontale polie. La seule force horizontale appliquée sur m est la force centripète $\vec{T}$ exercée par la corde.

Parce qu'elles sont dirigées vers le centre du cercle, on qualifie de *centripètes* les forces responsables du mouvement circulaire uniforme. Cette étiquette de centripète qu'on accolle à une force ne nous dit rien sur la nature de la force ni sur l'agent qui l'exerce. Ainsi, dans le cas du disque de la figure 6-6, c'est la force d'élasticité de la corde qui joue le rôle de force centripète; pour la Lune gravitant autour de la Terre, c'est l'attraction gravitationnelle de la Terre qui tient lieu de force centripète; pour un électron tournant autour du noyau atomique, la force centripète est de nature électrostatique. Une force centripète n'est pas une nouvelle force mais tout simplement un qualificatif décrivant le comportement de certaines forces de l'environnement. Ainsi, une force peut être centripète *et* élastique, centripète *et* gravitationnelle ou centripète *et* électrostatique.

Considérons quelques exemples de forces dites centripètes.

EXEMPLE 3

Le pendule conique. La figure 6-7*a* représente une boule de masse m retenue par une corde de longueur L et tournant à vitesse constante v dans un plan horizontal. Pendant que la masse tourne, la corde balaie dans l'espace la surface d'un cône. C'est un *pendule conique*. Que vaut la période de révolution de la masse m?

Si la corde fait un angle θ avec la verticale, le rayon du cercle est $R = L \sin \theta$. La figure 6-7*b* illustre les forces s'exerçant sur la masse m, soit $\vec{W}$, son poids et $\vec{T}$ la tension dans la corde. Il est évident que $\vec{T} + \vec{W} \neq 0$. Par conséquent, la force résultante sur la masse est nécessairement non nulle, car un corps ne peut exécuter un mouvement circulaire uniforme sans l'intervention d'une force.

À tout instant du mouvement, on peut décomposer $\vec{T}$ selon la verticale et selon le rayon du cercle:

$$T_r = T \sin \theta \qquad \text{et} \qquad T_z = T \cos \theta.$$

Puisque le corps n'est pas accéléré verticalement,

$$T_z - W = 0.$$

Mais

$$T_z = T \cos \theta \qquad \text{et} \qquad W = mg,$$

d'où:

$$T \cos \theta = mg.$$

L'accélération radiale vaut v^2/R. C'est T_r, la composante radiale de $\vec{T}$, qui joue le rôle de force centripète et communique l'accélération à la masse m. Alors:

$$T_r = T \sin \theta = mv^2/R.$$

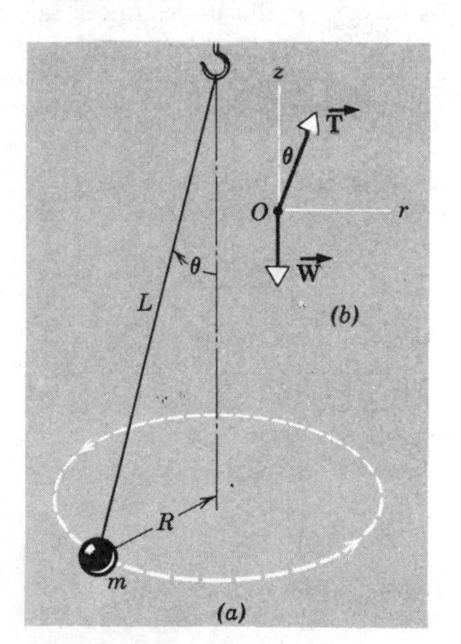

figure 6-7
Exemple 3. *(a)* Une masse m retenue par une corde de longueur L exécute un mouvement pendulaire circulaire. La corde décrit un cône de demi-angle θ. *(b)* Diagramme des forces s'exerçant sur la masse m.

En divisant cette équation par la précédente, on obtient:

$$\tan\theta = v^2/Rg, \qquad \text{ou} \qquad v^2 = Rg\tan\theta,$$

ce qui donne la vitesse du pendule. Si τ représente le temps d'une révolution de la masse m, alors:

$$v = \frac{2\pi R}{\tau} = \sqrt{Rg\tan\theta}$$

ou

$$\tau = \frac{2\pi R}{v} = \frac{2\pi R}{\sqrt{Rg\tan\theta}} = 2\pi\sqrt{R/(g\tan\theta)}.$$

Mais $R = L\sin\theta$;

donc:

$$\tau = 2\pi\sqrt{(L\cos\theta)/g}.$$

Cette équation établit une relation entre τ, L, et θ. Remarquez que τ, la période du mouvement, ne dépend pas de m.

Si $L = 1{,}0$ m et $\theta = 30°$, quelle est la période du mouvement? On a:

$$\tau = 2\pi\sqrt{\frac{(1{,}0\text{ m})(0{,}866)}{9{,}8\text{ m/s}^2}} = 1{,}9\text{ s}.$$

EXEMPLE 4

La cuve rotative. Dans plusieurs parcs d'amusement[4] on retrouve un appareil qu'on appelle cuve rotative. La cuve est une chambre cylindrique pouvant tourner verticalement autour de son axe de symétrie. Une personne entre dans le cylindre, ferme la porte et se place contre le mur. On augmente graduellement la vitesse de rotation de la cuve jusqu'à une certaine valeur puis on laisse s'entrouvrir le plancher de la cuve, laissant voir un trou béant. La personne ne tombe pas mais demeure « plaquée » contre le mur de la cuve. Trouvez le coefficient de frottement entre la paroi du cylindre et la personne.

À la figure 6-8, on illustre les forces agissant sur la personne. $\vec{W}$ représente le poids de la personne, $\vec{f}_s$ la force de frottement statique entre la personne et le mur de la cuve et $\vec{P}$ la poussée qu'exerce le mur sur la personne. Le vecteur $\vec{P}$ représente donc la force centripète permettant de garder l'individu sur une trajectoire circulaire. Soit R, le rayon

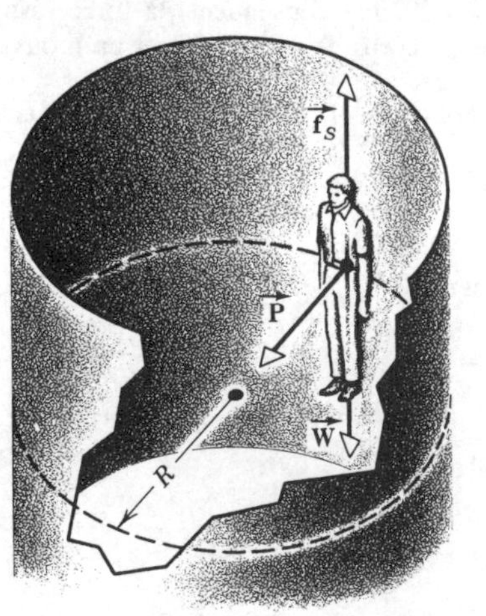

figure 6-8
Exemple 4. Diagramme des forces s'exerçant sur une personne dans une cuve rotative de rayon R.

[4] Voir « Physics and the Amusement Park », par John L. Roeder, *Physics Teacher*, septembre 75.

de la cuve, et v, la vitesse finale du passager. Puisque l'individu ne se déplace pas verticalement mais subit continuellement une accélération radiale v^2/R, on peut écrire:

$$f_s - W = 0$$

et

$$P(= ma) = (W/g)(v^2/R).$$

Si μ_s désigne le coefficient de frottement statique entre l'homme et le mur, alors $f_s = \mu_s P$, et

$$f_s = W = \mu_s P$$

ou

$$\mu_s = \frac{W}{P} = \frac{gR}{v^2}.$$

Cette équation nous permet d'évaluer le coefficient de frottement minimum devant exister entre la cuve de rayon R et une particule ayant une vitesse v appuyée contre le mur de la cuve. Remarquez que le résultat n'est pas fonction du poids de la personne.

Par exemple, le coefficient de frottement entre les vêtements de la personne et le mur (ordinairement recouvert de canevas) vaut environ 0,40. Pour une cuve de 2,0 m de rayon, la vitesse v devrait se situer autour de 7,0 m/s (25 km/h) ou plus.

EXEMPLE 5

Imaginons que le bloc de la figure 6-9*a* représente une voiture ou un wagon de chemin de fer décrivant une trajectoire courbe de rayon R sur une route *non inclinée* avec une vitesse constante v. Outre les deux forces verticales $\vec{W}$ (la force gravitationnelle) et $\vec{N}$ (la poussée du sol), une force centripète $\vec{P}$ agit horizontalement sur le véhicule. Dans le cas de la voiture, c'est le frottement de la route sur les pneus qui produit cette force centripète; dans le cas du wagon, ce sont les rails qui exercent une poussée latérale sur les roues. Cependant, on ne peut être assuré que ces forces suffiront toujours à la tâche; elles entraînent de plus une usure prématurée des pneus et des roues. Voilà pourquoi on procède au *relèvement* des virages sur les routes (fig. 6-9*b*). À ce moment, la force normale $\vec{N}$ possède une composante verticale et une composante horizontale qui joue le rôle de force centripète; aucune autre force n'est nécessaire si on donne l'inclinaison requise à la chaussée.

L'angle d'inclinaison θ peut être calculé de la façon suivante. Il n'y a aucune accélération verticale, de sorte que

$$N \cos \theta = W.$$

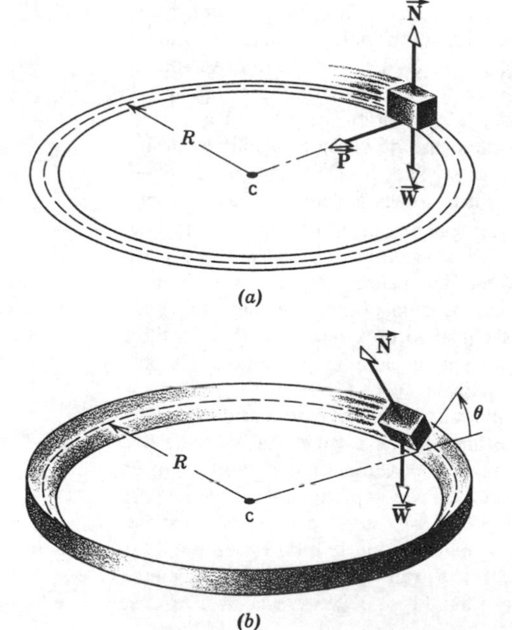

figure 6-9
Exemples.
(a) Route horizontale (non inclinée).
(b) Route inclinée.

La force centripète est donnée par $N \sin \theta$; donc $N \sin \theta = mv^2/R$. En divisant la dernière équation par la précédente et en posant $W = mg$, on obtient:

$$\tan \theta = v^2/Rg.$$

Notez que θ dépend de la vitesse de la voiture et du rayon de courbure de la route. Compte tenu du rayon de courbure et de l'inclinaison de la chaussée, on peut établir la vitesse moyenne permise dans une courbe, souvent indiquée par des panneaux de signalisation.

En utilisant la formule démontrée plus haut, évaluez l'angle d'inclinaison dans les cas limites suivants: $v = 0$; $R \rightarrow \infty$; v très grand et $R \rightarrow 0$. Observez la ressemblance des figures 6-7 et 6-9*b*.

6-4 *CLASSIFICATION DES FORCES; FORCES D'INERTIE*

Toutes les forces dans la nature se classent en quatre catégories: (1) les forces gravitationnelles, d'intensité plutôt faible; (2) les forces électromagnétiques, d'intensité moyenne; (3) les forces nucléaires, ou interactions fortes, qui cimentent les protons et les neutrons du noyau; (4) les forces d'interaction faible qui se manifestent dans les désintégrations β des noyaux et dans les interactions des particules élémentaires.

Ces forces sont « réelles », en ce sens qu'on peut les relier à des objets précis de l'environnement. Des forces comme la tension dans une corde, la force de frottement, la poussée qu'on exerce sur un mur, la force de rappel d'un ressort, sont des forces électromagnétiques; elles sont toutes des manifestations macroscopiques de l'attraction et de la répulsion électromagnétiques entre les atomes.

- **Notions avancées**

Dans notre exposé de la mécanique classique, nous avons toujours supposé que nos mesures et observations se faisaient dans un système galiléen. Il faut se rappeler qu'un tel système est soit au repos soit en mouvement rectiligne uniforme par rapport aux étoiles lointaines; c'est un ensemble de systèmes que définit la première loi de Newton, c'est-à-dire les systèmes où un corps n'est pas accéléré ($\vec{\mathbf{a}} = 0$) en l'absence de forces extérieures ($\vec{\mathbf{F}} = 0$). C'est à nous que revient le choix du système de référence et, en choisissant uniquement des systèmes galiléens, nous ne limitons aucunement notre aptitude à expliquer les phénomènes naturels à l'aide de la mécanique classique.

Néanmoins, pour des raisons de commodité, il est possible d'appliquer les principes de la mécanique classique à partir d'un système *non galiléen*. Un système lié à une balle en chute libre ou un système en rotation (donc accéléré) par rapport aux étoiles lointaines en sont des exemples. On choisit souvent un système en accélération pour étudier les situations suivantes: la séparation des liquides de densités différentes dans une centrifugeuse, la circulation des vents à la surface de la Terre ou les expériences d'un astronaute dans une capsule spatiale en orbite.

L'application des lois de la mécanique classique est possible dans les systèmes non galiléens à la condition d'introduire d'autres forces appelées *forces d'inertie*. Contrairement aux forces que nous avons rencontrées jusqu'ici, on ne peut relier les forces d'inertie à un objet précis de l'environnement influençant une particule; on ne peut non plus les situer dans une des quatre catégories mentionnées plus haut. Les forces d'inertie n'existent pas pour un observateur dans un système galiléen. L'introduction de ces forces constitue en quelque sorte un artifice nous permettant d'appliquer, encore une fois, la mécanique classique à des phénomènes observés dans des systèmes non galiléens.

Considérons une bille que l'on a déposée contre le rebord extérieur d'une plateforme tournante. Un observateur sur cette plate-forme est dans un système non galiléen. Il observe la bille et ne détecte aucun mouvement par rapport à lui; en l'éloignant légèrement du rebord, il constate qu'elle reprend immédiatement sa position initiale comme si une force radiale la poussait vers l'extérieur de la plateforme. L'observateur en arrive donc à la conclusion que la bille est en équilibre sous l'action de deux forces: l'une dirigée vers l'extérieur (c'est la force d'inertie nommée, dans ce cas, *force centrifuge*) et l'autre dirigée vers le centre, exercée par le rebord de la plate-forme.

Un observateur au sol (système galiléen) décrirait différemment l'état de la bille. Pour lui, la bille serait en mouvement circulaire uniforme et subirait une accélération radiale $a = v^2/R$. C'est la force $\vec{\mathbf{F}}$, exercée par le rebord sur la bille, qui fournit l'accélération nécessaire comme le veut la deuxième loi de Newton, ou $F = ma = mv^2/R$. Pour cet observateur et pour tous ceux placés dans des systèmes galiléens, la bille n'est pas en équilibre. Pour qu'elle soit en mouvement rectiligne uniforme ou en équilibre, il faudrait que cesse la force exercée par le rebord. L'observateur galiléen ne constate aucune force centrifuge (force d'inertie) sur la bille et n'en tiendra pas compte dans son analyse du mouvement.

Il est clair, d'après cet exemple, que cette force d'inertie dirigée vers l'extérieur du cercle (ou force centrifuge) et constatée par l'observateur de la plaque tournante doit valoir mv^2/R. La grandeur de cette force d'inertie dépend donc de la vitesse de la particule mesurée dans *un autre système de référence* soit celui de la Terre; la vitesse de la particule est nulle dans le système en rotation.

Cet exemple nous fait comprendre pourquoi les forces d'inertie ne sont pas « newtoniennes », c'est-à-dire ne vérifient pas la troisième loi de Newton. En effet, on ne peut trouver aucune réaction à une force d'inertie (l'action). Dans le système en rotation, si le rebord était *absent*, on aurait une force d'inertie (centrifuge) comme force d'action sur la bille, mais aucune force de réaction de la bille sur un autre corps. Également, avec la présence du rebord, il existe deux forces agissant sur le *même* corps (la bille): la force centripète créée par le rebord et la force d'inertie (centrifuge). On considère alors que la bille est en équilibre sous l'action de deux forces mais l'une pouvant exister sans l'autre, comme nous l'avons vu plus haut. Par contre, dans un système galiléen, la force (l'action) exerçée par le rebord est la seule force exerçée sur la bille et, en retour, la bille exerce (réaction) une force égale et de sens contraire sur le rebord. Si on utilisait dans ce cas les qualificatifs *centripète* et *centrifuge* pour ces deux forces, on aurait une paire de forces (action-réaction) agissant sur des corps *différents* comme le prévoit la troisième loi de Newton. Mais, dans le système accéléré, les forces qualifiées de centripète et de centrifuge agissent sur le même corps et ne constituent donc pas une paire action-réaction.

De façon générale, on peut dire que l'expression $\vec{\mathbf{F}} = m\vec{\mathbf{a}}$ utilisée dans un système devient $\vec{\mathbf{F}} - m\vec{\mathbf{a}} = 0$ dans un système non galiléen. Dans ce dernier cas, le terme $-m\vec{\mathbf{a}}$ représente la force d'inertie observée dans le système accéléré et sa présence permet de réaliser l'équilibre d'un objet dans ce système. Dans ce sens, il sera parfois plus facile de faire la description du mouvement (comme le mouvement circulaire) dans un système accéléré, puisque l'objet pourra être considéré au repos dans un tel système.

Alors, pour la solution des problèmes de mécanique, deux choix s'offrent à nous: (1) nous utilisons un système *galiléen* et nous décrivons les forces « réelles », c'est-à-dire celles qui sont créées par des objets bien précis de l'environnement, ou (2) nous utilisons un système *non galiléen* et nous décrivons non seulement les forces « réelles » mais aussi les forces d'inertie. Nous continuerons cette discussion des systèmes de référence aux chapitres 11 et 16.

6-5 *MÉCANIQUE CLASSIQUE, MÉCANIQUE RELATIVISTE ET MÉCANIQUE QUANTIQUE*

Les premiers chapitres nous ont permis de poser les fondements de la mécanique classique. Nous avons introduit les lois du mouvement et donné plusieurs exemples de lois de la force. Dans les prochains chapitres, nous introduirons d'autres types de forces et nous continuerons à construire la théorie de la mécanique. Nous voulons cependant, à ce stade-ci, situer la mécanique classique à l'intérieur de la structure de la physique moderne.

La physique est une science en constante évolution. Au cours de son histoire, les nouvelles théories qui ont surgi, souvent de façon inattendue et spectaculaire, ont été le fruit de longues périodes de recherches ardues et intensives sur des problèmes particulièrement difficiles.[5] Ce fut le cas vers 1690 (mécanique de Newton), vers 1870 (théorie de Maxwell sur l'électromagnétisme), vers 1905 (théorie de la relativité d'Einstein) et vers 1925 (mécanique quantique). Plusieurs physiciens sont d'avis que toutes les difficultés rencontrées actuellement dans l'étude des particules élémentaires déboucheront éventuellement sur une autre grande théorie.

[5] Voir « The Structure of Scientific Revolutions », par Thomas Kuhn, Presses de l'Université de Chicago, 1970.

Les problèmes de la physique changent, de même que les outils que nous utilisons pour les résoudre. Mais nos méthodes d'approche et de solution demeurent fondamentalement les mêmes. Les plus anciennes théories de la physique s'avèrent incomplètes et d'application restreinte, les plus récentes plus générales mais jamais définitives. Cependant, peu importe le domaine ou le problème considéré, nous voulons confronter la théorie avec l'expérience, nous recherchons l'invariance de certaines quantités, et nous élaborons et utilisons des analogies et des modèles puisés à même nos observations de la nature. Il en découle souvent des concepts plus généraux applicables à l'ensemble de la physique, comme les lois de conservation, par exemple. Tout au cours du volume nous avons voulu insister sur le caractère évolutif de la physique parce qu'il nous apparaît aussi important que la compréhension des phénomènes eux-mêmes. En plus de maîtriser la mécanique classique, l'étudiant qui a bien saisi cet aspect de la physique pourra comprendre et assimiler plus facilement les théories relativiste et quantique, lesquelles utilisent la même méthode scientifique mais dont le champ d'application dépasse ses expériences de la vie quotidienne.

Comme toutes les autres théories de la physique, la mécanique classique est née de l'observation des phénomènes de la nature. Il est bon de se rendre compte jusqu'à quel point est limitée notre perception des phénomènes naturels. C'est particulièrement vrai durant nos années de formation où nous tâchons de développer une connaissance intuitive (souvent fausse!) des choses.

Par exemple, la vitesse maximum à laquelle peut se transmettre une information d'un point à un autre est la vitesse de la lumière ($c = 3{,}00 \times 10^8$ m/s); ce seuil semble infranchissable par tout objet matériel. Même les corps macroscopiques les plus rapides, comme les avions à réaction ou les satellites terrestres, ont des vitesses v beaucoup plus faibles que c. Pour un satellite terrestre se déplaçant à 27 000 km/h, v/c vaut seulement 0,000025. Pendant plusieurs siècles, la mécanique classique s'est développée à partir de l'observation d'objets relativement lents comme des planètes, des balles roulant le long de plans inclinés et des corps en chute libre. Jusqu'à ces dernières décennies, notre expérimentation des corps en mouvement s'est limitée à une faible portion de la gamme des vitesses possibles.

Cependant, durant ces mêmes décennies, il est devenu possible de mesurer les vitesses élevées de particules comme des électrons, des protons et d'autres particules fondamentales. L'accélérateur de Brookhaven, par exemple, peut fournir à un proton une énergie de 3×10^{10} électron-volts et lui imprimer une vitesse égale à 0,98 c. Pouvons-nous prétendre que les lois de la mécanique classique, qui fonctionnent admirablement lorsque $v/c \ll 1$, réussiront à décrire correctement les collisions, les désintégrations et les interactions de particules élémentaires se déplaçant à de si grandes vitesses? Ce serait une extrapolation grossière, en contradiction flagrante avec les expériences dans ce domaine. La mécanique classique ne donne pas des réponses en accord avec l'expérience lorsque les vitesses des corps approchent la vitesse de la lumière. Cette limitation n'enlève pas les mérites de la mécanique classique qui fonctionne si bien dans la gamme des faibles vitesses, un domaine accessible à nos expériences journalières. Il nous faut donc considérer la mécanique classique comme un cas particulier d'une théorie plus générale vérifiable pour toutes les échelles de vitesses.

Einstein fut le premier, en 1905, à proposer une théorie plus complète, la théorie de la *relativité restreinte*.[6] Nous en discuterons plus longuement plus tard, mais énonçons quand même son postulat fondamental. La vitesse de la lumière c est la *même* pour tous les observateurs dans des systèmes galiléens, peu importe le mouvement de la source lumineuse. En d'autres mots, si une source lumineuse se déplace vers vous à une vitesse v, vous mesurerez la même valeur pour c, quelle que soit la vitesse v; vous obtiendrez le même résultat si la source s'éloigne de vous à une vitesse v. Cette affirmation semble contraire au sens commun, mais rappelons-nous que notre sens commun physique repose sur des observations de phénomènes relativement lents. Nous ne pouvons expérimenter quotidiennement ce qui se passe à haute vitesse dans la nature. De plus, toutes les prédictions d'Einstein (1) sont vérifiées expérimentalement et (2) se ramènent aux résultats de la mécanique classique pour les faibles vitesses.

Qu'il nous suffise de citer ici une des prédictions de la relativité qui diffèrent de la mécanique classique. Si deux observateurs suivent le mouvement d'un même

[6] Consulter le complément 3 pour un résumé de la relativité restreinte.

objet se déplaçant parallèlement aux axes x et x' (fig. 4-11), ils écriront, à partir de l'équation 4-19:

$$v = v' + u, \tag{6-5}$$

où v' représente la vitesse mesurée par l'observateur S', v, celle mesurée par S et u, la vitesse relative des deux systèmes de référence. L'équation 6-5 n'empêche pas v d'être supérieure à c si v' et u sont assez grandes.

La théorie de la relativité présente l'équation 6-5 comme un cas particulier d'une équation plus générale, soit

$$v = \frac{v' + u}{1 + v'u/c^2}. \tag{6-6}$$

Précisons que lorsque $v' \ll c$ et $u \ll c$, l'équation 6-6 se ramène effectivement à l'équation 6-5. De même, si $v' < c$ et $u < c$, v ne peut excéder c. Si $v' = u = 0{,}8c$, par exemple, l'équation 6-6 donne $v = 0{,}975\,c$; l'équation 6-5, au contraire, donne $v = 1{,}6\,c$, ce qui contredit l'expérience.

Les équations 6-5 et 6-6 donnent les mêmes résultats (mise à part l'erreur expérimentale) lorsqu'on les applique à des corps macroscopiques; il est plus commode alors de s'en tenir à l'équation 6-5. Dans le cas de deux satellites se dirigeant l'un vers l'autre à des vitesses $v' = u = 27\,000$ km/h, le dénominateur de l'équation 6-6 a comme valeur 1,000 000 000 7; la vitesse d'un satellite, mesurée à partir de l'autre, diffère très peu de la valeur $v' + u$ prédite par l'équation 6-5. Il faudrait des vitesses 3000 fois plus grandes, soit près de 80 millions de km/h, pour observer une différence de 0,5% entre les valeurs calculées par les deux formules; de telles vitesses ne sont réalisables qu'à l'échelle atomique.

Un deuxième facteur vient limiter notre connaissance expérimentale des choses; c'est que, la plupart du temps, nous observons des objets dont la masse est de beaucoup supérieure à celle de l'électron ($m = 9{,}11 \times 10^{-31}$ kg). Il en découle une conséquence intéressante qui touche de près la notion même de particule sur laquelle repose la mécanique classique. Nous n'avons pas hésité à assigner une masse m, une position x et une vitesse v_x à une particule se déplaçant le long de l'axe des x.[7] Si on nous demandait avec quelle précision Δx et Δv_x nous pourrions mesurer la position x et la vitesse v_x, nous serions portés à répondre que rien en principe ne nous empêche d'atteindre la précision voulue pourvu qu'on y mette le prix. L'expérience semble confirmer ce point de vue pour les objets macroscopiques (des balles de golf par exemple).

Cependant, quand nous travaillons sur des objets de faible masse, comme des électrons, nous nous apercevons que les méthodes de mesure elles-mêmes introduisent des incertitudes inévitables. En réalité, plus on connaît x avec précision, plus la connaissance de v_x devient imprécise, et inversement. C'est Heisenberg qui exprimait ce fait par sa célèbre relation d'incertitude:

$$\Delta x \cong \frac{h}{m\,\Delta v_x} \tag{6-7}$$

où h (constante de Planck) est une constante fondamentale de la nature et vaut $6{,}63 \times 10^{-34}$ kg·m²/s. L'équation 6-7 montre clairement que si Δv_x est très petit (ce qui signifie que v_x est connue avec précision), alors Δx doit être très grand (ce qui signifie que nous avons une connaissance très imprécise de x). Il semble donc impossible de mesurer avec la même précision et en même temps, la position *et* la vitesse d'une particule. Si tel est le cas, notre concept de particule identifiée à un point doit être remis en question.

Ces conclusions de la mécanique quantique, comme celles de la relativité, n'amènent pas de changement majeur à l'échelle macroscopique. Considérons une balle ayant une vitesse de 1×10^3 m/s et une masse de 1,0 g (1×10^{-3} kg). Supposons qu'on connaisse la vitesse à 0,1% de précision, c'est-à-dire $\Delta v_x = 0{,}001 \times 10^3$ m/s $= 1$ m/s. L'équation 6-7 nous permet alors de calculer l'incertitude Δx;

$$\Delta x \cong \frac{6.63 \times 10^{-34}\ \text{kg m}^2/\text{s}}{(10^{-3}\ \text{kg})(1\ \text{m/s})} \cong 7 \times 10^{-31}\ \text{m}.$$

[7] On suppose $v_x \ll c$, de sorte qu'on a pas besoin de tenir compte des effets relativistes.

Cette distance infime (10^{-15} fois plus petite que le noyau atomique) nous laisse croire à une précision illimitée dans ce cas.

Considérons maintenant un électron ($m = 9{,}11 \times 10^{-31}$ kg) dont la vitesse mesurée est 2×10^6 m/s; c'est environ la vitesse de l'électron à l'intérieur de l'atome d'hydrogène. En supposant une précision de 1%, $\Delta v_x = 0{,}01 \times 2 \times 10^6$ m/s = 2×10^4 m/s. L'incertitude sur la position sera alors:

$$\Delta x \cong \frac{6{,}63 \times 10^{-34} \text{ kg m}^2/\text{s}}{(9{,}11 \times 10^{-31} \text{ kg})(2 \times 10^{-4} \text{ m/s})} = 3 \times 10^{-8} \text{ m.}$$

Sachant que le rayon de l'atome d'hydrogène vaut 5×10^{-11} m, on constate que l'incertitude sur la position de l'électron dans l'atome d'hydrogène correspond à 600 fois le rayon de l'atome! Que veut dire le concept de particule dans de telles circonstances? La conclusion à tirer est que la mécanique classique ne peut décrire adéquatement le mouvement des électrons dans l'atome; la mécanique quantique pourra toutefois relever le défi.

Nous avons rencontré une situation semblable en relativité. Des modèles applicables à certains domaines de l'expérience s'avèrent impuissants à expliquer des phénomènes qui échappent à une expérimentation directe.

Encore une fois, la réponse est la même: la mécanique classique est un cas particulier d'une théorie plus générale. Dans le cas présent, il s'agit de la théorie de la mécanique quantique qu'élaborèrent Heisenberg, Schrödinger, Born et les autres dans les années 1925-1926. Précisons que la mécanique quantique ne diminue en rien les mérites de la mécanique classique, laquelle nous donne toujours de bons résultats à l'échelle macroscopique.

Cependant, lorsqu'il nous faut étudier le mouvement de particules de faible masse à de haute vitesse, nous avons besoin d'une théorie plus générale, soit la *mécanique quantique relativiste*; c'est Dirac qui exposa cette théorie en 1927.

Nous allons continuer notre exposé de la mécanique en étudiant des situations plus facilement observables, comme le mouvement d'objets plutôt massifs ayant des vitesses relativement faibles (mécanique classique).

Il nous arrivera parfois de montrer comment on doit modifier les lois de la mécanique classique si nous sortons des limites qu'elle nous impose. •

questions

1. En polissant une surface à l'extrême, vous pourriez éventuellement *augmenter* au lieu de diminuer la résistance due au frottement. Expliquez ce phénomène.
2. Est-il possible d'avoir un coefficient de frottement plus grand que 1?
3. Une personne est au repos sur la surface glacée d'un étang. Comment peut-elle atteindre la rive si la glace n'offre aucun frottement? Y parviendra-t-elle en marchant, en se roulant, en balançant ses bras ou en donnant des coups de pieds? Comment la personne avait-elle bien pu se retrouver là?
4. Les phares d'une voiture ne permettent qu'une vision limitée. Comment cela peut-il nuire à la sécurité de la conduite?
5. Une voiture dérape sur une route glacée et traverse la ligne médiane. Devez-vous tourner les roues avant dans le sens du dérapage ou dans le sens contraire *(a)* si vous voulez éviter une collision avec une voiture venant en sens inverse; *(b)* si aucune voiture n'est en vue et que vous voulez reprendre la maîtrise de votre volant?
6. Vous voulez arrêter votre voiture le plus rapidement possible sur une surface glacée; devez-vous *(a)* appliquer les freins brusquement, bloquant ainsi les roues; *(b)* freiner à peine pour éviter le dérapage; *(c)* freiner par petits coups répétés?
7. De quelle façon la résistance de l'air affectera-t-elle l'angle de tir permettant la portée maximum d'un projectile?
8. Pourquoi inclinons-nous les routes et les voies ferrées dans les virages?
9. Montrez comment la rotation de la Terre influence le poids apparent d'un corps à l'équateur.
10. À la plupart des latitudes, un fil à plomb n'indique pas la direction exacte de la force gravitationnelle. Pourquoi?
11. Vous voulez vérifier l'horizontalité d'une table dans un train. Si vous utilisez un niveau à bulle, pouvez-vous procéder à cette opération *(a)* lorsque le train monte ou descend une côte; *(b)* lorsque le train s'engage dans une courbe? (*Suggestion:* il y a deux composantes horizontales.)

12. Quelles valeurs prennent la période τ et la vitesse v du pendule conique de l'exemple 3, lorsque $\theta = 90°$? Pourquoi est-il physiquement impossible d'obtenir cet angle? Discutez le cas où $\theta = 0°$.
13. On dépose une pièce de monnaie sur une table tournante. On actionne le moteur et la pièce quitte la table avant que le moteur n'atteigne son plein régime. Expliquez cette situation.
14. Soit un corps accéléré sous l'action de deux forces. Doit-on conclure que *(a)* le corps ne peut se déplacer à vitesse constante? *(b)* la vitesse ne peut jamais être nulle? *(c)* la somme des deux forces ne peut pas être nulle? *(d)* les deux forces doivent être colinéaires?
15. Une voiture roule sur une route de campagne très accidentée (semblable à des montagnes russes). Comparez la force que la voiture exerce sur une section horizontale de la route et la force qu'elle exerce sur la route au haut et au bas d'une côte. Donnez des explications.
16. Un passager qui se trouve sur le siège avant d'une voiture glisse vers la portière lorsque le conducteur amorce subitement un virage à gauche. Décrivez les forces s'exerçant sur le passager et sur la voiture, à cet instant, *(a)* si vous êtes un observateur dans un système de référence lié à la Terre; *(b)* si vous êtes un observateur dans le système auquel la voiture est liée.
17. Les astronautes de la navette spatiale Skylab veulent mesurer leur poids tous les jours. Comment doivent-ils s'y prendre puisqu'ils sont dans un état d'apesanteur?
18. Un physicien se trouvant dans un ascenseur constate que deux masses inégales, suspendues de chaque côté d'une poulie, demeurent en équilibre (c'est-à-dire que la poulie n'a aucune tendance à tourner). Que peut-il conclure?
19. Quelle est la vitesse tangentielle d'un point à l'équateur? Montrez que la réponse à cette question dépend du système de référence choisi.
20. Comment des systèmes de référence galiléens se comparent-ils à des systèmes qui ne diffèrent entre eux que par la translation ou la rotation de leurs axes?

problèmes

SECTION 6-2

1. Une rondelle pesant 1,1 N glisse sur une distance de 15 m avant de s'arrêter. *(a)* Si la vitesse initiale de la rondelle est de 6,1 m/s, calculez la force de frottement entre la rondelle et la glace. *(b)* Que vaut le coefficient de frottement cinétique?
   Réponses: (a) 0,14 N *(b)* 0,13.
2. Supposez que seules les roues arrière d'une automobile produisent l'accélération, et qu'elles supportent la moitié du poids de l'automobile. *(a)* Quelle accélération maximum pouvons-nous obtenir si le coefficient de frottement statique entre les roues et la route vaut μ_s? *(b)* Calculez la valeur de cette accélération lorsque $\mu_s = 0{,}35$.
3. La chaleur engendrée par le frottement du ski sur la neige favorise le glissement. Au départ le ski colle, mais, une fois en mouvement, il fait fondre la neige en-dessous. Le rôle de la cire est alors de rendre le ski imperméable et, par conséquent, de réduire le frottement avec la pellicule d'eau. Une revue vantait récemment un nouveau ski en plastique, encore plus imperméable. Sur une faible pente de 210 m de longueur, dans les Alpes, un skieur peut réduire son temps de descente de 61 à 42 s avec ces nouveaux skis. *(a)* Calculez l'accélération moyenne de chaque paire de skis. *(b)* Calculez dans chaque cas le coefficient de frottement si l'inclinaison de la pente est de 3°.
   Réponses: (a) 0,11 m/s²; 0,24 m/s² *(b)* 0,041; 0,028.
4. Un pompier pesant 710 N glisse le long d'un poteau avec une accélération moyenne de 3 m/s². Quelle force moyenne exerce-t-il verticalement sur le poteau?
5. À l'aide d'une corde faisant un angle de 15° au-dessus de l'horizontale, un homme tire une caisse de 68 kg sur un plancher. *(a)* Si le coefficient de frottement statique est de 0,50, calculez la tension requise pour mettre la caisse en mouvement. *(b)* Si $\mu_k = 0{,}35$, quelle est l'accélération?
   Réponses: (a) 300 N *(b)* 1,3 m/s².
6. Un cube de poids W repose sur un plan rugueux incliné à un angle θ par rapport à l'horizontale. *(a)* Quelle force minimum réussira à déclencher le mouvement du bloc vers le bas du plan? *(b)* Quelle force minimum réussira à le faire bouger vers le haut du plan? *(c)* Quelle force minimum, exercée horizontalement, déclenchera le mouvement du bloc vers le bas?

7. Le manche d'une vadrouille de masse m fait un angle θ avec la verticale. Le coefficient de frottement statique entre la vadrouille et le sol est μ_s et le coefficient de frottement cinétique μ_k. Négligez la masse du manche. *(a)* Quelle force F, s'exerçant suivant l'axe du manche, permettra de faire glisser la vadrouille à vitesse constante sur le plancher? *(b)* Montrer que pour un angle θ plus petit qu'un angle θ_0 donné, il est impossible de faire glisser la vadrouille, peu importe la grandeur de F. *(c)* Que vaut θ_0?
Réponses: (*a*) $\mu_k mg/(\sin\theta - \mu_k \cos\theta)$. (*c*) $\theta_0 = \tan^{-1}\mu_s$.
8. On laisse glisser un bloc de glace le long d'un plan incliné à 45°. On constate qu'il prend deux fois plus de temps à descendre sur ce plan que sur un plan ayant la même inclinaison mais offrant un frottement nul. Quel est le coefficient de frottement cinétique entre la glace et le plan?
9. Un bloc glisse à vitesse constante le long d'un plan incliné à φ degrés. On projette ensuite le bloc vers le haut du plan à une vitesse initiale v_0. *(a)* Quelle distance parcourt-il vers le haut du plan avant de s'arrêter? *(b)* Descendra-t-il à nouveau?
Réponses: (a) $v_0^2/4g \sin\varphi$. *(b)* Non.
10. Un étudiant veut déterminer les coefficients de frottement cinétique et statique entre une boîte et une planche. Il dépose la boîte sur la planche et en soulève lentement une extrémité. Quand l'inclinaison est de 30° par rapport à l'horizontale, la boîte se met en mouvement et glisse sur une distance de 4,0 m en 4,0 s. Quels sont les coefficients de frottement?
11. Une force horizontale F de 50 N presse un bloc de 20 N contre un mur (fig. 6-10). Le coefficient de frottement statique entre le mur et le bloc vaut 0,60 et le coefficient de frottement cinétique 0,40. On suppose que la vitesse initiale est nulle. *(a)* Le bloc bougera-t-il? *(b)* Quelle force le mur exerce-t-il sur le bloc?
Réponses: (a) Non. *(b)* Une force de 50 N vers la gauche et de 20 N vers le haut.
12. Un bloc de métal de 45 N repose sur une table horizontale. Le coefficient de frottement statique entre le bloc et la table est de 0,50. *(a)* Quelle force horizontale devra-t-on appliquer pour faire bouger le bloc? *(b)* Quelle force devra-t-on appliquer pour le faire bouger si on pousse sur le bloc à 60° au-dessus de l'horizontale? *(c)* Quelle force pouvons-nous appliquer à 60° sous l'horizontale sans que le bloc ne bouge?
13. Le bloc B de la figure 6-11 pèse 710 N. Le coefficient de frottement statique entre le bloc et la table est de 0,25. Quel doit être le poids maximum du bloc A pour que le système reste en équilibre? *Réponse:* 180 N.

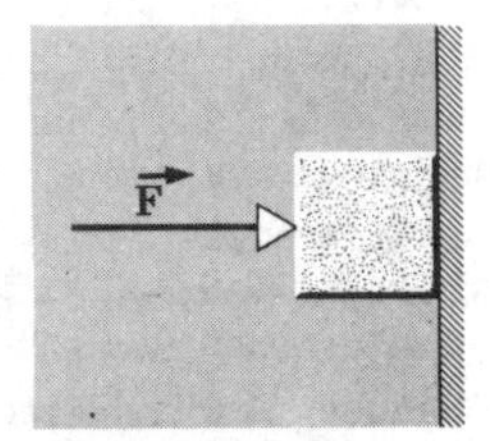

figure 6-10
Problème 11

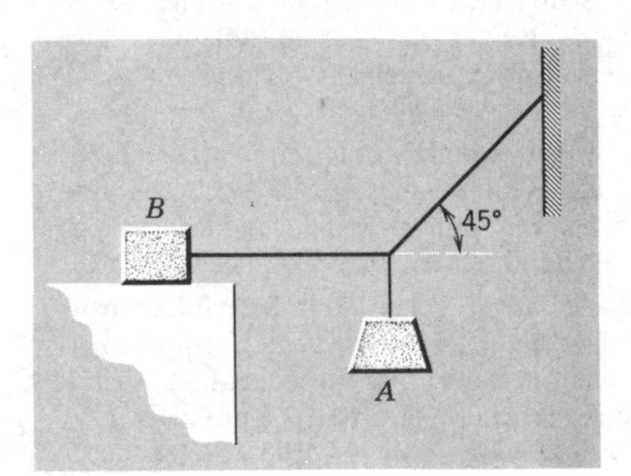

figure 6-11
Problème 13

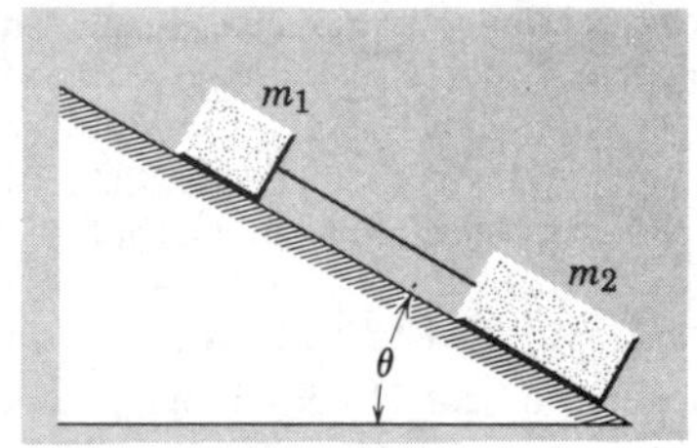

figure 6-12
Problème 14

14. Deux masses, $m_1 = 1{,}65$ kg et $m_2 = 3{,}30$ kg, sont retenues par une tige de masse négligeable (fig. 6-12). On les laisse glisser sur un plan incliné, m_2 précédant m_1. L'angle d'inclinaison θ du plan est de 30°. Le coefficient de frottement cinétique μ_1 entre m_1 et le plan est de 0,226. Celui entre m_2 et le plan, μ_2, est de 0,113. Calculez *(a)* la tension dans la tige reliant m_1 et m_2; *(b)* l'accélération des deux masses. *(c)* Si m_1 précède m_2, les réponses de *(a)* et de *(b)* changent-elles?
15. On dépose un bloc de 4,0 kg sur un bloc de 5,0 kg. Une force horizontale de 12 N est nécessaire pour faire bouger le bloc du dessus par rapport à celui du dessous. On place maintenant les deux blocs sur une surface horizontale sans frottement (fig. 6-13). Trouvez *(a)* la force maximum F pouvant s'exercer sur le bloc inférieur pour que les deux blocs se déplacent ensemble; *(b)* l'accélération des deux blocs.
Réponses: (a) 27 N. *(b)* 3,0 m/s².
16. Un wagon plate-forme est chargé de caisses dont le coefficient de frottement statique par rapport à la plate-forme est de 0,25. Si le train roule à 48 km/h, trouvez la distance minimum de freinage qui empêchera les caisses de glisser sur la plate-forme.

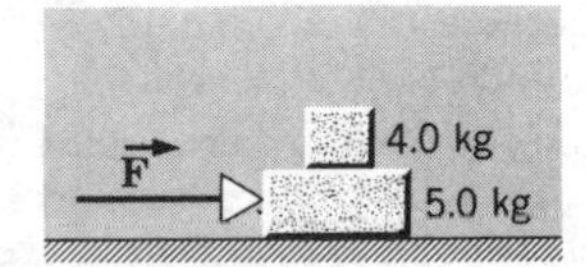

figure 6-13
Problème 15

17. Une dalle de 40,0 kg repose sur un plancher parfaitement lisse. On dépose sur cette dalle un bloc de 10 kg (fig. 6-14). Le coefficient de frottement statique vaut 0,60 et le coefficient de frottement cinétique 0,40. Si une force horizontale de 100 N est appliquée sur le bloc de 10 kg, calculez les accélérations *(a)* du bloc; *(b)* de la dalle.
Réponses: (a) 6,1 m/s^2. *(b)* 0,98 m/s^2.

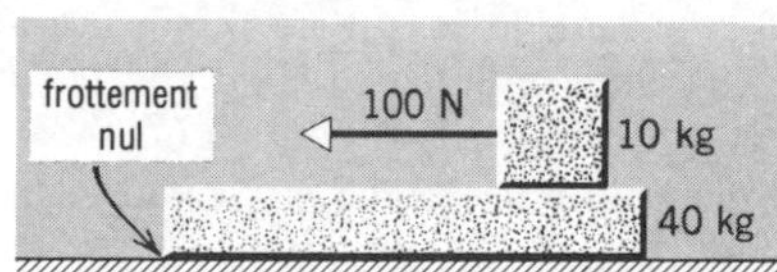

figure 6-14
Problème 17

18. La figure 6-15 représente des blocs A et B de 44 N et de 22 N respectivement. *(a)* Quel doit être le poids minimum de C pour que l'équilibre du système soit conservé? (μ_s entre la table et $A = 0{,}20$.) *(b)* On enlève subitement le bloc C. Quelle est l'accélération de A si le coefficient μ_k entre la table et A vaut 0,20?

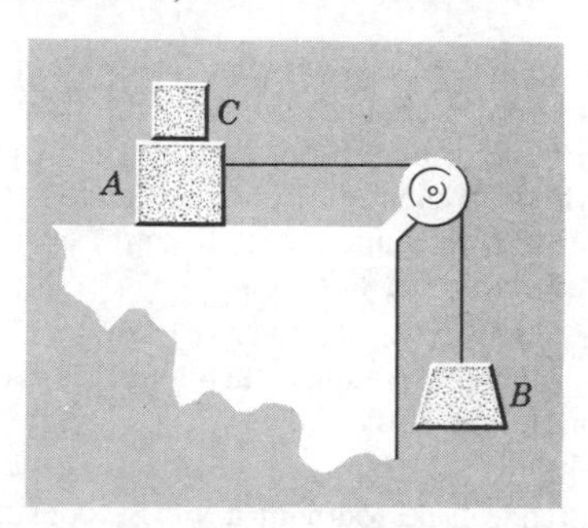

figure 6-15
Problème 18

19. Deux blocs de 36 N et 72 N, reliés par une corde, descendent le long d'un plan incliné à 30°. Le coefficient de frottement cinétique entre le bloc de 36 N et le plan est de 0,10, alors que pour l'autre bloc il est de 0,20. Trouvez *(a)* l'accélération des deux blocs; *(b)* la tension dans la corde si le bloc de 36 N précède celui de 72 N. *(c)* Décrivez le mouvement si on inverse les blocs.
Réponses: (a) 3,4 m/s^2. *(b)* 2 N. *(c)* Les deux blocs se déplacent séparément jusqu'au moment d'entrer en collision.

20. Deux corps A et B (fig. 6-16) pèsent respectivement 140 N et 440 N. Si $\mu_s = 0{,}56$ et $\mu_k = 0{,}25$, *(a)* calculez l'accélération du système si B est initialement au repos; *(b)* calculez l'accélération si B a une vitesse initiale donnée.

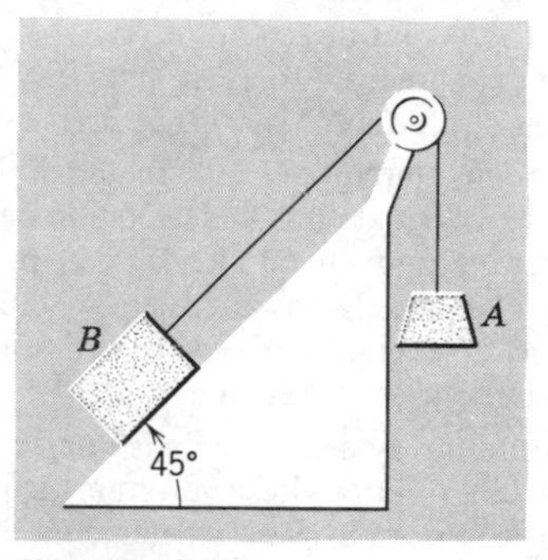

figure 6-16
Problème 20

21. Un bloc de masse m glisse à l'intérieur d'un dalot dont les parois forment un angle droit (fig. 6-17). Si le coefficient de frottement cinétique entre le bloc et le dalot est μ_k, évaluez l'accélération du bloc. *Réponse:* $g(\sin\theta - \sqrt{2}\,\mu_k \cos\theta)$.

figure 6-17
Problème 21

SECTION 6-3

22. Dans son modèle de l'atome d'hydrogène, Bohr considère que l'électron décrit une orbite circulaire autour du noyau. Si le rayon de l'orbite est de $5{,}3 \times 10^{-11}$ m et que la fréquence est de $6{,}6 \times 10^{15}\ s^{-1}$, calculez *(a)* l'accélération (grandeur et orientation) de l'électron; *(b)* la force centripète s'exerçant sur l'électron. (Cette force est due à l'attraction entre la charge positive du noyau et la charge négative de l'électron). La masse de l'électron est de $9{,}1 \times 10^{-31}$ kg.

23. Une masse m repose sur une table sans frottement. Par un trou pratiqué au centre de la table, on la relie à une masse M (fig. 6-18). Trouvez à quelle condition, exprimée en fonction de v et de r, la masse m peut tourner pendant que la masse M reste immobile. *Réponse:* $v^2/r = Mg/m$.

24. Deux pendules coniques de longueur différente, suspendus à un plafond, tournent de telle sorte que leur masse respective demeure à la même distance du plafond. Montrez que leur période sera la même.

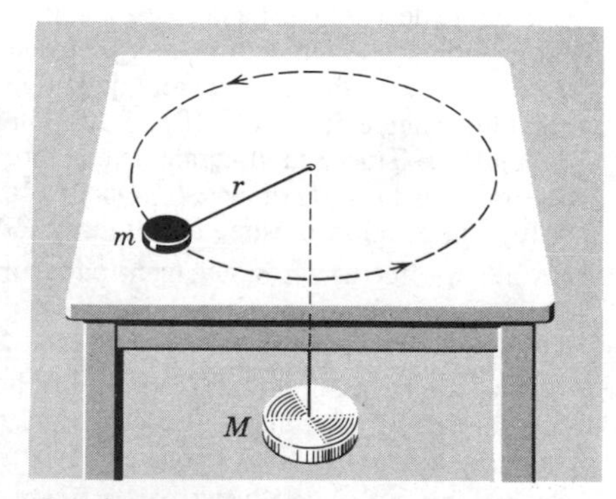

figure 6-18
Problème 23

25. On dépose une pièce de monnaie sur une plaque tournante horizontale. Celle-ci effectue trois révolutions en 3,14 s. *(a)* Quelle est la vitesse tangentielle de la pièce lorsqu'elle tourne sans glisser à 5,0 cm du centre de la table? *(b)* Quelle est dans ce cas la grandeur et la direction de l'accélération? *(c)* Quelle est, toujours dans ce cas, la force de frottement retenant la pièce si sa masse est de 2,0 g? *(d)* Déterminez le coefficient de frottement statique entre la pièce et la table si la pièce commence à glisser lorsqu'elle se trouve à plus de 10 cm du centre de la table.
Réponses: (a) 30 cm/s. *(b)* 180 cm/s², vers le centre. *(c)* $3{,}6 \times 10^{-3}$ N. *(d)* 0,37.

26. On fait tourner un objet ayant une masse m au bout d'une corde et dans un plan vertical. Quelle doit être la vitesse minimum, en haut de la trajectoire circulaire de rayon R, pour que la tension dans la corde ne soit pas nulle?

27. On a relevé un virage d'autoroute de façon à permettre une vitesse de 65 km/h. *(a)* Si le rayon de la courbe est de 120 m, quelle est l'inclinaison de la chaussée? *(b)* Supposons que la chaussée ne soit pas inclinée. Quel doit être le coefficient de frottement minimum entre les pneus et la route pour éviter les dérapages?
Réponses: (a) 15°. *(b)* 0,27.

28. Le guide de l'automobiliste fait remarquer qu'une voiture circulant à 48 km/h a le temps de parcourir 10 m à partir du moment où le conducteur décide de freiner et le moment où il parvient à le faire. L'auto franchit une distance supplémentaire de 21 m avant de s'immobiliser. *(a)* Trouvez le coefficient de frottement qui a servi à faire ces calculs. *(b)* Si vous voulez tourner le coin d'une rue à 48 km/h, quel doit être le rayon de courbure minimum de la trajectoire de la voiture?

29. Un avion de 2 200 kg effectue un looping à 320 km/h. Trouvez *(a)* le rayon de la plus grande boucle possible; *(b)* la force résultante appliquée sur l'avion au bas de la boucle; *(c)* la poussée de l'air sur l'avion au bas de la boucle.
Réponses: (a) 800 m. *(b)* 22 000 N. *(c)* 44 000 N.

30. Un étudiant de 70 kg est assis dans une grande roue tournant à vitesse constante. Au plus haut point de la trajectoire, son poids apparent est de 600 N. *(a)* Que vaut son poids apparent au point le plus bas? *(b)* Quel sera son poids apparent au plus haut point si on double la vitesse de la roue?

31. Si la Terre ne tournait pas, une masse de 1,0 kg pèserait exactement 9,8 N au niveau de la mer, à l'équateur. Or, la rotation de la Terre oblige un objet situé à l'équateur à exécuter un mouvement circulaire de $6{,}40 \times 10^{6}$ m de rayon, à une vitesse de 465 m/s. *(a)* Calculez la force centripète qui permet à la masse de 1,0 kg d'effectuer cette trajectoire circulaire. *(b)* Si on suspend cette masse à un dynamomètre, quel poids indiquera-t-il à l'équateur? *Réponses: (a)* 0,0338 N. *(b)* 9,77 N.

32. Un vieux tramway s'engage dans une courbe non inclinée. *(a)* Si le rayon de courbure est de 9 m et la vitesse du tramway de 16 km/h, quel angle fera, par rapport à la verticale, une courroie suspendue au toit du tramway? *(b)* Faites une analyse des forces s'exerçant sur cette courroie. Y a-t-il force centripète ou centrifuge? Vos réponses dépendent-elles du système de référence choisi?

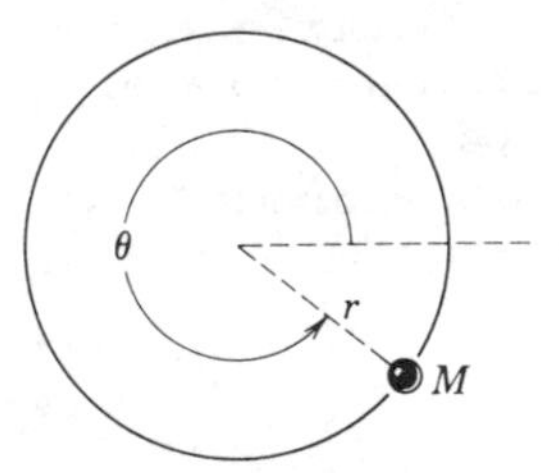

figure 6-19
Problème 33

33. Une particule ayant une masse M de 0,305 kg tourne dans le sens anti-horaire suivant un cercle horizontal ayant un rayon r de 2,63 m, à une vitesse constante v de 0,754 m/s (fig. 6-19). Au moment où $\theta = 322°$, quelle est la valeur des quantités suivantes? *(a)* La composante horizontale v_x de la vitesse. *(b)* La composante a_y de l'accélération. *(c)* La force résultante sur la particule. *(d)* La composante de la force résultante dans la direction de la vitesse.
Réponses: (a) 0,464 m/s. *(b)* 0,133 m/s². *(c)* $6{,}59 \times 10^{-2}$ N. *(d)* Zéro.

34. Une boule de 1,0 kg est attachée à une tige rigide au moyen de deux cordes de masse négligeable de 1,0 m de longueur. Les deux points d'attache sur la tige sont distants de 1,0 m. La boule tourne autour de la tige de façon à ce que les cordes tendues forment un triangle équilatéral (fig. 6-20). On mesure une tension de 25 N dans la corde du haut. *(a)* Tracez un diagramme des forces s'exerçant sur la boule. *(b)* Calculez la tension dans la corde du bas. *(c)* Quelle est la force résultante sur la boule lorsqu'elle occupe la position illustrée à la figure 6-20? *(d)* Déterminez la vitesse de la boule.

35. Un avion effectue un mouvement circulaire horizontal à une vitesse de 480 km/h. Si les ailes de l'avion sont inclinées à 45° par rapport à la verticale, quel est le rayon du cercle décrit par l'avion? *Réponse:* 1,8 km.

36. À cause de la rotation de la Terre, un fil à plomb n'indique pas exactement la verticale du lieu; il subit une légère déviation. Calculez cette déviation *(a)* à 40° de latitude; *(b)* aux pôles; *(c)* à l'équateur.

figure 6-20
Problème 34

37. On attache le disque illustré par la figure 6-6 à un ressort au lieu d'une corde. La longueur du ressort au repos est l_0 et sa constante de rappel vaut k. Si le disque tourne à une fréquence f (nombre de révolutions par seconde), montrez que *(a)* le

rayon du cercle décrit est $R = kl_o/(k - 4\pi^2mf^2)$ *(b)* la tension dans le ressort vaut $T = 4\pi^2mkl_of^2/(k - 4\pi^2mf^2)$.

38. On dépose un très petit cube de masse m sur la paroi intérieure d'un entonnoir (fig. 6-21) tournant à une fréquence f autour d'un axe vertical. La paroi est inclinée à un angle θ par rapport à l'horizontale. Si le coefficient de frottement statique entre le cube et la paroi est μ et si le cube est à une distance r de l'axe de rotation, évaluez *(a)* la valeur maximum et *(b)* la valeur minimum de f permettant au cube de rester collé à la paroi.

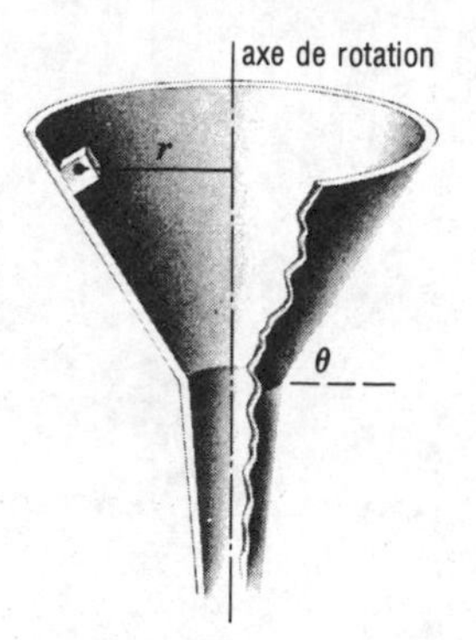

figure 6-21
Problème 38

7 travail et énergie

7-1 INTRODUCTION

Un des problèmes fondamentaux de la dynamique consiste à comprendre le mouvement d'une particule soumise à l'action d'une force connue. Par « mouvement d'une particule » on entend, ici, la variation de sa position en fonction du temps. Si le mouvement s'effectue selon une seule dimension, le problème se réduit à trouver x en fonction du temps, soit $x(t)$. Dans les deux chapitres précédents, on a résolu ce problème dans le cas d'une force constante. La méthode utilisée consistait à trouver la résultante des forces exercées sur la particule et à substituer cette force résultante $\vec{\mathbf{F}}$, ainsi que la masse de la particule m, dans la seconde loi du mouvement de Newton. On obtient ainsi l'accélération $\vec{\mathbf{a}}$:

$$\vec{\mathbf{a}} = \vec{\mathbf{F}}/m.$$

Si la force et la masse sont constantes, l'accélération $\vec{\mathbf{a}}$ le sera aussi. En orientant l'axe des x suivant l'accélération constante, on trouve la vitesse de la particule avec l'équation 3-12:

$$v = v_0 + at,$$

et sa position avec l'équation 3-15 ($x_0 = 0$):

$$x = v_0t + \tfrac{1}{2}at^2.$$

Il est inutile de conserver les indices x dans ces équations. La dernière équation nous donne directement ce que nous cherchons en dynamique: $x(t)$, ou la position de la particule en fonction du temps.

Toutefois, le problème s'avère plus difficile lorsque la force qui agit sur la particule *n'est pas constante*. Dans ce cas, on peut encore obtenir l'accélération avec la seconde loi de Newton; mais on ne peut plus utiliser, pour obtenir la vitesse et la position, les formules développées dans les cas où l'accélération est constante. Dans ce chapitre, nous solutionnerons les problèmes du mouvement où l'accélération est variable avec des procédés d'intégration.

Nous nous limiterons aux forces qui varient avec la position de la particule. On rencontre couramment ce type de force en physique: la force gravitationnelle et la force de rappel d'un ressort, par exemple. Le procédé utilisé pour déterminer le mouvement d'une particule sous l'influence d'une telle force nous amène à la notion de travail et d'énergie cinétique et à l'énoncé du théorème reliant le travail et l'énergie; c'est l'objet du présent chapitre. Au chapitre suivant, en l'intégrant à l'étude de la loi de la conservation de l'énergie, nous aurons l'occasion d'approfondir davantage la notion d'énergie. La loi de conservation de l'énergie a joué un rôle prépondérant dans le développement de la physique.

7-2 *TRAVAIL EFFECTUÉ PAR UNE FORCE CONSTANTE*

Étudions le mouvement d'une particule sous l'influence d'une force. La situation la plus simple est celle d'une force constante $\vec{\mathbf{F}}$ agissant sur un corps qui se déplace en ligne droite selon l'orientation de la force. Dans ce cas, on définit le travail comme étant le produit de la grandeur de la force par la distance parcourue par la particule, et on écrit:

$$W = Fd.$$

Toutefois, le mouvement de la particule peut s'effectuer suivant une direction différente de celle de la force. Dans ce cas, nous définissons le travail que fait la force comme le produit de la composante de la force suivant le déplacement par la distance d parcourue par le corps. Dans la figure 7-1, il y a un angle ϕ entre la direction de la force $\vec{\mathbf{F}}$ et celle du déplacement qui s'effectue selon l'axe des x. Le travail W effectué par la force sur ce déplacement est donc:

$$W = (F \cos \phi)d. \tag{7-1}$$

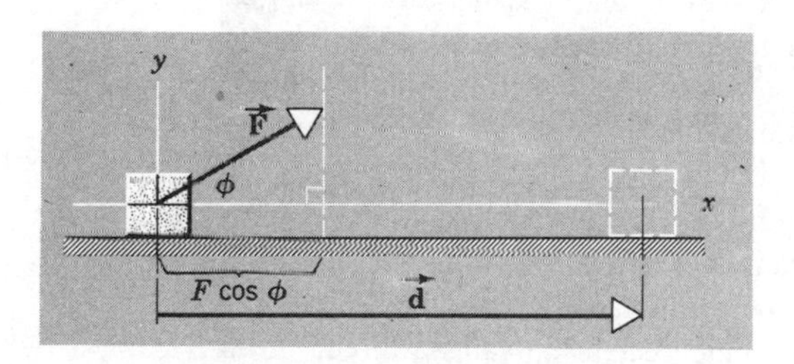

figure 7-1
Déplacement $\vec{\mathbf{d}}$ d'un bloc sous l'effet d'une force $\vec{\mathbf{F}}$. La grandeur de la composante de $\vec{\mathbf{F}}$ qui effectue le travail vaut $F \cos \phi$; le travail effectué est $Fd \cos \phi$ (ou $\vec{\mathbf{F}} \cdot \vec{\mathbf{d}}$).

Évidemment, d'autres forces peuvent influencer le mouvement d'une particule: son poids ou la force de friction exercée par le plan, par exemple. Il est possible aussi que la direction du déplacement d'une particule soumise à l'action d'une seule force diffère de la direction de cette force. C'est le cas du mouvement d'un projectile. Mais le mouvement d'un corps ne sera rectiligne que si cette force unique agit suivant le déplacement. *L'équation 7-1 détermine le travail d'une force particulière* $\vec{\mathbf{F}}$. *On doit calculer séparément le travail fait par chaque force. La somme de chacun des travaux constitue le travail total.*

Lorsque ϕ est nul, le travail défini par l'équation 7-1 devient Fd, en accord avec l'équation précédente. Par conséquent, lorsqu'une force horizontale tire un corps horizontalement, ou lorsqu'une force verticale élève un corps verticalement, le travail effectué par cette force est le produit de la grandeur de la force par la distance parcourue. Lorsque ϕ est de 90°, la force ne possède pas de composante suivant la direction du mouvement. La force ne fait aucun travail sur le corps. Ainsi la force verticale qui maintient un corps à une distance constante du sol ne fait aucun travail même s'il y a un déplacement horizontal. De même, la force centripète qui maintient un corps sur son orbite n'accomplit aucun travail puisque sa direction est toujours normale à la direction du mouvement. Bien sûr, le travail d'une force est nul si le corps n'est pas en mouvement, puisque le déplacement est nul. La figure 7-2 illustre des exemples simples de travail nul.

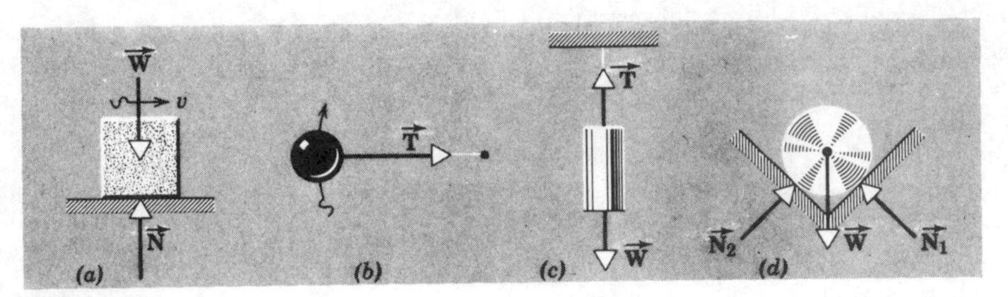

figure 7-2
Une force appliquée sur un corps ne fait pas toujours un travail. *(a)* Le bloc se déplace vers la droite à vitesse constante. Ni le poids $\vec{\mathbf{W}}$ ni la normale $\vec{\mathbf{N}}$ n'effectuent un travail. *(b)* La balle décrit un cercle sous l'influence d'une force centripète $\vec{\mathbf{T}}$. La force $\vec{\mathbf{T}}$ accélère la balle vers le centre mais ne fait aucun travail. Dans *(a)* et *(b)*, les forces ($\vec{\mathbf{W}}$,$\vec{\mathbf{N}}$,$\vec{\mathbf{T}}$) sont normales au déplacement et, ainsi, $W = \vec{\mathbf{F}} \cdot \vec{\mathbf{d}} = Fd \cos \phi = Fd \cos 90° = 0$. *(c)* Un cylindre suspendu par une corde. $\vec{\mathbf{T}}$, la tension dans la corde, ne fait aucun travail; $\vec{\mathbf{W}}$, le poids du cylindre, non plus. *(d)* Un cylindre est immobile dans un dalot. $\vec{\mathbf{F}}$, $\vec{\mathbf{N}}_1$ et $\vec{\mathbf{N}}_2$ ne font aucun travail. Dans *(c)* et *(d)*, aucun travail n'est accompli, puisque le déplacement est nul.

Notez qu'on peut écrire l'équation 7-1 sous les formes suivantes: $(F \cos \phi)d$ ou $F(d \cos \phi)$. On peut donc calculer le travail de deux façons différentes: en multipliant la grandeur du déplacement par la composante de la force dans la direction du déplacement, ou en multipliant la grandeur de la force par la composante du déplacement dans la direction de la force. Le résultat dans les deux cas est le même.

Le travail est une *grandeur scalaire* bien que les deux grandeurs qui entrent dans sa définition soient vectorielles. Dans la section 2-4, nous avons défini le *produit scalaire* comme la grandeur scalaire obtenue en multipliant le module d'un vecteur par la composante d'un deuxième vecteur suivant la direction du premier. Nous avons dit à ce moment qu'on rencontrerait des grandeurs physiques définies avec le produit scalaire. Le travail en représente une. En notation vectorielle, l'équation 7-1 s'écrit ainsi:

$$W = \vec{\mathbf{F}} \cdot \vec{\mathbf{d}}. \tag{7-2}$$

Le point indique un produit scalaire. Les facteurs $\vec{\mathbf{F}}$ et $\vec{\mathbf{d}}$ de l'équation 7-2 correspondent aux facteurs $\vec{\mathbf{a}}$ et $\vec{\mathbf{b}}$ de l'équation 2-11.

Le travail peut être positif ou négatif. Si le vecteur $\vec{\mathbf{F}}$ possède une composante dans le sens contraire au mouvement, le travail est négatif. L'angle, dans ce cas, est obtus. Par exemple, le travail fait par une personne qui abaisse un objet est négatif, puisque l'angle entre la force (vers le haut) qu'exerce la main et le déplacement (vers le bas) de l'objet est de 180°. Ainsi défini (éq. 7-2), le travail s'avère une notion utile en physique. Cette définition, cependant, plus ou moins conforme à l'usage populaire, peut entraîner une certaine confusion. Ainsi, une personne qui supporte un lourd fardeau pourra alléguer qu'elle accomplit un travail pénible — ce qui est vrai, physiologiquement — mais, du point de vue de la physique, elle n'effectue aucun travail. En effet, il y a bien une force, mais pas de déplacement. On n'utilisera le mot travail, en physique, que dans le seul sens de l'équation 7-2. Plusieurs domaines de la science empruntent ainsi des mots courants et les utilisent pour désigner un concept spécifique. Les mots « base » et « cellule », par exemple, utilisés en chimie et en biologie, ont des sens différents de ceux du langage populaire.

L'unité de travail est le travail qu'effectue une force unitaire qui déplace un corps sur une distance unitaire suivant la direction de la force. L'unité SI de travail est le *newton-mètre* ou *joule* (J). Le système cgs utilise la *dyne-centimètre,* ou *erg,* pour désigner l'unité de travail. En utilisant la correspondance entre le newton, la dyne, le mètre et le centimètre, on obtient: 1 joule = 10^7 ergs.

EXEMPLE 1

On veut élever une masse de 10,0 kg au sommet d'un plan incliné de 5,00 m de long. Le point le plus élevé du plan incliné est à 3,00 m du sol. S'il n'y a pas de friction entre la masse et le plan, quel travail effectue-t-on à l'aide d'une force parallèle au plan lorsqu'on tire la masse à vitesse constante au sommet du plan incliné? (g = 9,80 m/s²)

La figure 7-3*a* illustre la situation. Le diagramme des forces est donné sur la figure 7-3*b*. On doit d'abord trouver la grandeur de la force P qui fait monter la masse. La force résultante parallèle au plan est nulle puisque la vitesse est constante. Par conséquent:

$$P - mg \sin \theta = 0,$$

ou

$$P = mg \sin \theta = (10{,}0 \text{ kg})(9{,}80 \text{ m/s}^2)(\tfrac{3}{5}) = 58{,}8 \text{ N}.$$

On utilise l'équation 7-1, dans laquelle on pose $\phi = 0°$, pour trouver le travail. On obtient:

$$W = \vec{\mathbf{P}} \cdot \vec{\mathbf{d}} = Pd \cos 0° = Pd = (58{,}8 \text{ N})(5{,}00 \text{ m}) = 294 \text{ J}.$$

Si un individu avait levé la masse verticalement sans utiliser le plan incliné, c'est le produit de la force par le déplacement vertical qui constituerait le travail, c'est-à-dire:

$$(98{,}0 \text{ N})(3{,}00 \text{ m}) = 294 \text{ J},$$

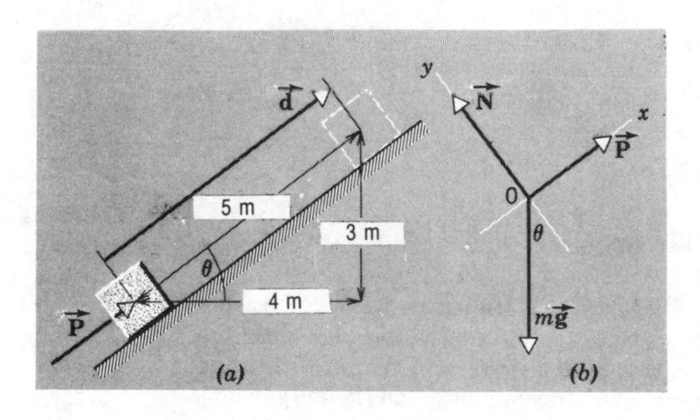

figure 7-3
Exemple 1. *(a)* Une force $\vec{\mathbf{P}}$ permet à un bloc de monter d'une distance $\vec{\mathbf{d}}$ sur un plan incliné à un angle θ avec l'horizontale. *(b)* Diagramme des forces exercées sur le bloc.

ce qui représente le même travail. La différence réside en ce que la force appliquée est moindre quand on utilise le plan incliné (P = 58,8 N par rapport à 98,0 N). Mais, en contrepartie, la force s'exerce sur une distance plus grande (5,00 m par rapport à 3,00 m).

EXEMPLE 2

Un garçon tire un traîneau de 50 N, à vitesse constante, sur une distance horizontale de 10 m. Quel travail accomplit-il si le coefficient de frottement cinétique est 0,20 et s'il tire à un angle de 45° de l'horizontale?

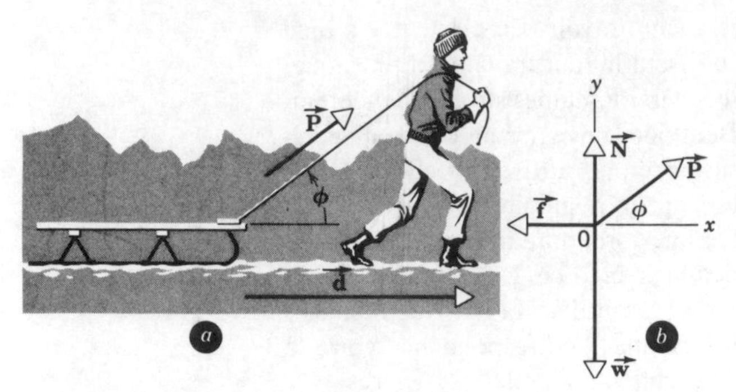

figure 7-4
Exemple 2. *(a)* Un garçon déplace un traîneau d'une distance horizontale $\vec{d}$, en exerçant une force $\vec{P}$ sur une corde qui fait un angle ϕ avec l'horizontale. *(b)* Diagramme des forces exercées sur le traîneau.

La figure 7-4*a* illustre la situation, et la figure 7-4*b* présente le diagramme des forces. Le garçon tire avec une force $\vec{P}$; $\vec{w}$ représente le poids du traîneau, $\vec{f}$ la force de frottement et $\vec{N}$ la force normale qu'exerce le sol sur le traîneau. Le garçon fait le travail suivant:

$$W = \vec{P} \cdot \vec{d} = Pd \cos \phi.$$

Pour l'évaluer, il faut d'abord déterminer P. Aidons-nous du diagramme des forces.
Le traîneau n'est pas accéléré; la deuxième loi du mouvement nous donne donc:

$$P \cos \phi - f = 0,$$

et

$$P \sin \phi + N - w = 0.$$

La relation entre f et N s'écrit ainsi:

$$f = \mu_k N.$$

Ces trois équations contiennent trois inconnues: P, f et N. On obtient P en éliminant f et N de ces équations. Ce faisant, nous obtiendrons:

$$P = \mu_k w / (\cos \phi + \mu_k \sin \phi).$$

Avec $\mu_k = 0{,}20$, $w = 50$ N et $\phi = 45°$, on trouve:

$$P = (0{,}20)(50 \text{ N})/(0{,}707 + 0{,}141) = 11{,}8 \text{ N}.$$

Avec $d = 10$ m, le travail devient:

$$W = Pd \cos \phi = (11{,}8 \text{ N})(10 \text{ m})(0{,}707) = 83{,}4 \text{ J}.$$

La composante verticale de la force exercée par le garçon ne fait pas de travail. Notez, toutefois, qu'elle réduit la force normale avec laquelle le sol pousse sur le traîneau ($N = w - P \sin \phi$) et, de ce fait, réduit la force de frottement ($f = \mu_k N$).
En tirant horizontalement, le garçon accomplirait-il un travail plus grand, moins grand ou identique? Les autres forces exercées sur le traîneau accomplissent-elles aussi un travail?

7-3 *TRAVAIL FAIT PAR UNE FORCE VARIABLE — SITUATION À UNE DIMENSION*

Étudions maintenant le travail fait par une force variable. On ne considère dans cette section que les situations où seule la grandeur de la force varie. Choisissons une force qui est fonction de la position $F(x)$, et supposons que la ligne d'action de la force est dans la direction de x. Admettons enfin que l'objet, sous l'influence de cette force, se déplace selon la direction de x. Quel travail accomplit cette force si l'objet passe de x_1 à x_2?

La figure 7-5 est un graphique de la force en fonction de x. Divisons le déplacement total en un grand nombre d'intervalles égaux et très petits Δx (fig. 7-5*a*). Considérons le petit déplacement Δx qui va de x_1 à $x_1 + \Delta x$. Sur ce court intervalle, la grandeur est à peu près constante et le travail approximatif est:

$$\Delta W = F\,\Delta x, \tag{7-3}$$

où F est la grandeur de la force à x_1. De même, sur l'intervalle allant de $x_1 + \Delta x$ à $x_1 + 2\Delta x$, la force F est à peu près constante et le travail approximatif s'écrit $\Delta W = F\ \Delta x$, où F est la grandeur de la force au point $x_1 + \Delta x$. Le travail total de la force qui déplace l'objet de x_1 à x_2, W_{12}, est approximativement la somme d'un grand nombre de termes semblables à celui de l'équation (7-3), dans lesquels F prend différentes valeurs. Par conséquent,

$$W_{12} = \sum_{x_1}^{x_2} F\,\Delta x, \tag{7-4}$$

où la lettre grecque sigma (Σ) signifie la somme sur tous les intervalles de x_1 à x_2.

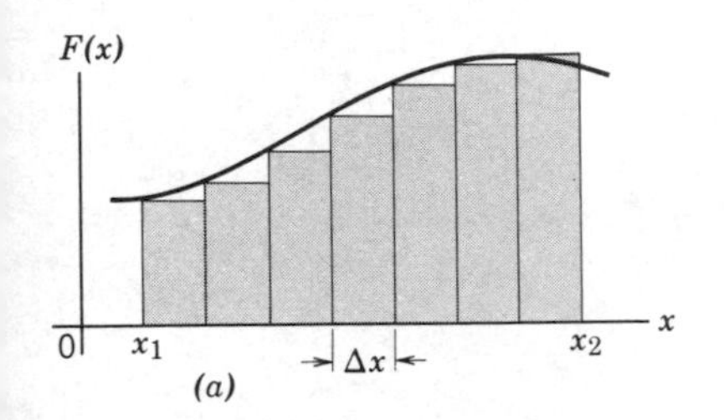

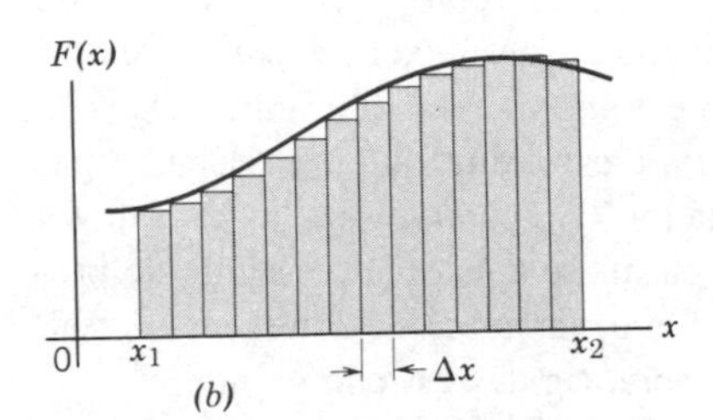

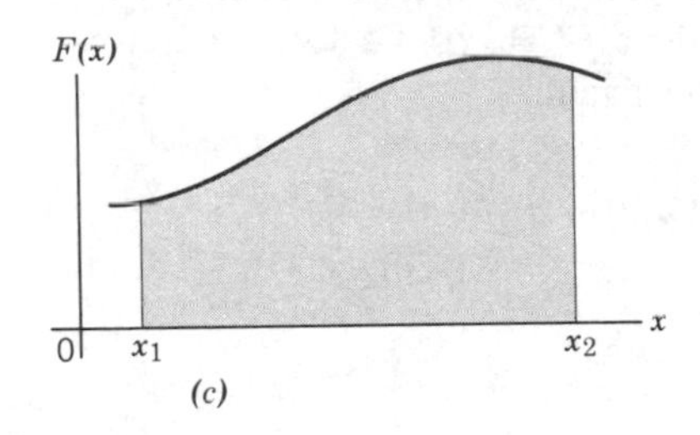

figure 7-5

Le calcul de $\int_{x_1}^{x_2} F(x)\,dx$ nous donne la surface sous la courbe $F(x)$ entre les limites x_1 et x_2. On peut l'obtenir approximativement *(a)* en divisant la surface en bandes étroites de largeur Δx. On obtient une valeur approximative de la surface totale en additionnant les surfaces des rectangles.
Dans la figure du centre, *(b)*, les bandes sont plus étroites; la valeur de la surface obtenue se rapproche de la valeur exacte, les erreurs sur la hauteur des rectangles devenant plus petites.
Dans la figure du bas, *(c)*, la largeur des bandes est infinitésimale. On obtient la valeur exacte de la surface puisque l'erreur réalisée à la partie supérieure des rectangles devient négligeable à mesure que la largeur des bandes tend vers zéro.

On obtiendrait une précision accrue si on divisait le déplacement total $x_2 - x_1$ en un nombre plus grand d'intervalles égaux (fig. 7-5*b*). En effet, Δx devient plus petit, et la grandeur de la force au début de l'intervalle donne une meilleure indication de sa valeur sur tout l'intervalle. Il est évident qu'une diminution progressive de la grandeur des intervalles ou, ce qui revient au même, une augmentation progressive du nombre d'intervalles, nous conduirait à une précision toujours meilleure. On obtient une valeur exacte du travail de la force si on fait tendre Δx vers zéro et le nombre d'intervalles vers l'infini, ce qui est traduit ainsi:

$$W_{12} = \lim_{\Delta x \to 0} \sum_{x_1}^{x_2} F\,\Delta x. \tag{7-5}$$

La relation

$$\lim_{\Delta x \to 0} \sum_{x_1}^{x_2} F\,\Delta x = \int_{x_1}^{x_2} F\,dx,$$

comme vous l'avez étudiée dans vos cours de calcul, définit l'intégrale de F par rapport à x sur l'intervalle allant de x_1 à x_2. Numériquement, cette quantité représente la surface délimitée par la courbe de la force F, l'axe des x et les limites x_1 et x_2 (fig. 7-5*c*). Graphiquement, une intégrale est une surface. Le symbole $\int$

représente un S allongé, mis pour *somme*, et il symbolise l'intégrale. L'expression exacte du travail total de la force sur un intervalle allant de x_1 à x_2 est la suivante:

$$W_{12} = \int_{x_1}^{x_2} F(x)\, dx. \qquad (7\text{-}6)$$

Considérons, par exemple, le cas d'un ressort attaché à un mur. On prend l'axe du ressort comme axe des x et on fait coïncider l'origine, $x = 0$, avec le bout du ressort non tendu. On suppose enfin que la direction est positive lorsqu'on s'éloigne du mur. Dans notre étude, on considère que le ressort s'étire très lentement, de telle sorte que les forces s'équilibrent toujours ($\vec{\mathbf{a}} = 0$).

Si on étire le ressort sur une distance x, ce dernier exercera une force qui vaut approximativement:

$$F = -kx, \qquad (7\text{-}7)$$

où k est la constante d'élasticité du ressort. L'équation 7-7 représente la *loi de la force* des ressorts. La direction de la force est toujours opposée au déplacement à partir de l'origine. Un étirement du ressort entraîne un déplacement positif, $x > 0$, et une force F négative; une compression entraîne un déplacement négatif et une force F positive. La force exercée par le ressort est une force de rappel, puisqu'elle pointe toujours vers l'origine. Dans la mesure où la déformation demeure élastique, c'est-à-dire qu'on ne dépasse pas une valeur limite, les ressorts obéissent à la loi 7-7, connue sous le nom de *loi de Hooke*. On peut dire que la constante d'élasticité k est une constante de proportionnalité qui donne la grandeur de la force par unité de longueur. Aussi, la valeur de la constante d'élasticité des ressorts rigides est-elle grande.

Pour étirer un ressort, il faut exercer une force F' égale et opposée à F, la force du ressort. La force appliquée est donc $F' = kx$.[1] La force qui étire le ressort de x_1 à x_2 accomplit donc le travail suivant:[2]

$$W_{12} = \int_{x_1}^{x_2} F'(x)\, dx = \int_{x_1}^{x_2} (kx)\, dx = \tfrac{1}{2}kx_2^2 - \tfrac{1}{2}kx_1^2.$$

En posant $x_1 = 0$ et $x_2 = x$, on trouve:

$$W = \int_0^x (kx)\, dx = \tfrac{1}{2}kx^2. \qquad (7\text{-}8)$$

C'est le travail qu'accomplit une force qui étire le ressort d'une distance x à partir de l'origine. Notez qu'on fait le même travail en comprimant le ressort d'une distance x, puisque, dans l'équation 7-8, le déplacement est au carré.

On peut aussi évaluer l'intégrale en calculant la surface délimitée par la courbe de la force et l'axe des x entre $x = 0$ et $x = x$. C'est la surface blanche de la figure 7-6. Il s'agit d'un triangle de base x et de hauteur kx. On trouve pour la surface:

$$\tfrac{1}{2}(x)(kx) = \tfrac{1}{2}kx^2.$$

ce qui est en conformité avec l'équation 7-8,

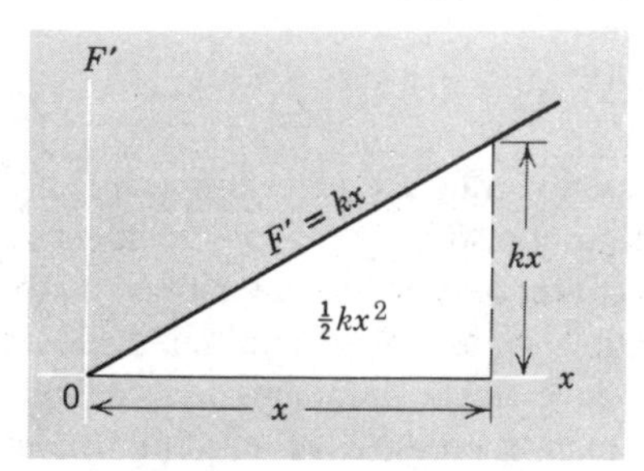

figure 7-6
La force pour étirer un ressort vaut $F' = kx$. La surface sous la courbe représente le travail nécessaire pour étirer le ressort d'une distance x. On peut l'obtenir par l'intégrale ou en utilisant la formule de la surface du triangle.

[1] Si la force appliquée était différente de $F' = kx$, la résultante des forces appliquées sur le ressort ne serait pas nulle et il en résulterait un mouvement accéléré. Pour évaluer le travail, il nous faudrait calculer la valeur de la force à chaque point. Peu importe la force appliquée, le travail sur un même déplacement allant de x_1 à x_2 serait le même, pourvu que la vitesse du ressort soit la même, au début et à la fin. Il est toutefois plus facile d'utiliser la force $F' = kx$ pour calculer le travail. Une telle force suppose un mouvement constant. C'est dans le but d'utiliser cette force simple que nous avons admis, au départ, un mouvement uniforme.

[2] L'appendice I fournit une liste des intégrales les plus utilisées.

7-4 *TRAVAIL FAIT PAR UNE FORCE VARIABLE — SITUATION À DEUX DIMENSIONS*

- **Notions avancées**

Il est possible que la force qui agit sur une particule varie en grandeur et en direction; il en résulte une trajectoire curviligne. On peut dans ce cas calculer le travail en divisant la trajectoire en de nombreux mais petits déplacements, $\Delta\vec{r}$, orientés selon la direction du mouvement. La figure 7-7 illustre deux de ces déplacements; elle indique aussi la valeur de la force $\vec{F}$ et de l'angle ϕ entre $\vec{F}$ et $\Delta\vec{r}$ à ces points. On trouve le travail effectué sur la particule durant un déplacement $\Delta\vec{r}$ en employant l'équation:

$$\Delta W = \vec{F} \cdot \Delta\vec{r} = F \cos \phi \ \Delta r. \tag{7-9}$$

On obtient une valeur approximative du travail fait par la force sur la particule, qui se déplace de a à b, en additionnant les éléments de travail effectué sur chaque petit segment de droite qui forme la trajectoire. Comme précédemment, on obtient une plus grande précision du travail sur un intervalle en diminuant la grandeur du segment, de sorte qu'à la limite, on peut remplacer $\Delta\vec{r}$ par $d\vec{r}$. La somme devient donc une intégrale (fig. 7-6). On obtient ainsi, pour l'expression du travail:

$$W_{ab} = \int_a^b \vec{F} \cdot d\vec{r} = \int_a^b F \cos \phi \ dr. \tag{7-10a}$$

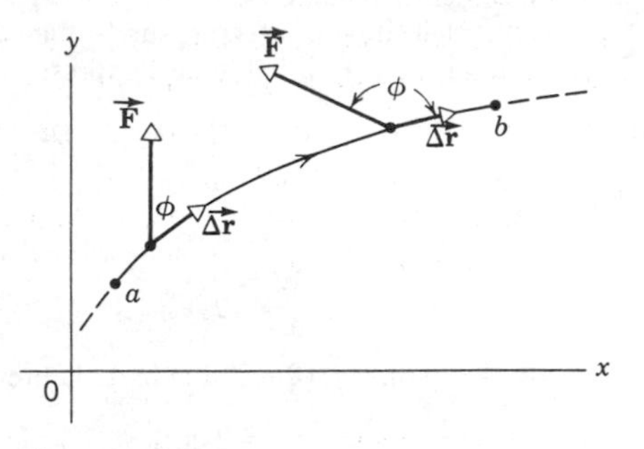

figure 7-7
La grandeur et l'orientation de la force peuvent varier le long de la trajectoire. Lorsque $\Delta\vec{r} \to 0$, on peut lui substituer $d\vec{r}$, dont la direction coïncide avec la vitesse, puisque $\vec{v} = d\vec{r}/dt$. Le vecteur $d\vec{r}$ est donc tangent, en tout point, à la trajectoire.

On ne peut évaluer cette intégrale que si l'on connaît l'expression de F et de ϕ (éq. 7-10a) en tout point de la trajectoire; les deux paramètres dépendent des coordonnées x et y de la particule dans la figure 7-7.

On peut obtenir une expression équivalente à l'équation 7-10a pour le travail en utilisant la notation vectorielle unitaire et les composantes de $\vec{F}$ et de $d\vec{r}$. Ainsi, $\vec{F} = \vec{i}F_x + \vec{j}F_y$ et $d\vec{r} = \vec{i}dx + \vec{j}dy$, de telle sorte que $\vec{F} \cdot d\vec{r} = F_x dx + F_y dy$. On a utilisé, pour obtenir cette expression, le résultat du problème 21 du chapitre 2:

$$\vec{i} \cdot \vec{i} = \vec{j} \cdot \vec{j} = 1 \quad \text{et} \quad \vec{i} \cdot \vec{j} = \vec{j} \cdot \vec{i} = 0.$$

La substitution de ce résultat dans l'équation 7-10a donne, pour l'expression du travail, la relation suivante:

$$W_{ab} = \int_a^b (F_x \ dx + F_y \ dy). \tag{7-10b}$$

C'est une *intégrale de ligne.* •

EXEMPLE 3

Le pendule simple illustre une situation où la force est variable. Il est constitué d'une particule suspendue à une corde l, sans poids. Déplaçons la particule selon une trajectoire circulaire de rayon l, de $\phi = 0$ à $\phi = \phi_0$, en appliquant une force horizontale. On peut exercer une telle force en tirant horizontalement sur un ressort fixé à la particule. Cette particule va s'élever d'une distance h. La figure 7-8a illustre la situation et la figure 7-8b

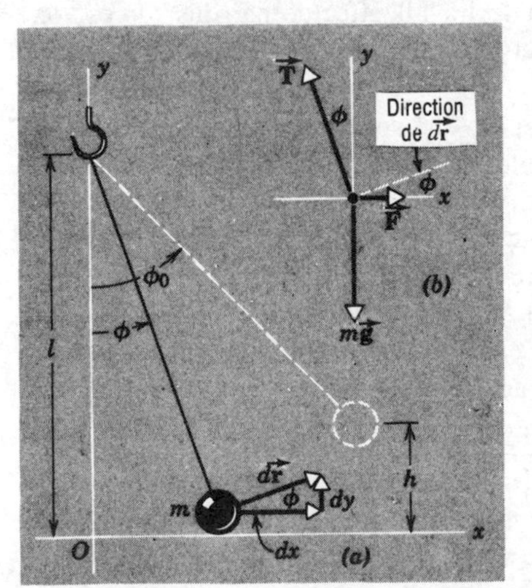

figure 7-8
Exemple 3. *(a)* Un pendule simple. On accroche une masse m à une corde de longueur l. Le déplacement maximum est ϕ_0. *(b)* Diagramme des forces lorsque la masse est soumise à l'action d'une force horizontale.

représente le diagramme des forces pour une position arbitraire ϕ. On y voit: $\vec{\mathbf{F}}$, la force appliquée, $\vec{\mathbf{T}}$, la tension dans la corde et $m\vec{\mathbf{g}}$, le poids de la particule.

On suppose qu'il n'y a pas d'accélération (la raison est toujours la même), de telle sorte que le mouvement s'effectue lentement. La force $\vec{\mathbf{F}}$ est toujours horizontale tandis que le déplacement $d\vec{\mathbf{r}}$ suit l'arc de cercle. La direction de $d\vec{\mathbf{r}}$ dépend de l'angle ϕ, et elle est tangente au cercle en tout point. La grandeur de $\vec{\mathbf{F}}$ varie de façon à équilibrer la composante horizontale de la tension. Notez que l'angle entre $\vec{\mathbf{F}}$ et $d\vec{\mathbf{r}}$ est toujours égal au déplacement angulaire ϕ.

On obtient le travail effectué sur la masse, qui se déplace de $\phi = 0$ à $\phi = \phi_0$ sous l'action de la force $\vec{\mathbf{F}}$, à l'aide de l'expression suivante:

$$W = \int_{\phi=0}^{\phi=\phi_0} \vec{\mathbf{F}} \cdot d\vec{\mathbf{r}} = \int_{\phi=0}^{\phi=\phi_0} F \cos \phi \, dr \qquad (7\text{-}10a)$$

$$W = \int_{x=0,y=0}^{x=(l-h)\tan \phi_0, y=h} (F_x \, dx + F_y \, dy). \qquad (7\text{-}10b)$$

Évaluons l'équation 7-10*b*. À l'aide de la première loi de Newton (fig. 7-8*b*), on obtient:

$$F_x = T \sin \phi \qquad \text{et} \qquad mg = T \cos \phi.$$

En éliminant T dans ces deux équations on trouve:

$$F_x = mg \tan \phi.$$

On observe de plus sur la figure 7-8*b* que $F_y = 0$. La substitution de ces valeurs de F_x et de F_y dans l'équation 7-10*b* nous donne:

$$W = \int_{x=0,y=0}^{x=(l-h)\tan \phi_0, y=h} mg \tan \phi \, dx.$$

Sur la figure 7-8*a*, on peut voir que

$$\tan \phi = dy/dx \qquad \text{ou} \qquad \tan \phi \, dx = dy.$$

En substituant ces expressions (notez que l'intégrale ne dépend que de y), on obtient finalement:

$$W = \int_{y=0}^{y=h} (mg) \, dy = mg \int_0^h dy = mgh.$$

Vous devriez essayer maintenant de calculer le travail effectué lorsqu'on déplace la particule selon l'arc à vitesse constante, en lui appliquant une force continuellement tangente à l'arc. Il serait donc plus simple d'utiliser l'équation 7-10*a*, et de poser $dr = l d\phi$. Le résultat sera identique: $W = mgh$. Notez que le résultat obtenu dans les deux cas correspond au travail effectué pour élever une masse m d'une hauteur h.

Quel travail accomplit la tension $\vec{\mathbf{T}}$ dans la corde?

7-5 *ÉNERGIE CINÉTIQUE ET THÉORÈME RELIANT LE TRAVAIL ET L'ÉNERGIE*

Dans les exemples précédents illustrant le travail effectué par des forces, on n'a retenu que les situations où les objets *n'étaient pas accélérés*, c'est-à-dire les situations où la *force résultante était nulle*. Nous admettrons dorénavant que cette *force résultante n'est pas nulle*, de telle sorte que l'objet *est accéléré*. Les conditions sont en tout point semblables à celles qui prédominent lorsqu'une force unique non nulle agit sur un corps.

Le cas d'une force résultante constante est le plus simple de tous. Une particule, sous l'influence d'une telle force, subit une accélération constante. Simplifions le problème en choisissant l'axe des x pour la direction de $\vec{\mathbf{F}}$ et de $\vec{\mathbf{a}}$. Quel travail cette force accomplit-elle en déplaçant la particule d'une distance x? Nous connaissons (dans le cas d'une accélération constante) les expressions:

$$a = \frac{v - v_0}{t}$$

et

$$x = \frac{v + v_0}{2} \cdot t.$$

Ce sont les équations 3-12 et 3-14 respectivement (on a enlevé le x en indice et posé $x_0 = 0$). La vitesse v_0 représente la vitesse à $t = 0$ et v, la vitesse au temps t. L'expression du travail s'écrit ainsi:

$$W = Fx = max$$
$$= m\left(\frac{v - v_0}{t}\right)\left(\frac{v + v_0}{2}\right)t = \tfrac{1}{2}mv^2 - \tfrac{1}{2}mv_0^2. \qquad (7\text{-}11)$$

Le demi-produit de la masse d'un corps par le carré de sa vitesse est appelé énergie cinétique de ce corps. En représentant l'énergie cinétique par le symbole K, l'expression qui définit l'énergie cinétique se résume à ceci:

$$K = \tfrac{1}{2}mv^2. \qquad (7\text{-}12)$$

L'équation 7-11 se lit donc ainsi: Le travail accompli par une force résultante non nulle est égal à la variation de l'énergie cinétique.

Bien qu'on ait démontré ce résultat dans le cas d'une force constante seulement, il est valable même si la force est variable. Prenons par exemple une force dont la grandeur varie (la direction demeure constante). Choisissons la direction de la force et du déplacement selon l'axe des x. Le travail fait par la force qui déplace la particule de x_0 à x est:

$$W = \int \vec{\mathbf{F}} \cdot d\vec{\mathbf{r}} = \int_{x_0}^{x} F\, dx.$$

La seconde loi de Newton nous dit que $F = ma$. De plus, on peut écrire l'accélération comme suit:

$$a = \frac{dv}{dt} = \frac{dv}{dx} \cdot \frac{dx}{dt} = \frac{dv}{dx} v = v\frac{dv}{dx}.$$

Par conséquent,

$$W = \int_{x_0}^{x} F\, dx = \int_{x_0}^{x} mv\frac{dv}{dx} dx = \int_{v_0}^{v} mv\, dv = \tfrac{1}{2}mv^2 - \tfrac{1}{2}mv_0^2. \qquad (7\text{-}13)$$

Il existe une situation plus générale encore: celle du mouvement curviligne d'une particule soumise à l'action d'une force qui varie en grandeur et en direction (problème 8). On voit, dans ce cas aussi, que le travail est égal à la variation de l'énergie cinétique.

Le travail fait par une force résultante sur une particule est toujours égal à la variation de l'énergie cinétique de cette particule:

$$W \text{ (de la force } \textit{résultante}) = K - K_0 = \Delta K. \qquad (7\text{-}14)$$

L'équation 7-14 constitue le *théorème reliant le travail et l'énergie.*

Notez que si la vitesse est constante, il n'y a pas de variation d'énergie cinétique et le travail fait par la force est nul. Dans le mouvement circulaire uniforme, par exemple, la vitesse est constante, et la force centripète ne fait aucun travail sur la particule. Une force perpendiculaire à la direction du mouvement change la direction de la vitesse, non sa grandeur. C'est seulement dans le cas où la force résultante possède une composante non nulle dans la direction du mouvement qu'on observe une variation de vitesse et par conséquent d'énergie cinétique. Seule la composante suivant la direction du mouvement peut faire un travail. En conformité avec notre définition du travail à l'aide d'un produit scalaire, seule la composante de $\vec{\mathbf{F}}$ suivant $d\vec{\mathbf{r}}$, dans l'expression $\vec{\mathbf{F}} \cdot d\vec{\mathbf{r}}$, contribue au calcul du travail.

Si l'énergie cinétique d'une particule décroît, le travail exercé sur elle est négatif. Le déplacement et la composante de la force suivant ce déplacement sont opposés. Le travail fait par la force sur la particule est toujours égal et de signe contraire au travail fait par la particule sur tout ce qui peut causer la force (environnement). C'est une conséquence de la troisième loi de Newton. On peut donc interpréter l'équation 7-14 de la façon suivante: l'énergie cinétique décroît d'une quantité égale au travail fait par la particule. On dira qu'un corps en mouvement possède de l'énergie; il peut faire un travail au détriment de son énergie. Par conséquent, *l'énergie que possède un corps en mouvement est égale au travail qu'il peut faire lorsqu'il revient au repos*. Ce résultat est valable, que les forces soient constantes ou non.

Les unités de l'énergie cinétique et du travail sont les mêmes. L'énergie cinétique, comme le travail, est une quantité scalaire. L'énergie cinétique d'un ensemble de particules est simplement la somme scalaire des énergies cinétiques des particules de l'ensemble.

EXEMPLE 4

On détecte le passage d'un neutron à deux endroits distants de 6,0 m l'un de l'autre. Sachant que l'intervalle de temps écoulé entre les deux détections est de $1{,}8 \times 10^{-4}$ s, trouvez l'énergie cinétique du neutron. La masse du neutron est de $1{,}7 \times 10^{-27}$ kg et on suppose que la vitesse est constante.

On trouve la vitesse avec l'expression suivante:

$$v = \frac{d}{t} = \frac{6{,}0 \text{ m}}{1{,}8 \times 10^{-4} \text{ s}} = 3{,}3 \times 10^{4} \text{ m/s};$$

puis on calcule l'énergie cinétique:

$$K = \tfrac{1}{2}mv^2 = (\tfrac{1}{2})(1{,}7 \times 10^{-27} \text{ kg})(3{,}3 \times 10^{4} \text{ m/s})^2 = 9{,}3 \times 10^{-19} \text{ J}.$$

En physique nucléaire, le joule représente une unité d'énergie très grande. On lui substitue habituellement *l'électron-volt* (eV) qui vaut $1{,}6 \times 10^{-19}$ J. On peut exprimer l'énergie du neutron en eV, ce qui donne:

$$K = (9{,}3 \times 10^{-19} \text{ J})\left(\frac{1 \text{ eV}}{1{,}60 \times 10^{-19} \text{ J}}\right) = 5{,}8 \text{ eV}.$$

EXEMPLE 5

Un objet tombe d'une hauteur h, à partir du repos. Quelle sera son énergie cinétique au moment de toucher le sol? On admet que la force gravitationnelle est constante quand les distances au-dessus de la surface de la Terre ne sont pas trop grandes.

Le gain d'énergie cinétique est égal au travail fait par la force, en l'occurrence, la force gravitationnelle. Cette force est constante et s'exerce selon la direction du mouvement. Le travail est donc:

$$W = \vec{\mathbf{F}} \cdot \vec{\mathbf{d}} = mgh.$$

La vitesse initiale est $v_0 = 0$; la vitesse finale, v. Le gain d'énergie cinétique est, par conséquent:

$$\tfrac{1}{2}mv^2 - \tfrac{1}{2}mv_0^2 = \tfrac{1}{2}mv^2 - 0.$$

En égalant l'expression du travail et de la variation d'énergie cinétique, on trouve:

$$K = \tfrac{1}{2}mv^2 = mgh.$$

C'est l'énergie cinétique du corps au moment de toucher le sol.

On peut obtenir l'expression de la vitesse:

$$v = \sqrt{2gh}.$$

Vous devriez montrer qu'en passant d'un niveau h_1 à un autre, h_2, l'énergie cinétique d'un corps passe de $\frac{1}{2}mv_1^2$ à $\frac{1}{2}mv_2^2$, c'est-à-dire:

$$\tfrac{1}{2}mv_2^2 - \tfrac{1}{2}mv_1^2 = mg(h_1 - h_2).$$

Dans cet exemple, on a traité le cas d'une force et d'une accélération constantes. Les méthodes développées aux chapitres précédents pourraient aussi être utilisées. Essayez de montrer qu'on pourrait obtenir ces résultats aussi bien avec les lois du mouvement uniformément accéléré qu'avec les notions d'énergie.

EXEMPLE 6

Un corps pesant 19,6 N glisse sans frottement sur une table horizontale à une vitesse de 2 m/s. Il s'immobilise en comprimant un ressort. De quelle longueur le ressort s'est-il comprimé si la constante d'élasticité du ressort est 2 N/m?

L'énergie cinétique est:

$$K = \tfrac{1}{2}mv^2 = \tfrac{1}{2}(w/g)v^2.$$

Cette énergie cinétique est égale au travail que fait le corps en s'arrêtant. L'expression du travail pour comprimer le ressort s'écrit sous la forme suivante:

$$W = \tfrac{1}{2}kx^2.$$

Par conséquent,

$$\tfrac{1}{2}kx^2 = \tfrac{1}{2}(w/g)v^2.$$

On explicite et on calcule ensuite la valeur de x:

$$x = \sqrt{\frac{w}{gk}}\,v = \sqrt{\frac{19{,}6}{(9{,}8)(2)}}(2)\text{ m} = 2\text{ m}.$$

7-6 *SIGNIFICATION DU THÉORÈME RELIANT LE TRAVAIL ET L'ÉNERGIE*

Le théorème reliant le travail et l'énergie ne constitue pas une loi nouvelle, indépendante de la mécanique classique. Nous n'avons que défini le travail et l'énergie pour ensuite dériver, de la seconde loi de Newton, la relation qui les unit. Le théorème, toutefois, s'avère utile pour résoudre les problèmes où il est facile de calculer le travail fait par une force et pour trouver la vitesse d'une particule à certaines positions. Mais, ce qui apparaît plus important encore, c'est que ce théorème est le tremplin d'une généralisation des théories en physique. On a souligné que le champ de validité du théorème couvrait les cas où W était le travail fait par une force résultante sur une particule. Quoiqu'il en soit, il se révèle utile dans plusieurs cas, pour calculer et pour identifier le travail fait par certains types de force, ce qui nous amène aux concepts des différents types d'énergie et au principe de conservation de l'énergie qui fera l'objet du prochain chapitre.

7-7 *PUISSANCE*

Ajoutons maintenant la notion de temps à celle du travail. Élever un objet d'une certaine hauteur, en une seconde ou en une année, réclame exactement le même travail. Toutefois, le taux (la rapidité) avec lequel un travail est accompli constitue souvent une donnée plus intéressante que le travail lui-même.

On définit la *puissance* comme le taux de variation du travail. La puissance moyenne est le travail total divisé par l'intervalle de temps total:

$$\overline{P} = W/t.$$

La puissance instantanée est la dérivée du travail par rapport au temps:

$$P = dW/dt. \tag{7-15}$$

Si la puissance est constante, $P = \overline{P}$. Par conséquent:

$$W = Pt.$$

L'unité SI de puissance est le joule/s, ou *watt* (W). On l'a ainsi appelée en l'honneur de James Watt, qui apporta des améliorations très importantes aux engins à vapeur, ancêtres des moteurs efficaces d'aujourd'hui. Les unités de « puissance × temps » peuvent aussi désigner un travail, d'où l'origine du *kilowatt-heure*. Le kilowatt-heure est le travail accompli pendant une heure à un taux constant de 1 kW.

EXEMPLE 7

Une automobile développe une puissance de 75 kW lorsqu'elle file à 108 km/h. Calculez la poussée exercée par le moteur de la voiture.

$$P = \frac{W}{t} = \frac{\vec{\mathbf{F}} \cdot \vec{\mathbf{d}}}{t} = \vec{\mathbf{F}} \cdot \vec{\mathbf{v}}.$$

La poussée s'exerce dans la direction du mouvement indiquée par $\vec{\mathbf{v}}$, de telle sorte que:

$$P = Fv.$$

Numériquement, nous avons:

$$F = \frac{P}{v} = \frac{(75 \times 10^3 \text{ W})}{[(108 \times 10^3)/3600] \text{ m/s}} = 75 \times 10^3/(3 \times 10^1) = 2{,}5 \times 10^3 \text{ N}.$$

Pourquoi l'automobile n'accélère-t-elle pas?

questions

1. Pouvez-vous citer d'autres mots comme « travail », auxquels les hommes de sciences confèrent un sens différent de celui du language courant?
2. Supposons que trois forces constantes agissent sur une particule en mouvement. Le travail fait par la résultante de ces trois forces est-il égal à la somme des travaux accomplis séparément par chaque force?
3. Le plan incliné (exemple 1) constitue une machine simple qui nous permet d'accomplir un travail avec une force moindre. Ainsi en est-il d'un coin, d'un levier, d'une vis, d'un engrenage et d'une poulie. Ces machines nous permettent-elles d'effectuer un travail moins grand?
4. Lors d'une partie de souque à la corde, une des équipes perd du terrain. Quel travail est en train d'être fait, et par quelle équipe?
5. Le travail fait par une force de frottement est toujours négatif. Pouvez-vous dire pourquoi?
6. Un homme qui exerce une poussée sur un mur immobile ne fait pas de travail mécanique. Comment se fait-il qu'il ressente de la fatigue?
7. Vous saisissez une boule de quilles qui se trouve sur l'allée et vous la déposez sur une table. Deux forces agissent sur la boule: son poids, $-m\vec{\mathbf{g}}$ et la force que vous exercez vers le haut, $+m\vec{\mathbf{g}}$. Ces deux forces s'annulent, de telle sorte qu'aucun travail n'est accompli. D'autre part, vous êtes convaincu d'avoir réalisé un travail. Où est l'erreur dans ce problème?
8. Vous coupez un ressort en deux. Quelle relation y a-t-il entre la constante k du ressort initial et celle de chacun des deux ressorts obtenus?
9. Les caractéristiques de deux ressorts sont identiques, exception faite de leur constante d'élasticité: A est plus rigide que B, donc $k_A > k_B$. Sur quel ressort fait-on le plus de travail si *(a)* on les étire d'une distance égale, *(b)* on les étire avec une force égale?
10. L'énergie cinétique dépend-elle de la direction du mouvement? Peut-elle être négative?
11. Le travail fait par une force résultante équivaut toujours à la variation de l'énergie cinétique. Peut-il arriver que le travail réalisé par une des forces soit plus grand que la variation de l'énergie cinétique? Si oui, donnez un exemple.
12. Vous lancez une balle vers le haut, puis vous l'attrapez. Expliquez qualitativement les transformations d'énergie et de travail durant l'envol. Dans un premier temps, vous négligez la résistance de l'air; dans un deuxième temps, vous en tenez compte.
13. Lorsque deux enfants jouent à la balle dans un train, l'énergie cinétique de la balle dépend-elle de la vitesse du train? Le système de référence choisi affecte-t-il la réponse? Si oui, peut-on dire que l'énergie cinétique est une grandeur scalaire? (Voir le problème 21.)

14. Le travail fait sur une particule par la résultante des forces dépend-il du système de référence (galiléen) de l'observateur? Même question pour la variation de l'énergie cinétique.
15. Un homme, qui rame à contre-courant, est immobile par rapport à la rive. *(a)* Fait-il un travail? *(b)* S'il arrête de ramer et se laisse entraîner par le courant, y a-t-il un travail fait sur lui?
16. La puissance nécessaire pour élever une boîte sur une plate-forme dépend-elle du temps mis pour l'élever?
17. Vous prenez quelques livres sur une étagère et vous les montez sur une étagère plus élevée en un temps t. Le travail fait dépend-il: *(a)* de la masse des livres; *(b)* du poids des livres; *(c)* de la hauteur, par rapport au sol, de l'étagère la plus élevée; *(d)* du temps t; *(e)* de la manière de les monter?
18. On entend souvent parler de la « crise de l'énergie ». Ne serait-il pas plus opportun de parler de la « crise de la puissance »?

problèmes

SECTION 7-2

1. Un homme pousse une boîte de 270 N en appliquant une force à 45° en-dessous de l'horizontale. La boîte glisse sur le plancher, à vitesse constante, sur une distance de 9,1 m. Le coefficient de frottement est de 0,20. Quel travail accomplit l'individu? *Réponse:* 410 J.
2. On tire une masse de 3,57 kg à vitesse constante, sur une distance horizontale de 4,06 m. La force, appliquée à 15,0° au-dessus de l'horizontale, est de 7,68 N. Trouvez: *(a)* le travail total fait sur la masse; *(b)* le travail fait par la corde qui transmet la force; *(c)* le travail fait par la force de frottement; *(d)* le coefficient de frottement cinétique entre la masse et le plancher.
3. Un bloc de glace de 25 kg glisse sur un plan incliné de 2,5 m de long et de 1,5 m de haut. Un homme exerce sur le bloc une poussée parallèle au plan incliné; cette poussée vers le haut assure une descente à vitesse constante. Sachant que le coefficient de frottement entre la glace et le plan est de 0,10, trouvez: *(a)* la force exercée par l'homme; *(b)* le travail que l'homme fait sur le bloc; *(c)* le travail que fait la force gravitationnelle; *(d)* le travail fait par la surface du plan incliné sur le bloc; *(e)* le travail fait par la force résultante sur le bloc; *(f)* la variation de l'énergie cinétique du bloc.
4. On suspend une boîte de 2200 N avec une corde de 12 m. On écarte la boîte d'une distance de 1,2 m de la verticale et on la maintient ainsi. *(a)* Quelle force, tangente à l'arc de cercle, est nécessaire pour maintenir la boîte dans cette position? *(b)* Est-ce qu'on fait un travail lorsqu'on maintient la boîte dans cette position écartée? *(c)* Est-ce qu'on fait un travail pendant qu'on l'écarte? Si oui, lequel? *(d)* La tension dans la corde fait-elle un travail?
5. On utilise une corde pour descendre une masse M d'une hauteur d avec une accélération constante de $g/4$. Quel travail la corde fait-elle sur le bloc? *Réponse:* $-3\,Mgd/4$.

SECTION 7-3

6. Calculez approximativement le travail que fait la force illustrée à la figure 7-9 lorsqu'elle déplace une particule de $x = 1$ m à $x = 3$ m. Refaites le calcul en

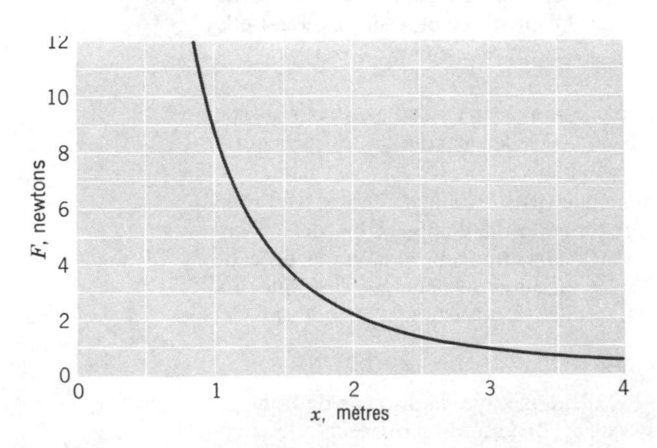

figure 7-9
Problème 6

diminuant la grandeur des intervalles. Vous devriez obtenir une valeur plus près de la valeur exacte (6 J). La fonction analytique qui décrit la courbe est $F = a/x^2$ où $a = 9$ N·m². Calculez le travail par la méthode de l'intégrale.

7. Un corps se maintient en mouvement rectiligne sous l'action d'une seule force. On illustre à la figure 7-10 le graphique de la vitesse en fonction du temps. Trouvez le signe (positif ou négatif) du travail accompli par la force sur ce corps pendant les intervalles AB, BC, CD et DE.
Réponses: AB, BC, CD, DE.
+ 0 − +

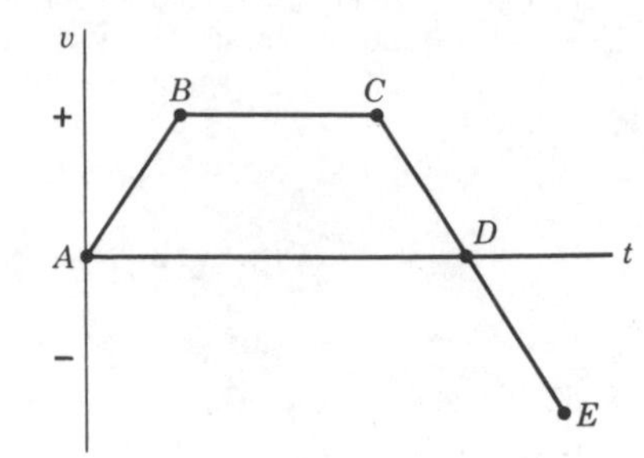

figure 7-10
Problème 7

SECTION 7-4

8. Lorsque la grandeur et la direction de la force varient et que le mouvement est curviligne, on obtient le travail avec l'expression $W = \int \vec{\mathbf{F}} \cdot d\vec{\mathbf{r}}$; l'intégration s'effectue selon la trajectoire du mobile (intégrale de ligne). On observe que F, la grandeur de la force, et ϕ, l'angle entre $\vec{\mathbf{F}}$ et $\vec{\mathbf{r}}$, peuvent varier en tout point (fig. 7-7). Montrez que, dans le cas du mouvement à deux ou à trois dimensions,

$$W = \tfrac{1}{2}mv^2 - \tfrac{1}{2}mv_0^2,$$

où v est la vitesse finale et v_0 la vitesse initiale.

SECTION 7-5

9. De quelle hauteur une automobile doit-elle descendre pour gagner l'énergie cinétique qu'elle possède lorsqu'elle file à 100 km/h?
Réponse: 39 m.
10. L'énergie cinétique d'un homme est deux fois moins grande que celle d'un garçon dont la masse est la moitié de la sienne. Lorsque l'homme augmente sa vitesse de 1 m/s, l'énergie cinétique de chacun est la même. Trouvez la vitesse initiale: *(a)* de l'homme; *(b)* du garçon.
11. La fusée Saturne V et le vaisseau spatial Apollo ont une masse totale de $2{,}9 \times 10^5$ kg. S'il faut leur communiquer une vitesse de 11,2 km/s pour qu'ils échappent à la force de gravitation terrestre, quelle énergie doit contenir le carburant? Le système exigerait-il réellement cette énergie ou en nécessiterait-il plus encore? Pourquoi?
Réponse: $1{,}8 \times 10^{13}$ J.
12. Un proton, initialement au repos, peut atteindre une vitesse de $3{,}0 \times 10^7$ m/s (environ le dixième de la vitesse de la lumière) dans un cyclotron. Quel travail, en eV, réalise la force électrique du cyclotron en accélérant ainsi ce proton? (1 eV = $1{,}6 \times 10^{-19}$ J.)
13. Une balle de 30 g, dont la vitesse est de 500 m/s, pénètre sur une distance de 12 cm dans un bloc de bois avant de s'y arrêter. Quelle force moyenne exerce-t-elle sur le bloc?
Réponse: $3{,}1 \times 10^4$ N.
14. Un voltigeur lance une balle à 20 m/s. Lorsque le joueur au deuxième but attrape cette balle, sa vitesse n'est plus que de 15 m/s. Quelle quantité de travail a servi à vaincre la résistance de l'air si la masse de la balle est de 255 g?
15. Un accélérateur linéaire peut communiquer une accélération de $3{,}6 \times 10^{15}$ m/s² à un proton (noyau d'hydrogène). Si le proton entre dans une section de 3,5 cm de cet accélérateur à une vitesse de $2{,}4 \times 10^7$ m/s, trouvez, à sa sortie de cette section, *(a)* la vitesse finale du proton; *(b)* la variation de l'énergie cinétique. La masse du proton vaut $1{,}67 \times 10^{-27}$ kg. Exprimez la variation d'énergie en eV; 1 eV = $1{,}6 \times 10^{-19}$ J.
Réponses: *(a)* $2{,}9 \times 10^7$ m/s; *(b)* $1{,}3 \times 10^6$ eV.
16. Montrez, en utilisant les notions de travail et d'énergie, que la distance de freinage d'une voiture de masse m et de vitesse v vaut $v^2/2\mu_k g$, où μ_k représente le coef-

ficient de frottement cinétique entre la route et les pneus. On suppose que le conducteur a bloqué les roues en freinant. (Voir l'exemple 2, chapitre 6, et les questions 3, 4, 5 du chapitre 8.)

17. Une masse de 5,0 kg se déplace en ligne droite sur une surface horizontale sans friction. La force qui agit sur cette masse varie en fonction de la position, tel qu'illustré par le graphique de la figure 7-11. *(a)* Quel travail accomplit la force lorsque la masse se déplace depuis l'origine jusqu'à la position $x = 8{,}0$ m? *(b)* Si la vitesse de la masse, à l'origine, était de 4,0 m/s, quelle est sa vitesse au point $x = 8{,}0$ m?
Réponses: (a) 25 J; *(b)* 5,1 m/s.

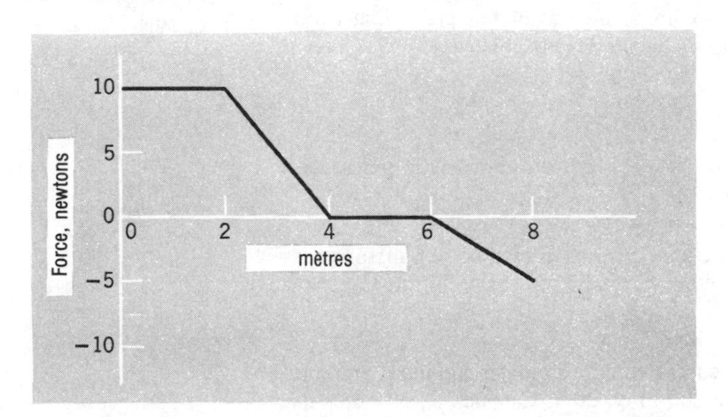

figure 7-11
Problème 17

18. On utilise un hélicoptère pour retirer les astronautes de l'océan. Sachant qu'un astronaute pèse environ 710 N et qu'on l'élève à 15 m au-dessus de l'eau avec une accélération de $g/10$, calculez: *(a)* le travail fait par l'hélicoptère sur l'astronaute; *(b)* le travail fait par la force de gravitation; *(c)* la vitesse de l'astronaute lorsqu'il atteint l'hélicoptère.

19. Le bloc de masse M illustré à la figure 7-12 possède une vitesse initiale v_0 et une position où aucune force ne s'exerce sur lui, c'est-à-dire que le ressort n'est ni comprimé ni étiré. Le bloc se déplace vers la droite et parcourt une distance l avant de s'arrêter (position en pointillé sur la figure 7-12). La constante d'élasticité du ressort est k et le coefficient de frottement cinétique μ_k. Supposons que le bloc a parcouru la distance l illustrée. *(a)* Trouvez le travail fait par la force de frottement. *(b)* Quel est le travail fait par le ressort? *(c)* Est-ce qu'il y a d'autres forces qui agissent sur le bloc; si oui, quel travail font-elles? *(d)* Quel est le travail total fait sur le bloc? *(e)* Utilisez le théorème reliant le travail et l'énergie pour trouver la valeur de l en fonction de M, v, μ_k, g et k.
Réponses: (a) $-\mu_k Mgl$; *(b)* $-kl^2/2$; *(c)* la gravité et la poussée verticale de la table, qui ne font aucun travail; *(d)* $-(\mu_k Mgl + kl^2/2)$;
(e) $(\sqrt{\mu_k^2 M^2 g^2 + v_0^2 kM} - \mu_k Mg)/k$.

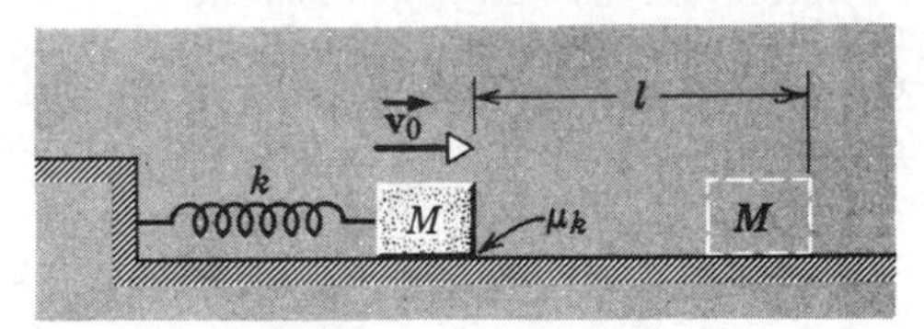

figure 7-12
Problème 19

20. Un bloc ayant une masse de 0,675 kg peut glisser sans friction sur une table. On lui attache une corde qui passe dans un trou perforé dans la table, au centre d'un cercle horizontal suivant lequel la masse se déplace à vitesse constante. *(a)* Trouvez la tension dans la corde si le rayon du cercle est de 0,500 m et si la vitesse tangentielle du bloc est de 10,0 m/s. *(b)* On observe que le fait de tirer 0,200 m de corde par en-dessous de la table, réduisant ainsi le rayon à 0,300 m, entraîne une augmentation de la tension dans la corde par un facteur de 4,63. Calculez le travail total effectué sur la masse, qui tourne pendant qu'on a tiré sur la corde.

21. *Travail et énergie cinétique dans des systèmes de référence en mouvement.* Soit deux observateurs: l'un dont le système de référence est relié à la Terre, l'autre en

mouvement relatif par rapport au premier, dans un train filant à une vitesse $\vec{u}$, par exemple. Chacun observe qu'une particule, initialement au repos par rapport au train, subit une accélération sous l'influence d'une force constante appliquée vers l'avant, pendant un temps t. *(a)* Montrez que chaque observateur réalise que le travail fait par la force est égal à la variation de l'énergie cinétique de la particule, mais qu'un des observateurs l'évalue à $\frac{1}{2}ma^2t^2$, tandis que l'autre mesure $\frac{1}{2}ma^2t^2 + maut$. Ici, a est l'accélération (la même pour les deux observateurs) de la particule de masse m. *(b)* Expliquez la valeur différente du travail calculée par chaque observateur (travail fait par une même force) en tenant compte de la différence de la distance mesurée par chacun. Expliquez la valeur différente de l'énergie cinétique calculée par chaque observateur en tenant compte du travail fait par la particule pour atteindre une vitesse nulle par rapport à chacun des observateurs.

SECTION 7-7

22. Une femme de 570 N monte un escalier de 5 m de haut en 4 s. Quelle puissance moyenne a-t-elle déployée pendant la montée?
23. On estime que le débit d'une chute d'eau de 100 m de haut est de 1200 m³/s. Si on suppose que les trois quarts de l'énergie cinétique de l'eau qui tombe se transforment en énergie électrique en passant dans une turbine, quelle puissance fournit le générateur hydro-électrique?
Réponse: $8{,}8 \times 10^5$ kW.
24. La masse totale de la cabine d'un monte-charge rempli de matériaux est d'environ $3{,}0 \times 10^3$ kg. Le monte-charge s'élève de 200 m en 20 s. Calculez le taux moyen de travail fait par les câbles sur la cabine.
25. Un cheval tire un traîneau avec une force de 150 N. Le traîneau se déplace horizontalement, bien que la force du cheval s'exerce à 30° au-dessus de l'horizontale. Le déplacement s'effectue à 10 km/h. *(a)* Calculez le travail accompli par le cheval après 10 min. *(b)* Quelle puissance fournit le cheval?
26. Calculez la puissance développée par une meule dont le rayon est de 15 cm et la fréquence de 2,5 s^{-1}. L'outil qu'on aiguise est maintenu contre la meule avec une force de 150 N, et le coefficient de frottement entre l'outil et la meule est de 0,32.
27. Une fusée satellite de 500 000 N acquiert une vitesse de 6000 km/h une minute après son lancement. *(a)* Quelle est l'énergie cinétique après la première minute? *(b)* Calculez, en négligeant les forces de friction et de gravitation, la puissance développée pendant ce temps.
28. Une force résultante de 5,0 N agit sur un corps de 15 kg initialement au repos. Calculez: *(a)* le travail fait par la force durant la première, la deuxième et la troisième seconde, *(b)* la puissance développée par cette force à la fin de la troisième seconde.
29. La fonction $x(t) = 3t - 4t^2 + t^3$, où x est en mètres et t en secondes, décrit la position d'une particule de 3,0 kg soumise à l'action d'une force. *(a)* Trouvez le travail fait par la force pendant les 4 premières secondes. *(b)* À quel taux la force accomplit-elle ce travail sur la particule?
Réponses: (a) 530 J; *(b)* 12 W.
30. La force requise pour remorquer un bateau à vitesse constante est proportionnelle à la vitesse. S'il faut 7500 W pour remorquer le bateau à une vitesse de 4,0 km/h, quelle puissance sera nécessaire pour atteindre une vitesse de 12 km/h?
31. Il faut un temps t_f à une masse m, initialement au repos, pour atteindre une vitesse v_f. *(a)* Montrez que le travail effectué sur cette masse, exprimé en fonction du temps, vaut:

$$\frac{1}{2}m\frac{v_f^2}{t_f^2}t^2.$$

(b) Exprimez, en fonction du temps, la puissance développée. *(c)* Quelle est la puissance instantanée développée à la fin de la cinquième seconde si un corps de 1500 kg atteint, à partir du repos, une vitesse de 100 km/h en 10 s?
Réponses: (b) mv_f^2t/t_f^2. *(c)* $5{,}79 \times 10^4$ W.
32. Un camion peut garder une vitesse de 25 km/h sur une route en pente qui s'élève de 1 m à chaque 50 m. La force de résistance vaut 1/25 du poids du camion. À quelle vitesse le camion pourra-t-il descendre la même pente s'il fournit la même puissance?
33. Une locomotive qui fournit une puissance de $1{,}5 \times 10^6$ W peut porter la vitesse d'un convoi de 10 m/s à 25 m/s en 6,0 min. Négligez la friction. *(a)* Calculez la masse

du train. *(b)* Exprimez la vitesse du train en fonction du temps durant cet intervalle. *(c)* Exprimez la force accélératrice en fonction du temps. *(d)* Quelle est la distance parcourue par le train?

Réponses: (*a*) $2,1 \times 10^6$ kg. (*b*) $\sqrt{100 + 1,4\ t}$ m/s.
(*c*) $(1,5 \times 10^6)/\sqrt{100 + 1,4\ t}$ N. (*d*) 6,6 km.

8 la conservation de l'énergie

8-1 *INTRODUCTION*

Dans le chapitre 7 nous avons déduit le théorème reliant le travail et l'énergie en utilisant la deuxième loi du mouvement de Newton. Selon ce théorème, le travail fait par une force résultante $\vec{F}$, en déplaçant une particule d'un point à un autre, est égal à la variation de l'énergie cinétique (ΔK) de la particule, ce qui se traduit par

$$W = \Delta K. \tag{8-1}$$

Il arrive souvent que plusieurs forces agissent sur une particule; la résultante $\vec{F}$ devient alors leur somme vectorielle, c'est-à-dire: $\vec{F} = \vec{F}_1 + \vec{F}_2 + \cdots + \vec{F}_n$, en supposant qu'il y ait n forces. Le travail fait par la force résultante $\vec{F}$ est la somme algébrique du travail fait par chacune des forces: $W = W_1 + W_2 + \cdots + W_n$. Nous pouvons récrire le théorème (éq. 8-1) ainsi:

$$W_1 + W_2 + \cdots + W_n = \Delta K. \tag{8-2}$$

Dans ce chapitre, nous étudierons des systèmes où une particule subit l'action de plusieurs types de forces et déterminerons le travail fait par chaque force ($W_1, W_2, \ldots$). Nous serons alors amenés à définir plusieurs formes d'énergie comme, par exemple, l'énergie potentielle et l'énergie thermique.

Cette étude débouchera sur la formulation de l'un des principes les plus importants de la science, soit *le principe de la conservation de l'énergie*.

8-2 *FORCES CONSERVATIVES*

Commençons par distinguer deux types de forces: conservative et non conservative. Nous discuterons un exemple de chaque type à partir de points de vue différents mais reliés l'un à l'autre.

Imaginons un ressort fixé à un mur par l'une de ses extrémités (fig. 8-1). On pousse un bloc de masse m directement vers le ressort en lui communiquant une vitesse $\vec{v}$. La surface horizontale ne présente aucun frottement et ce ressort idéal répond à la loi de Hooke (éq. 7-7):

$$F = -kx, \tag{8-3}$$

où F est la force qu'exerce le ressort quand son extrémité libre est déplacée d'une distance x. Supposons de plus que la masse du ressort est si faible comparée à celle du bloc que nous pouvons négliger l'énergie cinétique du ressort. Ainsi, dans le système formé par la masse et le ressort, toute l'énergie cinétique se concentre dans la masse.

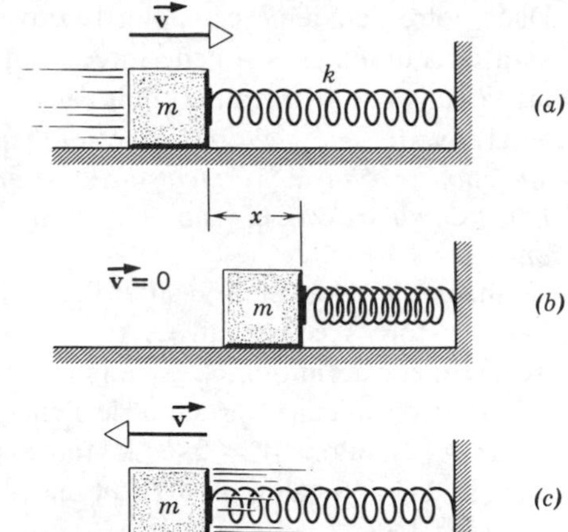

figure 8-1
(a) On projette sur un ressort un bloc de masse m se déplaçant à la vitesse v.
(b) L'action du ressort arrête le bloc.
(c) Le bloc, repoussé vers son point de départ, reprend sa vitesse initiale v.

Après le début de l'impact, la vitesse du bloc diminue (tout comme son énergie cinétique) jusqu'à ce qu'il soit arrêté par l'action du ressort (fig. 8-1*b*). Puis, lorsque le ressort se détend, le bloc acquiert à nouveau de la vitesse et de l'énergie cinétique jusqu'à ce qu'il repasse par le point de contact initial. Nous constatons alors que le bloc possède la même énergie cinétique qu'au début; seul le sens de son mouvement a changé. Ainsi, le bloc perd de l'énergie cinétique pendant une partie de son mouvement mais la récupère entièrement lorsqu'il revient vers son point de départ (fig. 8-1*c*).

Nous avons déjà défini l'énergie cinétique d'un corps comme étant sa capacité à faire un travail grâce à son mouvement. Dans la figure 8-1, il est clair qu'à la fin de l'interaction le bloc possède à nouveau la même capacité de faire un travail; elle a été *conservée*. Nous appelons force *conservative* toute force qui se comporte comme la force élastique exercée par un ressort idéal. La force gravitationnelle est un exemple de force conservative car, si on lance un objet verticalement vers le haut, il retombera dans notre main avec la même énergie cinétique qu'il avait en la quittant (si nous négligeons la résistance de l'air).

Toutefois, si une particule sur laquelle s'exercent une ou plusieurs forces retourne vers son point de départ avec plus ou moins d'énergie cinétique comparativement à sa quantité initiale, sa capacité de faire un travail a alors été modifiée. Dans ce cas, la capacité de faire un travail n'est pas conservée, et au moins une des forces en action est *non conservative*.

Afin d'illustrer une force non conservative, supposons qu'il existe une force de frottement $\vec{f}$ entre le bloc et la surface horizontale (fig. 8-1). Cette force de frottement s'oppose au mouvement du bloc en tout temps et nous trouvons que le bloc retourne vers son point de départ en possédant moins d'énergie cinétique. Puisque nous avons démontré dans notre première expérience que la force exercée par le ressort est conservative, il faut attribuer ce nouveau résultat à l'effet de la force de frottement.[1] Nous disons qu'une force est *non conservative* lorsqu'elle produit un effet semblable à celui engendré par la force de frottement. Par exemple, la force d'induction d'un bêtatron est une force non conservative, sauf que, contrairement aux forces de ce genre, plutôt que de dissiper l'énergie cinétique, cette force d'induction en fournit, de sorte qu'un électron se déplaçant selon une orbite circulaire repassera par son point de départ en possédant plus d'énergie cinétique. Ainsi, dans un bêtatron à haut rendement, un électron qui parcourt une trajectoire circulaire gagne de l'énergie cinétique.

Par ailleurs, nous pouvons définir une force conservative en tenant compte du travail qu'elle fait sur une particule. Dans la figure 8-1*a* de notre premier exemple, le travail fait sur le bloc par la force élastique du ressort est négatif puisque cette force s'oppose au déplacement du bloc. La figure 8-1*c*, par contre, permet de dire que le travail est positif car le déplacement du bloc s'effectue dans le même sens que la force. Ainsi, nous constatons que le travail net fait sur le bloc pour un aller-retour est nul.

[1] Deux autres forces agissent également sur le bloc illustré dans la figure 8-1: le poids $\vec{W}$ et la force normale $\vec{N}$ exercée par la surface horizontale. Puisque ces forces agissent à angle droit par rapport au mouvement, elles ne peuvent modifier l'énergie cinétique du bloc et, ainsi, n'interviennent pas dans notre discussion.

Dans notre deuxième exemple, le travail fait par la force de frottement est négatif en tout temps, car cette force s'oppose toujours au mouvement du bloc. Nous voyons que le travail produit par le frottement ne peut être nul. Donc, en général, *une force est conservative si elle ne fait aucun travail net sur une particule animée d'un mouvement d'aller-retour. Une force est non conservative si elle fait un travail net sur une particule animée d'un mouvement d'aller-retour.*

Le théorème reliant le travail et l'énergie montre que cette seconde façon de définir les forces conservatives et non conservatives équivaut parfaitement à notre première définition. L'équation 8-1 nous informe qu'à la fin d'un trajet aller-retour, si aucune variation de l'énergie cinétique de la particule n'apparaît ($\Delta K = 0$), alors $W = 0$ et la force agissante doit être conservative. De même, si $\Delta K \neq 0$, alors $W \neq 0$, et au moins une des forces sera non conservative (éq. 8-1).

- **Note**

Analysons ce point un peu plus en détails. Lorsqu'il y a un frottement (fig. 8-1), quatre forces agissent sur le bloc, et la résultante s'écrit ainsi:

$$\vec{\mathbf{F}} = \vec{\mathbf{F}}_R + \vec{\mathbf{W}} + \vec{\mathbf{N}} + \vec{\mathbf{f}},$$

où $\vec{\mathbf{F}}_R$ représente la force élastique du ressort, $\vec{\mathbf{W}}$, le poids du bloc, $\vec{\mathbf{N}}$, la force normale qu'exerce la surface sur le bloc et $\vec{\mathbf{f}}$, la force de frottement. Nous pouvons écrire le théorème reliant le travail et l'énergie (éq. 8-2) de la manière suivante:

$$W_R + W_W + W_N + W_f = \Delta K,$$

où le membre de gauche représente le travail fait par chacune des quatre forces. Pour un trajet aller-retour, $W_R = 0$ et $W_W = W_N = 0$, puisque les forces correspondantes agissent à angle droit par rapport au mouvement du bloc. Nous constatons alors que la variation résultante de l'énergie cinétique provient entièrement de W_f, c'est-à-dire le travail fait par la force de friction. •

D'autre part, nous pouvons différencier les forces conservatives et non conservatives d'une troisième façon. Supposons qu'une particule se déplace du point a au point b en suivant la trajectoire 1 et puis de b à a en empruntant le trajet 2 (fig. 8-2a). Comme plusieurs forces peuvent agir sur la particule pendant son aller-retour, nous considérons chacune séparément. S'il s'agit d'une force conservative, le travail fait par cette force particulière sur la particule sera nul pour un aller-retour, c'est-à-dire:

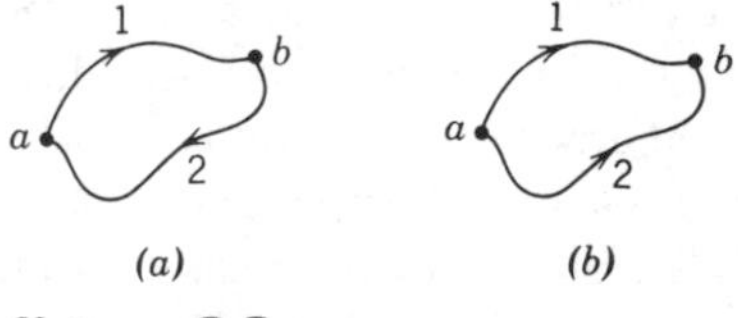

figure 8-2

$$W_{ab,1} + W_{ba,2} = 0,$$

autrement dit,

$$W_{ab,1} = -W_{ba,2}.$$

Ce résultat s'interprète ainsi: le travail fait pour aller de a vers b par le trajet 1 est la valeur négative du travail fait pour aller de b vers a par le trajet 2. Toutefois, si on oblige la particule à se déplacer de a vers b en utilisant le trajet 2 (fig. 8-2b), nous inversons simplement le sens initial du mouvement selon le trajet 2:

$$W_{ab,2} = -W_{ba,2}.$$

D'où:

$$W_{ab,1} = W_{ab,2}.$$

Cette égalité nous dit que le travail fait sur la particule par une force conservative est le même pour les deux trajets.

Peu importe les points a et b choisis, les trajectoires 1 et 2 peuvent être quelconques, pourvu qu'elles relient a et b. Nous trouvons toujours le même résultat quand la force est conservative. Ce résultat nous fournit une autre définition équivalente pour les forces conservatives et non conservatives: *une force est conservative si elle fait toujours le même travail sur une particule qui se déplace entre deux points, peu importe la trajectoire suivie. Une force est non conservative si le travail qu'elle fait dépend de la trajectoire suivie par la particule pour passer d'un point à l'autre.*

Afin d'illustrer cette troisième définition, analysons un autre type de force conservative: la force gravitationnelle. Supposons que l'on élève une pierre de masse m à une hauteur h au-dessus du sol, en empruntant plusieurs trajectoires pour passer du point a au point b (fig. 8-3). La force de gravitation étant conservative, le travail résultant sera nul pour tout trajet aller-retour. Le long de la trajectoire de retour bca, le travail fait sur la pierre par la gravitation vaut simplement mgh. Et puisqu'il s'agit d'une force conservative, son travail sur la pierre le long de toute trajectoire menant de a à b vaut $-mgh$. Le travail résultant sur la pierre sera nul sur un trajet aller-retour, seulement si ce dernier résultat s'avère valide. Cela signifie que la gravitation fait un travail négatif sur la pierre lorsqu'elle se déplace de a vers b; autrement dit, on doit faire un travail contre la force gravitationnelle le long de toute trajectoire ab. Nous pouvons ainsi calculer directement le travail fait par la gravitation en utilisant l'expression $-mgh$, puisque toute trajectoire peut se décomposer en déplacements infinitésimaux dirigés alternativement selon l'horizontale et la verticale. Comme aucun travail n'est fait par la gravitation sur un déplacement horizontal, le déplacement vertical sera le même pour chaque trajectoire. Ainsi, le travail effectué sur la pierre par la force gravitationnelle est fonction uniquement de la position de chacun des points a et b; il est donc indépendant de la trajectoire choisie.

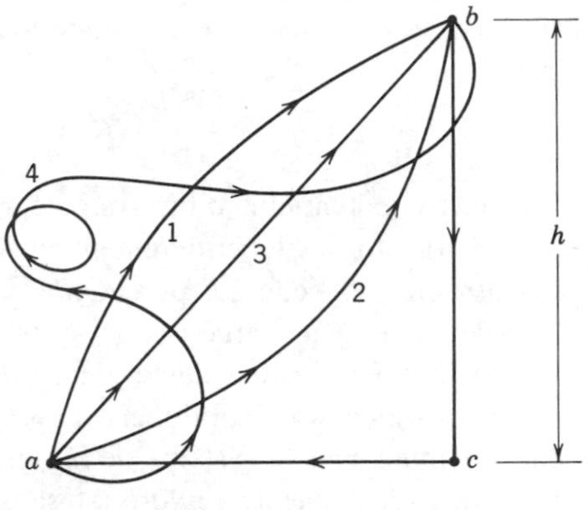

figure 8-3
On élève une pierre du point a au point b en empruntant plusieurs trajectoires (1, 2, 3 et 4).

Par ailleurs, le travail fait par une force non conservative comme le frottement n'est pas indépendant de la trajectoire suivie entre deux points fixes. Citons simplement le cas d'un bloc que l'on pousse sur une table rugueuse entre deux points quelconques a et b, en empruntant des trajets différents. La distance parcourue varie et ainsi le travail que fait la force de friction change avec la trajectoire.

Toutes les définitions que nous avons données d'une force conservative sont équivalentes et le choix de l'une d'entre elles dépendra de sa commodité. Notre étude des trajets aller-retour démontre clairement que dans tous les cas où des forces conservatives agissent, l'énergie cinétique se conserve. Toutefois, pour développer l'idée d'énergie potentielle, nous devrons préférablement faire appel à des situations indépendantes de la trajectoire suivie.

8-3 *ÉNERGIE POTENTIELLE*

Dans cette section, nous porterons notre attention non pas sur le bloc en mouvement de la figure 8-1, mais plutôt sur le système isolé que forment le bloc et le ressort. De ce point de vue, lorsque le bloc se déplace, nous préférons dire que c'est l'état du système qui change. On mesure la position du bloc et on spécifie l'état du système à tout instant par le même paramètre x, qui représente le déplacement de l'extrémité libre du ressort par rapport à sa position d'équilibre, où le ressort n'est pas déformé. L'énergie cinétique du système est la même que celle du bloc, car nous avons supposé que le ressort ne possédait pas de masse.

Nous avons vu que l'énergie cinétique du système de la figure 8-1 décroît jusqu'à zéro pendant la première moitié du mouvement, puis s'accroît pendant la seconde moitié. En l'absence de frottement, l'énergie cinétique reprend sa valeur initiale lorsque le système reprend son état initial.

Dans toute situation où des forces conservatives agissent, il est logique d'introduire le concept *d'énergie due à l'état du système,* qu'on appelle *énergie potentielle U*. Nous pourrons alors dire que si l'énergie cinétique du système varie d'une quantité ΔK lorsque son état change (c'est-à-dire lorsque le bloc se déplace dans le système de la figure 8-1), son énergie potentielle doit varier d'une quantité égale mais de signe contraire, de sorte que leur somme soit nulle. On écrit alors:

$$\Delta K + \Delta U = 0. \tag{8-4a}$$

Nous pourrons dire également que toute variation de l'énergie cinétique du système introduit une variation contraire de l'énergie potentielle, de sorte que la somme de K et U demeure constante tout au long du mouvement, ce qui s'écrit ainsi:

$$K + U = C^{te}. \tag{8-4b}$$

L'énergie potentielle d'un système représente une forme d'énergie emmagasinée transformable entièrement en énergie cinétique. Précisons qu'on ne peut associer de l'énergie potentielle à une force non conservative comme la force de frottement, parce que le système sur lequel agit cette force ne retrouvera pas la même valeur d'énergie cinétique en reprenant son état initial.

Les équations 8-4 s'appliquent à un système fermé où des objets « interagissent » comme dans le système de la figure 8-1. Dans cet exemple, puisque nous avons considéré que le ressort est sans masse, l'énergie cinétique s'associe à la masse en mouvement. Le bloc ralentit (ou accroît sa vitesse) parce que *le ressort* exerce une force sur lui; il devient alors pertinent d'associer l'énergie potentielle du système à cette force, c'est-à-dire au ressort. Ainsi, dans ce cas simple, nous dirons que l'énergie cinétique, localisée dans la masse, diminue durant la première moitié du mouvement, tandis que l'énergie potentielle, localisée dans le ressort, augmente simultanément.[2]

Les équations 8-4 ne représentent qu'un bilan de l'énergie. De même que le concept d'énergie potentielle, elles n'ont pas de signification réelle, à moins que nous ne trouvions le moyen de calculer U en fonction de l'état du système où agissent des forces conservatives. Cela signifie que, dans l'exemple de la figure 8-1, il nous faut trouver $U(x)$, où x est la déformation du ressort.

Afin de préciser notre concept d'énergie potentielle U, analysons le théorème reliant le travail et l'énergie, $W = \Delta K$, dans lequel W est le travail fait par la force résultante sur une particule se déplaçant de a vers b. Pour simplifier, supposons qu'une seule force $\vec{\mathbf{F}}$ agit sur la particule, situation que l'on retrouve dans le système de la figure 8-1. Si $\vec{\mathbf{F}}$ est une force conservative, le théorème et l'équation 8-4a conduisent à la relation suivante:

$$W = \Delta K = -\Delta U. \tag{8-5a}$$

Le travail W fait par une force conservative dépend uniquement des points de départ et d'arrivée du mouvement et non pas de la trajectoire suivie. Une telle force est fonction seulement de la position de la particule; c'est ainsi qu'elle est indépendante de la vitesse ou du temps.

Dans le cas d'un mouvement à une dimension, l'équation 8-5a s'écrit ainsi:

$$\Delta U = -W = -\int_{x_0}^{x} F(x)\, dx. \tag{8-5b}$$

La particule se déplace de x_0 à x. Cette dernière équation montre comment déterminer la variation d'énergie potentielle ΔU lorsqu'une particule, soumise

[2] Tout comme nous avons supposé que le ressort n'a pas de masse, supposons aussi que le bloc est rigide, c'est-à-dire qu'il n'est pas déformable. Dans un système plus général, les énergies cinétique et potentielle peuvent se présenter dans diverses parties du système en prenant des valeurs différentes selon les changements d'état de celui-ci.

à l'action d'une force conservative $F(x)$, se déplace d'un point a (représenté par x_0) vers un point b (représenté par x). A l'aide de cette équation, nous pouvons calculer ΔU seulement si $\vec{F}$ ne dépend que de la position de la particule (c'est-à-dire de l'état du système), ce qui revient à dire que l'énergie potentielle est significative pour les forces conservatives exclusivement.

Maintenant que nous savons que l'énergie potentielle U est fonction uniquement de la position d'une particule, l'équation 8-4b peut s'écrire ainsi:

$$\tfrac{1}{2}mv^2 + U(x) = E \qquad \text{(une dimension)}, \tag{8-6a}$$

où E représente *l'énergie mécanique totale* et demeure constante tout au long du mouvement de la particule. Imaginons que la particule se déplace du point a (où sa position est x_0 et sa vitesse v_0) vers le point b (où sa position sera x et sa vitesse v). Lorsqu'elle est soumise à l'action d'une force conservative, son énergie mécanique totale E sera la même pour tout état du système, et, en vertu de l'équation 8-6a, nous écrivons:

$$\tfrac{1}{2}mv^2 + U(x) = \tfrac{1}{2}mv_0^2 + U(x_0). \tag{8-6b}$$

Le membre de droite de l'équation donne une *quantité constante lors du mouvement*, car il dépend des valeurs définies que sont la position initiale x_0 de la particule et sa vitesse initiale v_0. Il s'agit de l'énergie mécanique totale E. Notons que la force et l'accélération n'apparaissent pas dans cette équation; on n'y retrouve que la position et la vitesse. Les équations 8-6 sont l'expression de *la loi de conservation de l'énergie mécanique* pour les forces conservatives.

Dans plusieurs problèmes nous constatons que, même si certaines forces ne sont pas conservatives, elles sont tellement faibles que nous pouvons les négliger. Dans de tels cas, les équations 8-6 fournissent une bonne approximation. Citons en exemple la résistance de l'air qui peut avoir un effet si faible sur le mouvement que dans certains cas, à toute fin utile, on n'en tient même pas compte.

Notons que, lorsque des forces conservatives agissent seules, nous pouvons solutionner un problème plus facilement avec les équations 8-6 qu'avec les lois de Newton. Bien sûr, ces équations découlent des lois de Newton mais elles constituent une étape plus avancée de la solution du problème. Nous résolvons fréquemment des problèmes en recherchant d'abord dans le mouvement des invariants, et cela sans même analyser les forces ou écrire les lois de Newton. Et, comme l'énergie mécanique se conserve, les équations 8-6 constituent la première étape dans une solution recherchée.

S'il s'agit d'un mouvement à une dimension, nous pouvons également établir une relation entre la force et l'énergie potentielle:

$$F(x) = -\frac{dU(x)}{dx}. \tag{8-7}$$

Pour démontrer ce résultat, il suffit de substituer cette valeur de $F(x)$ dans l'équation 8-5b. Nous obtenons une identité. Cette équation 8-7 fournit une autre façon de voir l'énergie potentielle: *l'énergie potentielle est une fonction de la position, dont la dérivée négative donne la force.*

Vous avez certainement remarqué que, dans les équations 8-6, nous avons utilisé la quantité $U(x)$, même si nous ne pouvons calculer que des *variations de* U, (éq. 8-5b), et non U comme tel. Imaginons une particule se déplaçant de a vers b le long de l'axe des x et soumise à l'action d'une seule force conservative $F(x)$. Afin d'évaluer U_b, l'énergie potentielle au point b, écrivons:

$$\Delta U = U_b - U_a,$$

ou encore (voir éq. 8-5*b*):

$$U_b = \Delta U + U_a = -\int_{x_a}^{x_b} F(x)\, dx + U_a. \qquad (8\text{-}8)$$

Il est impossible d'attribuer une valeur à U_b tant que U_a n'en possédera pas. Si le point b représente toute position x arbitraire telle que $U_b = U(x)$, alors $U(x)$ devient significatif si l'on choisit le point a comme étant un point de référence convenable. On décrit le point a par $x_a = x_0$ et on lui attribue une valeur d'énergie potentielle arbitraire $U_a = U(x_0)$ lorsque le corps se trouve en ce point. Ainsi, l'équation 8-8 devient:

$$U(x) = -\int_{x_0}^{x} F(x)\, dx + U(x_0). \qquad (8\text{-}9)$$

On donne habituellement la valeur zéro à l'énergie potentielle que possède le corps à la position de référence ($U(x_0) = 0$).

Il est souvent utile de choisir la position de référence x_0 en un point où la particule ne subit aucune force. Ainsi, un ressort non déformé n'exerce aucune force; nous disons dans ce cas que son énergie potentielle est nulle, pour cette position. De même, l'attraction gravitationnelle que la Terre exerce sur un objet diminue avec l'éloignement et devient nulle pour une distance infiniment grande. Nous prenons habituellement l'infini comme position de référence et attribuons la valeur zéro à l'énergie potentielle associée à la force gravitationnelle en ce point (voir le chapitre 16). Toutefois, jusqu'à présent, nous n'avons tenu compte que de la force gravitationnelle qui s'exerce sur des objets (une balle de base-ball, par exemple) qui ne s'éloignent pas tellement de la surface de la Terre. Il s'agit de distances très courtes comparativement au rayon de la Terre. Dans ce cas la force gravitationnelle, $m\vec{\mathbf{g}}$, est pratiquement constante et il est commode de choisir le zéro d'énergie potentielle non pas à l'infini mais bien à la surface de la Terre.

Le fait de changer les coordonnées du point de référence x_0 n'a pour effet que de modifier la valeur de $U(x)$: on lui ajoute une valeur constante provenant de la nouvelle valeur de $U(x_0)$. La présence d'une constante arbitraire additionnelle dans l'expression de l'énergie potentielle (éq. 8-9) ne change en rien les équations écrites jusqu'à présent. Par exemple, cela ajoute simplement la même constante à chaque membre de l'équation 8-6*b* et n'affecte pas l'égalité. De plus, modifier $U(x)$ d'une valeur fixe n'influence nullement le calcul de la force (éq. 8-7) car la dérivée d'une constante est nulle. Tout ceci signifie simplement que le choix d'un point de référence pour l'énergie potentielle est sans importance puisque nous devons toujours traiter de *différences* d'énergie potentielle plutôt que de valeurs absolues d'énergie potentielle en des points donnés.

Il est aussi arbitraire de spécifier l'énergie cinétique d'une particule, car, pour déterminer sa vitesse, nous devons choisir un système de référence. Par exemple, la vitesse d'un homme assis dans un train est nulle si nous prenons le train comme système de référence, mais ne l'est pas pour un observateur qui se trouve sur la terre ferme et qui le voit se déplacer à vitesse constante. La valeur de l'énergie cinétique dépend donc du système de référence utilisé par l'observateur. Pour terminer, disons que le fait important concernant l'énergie mécanique E (qui est la somme des énergies cinétique et potentielle) *n'est pas* qu'elle ait une valeur particulière pendant un mouvement donné (cela dépend de l'observateur) mais bien que sa valeur *ne change pas* pendant le mouvement et pour tout observateur, quand il s'agit de forces conservatives.

8-4 *SYSTÈMES CONSERVATIFS À UNE DIMENSION*

Nous déterminerons dans cette section l'énergie potentielle dans les cas des mouvements à une dimension. Nous étudierons à cet effet deux exemples de forces conservatives: la force gravitationnelle pour tout mouvement ayant lieu près de la surface terrestre et la force d'élasticité d'un ressort idéal soumis à une déformation.

Dans le cas de la force de gravitation, nous analyserons un mouvement vertical, s'effectuant selon l'axe des y. Nous choisissons l'orientation positive de l'axe des y comme étant vers le haut; la force de gravitation, orientée vers le bas, agit par ce fait dans le sens négatif de cet axe. On a alors $F(y) = -mg$, une constante. L'énergie potentielle pour la position y se trouve à l'aide de l'équation 8-9 et a la valeur suivante:

$$U(y) = -\int_0^y F(y)\, dy + U(0) = -\int_0^y (-mg)\, dy + U(0) = mgy + U(0).$$

On choisit le zéro d'énergie potentielle là où $y = 0$, de sorte que $U(0) = 0$, et ainsi

$$U(y) = mgy. \tag{8-10}$$

Cette expression nous donne l'énergie potentielle. De plus, ce résultat est conforme à la relation $F(y) = -dU/dy$ (éq. 8-7), car $-d(mgy)/dy = -mg$. En posant $y = 0$ à la surface de la Terre, l'énergie potentielle est nulle à cet endroit et augmente uniformément avec l'altitude y.

Si nous comparons les positions y et $y = 0$, la loi de la conservation de l'énergie mécanique (éq. 8-6b) permet d'écrire:

$$\tfrac{1}{2}mv^2 + mgy = \tfrac{1}{2}mv_0^2.$$

Cette équation est équivalente mathématiquement au résultat suivant, qui est bien connu (éq. 3-17):

$$v^2 = v_0^2 - 2gy.$$

Si notre particule se déplace d'une hauteur h_1 vers une hauteur h_2, l'équation 8-6b donne le résultat suivant:

$$\tfrac{1}{2}mv_1^2 + mgh_1 = \tfrac{1}{2}mv_2^2 + mgh_2.$$

Ce résultat ressemble à celui de l'exemple 5 du chapitre 7. L'énergie mécanique totale E est constante et se conserve donc pendant le mouvement, même si l'énergie cinétique et l'énergie potentielle varient avec les changements d'états du système formé par la Terre et la particule.

Un autre exemple de force conservative est celle qu'exerce un ressort, qui est fixé à l'une de ses extrémités, lorsqu'il déplace un objet de masse m sur une surface horizontale sans frottement (fig. 8-4). Si l'on choisit $x_0 = 0$ comme position de l'extrémité mobile du ressort, lorsqu'il n'est pas déformé, le ressort exercera sur la masse une force $F = -kx$ lorsqu'il sera déformé d'une longueur x. L'énergie potentielle s'obtient à partir de l'équation 8-9:

$$U(x) = -\int_0^x F(x)\, dx + U(0) = -\int_0^x (-kx)\, dx + U(0).$$

Si on pose $U(0) = 0$ lorsque la force s'annule et que le ressort n'est ni étiré ni comprimé, on a:

$$U(x) = -\int_0^x (-kx)\, dx = \tfrac{1}{2}kx^2.$$

Ce résultat reste le même que l'on étire ou que l'on comprime le ressort, c'est-à-dire pour des valeurs de x positives ou négatives.

L'expression obtenue est conforme à la relation $F(x) = -dU/dx$ (éq. 8-7), car $-d(\frac{1}{2}kx^2)/dx = -kx$. L'énergie potentielle élastique du ressort prend donc la forme suivante:

$$U(x) = \tfrac{1}{2}kx^2. \qquad (8\text{-}11)$$

Tout au long du mouvement de l'objet de masse m, l'énergie mécanique totale E se conservera (fig. 8-4). L'équation 8-6*b* permet d'écrire:

$$\tfrac{1}{2}mv^2 + \tfrac{1}{2}kx^2 = \tfrac{1}{2}mv_0^2,$$

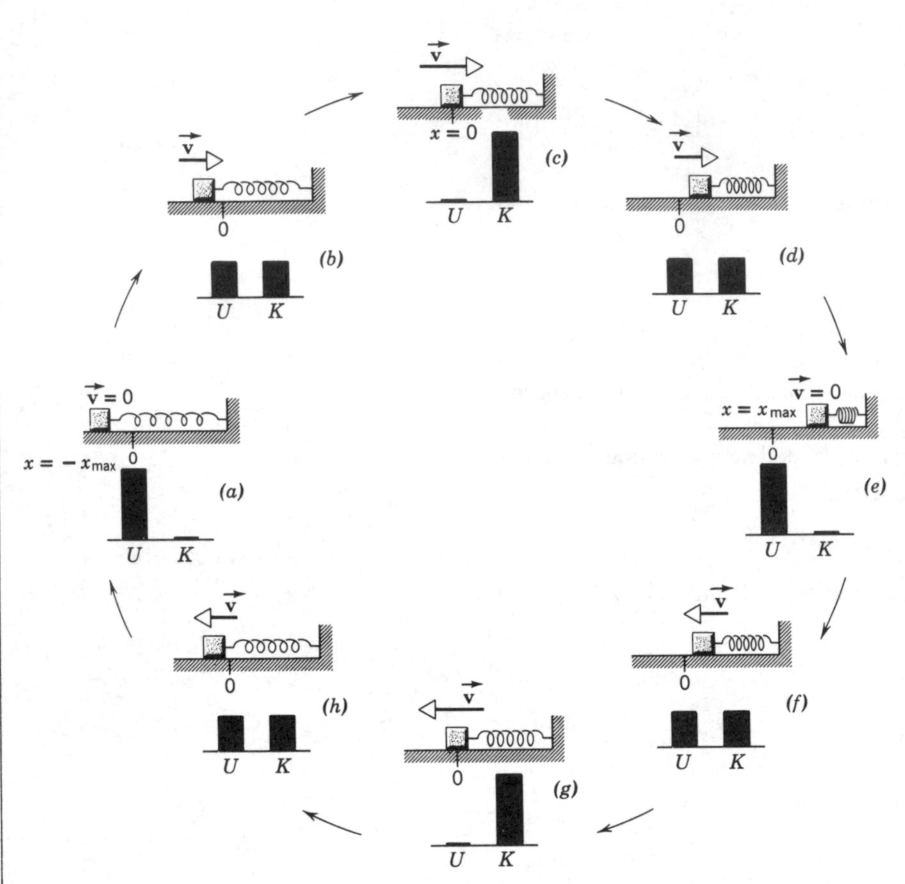

figure 8-4
Une masse attachée à un ressort glisse de gauche à droite sur une surface sans frottement. Ce système forme un oscillateur harmonique. La figure illustre le mouvement de la masse pendant un cycle. En *(a)* la masse se trouve à son point de départ et momentanément au repos: $K = 0$. Le ressort est étiré au maximum: $U = U_{max}$. (On illustre les quantités relatives de K et de U à chaque situation.) En *(b)* la masse a acquis de l'énergie cinétique et le ressort est moins étiré; K et U ont la même valeur: $K = U = \frac{1}{2}U_{max}$. En *(c)* le ressort n'est ni étiré ni comprimé et la masse a une vitesse maximale: $U = 0$, $K = K_{max} = U_{max}$. Pendant tout le cycle, l'énergie mécanique totale $(E = K + U)$ est conservée: $E = K_{max} = U_{max}$. L'oscillateur harmonique sera analysé plus en détail au chapitre 15.

où v_0 est la vitesse de la particule lorsque $x = 0$. Nous obtenons physiquement ce genre de résultat lorsque nous étirons le ressort jusqu'à une certaine position (x_m) et que nous le relâchons. Notons qu'au point $x = 0$ l'énergie mécanique du système (ressort + masse) est entièrement cinétique. Par contre, au point $x = x_m$ (valeur maximale de x) nous avons $v = 0$: toute l'énergie du système est potentielle. Au point $x = x_m$ on a:

$$\tfrac{1}{2}kx_m^2 = \tfrac{1}{2}mv_0^2$$

ou

$$x_m = \sqrt{m/k}\; v_0.$$

Pour les positions comprises entre x_1 et x_2, l'équation 8-6*b* donne ceci:

$$\tfrac{1}{2}kx_1^2 + \tfrac{1}{2}mv_1^2 = \tfrac{1}{2}kx_2^2 + \tfrac{1}{2}mv_2^2.$$

Nous avons vu que *l'énergie cinétique d'un corps représente le travail qu'il peut faire grâce à son mouvement.* L'énergie cinétique s'exprime par l'équation $K = \frac{1}{2}mv^2$. Nous ne pouvons toutefois pas écrire d'équation générale pour l'énergie potentielle. *L'énergie potentielle d'un système de corps est le travail que ce système peut faire en vertu de la position relative de ses constituants, c'est-à-dire en vertu de son état.* Dans chaque situation nous déterminons la quantité de travail que le système fera en passant d'un état à l'autre et nous considérerons le résultat comme étant la différence de l'énergie potentielle entre les deux états.

L'énergie potentielle du ressort est fonction de la position relative de ses différentes parties. On obtiendra un travail en laissant le ressort retourner vers sa position d'équilibre (où il n'est pas déformé), puisque pendant ce temps il exerce une force sur une certaine distance. Comme le montre notre exemple, une masse fixée au ressort accélérera à cause de cette force, et l'énergie potentielle du ressort se transformera en énergie cinétique. D'autre part, dans le cas de la gravitation, un objet occupe une position par rapport à la Terre. L'énergie potentielle est alors une propriété de l'objet et de la Terre considérés comme un système de masses. Leur énergie potentielle est déterminée par leur position relative et elle diminue quand les masses se rapprochent l'une de l'autre. La perte d'énergie potentielle est égale au travail fait durant le mouvement. Ce travail se transforme en énergie cinétique des corps en présence. Précisons que dans notre exemple nous négligeons l'énergie cinétique acquise par la Terre lorsqu'un objet tombe vers elle. En principe, cet objet exerce une force sur la Terre, et l'accélère par rapport à un certain système de référence galiléen. Toutefois, la variation de la vitesse de la Terre est si faible que, malgré sa masse énorme, son gain d'énergie cinétique demeure négligeable comparativement à l'objet. Ce résultat sera démontré dans un chapitre ultérieur. Par ailleurs nous ne pouvons pas toujours négliger l'un ou l'autre des constituants d'un système; c'est le cas des mouvements planétaires, où les systèmes sont formés de corps ayant des masses comparables. En général, on n'attribue pas *l'énergie potentielle* à l'un ou à l'autre des corps séparément; on considère plutôt qu'elle *constitue une propriété du système.*

EXEMPLE 1

Calculez la variation de l'énergie potentielle gravitationnelle lorsqu'un ascenseur de 7000 N monte du rez-de-chaussée vers le toit d'un édifice situé 250 m plus haut.

L'énergie potentielle gravitationnelle du système (ascenseur + Terre) vaut $U = mgy$. Alors:

$$\Delta U = U_2 - U_1 = mg(y_2 - y_1).$$

Mais

$$mg = W = 7000 \text{ N} \quad \text{et} \quad y_2 - y_1 = 250 \text{ m}$$

d'où

$$\Delta U = (7000 \text{ N})(250 \text{ m}) = 1{,}75 \times 10^6 \text{ J}.$$

EXEMPLE 2

Nous illustrerons dans cet exemple les aspects à la fois simples et commodes de la méthode utilisant le concept d'énergie pour solutionner des problèmes de dynamique. Soit un bloc de masse m glissant vers le bas d'une surface courbe et sans frottement (fig. 8-5).

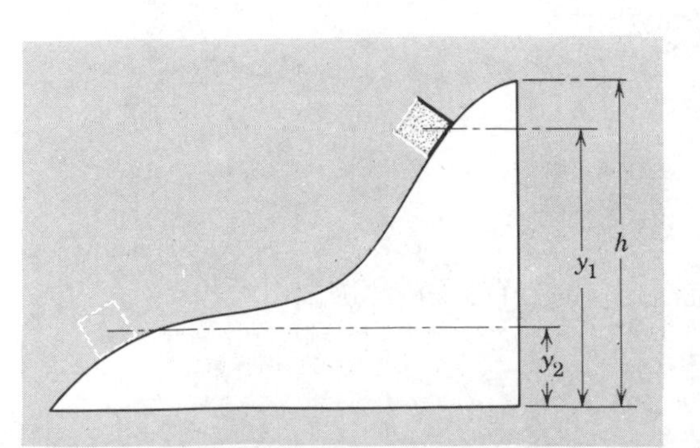

figure 8-5
Exemple 2. Un bloc glisse vers le bas d'une surface courbe sans frottement.

La force qu'exerce la surface sur le bloc ne fait aucun travail, car elle agit toujours perpendiculairement à la direction du mouvement. Seule la force gravitationnelle fait du travail sur le bloc et il s'agit d'une force conservative. L'énergie mécanique E, dans ce cas, se conserve, et nous pouvons écrire:

$$\tfrac{1}{2}mv_1^2 + mgy_1 = \tfrac{1}{2}mv_2^2 + mgy_2.$$

Après simplification, nous avons:

$$v_2^2 = v_1^2 + 2g(y_1 - y_2).$$

Ce résultat nous montre que, pour évaluer la vitesse au bas de la surface, la vitesse initiale et la variation de la hauteur sont les seuls facteurs déterminants, et que la forme de la surface n'intervient pas. En fait, si le bloc est initialement au repos à une hauteur $y_1 = h$ et si on pose $y_2 = 0$, nous obtenons:

$$v_2 = \sqrt{2gh}.$$

La solution de cet exemple illustre bien que la trajectoire suivie par le bloc n'influence aucunement le travail effectué.

Dans ce problème la valeur de la force dépend de la pente de la surface en chaque point. Ainsi, l'accélération n'est pas constante et varie en fonction de la position. Pour obtenir la vitesse en utilisant les lois de Newton, il faudrait d'abord déterminer l'accélération en chaque point puis intégrer la fonction obtenue sur la trajectoire entière. Nous évitons cette difficulté si nous prenons pour acquis le fait que l'énergie mécanique est conservée pendant tout le mouvement.

EXEMPLE 3

La constante d'élasticité du ressort d'un pistolet vaut 700 N/m. Après l'avoir comprimé de 5,0 cm, on introduit dans le canon une balle de 0,1 N que l'on appuie contre le ressort. Supposons qu'il n'y ait pas de frottement et que le pistolet soit placé horizontalement. Si on relâche le ressort, quelle sera la vitesse de la balle en quittant le canon?

Puisque la force est conservative, l'énergie mécanique reste constante durant le processus. L'énergie mécanique initiale correspond à l'énergie potentielle élastique du ressort ($\tfrac{1}{2}kx^2$) et sa valeur finale sera égale à l'énergie cinétique de la balle ($\tfrac{1}{2}mv^2$). Ainsi,

$$\tfrac{1}{2}kx^2 = \tfrac{1}{2}mv^2$$

d'où

$$v = \sqrt{\frac{k}{m}}\,x = \sqrt{\frac{700\ \text{N/m}}{(0{,}1\ \text{N})/(9{,}8\ \text{m/s}^2)}}\,(0{,}05\ \text{m}) = 13{,}1\ \text{m/s}.$$

- **Notions avancées**

8-5 *SOLUTION DÉTAILLÉE DU PROBLÈME À UNE DIMENSION POUR UNE FORCE QUI EST UNIQUEMENT FONCTION DE LA POSITION*

L'équation 8-6a exprime la relation entre la coordonnée et la vitesse pour un mouvement unidimensionnel, lorsque la force varie en fonction de la position seulement. Dans cette équation on a exclu la force et l'accélération. Si on désire compléter la solution du problème de dynamique, il faut éliminer la vitesse et traduire la position en fonction du temps. Voici comment nous y parvenons de manière formelle. Nous avons vu que (éq. 8-6a)

$$\tfrac{1}{2}mv^2 + U(x) = E.$$

En résolvant pour v, on obtient:

$$v = \frac{dx}{dt} = \sqrt{\frac{2}{m}\,[E - U(x)]}, \qquad (8\text{-}12)$$

ou

$$\frac{dx}{\sqrt{\frac{2}{m}\,[E - U(x)]}} = dt.$$

Alors, la fonction $x(t)$ s'obtient en solutionnant, pour x, l'équation suivante:

$$\int_{x_0}^{x} \frac{dx}{\sqrt{\frac{2}{m}\,[E - U(x)]}} = \int_{t_0}^{t} dt = t - t_0. \qquad (8\text{-}13)$$

La particule se trouve au point x_0 au temps t_0, et E représente l'énergie totale constante. En utilisant cette équation, le signe (+ ou −) de la racine carrée correspond à une orientation positive ou négative de $\vec{v}$ le long de l'axe des x. Quand $\vec{v}$ change de sens pendant le mouvement, il peut s'avérer nécessaire d'intégrer l'équation pour chaque partie du mouvement.

D'autre part, même lorsqu'on ne peut évaluer cette intégrale ou que l'équation résultante ne peut se résoudre et donner une solution explicite pour $x(t)$, l'équation qui traduit la conservation de l'énergie nous fournit des éléments de la solution. Par exemple, l'équation 8-12 nous apprend qu'une énergie totale E donnée confine la particule aux régions de l'axe des x où $E > U(x)$. Physiquement, une vitesse imaginaire ou une énergie cinétique négative n'existent pas. Donc, $E - U(x)$ doit être plus grand ou égal à zéro. De plus, le graphique de $U(x)$ en fonction de x permet d'obtenir une bonne description qualitative des différents types de mouvements possibles. Cette description dépend du fait que la vitesse est proportionnelle à la racine carrée de la différence entre E et U.

Analysons, comme exemple, la courbe de l'énergie potentielle illustrée à la figure 8-6. La courbe rappelle le profil d'une piste connue sous le nom de montagnes russes, mais elle représente le cas général de l'énergie potentielle d'un système non gravitationnel. Sachant que pour un mouvement réel nous devons avoir $E \geqq U(x)$, la plus faible quantité d'énergie totale possible vaut E_0. Pour cette valeur d'énergie totale, $U = E_0$ et le système ne possède pas d'énergie cinétique. La particule sera au repos au point x_0. A un niveau d'énergie légèrement supérieur E_1, la particule pourra se déplacer entre x_1 et x_2 seulement. Lorsqu'elle se déplace de x_0 vers x_1 ou x_2, sa vitesse décroît. Aux points x_1 et x_2, la particule s'arrête et inverse son mouvement; c'est pour cette raison que ces points sont nommés *points limites* du mouvement. Lorsque le système possède une énergie totale E_2, il existe quatre points limites et la particule peut osciller dans l'un ou l'autre des deux puits de potentiel. Si l'énergie totale est E_3, il n'y a qu'un point limite du mouvement, x_3. Dans ce cas, une particule qui se déplace au départ dans le sens négatif de l'axe des x s'arrêtera au point x_3 puis se dirigera dans le sens inverse. Sa vitesse augmentera quand U diminuera et ralentira quand U s'accroîtra. Pour toute valeur d'énergie supérieure à E_4, aucun point limite n'existe et la particule continuera son mouvement sans l'inverser. Sa vitesse changera en fonction de l'énergie potentielle à chaque point.

Par ailleurs, en un point tel $x = x_0$ où la fonction $U(x)$ possède une valeur minimale, la pente de la courbe est nulle et aucune force n'agit en ce point, c'est-à-dire: $F(x_0) = -(dU/dx)_{x=x_0} = 0$. Une particule au repos le demeurera. Ajoutons de plus que si on déplace légèrement la particule d'un côté ou de l'autre, la force $F(x) = -dU/dx$ s'y opposera, l'obligeant ainsi à osciller autour du point d'équilibre. Il s'agit là d'un point *d'équilibre stable*.

En un point tel $x = x_4$ où $U(x)$ possède une valeur maximale, la pente de la courbe vaut zéro et, ainsi, la force s'annule, c'est-à-dire: $F(x_4) = -(dU/dx)_{x=x_4} = 0$. Une particule qui est au repos en ce point restera au repos. Toutefois, si nous déplaçons la particule, même très légèrement, de ce point, une force $F(x) = -dU/dx$ tendra à l'éloigner davantage de la position d'équilibre. On dit alors qu'il s'agit d'un point *d'équilibre instable*.

Dans un intervalle où $U(x)$ reste constant, comme au voisinage de $x = x_5$, nous obtenons encore zéro pour la pente de la courbe. Il en est de même pour

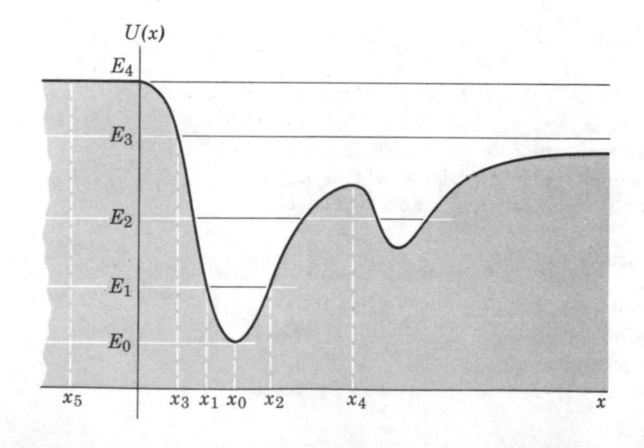

figure 8-6
Une courbe d'énergie potentielle.

la force: $F(x_5) = -(dU/dx)_{x=x_5} = 0$. Dans cet intervalle une particule peut être déplacée légèrement sans subir de force de rappel ou de répulsion; nous disons dans ce cas qu'il y a *équilibre neutre*.

Cette analyse montre clairement que nous pouvons en savoir beaucoup sur le mouvement d'un corps si nous connaissons la fonction de l'énergie potentielle correspondant à la région de l'axe des x où il se déplace. •

EXEMPLE 4

La fonction de l'énergie potentielle dans le cas de la force qui existe entre les deux atomes d'une molécule diatomique peut s'exprimer approximativement ainsi:

$$U(x) = \frac{a}{x^{12}} - \frac{b}{x^6},$$

où a et b sont des constantes positives, alors que x est la distance entre les atomes.

(a) Pour quelles valeurs de x la fonction $U(x)$ est-elle égale à zéro? Pour quelle valeur de x cette fonction prend-elle une valeur minimale?

La figure 8-7*a* représente $U(x)$ en fonction de x. Nous trouvons les valeurs recherchées pour $U(x) = 0$ en posant l'égalité suivante:

$$\frac{a}{x^{12}} - \frac{b}{x^6} = 0,$$

ce qui entraîne que

$$x^6 = \frac{a}{b} \qquad \text{et} \qquad x = \sqrt[6]{\frac{a}{b}}.$$

La fonction $U(x)$ devient nulle lorsque $x \to \infty$ [voir la figure, ou simplement poser $x = \infty$ dans l'équation de $U(x)$], de sorte que $x = \infty$ est une autre solution possible.

Voici comment trouver la valeur de x pour laquelle $U(x)$ est un minimum:

$$\frac{d}{dx}U(x) = 0,$$

c'est-à-dire:

$$\frac{-12a}{x^{13}} + \frac{6b}{x^7} = 0,$$

d'où

$$x^6 = \frac{2a}{b} \qquad \text{et} \qquad x = \sqrt[6]{\frac{2a}{b}}.$$

(b) Déterminez la force interatomique.

Selon l'équation 8-7,

$$F(x) = -\frac{d}{dx}U(x).$$

Cette dérivée de la fonction nous donne donc la valeur de la force:

$$F = \frac{-d}{dx}\left(\frac{a}{x^{12}} - \frac{b}{x^6}\right) = \frac{12a}{x^{13}} - \frac{6b}{x^7}.$$

Nous avons tracé le graphique de la force en fonction de la distance interatomique à la figure 8-7*b*. Quand la force est positive (de $x = 0$ à $x = \sqrt[6]{2a/b}$), les atomes se repoussent (la force s'oriente vers les valeurs croissantes de x). Quand la force est négative (de $x = \sqrt[6]{2a/b}$ à $x = \infty$), les atomes s'attirent (la force s'oriente vers les valeurs décroissantes de x). La force devient nulle pour $x = \sqrt[6]{2a/b}$ et il s'agit là d'un point d'équilibre stable.

(c) Supposez que l'un des atomes demeure au repos et que l'autre se déplace selon l'axe des x. Décrivez les mouvements possibles.

Notre analyse du problème nous conduit à dire que l'atome oscillera autour du point d'équilibre $x = \sqrt[6]{2a/b}$, un peu comme une particule glissant vers le haut et vers le bas sur la surface sans frottement d'un puits de potentiel.

(d) Déterminez l'énergie nécessaire pour dissocier les atomes formant la molécule. Cette énergie se nomme *énergie de dissociation*.

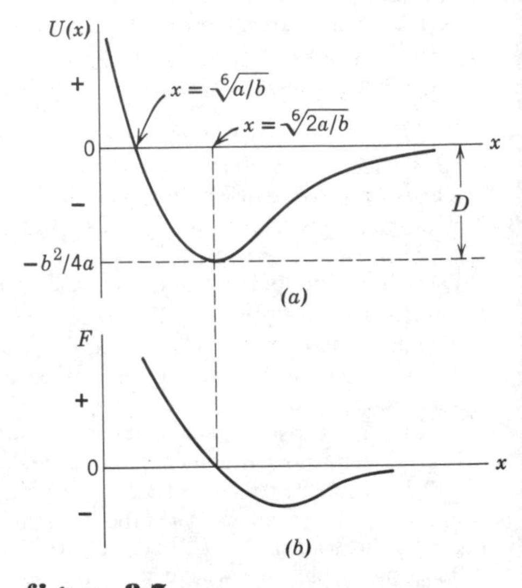

figure 8-7
Exemple 4. *(a)* L'énergie potentielle et *(b)* la force entre les deux atomes d'une molécule diatomique, en fonction de la distance x séparant les atomes.

Si un atome possède suffisamment d'énergie cinétique pour sortir du puits de potentiel, il pourra se libérer de l'autre atome. Ainsi, l'énergie de dissociation D correspond à la variation de l'énergie potentielle entre les points $x = \sqrt[6]{2a/b}$ et $x = \infty$. On obtient:

$$D = U(x = \infty) - U\left(x = \sqrt[6]{\frac{2a}{b}}\right) = 0 - \left(\frac{a}{4a^2/b^2} - \frac{b}{2a/b}\right) = \frac{b^2}{4a}.$$

La molécule se dissociera si l'énergie cinétique d'un atome au point d'équilibre est plus grande ou égale à cette valeur.

8-6 *SYSTÈMES CONSERVATIFS À DEUX OU À TROIS DIMENSIONS*

Jusqu'à présent nous avons discuté de l'énergie potentielle et de la conservation de l'énergie pour un système à une dimension dans lequel la force agissait le long de la direction du mouvement. Nous pouvons généraliser facilement la discussion pour un mouvement tridimensionnel.

Nous disons que la force $\vec{F}$ est conservative si son travail dépend uniquement des points de départ et d'arrivée, et non de la trajectoire entre ces points. En définissant l'énergie potentielle U par analogie avec le système à une dimension, nous obtenons une fonction de trois coordonnées de l'espace, c'est-à-dire $U = U(x,y,z)$. Une fois de plus nous trouvons une équation exprimant la conservation de l'énergie mécanique.

La généralisation de l'équation 8-5b pour le mouvement tridimensionnel se traduit ainsi:

$$\Delta U = -\int_{x_0}^{x} F_x\, dx - \int_{y_0}^{y} F_y\, dy - \int_{z_0}^{z} F_z\, dz \tag{8-5c}$$

ou brièvement, en notation vectorielle,

$$\Delta U = -\int_{\vec{r}_0}^{\vec{r}} \vec{F}(\vec{r}) \cdot d\vec{r}. \tag{8-5d}$$

Ici, ΔU représente la variation de l'énergie potentielle du système lorsque la particule se déplace d'un point (x_0,y_0,z_0) décrit par le vecteur position $\vec{r}_0$ vers un point (x,y,z) décrit par le vecteur position $\vec{r}$. Les composantes de la force conservative $\vec{F}(\vec{r}) = \vec{F}(x,y,z)$ sont: F_x, F_y et F_z.

La généralisation de l'équation 8-6b pour le mouvement tridimensionnel donne ceci:

$$\tfrac{1}{2}mv^2 + U(x,y,z) = \tfrac{1}{2}mv_0^2 + U(x_0,y_0,z_0), \tag{8-6c}$$

que l'on peut écrire ainsi en notation vectorielle:

$$\tfrac{1}{2}m\vec{v} \cdot \vec{v} + U(\vec{r}) = \tfrac{1}{2}m\vec{v}_0 \cdot \vec{v}_0 + U(\vec{r}_0), \tag{8-6d}$$

où $\vec{v} \cdot \vec{v} = v_x^2 + v_y^2 + v_z^2 = v^2$ et $\vec{v}_0 \cdot \vec{v}_0 = v_{0x}^2 + v_{0y}^2 + v_{0z}^2 = v_0^2$.
De même, l'équation 8-6a devient, pour ce cas tridimensionnel:

$$\tfrac{1}{2}mv^2 + U(x,y,z) = E,$$

où E représente l'énergie mécanique totale constante.

Finalement, l'équation 8-7 se généralise de cette manière pour le mouvement tridimensionnel:

$$\vec{F}(\vec{r}) = -\vec{i}\frac{\partial U}{\partial x} - \vec{j}\frac{\partial U}{\partial y} - \vec{k}\frac{\partial U}{\partial z}.$$

En substituant cette expression à $\vec{F}$ dans l'équation 8-5d, on obtient une identité. Dans le langage vectoriel, nous disons que la force conservative $\vec{F}$ est la valeur négative du *gradient* de l'énergie potentielle.

Démontrez que toutes les expressions données ci-dessus se réduisent aux équations déjà obtenues pour le mouvement à une dimension s'effectuant le long de l'axe des x.

EXEMPLE 5

Analysons le pendule simple illustré dans la figure 7-8a de la section 7-4. Le mouvement du système se produit dans le plan x-y, c'est-à-dire à deux dimensions. Comme la tension dans la corde agit toujours perpendiculairement au mouvement de la particule suspendue, elle ne fait aucun travail sur cette particule. Si on déplace le pendule d'un certain angle avant de le relâcher, seule la force gravitationnelle fera un travail sur lui. Puisque cette force est conservative, nous pouvons utiliser l'équation de la conservation de l'énergie mécanique à deux dimensions, à savoir:

$$\tfrac{1}{2}mv^2 + U(x,y) = E.$$

Mais $U(x, y) = mgy$, où l'on considère que $y = 0$ au point le plus bas de l'arc ($\phi = 0°$); alors:

$$\tfrac{1}{2}mv^2 + mgy = E.$$

Avant de libérer la particule, on la déplace d'un angle ϕ_0. L'énergie potentielle du système est donnée par mgh, ce qui correspond à une hauteur $y = h$ au-dessus du point de référence. Au point de départ ($\phi = \phi_0$), il n'y a aucune énergie cinétique et l'énergie mécanique totale se résume donc à l'énergie potentielle en ce point.

C'est ainsi que nous avons:

$$E = mgh$$

et

$$\tfrac{1}{2}mv^2 + mgy = mgh,$$

ou

$$\tfrac{1}{2}mv^2 = mg(h - y).$$

La vitesse maximale est $v = \sqrt{2gh}$, à $y = 0$. La vitesse minimale est $v = 0$, à $y = h$. Au point $y = 0$, l'énergie mécanique est entièrement cinétique, tandis qu'au point $y = h$ elle est totalement potentielle. Pour tous les points intermédiaires l'énergie sera en partie cinétique et en partie potentielle.

Notons que $U \leqslant E$ en tout point du mouvement; cela signifie que le pendule n'atteindra jamais un point plus haut que sa position de départ.

8-7 FORCES NON CONSERVATIVES

Nous avons analysé jusqu'à maintenant l'action isolée d'une force conservative sur une particule. Sachant que le théorème reliant le travail et l'énergie s'écrit

$$W_1 + W_2 + \cdots + W_n = \Delta K, \tag{8-2}$$

nous voyons que si une seule force, disons $\vec{\mathbf{F}}_1$, s'applique sur la particule et qu'elle est conservative, alors le travail W_1 fait représente la perte d'énergie potentielle ΔU du système (éq. 8-5a), c'est-à-dire:

$$W_1 = -\Delta U_1.$$

En substituant ce résultat dans l'équation 8-2, nous obtenons:

$$\Delta K + \Delta U_1 = 0.$$

Si plusieurs forces conservatives agissent sur la particule comme dans le cas d'une force gravitationnelle, de la force élastique d'un ressort ou d'une force électrostatique, les deux équations précédentes peuvent être généralisées ainsi:

$$\Sigma\, W_c = -\Sigma\, \Delta U \tag{8-14a}$$

et

$$\Delta K + \Sigma\, \Delta U = 0, \tag{8-14b}$$

où $\Sigma\ W_c$ est la somme du travail fait par les forces conservatives en présence, et ΔU correspond à la variation de l'énergie potentielle associée à ces forces. Le membre de gauche (éq. 8-14*b*) représente simplement ΔE, la variation de l'énergie mécanique totale, pour les cas où plusieurs forces conservatives s'exercent sur une particule. Cette équation devient donc:

$$\Delta E = 0 \quad \text{(forces conservatives),} \tag{8-15}$$

et signifie que l'énergie mécanique totale E d'un système demeure constante quand il change d'état.

Supposons maintenant qu'une force non conservative due au frottement s'ajoute aux diverses forces conservatives. Nous traduisons ce fait en écrivant l'équation 8-2 ainsi:

$$W_f + \Sigma\ W_c = \Delta K,$$

où W_f est le travail produit par la force de frottement et $\Sigma\ W_c$, le travail fait par l'ensemble des forces conservatives. En manipulant cette expression à l'aide de l'équation 8-14*a*, on obtient:

$$\Delta K + \Sigma\ \Delta U = W_f. \tag{8-16}$$

Nous constatons ici que l'existence d'une force de frottement occasionne une variation d'énergie mécanique égale au travail fait par cette force. L'équation 8-16 peut s'écrire ainsi:

$$\Delta E = E - E_0 = W_f. \tag{8-17}$$

Puisque W_f est toujours négatif, l'énergie mécanique finale $E = K + \Sigma U$ sera inférieure à l'énergie mécanique initiale $E_0 = K_0 + \Sigma\ U_0$.

La friction constitue un exemple de force dissipatrice qui produit un travail négatif tendant à réduire l'énergie mécanique totale du système. Une force non conservative quelconque introduirait dans les équations 8-16 et 8-17 le terme W_{nc} à la place de W_f: l'énergie totale E ne se conserverait pas, mais varierait d'une quantité égale au travail W_{nc}. Il en résulte que *l'énergie mécanique se conserve seulement si aucune force non conservative ne s'applique au système, ou si nous pouvons négliger le travail fait par ces forces.*

Mais qu'advient-il de la « perte » d'énergie mécanique dans les cas où il y a frottement? Elle se transforme en énergie interne U_{int}, se traduisant par une augmentation de la température. L'énergie interne produite est égale à l'énergie mécanique dissipée. Nous reviendrons sur l'énergie interne lors de l'étude de certains chapitres ultérieurs.

Tout comme le travail fait par une force conservative *sur* un objet est égal à la valeur négative du gain d'énergie potentielle, le travail fait par une force de frottement *sur* un objet est égal à la valeur négative du gain d'énergie interne. Autrement dit, l'énergie interne produite est égale au travail fait *par* l'objet. Nous pouvons alors remplacer W_f par $-U_{int}$ dans l'équation 8-17, ce qui donne:

$$\Delta E + U_{int} = 0. \tag{8-18}$$

Ce résultat signifie que la somme de l'énergie mécanique et de l'énergie interne d'un système ne varie pas lorsqu'il est soumis uniquement à des forces conservatives et à des forces de frottement. En écrivant $U_{int} = -\Delta E$, nous voyons que la perte d'énergie mécanique est égale au gain d'énergie interne.

EXEMPLE 6

D'une hauteur de 240 m au-dessus du sol, on lance vers le bas un objet de 1,0 kg à une vitesse v_0 de 14 m/s. L'objet s'enfonce sur une distance de 0,20 m en pénétrant dans du sable. Trouvez la grandeur de la force de résistance moyenne qu'exerce le sable sur l'objet. Négligez la résistance de l'air et solutionnez le problème en utilisant les notions de travail et d'énergie.

Au moment de toucher le sable, l'énergie cinétique de l'objet est donnée par l'équation suivante:

$$K = \tfrac{1}{2}mv_0^2 + mgh,$$

où m est la masse du corps et h, la hauteur de chute.

D'autre part, le théorème reliant le travail et l'énergie nous donne (approximativement) l'égalité suivante:

$$K = \overline{F}\,s,$$

où $\overline{F}$ est la force de résistance moyenne et s, la distance de pénétration dans le sable.

L'équivalence des deux équations nous donne le résultat suivant:

$$\begin{aligned}\overline{F} &= \frac{mv_0^2}{2\,s} + \frac{mgh}{s}\\ &= \frac{(1{,}0\text{ kg})(14\text{ m/s})^2}{2(0{,}20\text{ m})} + \frac{(1{,}0\text{ kg})(9{,}8\text{ m/s}^2)(240\text{ m})}{(0{,}20\text{ m})}\\ &= 1{,}2 \times 10^4\text{ N.}\end{aligned}$$

Les deux équations utilisées dans cet exemple représentent des cas particuliers d'équations étudiées dans ce chapitre; lesquelles?

Quelle erreur commettons-nous en négligeant la distance additionnelle s (par rapport à h) parcourue par l'objet avant de s'arrêter? Montrez qu'il est équivalent de négliger mg, en comparaison de $\overline{F}$, pour obtenir la force résultante qu'il faut utiliser dans le théorème reliant le travail à l'énergie. Précisons qu'en pratique nous ne pouvons pas toujours négliger de tels facteurs (voir par exemple le problème 19).

EXEMPLE 7

On pousse un bloc de 44 N de manière à lui communiquer une vitesse de 5,0 m/s. Il monte alors un plan incliné à 30° et parcourt 1,5 m avant de s'arrêter, puis il redescend. Évaluez la force de friction $\vec{\mathbf{f}}$ (que l'on suppose constante) agissant sur le bloc et déterminez la vitesse v du bloc lorsqu'il repassera au bas du plan incliné.

Considérons d'abord le mouvement vers le haut. Au moment où le bloc s'arrête,

$$E = K + U = 0 + (44\text{ N})(1{,}5\text{ m})(\sin 30°) = 33\text{ J},$$

tandis qu'au début de son mouvement d'ascension

$$E_0 = K_0 + U_0 = \tfrac{1}{2}\left(\frac{44\text{ N}}{9{,}8\text{ m/s}^2}\right)(5{,}0\text{ m/s})^2 + 0 = 57\text{ J.}$$

Mais

$$W_f = -fs = -f(1{,}5\text{ m})$$

et

$$E - E_0 = W_f;$$

alors:

$$33\text{ J} - 57\text{ J} = -f(1{,}5\text{ m})$$

et

$$f = 16\text{ N.}$$

Considérons maintenant le mouvement vers le bas. Le bloc repasse au bas du plan incliné avec une vitesse v; ainsi:

$$E = K + U = \tfrac{1}{2}\left(\frac{44\text{ N}}{9{,}8\text{ m/s}^2}\right)v^2 + 0 = \left(\frac{22}{9{,}8}\text{ N s}^2/\text{m}\right)v^2.$$

À son point de départ sur le plan incliné

$$E_0 = K_0 + U_0 = 0 + (44\text{ N})(1{,}5\text{ m})(\sin 30°) = 33\text{ J.}$$

Puisque

$$W_f = -(16\text{ N})(1{,}5\text{ m}) = -24\text{ J}$$

et

$$E - E_0 = W_f,$$

alors

$$\left(\frac{22}{9,8}\text{ N s}^2/\text{m}\right)v^2 - 33\text{ J} = -24\text{ J},$$

d'où:

$$v = 2,0\text{ m/s}.$$

8-8 *CONSERVATION DE L'ÉNERGIE*

Dans les sections précédentes nous avons tenu compte seulement de l'effet des forces conservatives et de la force de friction; nous étendrons ici notre étude à tous les types de forces non conservatives. Le théorème reliant le travail et l'énergie (éq. 8-2), c'est-à-dire:

$$W_1 + W_2 + \cdots + W_n = \Delta K$$

peut s'écrire de la façon suivante:

$$\Sigma\, W_c + W_f + \Sigma\, W_{nc} = \Delta K, \tag{8-19}$$

où $\Sigma\, W_c$ représente le travail total fait par les forces conservatives, W_f celui fait par la force de frottement, et $\Sigma\, W_{nc}$ le travail total réalisé par toutes les forces non conservatives autres que le frottement. Nous avons vu que chaque force conservative peut s'associer à une énergie potentielle et que le frottement s'associe à l'énergie interne:

$$\Sigma\, W_c = -\Sigma\, \Delta U$$

et

$$W_f = -U_{int}.$$

L'équation 8-19 devient:

$$\Sigma\, W_{nc} = \Delta K + \Sigma\, \Delta U + U_{int}.$$

Peu importe la nature de W_{nc}, il a toujours été possible de trouver des formes nouvelles d'énergie correspondantes. Nous représentons $\Sigma\, W_{nc}$ comme une certaine variation d'énergie, de manière à écrire le théorème reliant le travail et l'énergie de la façon suivante:

$$0 = \Delta K + \Sigma\, \Delta U + U_{int} + (\text{variation des autres formes d'énergie}).$$

Cette équation signifie que l'énergie totale (cinétique + potentielle + interne + toutes les autres formes) ne varie pas. *L'énergie ne peut être créée ou détruite; on ne peut que la transformer. L'énergie totale se conserve.*

Cet énoncé constitue une généralisation, obtenue à partir de l'expérience, et, jusqu'à présent, aucune observation de la nature ne permet de le contredire. On l'appelle *principe de la conservation de l'énergie*. Dans l'histoire de la physique, ce principe sembla souvent s'avérer faux, ce qui stimula les chercheurs à approfondir le sujet. Ils recherchèrent les phénomènes physiques cachés derrière le mouvement qui accompagnait les forces d'interaction des corps. On a toujours découvert de tels phénomènes. Par exemple, le travail fait pour vaincre la friction produit de l'énergie interne; dans d'autres interactions, on produira de l'énergie sous forme de son, de lumière, d'électricité, etc. Le concept d'énergie a été généralisé de manière à inclure les formes d'énergie autres que cinétique et potentielle des corps directement observables. Ce procédé reliant la mécanique des corps en mouvement aux phénomènes non mécaniques ou dans lesquels le mouvement ne s'observe pas directement, a permis de relier la mécanique à tous les autres domaines de la physique. Le concept d'énergie imprègne maintenant toutes les sciences physiques, et se révèle être l'une des idées unificatrices de la physique.[3]

[3] Voir par exemple « Concept of Energy in Mechanics », par R. B. Lindsay, *The Scientific Monthly*, octobre 1957.

Nous étudierons dans certains des chapitres à venir diverses transformations d'énergie: de mécanique à interne, de mécanique à électrique, de nucléaire à interne, etc. C'est pendant de telles transformations que nous mesurons les variations d'énergie, car les forces qui produisent un travail apparaissent à ce moment.

Même si le principe de la conservation de l'énergie mécanique (cinétique + potentielle) est souvent utile, il représente un cas particulier du principe général de la conservation de l'énergie. L'énergie cinétique et potentielle se conservent seulement en présence de forces conservatives, alors que l'énergie totale se conserve *toujours*.

8-9 *MASSE ET ÉNERGIE*

La loi de la conservation de la matière fut l'une des plus grandes lois de conservation de la science. Le poète romain Lucrèce (contemporain de Jules César) présenta, le premier, un énoncé philosophique de ce principe général dans une publication célèbre: *De Rerum Natura*. Il écrivit: « Les choses ne peuvent naître du néant ni y retourner. » Ce n'est que longtemps plus tard qu'on établit scientifiquement ce principe. Antoine Lavoisier (1743-1794) en apporta expérimentalement la contribution principale, et plusieurs le considèrent comme le père de la chimie moderne. En 1789 Lavoisier écrivit: « Nous devons postuler comme axiome incontestable que, dans tous les événements naturels, rien n'est créé; une quantité égale de matière existe avant et après une expérience [. . .] et il se produit uniquement des modifications dans les combinaisons des éléments en présence. »

Ce principe s'avéra extrêmement utile en chimie et en physique. On le nomma par la suite *principe de la conservation de la masse*. Dans sa publication introduisant la théorie de la relativité, Albert Einstein souleva des doutes sérieux sur la validité générale de ce principe. Ses doutes furent confirmés par les résultats des expériences réalisées sur des électrons à haute vitesse et sur les constituants nucléaires.

Les découvertes d'Einstein suggèrent que si l'on retient certaines lois de la physique, il faut redéfinir ainsi la masse d'une particule:

$$m = \frac{m_0}{\sqrt{1 - v^2/c^2}}. \qquad (8\text{-}20)$$

Dans cette équation, m_0 représente la masse de la particule lorsqu'elle se trouve au repos par rapport à l'observateur, et on l'appelle la *masse au repos*; m est la masse de la particule lorsqu'elle se déplace à la vitesse v par rapport à l'observateur; c est la vitesse de la lumière, dont la valeur constante est d'environ 3×10^8 m/s. Par exemple, nous pouvons vérifier cette équation expérimentalement en mesurant les rayons de courbure des trajectoires d'électrons à haute vitesse que l'on dévie à l'aide de champs magnétiques. Les trajectoires sont circulaires et la force magnétique équivaut à une force centripète ($F = mv^2/r$, où F et v sont connues). Pour des vitesses ordinaires la différence entre m et m_0 est trop faible pour être décelable. Par contre, certains électrons émis par des noyaux radioactifs se déplacent à des vitesses supérieures à neuf dixième de la vitesse de la lumière et permettent de confirmer l'équation 8-20. La figure 8-8 montre des résultats récents.

Il est commode de représenter le rapport v/c par β. L'équation 8-20 s'écrit alors ainsi:

$$m = m_0(1 - \beta^2)^{-1/2}.$$

Par ailleurs, nous savons comment trouver l'énergie cinétique d'un corps en calculant le travail fait par la force résultante qui le met en mouvement. L'énergie cinétique s'obtient à partir de l'expression suivante (section 7-5):

$$K = \int_0^v \vec{\mathbf{F}} \cdot d\vec{\mathbf{r}} = \tfrac{1}{2}m_0 v^2,$$

à condition de considérer la masse (m_0) constante. Imaginons maintenant que nous tenions compte du changement de masse dû à la vitesse, en introduisant dans notre équation $m = m_0(1 - \beta^2)^{-1/2}$. Nous trouvons alors que l'énergie cinétique doit être calculée non pas par $\frac{1}{2}m_0 v^2$, mais bien par (voir le problème 29, chapitre 9):

$$K = mc^2 - m_0c^2 = (m - m_0)c^2 = \Delta mc^2. \qquad (8\text{-}21)$$

L'énergie cinétique d'une particule devient donc égale au produit de c^2 et de *l'augmentation de la masse* (Δm) produite par le mouvement.

Nous nous attendons maintenant à ce que l'expression relativiste donne le résultat classique si la particule se déplace à faible vitesse. Utilisons le théorème du binôme pour développer le facteur $(1 - \beta^2)^{-1/2}$:

$$(1 - \beta^2)^{-1/2} = 1 + \tfrac{1}{2}\beta^2 + \tfrac{3}{8}\beta^4 + \tfrac{5}{16}\beta^6 + \cdots$$

À de faibles vitesses, $\beta = v/c \ll 1$; cela nous amène à négliger tous les termes au-delà de β^2. En procédant de la sorte, nous obtenons:

$$\begin{aligned} K = (m - m_0)c^2 &= m_0c^2[(1 - \beta^2)^{-1/2} - 1] \\ &= m_0c^2(1 + \tfrac{1}{2}\beta^2 + \cdots - 1) \\ &\cong \tfrac{1}{2}m_0c^2\beta^2 \\ &= \tfrac{1}{2}m_0v^2. \end{aligned}$$

Il s'agit bien du résultat classique. Notons également que si $K = 0$, $m = m_0$, c'était prévisible.

L'idée fondamentale de l'équivalence entre la masse et l'énergie peut se généraliser de manière à englober d'autres formes d'énergie que l'énergie cinétique. Par exemple, en comprimant un ressort, nous lui communiquons de l'énergie potentielle (U) et sa masse passe de la valeur m_0 à $m_0 + U/c^2$. Quand nous transférons une quantité d'énergie thermique Q à un objet, sa masse augmente d'une quantité $\Delta m = Q/c^2$. Nous en arrivons à exprimer le principe de *l'équivalence entre la masse et l'énergie:* toute quantité d'énergie E transférée, sous quelque forme que ce soit, à un objet matériel accroît sa masse d'une valeur

$$\Delta m = E/c^2.$$

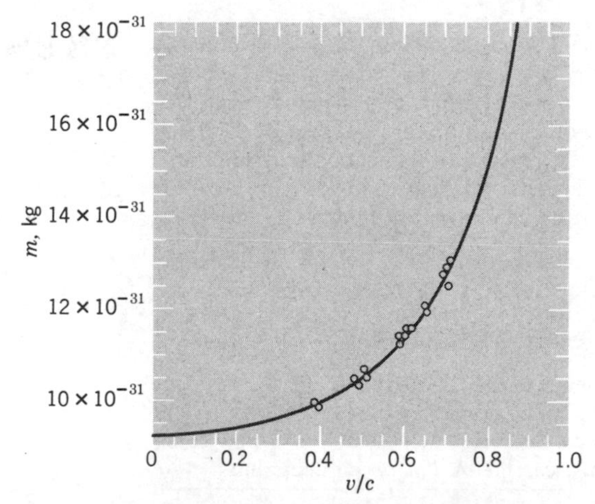

figure 8-8
Voici comment la masse d'un électron augmente en fonction de sa vitesse par rapport à un observateur. La courbe est tracée à partir de l'expression $m = m_0(1 - v^2/c^2)^{-1/2}$, tandis que les cercles proviennent de résultats expérimentaux obtenus par Bucherer et Newmann en 1914. La courbe tend vers l'infini lorsque $v \rightarrow c$.

Ce résultat donne la fameuse relation de Einstein:

$$E = \Delta mc^2. \tag{8-22}$$

Cette équation signifie qu'une masse au repos représente une forme d'énergie. Nous affirmons que tout objet au repos possède une énergie m_0c^2 en raison de sa masse que nous appelons *énergie au repos*. Dans le cas d'un système isolé, le principe de la conservation de l'énergie, généralisé par Einstein, prend la forme suivante:

$$\Sigma\,(m_0c^2 + \mathscr{E}) = \mathrm{C^{te}},$$

ou encore

$$\Delta(\Sigma\, m_0c^2 + \Sigma\,\mathscr{E}) = 0,$$

dans laquelle $\Sigma\, m_0c^2$ est l'énergie au repos totale et $\Sigma\,\mathscr{E}$, la somme de *toutes les autres* formes d'énergie. Comme l'écrivait Einstein: « La physique pré-relativiste contenait deux lois de conservation d'une importance fondamentale, nommément la loi de la conservation de l'énergie et la loi de la conservation de la masse; ces deux lois semblaient complètement indépendantes l'une de l'autre. La théorie de la relativité les unit dans un *même* principe. »

D'autre part, le facteur c^2 étant énorme, nous ne nous attendons pas à déceler des variations de masse dans les expériences courantes de mécanique. Une variation de masse de 1 g exige 9×10^{13} J d'énergie. Mais, si l'on transmet de grandes quantités d'énergie à une particule possédant une masse très faible, l'augmentation de sa masse sera aisément perceptible. C'est vrai dans les phénomènes nucléaires et, dans ce domaine, la mécanique classique n'explique plus les observations, alors que la mécanique relativiste y est vérifiée de la manière la plus remarquable.

Un exemple particulièrement intéressant d'échange d'énergie entre une masse au repos et d'autres formes d'énergie est le phénomène de production ou d'annihilation d'une paire de particules. Dans ce phénomène un électron et un positron, particules matérielles élémentaires ne différant que par le signe de leur charge électrique, se combinent et disparaissent littéralement. Nous trouvons à leur place une radiation, que l'on appelle radiation γ, et dont l'énergie est égale à exactement la somme de l'énergie de la masse au repos et de l'énergie cinétique des particules disparues. Le processus est réversible, c'est-à-dire que, sous des conditions particulières, un rayon γ ayant une énergie assez grande peut disparaître et donner naissance à de la matière. Une paire électron-positron prend sa place, et son énergie totale (masse au repos + énergie cinétique) est égale à la perte d'énergie radiante.

EXEMPLE 8

Analysons un exemple quantitatif. Sur l'échelle des masses atomiques, l'unité de masse vaut environ $1{,}66 \times 10^{-27}$ kg. Sur cette échelle, la masse au repos d'un proton (le noyau de l'atome d'hydrogène) est de 1,00731, et la masse au repos d'un neutron (une particule neutre, l'un des constituants de tous les noyaux sauf l'hydrogène) est de 1,00867. Le deutérium (le noyau de l'hydrogène lourd) est constitué d'un neutron et d'un proton; sa masse au repos vaut 2,01360. La masse au repos du deutérium est *plus petite* de 0,00238 u que la somme des masses au repos du neutron et du proton. La différence d'énergie équivaut à

$$E = \Delta mc^2 = (0{,}00238 \times 1{,}66 \times 10^{-27}\ \text{kg})(3{,}00 \times 10^8\ \text{m/s})^2$$

$$= 3{,}57 \times 10^{-13}\ \text{joules} = 2{,}22 \times 10^6\ \text{eV}.$$

Lorsqu'un neutron et un proton se combinent pour former un noyau de deutérium, cette quantité d'énergie est fournie, exactement, sous forme de radiation γ. Inversement, nous devons *fournir* cette énergie au deutérium pour le briser et obtenir un proton et un neutron. Cette quantité d'énergie porte le nom *d'énergie de liaison* du deutérium.

questions

1. Expliquez pourquoi on construit généralement les routes de montagne pour nous permettre de monter en serpentant, plutôt que de monter tout droit.
2. Y a-t-il un travail de fait sur une automobile qui se déplace à vitesse constante sur une route droite et horizontale?
3. Une automobile de masse m se déplace à une vitesse v sur une autoroute. Le conducteur freine brusquement et provoque le dérapage du véhicule, jusqu'à son arrêt. Quelle forme prendra l'énergie cinétique perdue par la voiture?
4. Dans la question précédente, imaginons que le conducteur appuie sur les freins par petits coups brefs, de manière à éviter le dérapage et le glissement des pneus sur la chaussée. Quelle forme prendra alors l'énergie cinétique perdue par la voiture?
5. Une automobile, initialement au repos, accélère jusqu'à une vitesse v, et cela sans produire de glissement des roues motrices sur la chaussée. D'où provient l'énergie cinétique acquise par la voiture? Est-il juste de dire que cette énergie provient du travail fait sur la voiture par la force de frottement (statique) qu'exerce la chaussée sur ses roues motrices?
6. Aucun travail mécanique n'est requis pour soutenir un objet lourd; pourquoi est-ce si fatigant?
7. Lorsqu'un ascenseur descend du sommet d'un édifice pour s'arrêter au rez-de-chaussée, il perd de l'énergie potentielle. Que devient cette énergie?
8. Dans l'exemple 2 (fig. 8-5) nous affirmions que la vitesse atteinte par le bloc était indépendante de la *forme* de la surface. Cette affirmation tient-elle en présence de frottement?
9. Citez quelques exemples de systèmes physiques présentant un équilibre *(a)* stable, *(b)* instable, *(c)* neutre.
10. En utilisant les notions de travail et d'énergie, expliquez comment un enfant sur une balançoire au repos peut parvenir à se balancer avec une amplitude de plus en plus grande. (Voir « How to Make a Swing Go » par R. V. Hesheth, *Physics Education*, juillet 1975.)
11. Un pendule qui oscille finit toujours par s'arrêter. Est-ce là une violation de la loi de la conservation de l'énergie?
12. On affirme dans un article scientifique que la marche et la course sont deux moyens de locomotion extrêmement inefficaces, et que les oiseaux, les poissons et les cyclistes obtiennent un rendement nettement supérieur. Pouvez-vous expliquer cela? (Voir « The Energetic Cost of Moving About » par V. A. Tucker, *American Scientist,* juillet-août 1975.)
13. Deux disques sont reliés à l'aide d'un ressort rigide (fig. 8-9). Peut-on pousser le disque supérieur vers le bas de telle sorte que, en le relâchant, il puisse revenir vers son point de départ et soulever le disque inférieur? Dans une situation semblable, l'énergie mécanique peut-elle se conserver?

figure 8-9
Question 13

14. Dans le cas d'un travail fait pour vaincre le frottement, l'énergie transformée en chaleur est indépendante de la vitesse de l'observateur ou de celle du système de référence. Autrement dit, des observateurs différents trouveront la même quantité d'énergie mécanique transformée en chaleur par le frottement. Comment expliquer ce résultat sachant qu'en général ces observateurs mesurent une variation d'énergie cinétique différente, ainsi qu'un travail différent? (Voir le problème 21 du chapitre 7.)
15. Les forces non conservatives sont-elles toutes dissipatrices comme le frottement? En principe, est-ce possible que ΣW_{nc} soit plus grand que zéro?
16. Après avoir échappé un objet, vous observez qu'il rebondit jusqu'à une fois et demie sa hauteur initiale. Quelle conclusion pouvez-vous tirer de cette constatation?
17. Se déplaçant en automobile à une vitesse v, une personne aperçoit soudainement devant elle un mur de brique à une distance d. Afin d'éviter la collision, le conducteur devrait-il appuyer ferme sur les freins ou tenter de faire dévier vivement la voiture à côté du mur? (Indice: tenez compte de la force requise dans chaque cas.)
18. On maintient un ressort comprimé en attachant ses extrémités l'une à l'autre. Si on place ce ressort dans un bain d'acide, où il se dissout, que devient son énergie potentielle?

problèmes

SECTION 8-3

1. Un corps qui se déplace le long de l'axe des x subit une force qui est décrite par la relation $F = kx$ et qui l'éloigne de l'origine. *(a)* Trouvez la fonction $U(x)$ traduisant

l'énergie potentielle associée à ce mouvement, et précisez la condition nécessaire pour que l'énergie se conserve. *(b)* Décrivez le mouvement de ce système et montrez que ce genre de mouvement apparaît au voisinage d'un point où l'équilibre est instable. *Réponse: (a)* $-kx^2/2$.

2. Supposons que la grandeur de la force d'attraction entre deux particules de masses m_1 et m_2 soit donnée par

$$F = k\frac{m_1m_2}{x^2},$$

où k est une constante et x, la distance entre les particules. *(a)* Déterminez la fonction traduisant l'énergie potentielle. *(b)* Quel est le travail nécessaire pour accroître la distance qui sépare les masses de $x = x_1$ à $x = x_1 + d$?

3. On maintient sur une table sans frottement une chaîne de longueur l dont le cinquième pend au bout de la table. La chaîne a une masse m. Quel travail sera requis pour ramener sur la table la partie pendante? *Réponse: mgl / 50.*

SECTION 8-4

4. Soit un ressort ayant une constante d'élasticité de 40 N/m. On le place verticalement et, en y déposant une pièce de monnaie de 2,0 g, on le comprime de 1,0 cm. Si on relâche le ressort, quelle hauteur atteindra la pièce de monnaie au-dessus de sa position de départ?
5. Un homme de 100 kg saute par une fenêtre vers un filet de sauvetage situé 10 m plus bas. Le filet s'étire de 2,0 m avant de réussir à immobiliser l'homme, pour ensuite le projeter vers le haut. Si aucune énergie n'est dissipée par des forces non conservatives, évaluez l'énergie potentielle maximale transmise au filet. *Réponse:* $1{,}2 \times 10^4$ J.
6. Soit un ressort ayant une constante d'élasticité k de 1960 N/m, placé verticalement et sur lequel on laisse tomber un bloc de 2,0 kg, à partir d'une hauteur de 0,40 m au-dessus du ressort. Si on néglige le frottement, quelle sera la compression maximale du ressort?
7. On lance un projectile à une vitesse v_0. Démontrez que sa vitesse v sera la même lorsqu'il passera en un point situé à une hauteur donnée, peu importe l'angle de tir.
8. Un ressort est animé d'un mouvement qui n'est pas décrit par la loi de Hooke. Lorsqu'on l'étire d'une distance x, la grandeur de la force qu'il oppose à sa déformation vaut $52{,}8x + 38{,}4x^2$. *(a)* Calculez le travail nécessaire pour étirer le ressort de $x = 0{,}50$ m à $x = 1{,}00$ m. *(b)* Après avoir fixé l'une des extrémités du ressort, on l'étire de 1,00 m et on attache une masse de 2,17 kg à l'autre extrémité. On lâche la particule. Déterminez sa vitesse lorsque le ressort ne sera plus étiré que de 0,50 m. *(c)* La force qu'exerce le ressort est-elle conservative ou non conservative? Expliquez pourquoi.
9. Nous savons que les gros arbres peuvent évaporer jusqu'à 910 kg d'eau par jour. *(a)* Supposons qu'en moyenne un arbre doit faire monter l'eau d'environ 9,1 m par rapport au sol; quelle quantité d'énergie (en kW · h) est impliquée dans ce phénomène? *(b)* Déterminez la puissance moyenne développée si l'évaporation se produit pendant 12 heures.
Réponses: (a) $2{,}3 \times 10^{-2}$ kW · h. *(b)* 1,9 W.

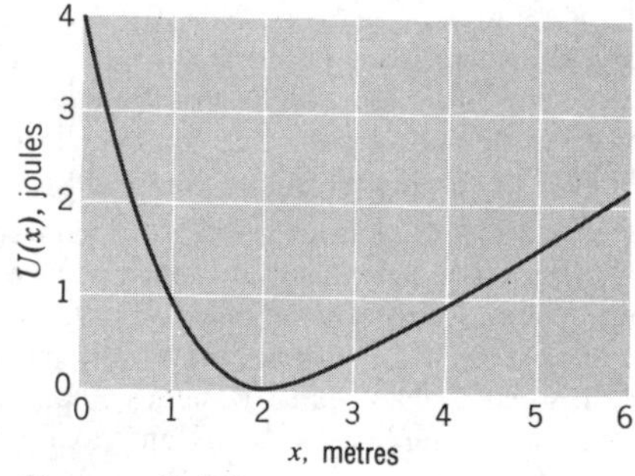

figure 8-10
Problème 12

10. Après avoir attaché un objet à un ressort, on l'abaisse lentement vers sa position d'équilibre. Le ressort s'étire alors d'une longueur d. Si on avait lâché l'objet, quelle aurait été l'allongement maximal du ressort?
11. Un corps tombe, à partir du repos, d'une hauteur h. Déterminez son énergie cinétique et son énergie potentielle en fonction: *(a)* du temps; *(b)* de la hauteur. Tracez le graphique représentant les expressions obtenues et montrez que leur somme donne une constante.

SECTION 8-5

12. Soit une particule qui se déplace linéairement dans une région où son énergie potentielle varie comme l'indique la figure 8-10. *(a)* Utilisez la même échelle en abscisse, et illustrez la force $F(x)$ agissant sur la particule. Graduez l'échelle approximativement pour les valeurs de la force. *(b)* Supposez que l'énergie totale de la particule vaut 4,0 J et qu'elle demeure constante. Tracez le graphique de son énergie cinétique, $K(x)$. Inscrivez sur les axes les valeurs numériques obtenues.
13. La figure 8-11 représente la fonction de l'énergie potentielle liant une particule α (noyau d'hélium) à un noyau lourd. *(a)* Déterminer une fonction de x ayant la

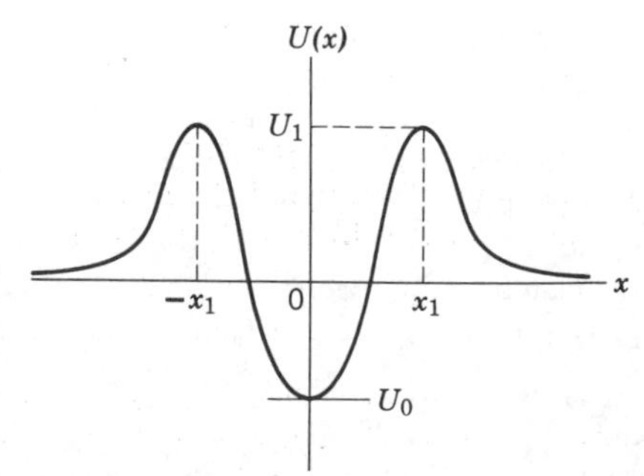

figure 8-11
Problème 13

forme générale de cette courbe, présentant une valeur minimale U_0 pour $x = 0$ et maximale pour $x = x_1$ et $x = -x_1$. *(b)* Comment s'exprime la force entre le noyau et la particule α, en fonction de x? *(c)* Décrivez les mouvements possibles.

SECTION 8-6

14. Dans la figure 8-12, la corde mesure 1,5 m. Quand on lâche la balle elle suit la trajectoire indiquée. A quelle vitesse passera-t-elle par le point le plus bas de sa trajectoire?

15. Une bille de masse m passe au point A à la vitesse v_0 (fig. 8-13). Supposons que la bille puisse être considérée comme une particule et qu'elle demeure sur la piste. *(a)* Quelle sera sa vitesse aux points B et C? *(b)* Quelle décélération permettrait de l'arrêter sur la distance L?
Réponses: (a) $v_B = v_0$; $v_C = \sqrt{v_0^2 + gh}$. (b) $(v_0^2 + 2gh)/2L$.

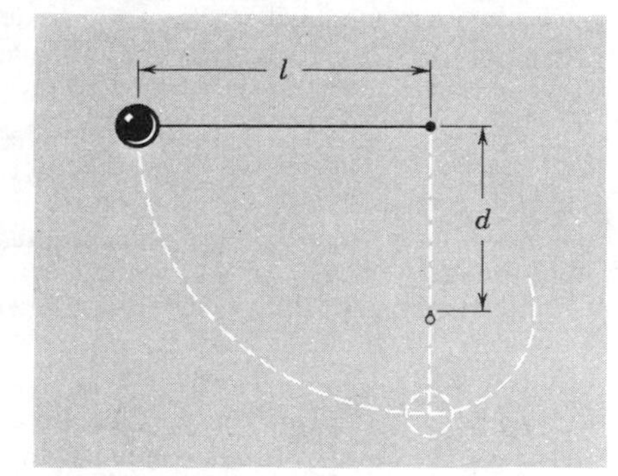

figure 8-12
Problèmes 14, 27, 30

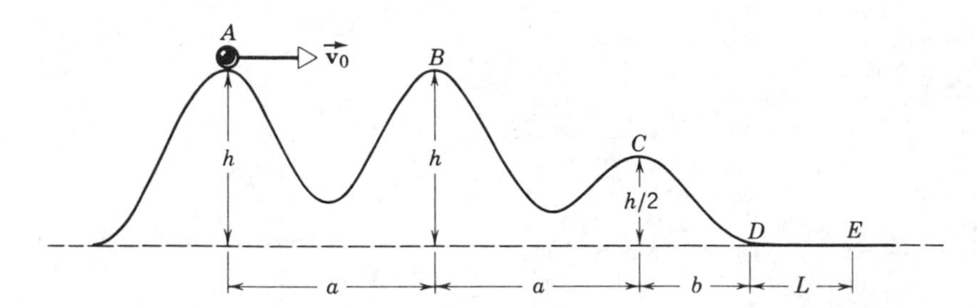

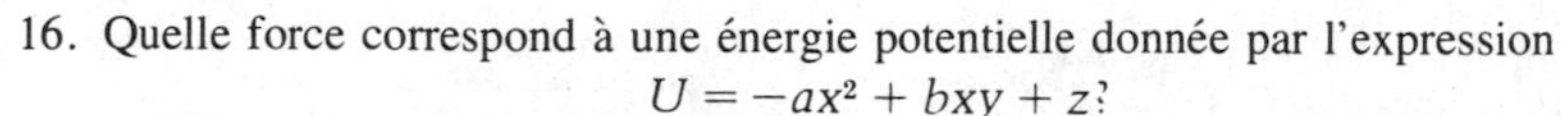

figure 8-13
Problème 15

16. Quelle force correspond à une énergie potentielle donnée par l'expression
$$U = -ax^2 + bxy + z?$$

17. L'énergie potentielle correspondant à un certain champ de force bidimensionnel est donnée par $U(x,y) = \frac{1}{2}k(x^2 + y^2)$. *(a)* Après avoir déduit F_x et F_y, décrivez le vecteur force en fonction des coordonnées x et y de chaque point. *(b)* Après avoir déduit F_r et F_θ, décrivez le vecteur force en fonction des coordonnées polaires r et θ de chaque point. *(c)* Pouvez-vous imaginer le modèle physique d'une telle force?
Réponses: *(a)* $F_x = -kx$, $F_y = -ky$ et $\vec{F}$ s'oriente vers l'origine.
(b) $F_r = -kr$, $F_\theta = 0$.

18. Le potentiel de Yukawa
$$U(r) = -\frac{r_0}{r} U_0 e^{-r/r_0}$$
donne de bonnes approximations permettant de décrire l'interaction des nucléons (les constituants du noyau: protons et neutrons). La constante r_0 est d'environ $1{,}5 \times 10^{-15}$ m et la constante U_0 vaut environ 50 MeV. *(a)* Trouvez l'expression correspondant à la force d'attraction. *(b)* Afin de démontrer que le rayon d'action de cette force est faible, comparez la force correspondant à $r = r_0$ à celle correspondant à $r = 2r_0$, $4r_0$ et $10r_0$.

19. Une force de 100 N peut comprimer de 1,0 m un ressort idéal R dont la masse est négligeable. On place ce ressort au bas d'un plan incliné sans friction qui fait un angle θ de 30° avec l'horizontale (fig. 8-14). Si on laisse glisser un bloc M de 10 kg du sommet du plan incliné, il réussit à comprimer le ressort de 2,0 m avant de s'immobiliser momentanément. *(a)* Quelle distance totale le bloc parcourt-il avant de s'arrêter contre le ressort? *(b)* Quelle est sa vitesse au moment de toucher le ressort?
Réponses: *(a)* 4,1 m. *(b)* 4,5 m/s.

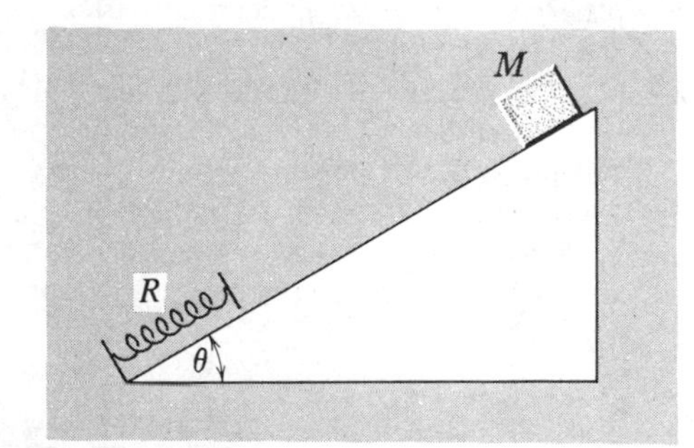

figure 8-14
Problème 19

20. Dans l'atome d'hydrogène, la grandeur de la force d'attraction électrique entre le noyau positif et l'électron négatif est donnée par l'expression
$$F = k\frac{e^2}{r^2},$$
où e est la charge de l'électron, k une constante et r la distance entre l'électron et le noyau. Supposons que le noyau ne bouge pas et que l'électron, se déplaçant sur un cercle de rayon R_1 autour du noyau, saute subitement sur une orbite circulaire plus petite de rayon R_2. *(a)* En utilisant la deuxième loi de Newton, calculez la variation de l'énergie cinétique de l'électron. *(b)* La relation entre la force et l'énergie poten-

tielle étant connue, quelle est la variation de l'énergie potentielle de l'atome? *(c)* Déterminez alors la perte de l'énergie mécanique de l'atome dans ce processus. (Cette perte d'énergie apparaît sous forme de rayonnement.)

21. Un pendule simple est constitué d'une masse m reliée à une tige légère et rigide de longueur l. On inverse le pendule de manière à le placer sur la verticale au-dessus du point de support, puis on le laisse aller. *(a)* Quelle sera la vitesse v de la masse en passant par son point le plus bas? *(b)* Que vaut alors la tension T dans la tige? *(c)* Si on place le pendule en position horizontale avant de le libérer, déterminez l'angle, par rapport à la verticale, pour lequel la tension dans la tige sera égale, en grandeur, au poids.
Réponses: (a) $2\sqrt{gl}$. *(b)* 5 mg. *(c)* 71°.

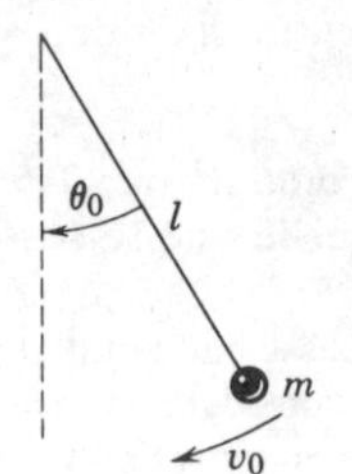

figure 8-15
Problème 22

22. La figure 8-15 présente un pendule simple de masse m et de longueur l se déplaçant à la vitesse v_0 quand la corde fait un angle θ_0 avec la verticale ($0 < \theta_0 < \pi/2$). *(a)* Quelle est la valeur de la vitesse v_1 du pendule à son point le plus bas? *(b)* Quelle serait la vitesse minimale v_2 de la masse qui permettrait au pendule d'atteindre une position horizontale lors de son mouvement? *(c)* Déterminez la vitesse v_3 qui ferait que, si $v_0 > v_3$, le pendule n'oscillerait pas, car il décrirait alors un mouvement circulaire vertical. Exprimez vos réponses en fonction de m, l, v_0, θ_0 et g.

23. On fabrique un pendule simple en attachant une pierre de 2,0 kg à une corde de 4,0 m. Après l'avoir déplacée de façon à ce que la corde soit à 60° de sa position verticale, on projette la pierre perpendiculairement à la corde et vers le haut. On observe que la pierre passe par son point le plus bas à la vitesse de 8,0 m/s. *(a)* A quelle vitesse a-t-on lancé la pierre? *(b)* Quel sera le plus grand angle fait par le pendule par rapport à sa position d'équilibre? *(c)* Si le niveau zéro de l'énergie potentielle gravitationnelle est situé au point le plus bas de la trajectoire du pendule, déterminez l'énergie mécanique de ce système.
Réponses: (a) 5 m/s. *(b)* 79°. *(c)* 64 J.

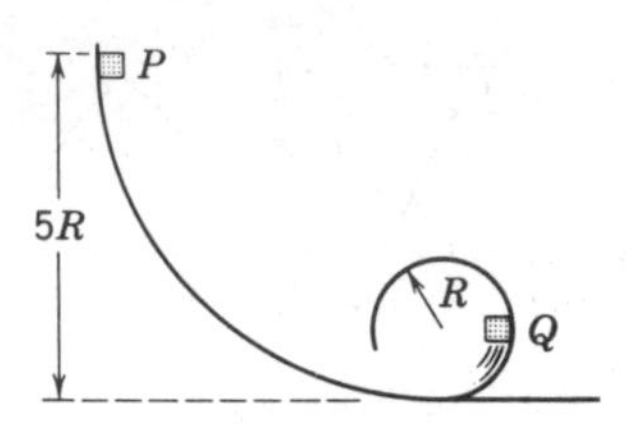

figure 8-16
Problème 24

24. Un petit bloc de masse m glisse sans frottement sur une piste formant une boucle (fig. 8-16). *(a)* Sachant que le bloc est au repos en P, évaluez la force résultante agissant sur lui au point Q. *(b)* De quelle hauteur doit-on laisser glisser le bloc pour qu'en passant par le sommet de la boucle il subisse une force résultante égale à son poids?

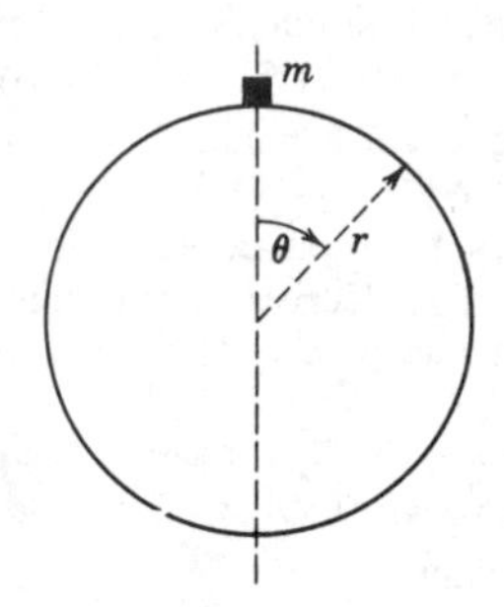

figure 8-17
Problème 25

25. Une particule de masse m commence à glisser, à partir du repos et sans frottement, vers le bas d'une sphère de rayon r (fig. 8-17). Supposons que le niveau zéro de l'énergie potentielle soit situé au sommet de la sphère. *(a)* Déterminez la variation de l'énergie potentielle de la particule en fonction de l'angle θ. *(b)* Exprimez son énergie cinétique en fonction de θ. *(c)* Exprimez ses accélérations radiale et tangentielle en fonction de θ. *(d)* Trouvez l'angle avec lequel la particule quittera la sphère.
Réponses: (a) $-mgr(1 - \cos\theta)$. (b) $mgr(1 - \cos\theta)$. (c) $2g(1 - \cos\theta)$; $g \sin\theta$. (d) 48°.

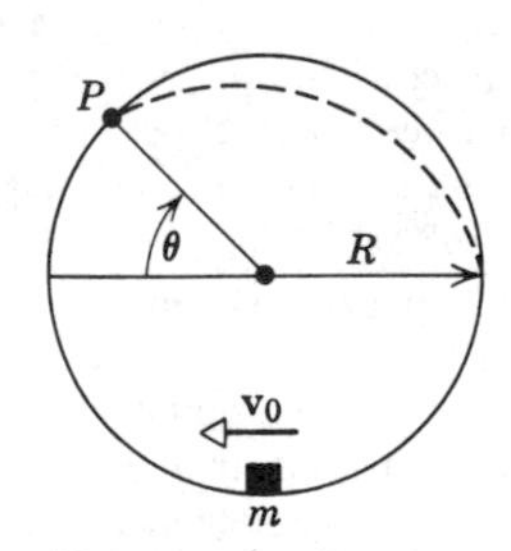

figure 8-18
Problème 26

26. Soit une particule de masse m se déplaçant sans frottement à l'intérieur d'une piste circulaire verticale de rayon R (fig. 8-18). À son point le plus bas, la particule possède une vitesse v_0. *(a)* Évaluez la valeur minimale v_m de cette vitesse v_0 nécessaire à la particule pour qu'elle parcoure le cercle sans quitter la piste. *(b)* Supposons que $v_0 = 0{,}775\ v_m$. Dans ce cas, la particule perdra contact avec la piste en un point P et décrira la trajectoire indiquée. Quelle est la position angulaire θ du point P?

27. Le clou illustré à la figure 8-12 est fixé à une distance d du point de support. Démontrez que d doit valoir au moins 0,6 l pour que la balle puisse décrire un cercle complet autour du clou.

28. Deux enfants essaient d'atteindre une petite boîte située sur le plancher en utilisant un pistolet à ressort placé horizontalement sur une table lisse (fig. 8-19). Une bille sert de projectile. Le premier enfant comprime le ressort de 1,0 cm et constate

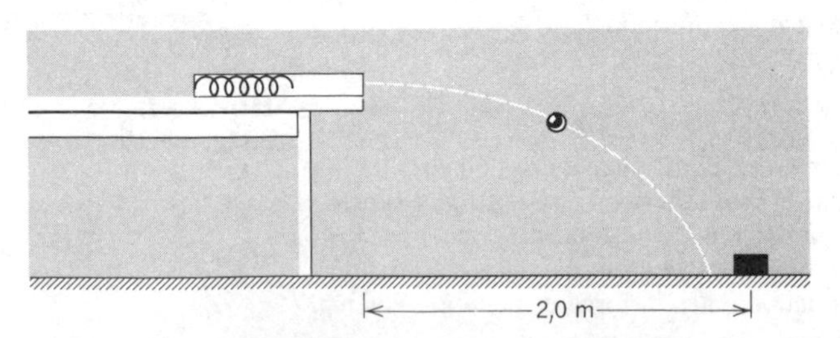

figure 8-19
Problème 28

que son projectile touche le plancher 20 cm devant la boîte. Si la boîte se trouve à 2,0 m du rebord de la table, quelle compression le deuxième enfant doit-il faire subir au ressort pour toucher la cible?

29. Un escalier roulant relie deux étages distants de 7,6 m. L'escalier mesure 12 m et ses marches se déplacent à 0,61 m/s. *(a)* Quelle puissance développe le moteur de l'escalier s'il peut monter un maximum de 100 personnes par minute, ces personnes ayant une masse moyenne de 73 kg? *(b)* Si un homme de 710 N monte l'escalier en 10 s, quel travail le moteur fait-il sur lui? *(c)* Supposons que l'homme fait demi-tour au milieu de l'escalier et marche de manière à rester au même niveau. Le moteur fait-il un travail sur l'homme? Si oui, évaluez la puissance développée par le moteur. *(d)* Existe-t-il une autre façon pour l'homme de marcher le long de l'escalier roulant sans dissiper une partie de la puissance du moteur?
Réponses: (a) 9100 W. *(b)* 2700 J.

30. Imaginons que la corde du pendule simple illustrée à la figure 8-12 soit élastique et qu'au départ elle ne soit pas tendue. *(a)* Expliquez pourquoi vous vous attendez à ce que la balle passe par un point situé plus bas que la longueur initiale l du pendule. *(b)* Montrez que si Δl est petit par rapport à l, la corde s'étirera d'une longueur $\Delta l = 3\,mg/k$, où k est la constante d'élasticité de la corde. Notez que plus la constante est élevée, plus Δl est faible et plus l'approximation $\Delta l \ll l$ devient valable. *(c)* Montrez que la vitesse de la balle sera alors $v = \sqrt{2g(l - 3mg/2k)}$, c'est-à-dire plus petite que dans le cas d'une corde inélastique ($k = \infty$). En utilisant la notion d'énergie, donnez une explication physique de ce résultat.

SECTION 8-7

31. Deux pics montagneux enneigés ont des altitudes respectives de 3500 m et 3400 m et sont séparés par une vallée. Une piste de ski longue de 3000 m relie les deux sommets. *(a)* Un skieur au repos se laisse glisser à partir du sommet le plus élevé. Si on néglige le frottement, quelle vitesse possédera ce skieur en atteignant l'autre sommet, s'il n'a pas essayé de ralentir sa descente? *(b)* Évaluez approximativement le coefficient de frottement de la neige qui permettrait au skieur de parvenir tout juste sur l'autre sommet. *Réponses: (a)* 44 m/s. *(b)* environ 1/10.

32. On lance un projectile de 9,4 kg verticalement vers le haut à une vitesse de 470 m/s. Calculez la distance additionnelle que le projectile pourrait parcourir si une quantité de $6{,}8 \times 10^5$ J d'énergie n'était pas dissipée par la résistance de l'air.

33. Soit un système mécanique non conservatif où il y a frottement. Démontrez que le taux de perte en énergie mécanique est égal au produit de la force de frottement par la vitesse instantanée, c'est-à-dire:
$$\frac{d}{dt}(K + U) = -fv.$$

34. La figure 8-20 montre un garçon assis sur le sommet d'une butte de glace hémisphérique. Il se pousse très légèrement et glisse vers le bas. *(a)* Si on ne tient pas compte du frottement, prouvez que le garçon quittera la glace à une hauteur égale à $2R/3$. *(b)* S'il existe du frottement, le garçon quittera-t-il la butte plus haut ou plus bas?

figure 8-20
Problème 34

35. Un bloc de 1,0 kg entre en collision avec un ressort ayant une masse négligeable et une constante d'élasticité de 2,0 N/m (fig. 8-21). Supposons que le bloc comprime le ressort de 4,0 m et que le coefficient de frottement cinétique entre le bloc et la surface horizontale est de 0,25. Quelle était sa vitesse au moment de la collision?
Réponse: 7,2 m/s.

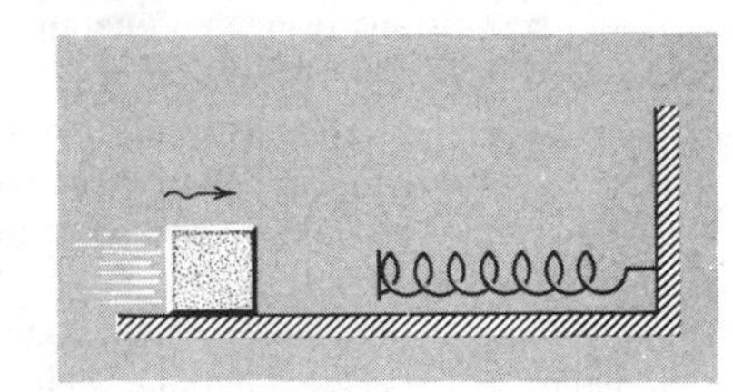
figure 8-21
Problème 35

36. Soit un corps de masse m partant du repos au sommet d'un plan incliné de longueur l et faisant un angle θ avec l'horizontale. *(a)* Si le coefficient de frottement est μ, quelle sera la vitesse du corps au bas du plan incliné? *(b)* Rendu au bas du plan, le corps avance sur une surface horizontale de même nature que le plan incliné. Déterminez la distance d qu'il parcourra avant de s'arrêter. Solutionnez ce problème de deux façons: en utilisant la notion d'énergie, puis directement par les lois de Newton.

37. Un bloc de 4,0 kg possède une énergie cinétique de 128 J lorsqu'il commence l'ascension d'un plan incliné à 30° de l'horizontale. Le coefficient de frottement est de 0,30. Quelle distance parcourra le bloc? *Réponse:* 4,3 m.

38. A l'aide d'une force horizontale $\vec{F}$, on pousse un objet de 20 N sur une distance de 3,0 m vers le haut d'un plan incliné à 30°. *(a)* Quel travail produit cette force si l'objet se déplace à 1,0 m/s au bas du plan incliné et à 3,0 m/s au sommet? *(b)* Évaluez la grandeur de la force $\vec{F}$. *(c)* Supposons l'existence d'une force de frottement telle que $\mu_k = 0{,}015$. Calculez la distance additionnelle parcourue par l'objet lorsque la force cesse de s'exercer.

39. Une particule glisse le long d'une piste dont la forme est illustrée à la figure 8-22. Les portions courbes de la piste sont sans friction tandis que la portion horizontale, longue de 2,0 m, présente un coefficient de frottement cinétique μ_k de 0,20. On libère la particule du point A, situé à 1,0 m au-dessus de la portion horizontale de la piste. Localisez l'endroit où la particule s'arrêtera.
Réponse: au centre de la partie horizontale.

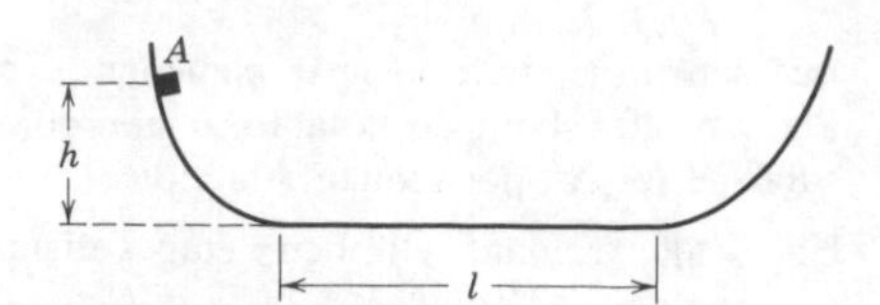

figure 8-22
Problème 39

40. Soit une balle de masse m fixée à l'extrémité d'une tige rigide et très légère de longueur l (fig. 8-23). L'autre extrémité pivote librement de façon à permettre à la balle de tourner sur un cercle vertical. La balle quitte le point A avec une vitesse v_0 vers le bas lui permettant tout juste de se rendre au point D, où elle s'arrête. *(a)* Dérivez une expression pour v_0 en fonction de l, m et g. *(b)* Quelle est la tension dans la tige quand la balle passe en B? *(c)* Imaginez qu'en présence de frottement la balle, lancée du point A avec la même vitesse, n'atteigne plus que le point C. Déterminez le travail fait par le frottement. *(d)* Quelle quantité de travail fera le frottement pendant que le pendule oscillera pour finalement s'arrêter en B?

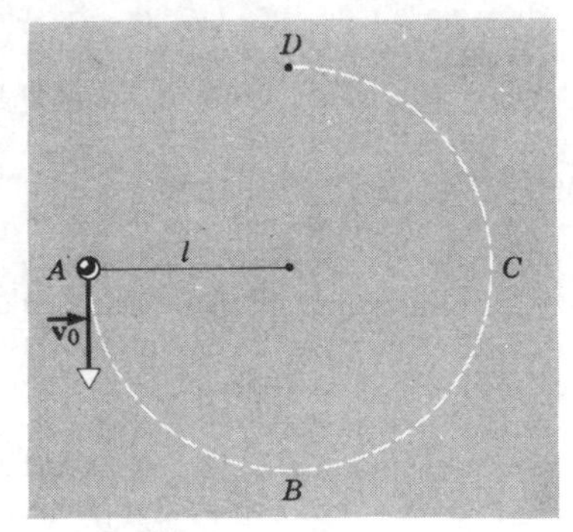

figure 8-23
Problème 40

41. Le câble d'un ascenseur de $2,0 \times 10^3$ kg se brise (fig. 8-24) au moment où ce dernier se trouve arrêté au rez-de-chaussée. La base de l'ascenseur est alors à 4,0 m au-dessus d'un amortisseur à ressort dont la constante d'élasticité est de $1,4 \times 10^5$ N/m. Un mécanisme de sûreté se déclenche et pousse latéralement sur des rails verticaux créant ainsi une force de friction de $5,0 \times 10^3$ N. *(a)* Trouvez la vitesse de l'ascenseur à l'instant de toucher l'amortisseur. *(b)* Trouvez la distance de compression du ressort. *(c)* A quelle hauteur rebondira l'ascenseur? *(d)* En utilisant le principe de la conservation de l'énergie, évaluez approximativement la distance totale parcourue par l'ascenseur avant de s'immobiliser. Pourquoi votre réponse n'est-elle pas exacte?
Réponses: *(a)* 7,6 m/s. *(b)* 1,0 m. *(c)* 1,96 m au-dessus du ressort. *(d)* 19,6 m.

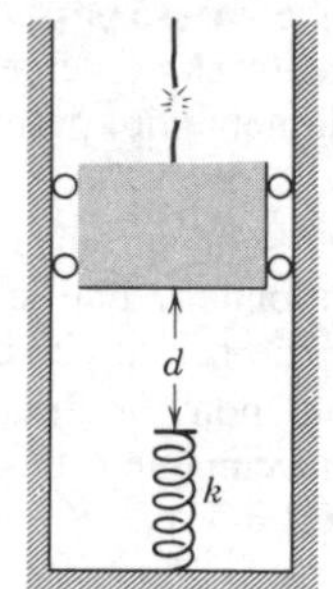

figure 8-24
Problème 41

SECTION 8-9

42. Une diode à vide est constituée d'une anode cylindrique entourant une cathode cylindrique. Un électron, possédant une énergie potentielle de $4,8 \times 10^{-16}$ J par rapport à l'anode, quitte la surface de la cathode avec une vitesse initiale nulle. Négligeons la force gravitationnelle et supposons que l'électron ne heurte aucune molécule d'air. *(a)* Quelle sera l'énergie cinétique acquise par l'électron au moment de frapper l'anode? *(b)* Évaluez sa vitesse à cet instant ($m_0 = 9,1 \times 10^{-31}$ kg). *(c)* Aviez-vous raison d'utiliser l'équation classique pour l'énergie cinétique plutôt que l'équation relativiste?
43. À quelle vitesse se déplace un électron dont l'énergie cinétique vaut: *(a)* $1,0 \times 10^5$ eV, *(b)* $1,0 \times 10^6$ eV?
Réponses: *(a)* $1,6 \times 10^8$ m/s. *(b)* $2,8 \times 10^8$ m/s.
44. Pour l'année 1977, l'Hydro-Québec produisit $8,73 \times 10^{10}$ kW·h d'énergie électrique. Combien de kilogrammes de matière faudrait-il annihiler pour obtenir cette énergie?
45. Une centrale nucléaire a une puissance utile de 60 MW. *(a)* Évaluez la quantité d'énergie produite par cette centrale pendant une année. *(b)* Supposons maintenant que 90 MW sont en plus dissipés sous forme de chaleur. Quelle est l'équivalent de matière qui serait transformée en énergie dans cette centrale pendant une année?
Réponses: *(a)* $1,9 \times 10^{15}$ J. *(b)* 52 g.
46. On désire lancer un vaisseau spatial de 1,0 kilotonne ($1,0 \times 10^6$ kg), à partir du repos, en lui communiquant une vitesse de 0,1 c. Quelle quantité de matière faudrait-il transformer en énergie pour obtenir le résultat désiré?
47. Soit un électron ($m_0 = 9,1 \times 10^{-31}$ kg) se déplaçant à la vitesse de 0,99 c. *(a)* Quelle est l'énergie totale de l'électron? *(b)* Que vaut le rapport entre l'énergie cinétique newtonnienne et l'énergie cinétique relativiste?
Réponses: *(a)* $5,8 \times 10^{-13}$ J. *(b)* 0,08.
48. Soit un corps dont la masse au repos est de 0,010 kg. *(a)* Que devient sa masse s'il se déplace à $3,0 \times 10^7$ m/s par rapport à un observateur? Que devient-elle à $2,7 \times 10^8$ m/s? *(b)* Comparez les énergies cinétiques classique et relativiste dans chaque cas. *(c)* Que se passe-t-il si l'observateur ou l'appareil de mesure est lié au corps?
49. L'équation 8-21 représente l'équation relativiste habituelle dans le cas de l'énergie cinétique. *(a)* En utilisant l'équation 8-20, montrez que nous pouvons également représenter l'énergie cinétiquc rclativiste ainsi:

$$K = \frac{m}{m + m_0} mv^2.$$

(b) Mettez en évidence le fait que cette dernière expression, ainsi que l'équation 8-21, se réduisent à l'expression classique lorsque $m \rightarrow m_0$ et $v/c \rightarrow 0$. (Voir « Parallels between Relativistic and Classical Dynamics for Introductory Courses » par Donald E. Fahnline, *American Journal of Physics*, juin 1975.)

50. Nous croyons que le Soleil tire son énergie d'un processus de fusion dans lequel quatre atomes d'hydrogène se transforment en un atome d'hélium en émettant de l'énergie sous diverses formes de rayonnement. Si un atome d'hydrogène possède une masse au repos de 1,0081 u (voir exemple 7) alors qu'un atome d'hélium en a une de 4,0039 u, calculez l'énergie émise lors de chaque processus de fusion.

9 conservation de la quantité de mouvement

9-1 CENTRE DE MASSE

Jusqu'à maintenant nous avons considéré les corps comme des particules ayant une masse mais aucune dimension. Lors d'un mouvement de translation, tous les points d'un même objet décrivent des trajectoires semblables de sorte que le mouvement d'un point nous renseigne sur le mouvement de tout l'objet. Même lorsque le mouvement d'un corps s'accompagne de rotations et de vibrations, il existe un point, appelé *centre de masse* du corps, qui se déplace comme le ferait une seule particule soumise aux mêmes forces extérieures. La figure 9-1 illustre la trajectoire parabolique décrite par le centre de masse d'une quille que se lancent deux jongleurs; aucun autre point de la quille ne décrit une trajectoire aussi simple. Si la quille avait subi un mouvement de translation seulement (figure 3-1), *chaque point* aurait décrit une trajectoire semblable à celle du centre de masse de la figure 9-1. Voilà pourquoi le mouvement du centre de masse d'un corps représente le mouvement de translation de celui-ci.

Si nous considérons un corps qui n'est pas un solide, on peut de nouveau déterminer un centre de masse (dont le mouvement peut se décrire facilement) même s'il y a déplacement relatif des particules à l'intérieur du système. Dans cette section, nous définissons le centre de masse et indiquons la façon de calculer sa position. La prochaine section nous permettra de faire ressortir ses propriétés qui facilitent grandement la description du mouvement de corps macroscopiques ou de systèmes de particules.

Étudions d'abord le cas simple de deux particules m_1 et m_2, situées à des distances respectives x_1 et x_2 d'une origine O. Nous définissons un point C, appelé centre de masse du système, localisé à une distance x_{cm} de l'origine O tel que

$$x_{cm} = \frac{m_1x_1 + m_2x_2}{m_1 + m_2}. \tag{9-1}$$

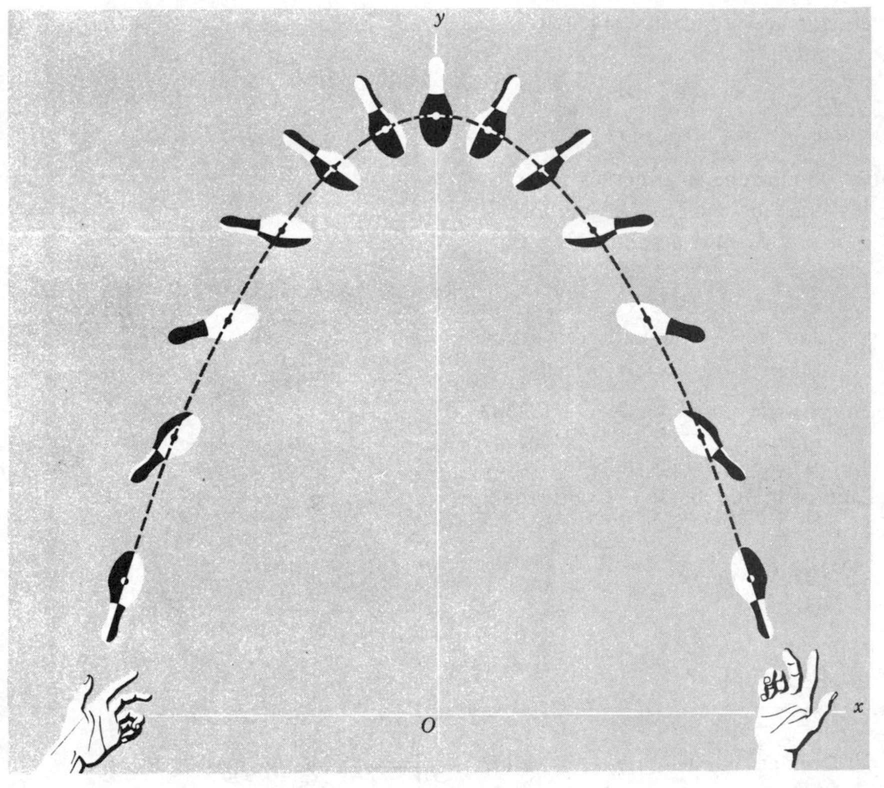

figure 9-1
Deux jongleurs se lancent une quille. Même si elle effectue deux mouvements de rotation différents, il existe un point, le *centre de masse*, qui décrit une trajectoire parabolique.

Ce point (figure 9-2) possède la propriété suivante: le produit de la masse totale du système M, soit $m_1 + m_2$, par la distance de ce point à l'origine est égal à la somme des produits de chacune des masses par leur distance respective de l'origine, c'est-à-dire:

$$(m_1 + m_2)x_{cm} = Mx_{cm} = m_1x_1 + m_2x_2.$$

Dans l'équation 9-1, x_{cm} peut être considérée comme la *moyenne pondérée* de la position des masses m_1 et m_2.

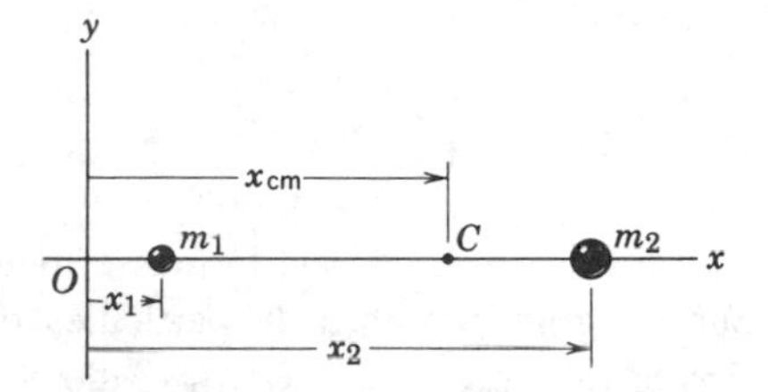

figure 9-2
Le centre de masse des deux masses m_1 et m_2 se situe au point C, sur la ligne d'action joignant m_1 et m_2, à une distance x_{cm} de l'origine.

Une comparaison peut nous aider à mieux comprendre. Supposons que nous ayons deux boîtes de clous. L'une contient n_1 clous de longueur l_1 chacun; l'autre, n_2 clous de longueur l_2 chacun. Quelle est la longueur moyenne des clous? Si $n_1 = n_2$, la longueur moyenne est tout simplement $(l_1 + l_2)/2$. Mais si $n_1 \neq n_2$, nous devons tenir compte du fait qu'il y a plus de clous d'une certaine longueur en attribuant à cette longueur un facteur appelé coefficient de pondération de cette longueur. Pour l_1, ce coefficient est $n_1/(n_1 + n_2)$ et pour l_2, ce coefficient est $n_2/(n_1 + n_2)$, soit la fraction du nombre total de clous dans chaque boîte.

La moyenne pondérée de la longueur sera alors

$$\bar{l} = \left(\frac{n_1}{n_1 + n_2}\right)l_1 + \left(\frac{n_2}{n_1 + n_2}\right)l_2$$

ou

$$\bar{l} = \frac{n_1l_1 + n_2l_2}{n_1 + n_2}.$$

Le centre de masse, défini par l'équation 9-1, désigne donc une position moyenne pondérée où le coefficient de pondération de chaque particule représente la fraction de la masse totale de chaque particule.

Si n particules, $m_1, m_2, \ldots, m_n$ se situent sur une même ligne, leur centre de masse par rapport à une certaine origine s'obtiendra ainsi:

$$x_{cm} = \frac{m_1x_1 + m_2x_2 + \cdots + m_nx_n}{m_1 + m_2 + \cdots + m_n} = \frac{\Sigma\, m_ix_i}{\Sigma\, m_i}, \tag{9-2}$$

où $x_1, x_2, \cdots, x_n$ représentent les positions de chacune des masses par rapport à l'origine nous permettant de situer le centre de masse. Le symbole Σ indique l'opération somme à effectuer sur les n particules. La somme

$$\Sigma\, m_i = M$$

représente la masse totale du système. On peut donc récrire l'équation 9-2 sous la forme suivante:

$$Mx_{cm} = \Sigma\, m_ix_i. \tag{9-2a}$$

Imaginons maintenant trois particules *non* alignées contenues dans un même *plan* (figure 9-3). Les coordonnées x_{cm} et y_{cm} du centre de masse C s'obtiennent ainsi:

$$x_{cm} = \frac{m_1x_1 + m_2x_2 + m_3x_3}{m_1 + m_2 + m_3},$$
$$y_{cm} = \frac{m_1y_1 + m_2y_2 + m_3y_3}{m_1 + m_2 + m_3}, \tag{9-3}$$

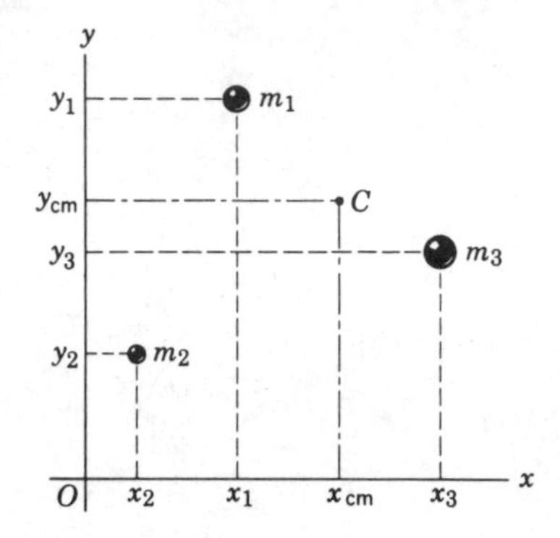

figure 9-3
Le centre de masse des trois masses m_1, m_2 et m_3 se trouve au point C, de coordonnées x_{cm}, y_{cm}. Le point C est contenu dans le même plan que celui du triangle formé par les trois masses.

où x_1 et y_1 désignent les coordonnées de la particule de masse m_1, x_2 et y_2 celles de la masse m_2, x_3 et y_3 celles de m_3. Les coordonnées x_{cm} et y_{cm} du centre de masse se mesurent à partir d'une origine tout à fait arbitraire.

Dans le cas d'un très grand nombre de particules contenues dans un même plan, le centre de masse situé à x_{cm}, y_{cm} sera établi ainsi:

$$x_{cm} = \frac{\Sigma\, m_ix_i}{\Sigma\, m_i} = \frac{1}{M}\sum m_ix_i \qquad \text{et} \qquad y_{cm} = \frac{\Sigma\, m_iy_i}{\Sigma\, m_i} = \frac{1}{M}\sum m_iy_i, \tag{9-4}$$

où M, c'est-à-dire $\Sigma\, m_i$, est la masse totale du système.

Pour un grand nombre de particules dans *l'espace*, le centre de masse se trouvera à x_{cm}, y_{cm}, z_{cm}, dont les valeurs sont les suivantes:

$$x_{cm} = \frac{1}{M}\sum m_ix_i, \quad y_{cm} = \frac{1}{M}\sum m_iy_i, \quad z_{cm} = \frac{1}{M}\sum m_iz_i. \tag{9-5a}$$

En notation vectorielle, un vecteur $\vec{\mathbf{r}}_i$ précisera la position de chaque particule par rapport à un référentiel quelconque, et un vecteur $\vec{\mathbf{r}}_{cm}$ précisera la position du centre de masse. On peut relier ces vecteurs aux variables x_i, y_i, z_i et x_{cm}, y_{cm}, z_{cm} de l'équation 9-5a, en écrivant

$$\vec{\mathbf{r}}_i = \vec{\mathbf{i}}x_i + \vec{\mathbf{j}}y_i + \vec{\mathbf{k}}z_i$$

et

$$\vec{\mathbf{r}}_{cm} = \vec{\mathbf{i}}x_{cm} + \vec{\mathbf{j}}y_{cm} + \vec{\mathbf{k}}z_{cm}.$$

Ainsi, les trois équations scalaires de 9-5a peuvent être remplacées par une seule équation vectorielle, c'est-à-dire:

$$\vec{\mathbf{r}}_{cm} = \frac{1}{M}\sum m_i\vec{\mathbf{r}}_i, \tag{9-5b}$$

où la somme à effectuer est une somme vectorielle. Vous pouvez vérifier l'équation 9-5b en y substituant les expressions de $\vec{\mathbf{r}}_i$ et $\vec{\mathbf{r}}_{cm}$ données plus haut. Remarquez la simplicité d'écriture que nous permet la notation vectorielle. L'équation 9-5b fait ressortir que $\Sigma\, m_i \vec{r}_i = 0$ si nous choisissons l'origine de notre système au centre de masse (c'est-à-dire $\vec{r}_{cm} = 0$).

L'équation 9-5b décrit le cas général d'un système de particules. Quant aux équations 9-1 à 9-4, elles présentent des cas particuliers de l'équation 9-5b. Le lieu du centre de masse est indépendant du système de référence utilisé pour le situer (voir le problème 1). *Le centre de masse d'un système de particules ne dépend que des masses des particules et de leurs positions relatives.*

Un corps solide, comme une règle à mesurer, peut être vu comme un système de particules très rapprochées les unes des autres. Il possède donc un centre de masse. Cependant le nombre de particules est si élevé et leurs positions sont si rapprochées qu'on peut considérer sa masse comme un continuum. Pour obtenir l'expression du centre de masse d'un corps ayant une distribution continue de masse, il suffit de subdiviser le corps en n petits éléments de masse Δm_i, situés approximativement à x_i, y_i, z_i. Les coordonnées approximatives du centre de masse seront

$$x_{cm} = \frac{\Sigma\, \Delta m_i x_i}{\Sigma\, \Delta m_i}, \quad y_{cm} = \frac{\Sigma\, \Delta m_i y_i}{\Sigma\, \Delta m_i}, \quad z_{cm} = \frac{\Sigma\, \Delta m_i z_i}{\Sigma\, \Delta m_i}.$$

Maintenant, subdivisons davantage de façon à obtenir un nombre d'éléments qui tend vers l'infini. Les points x_i, y_i, z_i localiseront de façon plus précise la masse de chaque élément à mesure que n grandira et, quand n tendra vers l'infini, ils seront localisés parfaitement. L'objet est alors divisé en une infinité d'éléments infinitésimaux.

On peut maintenant donner la position exacte des coordonnées du centre de masse, soit:

$$\begin{aligned}
x_{cm} &= \lim_{\Delta m_i \to 0} \frac{\Sigma\, \Delta m_i x_i}{\Sigma\, \Delta m_i} = \frac{\int x\, dm}{\int dm} = \frac{1}{M}\int x\, dm, \\
y_{cm} &= \lim_{\Delta m_i \to 0} \frac{\Sigma\, \Delta m_i y_i}{\Sigma\, \Delta m_i} = \frac{\int y\, dm}{\int dm} = \frac{1}{M}\int y\, dm, \qquad (9\text{-}6a) \\
z_{cm} &= \lim_{\Delta m_i \to 0} \frac{\Sigma\, \Delta m_i z_i}{\Sigma\, \Delta m_i} = \frac{\int z\, dm}{\int dm} = \frac{1}{M}\int z\, dm.
\end{aligned}$$

Dans ces expressions, dm est l'élément différentiel de masse au point x, y, z et $\int dm$ est égal à M, la masse totale du corps. Pour une distribution continue de masse, l'intégrale de l'équation 9-6a tient lieu de la somme de l'équation 9-5a.

L'équation vectorielle suivante,

$$\vec{r}_{cm} = \frac{1}{M}\int \vec{r}\, dm, \qquad (9\text{-}6b)$$

remplace les trois équations scalaires 9-6a.

Comme précédemment, l'intégrale remplace la somme de l'équation 9-5b. De nouveau, on constate que $\int \vec{r}\, dm = 0$ si on choisit l'origine du système au centre de masse (c'est-à-dire $\vec{r}_{cm} = 0$).

Il nous arrive souvent de considérer des objets de masse homogène présentant un point, un axe ou un plan de symétrie. Le centre de masse se situera en ce point, sur cet axe ou dans ce plan de symétrie. Par exemple, le centre de masse d'une sphère homogène (qui possède un point de symétrie) sera situé en son centre, le centre de masse d'un cône (qui possède un axe de symétrie) sera sur l'axe du cône, etc. Il est facile de se rendre compte par symétrie que $\int \vec{r}\, dm$ doit avoir une valeur nulle au centre de la sphère, quelque part sur l'axe du cône, par exemple. L'équation 9-6b nous permet de conclure que $\vec{r}_{cm} = 0$ pour de tels points, ce qui signifie qu'ils coïncident avec le centre de masse.

EXEMPLE 1

Trouvez le centre de masse de trois particules de masse $m_1 = 1,0$ kg, $m_2 = 2,0$ kg et $m_3 = 3,0$ kg situées aux sommets d'un triangle équilatéral de 1,0 m de côté.

Choisissons un axe x selon un des côtés du triangle (figure 9-4). La masse m_3 se trouve donc à une position $y = \sqrt{3/2}$ m. Alors:

$$x_{\rm cm} = \frac{\Sigma\, m_i x_i}{\Sigma\, m_i} = \frac{(1,0\ \text{kg})(0) + (2,0\ \text{kg})(1,0\ \text{m}) + (3,0\ \text{kg})(\frac{1}{2}\ \text{m})}{(1,0 + 2,0 + 3,0)\ \text{kg}} = \tfrac{7}{12}\ \text{m},$$

$$y_{\rm cm} = \frac{\Sigma\, m_i y_i}{\Sigma\, m_i} = \frac{(1,0\ \text{kg})(0) + (2,0\ \text{kg})(0) + (3,0\ \text{kg})(\sqrt{3}/2\ \text{m})}{(1,0 + 2,0 + 3,0)\ \text{kg}} = \frac{\sqrt{3}}{4}\ \text{m}.$$

La figure montre la position du centre de masse C. Pourquoi ne coïncide-t-il pas avec le centre géométrique du triangle?

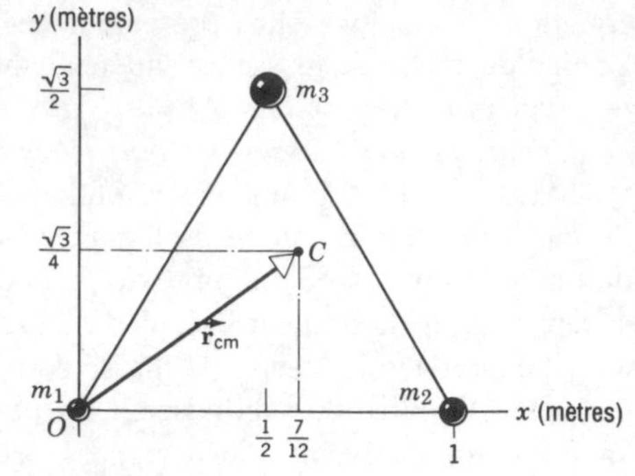

figure 9-4
Exemple 1. Calcul du centre de masse C de trois masses inégales formant un triangle équilatéral.

EXEMPLE 2

Situez le centre de masse de la plaque triangulaire illustrée par la figure 9-5.

En subdivisant un corps en éléments dont on connaît le centre de masse, on peut trouver facilement celui de ce corps. On divise le triangle en bandes étroites parallèles à un des côtés. La ligne joignant le milieu de ce côté au sommet opposé révèle le lieu des centres de masse de chaque bande. Mais il existe trois façons de diviser le triangle par le même procédé. Le centre de masse se trouve donc à l'intersection des trois médianes du triangle. C'est le seul point commun aux trois médianes.

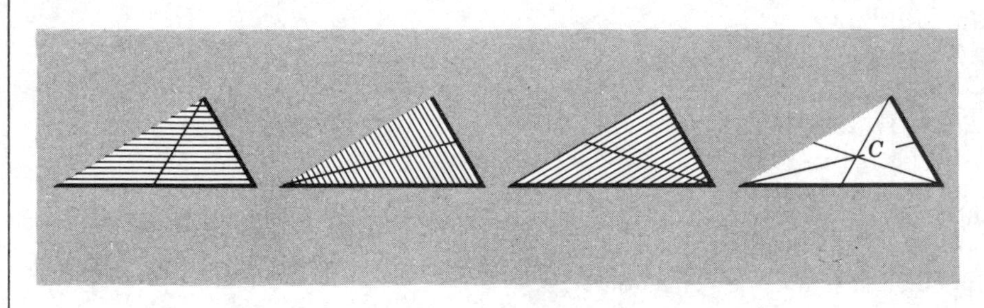

figure 9-5
Exemple 2. Recherche du centre de masse C d'une plaque triangulaire.

9-2 *MOUVEMENT DU CENTRE DE MASSE*

Nous pouvons maintenant discuter de l'importance du rôle joué par le centre de masse en physique. Considérons le mouvement d'un système de particules de masses $m_1, m_2, \ldots, m_n$ dont la masse totale vaut M. Pour le moment, nous supposons que la masse du système demeure constante dans le temps. A la section 9-7, nous étudierons des systèmes à masse variable; un exemple bien connu est celui de la fusée dont la masse diminue à cause de l'éjection des gaz de combustion.

En appliquant l'équation 9-5b à notre système de particules, on a:

$$M\vec{\mathbf{r}}_{\rm cm} = m_1\vec{\mathbf{r}}_1 + m_2\vec{\mathbf{r}}_2 + \cdots + m_n\vec{\mathbf{r}}_n,$$

où $\vec{\mathbf{r}}_{\rm cm}$ représente le vecteur position du centre de masse dans un référentiel choisi. En dérivant cette équation par rapport au temps, on obtient:

$$M\frac{d\vec{\mathbf{r}}_{\rm cm}}{dt} = m_1\frac{d\vec{\mathbf{r}}_1}{dt} + m_2\frac{d\vec{\mathbf{r}}_2}{dt} + \cdots + m_n\frac{d\vec{\mathbf{r}}_n}{dt}, \tag{9-7}$$

ou encore:

$$M\vec{\mathbf{v}}_{cm} = m_1\vec{\mathbf{v}}_1 + m_2\vec{\mathbf{v}}_2 + \cdots + m_n\vec{\mathbf{v}}_n,$$

où $\vec{\mathbf{v}}_1$, soit $d\vec{\mathbf{r}}_1/dt$, est le vecteur vitesse de la particule 1, etc., et $\vec{\mathbf{v}}_{cm}$, soit $d\vec{\mathbf{r}}_{cm}/dt$, le vecteur vitesse du centre de masse.

La dérivée de l'équation 9-7 nous permet de déduire les valeurs suivantes:

$$M\frac{d\vec{\mathbf{v}}_{cm}}{dt} = m_1\frac{d\vec{\mathbf{v}}_1}{dt} + m_2\frac{d\vec{\mathbf{v}}_2}{dt} + \cdots + m_n\frac{d\vec{\mathbf{v}}_n}{dt} \tag{9-8}$$

$$= m_1\vec{\mathbf{a}}_1 + m_2\vec{\mathbf{a}}_2 + \cdots + m_n\vec{\mathbf{a}}_n,$$

où $\vec{\mathbf{a}}_1$ est l'accélération de la particule 1, etc., et $d\vec{\mathbf{v}}_{cm}/dt$, c'est-à-dire $\vec{\mathbf{a}}_{cm}$, l'accélération du centre de masse du système. Mais la deuxième loi de Newton nous rappelle que la force $\vec{\mathbf{F}}_1$ est égale à $m_1\mathbf{a}_1$. De même, $\vec{\mathbf{F}}_2 = m_2\vec{\mathbf{a}}_2$, etc. On peut donc écrire ainsi l'équation 9-8:

$$M\vec{\mathbf{a}}_{cm} = \vec{\mathbf{F}}_1 + \vec{\mathbf{F}}_2 + \cdots + \vec{\mathbf{F}}_n. \tag{9-9}$$

On constate donc que la masse totale du système, multipliée par le vecteur accélération de son centre de masse, est égale à la somme vectorielle de toutes les forces agissant sur le système de particules.

Parmi ces forces, certaines constituent des forces d'interaction intérieures au système. Cependant, la troisième loi de Newton nous assure qu'elles interviennent toujours par paires de forces égales et opposées; elles n'apportent aucune contribution nette. On peut donc oublier les forces intérieures, et l'équation 9-9 ne tiendra compte que de la somme des forces extérieures sur les particules. On écrira l'équation 9-9 plus simplement ainsi:

$$M\vec{\mathbf{a}}_{cm} = \vec{\mathbf{F}}_{ext}. \tag{9-10}$$

La signification de cette équation est la suivante: *le centre de masse d'un système de particules se déplace comme si toute la masse y était concentrée et que toutes les forces extérieures s'exerçaient en ce point.*

Remarquez bien que nous avons obtenu ce résultat sans préciser la nature du système de particules. Il peut s'agir d'un corps solide dont toutes les particules conservent des positions relatives fixes ou d'un ensemble de particules qui se meuvent de manière aléatoire. Peu importe le système et le mouvement de ses constituants, le centre de masse se déplace comme le prévoit l'équation 9-10.

Par conséquent, au lieu de considérer un corps comme une particule, comme nous l'avons fait dans les chapitres précédents, nous allons le considérer comme un ensemble de particules. Nous pourrons alors décrire le mouvement de translation du corps, c'est-à-dire le mouvement de son centre de masse, en supposant toute sa masse concentrée en son centre de masse et toutes les forces extérieures s'exerçant en ce point[1]. C'est ce que nous avons fait implicitement dans nos diagrammes de forces et dans la solution des problèmes.

En plus de justifier et de préciser ce que nous avons fait précédemment, nous venons de trouver un moyen de décrire le mouvement de translation d'un système de particules et celui d'un corps pouvant à la fois être animé d'un mouvement de translation et de rotation. Nous appliquerons cette méthode, dans ce chapitre et le suivant, à l'étude du mouvement de translation d'un système de particules. Nous verrons plus loin comment la même méthode simplifiera l'étude de la rotation des corps.

[1] Quand la force extérieure est la force gravitationnelle, le point d'application correspond au *centre de gravité* du corps. Dans toutes les situations que nous avons considérées, le centre de gravité coïncidait avec le centre de masse. Au chapitre 14, nous analyserons des cas où ces deux points ne coïncident pas.

EXEMPLE 3

La figure 9-6 représente trois particules, de masse différente, sous l'action de forces extérieures. Déterminez l'accélération du centre de masse du système.

Trouvons d'abord les coordonnées du centre de masse. L'équation 9-3 donne ceci:

$$x_{cm} = \frac{(8{,}0 \times 4) + (4{,}0 \times -2) + (4{,}0 \times 1)}{16} \text{ m} = 1{,}8 \text{ m},$$

$$y_{cm} = \frac{(8{,}0 \times 1) + (4{,}0 \times 2) + (4{,}0 \times -3)}{16} \text{ m} = 0{,}25 \text{ m}.$$

Ces coordonnées réfèrent au point C de la figure 9-6.

Pour obtenir l'accélération du centre de masse, il nous faut d'abord déterminer la résultante des forces extérieures sur le système des trois particules. La composante x vaut

$$F_x = 14 \text{ N} - 6{,}0 \text{ N} = 8{,}0 \text{ N},$$

et la composante y

$$F_y = 16 \text{ N}.$$

La grandeur de la résultante des forces extérieures vaut

$$F = \sqrt{(8{,}0)^2 + (16)^2} \text{ N} = 18 \text{ N},$$

et l'angle θ qu'elle fait avec l'horizontale s'obtient par la relation suivante:

$$\tan \theta = \frac{16 \text{ N}}{8{,}0 \text{ N}} = 2{,}0 \qquad \text{ou} \qquad \theta = 63°.$$

De l'équation 9-10, nous déduisons l'accélération du centre de masse, c'est-à-dire:

$$a_{cm} = \frac{F}{M} = \frac{18 \text{ N}}{16 \text{ kg}} = 1{,}1 \text{ m/s}^2,$$

faisant un angle de 63° avec l'axe des x.

Malgré les variations des positions relatives des particules dans le temps, le centre de masse se déplacera en subissant une accélération constante.

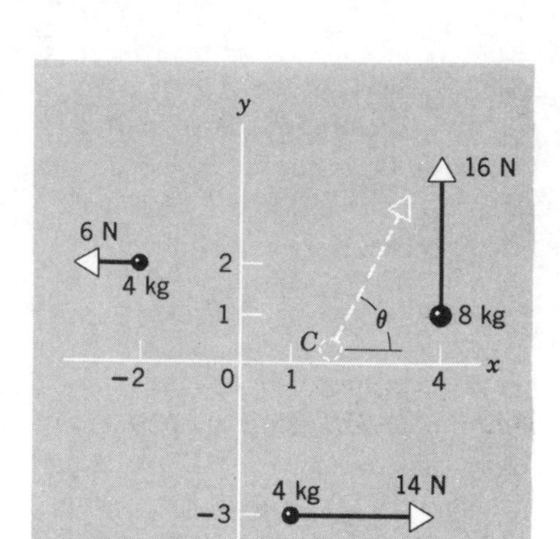

figure 9-6
Exemple 3. Analyse du mouvement du centre de masse de trois masses sous l'action de forces différentes. Les vecteurs forces sont contenus dans le même plan que les particules. Les distances indiquées sur les axes sont en mètres.

9-3 *QUANTITÉ DE MOUVEMENT D'UNE PARTICULE*

On définit la *quantité de mouvement* $\vec{\mathbf{p}}$ d'une particule comme le produit de sa masse par son vecteur vitesse $\vec{\mathbf{v}}$, c'est-à-dire:

$$\vec{\mathbf{p}} = m\vec{\mathbf{v}}. \qquad (9\text{-}11)$$

La quantité de mouvement est donc un vecteur puisqu'elle s'obtient par le produit d'un vecteur par un scalaire. De plus, puisqu'elle est proportionnelle au vecteur $\vec{\mathbf{v}}$, sa valeur sera fonction du système de référence utilisé par l'observateur; il est donc très important de le spécifier.

C'est en fonction de la quantité de mouvement que Newton énonça d'ailleurs sa seconde loi. Il écrivait: « *Le taux de variation de la quantité de mouvement d'un corps est proportionnel à la force résultante appliquée sur ce corps* ». Bref,

$$\vec{\mathbf{F}} = \frac{d\vec{\mathbf{p}}}{dt}. \qquad (9\text{-}12)$$

Si le système considéré se résume à une particule de masse (constante) m, l'équation 9-12 devient $\vec{\mathbf{F}} = m\vec{\mathbf{a}}$, équation utilisée couramment jusqu'ici. Alors, si m est constante,

$$\vec{\mathbf{F}} = \frac{d\vec{\mathbf{p}}}{dt} = \frac{d}{dt}(m\vec{\mathbf{v}}) = m\frac{d\vec{\mathbf{v}}}{dt} = m\vec{\mathbf{a}}.$$

Les relations $\vec{F} = m\vec{a}$ et $\vec{F} = d\vec{p}/dt$, appliquées à une particule, s'équivalent tout à fait en mécanique classique.

• **Note**

En relativité (voir le complément III), la seconde loi de Newton, sous la forme $\vec{F} = m\vec{a}$, n'est pas valide pour une particule. Par contre, sous la forme $\vec{F} = d\vec{p}/dt$, elle demeure valide si on définit ainsi la quantité de mouvement:

$$\vec{p} = \frac{m_0\vec{v}}{\sqrt{1 - v^2/c^2}}. \qquad (9\text{-}13)$$

Ce résultat nous suggère une autre définition de la masse (comparez les équations 9-11 et 9-13):

$$m = \frac{m_0}{\sqrt{1 - v^2/c^2}},$$

de telle manière que la quantité de mouvement peut encore s'écrire sous la forme $\vec{p} = m\vec{v}$ (voir la section 8-9). Dans cette équation, v représente la vitesse de la particule, c la vitesse de la lumière et m_0 la masse au repos (c'est-à-dire la masse lorsque $v = 0$). Cette nouvelle définition prévoit donc une augmentation de la masse en fonction de la vitesse. Les particules élémentaires comme les électrons, les protons, etc., peuvent atteindre des vitesses qui approchent celle de la lumière. On peut donc vérifier dans ces cas la variation de masse puisque l'augmentation s'avère suffisamment grande pour la mesurer avec précision. Toutes les expériences sont concluantes et montrent la réalité de cet effet relativiste que décrit l'équation ci-haut (voir la figure 8-8). •

9-4 *QUANTITÉ DE MOUVEMENT D'UN SYSTÈME DE PARTICULES*

Imaginons maintenant un système à n particules, de masses m_1, m_2, etc. Nous supposons, comme à la section 9-2, que la masse M, ou $\Sigma\, m_i$ demeure constante dans le temps. Des forces tant extérieures qu'intérieures peuvent s'exercer sur les particules. Chacune d'elles possédera sa vitesse et sa quantité de mouvement. La particule 1 de masse m_1, ayant une vitesse $\vec{v}_1$, aura une quantité de mouvement $\vec{p}_1 = m_1\vec{v}_1$, par exemple. Dans un référentiel donné, le système possédera donc une *quantité de mouvement totale* $\vec{P}$ obtenue en effectuant la somme vectorielle des quantités de mouvement de chaque particule, c'est-à-dire:

$$\vec{P} = \vec{p}_1 + \vec{p}_2 + \cdots + \vec{p}_n \qquad (9\text{-}14)$$

$$= m_1\vec{v}_1 + m_2\vec{v}_2 + \cdots + m_n\vec{v}_n.$$

En comparant cette relation avec l'équation 9-7, on déduit une nouvelle relation:

$$\vec{P} = M\vec{v}_{cm}, \qquad (9\text{-}15)$$

qui définit de façon équivalente la quantité de mouvement d'un système de particules. L'équation 9-15 nous dit que *la quantité de mouvement totale d'un système de particules est égale au produit de sa masse totale par la vitesse de son centre de masse.*

Nous avons vu (équation 9-10) que la deuxième loi de Newton, appliquée à un système de particules, s'écrit de la façon suivante:

$$\vec{F}_{ext} = M\vec{a}_{cm}, \qquad (9\text{-}10)$$

où $\vec{F}_{ext}$ est la somme vectorielle de toutes les forces extérieures agissant sur le système; rappelons-nous que toutes les forces intérieures s'annulent par paires en vertu de la troisième loi de Newton (voir la figure 9-7). En différentiant l'équation 9-15 par rapport au temps, tout en supposant M constante, on obtient:

$$\frac{d\vec{P}}{dt} = M\frac{d\vec{v}_{cm}}{dt} = M\vec{a}_{cm}. \qquad (9\text{-}16)$$

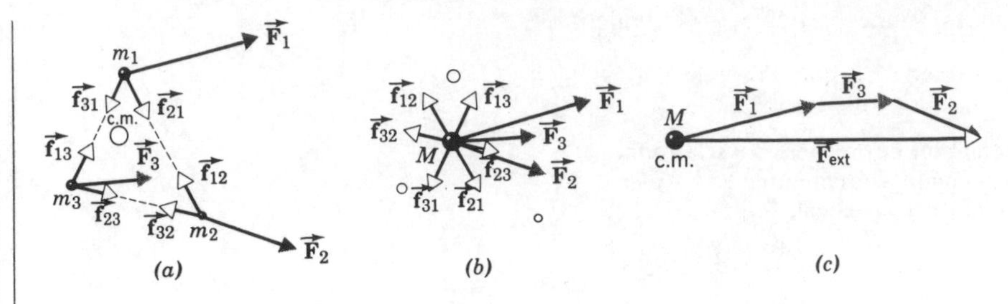

figure 9-7
Relations entre les forces s'exerçant sur un système de trois masses m_1, m_2 et m_3. *(a)* On représente toutes les forces agissant sur chacune des masses ainsi que la position du centre de masse. Les forces $\vec{f}_{21}$, et $\vec{f}_{31}$, s'exercent sur la masse m_1, et sont créées par m_2 et m_3 respectivement: $\vec{F}_1$ s'applique sur m_1 mais est créée par un agent extérieur au système. Des forces semblables agissent sur m_2 et m_3. Cependant, la troisième loi de Newton nous rappelle que les forces intérieures $\vec{f}_{31}$ et $\vec{f}_{13}$ doivent être égales et opposées tout en s'orientant selon une ligne joignant les centres des masses m_1 et m_3. Le même raisonnement s'applique aux deux autres paires de forces action-réaction. *(b)* Pour connaître le mouvement de l'ensemble du système, nous pouvons considérer que les forces s'appliquent sur une masse $M = m_1 + m_2 + m_3$ concentrée au centre de masse. Puisque chaque paire (action-réaction) de forces intérieures est nulle, il ne reste que les forces extérieures $\vec{F}_1$, $\vec{F}_2$, $\vec{F}_3$. *(c)* En les additionnant graphiquement, nous trouvons la résultante $\vec{F}_{ext}$ agissant sur le centre de masse du système.

La comparaison des équations 9-10 et 9-16 nous permet d'écrire la deuxième loi de Newton pour un système de particules, sous la forme

$$\vec{F}_{ext} = \frac{d\vec{P}}{dt}. \qquad (9\text{-}17)$$

Cette équation s'applique à un système de particules où la masse est constante et constitue une généralisation de l'équation 9-12, $\vec{F} = d\vec{p}/dt$ s'appliquant à une seule particule. Dans le cas d'une particule, l'équation 9-17 se ramène à l'équation 9-12, puisque, dans ce cas, seules des forces extérieures s'exercent.

9-5 CONSERVATION DE LA QUANTITÉ DE MOUVEMENT

Supposons que la somme des forces extérieures soit nulle. Alors, l'équation 9-17 nous dit

$$\frac{d\vec{P}}{dt} = 0 \quad \text{ou} \quad \vec{P} = C^{te}.$$

Quand la résultante des forces extérieures agissant sur le système est nulle, le vecteur quantité de mouvement totale du système demeure constant. Ce résultat simple mais très général constitue le principe de la conservation de la quantité de mouvement. Nous étudierons plusieurs phénomènes physiques où ce principe est applicable.

La conservation de la quantité de mouvement est le deuxième grand principe de conservation que nous rencontrons, le premier étant celui de la conservation de l'énergie. Nous aurons l'occasion d'en étudier plusieurs autres, notamment ceux de la conservation de la charge électrique et du moment cinétique. A cause de leur simplicité et de leur universalité, ces grands principes sont d'une importance capitale, en physique, des points de vue théorique et pratique. Ils ont tous ceci en commun: pendant que le système évolue, une quantité quelconque reste invariable. Des observateurs placés dans des référentiels différents et regardant évoluer le même système s'entendraient pour affirmer que ces lois de conservation s'appliquent au système en évolution. Par exemple, en ce qui concerne la conservation de la quantité de mouvement, des observateurs dans des référentiels différents attribueraient des valeurs différentes à la quantité de mouvement $\vec{\mathbf{P}}$ du système, mais chacun reconnaîtrait (si $\vec{\mathbf{F}}_{ext} = 0$) la constance de sa propre valeur de $\vec{\mathbf{P}}$ lors du mouvement des particules du système.

Seules les forces extérieures agissant sur un système peuvent modifier sa quantité de mouvement. Les forces intérieures, se retrouvant toujours par paires de forces égales et opposées, entraînent des variations de quantité de mouvement égales et opposées, de sorte que l'effet résultant est nul. Pour un système de particules,

$$\vec{\mathbf{p}}_1 + \vec{\mathbf{p}}_2 + \cdots + \vec{\mathbf{p}}_n = \vec{\mathbf{P}},$$

de sorte que, lorsque la quantité de mouvement totale $\vec{\mathbf{P}}$ est constante, on a

$$\vec{\mathbf{p}}_1 + \vec{\mathbf{p}}_2 + \cdots + \vec{\mathbf{p}}_n = \mathrm{C^{te}} = \vec{\mathbf{P}}_0. \qquad (9\text{-}18)$$

La quantité de mouvement de chaque particule peut varier mais la somme demeure la même si les forces extérieures sont nulles.

La quantité de mouvement est une quantité vectorielle. L'équation 9-18 représente donc en réalité trois équations scalaires semblables, une pour chacune des dimensions de l'espace. Par conséquent, le principe de la conservation de la quantité de mouvement impose trois contraintes au mouvement du système auquel il s'applique. Par contre, le principe de la conservation de l'énergie en impose une seule, puisque l'énergie est une quantité scalaire.

• **Note**

La loi de la conservation de la quantité de mouvement s'applique même à l'échelle de l'atome et du noyau, ce qui n'est pourtant pas le cas de la mécanique classique. Cette loi de conservation s'avère donc plus fondamentale que les principes de Newton (à la base de la mécanique classique). En déduisant cette loi nous avons certainement posé des hypothèses plus strictes qu'il n'était nécessaire. Ceci reste vrai même si on se place dans le contexte de la mécanique classique. Rappelez-vous le rôle clé qu'a joué la troisième loi de Newton dans la déduction du principe de la conservation de la quantité de mouvement. C'est cette loi que nous avons utilisée pour justifier l'hypothèse selon laquelle les forces intérieures agissant sur toutes les particules s'annulaient. Il est cependant artificiel de considérer les forces intérieures d'un bloc de matière comme résultant de paires de forces interatomiques égales et opposées. Ces forces intérieures résultent en réalité d'interactions de plusieurs corps qui dépendent non seulement de la position relative et de l'orientation de deux atomes mais aussi de la position et de l'orientation des atomes voisins. S'il était possible de justifier notre hypothèse sans avoir recours à la troisième loi, le principe de la conservation de la quantité de mouvement ne serait pas dépendant de la validité de cette troisième loi du mouvement. De fait, nous pouvons justifier notre hypothèse en nous appuyant sur des considérations beaucoup moins contraignantes que celles imposées par la troisième loi. La preuve dépasse le niveau de ce volume[2]. •

9-6 *APPLICATION DU PRINCIPE DE LA CONSERVATION DE LA QUANTITÉ DE MOUVEMENT*

EXEMPLE 4

Étudions d'abord un cas où une seule force extérieure s'exerce sur un système. Référons-nous à la discussion du mouvement d'un projectile (chapitre 4). Imaginons que notre projectile soit une pièce pyrotechnique explosant en plein vol. La figure 8-8 illustre la trajectoire de la pièce. Supposons que la résistance de l'air est négligeable. Le projectile constitue le système, la Terre est notre référentiel et la force gravitationnelle agit comme force extérieure. La pièce pyrotechnique explose au point x_1, et les fragments volent dans toutes les directions. Que pouvons-nous dire du mouvement du système après l'explosion?

Les forces, à l'origine de l'explosion, sont des forces *intérieures*; elles proviennent de l'interaction de diverses parties du système. Ces forces peuvent modifier la quantité de mouvement de chacun des fragments mais ne peuvent modifier le vecteur quantité de mouvement *totale* du système. Seule une force extérieure peut faire varier la quantité

[2] Voir « On Newton's Third Law and the Conservation of Momentum », par E. Gerjuoy, *American Journal of Physics*, novembre 1949.

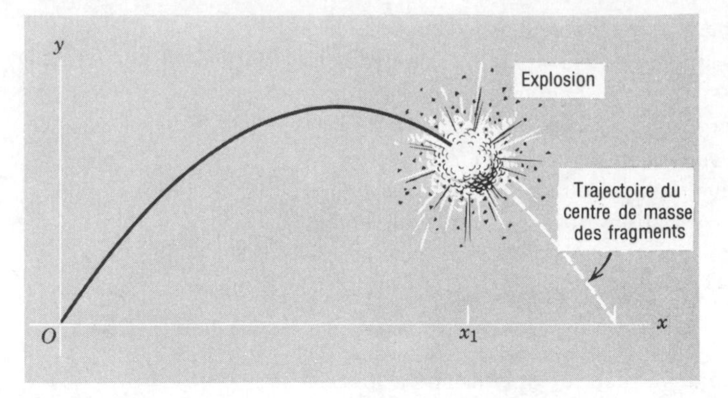

figure 9-8
Exemple 4. Un projectile explose en vol. Le centre de masse des fragments continue à décrire la trajectoire parabolique.

de mouvement totale. Dans le cas présent, la force gravitationnelle se présente comme l'unique force extérieure. Parce qu'un système de particules se déplace comme si toute sa masse était concentrée en son centre de masse et que la force extérieure y était appliquée, le centre de masse des fragments continuera à décrire la trajectoire parabolique que la pièce aurait suivie si elle n'avait pas explosé. La variation de la quantité de mouvement attribuable à la gravité est la même, que la pièce pyrotechnique explose ou non.

Que pouvez-vous dire de *l'énergie mécanique* du système avant et après l'explosion?

EXEMPLE 5

Deux blocs A et B, de masses m_A et m_B, sont reliés par un ressort et reposent sur un plan horizontal sans frottement. On étire le ressort en éloignant les deux masses (figure 9-9), puis on les relâche. Décrivez le mouvement du système.

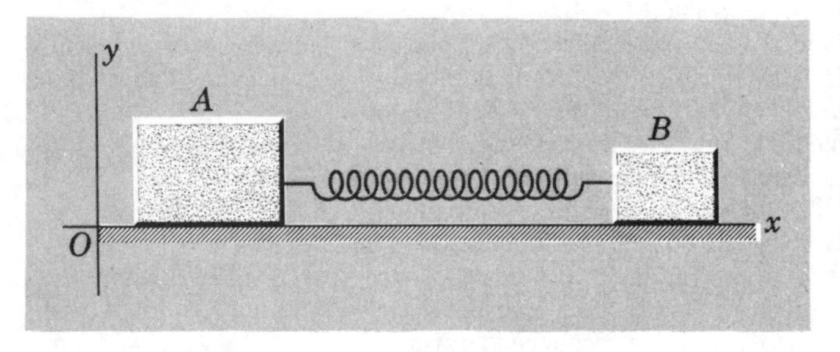

figure 9-9
Exemple 5. Deux blocs A et B sont reliés par un ressort et reposent sur une surface sans frottement. Si on les relâche après les avoir maintenus éloignés, la somme de leurs quantités de mouvement demeure nulle.

Si on considère le système comme étant constitué des deux blocs et du ressort, aucune force *extérieure* ne s'applique sur lui une fois les deux masses relâchées. On peut donc appliquer le principe de la conservation de la quantité de mouvement. Vue d'un référentiel lié à la table, la quantité de mouvement du système avant la détente est nulle; elle doit donc le demeurer après.

C'est grâce au caractère vectoriel de la quantité de mouvement si celle-ci peut être nulle malgré le mouvement des blocs. On assignera au bloc A une quantité de mouvement positive (il se déplace suivant $+x$) et au bloc B une quantité de mouvement négative (il se déplace suivant $-x$). Le principe de la conservation de la quantité de mouvement nous permet d'écrire:

$$\text{quantité de mouvement initiale} = \text{quantité de mouvement finale}$$

$$0 = m_B \vec{\mathbf{v}}_B + m_A \vec{\mathbf{v}}_A.$$

Ainsi,

$$m_B \vec{\mathbf{v}}_B = -m_A \vec{\mathbf{v}}_A$$

et

$$\vec{\mathbf{v}}_A = -\frac{m_B}{m_A} \vec{\mathbf{v}}_B.$$

A titre d'exemple, si $m_A = 2$ kg et $m_B = 1$ kg, la grandeur de $\vec{\mathbf{v}}_A$ sera la moitié de $\vec{\mathbf{v}}_B$ et leur orientation sera opposée.

Le bloc A possède une énergie cinétique de $\frac{1}{2} m_A v_A{}^2$, qui peut s'écrire $(m_A v_A)^2/2\ m_A$, et le bloc B, une énergie de $\frac{1}{2} m_B v_B{}^2$, ou $(m_B v_B)^2/2\ m_B$. Mais

$$\frac{K_A}{K_B} = \frac{2m_B(m_A v_A)^2}{2m_A(m_B v_B)^2} = \frac{m_B}{m_A},$$

où $m_A v_A$ est égal à $m_B v_B$ par conservation de la quantité de mouvement. A tout instant, le rapport des énergies cinétiques des blocs est égal au rapport inverse de leurs masses. Puisqu'il y a conservation de l'énergie mécanique, les blocs conserveront leur mouvement oscillatoire, pendant que le bilan de leurs énergies cinétique et potentielle restera constant. Décrivez le mouvement du centre de masse du système.

EXEMPLE 6

Analysons un phénomène de désintégration nucléaire. Un noyau d'uranium 238, initialement au repos, émet une particule α (noyau d'hélium) à une vitesse de $1{,}4 \times 10^7$ m/s avec une énergie de 4,1 Mev (1 MeV = 10^6 eV). Calculez la vitesse de recul du noyau résiduel (thorium 234).

Considérons le système (thorium et particule α) formant au départ le noyau d'uranium et se divisant par la suite en deux fragments. La quantité de mouvement avant la désintégration est nulle; aucune force extérieure n'étant intervenue, elle demeure nulle après la désintégration. Alors:

$$\text{quantité de mouvement initiale} = \text{quantité de mouvement finale}$$

$$0 = M_\alpha \vec{\mathbf{v}}_\alpha + M_{\mathrm{Th}} \vec{\mathbf{v}}_{\mathrm{Th}},$$

$$\vec{\mathbf{v}}_{\mathrm{Th}} = -\frac{M_\alpha}{M_{\mathrm{Th}}} \vec{\mathbf{v}}_\alpha.$$

Le rapport de la masse de la particule α à celle du noyau de thorium, $M_\alpha / M_{\mathrm{Th}}$, vaut 4/234, et $v_\alpha = 1{,}4 \times 10^7$ m/s, d'où:

$$v_{\mathrm{Th}} = -(4/234)(1{,}4 \times 10^7 \text{ m/s}) = -2{,}4 \times 10^5 \text{ m/s}.$$

Le signe négatif signifie que le noyau de thorium subit un recul dans le sens contraire du mouvement de la particule α, de sorte que la quantité de mouvement totale du système demeure nulle.

Comment pouvez-vous calculer l'énergie cinétique du noyau de thorium (voir l'exemple précédent)? D'où vient l'énergie des deux fragments?

EXEMPLE 7

Étudions maintenant le cas apparemment simple d'une personne qui lance une balle vers le haut à partir du sol et la capte à son retour. Considérons la personne comme faisant partie de la Terre, puisqu'elle demeure en contact avec elle. Nous négligeons aussi la résistance de l'air.

Le système qui nous intéresse englobe la Terre et la balle, de sorte que les forces de gravitation entre les éléments du système deviennent des forces intérieures. Choisissons un référentiel où notre système (Terre et balle) est au repos. Quand la balle est lancée vers le haut, la Terre subit un recul, car l'absence de forces extérieures et le fait que la quantité de mouvement initiale du système (Terre et balle) est nulle implique que la quantité de mouvement est conservée et demeure nulle tout au cours du mouvement. La quantité de mouvement communiquée à la balle vers le haut est donc annulée par une quantité de mouvement égale et opposée de la Terre. On a donc:

$$\text{quantité de mouvement initiale} = \text{quantité de mouvement finale}$$

$$0 = m_B \vec{\mathbf{v}}_B + m_T \vec{\mathbf{v}}_T$$

$$m_B \vec{\mathbf{v}}_B = -m_T \vec{\mathbf{v}}_T.$$

Ici, m_B et m_T représentent les masses de la balle et de la Terre, et $\vec{v}_B$ et $\vec{v}_T$, leurs vitesses respectives dans le référentiel choisi. On néglige évidemment la vitesse de recul de la Terre, puisque sa masse est beaucoup plus grande que la masse de la balle.

Dès l'instant de la séparation de la balle et de la Terre, les forces intérieures que sont les forces d'attraction gravitationnelle entrent en jeu et parviennent, après un certain éloignement, à rapprocher à nouveau les deux masses. De même que la balle tombe vers la Terre, la Terre tombe vers la balle avec une quantité de mouvement égale et opposée. Au moment où la balle est attrapée, sa quantité de mouvement se trouve neutralisée par celle de la Terre, et vice-versa. Les deux objets n'ont plus de mouvement relatif, la quantité de mouvement totale demeure nulle et nous retrouvons la situation originale avant le lancement de la balle. Rappelez-vous notre propos sur la conservation de l'énergie dans un champ gravitationnel: nous négligions le mouvement de la Terre elle-même. Nous avons considéré la surface de la Terre comme le niveau zéro d'énergie potentielle gravitationnelle. La référence n'avait pas tellement d'importance, puisque seules les *variations* d'énergie potentielle nous intéressaient. Cependant, dans le calcul des variations d'énergie cinétique, nous avons supposé que la Terre était immobile, comme, par exemple, dans le cas où on lançait une balle vers le haut.

En principe, nous ne pouvons pas ignorer la variation de l'énergie cinétique de la Terre. Par exemple, lorsque la balle tombe vers la Terre, celle-ci est légèrement accélérée vers la balle. Nous avons omis ce fait parce que nous supposions négligeable la variation de l'énergie cinétique de la Terre. Ce résultat n'est pas évident parce que, même si la vitesse de la Terre est petite, sa masse est énorme, et son énergie cinétique pourrait être significative. Pour clore la discussion, calculons le rapport de l'énergie cinétique de la Terre à celle de la balle. En vertu de la conservation de la quantité de mouvement, $m_T v_T = m_B v_B$, et on a:

$$\frac{K_T}{K_B} = \frac{\frac{1}{2}m_T v_T{}^2}{\frac{1}{2}m_B v_B{}^2} = \frac{\frac{1}{2}(m_T v_T)^2}{\frac{1}{2}(m_B v_B)^2} \cdot \frac{m_B}{m_T} = \frac{m_B}{m_T}.$$

Puisque la masse m_B de la balle est vraiment négligeable par rapport à la masse m_T de la Terre, l'énergie cinétique K_T acquise par la Terre est négligeable par rapport à l'énergie cinétique K_B de la balle. Par exemple, si $m_B = 6$ kg, alors, puisque $m_T = 6 \times 10^{24}$ kg, on a $K_T/K_B = 10^{-24}$!

Remarquez la grande similitude entre ce problème et celui de l'exemple 5. Quelques détails seulement diffèrent; dans un cas nous avons de l'énergie potentielle d'élasticité et les masses sont du même ordre de grandeur, dans l'autre, nous avons de l'énergie potentielle gravitationnelle et les masses ne sont pas du tout du même ordre de grandeur.

- **Notions avancées**

9-7 *SYSTÈMES À MASSE VARIABLE*

Nous n'avons traité jusqu'ici que de systèmes où la masse totale M demeurait constante dans le temps. Analysons maintenant des systèmes qui peuvent augmenter ou diminuer leur masse pendant que nous les observons; dM/dt sera positif dans le premier cas et négatif dans le second.

La figure 9-10*a* illustre un système de masse M dont le centre de masse se déplace à une vitesse $\vec{v}$ par rapport à un référentiel particulier. Une force extérieure $\vec{F}_{ext}$ s'exerce sur le système. Un instant Δt plus tard, la configuration du système est celle de la figure 9-10*b*. Une masse ΔM dont le centre de masse se déplace à une vitesse $\vec{u}$ par rapport à notre observateur a été éjectée du système. La masse du système est réduite à $M - \Delta M$, et la vitesse $\vec{v}$ du centre de masse devient $\vec{v} + \Delta\vec{v}$.

L'étudiant peut imaginer que le système de la figure 9-10 représente une fusée. Celle-ci éjecte des gaz de combustion à une très grande vitesse, diminuant sa propre masse et augmentant sa vitesse. Dans une fusée, la perte de masse se fait de façon continue par la combustion des gaz. Le vecteur $\vec{F}_{ext}$ n'est pas la poussée (force de propulsion) de la fusée, mais bien la force gravitationnelle exercée sur la fusée et la force de frottement due à l'atmosphère.

Pour analyser le problème, définissons un système de masse constante. Cela signifie que notre système de la figure 9-10*b* incluera non seulement la masse $M - \Delta M$ du corps mais aussi la masse éjectée ΔM, de sorte que la masse totale du système vaudra M, comme nous le voyons dans la figure 9-10*a*. Cet artifice nous permet d'appliquer les résultats déjà déduits pour les systèmes à masse constante. Nous allons voir que cette approche va nous amener à trouver un nouvel énoncé de la deuxième loi de Newton pour les systèmes à masse variable.

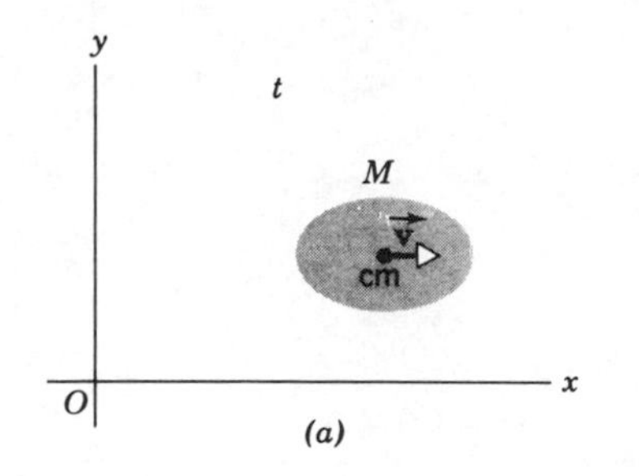

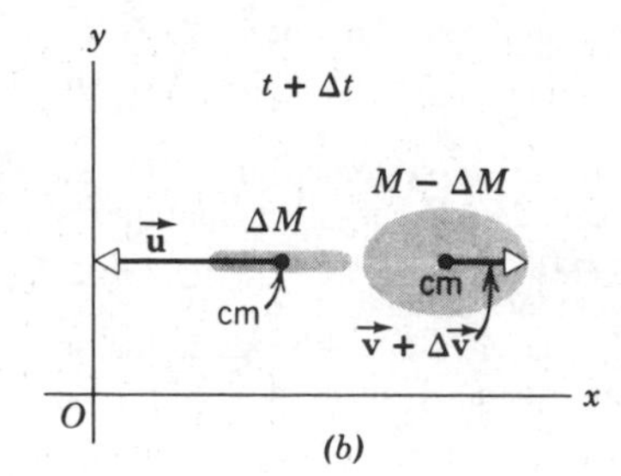

figure 9-10
Une masse M, se déplaçant à une vitesse $\vec{\mathbf{v}}$, éjecte une masse ΔM durant un intervalle Δt. Une force extérieure $\vec{\mathbf{F}}_{\text{ext}}$ (non illustrée) s'exerce sur le système.

L'équation 9-17 nous dit que

$$\vec{\mathbf{F}}_{\text{ext}} = \frac{d\vec{\mathbf{P}}}{dt}, \tag{9-17}$$

En considérant un intervalle de temps fini Δt, nous pouvons établir l'approximation suivante:

$$\vec{\mathbf{F}}_{\text{ext}} \cong \frac{\Delta\vec{\mathbf{P}}}{\Delta t} = \frac{\vec{\mathbf{P}}_f - \vec{\mathbf{P}}_i}{\Delta t},$$

où $\vec{\mathbf{P}}_f$ est la quantité de mouvement (finale) du système de la figure 9-10*b* et $\vec{\mathbf{P}}_i$ la quantité de mouvement (initiale) du système de la figure 9-10*a*. Mais $\vec{\mathbf{P}}_f = (M - \Delta M)(\vec{\mathbf{v}} + \Delta\vec{\mathbf{v}}) + \Delta M\vec{\mathbf{u}}$ et $\vec{\mathbf{P}}_i = M\vec{\mathbf{v}}$. Nous avons alors:

$$\vec{\mathbf{F}}_{\text{ext}} \cong \frac{[(M - \Delta M)(\vec{\mathbf{v}} + \Delta\vec{\mathbf{v}}) + \Delta M\vec{\mathbf{u}}] - [M\vec{\mathbf{v}}]}{\Delta t}$$

$$= M\frac{\Delta\vec{\mathbf{v}}}{\Delta t} + [\vec{\mathbf{u}} - (\vec{\mathbf{v}} + \Delta\vec{\mathbf{v}})]\frac{\Delta M}{\Delta t}. \tag{9-19}$$

Si nous faisons tendre Δt vers zéro, la configuration de la figure 9-10*b* se rapprochera de celle de la figure 9-10*a*. A cause de la masse ΔM éjectée dans l'intervalle Δt, il s'ensuit une diminution de la masse M du corps original. Puisque dM/dt, c'est-à-dire le taux de variation de la masse, est négatif dans ce cas, remplaçons la quantité positive $\Delta M/\Delta t$ par $-dM/dt$, lorsque Δt tend vers zéro. Enfin, $\Delta\vec{\mathbf{v}}$ tend vers zéro lorsque Δt tend vers zéro. En effectuant ces changements dans l'équation 9-19, on obtient:

$$\vec{\mathbf{F}}_{\text{ext}} = M\frac{d\vec{\mathbf{v}}}{dt} + \vec{\mathbf{v}}\frac{dM}{dt} \quad \vec{\mathbf{u}}\frac{dM}{dt} \tag{9-20a}$$

ou

$$\vec{\mathbf{F}}_{\text{ext}} = \frac{d}{dt}(M\vec{\mathbf{v}}) - \vec{\mathbf{u}}\frac{dM}{dt}. \tag{9-20b}$$

C'est la formulation de la deuxième loi de Newton lorsqu'on veut décrire l'action des forces extérieures sur un corps de masse variable.

Remarquez que ces équations se ramènent aux équations familières $\vec{\mathbf{F}}_{\text{ext}} = M\vec{\mathbf{a}}$ et $\vec{\mathbf{F}}_{\text{ext}} = d(M\vec{\mathbf{v}})/dt$ dans le cas particulier d'un corps de masse constante ($dM/dt = 0$). Il est très important de constater que nous ne pouvons déduire une forme générale de la deuxième loi de Newton applicable aux systèmes à masse variable uniquement en considérant la masse, dans l'équation $\vec{\mathbf{F}}_{\text{ext}} = d\vec{\mathbf{P}}/dt = d(M\vec{\mathbf{v}})/dt$, comme variable. Ceci nous donnerait

$$\vec{\mathbf{F}}_{\text{ext}} = d(M\vec{\mathbf{v}})/dt = M\,d\vec{\mathbf{v}}/dt + \vec{\mathbf{v}}\,dM/dt,$$

ce qui constitue un cas particulier de l'équation 9-20, c'est-à-dire le cas où soit *(a)* $dM/dt = 0$, un système à masse constante, soit *(b)* $\vec{\mathbf{u}} = 0$, résultant du choix d'un référentiel particulier. Nous pouvons utiliser $\vec{\mathbf{F}}_{\text{ext}} = d\vec{\mathbf{P}}/dt$ pour analyser des systèmes à masse variable seulement si nous l'appliquons à *un système ayant une masse totale constante* mais dont les constituants peuvent faire des échanges de masse. C'est ce que nous avons fait pour déduire l'équation 9-20. L'importance de la relation $\vec{\mathbf{F}}_{\text{ext}} = d\vec{\mathbf{P}}/dt$ en physique classique tient du fait qu'elle nous conduit au principe de la conservation de la quantité de mouvement et qu'elle nous fournit un moyen de traiter des systèmes physiques plus complexes. Comme le choix du système nous revient, il n'en tient qu'à nous d'élargir suffisamment ce dernier pour qu'il englobe une masse constante.

Cependant, il est souvent plus commode de choisir un système dont la masse varie dans le temps (les fusées, par exemple). Dans de tels cas, nous appliquons la deuxième loi de Newton de l'équation 9-20 en l'écrivant toutefois sous une forme plus commode et plus facile à interpréter physiquement. La quantité $\vec{u} - (\vec{v} + \Delta\vec{v})$ de l'équation 9-19 représente tout simplement $\vec{v}_{rel}$, la vitesse relative de la masse éjectée par rapport au corps principal. Par conséquent, l'équation 9-20*a* peut s'écrire de la façon suivante:

$$M\frac{d\vec{v}}{dt} = \vec{F}_{ext} + (\vec{u} - \vec{v})\frac{dM}{dt} \qquad (9\text{-}21a)$$

ou

$$M\frac{d\vec{v}}{dt} = \vec{F}_{ext} + \vec{v}_{rel}\frac{dM}{dt}. \qquad (9\text{-}21b)$$

Le dernier terme de l'équation 9-21*b*, $\vec{v}_{rel}\,(dM/dt)$, exprime le taux de variation (en plus ou en moins) de la quantité de mouvement du système lorsqu'il gagne ou perd une certaine masse.

On peut l'interpréter comme une force exercée *sur* le système par la masse qui en sort (ou entre). Pour une fusée, ce terme constitue la *force de propulsion* et les ingénieurs doivent faire en sorte de la rendre la plus grande possible. L'équation 9-21*b* nous montre qu'on peut jouer sur deux facteurs pour y parvenir, soit la plus grande masse possible éjectée par unité de temps et la plus grande vitesse possible d'éjection des gaz. On peut récrire l'équation 9-21*b* de la façon suivante:

$$M\frac{d\vec{v}}{dt} = \vec{F}_{ext} + \vec{F}_{propulsion}$$

où $\vec{F}_{propulsion}$, c'est-à-dire $\vec{v}_{rel}\,dM/dt$, est la poussée qui s'exerce sur le système grâce à la masse éjectée.

EXEMPLE 8

Une mitrailleuse est installée sur un wagon pouvant rouler sans frottement sur une surface horizontale (figure 9-11*a*). Soit M la masse du système (mitrailleuse et wagon) à un instant donné. A ce même instant, la mitrailleuse tire des balles de masse m à une vitesse $\vec{u}$ par rapport au référentiel indiqué. La vitesse du wagon mesurée dans le même référentiel est $\vec{v}$ et la vitesse des balles *par rapport au wagon,* $\vec{u} - \vec{v}$. Si on tire n balles par unité de temps, déterminez l'accélération du wagon.

Choisissons un système qui comprend le wagon et la mitrailleuse. Puisque sa masse M est variable, appliquons la deuxième loi de Newton telle que la présente l'équation 9-21*b*. Aucune force extérieure n'agit sur le système, de sorte que $\vec{F}_{ext} = 0$, et alors:

$$M\frac{d\vec{v}}{dt} = \vec{v}_{rel}\frac{dM}{dt},$$

où $d\mathbf{v}/dt$ représente le vecteur accélération du système; le vecteur $\vec{v}_{rel}$, c'est-à-dire $\vec{u} - \vec{v}$, est un vecteur pointant vers la gauche (figure 9-11*a*), et $dM/dt = -mn$. En substituant ces valeurs dans l'équation précédente, on obtient:

$$\vec{a} = \frac{d\vec{v}}{dt} = -\frac{\vec{v}_{rel}(mn)}{M}.$$

Nous constatons que le vecteur $\vec{a}$ est orienté en sens contraire du vecteur $\vec{v}_{rel}$, c'est-à-dire vers la droite sur la figure 9-11*a*. Si v_{rel} = 500 m/s, m = 10 g, n = 10 s^{-1}, et M = 200 kg à un instant donné, alors:

$$a = \frac{(500\text{ m/s})(10^{-2}\text{ kg})(10\text{ s}^{-1})}{200\text{ kg}} = 0{,}25\text{ m/s}^2.$$

La grandeur de la poussée moyenne exercée sur le système (mitrailleuse et wagon) par les balles éjectées est la suivante:

$$F = v_{rel}nm = (500\text{ m/s})(10/\text{s})(10^{-2}\text{ kg})$$
$$= 50\text{ N}.$$

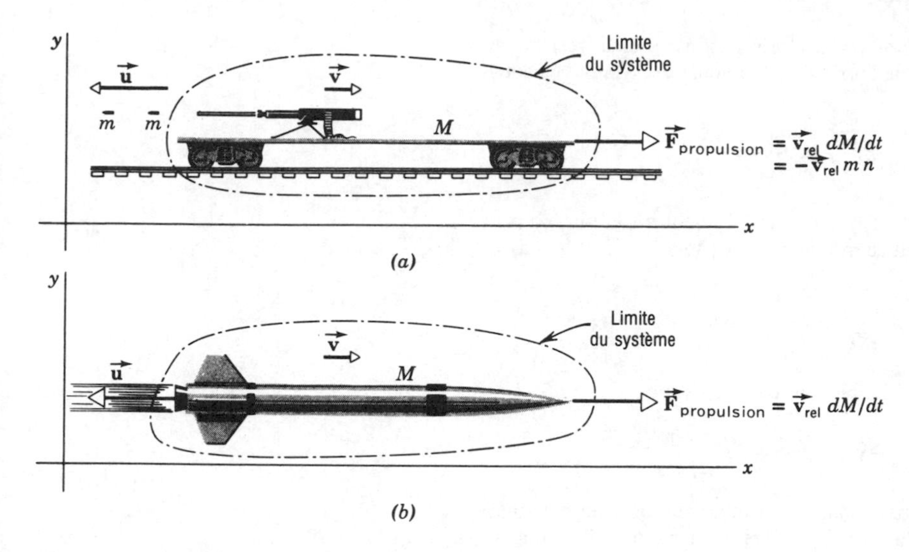

figure 9-11
(a) Exemple 8. Une mitrailleuse est installée sur un wagon qui roule sans frottement. L'engin tire n balles de masse m par unité de temps, à une vitesse $\vec{u} - \vec{v}$ par rapport à lui. La figure illustre quelques balles ayant déjà quitté le système. Tous les vecteurs vitesses représentés sont mesurés par rapport au sol. La force propulsive du système est $\vec{F} = -mn\vec{v}_{rel} = (dM/dt)\,\vec{v}_{rel}$. *(b)* Une fusée se déplace dans une région où les forces extérieures sont négligeables. Des gaz sont éjectés de la fusée à une vitesse $\vec{u} - \vec{v}$ par rapport à celle-ci et à un taux $-dM/dt$. La force de poussée sur la fusée est $\vec{F} = (dM/dt)\,\vec{v}_{rel}$. Tous les vecteurs vitesses sont mesurés à partir du sol.

La figure 9-11*b* illustre une situation analogue pour une fusée. Il est intéressant de voir le problème du point de vue de la troisième loi de Newton et du principe de la conservation de la quantité de mouvement. Choisissons un référentiel attaché au centre de masse du système à masse constante (fusée et gaz). La fusée expulse des gaz de combustion de ses tuyères: c'est la force d'action. Les gaz expulsés exercent en retour une force sur la fusée, la propulsant vers l'avant: c'est la réaction. Ces forces sont des forces intérieures au système (fusée et gaz). En l'absence de forces extérieures, la quantité de mouvement totale du système est constante (le centre de masse, initialement au repos, demeure au repos). Les constituants du système (fusée et gaz) peuvent cependant varier leur quantité de mouvement; par rapport au système lié au centre de masse, les gaz de combustion acquièrent une quantité de mouvement vers l'arrière et la fusée reçoit une quantité de mouvement égale vers l'avant.

Vous pouvez analyser le système balles-mitrailleuse-wagon de la même façon.

EXEMPLE 9

Une fusée, dont on vient de faire le plein sur sa rampe de lancement, pèse 140 000 N. On la lance verticalement vers le haut et elle ne pèse que 40 000 N à l'arrêt de la combustion. Les gaz sont éjectés à un taux constant de 150 kg/s à une vitesse de 1500 m/s par rapport au corps de la fusée.

(a) Calculez la force de propulsion. La force de propulsion $\vec{F}$ est le dernier terme de l'équation 9-21*b*, c'est-à-dire:

$$F = v_{rel}\frac{dM}{dt} = (1500 \text{ m/s})(150 \text{ kg/s}) = 225\ 000 \text{ N}.$$

Précisons que lorsque les réservoirs de la fusée sont pleins, la force résultante de la fusée vers le haut équivaut à la différence entre la force de propulsion (225 000 N) et le poids (140 000 N), soit 85 000 N. Immédiatement avant l'arrêt de la combustion, la force résultante vers le haut vaut 225 000 N moins 40 000 N, soit 185 000 N.

(b) En négligeant *toutes les forces extérieures*, y compris la gravité et la résistance de l'air, déterminez la vitesse de la fusée lors de l'arrêt de la combustion. Si nous posons $\vec{\mathbf{F}}_{\text{ext}} = 0$ dans l'équation 9-21*b*, on a:

$$M\frac{d\vec{\mathbf{v}}}{dt} = \vec{\mathbf{v}}_{\text{rel}}\frac{dM}{dt} \qquad \text{ou} \qquad d\vec{\mathbf{v}} = \vec{\mathbf{v}}_{\text{rel}}\frac{dM}{M}.$$

En intégrant cette expression (voir l'appendice 1) à partir du moment où la vitesse instantanée est $\vec{\mathbf{v}}_0$ et la masse de la fusée M_0 jusqu'au moment où la vitesse est $\vec{\mathbf{v}}$ et la masse de la fusée M, on obtient:

$$\int_{\vec{\mathbf{v}}_0}^{\vec{\mathbf{v}}} d\vec{\mathbf{v}} = \vec{\mathbf{v}}_{\text{rel}}\int_{M_0}^{M}\frac{dM}{M},$$

en supposant une vitesse d'éjection constante. Le résultat est le suivant:

$$\vec{\mathbf{v}} - \vec{\mathbf{v}}_0 = -\vec{\mathbf{v}}_{\text{rel}}\ln(M_0/M) = -\vec{\mathbf{v}}_{\text{rel}}\ln\left(1 + \frac{M_0 - M}{M}\right).$$

On voit que la variation de la vitesse de la fusée, durant un intervalle de temps donné, dépend uniquement de la vitesse d'éjection (de sens opposé) et de la fraction de la masse éjectée durant cet intervalle. Dans notre exemple, $v_0 = 0$ et $M_0/M = (140\,000/40\,000) = 3{,}5$, de sorte que la vitesse de la fusée à l'arrêt de la combustion sera la suivante:

$$v = v_{\text{rel}}\ln(M_0/M) = (1500\ \text{m/s})\ln 3{,}5 = 6800\ \text{km/h}.$$

Si on tenait compte de la gravité et de la résistance de l'air, la vitesse finale serait plus faible[3].

Imaginons que la fusée parte du repos ($v_0 = 0$) avec une masse initiale M_0 et atteigne une vitesse finale v_f à l'arrêt de la combustion lorsque sa masse est M_f. Nous écrivons alors:

$$\frac{M_f}{M_0} = e^{-v_f/v_{\text{rel}}}$$

où v_{rel} est la vitesse d'éjection.

Les équations que nous avons déduites pour la fusée laissent entendre que nous pouvons augmenter indéfiniment sa vitesse pourvu que la fusée puisse éjecter assez de gaz pour que sa masse finale soit suffisamment petite. Cependant, nous savons par la mécanique relativiste qu'il est impossible d'accélérer une fusée à une vitesse égale ou plus grande que celle de la lumière. Nos équations ne sont plus valides à l'extérieur du champ de la mécanique classique. Il faut alors tenir compte de la variation de la masse de la particule en fonction de sa vitesse, et utiliser les équations relativistes correspondantes. Nous pourrions alors analyser le cas d'une fusée relativiste[4].

EXEMPLE 10

D'une trémie (au repos), on laisse tomber du sable à un taux dM/dt sur une courroie de convoyeur qui se déplace à une vitesse $\vec{\mathbf{v}}$ dans un système lié au laboratoire (figure 9-12). Quelle force est requise pour conserver une vitesse v à la courroie?

Voici un exemple très clair d'une force associée à une variation de masse seulement, la vitesse demeurant constante. Choisissons comme système la courroie de masse variable et appliquons l'équation 9-21*b*. Nous devons poser $d\vec{\mathbf{v}}/dt = 0$, car la vitesse de la courroie est constante. De plus, un observateur au repos sur la courroie verrait le jet de sable s'éloigner de lui à une vitesse v de même grandeur et de sens opposé à la vitesse de la courroie dans le laboratoire. Par conséquent, dans l'équation 9-21, $\vec{\mathbf{v}}_{\text{rel}} = -\vec{\mathbf{v}}$, ou, en d'autres mots, $\vec{\mathbf{v}}_{\text{rel}} = \vec{\mathbf{u}} - \vec{\mathbf{v}}$; mais $\vec{\mathbf{u}} = 0$, de sorte que $\vec{\mathbf{v}}_{\text{rel}} = -\vec{\mathbf{v}}$. A l'aide de ces substitutions, nous avons:

$$0 = \vec{\mathbf{F}}_{\text{ext}} - \vec{\mathbf{v}}\frac{dM}{dt}$$

[3] Voir « Variable — Mass Dynamics » par J. L. Meriam, *Journal of Engineering Education*, décembre 1960; vous y trouverez une solution plus complète du problème de la fusée.

[4] Voir « The Equation of Motion for Relativistic Particles and Systems with a Variable Rest Mass » par Kalman B. Pomeranz, *American Journal of Physics*, décembre 1964.

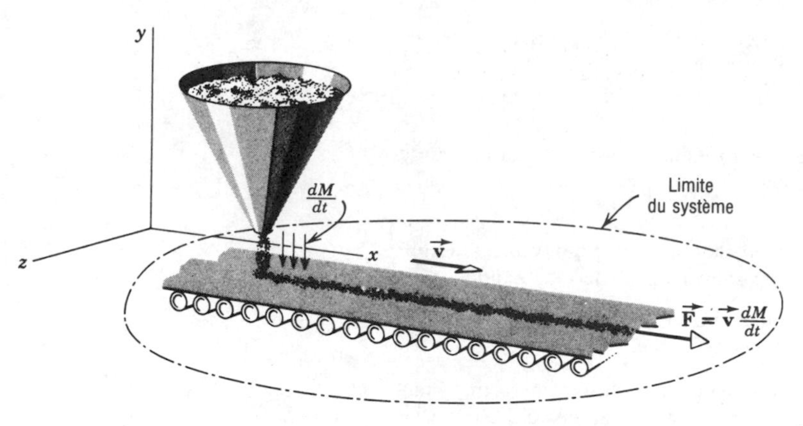

figure 9-12
Exemple 10. Du sable s'écoule d'une trémie à un taux dM/dt sur la courroie d'un convoyeur se déplaçant à une vitesse $\vec{v}$ par rapport au sol. Une force $\vec{F} = \vec{v}\, dM/dt$ est nécessaire pour conserver une vitesse constante à la courroie. La trémie est au repos dans le système choisi.

ou

$$\vec{F}_{ext} = \vec{v}\frac{dM}{dt}.$$

Dans cet exemple, dM/dt est positif parce que le système augmente de masse dans le temps. La force extérieure doit donc pointer dans le même sens que la vitesse de la courroie. Remarquez que la masse de la courroie n'intervient pas en l'absence de frottement.

La force extérieure devra produire une puissance équivalente à

$$P = \vec{F}\cdot\vec{v} = \vec{v}\cdot\vec{F} = \vec{v}\cdot(\vec{v}\, dM/dt) = v^2(dM/dt).$$

Puisque v est constante, nous pouvons écrire:

$$P = \frac{d(Mv^2)}{dt} = 2\frac{d}{dt}\left(\frac{1}{2}Mv^2\right) = 2\frac{dK}{dt}.$$

Ce résultat nous dit que la puissance requise pour entretenir le mouvement de la courroie vaut deux fois le taux croissant de l'énergie cinétique par rapport au temps; nous n'avons pas considéré l'énergie cinétique de la courroie elle-même parce qu'elle est constante. Il apparaît clairement qu'il n'y a pas conservation de l'énergie mécanique dans ce cas. De plus, seule la moitié de la puissance est requise. Où va l'autre moitié? Dans quels exemples parmi les précédents y avait-il conservation de la quantité de mouvement sans conservation de l'énergie mécanique?

L'étudiant devrait être capable de résoudre l'exemple 10 en choisissant d'abord un système de masse constante puis en appliquant le principe de la conservation de la quantité de mouvement[5].

questions

1. Le centre de masse est-il nécessairement localisé en un point où il y a de la matière?
2. Est-ce que le centre de masse est toujours situé à l'intérieur des limites physiques du corps? Sinon, donnez un exemple.
3. Existe-t-il une relation entre la notion de centre de masse et celle de centre géographique d'un pays? ou celle de centre démographique d'un pays? Que concluez-vous de ce que le centre géographique d'une région ne coïncide pas avec son centre démographique?
4. Un sculpteur amateur décide de représenter un oiseau (figure 9-13). Heureusement, le produit fini donne un oiseau qui peut se tenir en équilibre. Lequel des points illustrés vous semble situé au centre de masse? Supposez que l'oeuvre est taillée dans une feuille de métal d'épaisseur uniforme.

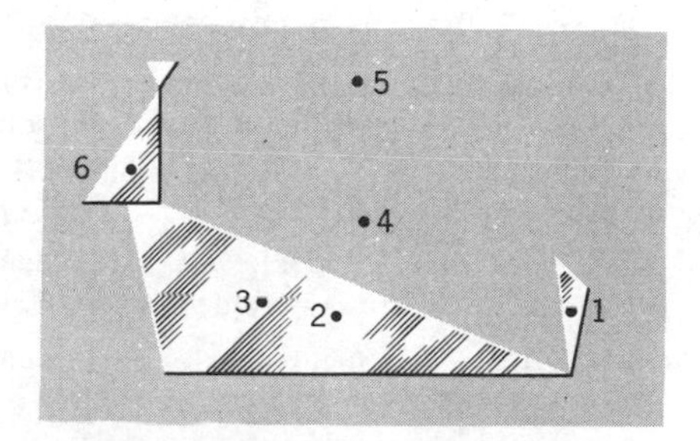

figure 9-13
Question 4.

[5] Voir « Force, Momentum Change, and Motion » par Martin S. Tiersten, *American Journal of Physics*, janvier 1969; c'est une excellente référence sur les systèmes à masse constante et variable.

5. La position du centre de masse d'un ensemble de particules par rapport à ces mêmes particules est indépendante du référentiel utilisé pour décrire le système. En est-il ainsi? Pouvez-vous choisir un système de référence dont l'origine coïncide avec le centre de masse?

6. On sait que seule une force extérieure peut modifier le mouvement du centre de masse. Comment expliquer que les forces intérieures exercées par les freins puissent immobiliser une voiture?

7. Un corps peut-il posséder de l'énergie sans avoir de quantité de mouvement? Expliquez. Peut-il avoir une quantité de mouvement sans avoir d'énergie? Expliquez.

8. Deux corps de masses m_1 et m_2 possèdent la même énergie cinétique de translation. Lequel possède la plus grande quantité de mouvement si $m_1 > m_2$?

9. Un oiseau est perché à l'intérieur d'une cage suspendue à un dynamomètre. Comparez les lectures du dynamomètre lorsque l'oiseau est en vol et lorsqu'il est perché.

10. Pouvons-nous propulser un voilier uniquement en soufflant de l'air sur les voiles à l'aide d'un éventail installé à l'arrière du voilier?

11. En donnant des secousses sur le câble attaché à la proue d'un canot, un canoteur peut atteindre la rive s'il est en eau calme. Comment expliquer ce fait? (C'est possible.)

12. Une personne se tient sur une surface horizontale parfaitement lisse. Comment peut-elle quitter d'elle-même cette surface?

13. Un homme, au repos sur une grande surface glacée, met le feu à une pièce pyrotechnique et la lance en l'air. Décrivez aussi exactement que possible le mouvement du centre de la masse de la pièce et le mouvement du centre de masse du système (pièce et homme) *(a)* après le lancer de la pièce mais avant son explosion; *(b)* entre le moment de l'explosion et celui où le premier fragment frappe la glace; *(c)* entre le moment de l'arrivée sur la glace du premier fragment et l'arrivée du dernier; *(d)* après que tous les fragments ont touché la glace.

14. On sait que l'équation $\vec{\mathbf{F}}_{\text{ext}} = d(M\vec{\mathbf{v}})/dt$ ne peut s'appliquer à un système de masse variable. Pour le démontrer, *(a)* transformez l'équation sous la forme suivante: $\left(\vec{\mathbf{F}}_{\text{ext}} - M\dfrac{d\vec{\mathbf{v}}}{dt}\right)/(dM/dt) = \vec{\mathbf{v}}$ et *(b)* montrez qu'un des membres de cette équation est invariable dans tout système galiléen, alors que l'autre ne l'est pas, et que, par conséquent, l'équation n'est pas valide. *(c)* Montrez que l'équation 9-20 n'aboutit pas à une telle contradiction.

15. Vous lancez un cube de glace à une vitesse $\vec{\mathbf{v}}$ dans une enceinte surchauffée, à l'abri de tout champ gravitationnel et où on a fait le vide. Le cube fond graduellement et l'eau ainsi formée devient de la vapeur d'eau. *(a)* Sommes-nous toujours en présence, dans un cas pareil, d'un système de particules? *(b)* Si oui, est-ce le même système de particules? *(c)* Est-ce que la trajectoire du centre de masse est modifiée? *(d)* Y a-t-il variation de la quantité de mouvement totale? *(e)* Répondriez-vous différemment si tout se passait dans un champ gravitationnel?

16. En 1920, l'éditorial d'un grand journal s'élevait contre la thèse du professeur Robert H. Goddard qui venait de prouver par ses expériences avant-gardistes qu'une fusée pouvait fonctionner dans le vide: « Ce professeur Goddard, du haut de sa chaire et fort de l'appui du Smithsonian Institute, ignore le principe d'action-réaction et la nécessité de s'appuyer sur autre chose que le vide pour fournir une réaction. » Où est la faille dans ce raisonnement?

17. La vitesse finale du dernier étage d'une fusée à plusieurs étages est beaucoup plus grande que la vitesse finale d'une fusée à un seul étage de même poids et contenant la même quantité de propergol. Expliquez ce fait.

18. A mesure qu'une fusée expulse ses gaz de combustion, le centre de masse de la fusée (dans un référentiel lié à la fusée) change de position. Devons-nous tenir compte de ce fait si on veut solutionner le problème de la fusée de façon plus rigoureuse?

19. Quelle distinction faites-vous entre une variation de masse d'un système classique et celle d'un système relativiste?

20. Connaissez-vous des systèmes à masse variable autres que ceux présentés dans le présent chapitre?

problèmes

SECTION 9-1

1. Montrez que le rapport des distances de deux particules à leur centre de masse est égal au rapport inverse de leur masse.

2. Des expériences sur la diffraction des électrons nous permettent d'évaluer la distance entre les atomes de carbone (C) et d'oxygène (O), dans la molécule de monoxyde de carbone, à $1{,}130 \times 10^{-10}$ m. Trouvez la position du centre de masse de la molécule CO par rapport à l'atome de carbone.

3. La masse de la Lune représente environ 0,013 fois la masse de la Terre, et la distance Terre-Lune (mesurée de centre à centre) vaut 60 fois le rayon de la Terre. Localisez le centre de masse du système Terre-Lune par rapport au centre de la Terre? Le rayon de la Terre mesure 6400 km. *Réponse:* 4900 km.

4. Voici les masses et les coordonnées de quatre particules: 5,0 kg, $x = y = 0{,}0$ cm; 3,0 kg, $x = y = 8{,}0$ cm; 2,0 kg, $x = 3{,}0$ cm, $y = 0{,}0$ cm; 6,0 kg, $x = 2{,}0$ cm, $y = -6{,}0$ cm. Déterminez les coordonnées du centre de masse de ce système de particules.

5. Dans la molécule NH_3, les trois atomes d'hydrogène (H) forment un triangle équilatéral et sont distants l'un de l'autre de $1{,}628 \times 10^{-10}$ m; ainsi le centre du triangle se situe à $9{,}39 \times 10^{-11}$ m de chaque hydrogène. L'atome d'azote (N) coiffe le sommet de la pyramide dont la base contient les trois atomes d'hydrogène (figure 9-14). La distance hydrogène-azote est de $1{,}014 \times 10^{-10}$ m. Situez le centre de masse de la molécule par rapport à l'atome d'azote.
   Réponse: $6{,}74 \times 10^{-12}$ m vers la base de la pyramide et selon l'axe de symétrie de la molécule.

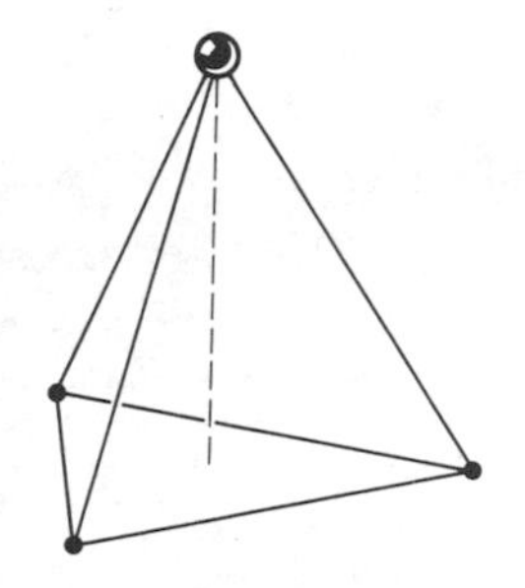

figure 9-14
Problème 5.

6. Où se trouve le centre de masse d'une plaque semi-circulaire homogène? Soit a le rayon du cercle.

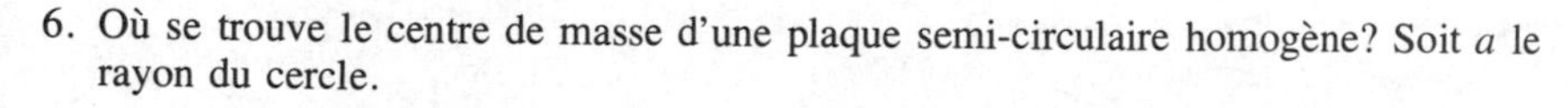

SECTION 9-2

7. Deux masses de 1,0 kg et 3,0 kg sont reliées par un ressort sur un plan sans frottement. On imprime aux deux masses des vitesses qui font que la première se dirige à 1,7 m/s vers le centre de masse qui, lui, demeure au repos. Évaluez la vitesse de la deuxième masse. *Réponse:* 0,57 m/s, vers le centre de masse.

8. Soit deux particules P et Q initialement au repos et situées à 1,0 m l'une de l'autre. P a une masse de 0,10 kg et Q, une masse de 0,30 kg. P et Q s'attirent avec une force constante de $1{,}0 \times 10^{-2}$ N, et aucune force extérieure n'influence le système. *(a)* Décrivez le mouvement du centre de masse. *(b)* A quelle distance de la position initiale de P se produira la collision?

9. Un homme de masse m s'agrippe à une échelle de corde suspendue à un ballon de masse M, immobile par rapport au sol. *(a)* Si l'homme grimpe dans l'échelle à une vitesse v (par rapport à l'échelle), dans quelle direction et à quelle vitesse (par rapport au sol) se déplacera le ballon? *(b)* Quand l'homme aura cessé de grimper, le ballon demeurera-t-il en mouvement?
   Réponses: (a) vers le bas; $\frac{m}{m+M} v$. *(b)* Le ballon sera de nouveau stationnaire.

10. A l'intérieur d'un wagon scellé (figure 9-15), on a placé un canon et quelques boulets. Lorsque le canon tire vers la droite le wagon subit un recul vers la gauche. Après avoir frappé le mur, les boulets demeurent dans le wagon. Montrez que, peu importe comment on tire les boulets, le wagon ne peut se déplacer plus que sa longueur L, s'il part du repos.

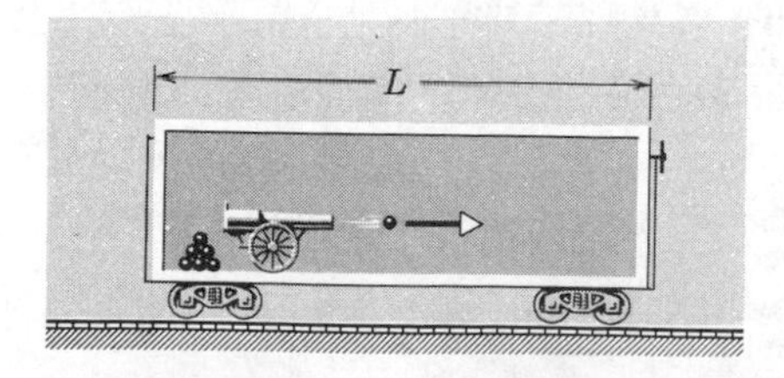

figure 9-15
Problème 10.

11. Un chien de 4,5 kg se trouve sur un petit radeau à 6,0 m de la rive. Il avance de 2,4 m par rapport au radeau, vers la rive, et s'arrête. Supposez que le radeau a une masse de 18 kg et qu'il y a absence de frottement entre le radeau et l'eau. Quelle est la position finale du chien par rapport à la rive? (Indice: le centre de masse du système chien-radeau ne bouge pas. Pourquoi?) La rive se situe à gauche, sur la figure 9-16.
Réponse: 4,2 m.

figure 9-16
Problème 11.

12. Une bille de masse m et de rayon R se trouve à l'intérieur d'une sphère creuse de même masse et de rayon $2R$. On les dépose sur un plan sans frottement en les disposant comme le montre la figure 9-17. On laisse aller la bille, qui roule à l'intérieur de la sphère creuse et qui finit par s'immobiliser. Quelle distance parcourt la sphère creuse durant ce temps?

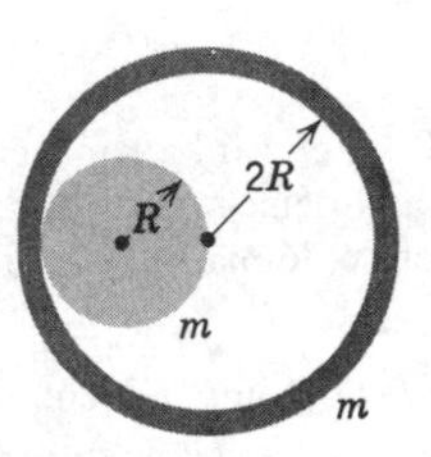

figure 9-17
Problème 12.

13. Richard et Geneviève se promènent en canot par un beau soir d'été. Au moment où le canot est au repos en eau calme, ils décident de changer de sièges; ceux-ci sont disposés symétriquement à 3,0 m du centre du canot. Richard remarque que le canot se déplace de 0,40 m par rapport à la rive. Si la masse de Richard est de 80 kg et celle du canot, de 30 kg, évaluez la masse de Geneviève. *Réponse:* 58 kg.

14. Un homme de 80 kg se tient à l'arrière d'un bateau de 18 m de longueur qui se déplace à 2,0 m/s. Il s'avance vers l'avant du bateau à une vitesse de 2,0 m/s par rapport à celui-ci. La masse du bateau est de 400 kg. Quelle distance franchit le bateau pendant ce temps (par rapport au sol)?

SECTION 9-3

15. A quelle vitesse doit rouler une Volkswagen de 816 kg pour avoir *(a)* la même quantité de mouvement qu'une Cadillac de 2650 kg roulant à 16 km/h? *(b)* la même énergie cinétique? *(c)* Refaites les mêmes calculs, en remplaçant la Cadillac par un camion de 9080 kg.
Réponses: (a) 52 km/h. *(b)* 29 km/h. *(c)* 180 km/h; 52 km/h.

16. On lance une balle de 50 g à une vitesse initiale de 15 m/s et à 45° par rapport à l'horizontale. *(a)* Évaluez l'énergie cinétique de la balle au départ et au moment de toucher le sol. *(b)* Déterminez, aux mêmes instants, le vecteur quantité de mouvement. *(c)* Montrez que la variation de la quantité de mouvement est égale au produit du poids de la balle par son temps de vol.

17. Un boulet de 5,0 kg, filant à 30 m/s, frappe une plaque de métal à un angle de 45° par rapport à l'horizontale et rebondit avec le même angle (figure 9-18). Calculez la variation (en grandeur et en direction) de la quantité de mouvement.
Réponse: 210 kg · m/s, perpendiculairement à la plaque.

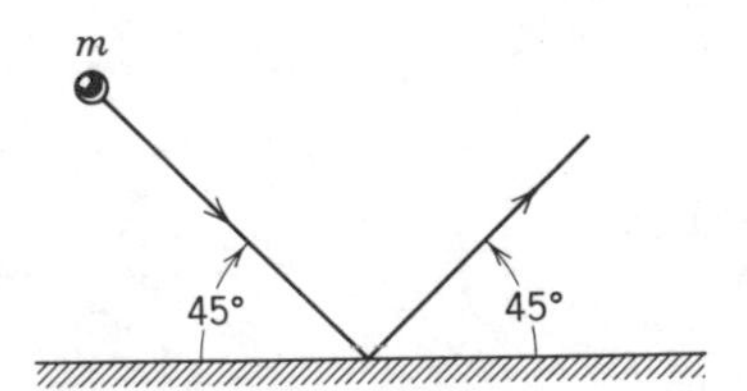

figure 9-18
Problème 17.

18. En utilisant un jeu de masses, vous construisez deux systèmes ayant la même masse (500 g), que vous reliez par une corde passant par une poulie de 5,0 cm de diamètre. Négligez la masse de la corde et le frottement dans la poulie et supposez que les deux masses sont au même niveau. *(a)* Où se trouve le centre de masse? *(b)* En bloquant les deux systèmes, vous transférez 20 g d'un système à l'autre. Situez le centre de masse. *(c)* Vous relâchez les masses. Décrivez le mouvement du centre de masse et calculez son accélération.

SECTION 9-4

19. Un homme de 90 kg donne un coup de pied sur une roche de 45 g et lui imprime une vitesse de 3 m/s. Quelle est la vitesse de recul de l'homme s'il repose sur une surface lisse? *Réponse:* $1{,}5 \times 10^{-3}$ m/s.

20. Une carabine à air tire dix plombs de 2,0 g par seconde, à une vitesse de 500 m/s. Les plombs frappent un mur rigide. *(a)* Évaluez la quantité de mouvement de chaque plomb. *(b)* Que vaut leur énergie cinétique? *(c)* Calculez la force moyenne exercée par chacun des plombs sur le mur.

21. Une mitrailleuse tire des balles de 50 g à une vitesse de 1000 m/s. Le mitrailleur est capable d'exercer une force moyenne de 180 N pour garder la maîtrise de son arme. Déterminez le nombre maximum de balles qu'il peut tirer par minute.
Réponse: 220 balles par minute.

22. On suspend, par une de ses extrémités, une chaîne très flexible de masse M et de longueur L de telle façon que l'autre extrémité effleure le dessus d'une table. On lâche l'extrémité supérieure et la chaîne se contracte, chaque maillon s'immobilisant en touchant la table. Trouvez, à chaque instant, la force exercée par la table sur la chaîne en fonction du poids de la chaîne qui se trouve déjà sur la table au même moment.

SECTION 9-5

23. Un corps de 8,0 kg se déplace à une vitesse de 2,0 m/s sans subir de force extérieure. Soudain, une explosion se produit et l'objet se sépare en deux morceaux de 4,0 kg chacun; le système reçoit une énergie cinétique de translation de 16 J et demeure sur sa trajectoire initiale. Déterminez la vitesse et le sens du mouvement de chaque morceau après l'explosion.
Réponse: Un des morceaux s'arrête. L'autre se déplace vers l'avant à 4,0 m/s.

24. Le dernier étage d'une fusée se déplace à 7600 m/s; cet étage est constitué de deux parties, soit le corps de la fusée, ayant une masse de 290 kg, et une capsule de 150 kg. Quand on détache les deux parties, un ressort comprimé leur donne une vitesse de séparation relative de 910 m/s. *(a)* Calculez les vitesses des parties après la séparation. Supposez que les vitesses se situent sur une même ligne d'action. *(b)* Évaluez l'énergie cinétique totale avant et après la séparation et expliquez la différence, le cas échéant.

25. Un noyau radioactif, initialement au repos, se désintègre en émettant un électron et un neutrino à angle droit l'un par rapport à l'autre. La quantité de mouvement de l'électron vaut $1{,}2 \times 10^{-22}$ kg·m/s et celle du neutrino, $6{,}4 \times 10^{-23}$ kg·m/s. *(a)* Déterminez le vecteur quantité de mouvement du noyau lors du recul. *(b)* La masse du noyau résiduel étant de $5{,}8 \times 10^{-26}$ kg, évaluez son énergie cinétique au moment du recul.
Réponses: *(a)* $1{,}4 \times 10^{-22}$ kg·m/s, à 150° de la trajectoire de l'électron et à 120° de la trajectoire du neutrino. *(b)* 1,0 eV.

26. Un garde-chasse dispose d'un fusil mitrailleur qui peut tirer 220 balles de caoutchouc par minute à une vitesse de 1200 m/s. Si un animal de 85 kg charge le garde à une vitesse de 4,0 m/s, combien de balles devra-t-il tirer pour stopper l'animal? (Chaque balle a une masse de 10 g; supposez que les balles filent horizontalement et tombent au sol après avoir atteint la cible.)

27. Un vase explose en trois morceaux. Deux morceaux de même masse s'éloignent à angle droit à une vitesse de 30 m/s chacun. Déterminez l'orientation et la grandeur de la vitesse du troisième morceau après l'explosion si sa masse vaut deux fois la masse de chacun des deux autres.
Réponses: 10,6 m/s, à 135° de chaque morceau.

28. Un canon tire un obus à 60° par rapport à l'horizontale et à une vitesse de 460 m/s. L'obus explose en deux fragments de même masse 50 s après avoir quitté la bouche du canon. Un des fragments, dont la vitesse est nulle immédiatement après l'explosion, tombe à la verticale. A quelle distance du canon tombera l'autre fragment? Supposez que le terrain soit plat.

29. Un bloc de masse m repose sur un coin de masse M qui, lui, repose sur une table horizontale (figure 9-19). Toutes les surfaces sont parfaitement lisses. Si, au départ, le point P du bloc est à une distance h au-dessus de la table, trouvez la vitesse du coin au moment où le point P touche à la table.

Réponse: $\sqrt{\dfrac{2m^2gh\cos^2\alpha}{(M+m)(M+m\sin^2\alpha)}}$.

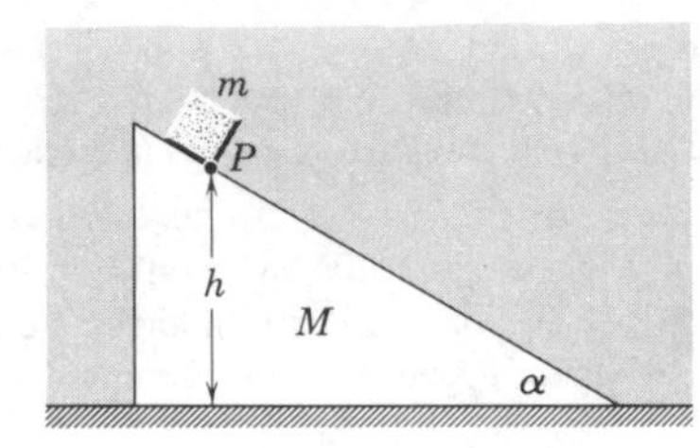

figure 9-19
Problème 29.

SECTION 9-7

30. *(a)* Montrez que la vitesse d'une fusée atteint la vitesse d'éjection des gaz lorsque le rapport M_0/M vaut e (environ 2,7). Précisez quel système de coordonnées rend ce résultat valable. *(b)* Montrez également que la vitesse de la fusée équivaudra au double de la vitesse des gaz lorsque M_0/M vaudra e^2 (environ 7,4).

31. Une fusée s'éloigne du système solaire à une vitesse de $6{,}0 \times 10^3$ m/s. On actionne son réacteur, qui éjecte des gaz à une vitesse relative de $3{,}0 \times 10^3$ m/s. A ce moment, la masse de la fusée est de $4{,}0 \times 10^4$ kg et celle-ci subit une accélération de $2{,}0$ m/s^2. *(a)* A quelle vitesse sont éjectés les gaz par rapport au système solaire? *(b)* A quel taux furent éjectés les gaz lors de la mise à feu?
Réponses: (a) $3{,}0 \times 10^3$ m/s. *(b)* 27 kg/s.

32. Un des propergols des plus utilisés est composé de kérosène et d'oxygène liquide, et peut fournir une vitesse d'éjection v_{rel} de 2440 m/s. *(a)* En négligeant l'effet de la pesanteur et le poids des réservoirs, des pompes, etc, calculez la quantité de propergol nécessaire, par kilogramme de charge utile, pour propulser une fusée à une vitesse de 12 km/s (la vitesse de libération est de 11,2 km/s). *(b)* La sonde Mariner envoyée sur Mars avait une masse initiale de 90 000 kg et une charge utile de 225 kg, soit une proportion de 400 à 1. Quelle vitesse finale a pu être atteinte dans de telles conditions? *(c)* La vitesse finale de la fusée fut de 24 km/s, soit beaucoup plus que la valeur calculée en *(b)*. Tentez d'expliquer ce fait en considérant les facteurs suivants: le poids et les forces extérieures négligés en *(a)*; le nombre d'étages utilisés par la fusée; la vitesse initiale de la fusée, qui est celle de la Terre, par rapport à un référentiel lié au Soleil.

33. Une fusée de 6000 kg est prête pour la mise à feu. Si la vitesse d'éjection des gaz est de 1000 m/s, quelle quantité de gaz doit être éjectée afin de produire la poussée nécessaire *(a)* pour équilibrer le poids de la fusée? *(b)* pour donner à la fusée une accélération initiale de 20 m/s^2 vers le haut? *Réponses: (a)* 59 kg/s. *(b)* 180 kg/s.

34. Soit une particule sous l'action d'une force ayant la même orientation que sa vitesse. *(a)* En utilisant l'équation relativiste $F = d(mv)/dt$ pour une particule, montrez que $F\,ds = mv\,dv + v^2\,dm$, où ds est un déplacement infinitésimal. *(b)* En vous servant de la relation $v^2 = (1 - m_0^2/m^2)c^2$, montrez que

$$mv\,dv = \frac{m_0^2c^2}{m^2}\,dm.$$

(c) Substituez les valeurs de $mv\,dv$ et de v^2 dans *(a)* et montrez que

$$W = \int F\,ds = (m - m_0)c^2.$$

35. Un wagon plate-forme de poids W peut rouler sans frottement sur une voie ferrée horizontale et droite. Un homme de poids w se tient debout sur le wagon qui file à une vitesse v_0 vers la droite. L'homme décide de courir vers la gauche (figure 9-20) à une vitesse v_{rel} par rapport au wagon. Quelle variation de vitesse aura-t-il donnée au wagon lorsqu'il sera sur le point de sauter en bas de celui-ci?
Réponse: $wv_{rel}/(W + w)$.

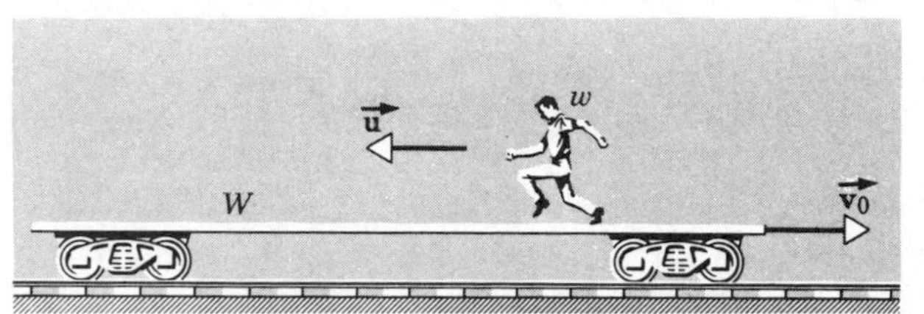

figure 9-20
Problème 35.

36. Considérez que le wagon du problème précédent est au repos et supporte n hommes de poids w. Ces hommes courent successivement à une vitesse relative v_{rel} et sautent en bas du wagon. La vitesse imprimée au wagon de cette façon sera-t-elle plus grande que si les hommes avaient décidé de courir et sauter ensemble?

37. Un toboggan de 5,0 kg transportant 40 kg de sable dévale, à partir du repos, une pente glacée de 90 m de longueur inclinée à 30° de l'horizontale. Le fond du toboggan est troué et laisse s'écouler du sable à raison de 2,0 kg/s. Quel temps prendra le toboggan pour atteindre le bas de la pente? *Réponse:* 6,1 s.

38. Deux longues barges glissent sur une eau calme à des vitesses respectives de 10 km/h et de 20 km/h. Au moment où elles se côtoient, on transborde 1000 kg/min de charbon de la barge la plus lente à la barge la plus rapide. Quelle force additionnelle doivent produire les moteurs des barges pour que celles-ci conservent leur vitesse respective? Supposez que le transbordement se fait toujours perpendiculairement à l'axe des barges et que le frottement entre les barges et l'eau n'est pas fonction de leur poids.

39. Un avion à réaction file à une vitesse de croisière de 180 m/s. Une masse d'air de 70 kg par seconde, soit un volume d'air de 68 m³, s'engouffre dans le réacteur et entraîne, chaque seconde, la combustion de 2,9 kg de carburant. Cette énergie sert à comprimer les produits de la combustion et à les éjecter à une vitesse de 490 m/s par rapport à l'avion. Calculez *(a)* la force de propulsion du réacteur; *(b)* la puissance fournie. *Réponses:* *(a)* $2,3 \times 10^4$ N. *(b)* $4,1 \times 10^6$ W.

40. Un wagon de marchandise sans toit de 10 tonnes roule à 2 km/h sur une voie horizontale; le frottement est négligeable. Une averse survient et les gouttes d'eau tombent à la verticale par rapport au sol. Quelle est la vitesse du wagon lorsqu'il a recueilli 0,5 tonne d'eau? Quelles hypothèses devez-vous émettre pour résoudre le problème?

41. On enfile une corde (inextensible) de longueur l dans un tube dont le diamètre intérieur est égal au diamètre de la corde. Le tube est plié à angle droit et on le dispose dans un plan vertical de telle sorte qu'une section soit verticale et l'autre horizontale. A $t = 0$, une longueur de corde y_0 se trouve dans la section verticale. On lâche la corde, qui glisse dans le tube à une vitesse dy/dt, où $y(t)$ est la longueur de la corde, dans la section verticale, au temps t. *(a)* Si on considère ce système comme un système à masse variable, montrez que $\vec{v}_{rel} = 0$ et que l'équation du mouvement revêt la forme $m\, d\vec{v}/dt = \vec{F}_{ext}$. *(b)* Montrez que cette équation du mouvement peut s'écrire sous la forme $d^2y/dt^2 = gy$. *(c)* Montrez que $(dy/dt)^2 - gy^2 = C^{te}$, de par la loi de la conservation de l'énergie mécanique, et que ceci vient confirmer le résultat obtenu en *(b)*. *(d)* Montrez que $y = (y_0/2)(e^{\sqrt{g/l}\,t} + e^{-\sqrt{g/l}\,t})$ est une solution de l'équation du mouvement [en substituant dans *(b)*] et discutez cette solution.

10
collisions

Nous apprenons beaucoup sur les particules atomiques, nucléaires et élémentaires en réalisant des expériences qui nous permettent d'observer des collisions entre elles. A une échelle plus grande on arrive à comprendre, par exemple, les propriétés des gaz en faisant appel à la notion de collisions entre particules. Dans ce chapitre, nous appliquons les principes de la conservation de l'énergie et de la quantité de mouvement aux collisions entre particules.

Lors d'une collision, une force relativement grande s'exerce sur chaque particule, et cela pendant un temps relativement court. L'idée fondamentale d'une « collision » est que le mouvement des particules en interaction (ou d'au moins l'une de ces particules) varie brusquement et que nous pouvons séparer d'une manière assez nette les intervalles de temps « avant la collision » de ceux « après la collision ».

10-1
QU'EST-CE QU'UNE COLLISION?

Par exemple, si un bâton frappe une balle de base-ball, le début et la fin de la collision peuvent être déterminés d'une façon précise. Le bâton demeure en contact avec la balle pendant un intervalle de temps très court comparativement à la durée totale de notre observation. Durant l'impact, le bâton exerce une grande force sur la balle (figure 10-1). Nous pouvons difficilement mesurer cette force, car elle varie avec le temps de façon complexe. Lors du choc, le bâton et la balle subissent une déformation[1]. Nous appelons *forces d'impulsion* les forces qui agissent pendant un intervalle de temps court comparativement au temps d'observation du système dans lequel elles interviennent.

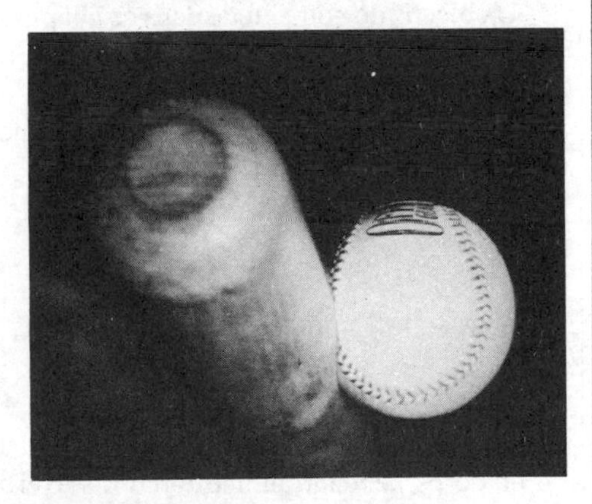

figure 10-1
Une photographie, prise à haute vitesse, d'un bâton frappant une balle de base-ball. Notez la déformation de la balle, indiquant l'énormité de la force d'impulsion à cet instant. (Gracieuseté de Harold E. Edgerton, Massachusetts Institute of Technology, Cambridge, Mass.)

Quand une particule alpha ($^{4}_{2}He$) « frappe » un noyau d'or ($^{197}_{79}Au$), la force d'interaction est la force électrostatique répulsive bien connue, qui est associée aux charges de ces particules. Les particules ne se « touchent » pas, mais nous pouvons tout de même parler de « collision », car une force relativement éle-

[1] Voir « Batting the Ball » par P. Kirkpatrick, *American Journal of Physics*, août 1963.

vée agit pendant un temps court, comparativement au temps total d'observation de la particule alpha, et produit un effet très marqué sur le mouvement de la particule.

Quand un proton ($^1_1$H ou p) ayant, disons, une énergie de 25 MeV « frappe », par exemple, le noyau d'un isotope d'argent (peut-être $^{107}_{47}$Ag), les particules se « touchent ». Dans cette « collision », la force principale d'interaction n'est pas la force électrostatique répulsive, mais plutôt la force d'attraction nucléaire à court rayon d'action (voir la section 6-4). Le proton peut pénétrer le noyau d'argent et former une structure composée. Peu de temps après la collision, qui dure environ 10^{-18} s, cette structure se brise en deux particules différentes, ce que décrit le processus suivant:

$$\mathrm{p} + {}^{107}_{47}\mathrm{Ag} \rightarrow \alpha + {}^{104}_{46}\mathrm{Pd},$$

où α, ou $^4_2$He est une particule alpha. Ainsi, nous devons élargir le concept de collision pour inclure les événements (que l'on nomme usuellement *réactions*) durant lesquels l'identité des particules interagissantes change. Les principes de conservation s'appliquent à tous ces exemples.

Si nous le désirons, il est possible d'élargir davantage notre définition d'une « collision », de manière à inclure la désintégration spontanée d'une particule en deux (ou plus) corpuscules. Citons par exemple la désintégration de la *particule sigma*, qui donne un *pion négatif* et un *neutron* (voir l'appendice F):

$$\Sigma^- \rightarrow \pi^- + n.$$

Même si deux corps ne viennent pas en contact dans ce processus (à moins de considérer le processus inverse), nous observons plusieurs points qui sont communs à toutes les collisions: (1) il y a une distinction nette entre la situation « avant la collision » et celle « après la collision »; (2) même si nous en savons peu au sujet des lois de la force impliquées dans l'événement, les lois de la conservation de la quantité de mouvement et de l'énergie nous permettent d'en connaître beaucoup sur ce genre de processus, par l'examen des situations « avant » et « après » l'événement.

L'objectif de notre étude dans ce chapitre est de répondre à la question suivante: étant donné le mouvement initial des particules en collision, que pouvons-nous apprendre quant à leur mouvement final en utilisant les principes de la conservation de l'énergie et de la quantité de mouvement, si nous ne connaissons pas les forces d'interaction?

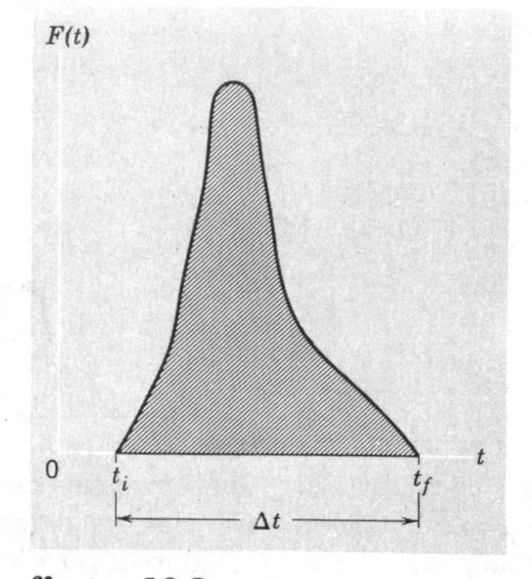

figure 10-2
Voici comment peut varier une force d'impulsion $F(t)$ pendant une collision qui débute au temps t_i pour finir au temps t_f.

10-2 IMPULSION ET QUANTITÉ DE MOUVEMENT

Imaginons que la figure 10-2 montre la variation de la grandeur de la force agissant lors d'une collision. Supposons que la force conserve la même orientation. La collision débute au temps t_i et se termine au temps t_f; la force est nulle avant et après la collision. La variation de la quantité de mouvement $d\vec{\mathbf{p}}$ d'un corps pendant qu'une force $\vec{\mathbf{F}}$ s'exerce durant un temps dt peut être décrite en faisant appel à l'équation 9-12:

$$d\vec{\mathbf{p}} = \vec{\mathbf{F}}\, dt. \qquad (10\text{-}1)$$

Nous trouvons la variation de la quantité de mouvement du corps en intégrant sur l'intervalle de temps de la collision, c'est-à-dire:

$$\vec{\mathbf{p}}_f - \vec{\mathbf{p}}_i = \int_{\vec{\mathbf{p}}_i}^{\vec{\mathbf{p}}_f} d\vec{\mathbf{p}} = \int_{t_i}^{t_f} \vec{\mathbf{F}}\, dt, \qquad (10\text{-}2)$$

où les indices i (initial) et f (final) réfèrent respectivement aux temps avant et après la collision. Nous appelons *impulsion* ($\vec{\mathbf{J}}$) d'une force l'intégrale de cette force sur l'intervalle de temps durant lequel elle agit. Ainsi, l'impulsion subie par un corps est égale à la variation de sa quantité de mouvement. L'impulsion et la quantité de mouvement sont des grandeurs vectorielles possédant les mêmes dimensions et les mêmes unités. Lorsqu'on connaît la courbe de la force appliquée en fonction du temps (figure 10-2), la grandeur de l'impulsion, $\int_{t_i}^{t_f} \vec{F}\, dt$, correspond à l'aire sous la courbe[2].

10-3 *CONSERVATION DE LA QUANTITÉ DE MOUVEMENT PENDANT LES COLLISIONS*

Considérons maintenant une collision entre deux particules de masses m_1 et m_2 (fig. 10-3). Pendant leur brève interaction, ces particules exercent l'une sur l'autre des forces très grandes. A tout instant, $\vec{F}_1$ représente la force que la particule 2 exerce sur la particule 1 et $\vec{F}_2$ celle de la particule 1 sur la particule 2. D'après la troisième loi de Newton, ces forces sont égales en grandeur mais de sens opposés.

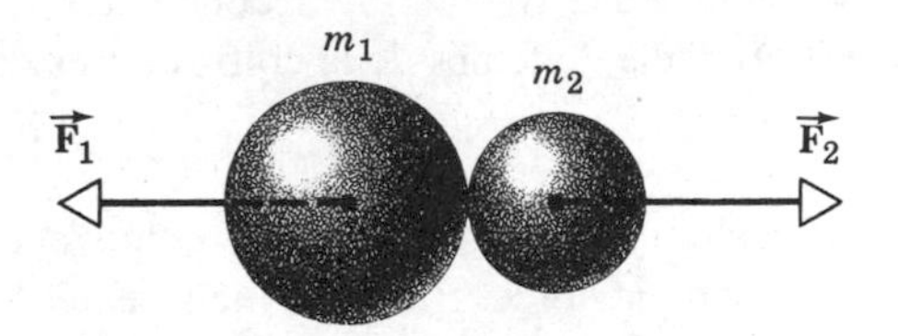

figure 10-3
En accord avec la troisième loi de Newton, lorsque deux « particules » m_1 et m_2 subissent une collision, elles exercent l'une sur l'autre des forces égales en grandeur mais de sens contraires, le long de la droite passant par leurs centres: $\vec{F}_2(t) = -\vec{F}_1(t)$.

La variation de la quantité de mouvement résultant de la collision, dans le cas de la particule 1, est la suivante:

$$\Delta\vec{p}_1 = \int_{t_i}^{t_f} \vec{F}_1\, dt = \bar{\vec{F}}_1\, \Delta t,$$

où $\bar{\vec{F}}_1$ représente la valeur moyenne de la force $\vec{F}_1$ durant l'intervalle de temps de la collision, c'est-à-dire $\Delta t = t_f - t_i$.

D'autre part, la variation de la quantité de mouvement résultant de la collision, dans le cas de la particule 2, est la suivante:

$$\Delta\vec{p}_2 = \int_{t_i}^{t_f} \vec{F}_2\, dt = \bar{\vec{F}}_2\, \Delta t,$$

où $\bar{\vec{F}}_2$ est la valeur moyenne de la force $\vec{F}_2$ durant l'intervalle $\Delta t = t_f - t_i$.

Si aucune autre force n'agit sur les particules, alors $\Delta\vec{p}_1$ et $\Delta\vec{p}_2$ donnent la variation totale de la quantité de mouvement de chaque particule. Par ailleurs, nous avons vu qu'à tout instant $\vec{F}_1 = -\vec{F}_2$, de sorte que $\bar{\vec{F}}_1 = -\bar{\vec{F}}_2$, et, ainsi:

$$\Delta\vec{p}_1 = -\Delta\vec{p}_2.$$

Si nous considérons les deux particules comme formant un système isolé, la quantité de mouvement totale du système s'écrit ainsi:

$$\vec{P} = \vec{p}_1 + \vec{p}_2,$$

et la variation totale de la quantité de mouvement du système résultant de la collision est nulle, c'est-à-dire:

$$\Delta\vec{P} = \Delta\vec{p}_1 + \Delta\vec{p}_2 = 0.$$

Donc, *lorsqu'il n'y a aucune force extérieure*, la quantité de mouvement totale du système n'est pas affectée par la collision. Les forces d'impulsion agissant durant la collision sont intérieures et n'affectent pas la quantité de mouvement totale du système.

Nous avons défini une collision comme une interaction se produisant dans un temps Δt négligeable comparativement au temps total d'observation du système. Nous pouvons également la caractériser en disant qu'il s'agit d'un événement dans lequel l'effet des forces extérieures au système est négligeable comparativement à celui des forces d'impulsion. Dans le cas d'un bâton de base-ball frappant une balle, d'un bâton de golf percutant une balle, ou encore

[2] L'impulsion $\vec{J}$ définie à l'équation 10-2 ne dépendra pas de façon critique des valeurs précises des temps t_i et t_f, pourvu que l'intervalle Δt soit assez grand pour inclure toute la surface hachurée de la figure 10-2. Pour des raisons que nous mentionnerons plus tard, nous choisissons habituellement t_i et t_f de façon à obtenir un intervalle *tout juste suffisant* pour qu'on puisse distinguer clairement la « collision » proprement dite des situations « avant et après la collision ».

d'une boule de billard en heurtant une autre, des forces extérieures s'exercent sur le système en question. Par exemple, la gravité et la friction agissent sur ces corps; ces forces extérieures ne seront pas nécessairement les mêmes sur chaque corps en collision, ni annulées par d'autres forces extérieures. Toutefois, nous préférons les négliger pendant l'interaction et considérer qu'il y a conservation de la quantité de mouvement (ce qui est presque toujours le cas) pourvu que toutes les forces extérieures soient négligeables comparativement aux forces d'impulsion de la collision. Ainsi, au cours d'une collision, la variation de la quantité de mouvement d'une particule produite par une force extérieure est négligeable comparativement à celle qu'engendre une force d'impulsion (fig. 10-4).

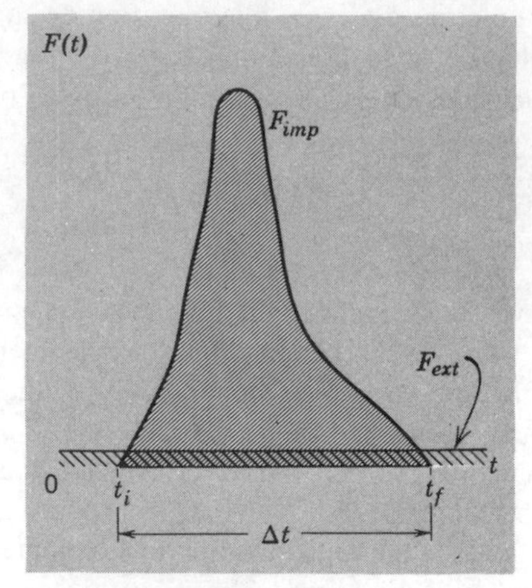

figure 10-4
Pendant une collision, la force d'impulsion F_{imp} est généralement beaucoup plus grande que toute force extérieure F_{ext} pouvant agir sur le système.

Par exemple, lorsqu'un bâton frappe une balle de base-ball, la collision dure seulement une fraction de seconde. La variation de la quantité de mouvement est grande et le temps de la collision très court. A partir de l'équation suivante,

$$\Delta\vec{p} = \bar{\vec{F}}\,\Delta t,$$

il résulte que la force d'impulsion moyenne $\bar{\vec{F}}$ est relativement élevée. En comparaison, la force gravitationnelle extérieure est négligeable. *Pendant l'interaction* nous pouvons ignorer à coup sûr cette force extérieure quand il s'agit de déterminer la modification du mouvement de la balle; plus la durée de la collision est brève, plus ce que nous venons d'avancer est justifié.

En pratique, toutefois, *nous appliquons le principe de la conservation de la quantité de mouvement aux collisions qui se produisent dans un intervalle de temps suffisamment court.* Nous disons alors que la quantité de mouvement d'un système de particules au moment de leur collision est égale à celle immédiatement après leur collision.

10-4 COLLISIONS À UNE DIMENSION

Il est toujours possible de quantifier les mouvements des corps après une collision à partir de leurs mouvements initiaux si on connaît les forces qui agissent durant la collision et si on peut solutionner les équations du mouvement. Souvent, nous ne connaissons même pas ces forces. Le principe de la conservation de la quantité de mouvement doit néanmoins s'appliquer à la collision, et nous savons déjà que le principe de la conservation de l'énergie totale est valide en toute circonstance. Même quand les détails de l'interaction ne sont pas connus, nous utilisons ces deux principes dans bien des situations pour prédire le résultat d'une collision.

On classifie habituellement les collisions selon que *l'énergie cinétique* se conserve ou non. Quand l'énergie cinétique se conserve, nous disons que la collision est *élastique*. Autrement, nous disons qu'elle est *inélastique*. Par exemple, les collisions entre les particules atomiques, nucléaires et fondamentales sont *parfois* élastiques. En fait, elles constituent les seules collisions vraiment élastiques que nous connaissons. Toute collision entre objets macroscopiques se révèle inélastique jusqu'à un certain point. Nous pouvons néanmoins traiter souvent de telles interactions comme approximativement élastiques; c'est le cas, par exemple, des collisions entre des billes d'ivoire ou de verre. Lorsque deux objets restent collés à la suite d'un choc, nous disons que la collision est *parfaitement inélastique*. Le cas d'une balle percutant un bloc de bois dans lequel elle se loge en est un exemple. L'expression « parfaitement inélastique » ne signifie pas que toute l'énergie cinétique initiale disparaît pendant l'impact; comme on le verra, cela signifie plutôt que la perte d'énergie est aussi élevée que le permet la conservation de la quantité de mouvement.

Même si l'on ne connaît pas les forces qui causent la collision, nous pouvons déterminer le mouvement final des particules à l'aide de leur mouvement initial, pourvu qu'il s'agisse d'une collision parfaitement inélastique ou encore d'une collision élastique à une dimension. Dans le cas d'une interaction à une dimension, les mouvements relatifs avant et après l'impact sont colinéaires. Pour le moment, nous limiterons notre étude au mouvement unidimensionnel.

Considérons d'abord une collision *élastique* à une dimension. Imaginons deux sphères lisses ne tournant pas sur elles-mêmes et se déplaçant initialement l'une vers l'autre le long de la droite joignant leurs centres. A la suite d'une collision frontale, elles se déplacent toujours le long de la même ligne sans mouvement rotatoire (fig. 10-5). Comme ces corps interagissent suivant la droite qui relie leurs centres, le mouvement initial et le mouvement final de chacun d'eux sont colinéaires.

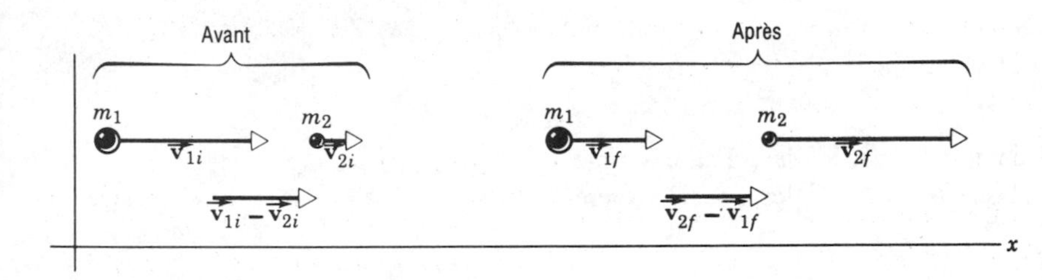

figure 10-5
Deux sphères, avant et après une collision. Le vecteur vitesse $\vec{v}_{1i} - \vec{v}_{2i}$ de m_1 par rapport à m_2 avant la collision est égal au vecteur vitesse $\vec{v}_{2f} - \vec{v}_{1f}$ de m_2 par rapport à m_1 après la collision.

On représente les masses des sphères par m_1 et m_2, leurs vitesses avant la collision par v_{1i} et v_{2i}, et celles après la collision par v_{1f} et v_{2f}[3]. Un mouvement vers la droite sera considéré comme positif. A moins d'indication contraire, nous supposons que les vitesses des objets sont suffisamment faibles pour ne pas avoir à utiliser les expressions relativistes de la quantité de mouvement et de l'énergie cinétique. Dans ce cas, à partir de la loi de la conservation de la quantité du mouvement, nous obtenons l'équation suivante:

$$m_1v_{1i} + m_2v_{2i} = m_1v_{1f} + m_2v_{2f}.$$

Puisque nous considérons que la collision est élastique, l'énergie cinétique se conserve, par définition; nous obtenons ainsi:

$$\tfrac{1}{2}m_1v_{1i}^2 + \tfrac{1}{2}m_2v_{2i}^2 = \tfrac{1}{2}m_1v_{1f}^2 + \tfrac{1}{2}m_2v_{2f}^2.$$

Nous voyons clairement que le fait de connaître les vitesses initiales permet de calculer les vitesses finales v_{1f} et v_{2f} à l'aide de ces deux équations.

L'équation de la quantité de mouvement peut s'écrire ainsi:

$$m_1(v_{1i} - v_{1f}) = m_2(v_{2f} - v_{2i}). \qquad (10\text{-}3)$$

Celle de l'énergie, de la façon suivante:

$$m_1(v_{1i}^2 - v_{1f}^2) = m_2(v_{2f}^2 - v_{2i}^2). \qquad (10\text{-}4)$$

En divisant l'équation 10-4 par l'équation 10-3 et en posant que $v_{2f} \neq v_{2i}$ et que $v_{1f} \neq v_{1i}$ (voir la question 7), nous obtenons:

$$v_{1i} + v_{1f} = v_{2f} + v_{2i}$$

que l'on récrit ainsi:

$$v_{1i} - v_{2i} = v_{2f} - v_{1f}. \qquad (10\text{-}5)$$

Ce résultat signifie que lors d'une collision élastique à une dimension, la vitesse relative d'approche des corps avant l'impact est égale à la vitesse relative de séparation après l'impact.

[3] La notation utilisée est facile à retenir et s'interprète aisément, tout en révélant plus d'information d'une manière simple et concise. Les indices 1 et 2 identifient les particules, alors que les indices i et f spécifient respectivement les valeurs initiales (avant la collision) et finales (après la collision).

Pour déterminer les vitesses v_{1f} et v_{2f} après la collision, à partir des composantes initiales v_{1i} et v_{2i}, nous utilisons deux des trois équations numérotées antérieurement. Ainsi, l'équation 10-5 donne:

$$v_{2f} = v_{1i} + v_{1f} - v_{2i}.$$

En introduisant ce résultat dans l'équation 10-3, nous obtenons:

$$v_{1f} = \left(\frac{m_1 - m_2}{m_1 + m_2}\right)v_{1i} + \left(\frac{2m_2}{m_1 + m_2}\right)v_{2i}.$$

De même, en introduisant $v_{1f} = v_{2f} + v_{2i} - v_{1i}$ (équation 10-5) dans l'équation 10-3, on trouve:

$$v_{2f} = \left(\frac{2m_1}{m_1 + m_2}\right)v_{1i} + \left(\frac{m_2 - m_1}{m_1 + m_2}\right)v_{2i}.$$

Plusieurs cas de collisions présentent un intérêt particulier. Par exemple, quand les particules possèdent la même masse ($m_1 = m_2$), les équations précédentes deviennent simplement:

$$v_{1f} = v_{2i} \qquad \text{et} \qquad v_{2f} = v_{1i},$$

c'est-à-dire que, dans une collision élastique à une dimension, deux particules de même masse ne font qu'échanger leur vitesse.

Un autre cas intéressant est celui où une particule (m_2 par exemple) se trouve initialement au repos. Alors, v_{2i} est égale à zéro, et, conséquemment,

$$v_{1f} = \left(\frac{m_1 - m_2}{m_1 + m_2}\right)v_{1i}, \qquad v_{2f} = \left(\frac{2m_1}{m_1 + m_2}\right)v_{1i}.$$

Si, en plus, $m_1 = m_2$, alors $v_{1f} = 0$ et $v_{2f} = v_{1i}$, ce qui était prévisible. La première particule s'arrête tandis que la seconde décolle et acquiert la vitesse que possédait la première. D'autre part, lorsque m_2 est beaucoup plus grande que m_1, nous obtenons:

$$v_{1f} \cong -v_{1i} \qquad \text{et} \qquad v_{2f} \cong 0.$$

Cela signifie que si une particule en frappe une autre qui est immobile et beaucoup plus massive, la plus légère rebondira approximativement à la même vitesse, tandis que la plus massive n'acquerra qu'une très faible vitesse. Par exemple, supposons que l'on échappe une balle verticalement au-dessus d'une surface horizontale fixée à la Terre. Il s'agit en fait d'une collision entre la balle et la Terre. Si la collision est élastique, la balle rebondira à la même vitesse et reviendra à son point de départ.

Finalement, si m_2 est beaucoup plus petite que m_1, alors:

$$v_{1f} \cong v_{1i} \quad \text{et} \quad v_{2f} \cong 2v_{1i}.$$

On voit ainsi que la vitesse de la particule massive varie très peu pendant sa collision avec la particule immobile, et que cette dernière décolle à une vitesse deux fois plus grande que celle de la particule incidente. Par exemple, le mouvement d'une boule de quille est à peine affecté par la collision d'un ballon de plage de même diamètre, alors que le ballon rebondit rapidement.

Dans un réacteur nucléaire, les neutrons obtenus à partir de la fission des atomes d'uranium se déplacent très rapidement et doivent être ralentis afin de produire davantage de fissions. En supposant qu'ils subissent des collisions élastiques avec les noyaux atomiques immobiles, quelle substance devrons-nous choisir pour modérer la vitesse des neutrons dans le réacteur? La réponse à cette question découle des situations que nous venons tout juste de discuter. Si les cibles stationnaires étaient des noyaux massifs, tels ceux du plomb, les neutrons rebondiraient simplement en récupérant à peu près la même vitesse. Par contre, si les cibles étaient beaucoup plus légères, tels des électrons, les neutrons continueraient leur chemin en ayant pratiquement conservé leur vitesse initiale. Toutefois, lorsque les cibles stationnaires sont des particules de masse comparable à celle des neutrons, ces derniers ralentiront fortement lors d'une collision (frontale). Ainsi, l'hydrogène dont la masse nucléaire (proton) se compare à celle d'un neutron, sera plus efficace. D'autres considérations influencent le choix d'un modérateur de neutrons, mais les seules considérations d'énergie et de quantité de mouvement le limitent aux éléments les plus légers.

D'autre part, dans une collision *inélastique*, l'énergie cinétique ne se conserve pas, par définition. L'énergie cinétique finale sera alors inférieure à sa valeur initiale, la différence étant transformée, par exemple, en chaleur ou en énergie potentielle de déformation pendant la collision. Il se peut que l'énergie cinétique finale excède la valeur initiale. Le cas se présente quand, durant la collision, il y a libération d'énergie potentielle. Quelle que soit la situation, la conservation de la quantité de mouvement reste valable, au même titre que la conservation de l'énergie *totale*.

Considérons pour terminer une collision *parfaitement inélastique*. Les deux particules collent l'une à l'autre de manière à posséder un vecteur vitesse commun $\vec{\mathbf{v}}_f$. Il n'est pas nécessaire de restreindre la discussion au mouvement unidimensionnel. En utilisant le principe de la conservation de la quantité de mouvement, nous posons:

$$m_1\vec{\mathbf{v}}_{1i} + m_2\vec{\mathbf{v}}_{2i} = (m_1 + m_2)\vec{\mathbf{v}}_f. \tag{10-6}$$

Cette expression permet de déterminer $\vec{\mathbf{v}}_f$ quand on connaît $\vec{\mathbf{v}}_{1i}$ et $\vec{\mathbf{v}}_{2i}$.

EXEMPLE 1

Une balle de base-ball pesant 1,6 N se déplace horizontalement à la vitesse de 30 m/s au moment où on la frappe à l'aide d'un bâton. A la suite de l'impact la balle se dirige dans le sens inverse en ayant une vitesse de 40 m/s. Déterminez l'impulsion due à l'impact.

On ne peut calculer l'impulsion en utilisant la définition $\vec{\mathbf{J}} = \int \vec{\mathbf{F}}\,dt$, car la force s'exerçant sur la balle en fonction du temps est inconnue. Cependant, nous savons que l'impulsion subie par une particule est égale à la variation de sa quantité de mouvement (éq. 10-2). Ainsi:

$$\vec{\mathbf{J}} = \text{variation de la quantité de mouvement } \vec{\mathbf{p}}_f - \vec{\mathbf{p}}_i$$

$$= m\vec{\mathbf{v}}_f - m\vec{\mathbf{v}}_i = \left(\frac{W}{g}\right)(\vec{\mathbf{v}}_f - \vec{\mathbf{v}}_i).$$

Si l'on suppose arbitrairement que $\vec{\mathbf{v}}_i$ est positive, l'impulsion devient alors:

$$J = \left(\frac{1{,}6\ \text{N}}{9{,}8\ \text{m/s}^2}\right)(-40\ \text{m/s} - 30\ \text{m/s}) = -11\ \text{N}\cdot\text{s}.$$

Le signe négatif indique que l'impulsion agit dans le sens inverse de celui de la vitesse initiale de la balle.

Les données du problème ne permettent pas de trouver la force d'impulsion. En d'autres mots, toute force dont l'impulsion vaut -11 N·s produira la même variation de la quantité de mouvement. Par exemple, si le bâton et la balle demeurent en contact pendant $1{,}0 \times 10^{-3}$ s, la force moyenne qui intervient vaut:

$$\bar{F} = \frac{\Delta p}{\Delta t} = \frac{-11\ \text{N}\cdot\text{s}}{1{,}0 \times 10^{-3}\ \text{s}} = -1{,}1 \times 10^4\ \text{N}.$$

Pour un temps d'impact plus court, la force moyenne sera supérieure. La force effective possédera une valeur maximale plus grande que cette valeur moyenne.

Quelle hauteur la force de gravitation fera-t-elle franchir à la balle pendant le temps d'impact?

EXEMPLE 2

(a) Soit une collision frontale élastique se produisant entre un neutron de masse m_1 et un noyau atomique immobile de masse m_2. Évaluez, sous forme fractionnaire, la perte d'énergie cinétique du neutron.

L'énergie cinétique initiale du neutron K_i vaut $\frac{1}{2}m_1v_{1i}^2$. Sa valeur finale est $K_f = \frac{1}{2}m_1v_{1f}^2$. La perte d'énergie s'établit de la manière suivante:

$$\frac{K_i - K_f}{K_i} = \frac{v_{1i}^2 - v_{1f}^2}{v_{1i}^2} = 1 - \frac{v_{1f}^2}{v_{1i}^2}.$$

Mais, pour ce type de collision, $v_{1f} = \left(\frac{m_1 - m_2}{m_1 + m_2}\right)v_{1i}$,

de sorte que: $$\frac{K_i - K_f}{K_i} = 1 - \left(\frac{m_1 - m_2}{m_1 + m_2}\right)^2 = \frac{4m_1m_2}{(m_1 + m_2)^2}.$$

(b) Déterminez la valeur correspondante de la perte en énergie cinétique du neutron si la collision s'effectuait avec des noyaux de plomb, de carbone et d'hydrogène. Le rapport entre la masse du noyau et celle du neutron, m_2/m_1, vaut respectivement 206, 12 et 1.

Pour le plomb, $m_2 = 206\ m_1$; donc:

$$\frac{K_i - K_f}{K_i} = \frac{4 \times 206}{(207)^2} = 0{,}02 \quad \text{ou} \quad 2\%.$$

Pour le carbone, $m_2 = 12\ m_1$; donc:

$$\frac{K_i - K_f}{K_i} = \frac{4 \times 12}{(13)^2} = 0{,}28 \quad \text{ou} \quad 28\%.$$

Pour l'hydrogène, $m_2 = m_1$; donc:

$$\frac{K_i - K_f}{K_i} = \frac{4 \times 1}{(2)^2} = 1 \quad \text{ou} \quad 100\%.$$

Ces résultats démontrent pourquoi la paraffine, riche en hydrogène, s'avère beaucoup plus efficace que le plomb pour ralentir les neutrons.

EXEMPLE 3

Le pendule balistique. On utilise ce pendule pour déterminer la vitesse des balles des armes à feu. Il consiste en un gros bloc de bois de masse M suspendu à l'aide de deux cordes. Une balle de masse m, se déplaçant à une vitesse horizontale v_i, frappe le bloc et s'y loge (figure 10-6). Si le temps d'impact (nécessaire à la balle pour s'arrêter dans le bloc) est très faible comparativement à celui de l'oscillation du pendule, les cordes de support demeurent approximativement sur la verticale pendant la collision. Ainsi, aucune force horizontale extérieure n'agit sur le système (balle et pendule) durant la collision, et il y a conservation de la composante horizontale de la quantité de mouvement. La vitesse du système à la fin de la collision (v_f) est de beaucoup inférieure à celle de la balle avant l'impact. Comme cette vitesse finale se détermine aisément, il s'ensuit que l'on peut calculer la vitesse initiale de la balle en utilisant la conservation de la quantité de mouvement.

La quantité de mouvement initiale du système est celle de la balle (mv_i), alors qu'immédiatement après la collision elle vaut $(m + M)\ v_f$; ces quantités s'égalent, c'est-à-dire:

$$mv_i = (m + M)v_f.$$

A la fin de l'interaction, le pendule et la balle oscillent jusqu'à une hauteur maximale y, où l'énergie cinétique qui restait au système s'est transformée en énergie potentielle gravitationnelle. *Pour cette portion du mouvement,* la loi de la conservation de l'énergie mécanique donne le résultat suivant:

$$\tfrac{1}{2}(m + M)v_f^2 = (m + M)gy.$$

En solutionnant ces deux équations pour v_i, on obtient:

$$v_i = \frac{m + M}{m}\sqrt{2gy}.$$

Ainsi, nous pouvons déterminer la vitesse initiale de la balle en mesurant m, M et y.

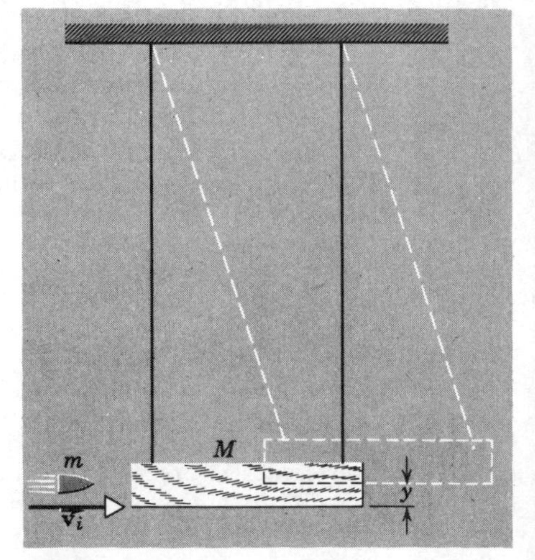

figure 10-6
Exemple 3. Un pendule balistique consistant en un gros bloc de bois de masse M est suspendu par des cordes. Quand une balle de masse m percute le bloc à la vitesse $\vec{v}_i$, celui-ci se balance en montant d'une hauteur maximale y.

L'expression $\frac{1}{2}mv_i^2$ représente l'énergie cinétique initiale de la balle, tandis que $\frac{1}{2}(m + M)v_f^2$ est celle du système (balle et pendule) immédiatement après la collision. Le rapport des deux donne ceci:

$$\frac{\frac{1}{2}(m+M)v_f^2}{\frac{1}{2}mv_i^2} = \frac{m}{m+M}.$$

Par exemple, si la balle a une masse m de 5 g et le bloc une masse M de 2000 g, le système conserve environ un quart de un pour cent seulement de son énergie cinétique initiale; plus de 99% se transforme, pour devenir, entre autres, de la chaleur.

- **Notions avancées**

Le vecteur vitesse du centre de masse de deux particules reste invariable lors d'une collision quelconque (élastique ou inélastique), car seule la répartition de la quantité de mouvement entre les particules est affectée, et non la valeur totale du système. Ainsi, nous pouvons écrire $\vec{\mathbf{P}} = (m_1 + m_2)\vec{\mathbf{v}}_{\text{cm}}$ (éq. 9-15). Si aucune force extérieure n'agit sur le système, alors $\vec{\mathbf{P}}$ est constant avant comme après la collision, et le centre de masse se déplace en conservant un vecteur vitesse uniforme.

Si nous choisissons un référentiel lié au centre de masse, alors $\vec{\mathbf{v}}_{\text{cm}} = 0$ et $\vec{\mathbf{P}} = 0$ dans ce système de référence. Décrire les collisions par rapport au centre de masse devient d'une grande simplicité et il est d'usage de procéder ainsi en physique nucléaire. Quel que soit le type de collision, la quantité de mouvement totale se conserve, et, dans le référentiel du centre de masse, sa valeur est nulle. Ces résultats sont valides pour toute collision à une, deux ou trois dimensions, car la quantité de mouvement est une grandeur vectorielle.

A titre d'exemple, considérons une collision frontale élastique entre deux particules m_1 et m_2. Supposons que $m_2 = 3m_1$ et que m_2 est au repos, de sorte que $v_{2i} = 0$ dans le référentiel lié au laboratoire. La quantité de mouvement totale des deux particules se résume à celle de la particule incidente (m_1v_{1i}), et, ainsi:

$$m_1v_{1i} = (m_1 + m_2)v_{\text{cm}},$$

d'où:

$$v_{\text{cm}} = \left(\frac{m_1}{m_1 + m_2}\right)v_{1i} = \tfrac{1}{4}v_{1i}.$$

A la fin de la collision, m_1 possède une vitesse $v_{1f} = -\frac{1}{2}v_{1i}$ et m_2, une vitesse $v_{2f} = \frac{1}{2}v_{1i}$. La quantité de mouvement totale des deux particules $(m_1v_{1f} + m_2v_{2f})$ est égale à celle avant l'interaction, et le mouvement du centre de masse ne varie pas (vérifiez ce résultat). La figure 10-7a illustre, à des intervalles régu-

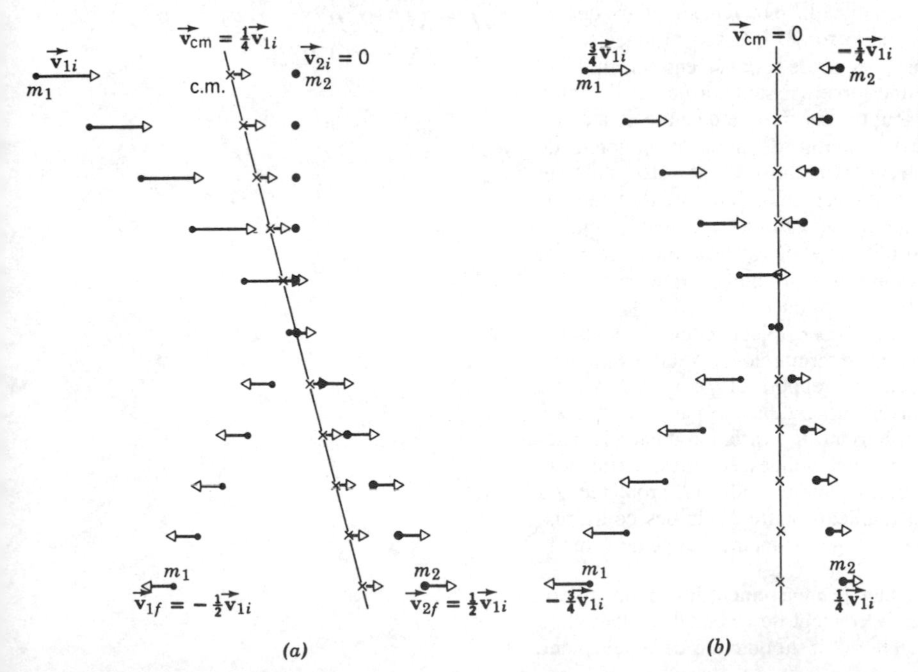

figure 10-7
(a) Une collision élastique dans le système de référence lié au laboratoire. (b) La même collision élastique dans le référentiel lié au centre de masse.

liers, une collision telle qu'on l'observe dans le référentiel du laboratoire. Dans la figure 10-7b, la même situation est présentée telle qu'on la voit du centre de masse, où $v_{cm} = 0$. Notez la symétrie dans le mouvement des particules décrit de cette manière. La particule venant de la gauche se déplace à une vitesse $\frac{3}{4}v_{1i}$ par rapport au centre de masse (où v_{1i} est la vitesse de m_1 dans le référentiel du laboratoire) et retourne avec la même vitesse. Pour la particule venant de la droite, le mouvement se produit à une vitesse égale à $\frac{1}{4}v_{1i}$.

D'autre part, s'il s'agit d'une collision parfaitement inélastique, le mouvement après l'impact sera simplement celui des particules se déplaçant ensemble à même le centre de masse. Dans la figure 10-8 nous représentons cette collision considérée dans deux référentiels, celui du laboratoire et celui du centre de masse. Les situations avant la collision sont les mêmes qu'à la figure 10-7; toutefois, après la collision, le mouvement du centre de masse décrit entièrement celui de tout le système.

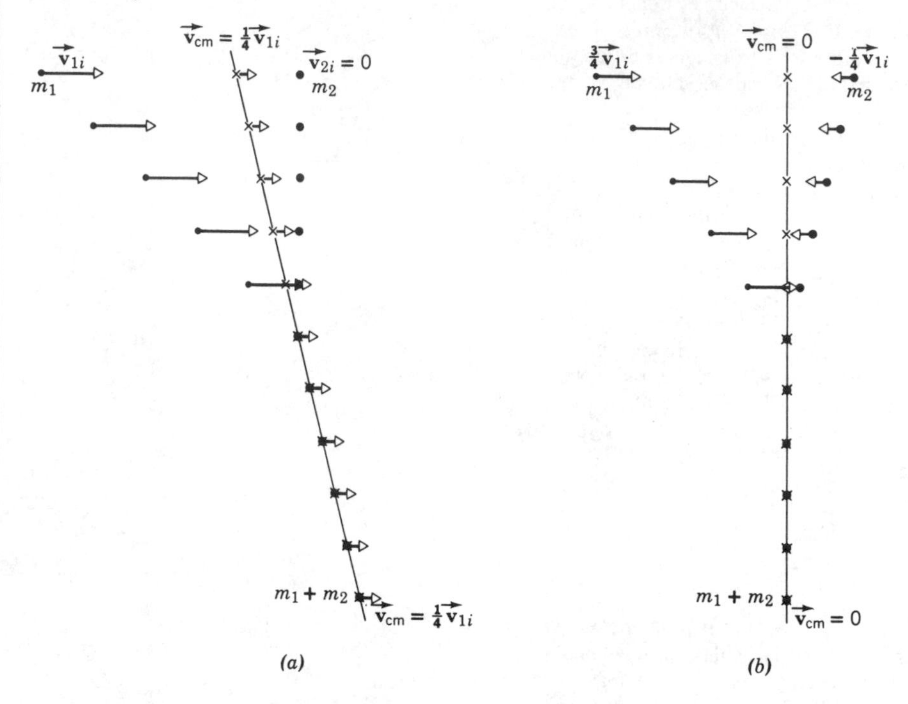

figure 10-8
(a) Une collision parfaitement inélastique dans le référentiel du laboratoire. *(b)* La même collision parfaitement inélastique dans le référentiel du centre de masse. Dans chaque cas le mouvement qui précède la collision est celui illustré à la figure 10-7.

10-5 LA MESURE « RÉELLE » D'UNE FORCE

Ce n'est que vers la fin du dix-huitième siècle que l'on comprit clairement la distinction entre l'énergie cinétique et la quantité de mouvement, ainsi que la relation existant entre ces concepts et celui de la force. Les scientifiques se demandaient alors si l'énergie cinétique et la quantité de mouvement constituaient la mesure « réelle » de l'effet produit par une force agissant sur un corps. Selon Descartes, lorsque des corps interagissent, seul un transfert de quantité de mouvement de l'un à l'autre peut survenir, car la quantité de mouvement totale de l'univers reste constante; ainsi, la seule mesure « réelle » d'une force s'obtient en déterminant la variation de la quantité de mouvement qu'elle occasionne dans un temps donné. Leibnitz contredisait ce point de vue en argumentant que la variation de l'énergie cinétique produite (qu'il appelait *vis viva* ou force vive, et qui valait le double de ce que l'on nomme aujourd'hui énergie cinétique), correspondait à la mesure « réelle » de la force impliquée.

Dans son traité sur la mécanique (1743), d'Alembert rejeta cette argumentation parce qu'impropre et provenant d'une confusion de terminologie. L'effet cumulatif d'une force peut se mesurer par son intégrale par rapport au *temps*, $\int F\, dt$, qui engendre une variation de quantité de mouvement, *ou encore* par son intégrale par rapport à *l'espace* (position), $\int F\, dx$, produisant une variation d'énergie cinétique. Quoique différents, ces deux concepts sont valides et utiles. Celui dont nous nous servons dépend de ses aspects utiles pour résoudre un problème, ou encore de notre intérêt. Comme le montre d'ailleurs notre étude des collisions, nous utilisons fréquemment les deux concepts dans le même problème (voir la question 23).

De nos jours, nous préférons rechercher dans le mouvement les grandeurs invariantes plutôt que de nous concentrer sur le concept de force. Il devient alors superflu de se demander laquelle, de l'énergie ou de la quantité de mouvement, représente une grandeur « réelle » du mouvement, car il y a plus d'une « grandeur du mouvement ». Au lieu de cela, nous les considérons toutes deux comme des grandeurs invariantes du mouvement en ce que, pour un système isolé, chacune d'elles demeure globalement constante dans le temps. Il peut se produire un échange d'énergie et de quantité de mouvement entre les divers éléments d'un système isolé, mais chaque grandeur se conserve entièrement. •

10-6 *COLLISIONS À DEUX ET À TROIS DIMENSIONS*

S'il s'agit d'une collision à deux ou à trois dimensions, les lois de conservation seules ne peuvent nous renseigner sur ce que sera le mouvement final des particules considérées (sauf dans le cas d'une collision parfaitement inélastique). Par exemple, le cas le plus simple est celui d'une collision élastique bidimensionnelle entre deux particules où nous avons quatre inconnues, nommément les deux composantes du vecteur vitesse pour chaque particule. Et, pour résoudre ce problème, nous ne possédons que trois équations reliant ces inconnues, dont l'une exprime la conservation de l'énergie cinétique tandis que les deux autres représentent la conservation de la quantité de mouvement selon chaque dimension. Ainsi, il nous faut plus d'information que les données initiales n'en fournissent. Quand on ne connaît pas les forces effectives d'interaction, ce qui se présente fréquemment, toute donnée supplémentaire provient de l'expérience. Le plus simple est de réussir à mesurer l'angle de déviation de l'une des particules par rapport à son mouvement initial.

Considérons ce qui se produit quand nous projetons une particule vers une particule cible au repos. Cette situation n'est pas aussi restrictive qu'elle ne le semble, car nous pouvons toujours localiser notre référentiel de manière à ce que la cible y soit immobile avant la collision. Bon nombre d'expériences en physique nucléaire impliquent des particules nucléaires qu'on lance vers une cible stationnaire par rapport au laboratoire. Dans de telles collisions, la conservation de la quantité de mouvement entraîne que le mouvement s'effectue dans un plan déterminé par les trajectoires des particules après le choc. Le mouvement initial ne doit pas nécessairement se produire le long de la droite joignant les centres des deux particules. La force d'interaction peut être électromagnétique (nous incluons ici les forces de « contact » — voir la section 6-4 —), gravitationnelle ou nucléaire. Les particules n'ont pas besoin de se « toucher », car elles dévient de leurs trajectoires initiales sous l'action des forces importantes agissant sur des distances d'approche relativement faibles, et cela pendant un intervalle de temps court comparativement au temps total d'observation.

La figure 10-9 illustre une situation typique. La distance b entre la direction initiale du mouvement et la droite qui lui est parallèle et qui passe par le centre

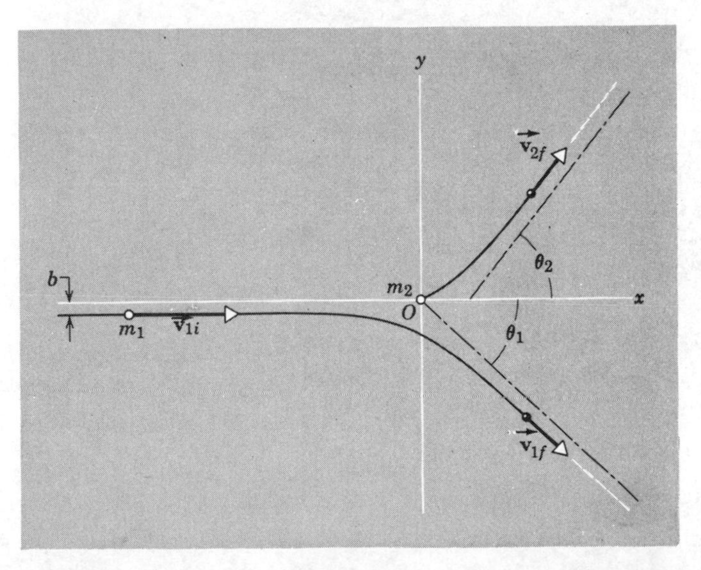

figure 10-9
Collision de deux particules m_1 et m_2. Les cercles blancs indiquent leurs positions avant la collision et les cercles noirs, leurs positions après la collision. La particule m_2 est initialement immobile. Le paramètre de choc b représente la distance entre la trajectoire initiale de la particule et celle suivant laquelle se produirait une collision frontale.

de la particule cible, se nomme *paramètre de choc*. Il s'agit d'une information importante sur les modalités de l'interaction, $b = 0$ correspondant à une collision frontale. A la suite de la collision, la particule incidente (m_1) se déplace sur une trajectoire orientée selon un angle θ_1 par rapport à la direction initiale de son mouvement, tandis que la particule cible (m_2), immobile au départ, se meut suivant un angle θ_2 par rapport à cette même direction initiale. En appliquant à notre problème la loi de la conservation de la quantité de mouvement, qui est une équation vectorielle, nous obtenons deux équations scalaires; la composante x du mouvement s'écrit comme suit:

$$m_1 v_{1i} = m_1 v_{1f} \cos \theta_1 + m_2 v_{2f} \cos \theta_2 .$$

La composante y est la suivante:

$$0 = m_1 v_{1f} \sin \theta_1 - m_2 v_{2f} \sin \theta_2 .$$

Supposons maintenant que la collision est *élastique*. Dans ce cas, la loi de la conservation de l'énergie cinétique s'applique, donnant ainsi une troisième équation:

$$\tfrac{1}{2} m_1 v_{1i}^2 = \tfrac{1}{2} m_1 v_{1f}^2 + \tfrac{1}{2} m_2 v_{2f}^2 .$$

Si nous connaissons les données initiales (m_1, m_2 et v_{1i}), le problème présente alors quatre inconnues (v_{1f}, v_{2f}, θ_1 et θ_2) reliées l'une à l'autre par trois équations seulement. Nous pouvons déterminer le mouvement après la collision uniquement si l'on spécifie la valeur de l'une de ces inconnues, comme θ_1, par exemple.

EXEMPLE 4

La figure 10-10 représente la collision de deux patineurs qui s'agrippent l'un à l'autre après le choc. Initialement, l'un d'eux (m_1 = 70 kg) patine vers l'est à la vitesse de 6,0 km/h, alors que l'autre (m_2 = 50 kg) se déplace à 8,0 km/h vers le nord. *(a)* Quelle est la vitesse finale de ce couple? *(b)* Quelle fraction de l'énergie cinétique sera perdue dans la collision?

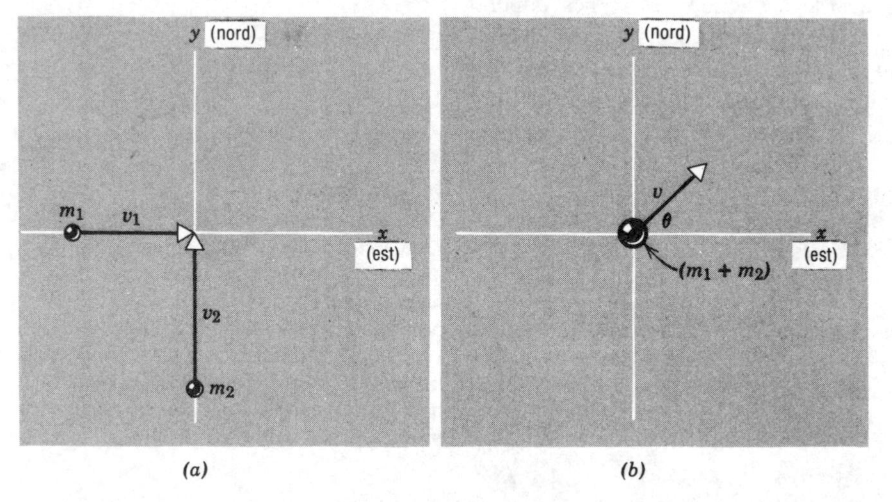

figure 10-10
Exemple 4. *(a)* Situation initiale. *(b)* Situation finale.

(a) La figure 10-10 illustre les situations initiale et finale. Puisque $\vec{\mathbf{P}}_i = \vec{\mathbf{P}}_f$ (en l'absence de force extérieure), nous écrivons ainsi la composante x de la quantité de mouvement:

$$m_1 v_1 = (m_1 + m_2) v \cos \theta .$$

Similairement, la composante y prend la forme suivante:

$$m_2 v_2 = (m_1 + m_2) v \sin \theta .$$

En divisant la seconde équation par la première, nous obtenons:

$$\tan\theta = \frac{m_2 v_2}{m_1 v_1} = \frac{(50\text{ kg})(8{,}0\text{ km/h})}{(70\text{ kg})(6{,}0\text{ km/h})}$$
$$= 0{,}95,$$

et nous trouvons ainsi la direction de la vitesse finale, soit $\theta = 43°$.

D'autre part, la composante y permet de calculer la vitesse commune après le choc, c'est-à-dire:

$$v = \frac{m_2 v_2}{(m_1 + m_2)\sin\theta}$$
$$= \frac{(50\text{ kg})(8{,}0\text{ km/h})}{(70\text{ kg} + 50\text{ kg})\sin 43°}$$
$$= 4{,}9\text{ km/h}.$$

(b) L'énergie cinétique initiale des patineurs se calcule de la manière suivante:

$$K_i = \tfrac{1}{2}m_1 v_1^2 + \tfrac{1}{2}m_2 v_2^2$$
$$= \tfrac{1}{2}(70\text{ kg})(6{,}0\text{ km/h})^2 + \tfrac{1}{2}(50\text{ kg})(8{,}0\text{ km/h})^2$$
$$= \left(2860\,\frac{\text{kg km}^2}{\text{h}^2}\right)\left(\frac{1\text{ h}}{3600\text{ s}}\right)^2\left(\frac{10^3\text{ m}}{1\text{ km}}\right)^2$$
$$= 220\text{ J}.$$

Pour ce qui est de l'énergie cinétique finale du couple, nous trouvons:

$$K_f = \tfrac{1}{2}(m_1 + m_2)v^2$$
$$= \tfrac{1}{2}(70\text{ kg} + 50\text{ kg})(4{,}9\text{ km/h})^2$$
$$= \left(1440\,\frac{\text{kg km}^2}{\text{h}^2}\right)\left(\frac{1\text{ h}}{3600\text{ s}}\right)^2\left(\frac{10^3\text{ m}}{1\text{ km}}\right)^2$$
$$= 110\text{ J}.$$

Ainsi,

$$\frac{K_i - K_f}{K_i} = \frac{220\text{ J} - 110\text{ J}}{220\text{ J}} = \frac{1}{2}.$$

Nous constatons que 50% de l'énergie cinétique initiale est perdue lors de la collision.

EXEMPLE 5

Une molécule d'un gaz, se déplaçant à 300 m/s, frappe élastiquement une autre molécule de même masse et immobile. A la fin de la collision, la première se meut suivant un angle de 30° par rapport à sa direction initiale. Trouvez la vitesse de chaque molécule après l'impact, ainsi que l'angle entre la direction originale et la trajectoire imprimée à la cible.

Cet exemple correspond exactement à la situation discutée dans le texte qui précède l'exemple 4. Nous savons que $m_1 = m_2$, $v_{1i} = 300$ m/s et $\theta_1 = 30°$. L'égalité des masses permet de simplifier les trois relations comme suit:

$$v_{1i} = v_{1f}\cos\theta_1 + v_{2f}\cos\theta_2,$$
$$v_{1f}\sin\theta_1 = v_{2f}\sin\theta_2,$$

et

$$v_{1i}^2 = v_{1f}^2 + v_{2f}^2.$$

Nous solutionnons alors pour v_{1f}, v_{2f} et θ_2. Pour ce faire, il suffit de récrire la première équation sous la forme $v_{1i} - v_{1f}\cos\theta_1 = v_{2f}\cos\theta_2$, puis on additionne son carré à celui de la deuxième équation; puisque $\sin^2\theta + \cos^2\theta = 1$, nos opérations nous conduisent à la relation suivante:

$$v_{1i}^2 + v_{1f}^2 - 2v_{1i}v_{1f}\cos\theta_1 = v_{2f}^2.$$

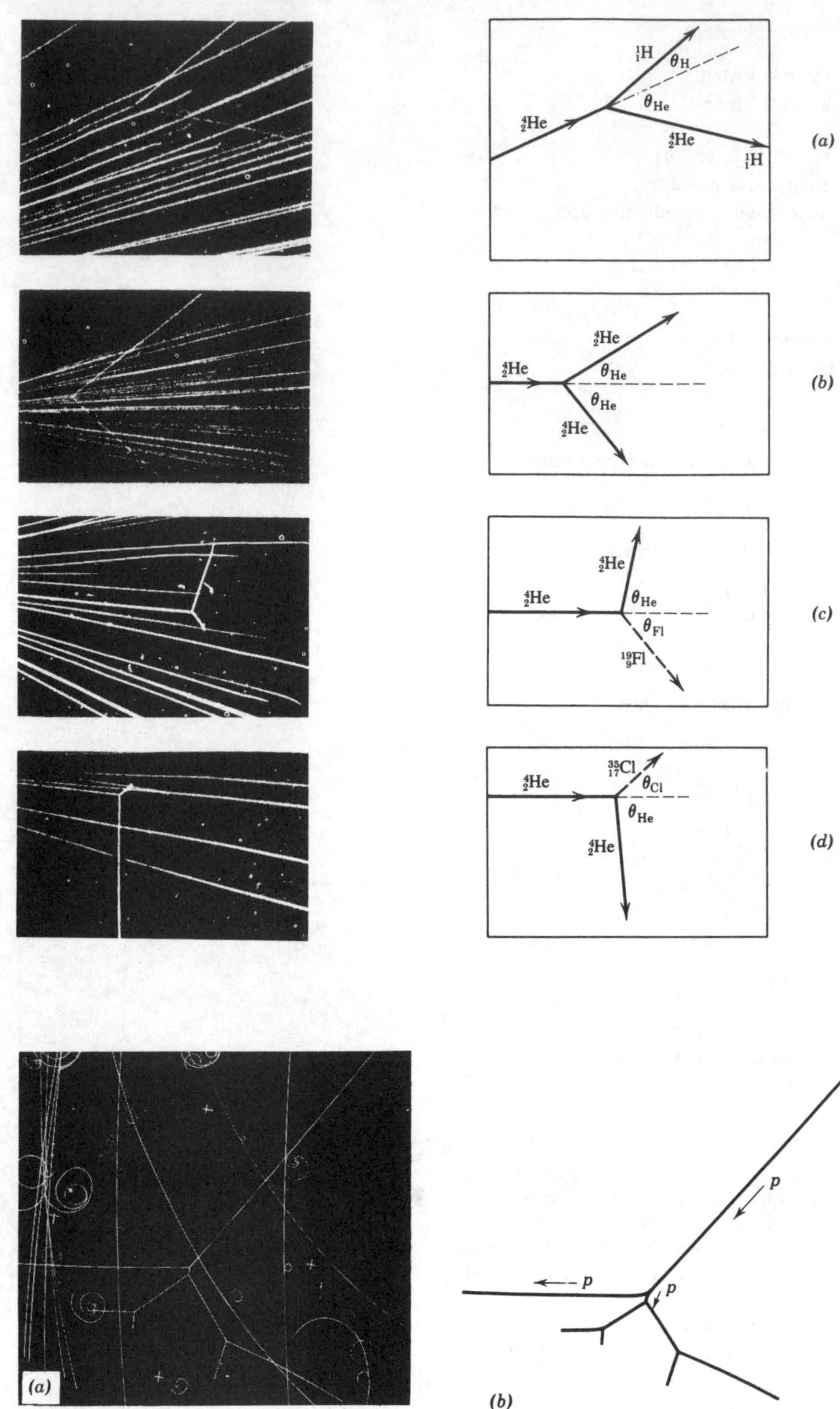

figure 10-11
Voici quelques photographies de trajectoires de particules entrant en collision dans une chambre à condensation. La chambre à condensation est un dispositif permettant d'observer ces trajectoires; elle contient de la vapeur d'eau saturée que l'on comprime légèrement pour ensuite lui permettre de se détendre rapidement, ce qui favorise la condensation de la vapeur le long de la trajectoire d'une particule. Dans les quatre cas présentés, la particule incidente est un noyau d'hélium ($^{4}_{2}$He ou α). En *(a)* la cible est un noyau d'hydrogène ($^{1}_{1}$H ou p); en *(b)* il s'agit d'un autre noyau d'hélium, tandis qu'en *(c)* et *(d)* les cibles sont respectivement des noyaux de fluor et de chlore. Notez que toutes ces trajectoires se ressemblent. En général, les particules ne se déplacent pas dans le plan de la photographie. Une analyse complète requiert l'utilisation de photos stéréoscopiques.

figure 10-12
(a) Voici quatre collisions proton-proton se produisant dans une chambre à bulles de 25 cm de diamètre. Le proton initial à haute énergie pénètre par le coin supérieur droit. Les traces en spirale sont dues à des électrons de faible énergie. Les autres traces proviennent de mésons différents qui traversent la chambre. Une vue stéréoscopique montre que dans chaque cas où deux traces s'éloignent l'une de l'autre, l'angle qu'elles forment est de 90°. Ce résultat n'apparaît pas ici car, en réalité, les traces ne figurent pas dans le même plan que la photo. *(b)* Voici une représentation schématique des traces laissées en *(a)* par les protons. (La photo est une gracieuseté du Laurence Radiation Laboratory.)

En combinant ce résultat à la troisième équation, nous obtenons:

$$2v_{1f}^2 = 2v_{1i}v_{1f}\cos\theta_1,$$

et, puisque $v_{1f} \neq 0$,

$$v_{1f} = v_{1i}\cos\theta_1 = (300 \text{ m/s})(\cos 30°)$$

ou

$$v_{1f} = 260 \text{ m/s}.$$

Utilisons la troisième équation:

$$v_{2f}^2 = v_{1i}^2 - v_{1f}^2 = (300 \text{ m/s})^2 - (260 \text{ m/s})^2.$$

D'où:

$$v_{2f} = 150 \text{ m/s}.$$

Finalement, la seconde équation permet de trouver l'angle:

$$\sin\theta_2 = (v_{1f}/v_{2f})\sin\theta_1$$

$$= (260/150)(\sin 30°) = 0{,}866$$

ou

$$\theta_2 = 60°.$$

C'est l'angle de recul de la molécule cible. Nous réalisons ici que les deux molécules s'écartent l'une de l'autre suivant un angle droit [$\theta_1 + \theta_2 = 90°$ (figure 10-9)].

Vous devriez pouvoir démontrer qu'à la suite d'une collision élastique deux particules de masse égale, dont l'une est immobile au départ, s'éloignent toujours sur des trajectoires perpendiculaires l'une à l'autre.

Dans la figure 10-11 nous présentons des photographies de quatre collisions nucléaires élastiques survenant à l'intérieur d'une chambre de Wilson[4]. Les trajectoires des particules sont visibles grâce à la traînée de gouttelettes qu'elles engendrent sur leur passage. Dans chaque cas, le projectile est une particule alpha, ${}^4_2\text{He}$, et le noyau cible est pratiquement au repos avant la collision. Notez qu'avec l'accroissement de la masse de la cible, l'angle entre les trajectoires finales augmente (voir le problème 42). En *(b)*, où la cible est également une particule alpha, des photographies stéréoscopiques montrent qu'après la collision les particules s'éloignent perpendiculairement; cet angle droit n'est pas visible sur la figure, car les trajectoires ne sont pas dans le plan de celle-ci.

D'autre part, la figure 10-12 montre une série de quatre collisions élastiques successives entre des protons à l'intérieur d'une chambre à bulles[5] que provoque l'arrivée de l'un d'eux possédant une énergie élevée. Nous voyons les trajectoires grâce à la traînée de bulles produite le long de leurs parcours. La chambre contient de l'hydrogène liquide comme source de protons cibles. Puisqu'il s'agit de collisions élastiques entre particules de masse égale, les protons s'éloignent perpendiculairement l'un de l'autre après l'interaction; ce résultat apparaît clairement lorsque l'on observe les traces de la figure 10-12*a* au stéréoscope.

10-7 SECTION EFFICACE

Même si nous avons introduit le concept de paramètre de choc, b, pour décrire les collisions (voir fig. 10-9), il est clair que dans le cas des particules atomiques et subatomiques, nous ne pouvons définir avec une précision satisfaisante ni la trajectoire du projectile ni la position de la particule cible. En pratique,

[4] Le physicien anglais C.T.R. Wilson reçut en 1927 le prix Nobel pour l'invention de la chambre à condensation. Ses recherches débutèrent lorsqu'il essaya de produire en laboratoire un phénomène atmosphérique particulier observé sur le mont Ben Nevis en Écosse.

[5] Le physicien américain Donald Glaser reçut en 1960 le prix Nobel pour l'invention de la chambre à bulle. On dit que l'idée lui vint pendant qu'il observait les bulles se former dans un verre de bière.

lorsque l'on bombarde une feuille de métal mince à l'aide d'un faisceau de particules alpha provenant d'un cyclotron, nous devons considérer statistiquement un grand nombre de collisions entre ces particules et des noyaux atomiques dans la cible; il est impossible de déterminer le paramètre de choc pour chaque collision.

La situation ressemble à celle où l'on utiliserait une mitrailleuse pour tirer au hasard (dans le noir) vers le mur d'une grange, d'aire A, tout en essayant d'atteindre un certain nombre de petites assiettes en carton, d'aire σ, que quelqu'un aurait fixées, au hasard, sur le mur (sans toutefois que jamais deux assiettes ne se recouvrent). S'il y avait q assiettes et que le nombre de balles frappant la grange par unité de temps valait R_0, à quelle fréquence R toucherions-nous les cibles? Le caractère aléatoire de chaque événement entraîne le résultat suivant:

$$R = R_0(\sigma q/A), \tag{10-7a}$$

où σq représente l'aire totale de l'ensemble des assiettes. Cette relation permet de calculer σ, l'aire d'une assiette, si nous mesurons R, A, R_0 et q. On obtient alors:

$$\sigma = RA/R_0 q. \tag{10-7b}$$

Nous appelons σ la *section efficace* de l'événement que représente l'impact d'un projectile sur une assiette.

Considérons maintenant une classe de collisions plus restreinte, c'est-à-dire celle où une balle percute une assiette en la brisant, par exemple, en cinq morceaux. La fréquence R_5 à laquelle se produit ce type d'interaction est beaucoup plus faible que la valeur R décrite auparavant. Nous calculons la section efficace σ_5 de ces événements restreints par analogie au cas précédent; cela donne:

$$\sigma_5 = R_5 A/R_0 q. \tag{10-8}$$

Nous pouvons évoquer d'autres possibilités. Une assiette pourrait par exemple se briser en treize morceaux; l'un d'eux pourrait avoir une aire égale à la moitié de celle de l'assiette; ou encore, un morceau pourrait être projeté verticalement vers le haut; et ainsi de suite. On peut assigner une section efficace σ_x à chacun de ces événements et mesurer R_x, le taux auquel les événements se produisent. *Les sections efficaces n'ont pas nécessairement de lien avec l'aire géométrique des assiettes considérées; elles représentent des calculs de la probabilité de l'événement auquel elles sont reliées.* L'importance des sections efficaces vient du fait qu'elles s'identifient à des événements particuliers, et les détails d'un montage expérimental ne les affectent pas. Par exemple, l'équation 10-8 fournira le même renseignement peu importe la grandeur de la grange (A), le nombre d'assiettes (q) ou le régime de tir de la mitrailleuse (R_0), car la mesure de R_5 varie toujours de manière à donner la même valeur de σ_5.

En physique nucléaire nous bombardons fréquemment des cibles à l'aide de projectiles (nucléaires), et, après avoir mesuré la fréquence des événements d'un certain type, on leur assigne une section efficace. Par exemple, bombardons une feuille d'or ($^{197}_{79}$Au) très mince en utilisant des deutérons ($^2_1$H ou d) dont l'énergie vaut 30 MeV. Parmi les événements qui peuvent se produire mentionnons: (1) la diffusion élastique du deutéron vers l'avant (il traverse la feuille d'or — voir la figure 10-14 —), (2) sa diffusion élastique vers l'arrière (il revient du côté de la source), (3) sa diffusion inélastique suivant un angle compris entre 30° et 60° par rapport à la direction initiale du faisceau incident, (4) la réaction nucléaire $d + {}^{197}_{79}\text{Au} \rightarrow p + {}^{198}_{79}\text{Au}$, et (5) la réaction nuclaire $d + {}^{197}_{79}\text{Au} \rightarrow n + {}^{198}_{80}\text{Hg}$, dans laquelle n représente un neutron. Chacun de ces événéments (et tous ceux que l'on pourrait mentionner) possède sa propre section efficace σ_x, permettant de calculer R_x si nous connaissons les détails du montage expérimental utilisé. Le but ultime de toutes ces expériences est de comprendre la nature des forces nucléaires.

Supposons, par ailleurs, que la feuille métallique exposée au faisceau de projectiles ait une aire A et une épaisseur x. Si la feuille contient n particules cibles par unité de volume, alors le nombre total de cibles est nAx. Si σ_x représente *l'aire effective* (c'est-à-dire la section efficace) de l'événement considéré, l'aire totale correspondante donne $nAx\sigma_x$ pour tous les noyaux concernés. De plus, si R_0 correspond au nombre de projectiles frappant la cible par unité de temps, et R_x la fréquence à laquelle se produit l'événement qui nous intéresse, alors, en raison de la nature aléatoire du phénomène étudié (éq. 10-7a) nous obtenons:

$$\frac{R_x}{R_0} = \frac{(nAx\sigma_x)}{A},$$

c'est-à-dire:

$$R_x = R_0 n x \sigma_x. \qquad (10\text{-}9)$$

Ainsi, nous pouvons calculer σ_x pour un événement en mesurant R_x, R_0 et x. On exprime habituellement la section efficace en *barns*; un *barn* $= 10^{-28}$ m^2.

La section efficace dépend presque toujours de l'énergie des particules incidentes, car elle démontre souvent des valeurs réparties sur des pics étroits en fonction de l'énergie des projectiles (fig. 10-13). Cela signifie simplement que la réaction attendue a plus de chance de se produire pour certaines énergies caractéristiques. De façon similaire, un disque de métal vibrera à grande amplitude pour une série de fréquences caractéristiques assez bien définies.

La figure 10-13 montre une des milliers de courbes de section efficace qui ont été déterminées pour divers processus atomiques et nucléaires. Analysons cet exemple. Supposons qu'un faisceau neutronique très étroit, d'énergie cinétique K, frappe une feuille de cadmium très mince. La section efficace σ réfère à tout processus (absorption, diffusion élastique ou diffusion inélastique) qui a comme résultat d'extraire un neutron du faisceau. Les nombres au-dessus des pics indiquent les isotopes qui les ont produits; la même information découle d'autres expériences réalisées en utilisant comme cible des feuilles fabriquées

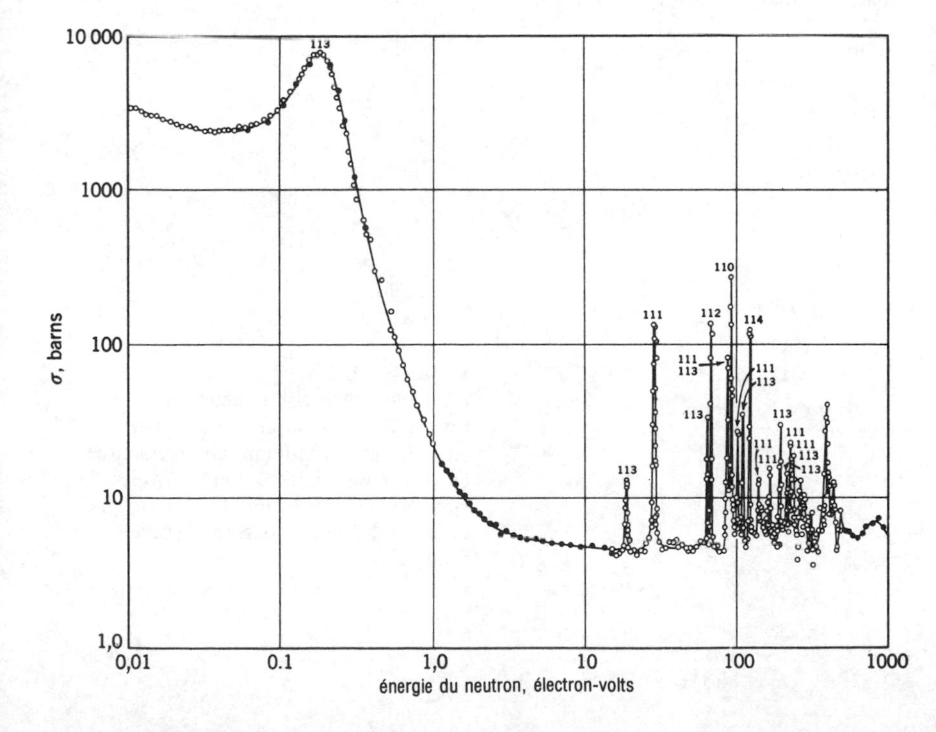

figure 10-13
Ce graphique représente la section efficace en fonction de l'énergie des neutrons lors d'un processus permettant de les extraire d'un faisceau étroit, alors qu'ils traversent le cadmium. Notez que les deux échelles sont logarithmiques.

à partir de chaque isotope pris séparément. Le pic important numéroté « 113 », obtenu avec des neutrons de 0,17 eV, provient de la réaction suivante:

$$^{113}_{48}\text{Cd} + n \rightarrow\ ^{114}_{48}\text{Cd} + \gamma,$$

où γ est un rayon gamma. Cette réaction, dont la section efficace de pointe vaut 7600 barns, est responsable de la très grande propriété d'absorption que possède le cadmium face aux neutrons lents. Notez que les deux échelles de la figure 10-13 sont logarithmiques.

EXEMPLE 6

(a) Vers 1910, Geiger et Marsden, travaillant sous la direction d'Ernest Rutherford à l'université de Manchester, réalisèrent plusieurs expériences qui établirent le fait que les atomes sont constitués d'un petit noyau entouré par un nuage électronique. Ce modèle atomique vint supplanter celui suggéré par Thompson et qui voulait que l'atome soit une sphère contenant une distribution de charges positives et négatives.

La figure 10-14 illustre très schématiquement l'essentiel de l'expérience qu'ils exécutèrent. Des particules alpha émises par le polonium vont heurter une feuille d'or de $4{,}0 \times 10^{-7}$ m d'épaisseur. Geiger et Marsden découvrirent que même si la presque totalité des particules α traversait la feuille d'or (diffusion vers l'avant), environ 1 sur $6{,}17 \times 10^4$ subissait une diffusion vers l'arrière, c'est-à-dire qu'elle déviait suivant un angle supérieur à 90°. Leur feuille d'or possédait $5{,}9 \times 10^{28}$ atomes par unité de volume. Déterminez la section efficace pour la diffusion vers l'arrière (1 barn $= 10^{-28}$ m²).

Puisque

$$nx\sigma = \text{fraction des particules diffusées vers l'arrière},$$

nous obtenons:

$$(5{,}9 \times 10^{28}/\text{m}^3)(4{,}0 \times 10^{-7}\ \text{m})\sigma = 1/(6{,}17 \times 10^4).$$

D'où:

$$\sigma = 6{,}9 \times 10^{-28}\ \text{m}^2 = 6{,}9\ \text{barns}.$$

(b) Rutherford pensa que la diffusion vers l'arrière ne pouvait être provoquée par les électrons de l'atome, car les particules α possèdent une masse beaucoup plus grande. Il suggéra alors le modèle nucléaire de l'atome, attribuant la déviation des particules α à des collisions entre ces projectiles et le coeur massif et positif de l'atome: le noyau.

Supposez que la section efficace pour la diffusion vers l'arrière soit approximativement égale à l'aire que présente un noyau d'or à un projectile. Estimez la dimension *effective* du noyau de l'atome d'or.

Si le rayon *effectif* du noyau se traduit par r, alors:

$$\sigma = \pi r^2,$$

d'où

$$r^2 = \sigma/\pi = 6{,}9 \times 10^{-28}\ \text{m}^2/\pi,$$

ce qui donne

$$r = 1{,}5 \times 10^{-14}\ \text{m}.$$

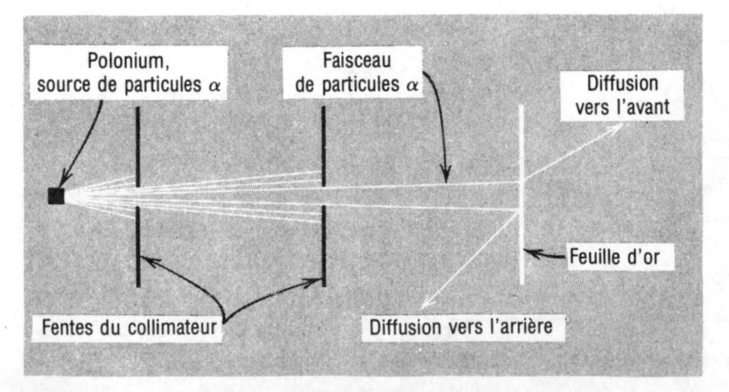

figure 10-14
Exemple 6. Un collimateur permet de former un faisceau de particules α en utilisant le polonium comme source. Quelques particules α sont diffusées vers l'arrière par la feuille d'or servant de cible; les autres passent à travers la feuille.

Ce résultat pour le rayon approximatif du *noyau* d'or se compare assez bien avec celui de l'*atome*, $1{,}5 \times 10^{-10}$ m. Ainsi, le noyau massif est concentré dans une très petite région de l'atome (environ 1 partie sur 10^{12} en volume).

10-8 *RÉACTIONS ET DÉSINTÉGRATIONS*

Nous avons mentionné à la section 10-1 que les réactions et les désintégrations radioactives pour les atomes, les noyaux et les particules élémentaires peuvent se traiter à l'aide des méthodes développées dans l'étude des collisions. Nous **appliquons les principes de la conservation de l'énergie et de la quantité de mouvement** aux situations (clairement définies) « avant l'événement » et « après l'événement ». Dans ces processus il faut utiliser la conservation de l'énergie totale, car l'énergie cinétique ne reste pas constante. Il ne sera question ici que d'exemples où les vitesses des particules demeurent négligeables comparativement à celle de la lumière. Cela signifie que nous nous servirons des expressions classiques pour exprimer l'énergie et la quantité de mouvemnent, et non des équations relativistes.

EXEMPLE 7

Réactions nucléaires. On bombarde un film mince contenant un composé de fluor ($^{19}_{9}$F) à l'aide d'un faisceau de protons *(p)* accélérés jusqu'à une énergie de 1,85 MeV (million d'électron-volts; 1MeV = $1{,}60 \times 10^{-13}$ J) dans un accélérateur Van de Graaff. Quelques protons interagissent avec les noyaux de fluor et provoquent la réaction suivante:

$$^{19}_{9}\mathrm{F} + p \rightarrow {}^{16}_{8}\mathrm{O} + \alpha.$$

On observe que les particules α (noyaux d'hélium) émergent à *angle droit* par rapport au faisceau de protons incident (fig. 10-15) et se déplacent à $1{,}95 \times 10^{7}$ m/s. Quels renseignements peut-on obtenir au sujet de cette réaction en appliquant les lois de la conservation de la quantité de mouvement et de l'énergie totale? Nous connaissons les masses avec une précision satisfaisante:

$$m_p = 1{,}01 \text{ u} \qquad m_O = 16{,}0 \text{ u}$$

$$m_F = 19{,}0 \text{ u} \qquad m_\alpha = 4{,}00 \text{ u},$$

(où u = unité de masse atomique = $1{,}66 \times 10^{-27}$ kg).

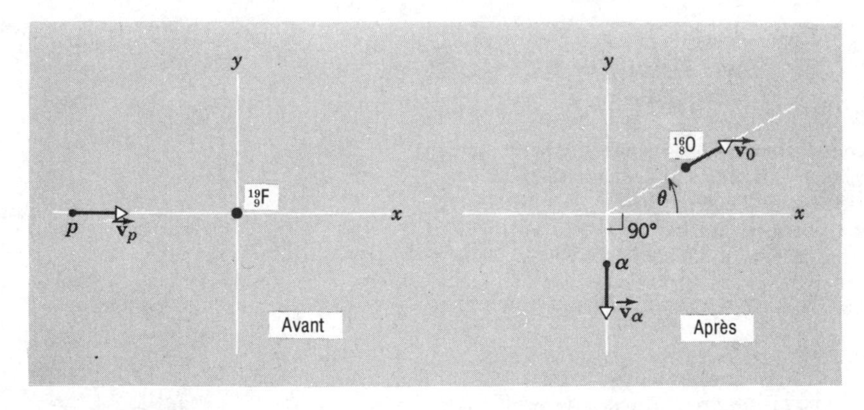

figure 10-15
Exemple 7. Dans le référentiel lié au laboratoire, on représente les situations avant et après la réaction nucléaire $^{19}_{9}F + p \rightarrow {}^{16}_{8}O + \alpha$.

Les composantes *x* et *y* de la quantité de mouvement se conservent, ce qui signifie qu'elles possèdent les mêmes valeurs après comme avant la réaction. Dans le référentiel lié au laboratoire (fig. 10-15), nous avons:

$$m_p v_p = m_O v_O \cos\theta \qquad \text{(composante } x\text{)} \qquad (10\text{-}10)$$

et

$$0 = m_\alpha v_\alpha - m_O v_O \sin\theta \qquad \text{(composante } y\text{)}. \qquad (10\text{-}11)$$

La conservation de l'énergie totale est traduite par l'expression suivante:

$$Q + \tfrac{1}{2}m_p v_p^2 = \tfrac{1}{2}m_O v_O^2 + \tfrac{1}{2}m_\alpha v_\alpha^2, \qquad (10\text{-}12)$$

dans laquelle Q représente la quantité d'énergie cinétique supplémentaire que l'on retrouve à la fin de la réaction (obtenue à partir de la différence entre l'énergie cinétique finale et l'énergie cinétique initiale du système). Rappelons que l'on suppose que les particules se déplacent à des vitesses suffisamment faibles pour éviter d'utiliser l'expression relativiste de l'énergie cinétique, $[m_0c^2(1/\sqrt{1 - v^2/c^2} - 1)]$. Si Q est positif, la réaction génère de l'énergie cinétique.

L'énergie représentée par Q ne peut provenir que de la différence entre les énergies au repos des particules avant et après la réaction, ceci en accord avec la relation bien connue d'Einstein: $E = \Delta mc^2$ (voir la section 8-9). Par conséquent, pour le cas d'une valeur positive de Q, nous prévoyons qu'à la fin de la réaction la masse au repos du système sera légèrement inférieure à celle du début de la réaction et, qu'en outre, l'équation d'Einstein permet d'évaluer Q:

$$\begin{aligned} Q &= \Delta mc^2 \\ &= [(m_p + m_F) - (m_\alpha + m_O)]c^2. \end{aligned} \qquad (10\text{-}13)$$

Quoique indépendantes l'une de l'autre, les équations 10-12 et 10-13 sont reliées par la relation masse-énergie d'Einstein.

Les trois équations de la conservation renferment uniquement trois inconnues: v_O, θ et Q. Pour déterminer Q, on élimine d'abord θ des deux premières équations, ce que fournit la somme de leurs carrés. Et, puisque $\sin^2\theta + \cos^2\theta = 1$, nous trouvons:

$$m_p^2v_p^2 + m_\alpha^2v_\alpha^2 = m_O^2v_O^2.$$

Il s'agit ensuite d'éliminer v_0 de cette équation, ainsi que de l'équation 10-12. Plusieurs manipulations algébriques assez simples aboutissent au résultat suivant:

$$Q = K_\alpha(1 + m_\alpha/m_O) - K_p(1 - m_p/m_O). \qquad (10\text{-}14)$$

Les données du problème précisent que $K_p = 1{,}85$ MeV et permettent de calculer l'énergie cinétique des particules alpha:

$$\begin{aligned} K_\alpha &= \tfrac{1}{2}m_\alpha v_\alpha^2 \\ &= \tfrac{1}{2}(4{,}00\ \text{u})(1{,}66 \times 10^{-27}\ \text{kg/u})(1{,}95 \times 10^7\ \text{m/s})^2 \\ &= (1{,}26 \times 10^{-12}\ \text{J})(1\ \text{MeV}/1{,}60 \times 10^{-13}\ \text{J}) \\ &= 7{,}88\ \text{MeV}. \end{aligned}$$

Calculons maintenant Q, à partir de l'équation 10-14:

$$Q = (7{,}88\ \text{MeV})(1 + 4{,}00/16{,}0) - (1{,}85\ \text{MeV})(1 - 1{,}01/16{,}0) = 8{,}13\ \text{MeV}.$$

Ainsi, dans le cas de cette réaction, nous pouvons évaluer Q sans même faire la moindre observation du comportement des noyaux $^{16}_{8}O$, en utilisant simplement les principes de la conservation de la quantité de mouvement et de l'énergie totale. Si l'on désire connaître v_O et θ dans ce cas précis, il faut recourir aux équations 10-10 et 10-11.

Le résultat obtenu, $Q = 8{,}13$ MeV, constitue une information importante au sujet de la réaction nucléaire. A l'aide de l'équation 10-13 nous pouvons calculer la diminution de la masse au repos pendant la réaction:

$$\begin{aligned} \Delta m &= Q/c^2 \\ &= (8{,}13\ \text{MeV} \times 1{,}60 \times 10^{-13}\ \text{J/MeV})/(3{,}00 \times 10^8\ \text{m/s})^2 \\ &= (1{,}44 \times 10^{-29}\ \text{kg})(1\ \text{u}/1{,}66 \times 10^{-27}\ \text{kg}) \\ &= 0{,}00873\ \text{u}. \end{aligned}$$

On vérifie ce résultat en calculant Δm, ou $[(m_p + m_F) - (m_\alpha + m_o)]$, à partir de mesures très précises des quatre masses réalisées à l'aide d'un spectrographe (voir le problème 47). La concordance que l'on obtient est excellente, ce qui montre une fois de plus la validité intrinsèque de la relation masse-énergie d'Einstein.

questions

1. Expliquez comment la conservation de la quantité de mouvement s'applique à une balle qui rebondit sur un mur.
2. Comment pouvez-vous concilier le mouvement d'un voilier sous l'action du vent avec la loi de la conservation de la quantité de mouvement?
3. Est-il vrai que l'accélération d'une balle de base-ball ne dépend pas de qui l'a frappée?
4. Plusieurs accessoires d'automobile, tels la colonne de direction télescopique et le tableau de bord coussiné, sont conçus afin de transférer aux passagers une quantité de mouvement avec plus de sécurité. A l'aide du concept d'impulsion, expliquez pourquoi on a mis au point de tels accessoires.
5. C. R. Daish (voir « At Impact, Clubhead Travels 100 Mph », *Museum,* décembre 1973) affirme qu'un golfeur professionnel peut communiquer à la tête d'un bâton de golf une vitesse d'environ 225 km/h. Il avance également ceci: *(a)* « . . . si on pouvait utiliser l'Empire State Building et le balancer pour qu'il frappe la balle à la même vitesse que le bâton de golf, la vitesse initiale de la balle n'augmenterait que d'environ 2% . . . »; *(b)* « . . . et dès que le golfeur a amorcé son mouvement vers le bas, le bruit des appareils photographiques, les éternuements, etc., n'auront aucun effet sur le mouvement de la balle. » Étayez ces deux énoncés avec quelques arguments qualitatifs.
6. Les pales d'une turbine ont habituellement une forme courbe obligeant le fluide qui les heurte à suivre une trajectoire semblable à un U. Imaginez le mouvement du fluide et expliquez l'avantage qu'offre l'utilisation des pales courbes plutôt que plates.
7. Soit une collision à une dimension de deux particules; nous cherchons à déterminer les vitesses finales. Les équations 10-3 et 10-4 donnent une solution valide si $v_{1f} = v_{1i}$ et $v_{2f} = v_{2i}$. Quelle est la signification physique de ce résultat?
8. Prenons le cas d'une collision élastique à une dimension entre un corps *A* se dirigeant vers un corps *B* immobile. Quelle masse, comparativement à celle de *A*, le corps *B* devrait-il posséder pour avoir, après la collision, la plus grande *(a)* vitesse, *(b)* quantité de mouvement, et *(c)* énergie cinétique?
9. Un joueur de football, momentanément immobile, est sur le point de capter le ballon lorsqu'un joueur de l'autre équipe le plaque. Il s'agit certainement d'une collision inélastique, et la quantité de mouvement doit se conserver. Si on choisit le terrain de football comme référentiel, on note qu'il y a une quantité de mouvement avant la collision, mais aucune ne semble exister après la collision. La quantité de mouvement se conserve-t-elle vraiment?
10. L'acier est plus élastique que le caoutchouc. Que signifie cette affirmation?
11. Deux balles de mastic de même masse se déplacent l'une vers l'autre à la même vitesse. En se frappant, elles restent collées et s'arrêtent. L'énergie cinétique ne se conserve certainement pas. Qu'est-elle devenue? La quantité de mouvement est elle conservée?
12. Si nous pouvions tenir compte des mouvements internes des atomes d'un corps, toutes les collisions seraient élastiques. Est-ce possible? Discutez cet énoncé.
13. En commentant la non-conservation de l'énergie cinétique dans une collision parfaitement inélastique, un étudiant fit remarquer que l'énergie cinétique ne se conserve pas lors d'une explosion et qu'une collision inélastique est simplement l'inverse d'une explosion. S'agit-il d'une observation pertinente?
14. On pèse un sablier à l'aide d'une balance sensible, d'abord quand le sable tombe régulièrement vers la partie inférieure puis lorsque tout le sable se trouve dans la partie inférieure. Les deux mesures sont-elles identiques? Expliquez votre réponse.
15. Un coup de karaté peut briser une pile de briques ou de planches de bois. Donnez une explication plausible. (Voir « Karate Strikes » par Jearl D. Walker, *American Journal of Physics,* octobre 1975).
16. Parmi les cas suivants, y en a-t-il dont la quantité de mouvement des corps indiqués en italique est presque conservée? *(a)* Une *balle* en chute libre; *(b)* une *automobile* franchissant une courbe à vitesse constante; *(c)* une *balle de caoutchouc* rebondissant sur le plancher; *(d) deux balles* se frappant à angle droit; *(e)* un homme tenant une *carabine* et qui a tiré une *balle*.
17. Nous sommes obligés de recourir à une description tridimensionnelle pour décrire une collision entre deux particules (seulement). Expliquez pourquoi.
18. Dans le *système de référence lié au centre de masse* de deux corps entrant en collision, les quantités de mouvement des particules sont égales et opposées après comme avant la collision. Le mouvement relatif des particules demeure-t-il néces-

sairement le même après et avant la collision? A quelles conditions obtiendrons-nous comme résultat de l'impact que la vitesse des particules augmentera, diminuera ou demeurera constante?

19. Quand on étudie les collisions entre des atomes, des noyaux ou des particules élémentaires, on dit de ces corps qu'ils se « touchent » pendant la collision. Que signifie cette assertion?
20. Quand les forces d'interaction entre deux particules présentent un rayon d'action infini, comme par exemple la force d'attraction gravitationnelle, existe-t-il une section efficace définie où se produirait une « collision »? Est-ce utile de considérer cette interaction comme une collision?
21. Pourquoi le calcul du rayon du noyau d'or, dans l'exemple 5, donne-t-il seulement une réponse approximative?
22. En principe, pouvons-nous déterminer la section efficace pour une collision en utilisant uniquement une particule lancée sur une particule cible? Est-ce possible en pratique?
23. Nous avons vu que la conservation de la quantité de mouvement s'applique même si l'énergie cinétique ne se conserve pas. Inversement, est-ce qu'en mécanique classique la conservation de l'énergie cinétique entraîne celle de la quantité de mouvement? (Voir « Connection between Conservation of Energy and Conservation of Momentum », par Carl G. Adler, *American Journal of Physics,* mai 1976.)

problèmes

SECTION 10-2

1. Une balle de masse m et de vitesse v frappe un mur, perpendiculairement, et rebondit à la même vitesse. Si le temps d'interaction est t, quelle est la force moyenne que la balle exerce sur le mur? *Réponse:* $2mv/t$.
2. Un jet d'eau frappe la pale stationnaire d'une turbine (fig. 10-16). L'eau se déplace à la vitesse u avant comme après la collision, et μ représente la valeur constante de la masse de l'eau heurtant la pale par unité de temps. Déterminez la force qu'exerce l'eau sur la pale.

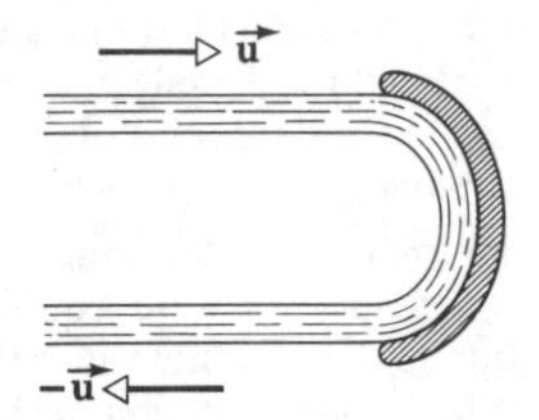

figure 10-16
Problème 2

3. A l'aide d'un bâton, on frappe une balle de 150 g se déplaçant à 40 m/s de manière à lui communiquer une vitesse de 60 m/s en sens inverse. Si le bâton demeure en contact avec la balle pendant 5,0 ms, évaluez la force moyenne appliquée sur la balle. *Réponse:* 3000 N.
4. Une balle de 1,0 kg tombe verticalement vers le plancher et le touche à la vitesse de 25 m/s. Elle rebondit avec une vitesse initiale de 10 m/s. *(a)* Quelle impulsion agit sur la balle pendant l'impact? *(b)* Si le temps d'impact est de 0,020 s, évaluez la force moyenne exercée sur le plancher.
5. Une queue de billard frappe une bille en exerçant une force moyenne de 50 N pendant 10 ms. Si la bille a une masse de 0,20 kg, quelle est sa vitesse après l'impact?
Réponse: 2,5 m/s.
6. A l'aide d'un maillet, on cogne une balle de croquet de 0,50 kg en lui communiquant l'impulsion illustrée à la figure 10-17. Déterminez la vitesse de la balle à la fin de l'impulsion.

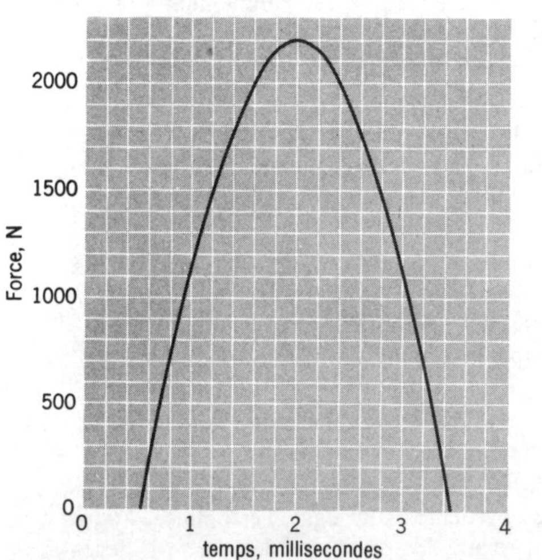

figure 10-17
Problème 6

7. La force agissant sur un objet de 10 kg augmente uniformément de 0 N à 50 N en 4,0 s. Quelle est la vitesse finale de l'objet qui est initialement au repos? *Réponse:* 10 m/s.
8. Un golfeur frappe une balle et lui communique une vitesse de $5{,}0 \times 10^3$ cm/s orientée à 30° au-dessus de l'horizontale. Supposez que la balle de golf a une masse de 25 g et que l'impact dure 0,010 s. *(a)* Quelle impulsion reçoit la balle? *(b)* Quelle impulsion reçoit le bâton de golf? *(c)* Trouvez la force moyenne que le bâton exerce sur la balle. *(d)* Quel est le travail fait sur la balle?
9. On arrose un mur avec un jet d'eau. Si l'eau se déplace à 5,0 m/s et que son débit est de 300 cm³/s, évaluez la force moyenne que le jet d'eau exerce sur le mur. Supposez que l'eau n'éclabousse que très peu. La masse volumique de l'eau est de 1,0 g/cm³. *Réponse:* 1,5 N.
10. Deux vaisseaux spatiaux sont séparés par l'explosion d'une petite charge placée entre eux. Les vaisseaux possèdent une masse respective de 1200 kg et de 1800 kg, et subissent une impulsion évaluée à 600 N · s. Déterminez la vitesse relative de séparation des vaisseaux.

SECTION 10-4

11. Une balle de 10 g frappe un pendule balistique ayant une masse de 2,0 kg. Le centre de masse du pendule s'élève alors d'une distance verticale de 12 cm. Supposez que la balle demeure dans le pendule. Calculez sa vitesse initiale. *Réponse:* 310 m/s.
12. Un traîneau de 6,0 kg se déplace sur la glace à la vitesse de 9,0 m/s quand, soudainement, on laisse tomber verticalement sur lui une boîte dont la masse est de 12 kg. Décrivez le mouvement du traîneau après l'impact.
13. *(a)* Montrez que dans une collision élastique à une dimension, la vitesse du centre de masse de deux particules s'obtient à partir de l'équation suivante:

$$v_{\rm cm} = \left(\frac{m_1}{m_1 + m_2}\right) v_{1i} + \left(\frac{m_2}{m_1 + m_2}\right) v_{2i},$$

où m_1 se déplace à la vitesse initiale v_{1i} et m_2, à la vitesse initiale v_{2i}.
(b) Utilisez les expressions donnant les vitesses des particules après la collision (v_{1f} et v_{2f}) afin de déduire le même résultat qu'en *(a)* pour $v_{\rm cm}$, après la collision.
14. Un corps de 2,0 kg entre en collision élastique avec un objet au repos, puis continue à se déplacer dans le même sens mais à une vitesse quatre fois plus petite. Quelle est la masse de l'objet initialement au repos?
15. Une arme à feu d'un modèle ancien se recharge automatiquement par la culasse lorsque le mécanisme situé derrière le canon est activé par le recul de la culasse que provoque la mise à feu d'une balle. Ce recul permet de comprimer un ressort d'une distance *d*. *(a)* Montrez que pour cette arme automatique la vitesse *v* de la balle sera au moins de $d\sqrt{kM}/m$ lors de la mise à feu, où *k* représente la constante d'élasticité du ressort, *M* la masse de la culasse et *m*, la masse de la balle. *(b)* Pouvez-vous considérer ce processus comme une collision? Expliquez votre réponse.

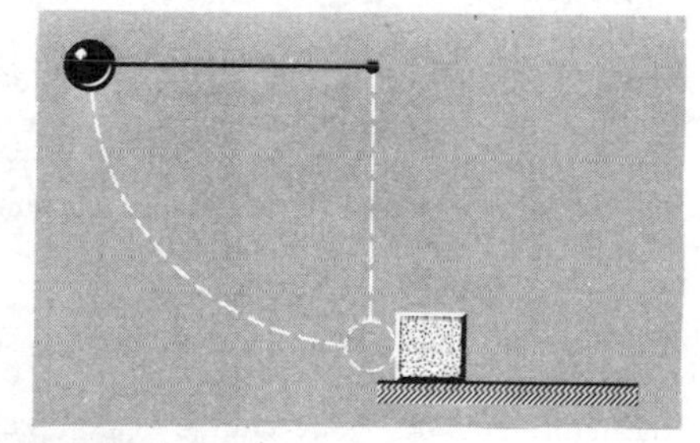

figure 10-18
Problème 16

16. On attache une boule d'acier de 0,5 kg à une corde mesurant 1,0 m. Après l'avoir élevée comme le montre la figure 10-18, on la relâche. Lorsque la boule passe au plus bas de sa trajectoire, elle entre en collision élastique avec un bloc de 2,0 kg qui se trouve au repos. Déterminez la vitesse de la boule et celle du bloc immédiatement après la collision.
17. A l'aide d'une arme à feu, on tire horizontalement une balle de $4{,}5 \times 10^{-3}$ kg vers un bloc de 1,8 kg immobile sur une surface horizontale. Le coefficient de frottement cinétique entre le bloc et la surface est de 0,20. La balle demeure dans le bloc, qui se déplace de 1,8 m après le choc. Quelle était la vitesse de la balle au moment de percuter le bloc? *Réponse:* 1100 m/s.

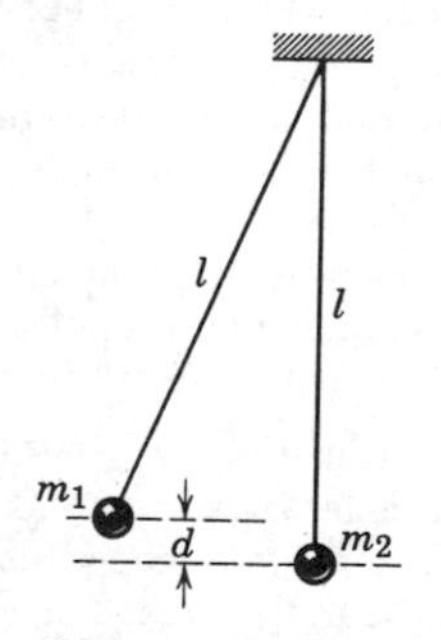

figure 10-19
Problème 18

18. La figure 10-19 illustre deux pendules de longueur *l* initialement au repos. On relâche le pendule m_1. Négligez la masse des ficelles et le frottement. Si la collision est parfaitement inélastique, quelle hauteur atteindra le centre de masse après l'impact?
19. On maintient un ressort comprimé entre deux particules. L'une des particules possède une masse double de celle de l'autre et le ressort emmagasine 60 J d'énergie. Déterminez l'énergie cinétique que recevra chaque particule si on relâche le ressort. *Réponse:* 20 J pour la plus massive et 40 J pour l'autre.

20. Un wagon de chemin de fer ayant une masse de 32 tonnes se déplace à 2,5 m/s lorsqu'il rejoint un wagon de 24 tonnes se déplaçant à 1,5 m/s dans le même sens. *(a)* Si les wagons restent accrochés après la collision, trouvez leur vitesse après la collison, et la perte d'énergie cinétique lors de la collision. *(b)* Si la collision est élastique, les wagons ne s'accrochent pas l'un à l'autre, mais se séparent après l'impact. Quelle sera la vitesse de chacun?

21. Un électron entre en collision élastique avec un atome d'hydrogène immobile. La collision s'effectue à une dimension. Quelle fraction de son énergie cinétique l'électron transfert-il à l'atome d'hydrogène? La masse de l'hydrogène est 1840 fois supérieure à celle de l'électron. *Réponse:* 0,22%.

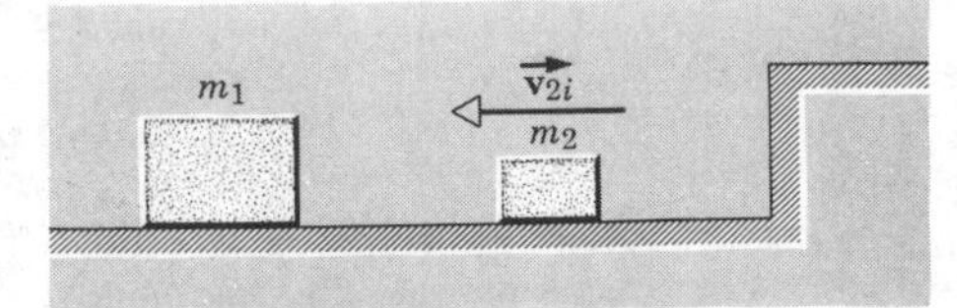

figure 10-20
Problème 22

22. Soit un bloc de masse $m_1 = 100$ kg au repos sur une table sans frottement très longue, dont l'une des extrémités s'appuie contre un mur (fig. 10-20). On place un bloc de masse m_2 entre le mur et le premier bloc, tout en lui communiquant une vitesse v_{2i} vers la gauche. Supposons que toutes les collisions soient élastiques et que le mur présente une masse infinie. Quelle valeur de m_2 permettra aux deux blocs de se déplacer dans le même sens et à la même vitesse, après que m_2 aura frappé une fois m_1 et une fois le mur?

23. Soit un électron de masse m frappant de front un atome de masse M, immobile. Comme résultat de la collision, une quantité caractéristique d'énergie E est emmagasinée à l'intérieur de l'atome. Quelle vitesse minimale v_O de l'électron produira ce résultat? (Indice: les principes de conservation permettent d'obtenir une équation quadratique pour la vitesse finale v de l'électron, et une autre pour la vitesse finale V de l'atome. Dans la solution pour v et V, le radical doit nécessairement être un nombre réel, ce qui donne la valeur de v_O.)

Réponse: $v_O = \left(2E\dfrac{M+m}{Mm}\right)^{1/2}$.

figure 10-21
Problème 24

24. La figure 10-21 illustre une balle de masse m lancée à la vitesse v_i à l'intérieur du canon d'une arme à ressort, de masse M, qui se trouve au repos sur une surface sans frottement. Au moment où elle a comprimé le ressort au maximum, la balle reste coincée à l'intérieur du canon. S'il n'y a aucune perte d'énergie due au frottement, quelle fraction de l'énergie cinétique initiale de la balle sera emmagasinée dans le ressort?

25. Après avoir placé une boîte vide sur une balance, on ajuste celle-ci pour qu'elle indique zéro. Ensuite, on laisse tomber dans la boîte des cailloux au rythme de μ cailloux par seconde. Chaque caillou posède une masse m et tombe d'une hauteur h par rapport au fond de la boîte. Si les collisions sont parfaitement inélastiques, déterminez la lecture de la balance au temps t après le début du remplissage de la boîte. Quelle sera la lecture si $\mu = 100\ s^{-1}$, $h = 5{,}0$ m, $mg = 0{,}05$ N et $t = 10$ s? *Réponse:* 55 N.

26. Le plateau d'une balance réglée à zéro subit les collisions de particules tombant d'une hauteur de 2,7 m. Ces collisions sont élastiques, c'est-à-dire que chaque particule rebondit à une vitesse égale à celle du début de l'interaction. Si la masse d'une particule vaut 110 g et que les collisions surviennent au rythme de 32 s^{-1}, quelle sera la lecture de la balance (en kg)?

27. Une collision frontale parfaitement inélastique se produit entre une masse m_1 et une masse m_2 au repos. *(a)* Quelle est l'énergie cinétique du système avant l'impact? *(b)* Quelle sera l'énergie cinétique du système après l'impact? *(c)* Quelle fraction de l'énergie cinétique initiale se transformera en chaleur? *(d)* Répondez à nouveau aux questions *(a)*, *(b)* et *(c)* en plaçant le référentiel au centre de masse, de manière à ce que $v_{1i}' = v_{1i} - v_{cm}$, $v_{2i}' = -v_{cm}$, où v_{cm} représente la vitesse du centre de masse du système. L'énergie mécanique transformée en chaleur sera-t-elle la même dans chaque cas? Expliquez votre réponse.
Réponses: *(a)* $m_1v_{1i}^2/2$. *(b)* $m_1^2v_{1i}^2/2(m_1+m_2)$. *(c)* $m_2/(m_1+m_2)$.
(d) $m_1m_2v_{1i}^2/2(m_1+m_2)$; zéro; un; oui.

28. Un ascenseur monte à la vitesse de 2,0 m/s. A un moment donné, il se trouve à 20 m du sommet, d'où on échappe une balle. La balle rebondit élastiquement sur le toit de l'ascenseur. *(a)* Jusqu'à quelle distance de son point de départ la balle rebondira-t-elle? *(b)* Répondez à la question *(a)* en supposant que l'ascenseur se déplace à 2,0 m/s vers le bas.

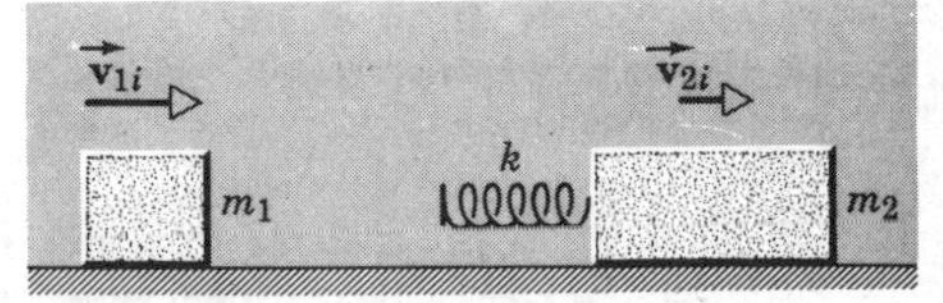

figure 10-22
Problème 29

29. Un bloc possédant une masse m_1 de 2,0 kg glisse à 10 m/s sur une table sans frottement. Devant lui, un bloc de masse m_2 de 5,0 kg se déplace à 3,0 m/s dans le même sens (fig. 10-22). On a fixé derrière m_2 un ressort de masse négligeable dont la constante d'élasticité k est de 1120 N/m. Quelle sera la compression

maximale du ressort pendant la collision? Supposez que le ressort obéit à la loi de Hooke et qu'il ne courbe pas.
Réponse: 0,25 m.

30. La figure 10-23 illustre une balle se déplaçant à la vitesse v_0 vers deux balles au repos et légèrement séparées. Supposez que l'on obtienne des collisions frontales élastiques. *(a)* Si $M \leqq m$, montrez qu'il y a deux collisions et trouvez la grandeur et le sens de la vitesse finale de chaque balle. *(b)* Si $M > m$, montrez qu'il y a trois collisions et déterminez la grandeur et le sens de la vitesse finale de chaque balle.

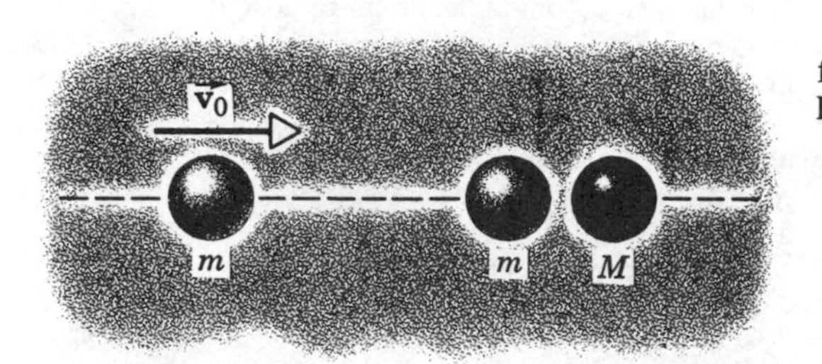

figure 10-23
Problème 30

31. Pensez à une situation semblable à celle présentée dans le problème 30, mais dans laquelle les collisions seront toutes élastiques ou inélastiques, ou encore de ces deux types à la fois. De plus, les balles ont respectivement les masses m, m' et M. Démontrez que, pour transférer le maximum d'énergie cinétique de m à M, la balle intermédiaire doit posséder une masse m' de $\sqrt{mM}$, qui représente la moyenne géométrique des masses adjacentes. (Il est intéressant de noter ici que la même relation existe en acoustique entre les masses des couches d'air successives dans un cor exponentiel. Voir « Energy Transfer in One-Dimensional Collisions of Many Objects », par John B. Hart et Robert B. Herrmann, *American Journal of Physics,* janvier 1968.)

SECTION 10-6

32. Deux véhicules A et B se dirigent respectivement vers l'ouest et vers le sud en direction d'une intersection où ils se frappent et restent accrochés l'un à l'autre. Avant la collision, A, pesant 4500 N, se déplaçait à 60 km/h et B, pesant 6000 N, à 90 km/h. Déterminez la grandeur et l'orientation de la vitesse commune immédiatement après l'impact.

33. Considérons une collision entre deux balles A et B possédant des masses différentes et inconnues. La balle A est initialement au repos, tandis que la balle B bouge à la vitesse v. A la suite de la collision, B se déplace à angle droit par rapport à son mouvement initial et possède une vitesse $v/2$. *(a)* Dans quelle direction la balle A se déplace-t-elle après l'impact? *(b)* Peut-on déterminer la vitesse de A en utilisant les informations fournies? Expliquez votre réponse.
Réponses: (a) 117° par rapport à la direction finale de B. *(b)* non.

34. Une boule de billard se déplaçant à 2,2 m/s heurte une boule identique, qui est immobile. A la suite de la collision, l'une d'elles se dirige à la vitesse de 1,1 m/s suivant un angle de 60° par rapport à la direction initiale du mouvement. *(a)* Trouvez le vecteur vitesse de l'autre boule. *(b)* En analysant ces données, pouvez-vous dire si la collision peut être inélastique?

35. Une particule α frappe un noyau d'oxygène initialement au repos. Elle dévie à 64° (par rapport à la direction de son mouvement initial) et le noyau d'oxygène recule suivant un angle de 51° (par rapport à la direction initiale), du côté opposé à celui de la particule α. La masse du noyau d'oxygène vaut quatre fois celle du projectile. Déterminez le rapport entre les vitesses finales de la particule α et du noyau. *Réponse:* 3,46.

36. Un deutéron est une particule nucléaire formée d'un proton et d'un neutron, et sa masse vaut environ $3{,}4 \times 10^{-24}$ g. A l'aide d'un cyclotron, on accélère cette particule jusqu'à une vitesse de 10^9 cm/s, pour ensuite la lancer sur un deutéron au repos. *(a)* Si, dans leur collision frontale, les deutérons se collent pour former un noyau d'hélium, quelle sera la vitesse de ce noyau? *(b)* Le noyau d'hélium ainsi produit se brisera en un neutron d'environ $1{,}7 \times 10^{-24}$ g et en un isotope d'hélium de $5{,}1 \times 10^{-24}$ g. Supposons que le neutron soit éjecté à une vitesse de

$5{,}0 \times 10^8$ cm/s et à angle droit par rapport à la direction initiale du mouvement du noyau. Quelle sera la grandeur et l'orientation de la vitesse de l'isotope?

37. Un certain noyau immobile se désintègre en trois particules. La figure 10-24 en montre deux que l'on détecte. *(a)* Si la troisième particule possède une masse de 12×10^{-27} kg, trouvez sa quantité de mouvement. *(b)* Quelle quantité d'énergie fut libérée dans le processus de désintégration?
Réponses: (a) $(-1{,}0\,\vec{i} + 0{,}64\,\vec{j}) \times 10^{-19}$ N·s. (b) $1{,}1 \times 10^{-12}$ J.

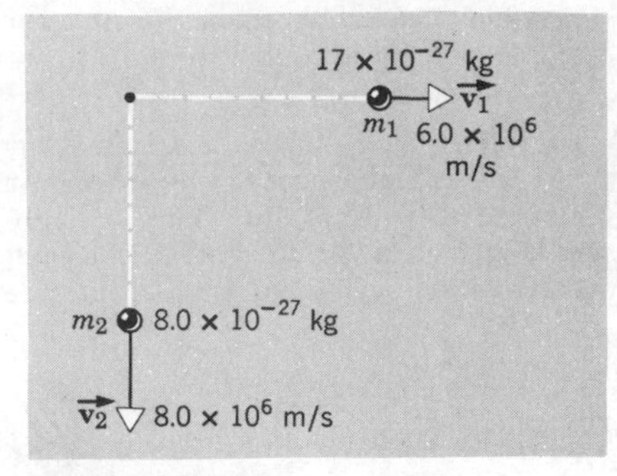

figure 10-24
Problème 37

38. En Angleterre, en 1932, Chadwick démontra l'existence et les propriétés du neutron (un constituant fondamental de l'atome) à l'aide du montage illustré à la figure 10-25. A l'intérieur d'une chambre vide d'air, un échantillon de polonium radioactif se désintègre pour donner des particules α (noyaux d'hélium). Ces noyaux pénètrent un bloc de béryllium, provoquant ainsi un processus où des neutrons sont éjectés. (Dans la réaction, ${}^4_2$He et ${}^9_4$Be se combinent pour former le carbone radioactif, lequel se désintègre en carbone stable et en neutrons.) Les neutrons frappent un bloc de paraffine (CH_4) et libèrent des noyaux d'hydrogène que l'on détecte dans une chambre d'ionisation. Autrement dit, il se produit une collision élastique dans laquelle la quantité de mouvement d'un neutron est transférée partiellement à un noyau d'hydrogène.

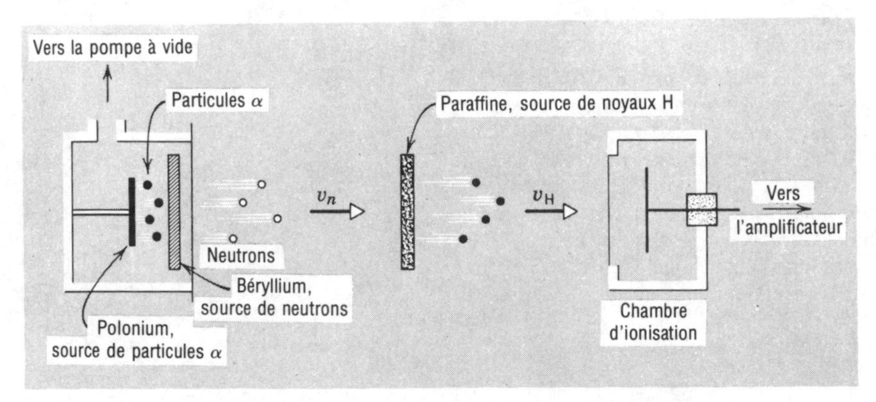

figure 10-25
Problème 38

(a) Trouvez une expression donnant la vitesse maximale v_H qu'un noyau d'hydrogène de masse m_H pourra acquérir. Supposez que les neutrons incidents possèdent une masse m_n et une vitesse v_n. (Indice: y aura-t-il plus d'énergie transférée lors d'une collision frontale que lors d'une collision latérale?)
(b) L'un des objectifs de Chadwick fut de trouver la masse de sa nouvelle particule. L'analyse de l'expression obtenue en *(a)* montre toutefois qu'il existe deux inconnues, v_n et m_n (v_H est déterminée à l'aide de la chambre d'ionisation). Afin d'éliminer l'inconnue v_n, il substitua un bloc de paracyanogène (*CN*) à la paraffine. Les neutrons entrèrent alors en collision élastique avec des noyaux d'azote au lieu des noyaux d'hydrogène. Bien sûr, le résultat de *(a)* reste valable si v_N et m_N remplacent v_H et m_H. Ainsi, en mesurant v_H et v_N par des expériences distinctes, v_N peut être éliminée des équations pour l'hydrogène et l'azote, ce qui permet d'obtenir une valeur pour m_n. Chadwick obtint les valeurs suivantes:

$$v_H = 3{,}3 \times 10^9 \text{ cm/s},$$

$$v_N = 0{,}47 \times 10^9 \text{ cm/s}.$$

Quelle fut sa valeur de m_n? Comparez ce résultat avec la valeur acceptée, soit, $m_n = 1{,}00867\ u$. (Utilisez $m_H = 1{,}0\ u$ et $m_N = 14\ u$.)

39. Une bille se déplaçant à 10 m/s frappe élastiquement deux billes identiques immobiles dont les centres se trouvent sur une droite perpendiculaire à la direction initiale du mouvement (fig. 10-26). La première bille se dirige vers le point de contact des deux autres et aucun frottement n'intervient lors de la collision. Déterminez le vecteur vitesse de chaque bille après la collision. (Indice: on détermine les directions du mouvement des deux billes initialement au repos, en analysant l'orientation de l'impulsion qu'elles reçoivent pendant l'impact.)
Réponses: $\vec{v}_2{}'$ et $\vec{v}_3{}'$ sont orientées à 30° par rapport à $\vec{v}_0$, et valent 6,9 m/s. $\vec{v}_1{}' = 2{,}0$ m/s, en sens inverse par rapport à $\vec{v}_0$.

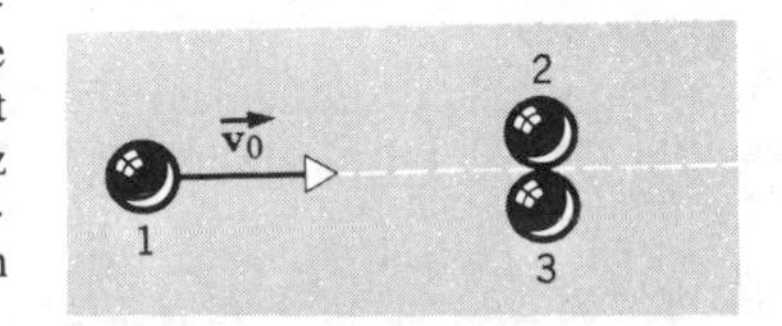

figure 10-26
Problème 39

40. A la suite d'une collision inélastique, deux objets ayant la même masse et la même vitesse restent collés et se déplacent avec la moitié de leur vitesse initiale. Quel était l'angle entre les directions initiales de leur mouvement?

41. Montrez que si un neutron lent frappe élastiquement un deutéron immobile dans un réservoir d'eau lourde, et s'il dévie à 90° de sa trajectoire initiale, il perdra les deux tiers de son énergie cinétique au profit du deutéron.

42. Considérez le cas de la collision élastique d'une particule de masse m_1 avec une particule de masse m_2 au repos. *(a)* Démontrez que si $m_1 > m_2$, l'expression $\cos^2 \theta_m = 1 - m_2{}^2/m_1{}^2$ donne l'angle de déviation maximal θ_m de la particule m_1, et qu'alors $0 \leqq \theta_m \leqq \pi/2$. *(b)* Dans le cas où $m_1 = m_2$, démontrez que $\theta_1 + \theta_2 = \pi/2$. *(c)* Quand $m_1 < m_2$, prouvez que θ_1 pourra prendre toutes les valeurs d'angles comprises entre 0 et π.

SECTION 10-7

43. Une sphère de rayon r_1 heurte une sphère de rayon r_2. Délimitez la section efficace d'une collision par contact. *Réponse:* $\pi(r_1 + r_2)^2$.

44. Un faisceau de neutrons lents bombarde une mince feuille d'aluminium de $1{,}0 \times 10^{-5}$ m d'épaisseur. Si l'aluminium capte un neutron, il devient radioactif et se désintègre, en émettant un électron (β^-), pour devenir du silicium:

$$n + {}^{27}_{13}\mathrm{Al} \rightarrow {}^{28}_{13}\mathrm{Al} \rightarrow {}^{28}_{14}\mathrm{Si} + \beta^-.$$

Supposons que le flux de neutrons soit de $3{,}0 \times 10^{16}\ m^{-2}\cdot s^{-1}$, et que la section efficace nécessaire à la capture d'un neutron soit de $0{,}23\ b$. Combien de transmutations par unité de surface se produira-t-il chaque seconde?

45. Soit un faisceau de neutrons rapides bombardant un échantillon de 5,0 mg de ${}^{65}_{29}\mathrm{Cu}$ (isotope stable). L'intensité du faisceau est de $1{,}1 \times 10^{18}$ neutrons$\cdot m^{-2}\cdot s^{-1}$. Il se peut qu'un noyau de cuivre capte un neutron et forme l'isotope radioactif ${}^{66}_{29}\mathrm{Cu}$, qui se désintègre en un isotope stable, le ${}^{66}_{30}\mathrm{Zn}$. L'étude de l'émission des électrons par l'échantillon de cuivre indique qu'il y a $4{,}6 \times 10^{11}$ neutrons capturés à chaque seconde. Quelle est la section efficace requise pour la capture d'un neutron dans ce processus? *Réponse:* 90 barns.

46. Une feuille métallique épaisse comprend un très grand nombre de couches de particules cibles, de telle sorte que le nombre de projectiles atteignant une couche dépendra du nombre de ceux qui auront été diffusés par les couches précédentes. Supposons que N représente le nombre de projectiles parvenant à une couche située à une profondeur s, et que $-dN$ soit le nombre de particules diffusées.
Montrez que

$$-\frac{dN}{N} = n\sigma ds,$$

et que

$$N = N_0 e^{-n\sigma s},$$

où N_0 est le nombre total de projectiles lancés sur la feuille de métal ($s = 0$) par unité de surface et n, le nombre de particules cibles par unité de volume.

SECTION 10-8

47. Dans la réaction

$$p + {}^{19}_{9}F \rightarrow \alpha + {}^{16}_{8}O$$

on mesura précisément les masses à l'aide d'un spectrographe de masse, avec le résultat suivant:

$$m_p = 1{,}00783 \text{ u} \qquad m_\alpha = 4{,}00260 \text{ u}$$
$$m_F = 18{,}99840 \text{ u} \qquad m_O = 15{,}99491 \text{ u}.$$

Calculez la quantité Q pour cette réaction, et comparez-la avec celle de l'exemple 7. *Réponse:* 8,14 MeV.

48. Une particule élémentaire nommée Σ^-, immobile dans un certain référentiel, se désintègre spontanément en deux autres particules selon le schéma suivant:

$$\Sigma^- \rightarrow \pi^- + n.$$

Les masses sont les suivantes:

$$m_\Sigma = 2340{,}5\ m_e$$
$$m_\pi = 273{,}2\ m_e$$
$$m_n = 1838{,}65\ m_e,$$

où m_e représente la masse de l'électron. *(a)* Quelle quantité d'énergie cinétique ce processus génère-t-il? *(b)* Lequel des deux produits de la désintégration (π^- ou n) transportera la plus grande quantité de mouvement?

49. Lors d'une réaction, des noyaux d'uranium 236 immobiles se brisent en deux fragments uniques de 132 u et de 98 u. On évalue le facteur Q à 192 MeV. *(a)* Quelle quantité d'énergie se transforme en radiation? *(b)* Déterminez la vitesse de chaque fragment. *(c)* Évaluez l'énergie cinétique de chaque fragment.
Réponses: (*a*) 5400 MeV. (*b*) $v_{132} = 1{,}09 \times 10^7$ m/s; $v_{98} = 1{,}47 \times 10^7$ m/s.
(*c*) $K_{132} = 81{,}7$ MeV; $K_{98} = 110$ MeV.

11 cinématique de rotation

11-1 MOUVEMENT DE ROTATION

Jusqu'à maintenant, nous nous sommes limités au mouvement de translation d'une particule ou d'un solide, c'est-à-dire d'un corps dont les composantes sont immobiles les unes par rapport aux autres. Il n'existe pas de solides parfaits, mais plusieurs, comme les molécules, les poutres d'acier et les planètes, le sont suffisamment pour nous permettre, dans plusieurs problèmes, de négliger le fait qu'ils se déforment, plient ou vibrent. Comme le suggère la figure 3-1, nous disons qu'un solide subit une *translation* si chaque particule de ce corps effectue un déplacement identique pendant un intervalle de temps donné.

Ce chapitre, toutefois, traitera de la *rotation* plutôt que de la translation. De plus, nous nous en tiendrons aux particules prises individuellement et aux solides; nous n'aborderons donc pas l'étude des mouvements de rotation comme celui du système solaire ou celui de l'eau dans un gobelet qui tourne. Enfin, notre étude ne tiendra compte que de la *rotation autour d'axes immobiles par rapport au référentiel dans lequel se fait l'observation*.

La figure 11-1 nous montre le mouvement de rotation d'un solide autour d'un axe immobile, l'axe des z du référentiel en l'occurence. Supposons que P représente une particule appartenant au solide; le vecteur position $\vec{\mathbf{r}}$ décrit cette particule choisie arbitrairement. Nous disons alors: *un solide effectue un mouvement de rotation si toutes les particules composant ce corps* (comme P dans la fig. 11-1) *décrivent des cercles dont les centres appartiennent à une ligne droite, qu'on appelle l'axe de rotation* (l'axe des z dans la figure 11-1). Si, à partir de chaque point du corps, nous menons une perpendiculaire à l'axe, chacune des lignes ainsi tracées balaiera un angle égal pendant un temps donné. Nous pouvons donc décrire le mouvement de rotation d'un solide en analysant le mouvement de n'importe laquelle des particules qui le composent. (Il faut exclure, toutefois, les particules qui sont sur l'axe de rotation. Pourquoi?)

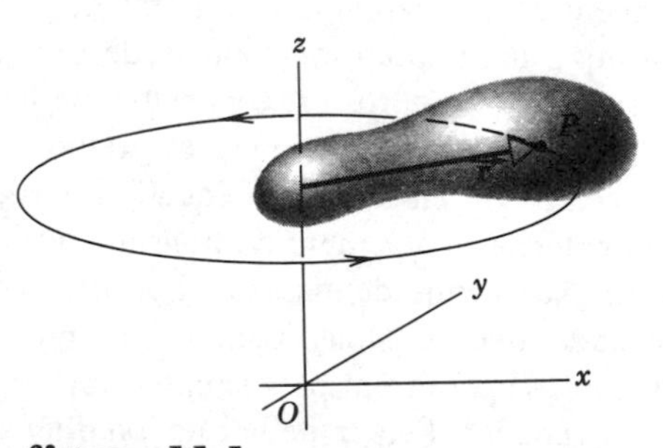

figure 11-1
Un solide tourne autour de l'axe des z. Tout point de ce corps, P par exemple, décrit une circonférence autour de l'axe.

Le mouvement le plus général d'un solide peut toujours être considéré comme la combinaison d'une rotation et d'une translation, plutôt qu'une simple rotation. Pour préciser la position d'un solide dans un système de référence, on n'a qu'à donner les trois coordonnées x, y et z de l'un des points qui le composent (le centre de masse, par exemple). Pour un corps qui tourne tout en se déplaçant, il nous faut, pour préciser son orientation dans un référentiel, trois coordonnées supplémentaires. On prend habituellement les angles. La figure 11-2 (voir aussi la figure 9-1) nous montre un solide animé d'un mouvement de translation et de rotation. Cette figure est une généralisation de la figure 3-1 en ce sens que le corps tourne en plus de se déplacer. Pour localiser ce corps, il ne suffit plus de donner les coordonnées (x, y) du point O; il faut aussi préciser l'orientation du référentiel x'-y' lié au corps, par rapport au système de référence x-y.

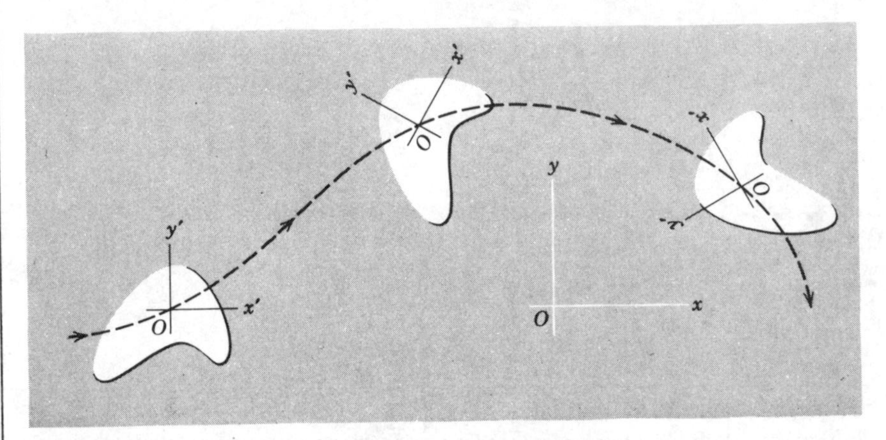

figure 11-2
Un solide effectue un mouvement combiné de translation et de rotation dans un référentiel x-y. Le système de référence x'-y', lié à l'objet, change d'orientation par rapport au référentiel x-y tout au long du mouvement. Comparez avec les figures 3-1 et 9-1. Cette figure illustre une situation spéciale, puisque le mouvement de translation s'effectue en deux dimensions seulement (le plan x-y), et celui de rotation autour d'un axe fixe (l'axe des z').

Comme nous l'avons vu au chapitre 9, il nous est possible de décrire le mouvement de translation d'un système de particules — considéré comme un solide ou non, animé d'un mouvement de rotation ou non — en imaginant que toute la masse M du corps est concentrée en un point appelé centre de masse, et que $\vec{\mathbf{F}}_{\text{ext}}$, la résultante des forces extérieures, s'exerce à ce point. On obtient alors l'accélération en utilisant l'équation 9-10, soit $\vec{\mathbf{F}}_{\text{ext}} = M\vec{\mathbf{a}}_{\text{cm}}$. Il est utile de représenter le mouvement de translation d'un solide par le mouvement d'un seul point, son centre de masse en l'occurrence; il nous reste à déterminer le mouvement de rotation. Nous étudierons les mouvements combinés au chapitre suivant. Ils nous apparaîtront plus simples après l'étude de la rotation autour d'un axe.

Revenons à l'étude de la rotation d'un solide autour d'un axe fixe (fig. 11-1). Nous devons tout d'abord *décrire* le mouvement de rotation lui-même. On appelle cette description la *cinématique* de rotation. La cinématique définit les variables du mouvement angulaire et les relie entre elles, tout comme la cinématique de translation (chapitre 4). Ensuite, nous devons *relier le mouvement de rotation du corps aux propriétés de ce corps et de son milieu* (environnement). C'est la *dynamique* de rotation. La cinématique de rotation fait l'objet de ce chapitre; le prochain abordera la dynamique de rotation.

11-2 LA CINÉMATIQUE DE ROTATION. LES VARIABLES

Imaginons, dans la figure 11-1, un plan contenant le point P et perpendiculaire à l'axe de rotation. Ce plan, qui passe au travers du corps en rotation, renferme le cercle décrit par la particule P. La figure 11-3 nous fait voir ce plan comme si on le regardait d'en haut, selon l'axe des z de la figure 11-1.

On peut localiser le corps en rotation dans notre système de référence si l'on connaît la position de l'une quelconque des particules (P) dans le référentiel. C'est pourquoi la cinématique traite ce problème comme un mouvement (à deux dimensions) circulaire d'une particule.

L'angle θ, dans la figure 11-3, désigne la position angulaire de la particule P par rapport à la position de référence. On choisit arbitrairement le sens anti-horaire de rotation comme sens positif; ainsi, θ augmente lorsque la rotation s'effectue dans le sens anti-horaire et décroît dans le cas contraire.

Il est préférable d'utiliser les radians[1] au lieu des degrés pour la mesure de l'angle. La relation

$$\theta = s/r,$$

où s représente la longueur de l'arc (fig. 11-3), définit θ, que l'on exprime en radians.

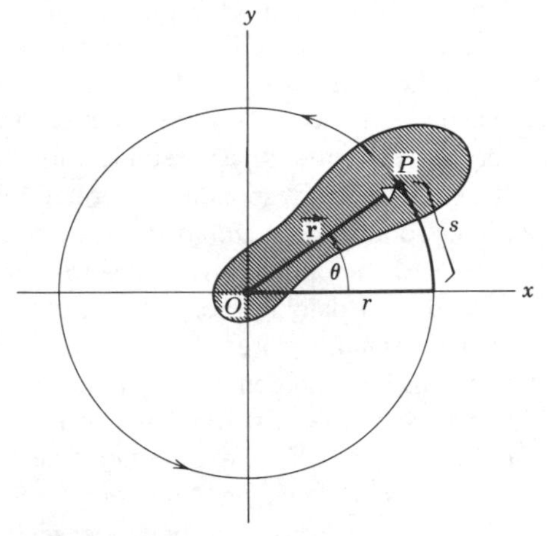

figure 11-3
Une coupe transversale du solide de la figure 11-1 montrant le point P et le vecteur $\vec{r}$. Le point P décrit un cercle de rayon r dans le sens anti-horaire.

Supposons que l'objet de la figure 11-3 tourne dans le sens positif. La position angulaire de P au temps t_1 est θ_1, sa position, un peu plus tard, à t_2, est θ_2. La figure 11-4 illustre la position de P et du vecteur position $\vec{r}$ à chacun de ces deux temps; on a fait abstraction dans cette figure du contour de l'objet pour simplifier la présentation. Le *déplacement angulaire* de P est $\theta_2 - \theta_1 = \Delta\theta$ durant l'intervalle de temps $t_2 - t_1 = \Delta t$. On définit la *vitesse angulaire moyenne* de la particule P, sur cet intervalle de temps, comme étant:

$$\bar{\omega} = \frac{\theta_2 - \theta_1}{t_2 - t_1} = \frac{\Delta\theta}{\Delta t}.$$

La *vitesse angulaire instantanée* de la particule P est la limite du quotient $\Delta\theta/\Delta t$ lorsque Δt tend vers zéro, c'est-à-dire:

$$\omega = \lim_{\Delta t \to 0} \frac{\Delta\theta}{\Delta t} = \frac{d\theta}{dt}. \tag{11-1}$$

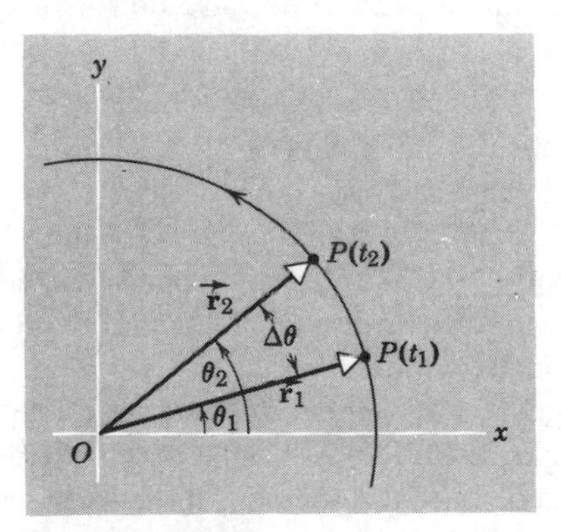

figure 11-4
La ligne de référence r, ou OP, liée à l'objet illustré dans les figures 11-1 et 11-3, décrit un angle $\Delta\theta = \theta_2 - \theta_1$ pendant un intervalle de temps $\Delta t = t_2 - t_1$.

Dans un solide, tous les rayons perpendiculaires à l'axe de rotation tournent d'une quantité égale pendant un même intervalle de temps, de telle sorte que la vitesse angulaire ω par rapport à cet axe est la même pour toutes les particules d'un objet. Ainsi, ω est une caractéristique du corps tout entier. La dimension de la vitesse angulaire est l'inverse du temps (T^{-1}); on prend généralement comme unités: radians/seconde (rad/s) ou révolutions/seconde (symbolisé par s^{-1}).

Si la vitesse angulaire de P n'est pas constante, on peut dire que la particule possède une accélération angulaire. Supposons que ω_1 et ω_2 représentent les vitesses angulaires d'un objet aux temps t_1 et t_2 respectivement. On définira alors *l'accélération angulaire moyenne* $\bar{\alpha}$ de la particule avec l'expression suivante:

$$\bar{\alpha} = \frac{\omega_2 - \omega_1}{t_2 - t_1} = \frac{\Delta\omega}{\Delta t}.$$

[1] Le radian est une unité purement géométrique; étant le rapport de deux longueurs, il ne possède pas de dimension physique. Puisque la circonférence d'un cercle de rayon r vaut $2\pi r$, il y a 2π rad dans un cercle complet, c'est-à-dire: $\theta = 2\pi r/r = 2\pi$.

Par conséquent, 2π rad $= 360°$, π rad $= 180°$ et 1 rad $\cong 57{,}3°$.

L'accélération angulaire instantanée est la limite du quotient $\Delta\omega/\Delta t$ lorsque Δt tend vers zéro, c'est-à-dire:

$$\alpha = \lim_{\Delta t \to 0} \frac{\Delta\omega}{\Delta t} = \frac{d\omega}{dt}. \tag{11-2}$$

Puisque ω est identique pour toutes les particules composant le solide, il découle de l'équation 11-2 que α sera aussi la même pour chaque particule; en d'autres mots, α, comme ω, est caractéristique du corps pris dans son ensemble. Les dimensions de l'accélération sont l'inverse du temps au carré (T^{-2}); on utilise comme unités soit les radians par seconde carrée (rad/s^2) ou encore les révolutions par seconde carrée (s^{-2}).

Il existe une correspondance formelle entre le mouvement de rotation d'une particule (d'un solide) *autour d'un axe fixe* et le mouvement de translation d'une particule (d'un solide) *suivant une direction fixe*. Les variables du mouvement sont θ, ω et α dans le premier cas, et x, v et a dans le second. Ces grandeurs correspondent par paires: θ à x, ω à v et α à a. Observez, toutefois, que les dimensions des grandeurs correspondantes diffèrent par un facteur: la longueur. Notez aussi que les six grandeurs peuvent être considérées comme des scalaires dans ce cas spécial (axe et direction fixes). Par exemple, le mouvement de translation peut s'effectuer dans un sens ou l'autre suivant la ligne droite selon que la vitesse v est positive ou négative; de même, une particule peut tourner dans un sens ou dans l'autre autour de l'axe fixe, selon le signe de la vitesse angulaire ω.

Si on enlève, dans le mouvement de translation, la restriction voulant que le mouvement soit rectiligne, on obtient le cas général du mouvement curviligne à trois dimensions, et les variables linéaires x, v et a deviennent les composantes scalaires des vecteurs $\vec{\mathbf{r}}$, $\vec{\mathbf{v}}$ et $\vec{\mathbf{a}}$. Dans la section 11-4, nous verrons l'extension que peuvent prendre les variables du mouvement rotatif lorsque la restriction de la fixité de l'axe de rotation sera levée.

11-3 ROTATION AVEC ACCÉLÉRATION ANGULAIRE CONSTANTE

Dans le cas du mouvement de translation d'un solide suivant une direction fixe, l'axe des x par exemple, nous avons vu que le type de mouvement le plus simple était celui où l'accélération était nulle. Le second type en simplicité comportait une accélération constante (différente de zéro). On a déduit dans ce cas les équations du tableau 3-1 reliant les variables x, v, a et t dans toutes les combinaisons possibles.

Dans le mouvement de rotation d'une particule ou d'un solide autour d'un axe fixe, le cas le plus simple du mouvement est celui dans lequel l'accélération angulaire est nulle (comme le mouvement circulaire uniforme). Le second en simplicité, dans lequel α est une constante (différente de zéro), correspond au mouvement linéaire avec accélération constante (différente de zéro). Comme on l'a fait au chapitre trois, on peut déduire quatre équations joignant les quatre variables cinématiques θ, ω, α et t dans toutes les combinaisons possibles. On peut utiliser pour les dériver les mêmes procédés que la cinématique de translation (exemple 2) ou tout simplement substituer les variables angulaires correspondant aux variables linéaires, dans les équations linéaires.

Nous dressons la liste des deux séries d'équations au tableau 11-1, avec $x_0 = 0$ et $\theta_0 = 0$ pour simplifier les relations. Ici, ω_0 représente la vitesse angulaire au temps $t = 0$. Vous devriez vérifier les dimensions de ces équations avant de les comparer. Ces équations sont valides pour les particules comme pour les solides.

Dans le cas des grandeurs angulaires, on a choisi arbitrairement un des deux sens possibles de rotation autour de l'axe comme sens d'accroissement de θ. On peut voir, d'après l'équation 11-1 ($\omega = d\theta/dt$), que ω est positif lorsque θ

Tableau 11-1
Mouvement avec accélération linéaire ou angulaire constante

	Mouvement de translation (direction fixe)	Mouvement de rotation (axe fixe)	
(3-12)	$v = v_0 + at$	$\omega = \omega_0 + \alpha t$	(11-3)
(3-14)	$x = \dfrac{v_0 + v}{2} t$	$\theta = \dfrac{\omega_0 + \omega}{2} t$	(11-4)
(3-15)	$x = v_0 t + \frac{1}{2}at^2$	$\theta = \omega_0 t + \frac{1}{2}\alpha t^2$	(11-5)
(3-16)	$v^2 = v_0^2 + 2ax$	$\omega^2 = \omega_0^2 + 2\alpha\theta$	(11-6)

augmente en fonction du temps. De même, on voit que α est positif ($\alpha = d\omega/dt$) lorsque ω augmente en fonction du temps. Les grandeurs linéaires possèdent une convention de signe correspondante.

EXEMPLE 1

Une meule possède une accélération angulaire constante α de 3,0 rad/s². Au temps $t = 0$, la ligne OP (fig. 11-5) est immobile et horizontale. Trouvez, après 2,0 secondes, *(a)* le déplacement angulaire de la ligne OP (et par conséquent de la meule); *(b)* la vitesse angulaire de la meule.

(a) On connaît α et t; nous voulons la valeur de θ. On utilise donc l'équation 11-5:

$$\theta = \omega_0 t + \tfrac{1}{2}\alpha t^2.$$

A $t = 0$, $\omega = \omega_0 = 0$ et $\alpha = 3{,}0$ rad/s².

Par conséquent, après 2,0 s,

$$\theta = (0)(2{,}0 \text{ s}) + \tfrac{1}{2}(3{,}0 \text{ rad/s}^2)(2{,}0 \text{ s})^2 = 6{,}0 \text{ rad} = 0{,}96 \text{ rév}.$$

(b) On connaît α et t. Nous voulons ω. On peut donc mettre à contribution l'équation 11-3:

$$\omega = \omega_0 + \alpha t,$$

d'où:

$$\omega = 0 + (3{,}0 \text{ rad/s}^2)(2{,}0 \text{ s}) = 6{,}0 \text{ rad/s}.$$

On peut effectuer une vérification à l'aide de l'équation 11-6:

$$\omega^2 = \omega_0^2 + 2\alpha\theta,$$

$$\omega^2 = 0 + (2)(3{,}0 \text{ rad/s}^2)(6{,}0 \text{ rad}) = 36 \text{ rad}^2/\text{s}^2,$$

$$\omega = 6{,}0 \text{ rad/s}.$$

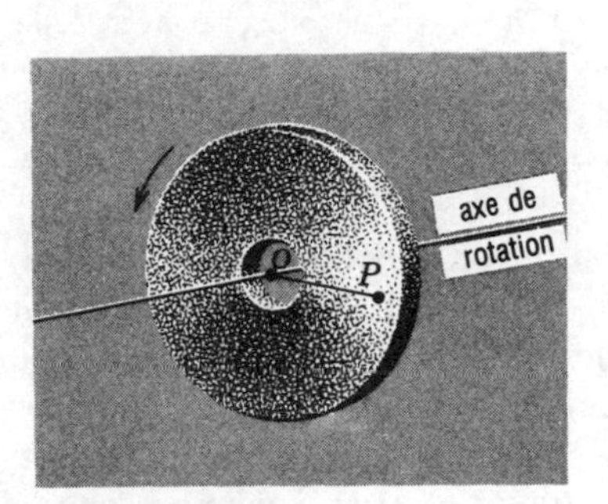

figure 11-5
Exemple 1.
La ligne OP joint l'axe de rotation à un point P de la meule. L'axe de rotation est immobile.

EXEMPLE 2

Essayez de déduire l'équation $\omega = \omega_0 + \alpha t$ dans le cas d'une accélération angulaire constante.

(a) En tirant parti de la définition de l'accélération angulaire,

$$\alpha = \frac{d\omega}{dt},$$

nous obtenons:

$$\alpha \, dt = d\omega$$

ou

$$\int \alpha \, dt = \int d\omega.$$

L'accélération angulaire est une constante; c'est pourquoi on peut écrire:

$$\alpha \int dt = \int d\omega.$$

Si la vitesse angulaire est ω_0 à $t = 0$, on peut poser:

$$\alpha \int_0^t dt = \int_{\omega_0}^{\omega} d\omega$$

ou

$$\alpha t = \omega - \omega_0$$

et

$$\omega = \omega_0 + \alpha t.$$

(b) On peut obtenir le même résultat en utilisant le fait que l'accélération moyenne et l'accélération instantanée sont identiques lorsque l'accélération est constante. L'accélération moyenne est donnée par la relation suivante:

$$\bar{\alpha} = \frac{\omega - \omega_0}{t - t_0}.$$

Puisque $\alpha = \bar{\alpha}$, il résulte, en posant $t_0 = 0$, que

$$\alpha = \frac{\omega - \omega_0}{t}.$$

D'où:

$$\omega = \omega_0 + \alpha t.$$

Comparez cette façon de procéder avec celle qui est utilisée dans la section 3-8 pour obtenir la relation linéaire correspondante, c.-à-d.:

$$v = v_0 + at.$$

11-4 LES GRANDEURS ANGULAIRES CONSIDÉRÉES COMME VECTEURS

Le déplacement, la vitesse et l'accélération, dans le mouvement de translation, sont des vecteurs. Les grandeurs angulaires correspondantes *peuvent* aussi se comporter comme des vecteurs. C'est pourquoi, en plus de la grandeur, il nous faut préciser la direction, celle de l'axe de rotation en l'occurrence. Lorsque nous considérons le mouvement de rotation autour d'un axe immobile, nous pouvons traiter θ, ω et α comme des scalaires. Si l'orientation de l'axe varie, toutefois, nous ne pouvons plus éluder la question: « Les grandeurs angulaires sont-elles des vecteurs? ». La seule façon d'y répondre consiste à vérifier s'ils obéissent aux lois de l'addition de vecteurs.

Commençons par le déplacement angulaire. L'angle balayé pendant la rotation constitue la grandeur du déplacement angulaire. Les déplacements angulaires *ne sont pas* des vecteurs puisqu'ils *n'obéissent pas aux lois de l'addition vectorielle.* Par exemple, prenons un livre qui repose sur un plan horizontal, et donnons-lui deux rotations successives θ_1 et θ_2. Supposons que θ_1 est une rotation de 90° dans le sens horaire autour d'un axe vertical passant par le centre du livre, vu du dessus. Posons que θ_2 est une rotation de 90° autour d'un axe sud-nord passant par le centre du livre, dans le sens horaire lorsqu'on regarde vers le nord (fig. 11-6). Dans un premier temps, effectuons l'opération θ_1 d'abord, puis θ_2; dans un second temps, effectuons les opérations dans l'ordre inverse. Vous devriez l'essayer vous-mêmes. Si les déplacements angulaires sont des grandeurs vectorielles, ils devraient s'additionner comme des vecteurs. Une des lois de l'addition vectorielle, la commutativité, dit que $\vec{\theta}_1 + \vec{\theta}_2 = \vec{\theta}_2 + \vec{\theta}_1$, c'est-à-dire: l'ordre dans lequel on additionne les vecteurs n'affecte pas le résultat obtenu. Les déplacements angulaires n'obéissent pas à cette loi (voir l'exercice suggéré ci-haut et la figure 11-6*a*). Par conséquent, les déplacements angulaires finis ne sont pas des quantités vectorielles.

Supposons qu'on ait effectué des rotations de 3° au lieu de 90°. Le résultat de $\vec{\theta}_1 + \vec{\theta}_2$ aurait été encore différent de $\vec{\theta}_2 + \vec{\theta}_1$, mais la différence beaucoup plus petite. En fait, lorsque les deux déplacements angulaires diminuent, la différence entre les deux sommes disparaît rapidement (fig. 11-6*b*, *c*). Si les déplacements angulaires deviennent infinitésimaux, l'ordre de l'addition n'affecte

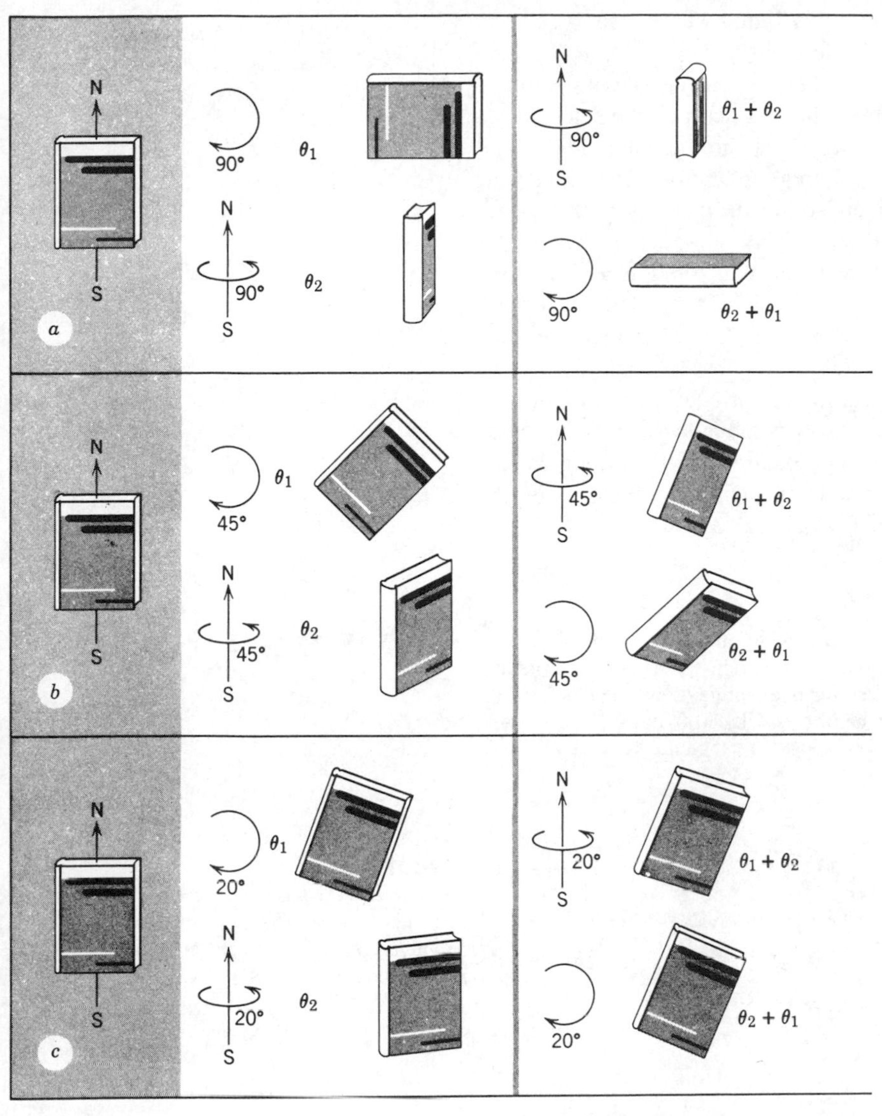

figure 11-6
(a) Un livre qui tourne d'un angle θ_1 (90° autour d'un axe perpendiculaire au plan de la page) puis d'un angle θ_2 (90° autour d'un axe nord-sud) possède une orientation différente de celle qu'il aurait s'il tournait d'abord de θ_2 puis de θ_1. Cette propriété s'appelle la non-commutativité des angles finis sous l'addition: $\theta_1 + \theta_2 \neq \theta_2 + \theta_1$. *(b)* Les illustrations du milieu sont une répétition des premières, sauf que les déplacements angulaires sont plus petits: 45° au lieu de 90°. Bien que les orientations finales soient encore différentes, elles sont toutefois plus près l'une de l'autre. *(c)* Les illustrations du bas répètent l'expérience pour un angle de 20°. On peut voir que $\theta_1 + \theta_2 \cong \theta_2 + \theta_1$. Lorsque θ_1 et $\theta_2 \to 0$, les positions finales se rapprochent de plus en plus. Les angles finis ont tendance à commuter sous l'addition lorsqu'ils deviennent petits. Les angles infinitésimaux commutent sous l'addition, ce qui leur confère un caractère vectoriel.

plus le résultat. Par conséquent, *les déplacements angulaires infinitésimaux sont des vecteurs*.

Les quantités définies en fonction des déplacements angulaires infinitésimaux peuvent se comporter comme des vecteurs. La vitesse angulaire, par exemple, se définit par l'expression $\vec{\omega} = d\vec{\theta}/dt$. Puisque $d\vec{\theta}$ est vectoriel et dt scalaire, le quotient prend la forme vectorielle. La vitesse angulaire est donc un vecteur. Dans la figure 11-7*a*, par exemple, on représente la vitesse angulaire $\vec{\omega}$ d'un

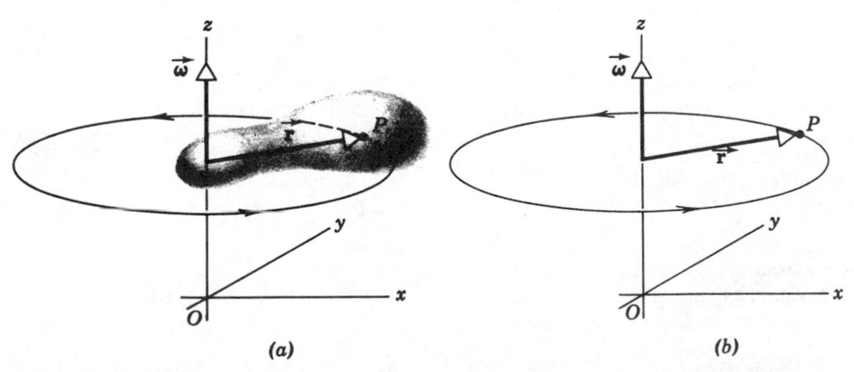

figure 11-7
La vitesse angulaire ω *(a)* d'un solide et *(b)* d'une particule en rotation autour d'un axe immobile.

solide par une flèche suivant l'axe de rotation; la figure 11-7*b* nous fait voir, de la même façon, la rotation d'une particule (le point *P* dans la figure 11-7*a*). La longueur de la flèche est proportionnelle à la grandeur de la vitesse angulaire. C'est le sens de la rotation qui détermine le sens de la flèche selon l'axe. Conventionnellement, si les doigts de la *main droite* s'enroulent autour de l'axe dans le sens de la rotation du corps, le pouce allongé indique le sens du vecteur vitesse angulaire. La vitesse angulaire $\vec{\omega}$ du solide de la figure 11-1 pointe donc vers la direction positive de l'axe des z. Dans la figure 11-3, $\vec{\omega}$ sort perpendiculairement de la page, ce qui correspond à la rotation anti-horaire. La vitesse angulaire d'une platine pointe vers le bas. Notez qu'aucune particule ne se déplace selon la direction de la vitesse angulaire. Le mouvement de rotation s'effectue dans un plan perpendiculaire au vecteur vitesse angulaire.

L'accélération angulaire est aussi une quantité vectorielle. Cette affirmation découle de la définition elle-même, $\vec{\alpha} = d\vec{\omega}/dt$, dans laquelle $d\vec{\omega}$ est un vecteur et dt, un scalaire. Nous rencontrerons plus tard d'autres grandeurs angulaires, comme le moment de force et le moment cinétique, qui se comportent comme des vecteurs.

EXEMPLE 3

Un disque tourne sur un essieu horizontal avec une vitesse angulaire ω_1 de 100 rad/s (fig. 11-8*a*). La rotation de l'essieu s'effectue sans frottement grâce au roulement à billes. Le disque et l'essieu sont eux-mêmes placés sur une platine, dont l'axe de rotation est vertical. La vitesse angulaire ω_2 de cette platine est de 30,0 rad/s dans le sens anti-horaire, vu du dessus. Décrivez comment un observateur situé dans la chambre voit le mouvement de rotation du disque.

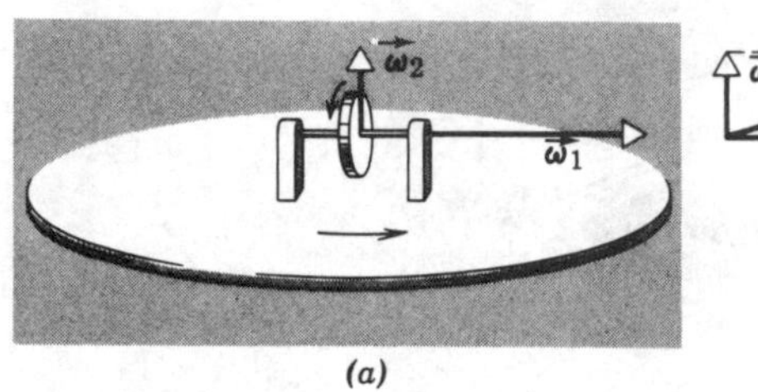

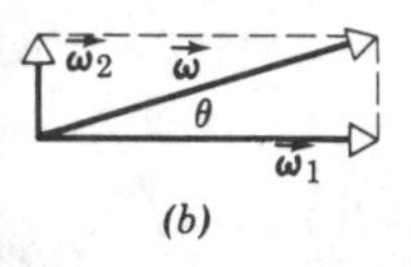

figure 11-8
Exemple 3. *(a)* Un disque en rotation sur une platine. *(b)* Les vitesses angulaires s'additionnent comme des vecteurs.

Le disque subit deux vitesses angulaires simultanées; la somme vectorielle de ces vitesses constitue la résultante du mouvement. La grandeur du vecteur vitesse angulaire $\vec{\omega}_1$, associée à la rotation de l'essieu, vaut 100 rad/s. La rotation s'effectue autour d'un axe qui n'est pas fixe, par rapport à l'observateur, mais qui tourne dans un plan horizontal à 30 rad/s. Le vecteur vitesse angulaire $\vec{\omega}_2$, associé à la platine, est toujours vertical et sa grandeur vaut 30 rad/s.

La vitesse angulaire résultante $\vec{\omega}$ est la somme vectorielle de $\vec{\omega}_1$ et de $\vec{\omega}_2$. Sa grandeur vaut:

$$\omega = \sqrt{\omega_1^2 + \omega_2^2} = \sqrt{(100 \text{ rad/s})^2 + (30{,}0 \text{ rad/s})^2}$$
$$= 104 \text{ rad/s}.$$

La direction de $\vec{\omega}$ n'est pas fixe dans le système de référence de l'observateur; elle tourne à la même vitesse que la platine. Le vecteur $\vec{\omega}$ ne repose pas dans un plan horizontal, il s'élève plutôt à un angle θ (fig. 11-8*b*), qu'on obtient à partir de l'expression suivante:

$$\theta = \tan^{-1} \omega_2/\omega_1 = \tan^{-1} (30{,}0 \text{ rad/s})/(100 \text{ rad/s})$$
$$= \tan^{-1} 0{,}300 = 16{,}7°$$

On peut décrire le mouvement du disque comme une rotation unique autour d'un nouvel axe (dont la direction dans le référentiel de l'observateur change continuellement avec le temps) à une vitesse angulaire de 104 rad/s. Qu'arriverait-il si on inversait le sens de rotation du disque ou de la platine?

11-5 RELATION ENTRE LA CINÉMATIQUE DE TRANSLATION ET CELLE DE ROTATION DANS LE CAS D'UN MOUVEMENT CIRCULAIRE. FORME SCALAIRE

Dans les sections 4-4 et 4-5, nous avons étudié la vitesse et l'accélération linéaires d'une particule en mouvement circulaire. Lorsqu'un solide effectue une rotation autour d'un axe immobile, chaque particule qui le compose décrit un cercle. On peut donc étudier le mouvement d'une telle particule en utilisant les variables linéaires ou angulaires. La relation entre ces deux séries de variables nous permet de passer de l'une à l'autre, ce qui est très utile.

Considérons une particule P du solide, située à une distance r de l'axe qui passe par O. Cette particule décrit un cercle de rayon r lorsque le solide effectue une rotation (fig. 11-9*a*). La ligne Ox sert de référence. La particule décrit un arc de cercle s lorsque l'objet subit une rotation d'un angle θ. On peut dire que:

$$s = \theta r, \tag{11-7}$$

où θ est exprimé en radians.

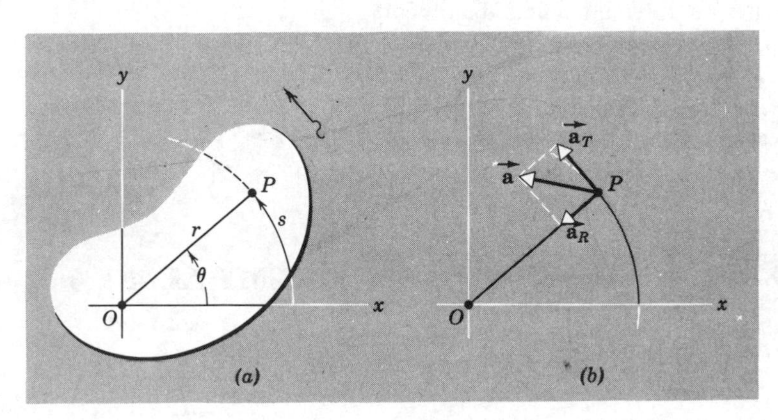

figure 11-9
(a) Un solide en rotation autour d'un axe fixe perpendiculaire au plan de la page. Le point P balaie un arc s que sous-tend un angle θ. *(b)* L'accélération $\vec{a}$ du point P possède deux composantes: $\vec{a}_T$, la composante tangentielle ($a_T = \alpha r$) et $\vec{a}_R$, la composante centripète ($a_R = v^2/r = \omega^2 r$, où ω = la vitesse angulaire).

En dérivant les deux côtés de cette équation par rapport au temps (r demeure constant), on trouve:

$$\frac{ds}{dt} = \frac{d\theta}{dt} r.$$

Mais ds/dt est la vitesse linéaire de la particule P, et $d\theta/dt$, la vitesse angulaire ω du corps en rotation, d'où:

$$v = \omega r. \tag{11-8}$$

Voilà la relation qui existe entre les *grandeurs* de la vitesse linéaire et de la vitesse angulaire. La vitesse linéaire d'une particule en mouvement circulaire est le produit de la vitesse angulaire par la distance r séparant la particule de l'axe de rotation.

La dérivée par rapport au temps de l'équation 11-8 nous donne:

$$\frac{dv}{dt} = \frac{d\omega}{dt} r.$$

Mais dv/dt est la grandeur de la composante *tangentielle* de l'accélération de la particule (scction 4-5), tandis que $d\omega/dt$ est la grandeur de l'accélération angulaire du corps, de telle sorte que:

$$a_T = \alpha r. \tag{11-9}$$

Par conséquent, la grandeur de la composante tangentielle de l'accélération linéaire d'une particule en mouvement circulaire est le produit de la grandeur de l'accélération angulaire par la distance r séparant la particule et l'axe de rotation.

Nous avons vu que v^2/r représente la composante *radiale* de l'accélération d'une particule décrivant un cercle. On peut écrire cette expression en fonction de l'accélération angulaire en utilisant l'équation 11-8. On obtient:

$$a_R = \frac{v^2}{r} = \omega^2 r. \qquad (11\text{-}10)$$

La figure 11-9*b* illustre l'accélération résultante du point P.

Les équations 11-7 à 11-10 nous permettent de décrire le mouvement d'un point sur un solide en rotation autour d'un axe fixe, avec les variables linéaires ou avec les variables angulaires. On pourrait s'interroger sur la nécessité des variables angulaires alors qu'on est déjà familier avec les variables linéaires. La réponse est simple. La description angulaire offre un avantage indéniable lorsqu'on doit considérer différents points du même objet en rotation. Le déplacement, la vitesse et l'accélération linéaires de différents points d'un même objet en rotation ne sont pas les mêmes; par contre, *tous les points d'un objet en rotation* autour d'un axe fixe possèdent *le même déplacement, la même vitesse et la même accélération angulaires*. Grâce aux variables angulaires, on peut décrire de façon simple le mouvement d'un corps considéré comme un tout.

EXEMPLE 4

Si le rayon de la meule de l'exemple 1 vaut 0,50 m, calculez *(a)* la vitesse linéaire ou tangentielle d'un point de la jante; *(b)* l'accélération tangentielle d'un point de la jante; *(c)* l'accélération centripète d'une particule de la jante à la fin de la 2e seconde.

Les variables connues sont: $\alpha = 3{,}0$ rad/s², $\omega = 6{,}0$ rad/s après 2,0 s et $r = 0{,}50$ m. Alors:

(*a*)
$$\begin{aligned} v &= \omega r \\ &= (6{,}0 \text{ rad/s})(0{,}50 \text{ m}) \\ &= 3{,}0 \text{ m/s} \quad \text{(vitesse linéaire);} \end{aligned}$$

(*b*)
$$\begin{aligned} a_T &= \alpha r \\ &= (3{,}0 \text{ rad/s}^2)(0{,}50 \text{ m}) \\ &= 1{,}5 \text{ m/s}^2 \quad \text{(accélération tangentielle);} \end{aligned}$$

(*c*)
$$\begin{aligned} a_R &= v^2/r = \omega^2 r \\ &= (6{,}0 \text{ rad/s})^2(0{,}50 \text{ m}) \\ &= 18 \text{ m/s}^2 \quad \text{(accélération centripète).} \end{aligned}$$

(d) Obtient-on les mêmes résultats pour un point situé à mi-distance entre l'essieu et la jante, c'est-à-dire à $r = 0{,}25$ m?

Les variables *angulaires* sont identiques pour les deux points. On a encore:

$$\alpha = 3{,}0 \text{ rad/s}^2, \qquad \omega = 6{,}0 \text{ rad/s}.$$

Mais r vaut maintenant 0,25 m; on obtient donc pour ce deuxième point:

$$v = 1{,}5 \text{ m/s}, \qquad a_T = 0{,}75 \text{ m/s}^2, \qquad a_R = 9{,}0 \text{ m/s}^2.$$

11-6 *RELATION ENTRE LA CINÉMATIQUE DE TRANSLATION ET CELLE DE ROTATION DANS LE CAS D'UNE PARTICULE EN MOUVEMENT CIRCULAIRE. FORME VECTORIELLE.*

- **Notions avancées**

Les équations démontrées dans la section précédente sont des relations entre des grandeurs scalaires; les variables linéaires et angulaires sont toutes deux exprimées sous la forme scalaire. Utilisons maintenant la méthode vectorielle; notre analyse sera analogue à celle de la section 4-5, exception faite des variables angulaires introduites. La méthode constituera, pour une situation spéciale avec laquelle nous sommes maintenant familiers, l'approche la plus générale; nous serons de ce fait mieux préparés pour aborder les situations qui nécessitent l'utilisation de la méthode vectorielle. Nous continuons à nous en tenir à la rotation autour d'un axe immobile.

La figure 11-10a nous montre une particule P, en rotation autour d'un axe passant par l'origine aux temps t et $t + \Delta t$. La particule décrit un cercle de rayon constant r; à l'exception de la constance du rayon, le mouvement ne possède pas d'autres restrictions et, en général, ω et α peuvent varier pendant le déplacement de la particule. La restriction consistant à garder invariable la grandeur du rayon peut s'exprimer ainsi:

$$\vec{\mathbf{r}} = \vec{\mathbf{u}}_r r, \tag{11-11}$$

dans laquelle $\vec{\mathbf{u}}_r$ est un vecteur unitaire dans la direction de $\vec{\mathbf{r}}$.

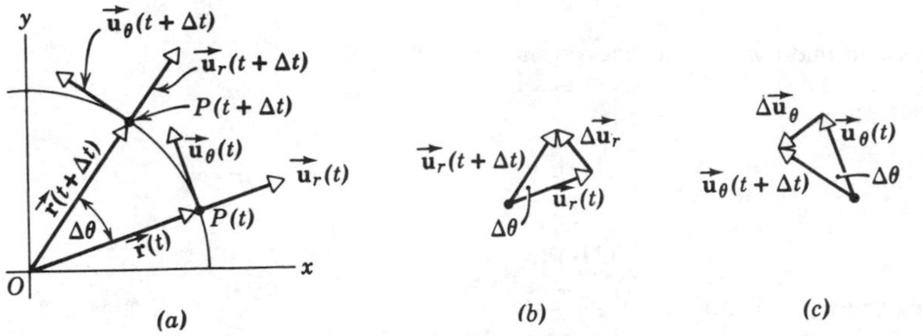

figure 11-10
(a) La particule P subit un déplacement angulaire $\Delta\theta$ pendant un intervalle de temps Δt. On illustre les vecteurs unitaires en coordonnées polaires à chaque point de la trajectoire. *(b)* On illustre la variation de $\vec{\mathbf{u}}_r$; observez que $\Delta\vec{\mathbf{u}}_r$ pointe vers $\vec{\mathbf{u}}_\theta$ lorsque $\Delta\theta \to 0$. *(c)* On illustre la variation de $\Delta\vec{\mathbf{u}}_\theta$; observez que $\Delta\vec{\mathbf{u}}_\theta$ pointe vers $-\vec{\mathbf{u}}_r$ lorsque $\Delta\theta \to 0$.

En dérivant l'équation 11-11, sans oublier que r (et non $\vec{\mathbf{r}}$ ou $\vec{\mathbf{u}}_r$, puisque leurs directions varient) est constant, nous obtenons:

$$\frac{d\vec{\mathbf{r}}}{dt} = \frac{d\vec{\mathbf{u}}_r}{dt} r. \tag{11-12}$$

Dans cette expression, $d\vec{\mathbf{r}}/dt$ est la vitesse linéaire de la particule, $\vec{\mathbf{v}}$. Pour évaluer $d\vec{\mathbf{u}}_r/dt$, observons la figure 11-10b dans laquelle on illustre le vecteur $\vec{\mathbf{u}}_r$ à deux positions différentes de P, ce qui correspond à une rotation d'un petit angle $\Delta\theta$. La définition de la mesure angulaire en radians nous permet d'obtenir la *grandeur* de la variation du vecteur $\Delta\vec{\mathbf{u}}_r$:

$$\Delta u_r = (1)\ \Delta\theta,$$

où le (1) nous rappelle que les vecteurs de la figure 11-10b sont unitaires. L'équation ci-dessus sera exacte si $\Delta\theta$ est suffisamment petit pour nous permettre de substituer la corde à l'arc dans le petit triangle de la figure 11-10b. La variation subie par $\vec{\mathbf{u}}_r$ est un vecteur $\Delta\vec{\mathbf{u}}_r$ dont la grandeur nous est donnée par l'équation ci-dessus; *son orientation*, en supposant toujours $\Delta\theta$ petit, correspond au vecteur unitaire $\vec{\mathbf{u}}_\theta$. En effet, si on transpose $\Delta\vec{\mathbf{u}}_r$ de la figure 11-10b au point P de la figure 11-10a, on voit, lorsque $\Delta\theta \to 0$, qu'il pointe dans la direction de $\vec{\mathbf{u}}_\theta$. Nous trouvons ainsi:

$$\Delta\vec{\mathbf{u}}_r \cong \vec{\mathbf{u}}_\theta \Delta\theta.$$

En divisant par Δt, que l'on fait tendre vers zéro, on obtient:

$$\frac{d\vec{\mathbf{u}}_r}{dt} = \vec{\mathbf{u}}_\theta \frac{d\theta}{dt} = \vec{\mathbf{u}}_\theta \omega. \tag{11-13}$$

La substitution de ce résultat dans l'équation 11-12 nous donne:

$$\vec{\mathbf{v}} = \vec{\mathbf{u}}_\theta \omega r. \tag{11-14a}$$

L'expression scalaire correspondante,

$$v = \omega r \tag{11-14b}$$

nous donnait la relation entre les vitesses linéaire et angulaire d'une particule en mouvement circulaire.

On obtient la relation entre les accélérations linéaire et angulaire en dérivant l'équation 11-14a. Il ne faut pas oublier que r est constant bien que $\vec{\mathbf{u}}_\theta$ et ω varient. Ce faisant, il résulte que:

$$\frac{d\vec{\mathbf{v}}}{dt} = \vec{\mathbf{u}}_\theta \frac{d\omega}{dt} r + \omega \frac{d\vec{\mathbf{u}}_\theta}{dt} r. \tag{11-15}$$

Mais $d\vec{v}/dt = \vec{a}$, l'accélération linéaire de la particule, et $d\omega/dt = \alpha$, son accélération angulaire. Avec l'aide de la figure 11-10c, et en vous inspirant du procédé utilisé pour obtenir l'équation 11-13, vous devriez être en mesure de prouver que:

$$\frac{d\vec{u}_\theta}{dt} = -\vec{u}_r\omega. \qquad (11\text{-}16)$$

Le signe négatif (−) vient du fait que, en transposant $\Delta\vec{u}_\theta$ de la figure 11-10c au point P, lorsque $\Delta\theta \to 0$, ce vecteur $\Delta\vec{u}\theta$ pointe vers le centre du cercle, c'est-à-dire dans une direction opposée à $\vec{u}_r$.

En effectuant ces substitutions dans l'équation 11-15, on obtient:

$$\vec{a} = \vec{u}_\theta\alpha r - \vec{u}_r\omega^2 r. \qquad (11\text{-}17)$$

Ainsi, comme on l'a vu à la section 4-5, $\vec{a}$ possède une composante radiale ou centripète $\vec{a}_R$ et une composante tangentielle $\vec{a}_T$. L'équation 11-17 contient aussi l'expression de la grandeur de chacune des accélérations:

$$a_T = \alpha r \qquad (11\text{-}18a)$$

et (en utilisant l'équation 11-14b),

$$a_R = \omega^2 r = v^2/r. \qquad (11\text{-}18b)$$

La dernière expression nous est familière depuis que l'on a étudié la section 4-4. Dans le complément I, nous discuterons les relations qui existent entre les variables cinématiques linéaires et angulaires d'une particule libre de se déplacer dans un plan, et non restreinte au mouvement circulaire. Les équations 11-14a et 11-17 nous apparaîtront alors comme des cas particuliers de relations plus générales.

Les équations 11-14a et 11-17 nous donnent des relations entre les variables linéaires vectorielles et les variables angulaires scalaires de la cinématique. Il est possible d'obtenir les relations dans lesquelles les deux séries de variables possèdent la forme vectorielle. Ceci nous sera particulièrement utile lorsque l'axe de rotation sera en mouvement.

La figure 11-11 illustre les vecteurs $\vec{r}$, $\vec{v}$, $\vec{a}_T$, $\vec{a}_R$, $\vec{\omega}$ et $\vec{\alpha}$ de la particule de la figure 11-7b. Les grandeurs angulaires sont sur l'axe de rotation, chacune pointant dans la direction obtenue avec la règle de la main droite décrite à la section 2-4. Nous affirmons — nous le prouverons par la suite — que les relations à obtenir sont les suivantes:

$$\vec{v} = \vec{\omega} \times \vec{r} \qquad (11\text{-}19)$$

et

$$\vec{a} = \vec{a}_T + \vec{a}_R, \qquad (11\text{-}20a)$$

dans laquelle:

$$\vec{a}_T = \vec{\alpha} \times \vec{r} \quad \text{et} \quad \vec{a}_R = \vec{\omega} \times \vec{v}. \qquad (11\text{-}20b)$$

Dans la section 2-4 (vous pourriez relire cette section) nous avons défini le produit vectoriel de deux vecteurs. Si $\vec{c} = \vec{a} \times \vec{b}$, alors la *grandeur* de $\vec{c}$ vaut $ab\sin\phi$, où ϕ est l'angle entre $\vec{a}$ et $\vec{b}$. En appliquant cette partie de la définition aux équations 11-19 et 11-20, nous observons (fig. 11-11) que $\vec{\omega}$ et $\vec{r}$, $\vec{\omega}$ et $\vec{v}$, $\vec{\alpha}$ et $\vec{r}$ sont mutuellement perpendiculaires; ainsi, l'angle ϕ pour chacune de ces trois paires de vecteurs est 90°. De par l'équation 11-19, nous avons, pour les grandeurs:

$$v = \omega r \sin 90° = \omega r,$$

ce qui correspond exactement à l'équation 11-14b. Dans l'équation 11-20b, nous obtenons, pour les grandeurs des accélérations:

$$a_R = \omega v = \omega(\omega r) = \omega^2 r$$

et

$$a_T = \alpha r.$$

Ces relations coïncident avec les équations 11-18a et 11-18b.

Il nous reste à vérifier si les équations 11-19 et 11-20b donnent les bonnes orientations. Pour le produit vectoriel $\vec{c} = \vec{a} \times \vec{b}$, la figure 2-12 nous montre que l'orientation de $\vec{c}$ correspond à celle du pouce allongé lorsque les doigts tournent de $\vec{a}$ vers $\vec{b}$ par le plus petit angle entre ces vecteurs. Vous pourriez vérifier facilement que les équations 11-19 et 11-20 donnent la bonne direction pour les vecteurs $\vec{v}$, $\vec{a}_T$ et $\vec{a}_R$ de la figure 11-11. •

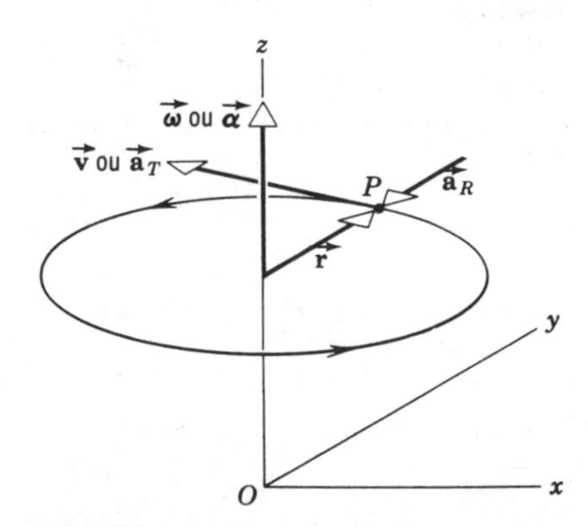

figure 11-11
Les directions des vecteurs $\vec{r}$, $\vec{v}$, $\vec{a}_T$, $\vec{a}_R$, ω et α d'une particule qui décrit un cercle autour de l'axe des z.

questions

1. Dans la section 11-1, nous avons admis qu'il fallait, de façon générale, six variables pour préciser la position d'un solide dans un système de référence particulier. Combien de variables faut-il pour indiquer la position du corps de la figure 11-2 dans le référentiel *x-y* de cette figure? S'il n'y en a pas six, expliquez pourquoi.
2. Un corps irrégulier tourne sans contrainte autour de son centre de masse qui coïncide avec l'origine d'un système de référence. Comment préciseriez-vous son orientation?
3. Est-il possible d'exprimer en degrés, plutôt qu'en radians, les grandeurs angulaires θ, ω et α dans les équations de la cinématique?
4. Expliquez pourquoi les radians constituent une mesure d'angle compatible avec tous les systèmes d'unités. En est-il ainsi des degrés?
5. Si on installe l'indicateur de vitesse de façon à lire une vitesse proportionnelle à la vitesse angulaire des roues arrières, est-il nécessaire de corriger la lecture lorsqu'on installe les pneus à neige?
6. Comment exprimer de façon simple la relation entre les vitesses angulaires des deux roues d'un engrenage?
7. Une roue tourne autour d'un axe qui passe par son centre et qui est perpendiculaire au plan de la roue. Considérez un point de la jante. Lorsque la roue tourne à *vitesse angulaire constante*, le point possède-t-il une accélération radiale? une accélération tangentielle? Si la roue tourne avec une *accélération angulaire constante,* le point possède-t-il une accélération radiale? une accélération tangentielle? Les grandeurs de ces accélérations changent-elles?
8. Supposons qu'on vous demande d'évaluer la distance équivalente parcourue par l'aiguille d'un phonographe qui fait tourner à $33^1/_3$ min^{-1} un microsillon de 30 cm de diamètre. Quel renseignement vous faut-il? Discutez ce cas en supposant que vous êtes dans un système de référence: *(a)* lié à la chambre; *(b)* lié au disque qui tourne; *(c)* lié au bras de lecture.
9. *(a)* Donnez les spécifications du vecteur qui décrirait la vitesse angulaire de la Terre tournant sur elle-même. *(b)* Décrivez le vecteur qui représenterait la vitesse angulaire de la Terre tournant autour du Soleil.
10. Il est commode de tracer les vecteurs angulaires le long de l'axe de rotation. Y a-t-il une raison qui nous empêcherait de les dessiner n'importe où, tout en les gardant parallèles à l'axe? Rappelez-vous que nous sommes libres de glisser un vecteur déplacement le long de sa direction ou de lui faire subir une translation quelconque sans affecter sa valeur.
11. Dans une centrifugeuse, les particules en suspension se sépareront du liquide si leur masse volumique (masse/volume) diffère de celle du liquide. Discutez les principes dynamiques dont dépend la centrifugation. Abordez la question du double point de vue d'un référentiel galiléen (laboratoire) et d'un référentiel non galiléen (en rotation).
12.[2] Un tireur d'élite se tient au centre d'un manège. Il vise une cible attachée à un poteau du périmètre externe du manège. Comment doit-il tenir compte, s'il le doit, de la vitesse angulaire (constante) du manège pour faire mouche? Qu'en est-il si on inverse les positions de la cible et du tireur?
13.[2] Un individu sur un manège tournant à vitesse constante ω laisse échapper un glaçon qu'il tenait immobile par rapport au manège, à une distance r_0 du centre. Décrivez le mouvement du glaçon vu du système de référence *(a)* d'un observateur au sol et *(b)* de l'individu sur le manège. Négligez les forces de friction mais spécifiez toutes les autres.
14.[2] Un individu sur un manège en mouvement donne un coup de pied sur un glaçon, vers l'extérieur du manège, selon une direction radiale. Décrivez la trajectoire du glaçon après le coup de pied lorsque l'observateur est *(a)* sur le manège et *(b)* au sol. On peut négliger les forces de friction.

problèmes

SECTION 11-2

1. Quelle est la vitesse angulaire *(a)* de la trotteuse d'une montre? *(b)* de l'aiguille des minutes? *Réponses:* (*a*) 0,10 rad/s. (*b*) $1{,}7 \times 10^{-3}$ rad/s.
2. Un microsillon tourne à $33^1/_3$ min^{-1}. Quelle est la vitesse linéaire du point du disque qui est en contact avec la pointe de lecture *(a)* au début et *(b)* à la fin du disque? La distance séparant la pointe de lecture de l'axe de la platine est respectivement, de 12 cm et de 6 cm.

[2] Voir complément I.

3. Dans l'une des méthodes de mesure de la vitesse de la lumière, on utilise une roue crénelée. Un faisceau de lumière passe dans un des créneaux découpés sur la périphérie de la roue (fig. 11-12), se réfléchit sur le miroir M_2 et revient à la roue, à temps pour franchir le créneau suivant. Une telle roue possède un rayon de 5 cm et 500 dents. On a effectué des mesures lorsque le miroir était à 500 m de la roue; on a trouvé une valeur de $3{,}0 \times 10^5$ km/s pour la vitesse de la lumière. *(a)* Quelle était la vitesse angulaire de la roue? *(b)* Quelle était la vitesse linéaire d'un point situé sur le bord de la roue?
   Réponses: (a) $3{,}8 \times 10^3$ rad/s. *(b)* 190 m/s.

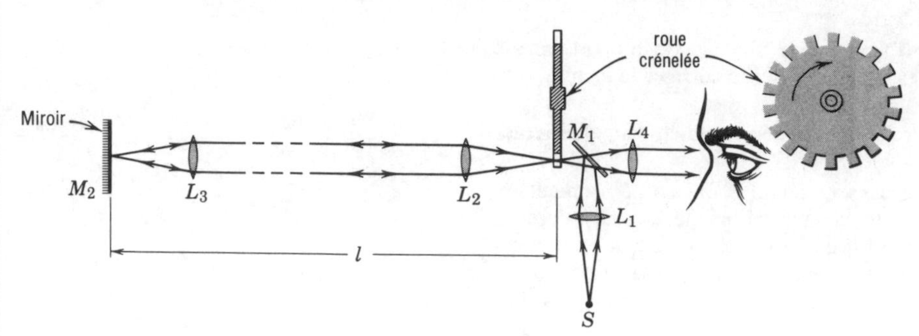

figure 11-12
Problème 3.

4. L'hélice d'un avion a 1,5 m de rayon. Si l'hélice effectue 2000 min^{-1} et si l'avion avance à 480 km/h, quelle est la vitesse du bout de l'hélice, mesurée par *(a)* le pilote et *(b)* par un observateur au sol?
5. L'équation $\theta = 4{,}0t - 3{,}0t^2 + t^3$, où θ est en radians et t en secondes, décrit la position angulaire d'un point situé sur la jante d'une roue. Quelle est l'accélération moyenne pour l'intervalle de temps compris entre 2,0 et 4,0 secondes?
   Réponse: 12 rad/s^2.
6. L'équation $\theta = at + bt^3 - ct^4$, où a, b et c sont des constantes, donne l'angle balayé par le volant d'une génératrice pendant un intervalle de temps t. Trouvez l'expression de l'accélération angulaire.
7. L'expression $\alpha = 4at^3 - 3bt^2$, où a et b sont des constantes, représente l'accélération angulaire d'une roue en fonction du temps t. Si la vitesse angulaire initiale est ω_0, écrivez l'équation de: *(a)* la vitesse angulaire; *(b)* la position angulaire d'un point de la roue en fonction du temps.
   Réponses: (a) $\omega_0 + at^4 - bt^3$. *(b)* $\theta_0 + \omega_0 t + at^5/5 - bt^4/4$.
8. L'orbite circulaire d'une planète P autour du Soleil S est coplanaire et concentrique à l'orbite de la Terre T autour du Soleil. P et T tournent dans le même sens. Les périodes de rotation de P et de T autour du Soleil sont T_P et T_T respectivement. De plus, T_S représente le temps mis par P pour effectuer une révolution autour du Soleil, mesuré par un observateur sur la Terre. Montrez que:

$$1/T_S = 1/T_T - 1/T_P. \quad (\text{supposez } T_P > T_T)$$

9. Le jour solaire est l'intervalle de temps s'écoulant entre deux présences successives du Soleil au-dessus de nos têtes, à une longitude fixe, c'est-à-dire le temps d'une révolution de la Terre sur elle-même, vue du Soleil. Le jour sidéral est le temps d'une révolution de la Terre sur elle-même, vue des étoiles lointaines immobiles, c'est-à-dire l'intervalle de temps entre deux présences successives au-dessus de nos têtes d'une position fixe dans le ciel, appelée équinoxe du printemps. *(a)* Montrez que, dans une année, il y a un jour solaire de moins, comparativement au nombre de jours sidéraux. *(b)* Si le jour solaire moyen vaut 24 heures, quelle est la longueur du jour sidéral moyen? *Réponse: (b)* 23 h 56 min.

SECTION 11-3

10. La vitesse angulaire du moteur d'une automobile augmente de 1200 min^{-1} à 3000 min^{-1} en 12 s. *(a)* Calculez l'accélération angulaire en supposant qu'elle soit uniforme. *(b)* Combien de révolutions accomplit le moteur durant ce temps?
11. Une platine, dont la vitesse angulaire est de 78 min^{-1}, met 30 s pour s'arrêter, une fois le contact coupé. *(a)* Trouvez l'accélération angulaire de la platine, en supposant qu'elle soit uniforme. *(b)* Combien de révolutions accomplit-elle pendant ce temps? *Réponses: (a)* $-0{,}27$ rad/s^2. *(b)* 20.

12. Un volant ralentit sous l'influence de la force de friction du roulement à billes. Au bout d'une minute, sa vitesse angulaire vaut 0,90 ω_0, ω_0 étant la vitesse angulaire initiale. En supposant que la force de friction soit constante, trouvez la vitesse angulaire du volant à la fin de la seconde minute.
13. En attendant votre tour de monter à bord d'un hélicoptère, vous calculez que la vitesse du rotor passe de 300 min^{-1} à 225 min^{-1} en une minute. *(a)* Trouvez l'accélération angulaire moyenne pendant cet intervalle de temps. *(b)* En supposant que l'accélération angulaire demeure constante, combien de temps mettra le rotor à s'arrêter? *(c)* Combien de tours aura fait le rotor entre la fin de la première minute et le moment où il s'arrêtera?
Réponses (a) $-0,13$ rad/s². *(b)* 4,0 min. *(c)* 340.
14. L'accélération angulaire d'une roue est constante, et vaut 3,0 rad/s². On observe que sur un intervalle de temps de 4,0 s, elle tourne de 120 rad. Si on suppose que la roue est partie du repos, depuis combien de temps tourne-t-elle?
15. Un disque en rotation autour d'un axe immobile accélère uniformément à partir du repos. À un instant donné, sa vitesse angulaire vaut 10 rév/s. Après 60 tours supplémentaires, sa vitesse angulaire vaut 15 rév/s. Calculez: *(a)* l'accélération angulaire; *(b)* le temps pour accomplir les 60 révolutions; *(c)* le temps pour atteindre la vitesse de 10 rév/s; *(d)* le nombre de révolutions accomplies à partir du repos jusqu'au moment où sa vitesse vaut 10 rév/s.
Réponses: (a) 1,04 rév/s². *(b)* 4,8 s. *(c)* 9,6 s. *(d)* 48.
16. Un volant accomplit 40 révolutions avant de s'immobiliser. Avec une vitesse initiale de 1,5 rad/s et une accélération uniforme, *(a)* combien de temps a pris la roue pour s'arrêter? *(b)* Quelle était l'accélération angulaire? *(c)* Combien de temps la roue a-t-elle mis pour accomplir les 20 premières révolutions?
17. Les roues d'une automobile ont 76 cm de diamètre. Si la voiture voyage à 97 km/h, *(a)* calculez la vitesse angulaire des roues. *(b)* Si les roues font 30 tours avant que la voiture s'arrête, calculez, en la supposant constante, l'accélération angulaire des roues. *(c)* Sur quelle distance s'est effectué le freinage?
Réponses: (a) 71 rad/s. *(b)* -13 rad/s². *(c)* 72 m.
18. Les équations paramétriques $x = R \cos \omega t$ et $y = R \sin \omega t$ décrivent le mouvement d'un corps dans un plan $x - y$. Les éléments x et y désignent les coordonnées du corps, t est le temps, R et ω sont des constantes. *(a)* Éliminez le temps dans ces équations, afin d'obtenir la trajectoire du corps. De quelle trajectoire s'agit-il? Quelle est la signification de la constante ω? *(b)* Dérivez les équations de x et de y en fonction du temps, afin d'obtenir les composantes v_x et v_y de la vitesse du corps. Combinez ces équations pour obtenir la grandeur et l'orientation de la vitesse $\vec{v}$. Décrivez le mouvement du corps. *(c)* Dérivez v_x et v_y en fonction du temps pour obtenir la grandeur et l'orientation de l'accélération résultante.
19. Une roue A de rayon $r_A = 10$ cm entraîne, par l'intermédiaire d'une courroie B, une roue C de rayon $r_C = 25$ cm (fig. 11-13). La roue A augmente sa vitesse angulaire à partir du repos, au taux uniforme de $\pi/2$ rad/s². En supposant que la courroie ne glisse pas, trouvez le temps mis par la roue C pour atteindre une vitesse angulaire de 100 min^{-1}. *Réponse:* 17 s.

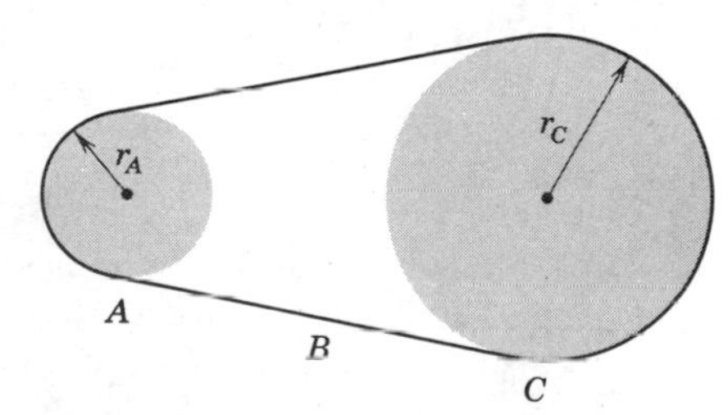

figure 11-13
Problème 19.

SECTION 11-5

20. *(a)* Quelle est la vitesse angulaire d'un point situé à une latitude de 45° sur l'hémisphère nord de la Terre? *(b)* Quelle est la vitesse linéaire de ce point? *(c)* Obtiendrez-vous les mêmes réponses pour un point situé à l'équateur?
21. On peut considérer l'orbite de rotation de la Terre autour du Soleil comme étant circulaire. *(a)* Quelle est la vitesse angulaire de la Terre (considérée comme une particule) autour du Soleil? *(b)* Quelle est sa vitesse linéaire moyenne? *(c)* Quelle accélération centripète subit-elle?
Réponses: (a) $2,0 \times 10^{-7}$ rad/s. *(b)* $3,0 \times 10^4$ m/s. *(c)* $6,0 \times 10^{-3}$ m/s².
22. Quelle est la vitesse angulaire d'une voiture qui décrit un mouvement circulaire de 100 m de rayon à 50 km/h?
23. Quelle est l'accélération d'un point situé à 15 cm du centre d'un disque, si ce dernier tourne à $33^1/_3$ min^{-1}? *Réponse:* 1,8 m/s².
24. Un point situé sur la ligne équatoriale de la Terre subit une accélération due à la rotation de celle-ci sur elle-même. La Terre elle-même, à cause de sa rotation autour du Soleil, subit une accélération centripète (supposez que l'orbite est circulaire). Comparez ces accélérations.
25. Le volant d'un engin à vapeur tourne à une vitesse angulaire constante de 150 min^{-1}. Lorsqu'on coupe la vapeur, la friction des roulements à billes et de l'air immobilisent

la roue en 2,2 h. *(a)* Quelle est l'accélération angulaire de la roue? *(b)* Combien la roue accomplit-elle de révolutions avant de s'immobiliser? *(c)* Quelle est l'accélération linéaire tangentielle d'une particule située à 50 cm de l'axe de rotation lorsque la vitesse angulaire de la roue est de 75 min^{-1}? *(d)* Quelle est l'accélération linéaire totale de la particule décrite en *(c)*?
Réponses: (a) $-2,0 \times 10^{-3}$ rad/s^2. *(b)* 10^4 tours. *(c)* $-1,0$ mm/s^2. *(d)* 31 m/s^2.

26. Un solide, initialement au repos, tourne avec une accélération uniforme α autour d'un axe immobile. Soit une particule située à une distance r de l'axe. *(a)* Trouvez l'expression de l'accélération de cette particule. *(b)* Exprimez l'accélération tangentielle de cette particule en fonction de α, r et de t. *(c)* Si l'accélération résultante de la particule fait, à un instant donné, un angle de 60° avec l'accélération tangentielle, de quel angle a tourné le solide pendant cet instant?

27. Montrez que l'équation 11-20 est obtenue en dérivant l'équation 11-19.

28.[3] Un insecte de $8,0 \times 10^{-2}$ g s'éloigne à une vitesse constante de 1,6 cm/s du centre de la platine d'un tourne-disque selon une ligne radiale. La vitesse angulaire de la platine est de $33^1/_3$ min^{-1}. Trouvez: *(a)* la vitesse et *(b)* l'accélération de l'insecte telles que les mesure un observateur immobile, si l'insecte est à 12 cm du centre. *(c)* Quelle est la valeur du coefficient de frottement si l'insecte peut tout juste atteindre le bord de la platine (16 cm de rayon) sans glisser?

29.[3] Un virus de $1,0 \times 10^{-7}$ g est en suspension dans une solution. On place le tout dans une centrifugeuse qui tourne à 55 000 min^{-1}. A un moment donné, le virus s'éloigne du centre à une vitesse constante de 2,0 m/s; il est à ce moment à 6,5 cm de l'axe de rotation. Donnez la grandeur de toutes les forces et de toutes les accélérations, mesurées dans un référentiel *(a)* qui tourne avec la centrifugeuse et *(b)* qui est lié au laboratoire.

[3] Voir complément I.

12
dynamique de rotation-I

12-1 INTRODUCTION

Au chapitre 11, nous avons fait l'étude de la cinématique de rotation. Dans ce chapitre, nous nous proposons d'analyser les causes du mouvement de rotation, c'est-à-dire la *dynamique de rotation*; nous procéderons de la même façon que lors de l'étude de la dynamique de translation. Les systèmes animés d'un mouvement de rotation sont constitués de particules et nous savons déjà comment appliquer les lois de la mécanique classique au mouvement des particules. En ce sens, la dynamique de rotation ne constitue pas un problème fondamentalement nouveau. Il en était ainsi en cinématique de rotation, puisque les variables θ, ω et α pouvaient être reliées directement aux variables de translation x, v et a du système en rotation. Mais, comme au chapitre 11, il nous faut repenser le langage utilisé dans la description du mouvement de translation pour en définir un autre, mieux adapté à la description des systèmes en rotation.

Au chapitre 11 nous nous sommes limités à l'étude d'un seul cas d'importance, soit la rotation d'un solide autour d'un axe fixe dans le système où nous étions observateurs. Dans l'étude de la dynamique de rotation, notre point de départ sera plus fondamental, soit l'observation d'une seule particule dans un système galiléen. Nous en viendrons plus tard à généraliser nos observations à des systèmes de particules, incluant le cas particulier d'un solide tournant autour d'un axe fixe. Le chapitre 13 nous permettra d'envisager la rotation des solides autour d'axes *mobiles* dans des systèmes galiléens.

12-2 MOMENT DE FORCE SUR UNE PARTICULE

Dans le mouvement de translation, nous avons établi une relation de cause à effet entre la *force* et *l'accélération linéaire*. Dans le mouvement de rotation, quelle quantité allons-nous relier à *l'accélération angulaire* d'un corps? La force ne peut être uniquement mise en cause car l'expérience nous montre, lorsqu'on fait pivoter une lourde porte par exemple, qu'une même force (vecteur) peut engendrer des accélérations angulaires différentes selon le point d'application et l'orientation de la force; une force appliquée sur les gonds ne peut entraîner aucune accélération angulaire, alors qu'une force d'une grandeur quelconque appliquée perpendiculairement à la porte et le plus loin possible des gonds va produire une accélération maximum.

Nous nommons *moment de force* cette quantité qui joue, en rotation, un rôle analogue à la force en translation; nous allons le définir dans le cas précis d'une seule particule observée dans un système galiléen. Par après, nous étendrons cette notion de moment de force à un système de particules (y compris les solides) et nous démontrerons sa relation directe avec l'accélération angulaire.

Si une force $\vec{F}$ s'exerce sur une particule, dont la position au point P par rapport à un système galiléen est spécifiée par un vecteur position $\vec{r}$ (fig. 12-1), le *moment de force* $\vec{\tau}$ sur la particule *par rapport à l'origine* O se définit ainsi:

$$\vec{\tau} = \vec{r} \times \vec{F}. \tag{12-1}$$

Le moment de force est une quantité vectorielle. Sa grandeur vaut

$$\tau = rF \sin \theta, \tag{12-2a}$$

où θ est l'angle compris entre $\vec{r}$ et $\vec{F}$; sa direction est perpendiculaire au plan formé par $\vec{r}$ et $\vec{F}$. Le sens est déterminé par la règle de la main droite pour les produits vectoriels. Il suffit que les quatre doigts de la main droite entourent la perpendiculaire au plan formé par $\vec{r}$ et $\vec{F}$, le pouce demeurant droit. Si le bout des doigts circule en tournant de $\vec{r}$ vers $\vec{F}$ selon l'angle le plus petit, alors le pouce donne le sens du vecteur $\vec{\tau}$.

Le moment de force a les dimensions d'une force que multiplie une distance, c'est-à-dire ML^2T^{-2}, en fonction des dimensions fondamentales M, L, T. Bien que les dimensions du moment de force et du travail s'avèrent les mêmes, elles demeurent toutefois deux quantités physiques très différentes. Par exemple, le travail est un scalaire alors que le moment de force est un vecteur. On utilise généralement le newton-mètre (N · m) comme unité du moment de force.

Remarquez (éq. 12-1) que le moment de force ne dépend pas seulement de la grandeur et de l'orientation de la force mais aussi de son point d'application par rapport à l'origine, c'est-à-dire du vecteur $\vec{r}$. Entre autres, si la particule se trouve à l'origine, le vecteur $\vec{r}$ vaut zéro et le moment de force $\vec{\tau}$ par rapport à l'origine est nul.

La grandeur du moment de force $\vec{\tau}$ peut s'écrire de deux façons (éq. 12-2a):

$$\tau = (r \sin \theta)\, F = Fr_\perp, \tag{12-2b}$$

ou

$$\tau = r(F \sin \theta) = rF_\perp, \tag{12-2c}$$

où $r_\perp$, soit $r \sin \theta$, désigne la composante de $\vec{r}$ perpendiculaire à la ligne d'action de $\vec{F}$ (fig. 12-2a), et où $F_\perp$, soit $F \sin \theta$, représente la composante de $\vec{F}$ perpendiculaire à $\vec{r}$. On nomme *bras de levier* la composante $r_\perp$ de l'équation 12-2b. L'équation 12-2c met en relief le rôle déterminant joué par la composante de $\vec{F}$ perpendiculaire à $\vec{r}$ dans l'évaluation du moment de force. En particulier, lorsque θ égale 0° ou 180°, il n'y a pas de composante perpendiculaire ($F_\perp = F \sin \theta = 0$); la ligne d'action de la force passe alors par l'origine et le bras de levier $r_\perp$ par rapport à celle-ci est nul. Dans ce cas, des équations 12-2b et 12-2c résulte un moment nul.

Si on inverse le sens de $\vec{F}$ (fig. 12-2b), la grandeur de $\vec{\tau}$ est la même mais son sens est inversé. De même, si on inverse $\vec{r}$ (fig. 12-2c), le point d'application de $\vec{F}$ change, la grandeur de $\vec{\tau}$ reste la même mais le sens est de nouveau inversé.

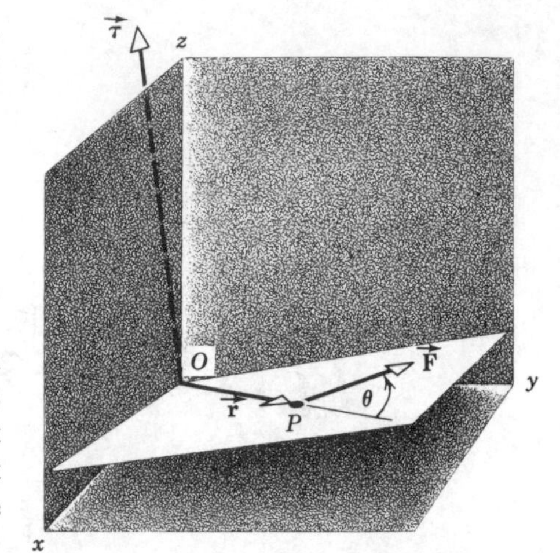

figure 12-1
Une force $\vec{F}$ s'exerce sur une particule P dont la position par rapport à une origine est précisée par le vecteur $\vec{r}$. Le vecteur force fait un angle θ avec le vecteur $\vec{r}$. On représente le moment de force $\vec{\tau}$ par rapport à O. Sa direction est perpendiculaire au plan contenant les vecteurs $\vec{r}$ et $\vec{F}$ et son sens est précisé par la règle de la main droite.

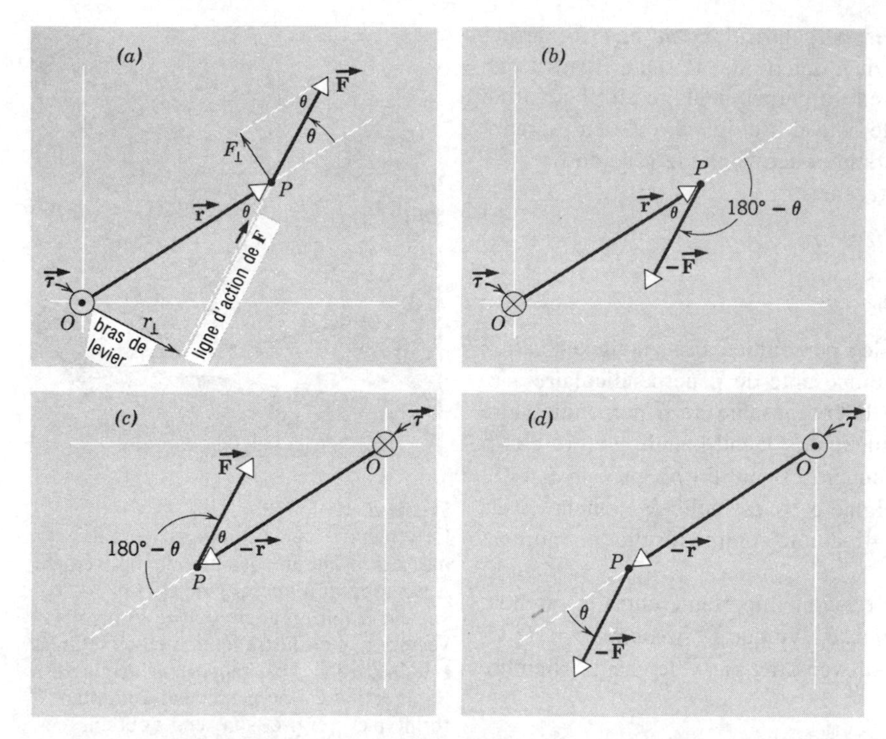

figure 12-2
Le plan illustré ici représente celui de la figure 12-1 contenant les vecteurs $\vec{r}$ et $\vec{F}$. *(a)* $Fr_\perp$ (éq. 12-2*b*) ou $rF_\perp$ (éq. 12-2*c*) mesure la grandeur de $\vec{\tau}$. *(b)* L'inversion de $\vec{F}$ change le sens de $\vec{\tau}$ mais non sa grandeur. *(c)* L'inversion de $\vec{r}$ change également le sens de $\vec{\tau}$ mais non sa grandeur. *(d)* L'inversion de $\vec{r}$ et $\vec{F}$ à la fois ne change aucunement l'orientation et la grandeur de $\vec{\tau}$. Le sens de $\vec{\tau}$ est indiqué par le symbole ⊙ (une pointe de flèche sortant perpendiculairement de la page) et par le symbole ⊗ (l'empennage d'une flèche entrant perpendiculairement dans la page).

Si on inverse $\vec{r}$ et $\vec{F}$ (fig. 12-2*d*), alors la grandeur et le sens de $\vec{\tau}$ sont inchangés. Ces constatations découlent des faits suivants: (1) $\sin\theta = \sin(180° - \theta)$, de sorte que l'équation 12-2*a* décrivant la grandeur de $\vec{\tau}$ n'est pas influencée; (2) l'inversion d'un vecteur ($\vec{r}$ ou $\vec{F}$) a pour effet d'inverser le signe du produit; et (3) l'inversion des deux vecteurs ($\vec{r}$ et $\vec{F}$) dans un produit vectoriel ne change pas le signe du produit. En utilisant la règle de la main droite, vérifiez l'orientation de $\vec{\tau}$ sur la figure 12-2.

12-3 *MOMENT CINÉTIQUE D'UNE PARTICULE*

La *quantité de mouvement* s'est révélée très utile dans l'étude du mouvement de translation d'une seule particule ou d'un système de particules (y compris les corps solides). Par exemple, lors de collisions, la quantité de mouvement est conservée. La quantité de mouvement d'une particule unique se définit par $\vec{p} = m\vec{v}$ (éq. 9-11); pour un système de particules, on a $\vec{P} = M\vec{v}_{cm}$ (éq. 9-15), où M est la masse totale du système et $\vec{v}_{cm}$, la vitesse du centre de masse. Quelle grandeur physique jouera un rôle analogue à la quantité de mouvement, dans un mouvement de rotation? Ce sera le *moment cinétique (quantité de mouvement angulaire)*, que nous définissons pour l'instant dans le cas particulier d'une seule particule. Nous donnerons plus loin une définition plus générale qui englobera les systèmes de particules et on verra que la notion de moment cinétique, en rotation, est aussi commode que la notion de quantité de mouvement en translation.

Soit une particule de masse m et de quantité de mouvement $\vec{p}$ dont le vecteur $\vec{r}$ précise la position par rapport à une origine O d'un système galiléen (fig. 12-3). Le moment cinétique $\vec{l}$ d'une particule par rapport à l'origine O se définit ainsi:

$$\vec{l} = \vec{r} \times \vec{p}. \qquad (12\text{-}3)$$

Il est important de spécifier l'origine O qui permet de préciser le vecteur $\vec{v}$ intervenant dans la définition du moment cinétique.

Le moment cinétique est un vecteur. Sa grandeur vaut

$$l = rp \sin\theta, \qquad (12\text{-}4a)$$

où θ est l'angle entre $\vec{\mathbf{r}}$ et $\vec{\mathbf{p}}$; sa direction est perpendiculaire au plan formé par $\vec{\mathbf{r}}$ et $\vec{\mathbf{p}}$. La règle de la main droite permet d'en déterminer le sens. Il suffit que les quatre doigts de la main droite entourent la perpendiculaire au plan formé par $\vec{\mathbf{r}}$ et $\vec{\mathbf{p}}$, le pouce demeurant droit. Si le bout des doigts circule en tournant de $\vec{\mathbf{r}}$ vers $\vec{\mathbf{p}}$ selon l'angle le plus petit, alors le pouce donne le sens de $\vec{\mathbf{l}}$.

La grandeur de $\vec{\mathbf{l}}$ peut s'écrire de deux façons:

$$l = (r \sin \theta)\, p = pr_{\perp}, \tag{12-4b}$$

ou

$$l = r(p \sin \theta) = rp_{\perp}, \tag{12-4c}$$

où $r_{\perp}$, soit $r \sin \theta$, désigne la composante de $\vec{\mathbf{r}}$ perpendiculaire à la ligne d'action de $\vec{\mathbf{p}}$, et $p_{\perp}$, soit $p \sin \theta$, représente la composante de $\vec{\mathbf{p}}$ perpendiculaire à $\vec{\mathbf{r}}$. L'équation 12-4c nous indique que seule la composante de $\vec{\mathbf{p}}$ perpendiculaire à $\vec{\mathbf{r}}$ intervient dans le calcul du moment cinétique. Quand l'angle θ entre $\vec{\mathbf{r}}$ et $\vec{\mathbf{p}}$ vaut 0° ou 180°, la composante perpendiculaire est nulle ($p_{\perp} = p \sin \theta = 0$); la ligne d'action de $\vec{\mathbf{p}}$ passe alors par l'origine et $r_{\perp}$ est nulle également. Dans ce cas, chacune des équations 12-4b et 12-4c donne comme résultat un moment cinétique $\vec{\mathbf{l}}$ nul.

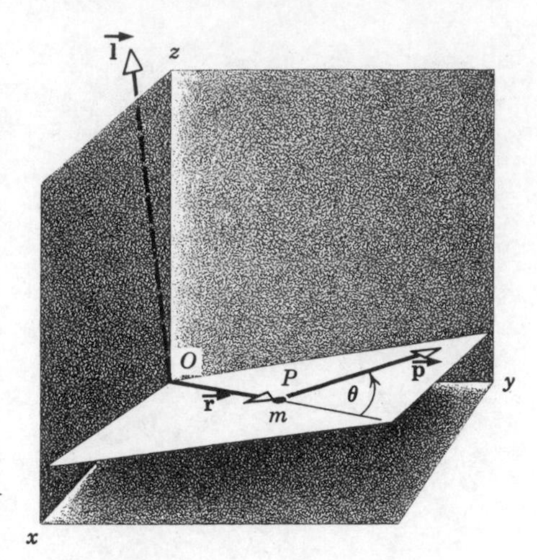

figure 12-3
Le vecteur $\vec{\mathbf{r}}$ localise une particule de masse m ayant une quantité de mouvement $\vec{\mathbf{p}}$ par rapport à une origine O. Le vecteur $\vec{\mathbf{p}}$ fait un angle θ avec le rayon vecteur $\vec{\mathbf{r}}$. On illustre le moment cinétique $\vec{\mathbf{l}}$ de la particule par rapport à l'origine O. Sa direction est perpendiculaire au plan formé par $\vec{\mathbf{r}}$ et $\vec{\mathbf{p}}$ et son sens s'obtient par la règle de la main droite.

Nous allons maintenant démontrer une relation importante entre le moment de force et le moment cinétique. Nous avons déjà vu que $\vec{\mathbf{F}} = d(m\vec{\mathbf{v}})/dt = d\vec{\mathbf{p}}/dt$ (pour une particule). En effectuant le produit vectoriel par $\vec{\mathbf{r}}$ de chaque membre de l'équation, on obtient:

$$\vec{\mathbf{r}} \times \vec{\mathbf{F}} = \vec{\mathbf{r}} \times \frac{d\vec{\mathbf{p}}}{dt}.$$

Mais $\vec{\mathbf{r}} \times \vec{\mathbf{F}}$ représente le moment de force, par rapport à O. On peut donc écrire:

$$\vec{\tau} = \vec{\mathbf{r}} \times \frac{d\vec{\mathbf{p}}}{dt}. \tag{12-5}$$

En différentiant maintenant l'équation 12-3, on a:

$$\frac{d\vec{\mathbf{l}}}{dt} = \frac{d}{dt}(\vec{\mathbf{r}} \times \vec{\mathbf{p}}).$$

La dérivée d'un produit vectoriel s'effectue de la même façon que la dérivée d'un produit ordinaire, sauf qu'on ne doit pas changer l'ordre des termes. Alors:

$$\frac{d\vec{\mathbf{l}}}{dt} = \frac{d\vec{\mathbf{r}}}{dt} \times \vec{\mathbf{p}} + \vec{\mathbf{r}} \times \frac{d\vec{\mathbf{p}}}{dt}.$$

Mais $d\vec{\mathbf{r}}$ étant le vecteur déplacement de la particule dans l'intervalle dt, $d\vec{\mathbf{r}}/dt$ constitue la vitesse instantanée $\vec{\mathbf{v}}$ d'une particule. De plus, $\vec{\mathbf{p}}$ égale $m\vec{\mathbf{v}}$, de sorte que l'équation se récrit ainsi:

$$\frac{d\vec{\mathbf{l}}}{dt} = (\vec{\mathbf{v}} \times m\vec{\mathbf{v}}) + \vec{\mathbf{r}} \times \frac{d\vec{\mathbf{p}}}{dt}.$$

De plus, $\vec{\mathbf{v}} \times m\vec{\mathbf{v}} = 0$, car le produit vectoriel de deux vecteurs parallèles est nul; alors:

$$\frac{d\vec{\mathbf{l}}}{dt} = \vec{\mathbf{r}} \times \frac{d\vec{\mathbf{p}}}{dt}. \tag{12-6}$$

Les équations 12-5 et 12-6 nous amènent à conclure que

$$\vec{\tau} = d\vec{\mathbf{l}}/dt. \tag{12-7}$$

Cette dernière équation nous révèle que *le taux de variation du moment cinétique d'une particule égale le moment de force agissant sur elle*. Ce résultat, en dynamique de rotation, est l'analogue de l'équation 9-12 en translation montrant que le taux de variation de la quantité de mouvement d'une particule égale la force s'exerçant sur elle, c'est-à-dire $\vec{\mathbf{F}} = d\vec{\mathbf{p}}/dt$.

L'équation 12-7, comme toute équation vectorielle, équivaut à trois équations scalaires, soit:

$$\tau_x = (dl_x/dt)_x, \ \tau_y = (dl_y/dt)_y, \ \tau_z = (dl_z/dt)_z. \tag{12-8}$$

Par conséquent, la composante x du moment de force appliqué égale la composante x du taux de variation du moment cinétique. Nous avons des résultats semblables pour les directions y et z.

EXEMPLE 1

D'un point a, on laisse tomber une particule de masse m (fig. 12-4) parallèlement à un axe vertical y. *(a)* A l'instant t et par rapport à l'origine O, évaluez le moment de force s'exerçant sur m. *(b)* Que vaut le moment cinétique de la masse m, à l'instant t, par rapport à la même origine? *(c)* Montrez que la relation $\vec{\tau} = d\vec{\mathbf{l}}/dt$ (éq. 12-7) peut s'appliquer à ce problème.

(a) Le moment de force se calcule à partir de l'équation 12-1, $\vec{\tau} = \vec{\mathbf{r}} \times \vec{\mathbf{F}}$, et sa grandeur est la suivante:

$$\tau = rF \sin \theta.$$

Dans cet exemple, $r \sin \theta = b$ et $F = mg$, de sorte que:

$$\tau = mgb = \mathrm{C^{te}}.$$

Notez que le moment de force s'obtient tout simplement en effectuant le produit de la force (mg) par son bras de levier (b). La règle de la main droite nous indique que $\vec{\tau}$ est un vecteur entrant perpendiculairement dans la page.

(b) L'équation 12-3, où $\vec{\mathbf{l}} = \vec{\mathbf{r}} \times \vec{\mathbf{p}}$, nous donne la grandeur du moment cinétique, soit:

$$l = rp \sin \theta.$$

Dans cet exemple, $r \sin \theta = b$ et $p = mv = m(gt)$, de sorte que:

$$l = mgbt.$$

La règle de la main droite nous fait voir que $\vec{\mathbf{l}}$ entre perpendiculairement dans la page, ce qui signifie que les vecteurs $\vec{\mathbf{l}}$ et $\vec{\tau}$ sont parallèles. Le vecteur $\vec{\mathbf{l}}$ varie en fonction du temps, en grandeur seulement, son orientation demeurant toujours la même dans ce cas.

(c) Puisque $d\vec{\mathbf{l}}$, la variation de $\vec{\mathbf{l}}$, et $\vec{\tau}$ sont parallèles, la relation vectorielle $\vec{\tau} = d\vec{\mathbf{l}}/dt$ devient une relation scalaire, c'est-à-dire:

$$\tau = dl/dt.$$

Au moyen des expressions de τ et l trouvées en *(a)* et en *(b)*, on a:

$$mgb = \frac{d}{dt}(mgbt) = mgb,$$

ce qui est une identité. Ainsi la relation $\vec{\tau} = d\vec{\mathbf{l}}/dt$ donne de bons résultats dans ce cas. En fait, en simplifiant la constante b dans l'équation précédente et en remplaçant gt par v, on obtient

$$mg = \frac{d}{dt}(mv).$$

Puisque $mg = F$ et $mv = p$, on retrouve l'équation familière $F = dp/dt$. Ainsi, comme nous l'avons mentionné déjà, des relations comme $\vec{\tau} = d\vec{\mathbf{l}}/dt$ sont d'une grande utilité mais ne constituent pas des postulats nouveaux en mécanique classique; ce sont de nouvelles formulations des lois newtoniennes adaptées au mouvement de rotation.

Remarquez que les grandeurs de τ et de l dépendent du choix de l'origine, c'est-à-dire de b; en particulier, si $b = 0$, alors $\tau = 0$ et $l = 0$.

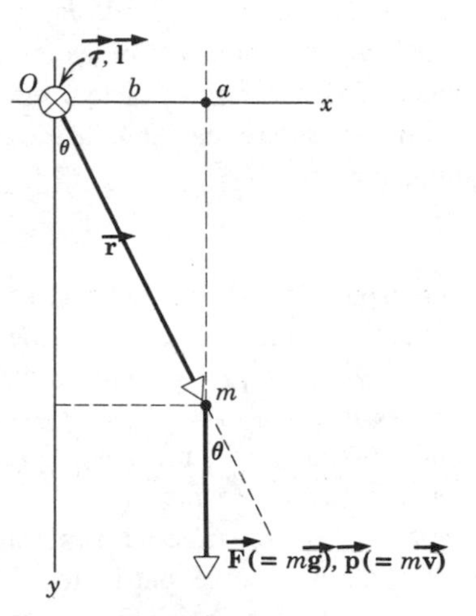

figure 12-4
Exemple 1. Une particule de masse m tombe verticalement du point a. Le moment de force et le moment cinétique par rapport à O s'orientent perpendiculairement à la figure, comme l'indiquent le symbole ⊗ à la position O.

12-4 SYSTÈMES DE PARTICULES

Jusqu'à présent, nous n'avons analysé que le comportement de particules prises isolément. Considérons maintenant des systèmes de particules. Afin d'évaluer le moment cinétique total $\vec{\mathbf{L}}$ d'un tel système par rapport à un point quelconque, il faut effectuer la somme vectorielle des moments cinétiques de chacune des particules du système par rapport à ce même point. Si le système est constitué de n particules, on a alors:

$$\vec{\mathbf{L}} = \vec{\mathbf{l}}_1 + \vec{\mathbf{l}}_2 + \cdots + \vec{\mathbf{l}}_n = \sum_{i=1}^{i=n} \vec{\mathbf{l}}_i,$$

où la somme (vectorielle) s'évalue sur toutes les particules.

Le moment cinétique total $\vec{\mathbf{L}}$ du système peut varier dans le temps par rapport à un point de référence fixe (que nous avons situé, comme dans la définition de l'équation 12-3, à l'origine d'un système galiléen). Cette variation, $d\vec{\mathbf{L}}/dt$, relève de deux facteurs: (1) les moments exercés sur les particules du système par les forces intérieures au système et (2) les moments exercés sur les particules par les forces extérieures.

Si la troisième loi de Newton est valide sous sa forme la plus stricte, c'est-à-dire si les forces d'interaction entre deux particules sont non seulement égales et opposées mais aussi dirigées selon la ligne joignant ces particules, alors le moment intérieur résultant de toutes les paires de forces action-réaction est nul.

La contribution du premier facteur est donc nulle. Par conséquent, par rapport à notre point de référence, seul le deuxième facteur contribue à la variation $d\vec{\mathbf{L}}$, et nous écrivons:

$$\vec{\tau}_{\text{ext}} = d\vec{\mathbf{L}}/dt, \tag{12-9}$$

où $\vec{\tau}_{\text{ext}}$ représente la somme de tous les moments de forces extérieurs agissant sur le système. Donc, *le taux de variation du moment cinétique total d'un système de particules par rapport à l'origine d'un référentiel galiléen égale la somme des moments extérieurs s'exerçant sur le système*. Dorénavant, par commodité, lorsqu'il n'y aura aucune ambiguïté possible, nous nous contenterons d'écrire $\vec{\tau}$ au lieu de $\vec{\tau}_{\text{ext}}$.

L'équation 12-9 constitue la généralisation de l'équation 12-7 à plusieurs particules. Pour une seule particule, il n'y a pas lieu de parler de forces et de moments de forces intérieurs. Cette relation (éq. 12-9) s'applique autant à des systèmes dont les particules sont en mouvement relatif qu'à des systèmes dont les particules restent fixes les unes par rapport aux autres, comme un corps solide.

L'équation 12-9 est l'équivalent, en rotation, de l'équation 9-17,

$$\vec{\mathbf{F}}_{\text{ext}} = d\vec{\mathbf{P}}/dt, \tag{9-17}$$

qui nous enseigne que le taux de variation de la *quantité de mouvement* d'un système de particules (corps solide ou autre) égale la *résultante des forces extérieures* s'exerçant sur lui.

Telle que nous l'avons démontrée, l'équation 12-9 est valide si $\vec{\tau}$ et $\vec{\mathbf{L}}$ sont mesurés par rapport à l'origine d'un système galiléen. On peut se demander si elle demeure valide lorsque nous mesurons ces deux vecteurs par rapport à un point de référence quelconque (une particule, par exemple) dans le système en mouvement. En général, ce point décrit une trajectoire complexe lorsque le corps ou le système de particules effectue à la fois un mouvement de translation et de rotation ou change de configuration; l'équation 12-9 ne peut s'appliquer à un tel point. Cependant, si nous choisissons le centre de masse comme référence, même s'il n'est pas immobile dans notre référentiel, l'équation 12-9 conserve alors sa validité[1]. Voilà une autre propriété remarquable du centre de

[1] Voir le problème 10 de ce chapitre et K. R. Symon, *Mechanics*, 3e édition, Addison-Wesley Publishing Co., 1972, section 4-2.

masse. Il est donc possible de décomposer le mouvement général d'un système de particules en une translation de son centre de masse (éq. 9-17) et une rotation autour de son centre de masse (éq. 12-9).

12-5 *ÉNERGIE CINÉTIQUE DE ROTATION ET INERTIE DE ROTATION*

Intéressons-nous maintenant à un cas particulièrement important de systèmes de particules, *le solide*. Dans un tel corps, les particules conservent toujours leurs positions relatives. Nous nous limiterons, dans un premier temps, à l'étude des solides en rotation autour d'un axe fixe[2] par rapport à un référentiel galiléen. Par la suite, nous analyserons des mouvements et des systèmes plus complexes.

Imaginons un corps solide tournant à une vitesse angulaire ω autour d'un axe fixe par rapport à un référentiel galiléen quelconque (fig. 11-1). Chaque particule du solide en rotation possède une certaine énergie cinétique. Une particule de masse m à une distance r de l'axe de rotation décrit un cercle de rayon r à une vitesse angulaire ω et à une vitesse tangentielle $v = \omega r$. Son énergie cinétique vaut $\frac{1}{2}mv^2 = \frac{1}{2}mr^2\omega^2$. L'énergie cinétique totale du solide est la somme des énergies cinétiques de toutes ses particules.

Puisqu'il s'agit d'un corps solide, toutes les particules tournent à la même vitesse ω; le rayon r peut cependant varier selon les particules. Par conséquent, l'énergie cinétique totale du système en rotation s'écrit ainsi:

$$K = \tfrac{1}{2}(m_1r_1^2 + m_2r_2^2 + \cdot \cdot \cdot)\omega^2 = \tfrac{1}{2}(\Sigma\, m_ir_i^2)\omega^2.$$

Le terme $\Sigma\, m_ir_i^2$ constitue la somme des produits de chacune des masses des particules par le carré de leur distance à l'axe de rotation. Si nous désignons ce terme par la lettre I, nous avons:

$$I = \Sigma\, m_ir_i^2, \tag{12-10}$$

C'est *l'inertie de rotation* ou *le moment d'inertie*[3] du corps autour de l'axe de rotation en question.

Remarquez que *l'inertie de rotation d'un corps dépend aussi de l'axe de rotation* (en plus de sa géométrie et de la façon dont se répartit sa masse). L'inertie de rotation a comme dimensions ML^2, exprimées habituellement en $\text{kg} \cdot \text{m}^2$.

En fonction de l'inertie de rotation, on peut récrire l'énergie cinétique d'un solide en rotation sous la forme suivante:

$$K = \tfrac{1}{2}I\omega^2. \tag{12-11}$$

Cette expression est analogue à celle qui décrit l'énergie cinétique de translation d'un corps, $K = \frac{1}{2}Mv^2$. Nous connaissons déjà l'analogie existant entre ω et v; nous constatons maintenant la même chose entre l'inertie de rotation I et la masse M qui mesure l'inertie de translation. Bien que la masse d'un corps ne soit pas fonction de sa position, son inertie de rotation dépend de l'axe autour duquel il tourne.

[2] Comme nous l'avons mentionné à la section 12-4, nous pouvons décomposer le mouvement général d'un système de particules en un mouvement de translation de son centre de masse et un mouvement de rotation autour de son centre de masse. Toutes les considérations dans ce chapitre pourront s'appliquer à des rotations autour d'un axe mobile dans un référentiel galiléen, pourvu que (1) l'axe passe par le centre de masse et (2) qu'il conserve toujours la même orientation dans l'espace, c'est-à-dire qu'à chaque instant, l'axe se déplace parallèlement à lui-même. Dorénavant, chaque fois que nous utilisons l'expression « axe fixe », nous incluons le cas particulier d'axes mobiles que nous venons de discuter.

[3] On utilise souvent l'expression moment d'inertie, mais on utilisera également l'expression inertie de rotation, surtout parce que I (l'inertie de rotation) joue (nous le verrons) le même rôle dans le mouvement de rotation que M (la masse ou inertie de translation) dans le mouvement de translation.

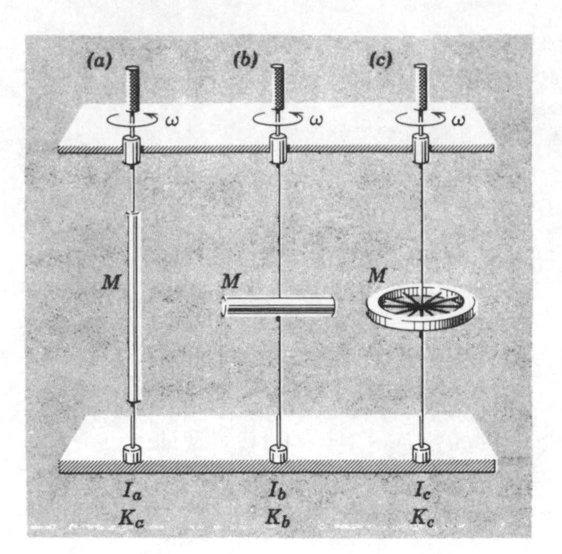

figure 12-5
Une expérience qui montre que $I_a < I_b < I_c$. Les trois objets de plomb possèdent la même masse M, mais celle-ci est distribuée différemment autour de l'axe de rotation.

Nous devons comprendre que l'énergie cinétique de rotation de l'équation 12-11 représente tout simplement la somme des énergies cinétiques de toutes les particules constituant le solide, et non une nouvelle forme d'énergie. L'énergie cinétique de rotation offre une façon plus commode d'exprimer l'énergie cinétique d'un corps en rotation.

Comme le montrent les équations 12-10 et 12-11, l'énergie de rotation d'un corps ayant une vitesse angulaire ω dépend non seulement de sa masse mais de la distribution de celle-ci autour de l'axe de rotation. La figure 12-5 illustre une expérience convaincante à ce sujet. Sur trois axes d'aluminium identiques, on a monté trois objets en plomb, de masse M. En *(a)* la masse est très près de l'axe, de sorte que les r_i de chacune des particules (éq. 12-10) du corps sont relativement faibles; en *(b)* les particules se situent, en moyenne, plus loin de l'axe et, en *(c)*, où nous avons un volant, l'éloignement des particules est plus grand et entraîne de plus grandes valeurs de r_i.

Actionnons maintenant les trois systèmes de telle sorte que les trois corps atteignent, à partir du repos, la même vitesse angulaire ω. Par expérience, nous savons que le travail à faire sur chaque poignée ira en augmentant de *(a)* à *(b)* à *(c)*. Même sans savoir dans quel ordre ont été disposés les objets, il nous serait possible de les repérer. En effet, puisque le travail dans chaque cas égale l'énergie cinétique $\frac{1}{2}I\omega^2$ fournie à l'objet, et puisque l'expérience nous donne $K_a < K_b < K_c$ lorsque la vitesse ω est la même, il nous faut conclure que $I_a < I_b < I_c$. C'est exactement ce que prédit l'équation 12-10. La section 12-6 nous permettra de découvrir le fait suivant: de même que la masse M, nommée inertie de translation, mesure l'opposition d'un corps au changement de son mouvement de translation, l'inertie de rotation I mesure l'opposition au changement de son mouvement de rotation autour d'un certain axe.

EXEMPLE 2

Soit un corps constitué de deux masses sphériques de 5,0 kg chacune, reliées par une tige rigide de masse négligeable longue de 1,0 m (fig. 12-6). En considérant les sphères comme de simples particules, déterminez l'inertie de rotation (ou moment d'inertie) du système *(a)* par rapport à un axe perpendiculaire à la tige et passant par son centre et *(b)* par rapport à un axe perpendiculaire à la tige mais passant par le centre d'une sphère.

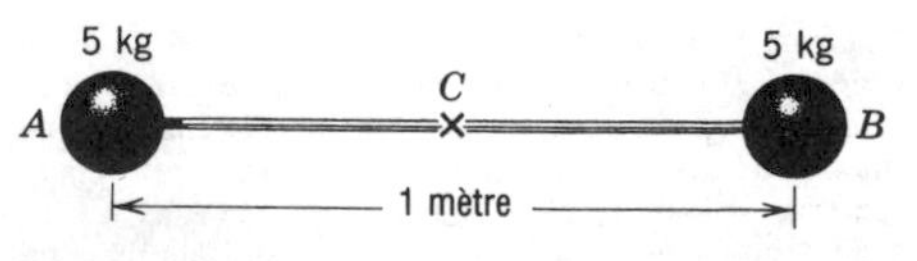

figure 12-6
Exemple 2. Calcul de l'inertie de rotation d'un haltère.

(a) Si l'axe est perpendiculaire à la page au point C, on a:

$$I_C = \Sigma\, m_i r_i^2 = m_a r_a^2 + m_b r_b^2$$
$$= (5{,}0 \text{ kg})(0{,}50 \text{ m})^2 + (5{,}0 \text{ kg})(0{,}50 \text{ m})^2 = 2{,}5 \text{ kg} \cdot \text{m}^2.$$

(b) Si l'axe est perpendiculaire à la page au point A ou B, on a:

$$I_A = m_a r_a^2 + m_b r_b^2 = (5{,}0 \text{ kg})(0 \text{ m})^2 + (5{,}0 \text{ kg})(1.0 \text{ m})^2 = 5{,}0 \text{ kg} \cdot \text{m}^2,$$

$$I_B = m_a r_a^2 + m_b r_b^2 = (5{,}0 \text{ kg})(1{,}0 \text{ m})^2 + (5{,}0 \text{ kg})(0 \text{ m})^2 = 5{,}0 \text{ kg} \cdot \text{m}^2.$$

Par conséquent, l'inertie de rotation de ce corps, qui représente un haltère, est deux fois plus grande par rapport à l'axe passant par son extrémité que par rapport à l'axe passant par son centre.

Dans le cas d'un corps non constitué de masses ponctuelles distinctes mais dont la masse est distribuée de façon continue, la somme discrète $I = \Sigma\, m_i r_i^2$ devient une somme continue, c'est-à-dire une intégrale. Il suffit de subdiviser le corps en éléments de masse infinitésimaux de valeur dm. Alors, si r est la distance de chaque élément à l'axe de rotation, le moment d'inertie s'évaluera ainsi:

$$I = \int r^2\, dm, \tag{12-12}$$

où l'intégrale s'effectue sur tout le corps. Le processus nous permettant de passer d'une somme Σ pour une distribution discontinue à une intégrale $\int$ pour une distribution continue de masse est semblable à celui décrit à la section 9-1 lors de l'étude du centre de masse.

L'intégrale peut être difficile à évaluer pour des corps de forme irrégulière. Cependant, les corps de forme géométrique simple tournant autour d'un axe de symétrie ne posent aucune difficulté.

Voyons comment on peut évaluer l'inertie de rotation d'un cylindre creux tournant autour de son axe de symétrie (fig. 12-7). Choisissons, comme élément de masse, un feuillet cylindrique d'épaisseur infinitésimale dr, de rayon r et de longueur L. Soit ρ la masse volumique du cylindre. Alors:

$$dm = \rho\, dV,$$

où dV désigne le volume du feuillet cylindrique de masse dm. On a donc:

$$dV = (2\pi r\, dr)L,$$

de sorte que

$$dm = 2\pi L \rho r\, dr.$$

Le moment d'inertie par rapport à l'axe du cylindre est donné par

$$I = \int r^2\, dm = 2\pi L \int_{R_1}^{R_2} \rho r^3\, dr.$$

Ici, R_1 désigne le rayon de la paroi intérieure du cylindre et R_2, le rayon de la paroi extérieure.

Si la masse volumique du cylindre était variable, il nous faudrait connaître la fonction $\rho\,(r)$ pour pouvoir effectuer l'intégrale. Pour simplifier le problème, supposons une masse volumique constante. Alors:

$$I = 2\pi L \rho \int_{R_1}^{R_2} r^3\, dr = 2\pi L \rho\, \frac{R_2^4 - R_1^4}{4} = \rho\pi(R_2^2 - R_1^2)L\, \frac{R_2^2 + R_1^2}{2}.$$

La masse du cylindre creux s'obtient en faisant le produit de sa masse volumique ρ par son volume $\pi(R_2^2 - R_1^2)L$, ou:

$$M = \rho\pi(R_2^2 - R_1^2)L.$$

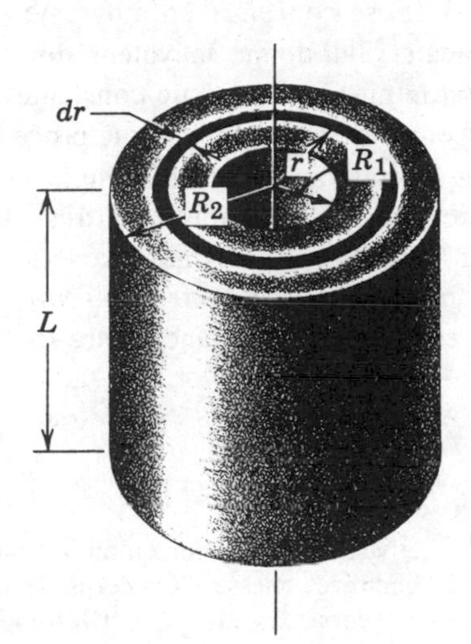

figure 12-7
Calcul de l'inertie de rotation d'un cylindre creux.

Le moment d'inertie du *cylindre creux*, ou anneau cylindrique, de masse M et de rayons intérieur et extérieur R_1 et R_2 vaut donc

$$I = \tfrac{1}{2}M(R_1^2 + R_2^2)$$

par rapport à l'axe du cylindre.

Si $R_1 = 0$, nous avons un *cylindre plein* (ou un disque). Alors,

$$I = \tfrac{1}{2}MR^2$$

par rapport à l'axe du cylindre; R est le rayon du cylindre plein, de masse M.

On peut considérer un *anneau mince* comme un cylindre creux de paroi très mince. Dans ce cas,

$$R_1 \cong R_2 \cong R,$$

et

$$I = MR^2$$

mesure l'inertie de rotation de l'anneau mince de masse M et de rayon R par rapport à l'axe du cylindre.

Ce résultat est évident: chaque élément de masse de l'anneau se situe en effet à une distance R de l'axe central. Dans le cas d'un cylindre plein (ou d'un disque) ayant la *même masse* que l'anneau, l'inertie de rotation (ou moment d'inertie) serait plus petite que celle de l'anneau, parce que la masse du cylindre (ou du disque) se concentre en moyenne à une distance plus faible que R.

Le tableau 12-1 donne la valeur du moment d'inertie de quelques solides communs (de masse volumique constante) par rapport à certains axes. Tous ces résultats peuvent être obtenus par le procédé suivi dans le cas du cylindre creux. Dans chaque équation, M représente la masse totale du corps.

Il existe une relation simple et très utile entre le moment d'inertie I d'un corps par rapport à un certain axe et son moment d'inertie I_{cm} par rapport à un axe parallèle passant *par son centre de masse*. Si M représente la masse totale du corps, et h la distance entre les deux axes, cette relation s'écrit ainsi:

$$I = I_{\text{cm}} + Mh^2. \tag{12-13}$$

- **Notes**

Voici la preuve de cette relation qu'on nomme souvent théorème des axes parallèles. Soit C le centre de masse d'un corps de forme quelconque dont la figure 12-8 illustre une section; x_{cm} et y_{cm} sont les coordonnées du centre de masse contenu dans le plan x-y; z_{cm} est nul.

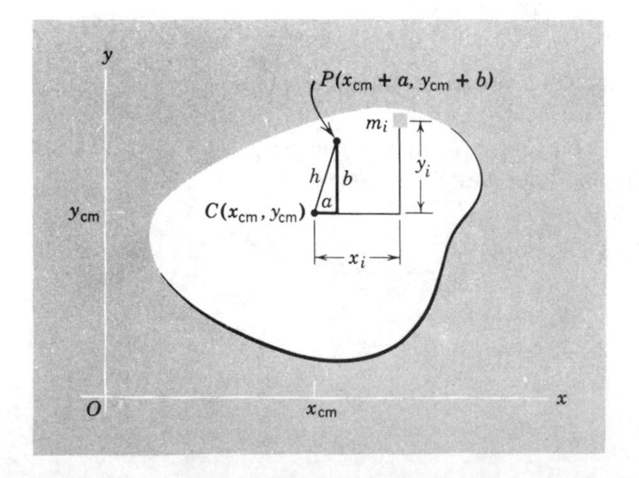

figure 12-8
Théorème des axes parallèles. A partir du moment d'inertie par rapport à un axe passant par C, on trouve le moment d'inertie par rapport à un axe parallèle passant par P.

Tableau 12-1

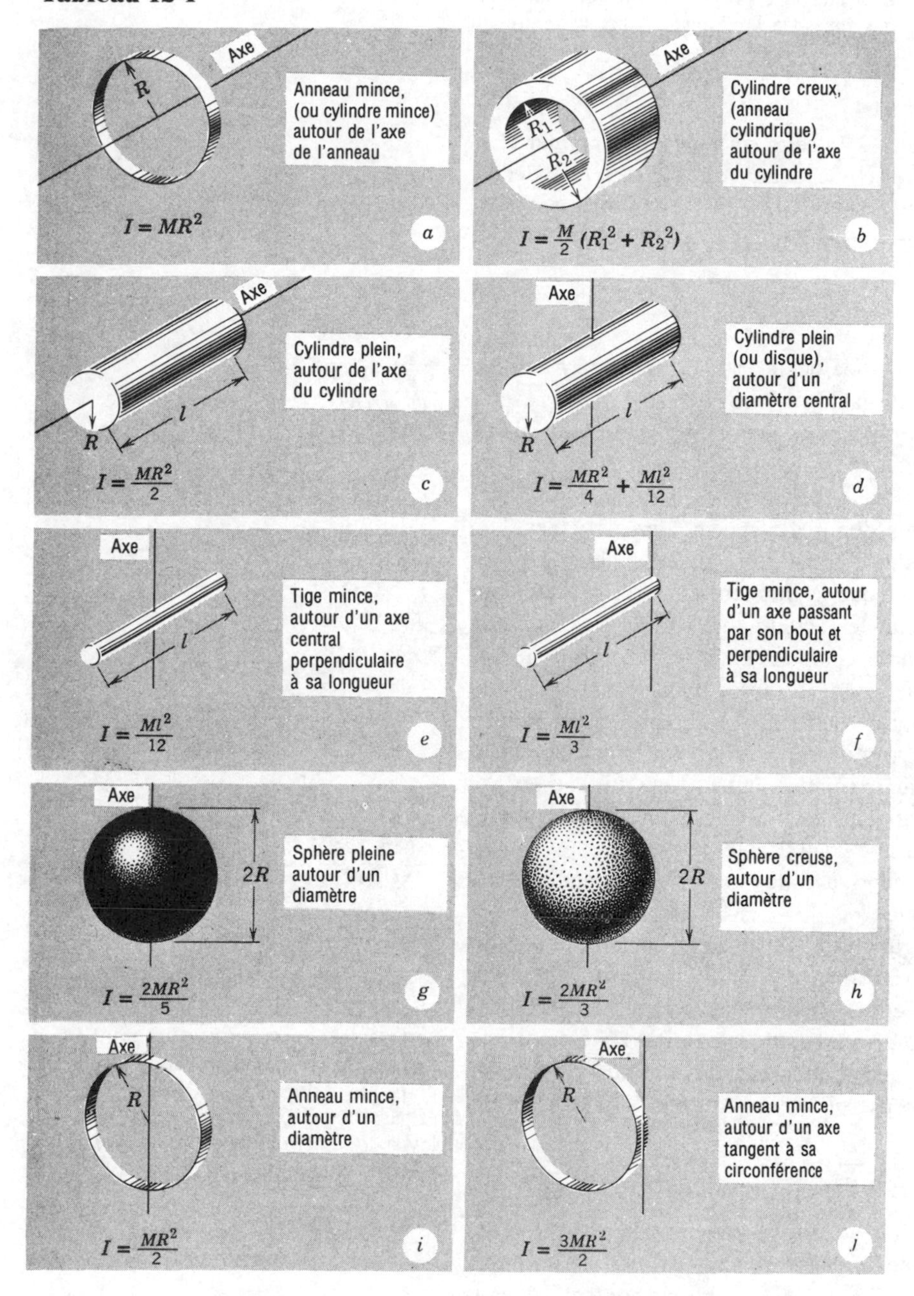

Considérons un axe passant par C, perpendiculairement à la page, et un autre parallèle au précédent passant par le point P, situé à $(x_{\text{cm}} + a,\ y_{\text{cm}} + b)$. La distance entre les axes vaut $h = \sqrt{a^2 + b^2}$ Alors, le carré de la distance d'une particule à l'axe passant par C vaut $x_i{}^2 + y_i{}^2$, où x_i et y_i désignent les coordonnées de l'élément de masse m_i par rapport au même axe. Le carré de la distance de cet élément à l'axe passant par P vaut $(x_i - a)^2 + (y_i - b)^2$. On peut donc écrire:

$$I = \Sigma\, m_i[(x_i - a)^2 + (y_i - b)^2]$$
$$= \Sigma\, m_i(x_i{}^2 + y_i{}^2) - 2a\, \Sigma\, m_i x_i - 2b\, \Sigma\, m_i y_i + (a^2 + b^2)\, \Sigma\, m_i.$$

En vertu de la définition du centre de masse,

$$\Sigma\, m_i x_i = \Sigma\, m_i y_i = 0,$$

de sorte que les deux termes du milieu sont nuls. Le premier terme représente tout simplement le moment d'inertie I_{cm} par rapport à l'axe passant par le centre de masse et le dernier est Mh^2. On a donc $I = I_{cm} + Mh^2$. •

A partir de certains résultats du tableau 12-1, cette formule nous permet d'en retrouver plusieurs autres. Par exemple, *(f)* se déduit de *(e)*, et *(j)* se déduit de *(i)*. La formule nous sera particulièrement utile dans les problèmes combinant les mouvements de rotation et de translation.

12-6 *DYNAMIQUE DE ROTATION D'UN SOLIDE*

Dans cette section, nous poursuivons l'étude de la rotation d'un corps solide autour d'un axe fixe[3] dans un référentiel galiléen. Nous allons d'abord revenir sur la notion de moment de force appliqué sur un solide, puis nous allons montrer comment sont reliés le moment de force et l'accélération angulaire du corps par rapport à son axe de rotation.

Supposons qu'on applique un moment de force $\vec{\tau}$ sur une des particules d'un corps solide. Puisque toutes les particules d'un tel corps maintiennent des positions relatives fixes, on peut considérer que le moment de force s'exerce sur l'ensemble du corps. De façon générale, le vecteur $\vec{\tau}$ ne s'orientera pas selon l'axe de rotation du solide. Uniquement les composantes des moments de forces selon l'axe de rotation[4] nous intéressent pour l'instant, car elles sont les seules responsables de la rotation du corps autour de l'axe. Les composantes perpendiculaires à l'axe ont tendance à le déplacer de sa position, mais nous supposons que l'axe demeure fixe. Le corps, par exemple, peut être monté sur un axe maintenu dans une position fixe par des roulements à bille à chacune des extrémités; si un moment de force possède une composante perpendiculaire à l'axe tendant à le faire tourner, les roulements à billes réagiront immédiatement pour annuler l'effet de cette composante.

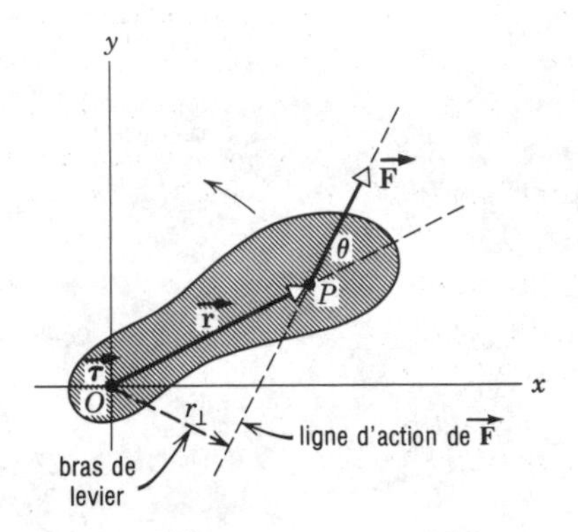

figure 12-9
Une force $\vec{\mathbf{F}}$ agit sur une particule P d'un corps solide, exerçant sur lui un moment de force $\vec{\tau} = \vec{\mathbf{r}} \times \vec{\mathbf{F}}$, par rapport à un axe perpendiculaire au plan de la figure et passant par O. On illustre le bras de levier $r_\perp$ ainsi que le vecteur $\vec{\tau}$ sortant perpendiculairement de la page.

La figure 12-9 (comparez-la à la figure 11-3) illustre une section d'un corps solide libre de tourner autour d'un axe z d'un référentiel galiléen. Une force $\vec{\mathbf{F}}$, contenue dans le plan x-y de la section, s'exerce sur une particule dont la position, au point P et par rapport à l'axe de rotation (axe des z), est précisée par le vecteur $\vec{\mathbf{r}}$. On peut considérer que le moment agissant sur la particule en P s'applique sur l'ensemble du corps solide; l'équation 12-1 nous permet de l'évaluer, c'est-à-dire:

$$\vec{\tau} = \vec{\mathbf{r}} \times \vec{\mathbf{F}}.$$

Parce que $\vec{\mathbf{r}}$ et $\vec{\mathbf{F}}$ sont contenus dans le plan x-y, le moment de force $\vec{\tau}$ s'oriente selon l'axe des z. La règle de la main droite nous indique qu'il sort perpendiculairement de la figure 12-9. Si $\vec{\mathbf{r}}$ et $\vec{\mathbf{F}}$ n'étaient pas contenus dans le plan, $\vec{\tau}$ ne serait pas parallèle à l'axe des z, et il nous faudrait considérer uniquement sa composante selon cet axe. L'équation 12-2 nous donne la grandeur de $\vec{\tau}$, soit

$$\tau = rF \sin \theta,$$

qu'on peut aussi écrire de la façon suivante:

$$\tau = rF_\perp \quad \text{ou} \quad \tau = Fr_\perp.$$

[3] Voir la note 3 donnée précédemment.
[4] Comme pour tout vecteur, on peut parler de la composante vectorielle d'un moment de force dans une direction quelconque, celle d'un axe par exemple. Dans le cas d'un moment de force — et d'autres quantités angulaires — nous parlerons aussi de la composante autour d'un axe donné. La signification est la même.

EXEMPLE 3

Une roue de chariot tourne librement autour d'un axe horizontal passant par le point O. Sur un des rayons, en un point P situé à 30 cm du centre, on applique une force de 45 N. OP fait un angle de 30° avec l'horizontale (axe des x) et la force s'exerce dans le plan de la roue, à un angle de 45° par rapport à l'horizontale (axe des x). Évaluez le moment de force qui s'exerce sur la roue.

L'angle θ, formé par le vecteur $\vec{r}$ (joignant O à P) et la force $\vec{F}$, (fig. 12-10) a la valeur suivante:

$$\theta = 45° - 30° = 15°.$$

La grandeur du moment est donc

$$\tau = rF \sin \theta$$

$$= (0{,}30 \text{ m})(45 \text{ N}) \sin 15° = 3{,}5 \text{ N} \cdot \text{m}.$$

Évidemment, on obtient le même résultat à partir de $\tau = rF_{\perp}$ ou $\tau = Fr_{\perp}$ (éq. 12-2). Le vecteur moment de force ($\vec{\tau} = \vec{r} \times \vec{F}$) sort perpendiculairement ⊙ de la page le long de l'axe de la roue, et a une grandeur de 3,5 N · m.

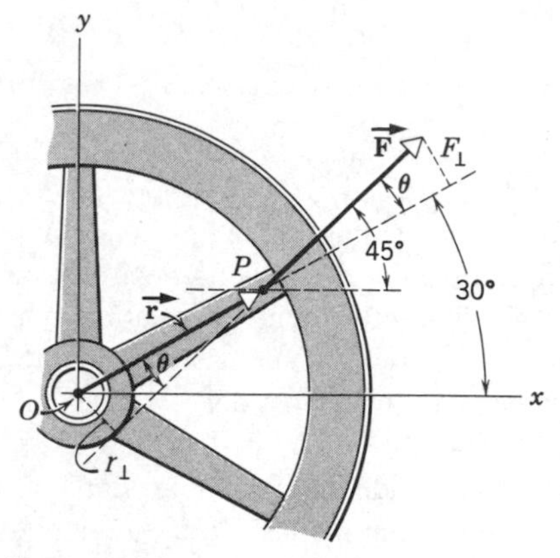

figure 12-10
Exemple 3.

Cherchons maintenant une relation entre le moment appliqué sur le solide de la figure 12-9 et l'accélération angulaire résultante. Pendant un intervalle de temps infinitésimal dt, l'objet tourne d'un angle infinitésimal $d\theta$. Nous avons déjà constaté qu'il était possible de décrire le mouvement de rotation d'un solide autour d'un axe fixe en suivant le mouvement d'un seul point tel le point P de la figure 12-9. Pour plus de commodité, à la figure 12-11, nous avons fait abstraction du solide et nous avons mis en évidence le point P et le vecteur $\vec{r}$, qui situe ce dernier par rapport à l'axe de rotation.

Pendant l'intervalle dt, le point P parcourt une distance infinitésimale ds sur un arc de cercle de rayon r, alors que le corps tourne d'un angle infinitésimal $d\theta$, le tout lié par la relation

$$ds = r\, d\theta.$$

Le travail dW effectué par cette force durant cette rotation infinitésimale vaut

$$dW = \vec{F} \cdot d\vec{s} = F \cos \phi\, ds = (F \cos \phi)(r\, d\theta),$$

où $F \cos \phi$ désigne la composante de $\vec{F}$ selon $d\vec{s}$.

Cependant, le terme $(F \cos \phi)\, r$ représente la grandeur du moment de force instantané que $\vec{F}$ exerce sur le corps solide par rapport à un axe perpendiculaire à la page et passant par O; alors,

$$dW = \tau\, d\theta. \tag{12-14}$$

Cette expression différentielle du travail effectué lors d'une rotation (autour d'un axe fixe) est équivalente à l'expression $dW = F dx$ qui évalue le travail effectué lors d'une translation (sur une trajectoire rectiligne).

Pour déterminer le taux auquel s'effectue le travail au cours de la rotation (autour d'un axe fixe), divisons chacun des membres de l'équation 12-14 par l'intervalle de temps infinitésimal dt pendant lequel le corps subit un déplacement angulaire $d\theta$; alors,

$$\frac{dW}{dt} = \tau \frac{d\theta}{dt}$$

ou

$$P = \tau\omega,$$

ce qui exprime la puissance instantanée P. Cette expression est analogue à celle obtenue pour le mouvement de translation (selon une ligne droite), soit $P = Fv$.

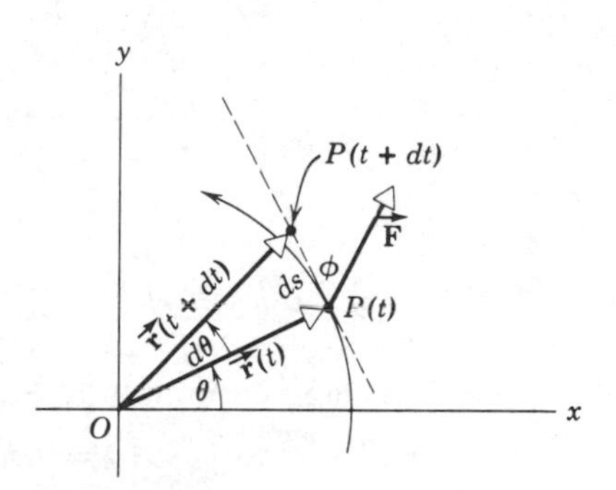

figure 12-11
Durant l'intervalle dt, le point P du solide de la figure 12-9 parcourt une distance ds le long d'un arc de cercle de rayon r. Le corps solide (non illustré) et le vecteur $\vec{r}$ situant le point P tournent d'un angle $d\theta$ dans le même intervalle.

Si, maintenant, plusieurs forces $\vec{F}_1$, $\vec{F}_2$, etc., agissent sur le corps dans un plan perpendiculaire à l'axe de rotation, le travail effectué par ces forces lors d'une rotation $d\theta$, vaut

$$dW = F_1 \cos \phi_1 r_1 \, d\theta + F_2 \cos \phi_2 r_2 \, d\theta + \cdots,$$
$$= (\tau_1 + \tau_2 + \cdots) \, d\theta = \tau \, d\theta,$$

où $r_1 \, d\theta$ égale ds_1, le déplacement du point où s'applique $\vec{F}_1$, et ϕ_1 l'angle entre $\vec{F}_1$ et $d\vec{s}_1$ etc., et où τ représente maintenant la grandeur de la composante du moment résultant selon l'axe passant par O. Dans l'évaluation de cette somme, on doit attribuer des valeurs positives ou négatives aux moments de force selon le sens du mouvement de rotation que chacun tend à donner au solide. On attribue arbitrairement un signe positif à un moment qui tend à faire tourner dans le sens contraire des aiguilles d'une horloge; dans le cas contraire, le moment sera négatif.

Pour un solide indéformable, il n'y a pas de mouvement interne des particules puisqu'elles maintiennent toujours leurs positions relatives; toutes les particules se meuvent ensemble. Puisqu'il n'y a pas de dissipation d'énergie à l'intérieur du corps, le taux auquel s'effectue le travail s'écrit donc ainsi:

$$\frac{dW}{dt} = \tau \frac{d\theta}{dt} = \tau\omega. \tag{12-15}$$

Le taux de variation de l'énergie cinétique du corps s'écrit ainsi:

$$\frac{d}{dt}\left(\tfrac{1}{2}I\omega^2\right).$$

Mais I est constant puisque le corps est solide et qu'il tourne autour d'un axe fixe. D'où:

$$\frac{d}{dt}\left(\tfrac{1}{2}I\omega^2\right) = \tfrac{1}{2}I\frac{d}{dt}(\omega^2) = I\omega\frac{d\omega}{dt} = I\omega\alpha. \tag{12-16}$$

En égalant les membres de droite des équations 12-15 et 12-16, on obtient

$$\tau\omega = I\alpha\omega,$$

ou

$$\tau = I\alpha. \tag{12-17}$$

L'équation 12-17 concerne le mouvement de rotation d'un solide autour d'un axe fixe. Le moment $\vec{\tau}$, la vitesse angulaire $\vec{\omega}$ et l'accélération angulaire $\vec{\alpha}$ s'orientent tous selon cet axe dans un sens ou dans l'autre. Une situation analogue se présente dans le mouvement de translation lorsque la force $\vec{F}$ qui est appliquée sur un objet, la vitesse $\vec{v}$ et l'accélération $\vec{a}$ s'orientent selon une même ligne droite, dans un sens ou dans l'autre.

Les six quantités mentionnées ci-haut sont des vecteurs, mais, puisqu'ils sont dirigés selon une même droite, leur sens ne laisse qu'une alternative. En déterminant un sens + ou −, on peut traiter ces quantités algébriquement et ne considérer que leurs grandeurs. Ainsi, en déduisant l'équation 12-17 ($\tau = I\alpha$), nous n'avons fait que traduire, en fonction des variables de rotation, la deuxième loi de Newton ($F = Ma$) applicable au mouvement rectiligne de translation. En conséquence, de même que l'on peut associer force et accélération linéaire d'un corps, ainsi on peut associer moment de force et accélération angulaire d'un corps autour d'un axe. L'inertie de rotation I mesure l'opposition qu'offre un objet au changement de son mouvement de rotation sous l'influence d'un moment de force, de même que l'inertie de translation, ou la masse M, mesure l'opposition qu'offre un objet au changement de son mouvement de translation sous l'effet d'une force.

Le tableau 12-2 nous permet de comparer le mouvement rectiligne de translation d'un solide au mouvement de rotation d'un solide autour d'un axe fixe.

Tableau 12-2

Mouvement rectiligne		Rotation autour d'un axe fixe	
Déplacement	x	Déplacement angulaire	θ
Vitesse	$v = \frac{dx}{dt}$	Vitesse angulaire	$\omega = \frac{d\theta}{dt}$
Accélération	$a = \frac{dv}{dt}$	Accélération angulaire	$\alpha = \frac{d\omega}{dt}$
Masse (inertie de translation)	M	Inertie de rotation	I
Force	$F = Ma$	Moment de force	$\tau = I\alpha$
Travail	$W = \int F\, dx$	Travail	$W = \int \tau\, d\theta$
Énergie cinétique	$\frac{1}{2}Mv^2$	Énergie cinétique	$\frac{1}{2}I\omega^2$
Puissance	$P = Fv$	Puissance	$P = \tau\omega$
Quantité de mouvement	Mv	Moment cinétique	$I\omega$

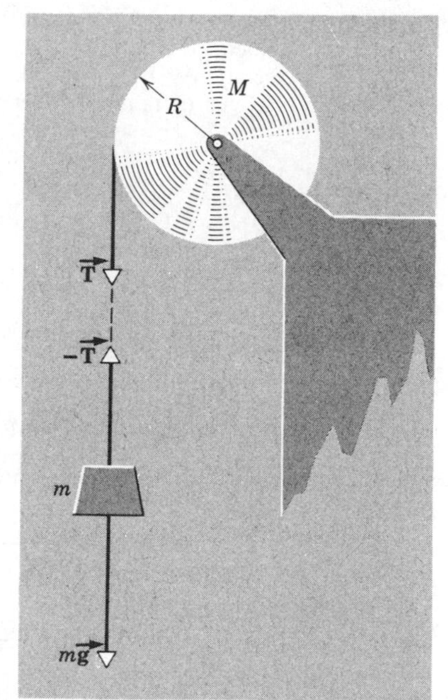

figure 12-12
Exemple 4. Une force constante $\vec{T}$ exercée vers le bas entraîne la rotation du disque.
Exemple 5. Ici la masse m, en tombant, est responsable de la tension $\vec{T}$.

Le mouvement de rotation d'un solide autour d'un axe fixe (auquel s'applique l'équation $\tau = I\alpha$) ne constitue pas le cas le plus général d'un mouvement de rotation; par rapport à un système galiléen, l'axe pourrait être mobile et le corps, autre qu'un solide. Dans le cas général, l'équation 12-9, ou $\vec{\tau}_{ext} = d\vec{L}/dt$, s'applique. Comme nous l'avons déjà signalé, cette équation est l'équivalent de l'équation 9-17, $\vec{F}_{ext} = d\vec{P}/dt$, soit la deuxième loi de Newton dans le cas général de la translation d'un système de particules.

Jusqu'à la fin de ce chapitre, nous allons nous limiter aux rotations de corps solides autour d'axes fixes. Au chapitre 13, nous nous intéresserons à d'autres types de mouvement de rotation.

EXEMPLE 4

Un disque homogène de rayon R et de masse M tourne librement autour d'un axe (fig. 12-12). Autour de la jante de cette roue, on enroule une fine corde avec laquelle on exerce une tension constante $\vec{T}$ vers le bas. Trouvez l'accélération angulaire de la roue et l'accélération tangentielle d'un point sur la jante.

Le moment de force par rapport à l'axe vaut $\tau = TR$, et l'inertie de rotation du disque, par rapport au même axe, vaut $I = \frac{1}{2}MR^2$. De

$$\tau = I\alpha,$$

on tire

$$TR = (\tfrac{1}{2}MR^2)\alpha,$$

ou

$$\alpha = \frac{2T}{MR}.$$

Si $M = 2{,}50$ kg, $R = 0{,}20$ m et $T = 5{,}0$ N, alors

$$\alpha = \frac{(2)(5{,}0 \text{ N})}{(2{,}50 \text{ kg})(0{,}20 \text{ m})} = 20 \text{ rad/s}^2.$$

L'accélération tangentielle d'un point sur la jante aura comme valeur

$$a = R\alpha = (20 \text{ rad/s}^2)(0{,}20 \text{ m}) = 4{,}0 \text{ m/s}^2.$$

EXEMPLE 5

Dans le système du problème précédent, imaginez que l'on suspende à la corde un objet de masse m. Trouvez alors l'accélération angulaire du disque et l'accélération tangentielle d'un point situé sur la jante.

Soit T la tension dans la corde. Puisque la masse suspendue va accélérer vers le bas, la force gravitationnelle mg sur celle-ci doit être supérieure à la tension T tirant vers le haut. L'accélération a de l'objet est la même que l'accélération tangentielle d'un point situé sur la jante de la roue. D'après la deuxième loi de Newton,

$$mg - T = ma.$$

Le moment résultant sur le disque vaut TR et, son inertie de rotation étant égale à $\frac{1}{2}MR^2$, la relation

$$\tau = I\alpha$$

donne

$$TR = \tfrac{1}{2}MR^2\alpha.$$

Puisque $a = R\alpha$, la dernière équation peut s'écrire ainsi:

$$2T = Ma.$$

En solutionnant simultanément la première et la dernière équation, on obtient

$$a = \left(\frac{2m}{M + 2m}\right)g,$$

et

$$T = \left(\frac{Mm}{M + 2m}\right)g.$$

Si $M = 2{,}50$ kg, $R = 0{,}20$ m et $mg = 5{,}0$ N, on obtient:

$$a = \frac{2mg}{M + 2m} = \frac{(2)(5{,}0\ \text{N})}{(2{,}50\ \text{kg}) + 2(5/9{,}8)\ \text{kg}} = 2{,}85\ \text{m/s}^2,$$

$$\alpha = \frac{a}{R} = \frac{(2{,}85\ \text{m/s}^2)}{0{,}20\ \text{m}} = 14{,}3\ \text{rad/s}^2.$$

Remarquez que le poids de 5,0 N entraîne une accélération plus faible qu'une force constante de 5,0 N tirant sur la corde (exemple 4). C'est attribuable au fait que la tension dans la corde exerçant le moment de force sur le disque est maintenant plus faible que 5,0 N, c'est-à-dire:

$$T = \frac{Mmg}{M + 2m} = \frac{(2{,}50\ \text{kg})(5{,}0\ \text{N})}{(2{,}50 + 1{,}0)\ \text{kg}} = 3{,}6\ \text{N}.$$

La tension doit être plus faible que le poids de l'objet pour que l'accélération s'oriente vers le bas.

EXEMPLE 6

Supposez que le disque de l'exemple 5 soit initialement au repos. Calculez le travail que fait le moment de force sur le disque en 2,0 s. Calculez aussi l'augmentation de l'énergie cinétique de rotation du disque.

Puisque le moment exercé est constant, l'accélération angulaire résultante est aussi constante. Le déplacement angulaire total dans le cas d'une accélération angulaire constante se calcule à partir de l'équation 11-5, soit

$$\theta = \omega_0 t + \tfrac{1}{2}\alpha t^2,$$

dans laquelle

$$\omega_0 = 0, \qquad \alpha = 14{,}3\ \text{rad/s}^2, \qquad t = 2{,}0\ \text{s},$$

de sorte que

$$\theta = 0 + (\tfrac{1}{2})(14{,}3\ \text{rad/s}^2)(2{,}0\ \text{s})^2 = 28{,}6\ \text{rad}.$$

Puisque le travail est fait par un moment de force constant sur un déplacement angulaire fini,

$$W = \tau(\theta_2 - \theta_1),$$

où

$$\tau = TR = (3{,}6\ \text{N})(0{,}20\ \text{m}) = 0{,}72\ \text{N}\cdot\text{m},$$

et

$$\theta_2 - \theta_1 = \theta = 28{,}6 \text{ rad.}$$

Donc

$$W = (0{,}72 \text{ N} \cdot \text{m})(28{,}6 \text{ rad}) = 20{,}5 \text{ J.}$$

Ce travail entraîne une augmentation de l'énergie cinétique de rotation du disque. A partir du repos, le disque acquiert une vitesse angulaire ω. L'énergie cinétique de rotation vaut $\frac{1}{2}I\omega^2 = \frac{1}{2}(\frac{1}{2}MR^2)\omega^2$. On peut obtenir ω en utilisant l'équation 11-3, soit:

$$\omega = \omega_0 + \alpha t,$$

dans laquelle

$$\omega_0 = 0, \qquad t = 2{,}0 \text{ s}, \qquad \alpha = 14{,}3 \text{ rad/s}^2,$$

ce qui donne

$$\omega = 0 + (14{,}3 \text{ rad/s}^2)(2{,}0 \text{ s}) = 28{,}6 \text{ rad/s.}$$

Alors,

$$\tfrac{1}{2}I\omega^2 = (\tfrac{1}{4})(2{,}50 \text{ kg})(0{,}20 \text{ m})^2(28{,}6 \text{ rad/s})^2 = 20{,}5 \text{ J},$$

ce qui confirme le résultat précédent. Par conséquent, comme il se doit, l'augmentation de l'énergie cinétique du disque égale le travail fait par la force résultante sur celui-ci.

EXEMPLE 7

Soit le système de l'exemple 5. Montrez que le principe de la conservation de l'énergie mécanique est respecté.

La force gravitationnelle qui s'exerce sur la masse suspendue constitue la force résultante sur le système. C'est une force conservative. En observant l'ensemble du système, on se rend compte que la masse m perd, en descendant, une quantité d'énergie potentielle U égale à

$$U = mgy,$$

où y est la distance verticale franchie par la masse. En même temps, cette dernière augmente son énergie cinétique de translation et le disque accroît son énergie cinétique de rotation. Le gain résultant d'énergic cinétique vaut

$$\tfrac{1}{2}mv^2 + \tfrac{1}{2}I\omega^2,$$

où v représente la vitesse linéaire de la masse suspendue. Il faut montrer alors que

$$mgy = \tfrac{1}{2}mv^2 + \tfrac{1}{2}I\omega^2.$$

Puisque le mouvement de translation s'effectue à partir du repos, on a $v^2 = 2ay$. De plus, à l'exemple 5, nous avons vu que $a = 2\,mg/(M + 2m)$. Donc,

$$mgy = \frac{mgv^2}{2a} = \tfrac{1}{2}\,mv^2\left(\frac{g}{a}\right) = \tfrac{1}{2}\,mv^2\left(\frac{M + 2m}{2m}\right) = \tfrac{1}{4}\,(M + 2m)v^2.$$

On sait également que $\omega = v/R$ et que $I = \frac{1}{2}MR^2$. En substituant ces valeurs dans le membre de droite de l'équation de conservation, on obtient:

$$\tfrac{1}{2}mv^2 + \tfrac{1}{2}I\omega^2 = \tfrac{1}{2}mv^2 + \tfrac{1}{2}(\tfrac{1}{2}MR^2)(v^2/R^2) = \tfrac{1}{4}(M + 2m)v^2.$$

L'énergie mécanique est donc conservée.

EXEMPLE 8

Déduisez la relation $L = I\omega$ du tableau 12-2 donnant le moment cinétique d'un solide tournant autour d'un axe fixe.

A partir de l'équation scalaire $\tau = I\alpha$ et de la définition de $\alpha = d\omega/dt$, on peut écrire

$$\tau = I\alpha = I(d\omega/dt) = d(I\omega)/dt,$$

où la dernière étape se justifie par le fait que I est constant dans le cas d'un solide tournant autour d'un axe fixe.

Maintenant, l'équation vectorielle $\vec{\tau}_{ext} = d\vec{L}/dt$ (éq. 12-9) peut s'écrire en utilisant les composantes scalaires des vecteurs $\vec{\tau}_{ext}$ et $d\vec{L}$ selon l'axe de rotation fixe, c'est-à-dire:

$$\tau = dL/dt.$$

La simple comparaison des deux équations obtenues ci-dessus nous donne

$$L = I\omega. \tag{12-18}$$

Comme l'équation 12-17 ($\tau = I\alpha$), cette équation scalaire est valide dans le cas d'un solide en rotation autour d'un axe fixe. L est la composante du vecteur moment cinétique $\vec{L}$ selon l'axe de rotation, et I est évalué par rapport au même axe.

En rotation, l'équation 12-18 est l'analogue de l'équation $P = Mv$ donnant la *quantité de mouvement* d'un solide de masse M ayant une vitesse de translation v. Elle décrit le *moment cinétique* d'un solide autour d'un axe fixe, ayant une inertie de rotation I et une vitesse angulaire ω autour de cet axe.

12-7 MOUVEMENT DE TRANSLATION ET DE ROTATION D'UN SOLIDE

Jusqu'ici, nous n'avons considéré que la rotation des solides autour d'axes fixes. Cependant, lorsqu'un corps roule, son mouvement de rotation autour d'un axe s'accompagne d'un mouvement de translation. Il va de soi de considérer le mouvement des corps qui roulent comme la combinaison d'un mouvement de translation et d'un mouvement de rotation. Il est aussi possible d'y voir uniquement un mouvement de rotation. Nous désirons illustrer l'équivalence des deux approches.

Considérons, par exemple, un cylindre roulant sur une surface horizontale (fig. 12-13). Puisqu'il ne glisse pas, le bas du cylindre est au repos instantané par rapport au sol. On nomme *axe de rotation instantané* l'axe passant par le point de contact P et perpendiculaire au bout du cylindre. A chaque instant, la vitesse linéaire de chaque particule du cylindre fait un angle droit avec la ligne joignant chaque particule au point P, et la grandeur de cette vitesse est fonction de la distance de chaque particule au point P. Ceci équivaut à considérer le cylindre comme tournant instantanément à une vitesse angulaire ω autour d'un axe fixe passant par P. Par conséquent, à tout instant, le mouvement du cylindre équivaut à une simple rotation. L'énergie cinétique totale peut donc s'écrire ainsi:

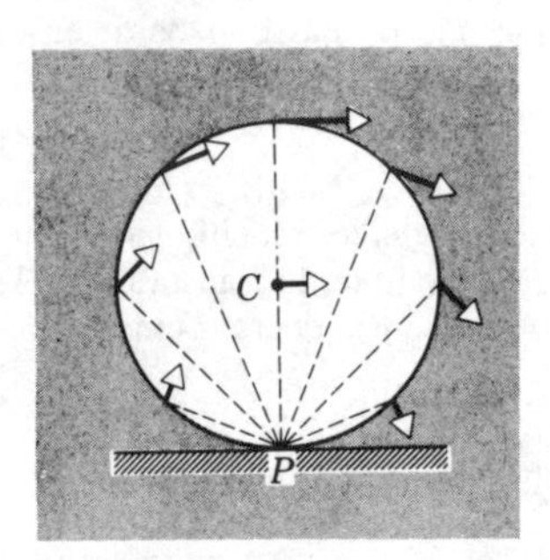

figure 12-13
Un corps qui roule peut être considéré comme tournant autour d'un axe instantané passant par son point de contact P.

$$K = \tfrac{1}{2} I_P \omega^2, \tag{12-19}$$

où I_p est l'inertie de rotation par rapport à P.

Utilisons maintenant le théorème des axes parallèles,

$$I_P = I_{cm} + MR^2,$$

où I_{cm} représente l'inertie de rotation du cylindre de masse M et de rayon R autour d'un axe parallèle passant par le centre de masse.

$$K = \tfrac{1}{2} I_{cm}\omega^2 + \tfrac{1}{2} MR^2\omega^2. \tag{12-20}$$

La quantité $R\omega$ représente la vitesse du centre de masse par rapport au point de contact P. Posons $R\omega = v_{cm}$. L'équation 12-20 s'écrit maintenant ainsi:

$$K = \tfrac{1}{2} I_{cm}\omega^2 + \tfrac{1}{2} M v_{cm}{}^2. \tag{12-21}$$

Précisons que la vitesse du centre de masse par rapport à P est la même que la vitesse de P par rapport au centre de masse. Par conséquent, la vitesse angulaire ω du centre de masse autour de P, comme le perçoit un observateur au point P, est la même que la vitesse angulaire d'une particule en P autour de C, telle que la voit un observateur au point C (se déplaçant avec le cylindre). Ceci revient à dire que toute ligne de référence sur le cylindre tourne, dans un temps donné, du même angle peu importe qu'on l'observe d'un référentiel lié à la surface sur laquelle roule le cylindre ou d'un référentiel effectuant un mouvement de translation par rapport à cette surface. Il est donc possible d'interpréter autrement l'équation 12-21 que nous avons déduite en considérant une simple rotation; le premier terme, $\frac{1}{2}I_{\text{cm}}\omega^2$, représente l'énergie cinétique du cylindre s'il tournait d'un axe passant par son centre de masse sans effectuer de translation; le second terme, $\frac{1}{2}Mv_{\text{cm}}^2$, constitue l'énergie cinétique du cylindre s'il se déplaçait, sans tourner, à la vitesse de son centre de masse. Remarquez qu'il n'est plus question maintenant de l'axe de rotation instantané passant par P. De fait, l'équation 12-21 peut s'appliquer à tout corps qui se déplace tout en tournant autour d'un axe perpendiculaire à la direction de son mouvement, qu'il roule ou non sur une surface.

Une translation du centre de masse et une rotation autour d'un axe passant par le centre de masse équivalent à une simple rotation à la même vitesse angulaire autour d'un axe passant par le point de contact.

Pour bien illustrer ce fait, considérons les vitesses instantanées de quelques points appartenant à un cylindre qui roule. Si v_{cm} est la vitesse du centre de masse (par rapport à un référentiel lié à la surface), la vitesse angulaire instantanée autour d'un axe passant par P vaut $\omega = \omega_{\text{cm}}/R$. Un point Q situé au haut du cylindre aura donc une vitesse $\omega 2R = 2v_{\text{cm}}$ au même instant. Le point de contact P est instantanément au repos. La figure 12-14 illustre bien le point de vue d'une simple rotation autour du point P.

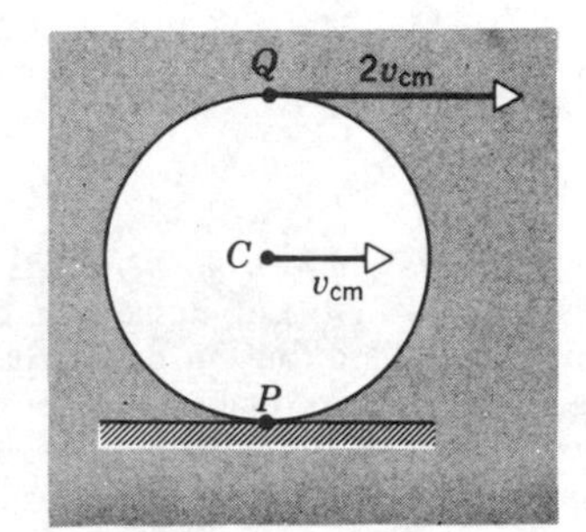

figure 12-14
Les points Q et C tournent à la même vitesse angulaire autour de P; par contre, Q, étant situé deux fois plus loin du point P, possède une vitesse linéaire deux fois plus grande que C.

Regardons maintenant le roulement comme la somme d'une translation du centre de masse et d'une rotation autour de l'axe passant par le centre de masse C. Si on considère uniquement la translation, tous les points du cylindre possèdent la même vitesse v_{cm}, celle du centre de masse, ce qu'illustre la figure 12-15*a*. Du point de vue de la rotation, le centre est au repos, tandis que le point Q possède une vitesse ωR selon x et le point P une vitesse $-\omega R$ selon x. La figure 12-15*b* l'illustre bien. Combinons maintenant ces deux résultats. En se rappelant que $\omega = v_{\text{cm}}/R$, on obtient

$$\text{pour le point } Q, \quad v = v_{\text{cm}} + \omega R = v_{\text{cm}} + \frac{v_{\text{cm}}}{R}R = 2v_{\text{cm}},$$

$$\text{pour le point } C, \quad v = v_{\text{cm}} + 0 = v_{\text{cm}},$$

$$\text{pour le point } P, \quad v = v_{\text{cm}} - \omega R = v_{\text{cm}} - \frac{v_{\text{cm}}}{R}R = 0.$$

La figure 12-15*c* fait apparaître ce résultat, identique à celui obtenu à la figure 12-14 en considérant uniquement un mouvement de rotation.

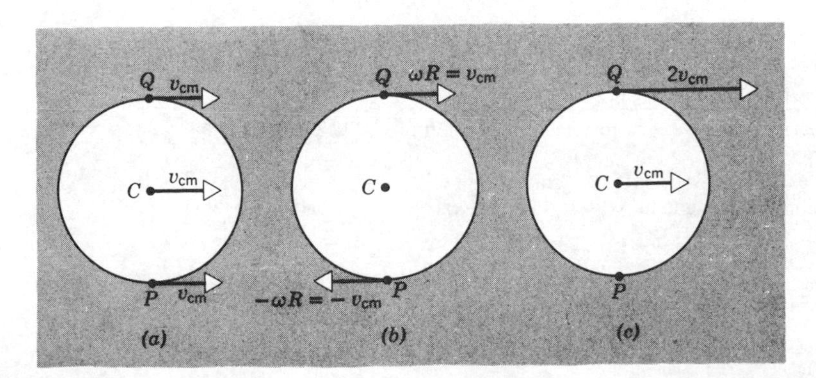

figure 12-15
(a) Dans le cas d'une simple translation, tous les points se déplacent à la même vitesse. *(b)* Dans le cas d'une simple rotation autour de C, des points diamétralement opposés possèdent des vitesses égales et opposées. *(c)* L'effet d'une translation et d'une rotation simultanées s'obtient par la somme vectorielle des vecteurs correspondants en *(a)* et *(b)*.

EXEMPLE 9

Considérons un cylindre de masse M et de rayon R roulant sans glisser vers le bas d'un plan incliné. Trouvez la vitesse du centre de masse lorsque le cylindre atteint le bas du plan.

La figure 12-16 représente bien la situation. On peut solutionner le problème en appliquant le principe de la conservation de l'énergie. Le cylindre est initialement au repos et, en dévalant le plan, perd une quantité d'énergie potentielle Mgh, h étant la hauteur du plan incliné. Il gagne de l'énergie cinétique, soit

$$\tfrac{1}{2}I_{cm}\omega^2 + \tfrac{1}{2}Mv^2,$$

où v est la vitesse linéaire du centre de masse et ω, la vitesse angulaire autour du centre de masse, au bas du plan.

On peut écrire alors

$$Mgh = \tfrac{1}{2}I_{cm}\omega^2 + \tfrac{1}{2}Mv^2,$$

où

$$I_{cm} = \tfrac{1}{2}MR^2 \qquad \text{et} \qquad \omega = \frac{v}{R}\cdot$$

En conséquence,

$$Mgh = \tfrac{1}{2}(\tfrac{1}{2}MR^2)\left(\frac{v}{R}\right)^2 + \tfrac{1}{2}Mv^2 = (\tfrac{1}{4} + \tfrac{1}{2})Mv^2,$$

$$v^2 = \tfrac{4}{3}gh \qquad \text{ou} \qquad v = \sqrt{\tfrac{4}{3}gh}.$$

Si le cylindre avait *glissé sans frottement* vers le bas du plan, le centre de masse aurait acquis une vitesse $v = \sqrt{2gh}$. La vitesse d'un cylindre qui roule est donc moindre que celle d'un cylindre qui glisse, du fait qu'une partie de son énergie potentielle se transforme en énergie cinétique de rotation, ce qui diminue son énergie cinétique de translation. Bien que la descente du cylindre qui roule requière plus de temps que celui qui glisse sur un plan sans frottement, les deux arrivent en bas avec la même énergie; l'un roule tout en se déplaçant alors que l'autre ne roule pas.

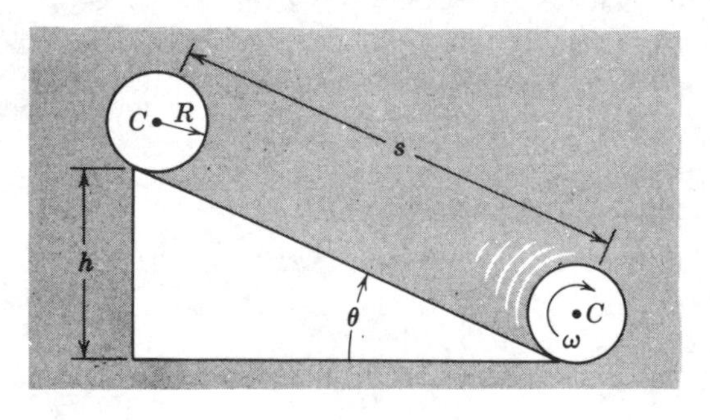

figure 12-16
Exemple 9. Un cylindre roulant vers le bas d'un plan incliné.

Précisons qu'il faut une force de frottement statique pour faire rouler le cylindre. En vous rappelant que le frottement est une force dissipative, comment pouvez-vous justifier la conservation de l'énergie mécanique dans ce problème?

EXEMPLE 10

Après avoir utilisé la méthode des bilans d'énergie, déduisez les résultats du problème précédent à partir des équations de la dynamique.

La figure 12-17 représente le diagramme des forces. $M\vec{g}$, la force gravitationnelle, agit au centre de masse du cylindre et s'oriente verticalement vers le bas[5], $\vec{N}$ est la

[5] Dans le diagramme de forces de ce problème, nous considérons que la force gravitationnelle résultante sur le cylindre s'applique en son centre de masse. A la section 9-2, nous avons justifié cette façon de procéder pour analyser un mouvement de translation. Cependant, nous procédons de la même façon ici dans l'analyse d'un mouvement de rotation. C'est à la section 14-3 que nous démontrerons que la force gravitationnelle sur un corps s'exerce au centre de masse dans le cas d'une translation et d'une rotation.

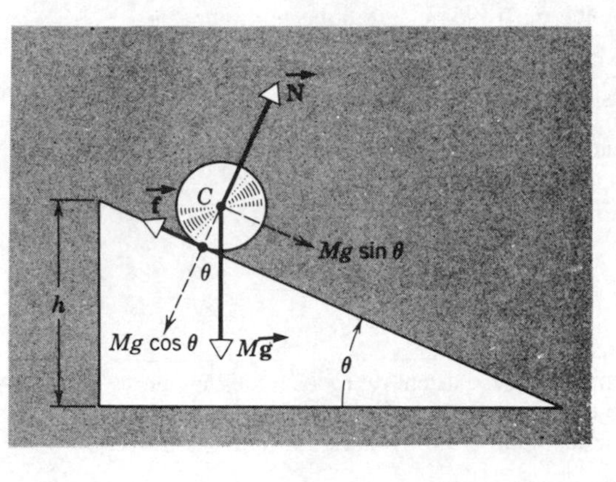

figure 12-17
Exemple 10. Diagramme des forces s'exerçant sur un cylindre qui roule vers le bas d'un plan incliné.

poussée du plan sur le cylindre et $\vec{\mathbf{f}}$, la force de frottement statique qui s'exerce le long du plan incliné, au point de contact.

On analyse le mouvement de *translation* d'un corps en supposant que toutes les forces extérieures s'appliquent au centre de masse. La deuxième loi de Newton nous permet d'écrire

$$N - Mg\cos\theta = 0 \qquad \text{selon une direction perpendiculaire au plan incliné,}$$

$$Mg\sin\theta - f = Ma \qquad \text{selon le plan incliné.}$$

Le mouvement de *rotation* autour du centre de masse s'analyse par l'équation

$$\tau = I_{\text{cm}}\alpha.$$

Ni $\vec{\mathbf{N}}$ ni $M\vec{\mathbf{g}}$ ne peuvent engendrer la rotation du cylindre autour de C, parce que leur ligne d'action passe par ce point et que leur bras de levier est nul. Par rapport au point C, la force de frottement a un bras de levier R tel que

$$fR = I_{\text{cm}}\alpha.$$

Mais

$$I_{\text{cm}} = \tfrac{1}{2}MR^2 \qquad \text{et} \qquad \alpha = \frac{a}{R},$$

de sorte que

$$f = I_{\text{cm}}\alpha/R = Ma/2.$$

En substituant cette valeur dans la deuxième équation de la translation, on obtient

$$a = \tfrac{2}{3}g\sin\theta.$$

Donc, l'accélération du centre de masse d'un cylindre qui roule ($\frac{2}{3}g\sin\theta$) est plus faible que l'accélération du centre de masse d'un cylindre glissant au bas d'un plan ($g\sin\theta$).

Ce résultat est vérifiable à chaque instant, quelle que soit la position du cylindre sur le plan. L'accélération du centre de masse est constante. Pour obtenir la vitesse du centre de masse, à partir d'une vitesse nulle, on utilise la relation

$$v^2 = 2as,$$

d'où

$$v^2 = 2(\tfrac{2}{3}g\sin\theta)s = \tfrac{4}{3}g\frac{h}{s}s = \tfrac{4}{3}gh$$

ou

$$v = \sqrt{\tfrac{4}{3}gh}.$$

C'est le même résultat que celui obtenu par la méthode des bilans d'énergie. Cette dernière est certes plus simple et plus directe. Cependant, si nous voulons déterminer les forces, telles $\vec{\mathbf{N}}$ et $\vec{\mathbf{f}}$, nous devons utiliser la dynamique.

Cette méthode nous permet de calculer la force de frottement statique minimum nécessaire au roulement, soit

$$f = Ma/2 = (M/2)(\tfrac{2}{3}g \sin \theta) = \tfrac{1}{3}Mg \sin \theta.$$

Qu'arrive-t-il si la force de frottement statique entre les surfaces est inférieure à cette valeur?

EXEMPLE 11

Une sphère et un cylindre de masse et de rayon identiques partent du repos et descendent en roulant sur un même plan incliné. Quel objet arrivera le premier au bas du plan?

Pour une sphère, $I_{cm} = \frac{2}{5}MR^2$. Par le biais la méthode de la dynamique, on obtient

$$Mg \sin \theta - f = Ma, \qquad \text{translation du centre de masse,}$$

$$fR = I_{cm}\alpha = (\tfrac{2}{5}MR^2)(a/R), \quad \text{rotation autour du centre de masse,}$$

ou

$$f = \tfrac{2}{5}Ma \qquad \text{et} \qquad a = \tfrac{5}{7}g \sin \theta, \qquad \text{pour la sphère.}$$

Pour le cylindre (exemple 10),

$$a = \tfrac{2}{3}g \sin \theta.$$

L'accélération du centre de masse de la sphère est donc à tout instant supérieure à l'accélération du centre de masse du cylindre. Puisque les deux corps partent en même temps du repos, la sphère arrivera la première au bas du plan.

Quel objet possède la plus grande énergie cinétique de rotation au bas du plan? Lequel possède la plus grande énergie cinétique de translation?

Notez que ni la masse ni le rayon de la sphère et du cylindre n'ont influencé les résultats. Comment se comporteront alors des cylindres de masse et de rayon différents? Comment se comporteront des sphères de masse et de rayon différents? Comment se comporteront une sphère et un cylindre de masse et de rayon différents?

EXEMPLE 12

On donne à un cylindre homogène de rayon r et de masse m une vitesse angulaire initiale ω_0; on le laisse alors tomber sur un plan horizontal. Le coefficient de frottement cinétique entre la surface et le cylindre vaut μ_k. Au début, le cylindre glisse, mais, après un temps t, il se met à rouler sans glisser. *(a)* Quelle est la vitesse V du centre de masse, au temps t? *(b)* Évaluez ce temps t.

(a) La figure 12-18 illustre les forces agissant sur le cylindre.

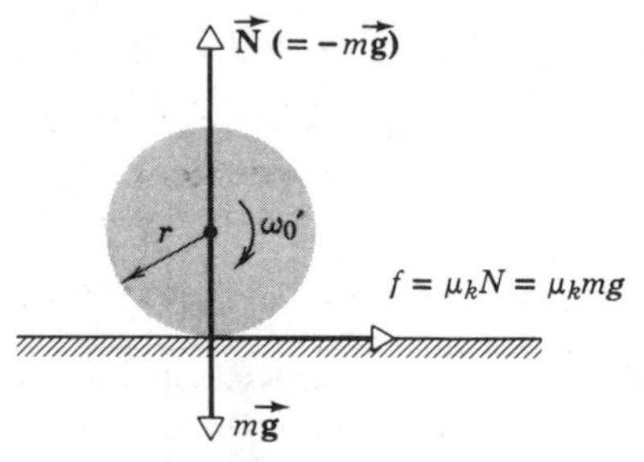

figure 12-18
Exemple 12.

Puisque toutes les forces sont constantes, l'accélération a du centre de masse l'est aussi et l'équation suivante décrit le mouvement de translation:

$$F = ma = m\left(\frac{V_f - V_i}{t - 0}\right).$$

Dans ce cas, $V_i = 0$ et $V_f = V$, la vitesse au temps t lorsque cesse le glissement. De plus, la force résultante F vaut $\mu_k mg$, de sorte que

$$\mu_k mg = mV/t. \tag{12-22}$$

L'accélération angulaire α autour de l'axe passant par le centre de masse est aussi constante (pourquoi?), et l'équation suivante décrit le mouvement de rotation du cylindre:

$$\tau = I\alpha = I\left(\frac{\omega_f - \omega_i}{t - 0}\right).$$

Ici, $\omega_f = \omega = V/r$ est la vitesse angulaire au temps t, et $\omega_i = \omega_0$. Le moment de force résultant, de grandeur $\tau = \mu_k mgr$, entraîne une décélération angulaire, d'où:

$$\mu_k mg\, r = (\tfrac{1}{2}mr^2)\left(\frac{\omega_0 - V/r}{t}\right). \tag{12-23}$$

En éliminant t de nos deux équations, c'est-à-dire en divisant l'équation 12-23 par l'équation 12-22 et en isolant V, on obtient:

$$V = \tfrac{1}{3}\omega_0 r.$$

Remarquez que V ne dépend pas des valeurs de m, g et μ_k. Qu'arrive-t-il cependant si une de ces quantités est nulle?

(b) L'élimination du paramètre V entre les équations 12-22 et 12-23 nous permet de trouver t (faites-le), soit:

$$t = \frac{\omega_0 r}{3\mu_k g}.$$

Il est opportun de remarquer dans ce problème que l'énergie mécanique, la quantité de mouvement et le moment cinétique ne sont pas conservés; cependant les variations de la quantité de mouvement et du moment cinétique sont reliées l'une à l'autre, parce que toutes deux sont créées par la force de frottement.

questions

1. Quelles sont les dimensions du moment cinétique? Considérez-vous comme une pure coïncidence le fait que ces dimensions soient les mêmes que celles de l'énergie multipliée par le temps?
2. Le vecteur résultant du produit vectoriel de deux vecteurs est-il obligatoirement un vecteur axial?[6]
3. Dans le calcul du moment d'inertie, peut-on considérer la masse du corps comme étant concentrée en son centre de masse?
4. Autour de quel axe le moment d'inertie d'un cube de masse homogène serait-il minimum?
5. Deux disques circulaires de même poids et de même épaisseur sont fabriqués de métaux de densités différentes. Lequel des deux aura le plus grand moment d'inertie par rapport à un axe passant par son centre et perpendiculaire au plan du disque?
6. On veut déterminer le moment d'inertie d'un objet mais sa forme irrégulière rend presque impossible l'évaluation de $\int r^2 dm$. Suggérez des façons d'obtenir le moment d'inertie expérimentalement.
7. La figure 12-19 illustre cinq solides de même hauteur et de même largeur. On les fait tourner autour d'axes passant par les points indiqués, qui sont perpendiculaires à la feuille. Si les solides ont la même masse, lequel possédera le plus grand moment d'inertie autour de l'axe choisi? Lequel possédera le plus petit?

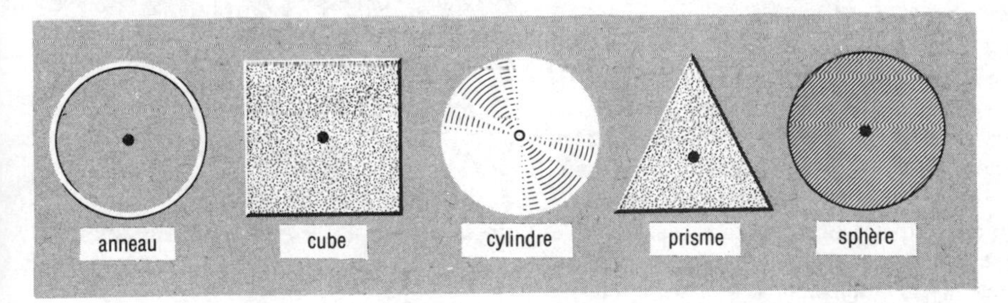

figure 12-19
Question 7.

8. La figure 12-20*a* représente un mètre dont la moitié est de bois et l'autre de métal. On le fait pivoter autour d'un point O situé dans le bois et on applique une force au point a situé dans le métal. Par contre, dans la figure 12-20*b*, on fait pivoter le mètre autour d'un point O' situé dans le métal et on applique une force au point a' situé dans le bois. L'accélération angulaire communiquée dans chaque cas est-elle la même? Donnez une explication.

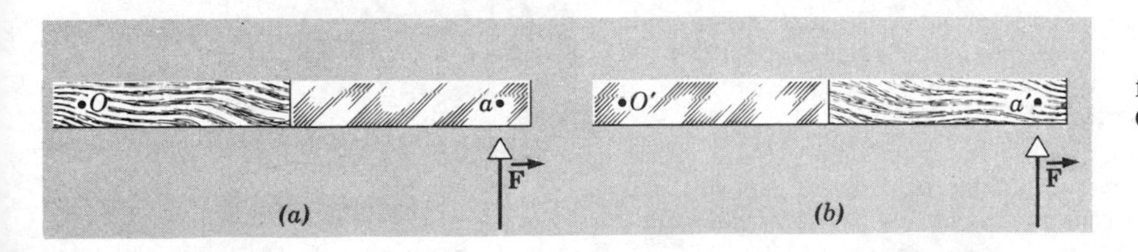

figure 12-20
Question 8.

[6] Voir le Complément II.

9. Il est possible de distinguer un oeuf cru d'un oeuf à la coque en les faisant pivoter sur une table. Expliquez comment. De plus, si vous arrêtez la rotation de l'oeuf cru et que vous le relâchez immédiatement, il continuera à tourner. Pourquoi?
10. Le moment de force a les mêmes dimensions que le travail ou l'énergie. Serait-il alors du travail ou de l'énergie?
11. Commentez chacune des affirmations suivantes, concernant le ski. *(a)* Lors d'une compétition de descente, on doit choisir des skis qui ne tournent pas facilement. *(b)* En slalom, par contre, on désire que les skis tournent facilement. *(c)* Par conséquent, l'inertie de rotation des skis devraient être plus élevée lors d'une descente que lors d'un slalom. (Voir « The Physics of Ski Turns », par J. I. Shonie et D. L. Nordick, dans *The Physics Teacher,* décembre 1972.)
12. Puisque la friction entre les skis et la neige est très faible et que le centre de masse du skieur se situe à une certaine hauteur près du centre des skis, comment peut-il exercer des moments de force pour s'engager dans un virage ou cesser de virer? (Voir la référence citée dans le problème précédent.)
13. Les expressions obtenues pour a et T dans l'exemple 5 donnent-elles de bons résultats dans les cas limites où $g = 0$, $M = 0$, $M \to \infty$, $m = 0$, et $m \to \infty$?
14. La quantité de mouvement totale d'un système de particules ne dépend pas du mouvement des particules par rapport au centre de masse du système. Peut-on dire la même chose de l'énergie cinétique totale d'un système de particules?
15. A l'aide d'une planche, un individu pousse un cylindre creux et le fait rouler sur une distance de $l/2$, soit la moitié de la longueur de la planche (fig. 12-21). En ne supposant aucun glissement aux points de contact, où se retrouve la planche et quelle distance doit franchir l'individu?

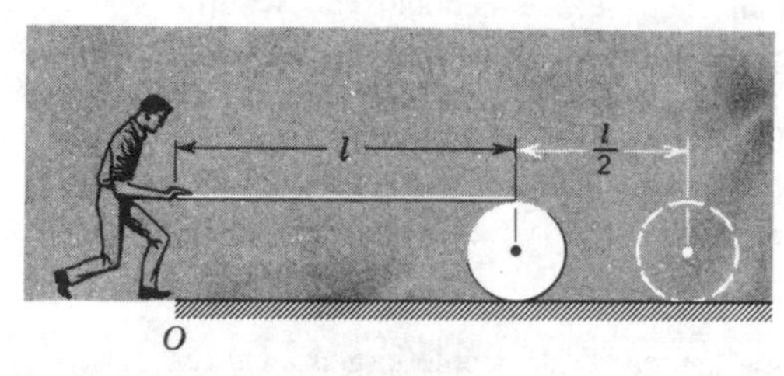

figure 12-21
Question 15.

16. On a suggéré l'usage de volants pour emmagasiner l'énergie solaire ou éolienne. La quantité d'énergie que l'on peut emmagasiner dans un volant dépend de la densité et de la résistance en traction du matériau utilisé; à poids égal, on choisit le matériau qui possède la plus faible densité tout en ayant une grande résistance. (Voir « Flywheels », par R. F. Post et S. F. Post, *Scientific American,* décembre 1973.) Pouvez-vous justifier ce fait?
17. Une sphère de bois dévale successivement deux plans d'inclinaison différente mais de même hauteur. Atteindra-t-elle le bas de chaque plan à la même vitesse? Le temps de descente sera-t-il le même dans les deux cas? Sinon, identifiez le plan où le temps sera plus long, et dites pourquoi.
18. Deux disques massifs sont reliés par une courte tige (fig. 12-22). On dépose le système sur un plan incliné de telle sorte que seule la tige soit en contact avec le plan et roule sans glisser vers le bas. Près du bas du plan, les disques touchent une table horizontale et le système augmente considérablement sa vitesse de translation. Expliquez la situation.

figure 12-22
Question 18.

19. Lorsqu'un bûcheron veut abattre un arbre, il pratique une entaille du côté où il veut le faire tomber. Expliquez pourquoi. Est-il prudent de demeurer derrière l'arbre du côté opposé à sa chute?
20. Imaginez une tige rectiligne debout sur une surface glacée sans frottement. Quelle trajectoire décrira son centre de masse si elle tombe?
21. Un yo-yo repose sur une surface horizontale dans une position lui permettant de rouler (fig. 12-23). Dans quelle direction roulera le yo-yo si on exerce sur la corde une force horizontale $\vec{F}_1$? Qu'arrive-t-il si on tire avec une force $\vec{F}_2$ dont la ligne d'action passe par le point de contact du yo-yo avec la table? Que se produit-il si on tire maintenant verticalement avec une force $\vec{F}_3$?
22. Alors que vous observez attentivement une roue d'une automobile filant à vitesse constante, quelqu'un vous dit: « Le dessus de la roue se déplace deux fois plus rapidement que l'essieu, et le bas de la roue ne se déplace pas du tout ». Cette affirmation est-elle acceptable? Discutez le cas.
23. Énoncez les trois lois de Newton en les appliquant à des corps en rotation.

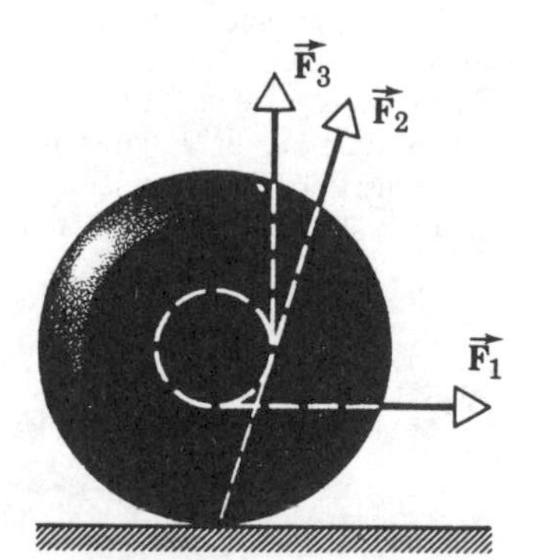

figure 12-23
Question 21.

problèmes

SECTION 12-2

1. *(a)* Soit $\vec{\mathbf{r}} = \vec{\mathbf{i}}x + \vec{\mathbf{j}}y + \vec{\mathbf{k}}z$ et $\vec{\mathbf{F}} = \vec{\mathbf{i}}F_x + \vec{\mathbf{j}}F_y + \vec{\mathbf{k}}F_z$ Trouvez le moment de force $\vec{\tau} = \vec{\mathbf{r}} \times \vec{\mathbf{F}}$. *(b)* Montrez que si $\vec{\mathbf{r}}$ et $\vec{\mathbf{F}}$ sont coplanaires, $\vec{\tau}$ n'a pas de composante dans ce plan.
   Réponse: (a) $\vec{\mathbf{i}}(yF_z - zF_y) + \vec{\mathbf{j}}(zF_x - xF_z) + \vec{\mathbf{k}}(xF_y - yF_x)$.
2. Montrez que, par rapport à un point quelconque, le moment cinétique d'une particule dont le vecteur vitesse est constant demeure le même durant le mouvement.

SECTION 12-3

3. Un vecteur position $\vec{\mathbf{r}}$ et un vecteur vitesse $\vec{\mathbf{v}}$ caractérisent une particule P de 2,0 kg sous l'action d'une force $\vec{\mathbf{F}}$ (fig. 12-24). Ces trois vecteurs se situent dans un même plan, et $r = 3{,}0$ m, $v = 4{,}0$ m/s et $F = 2{,}0$ N. Calculez *(a)* le moment cinétique de la particule et *(b)* le moment de force agissant sur la particule. Comment s'orientent ces deux vecteurs?
   Réponses: (a) 12 kg · m²/s, sortant de la page. *(b)* 3,0 N · m, sortant de la page.
4. L'équation 12-4*a* nous permet de calculer le moment cinétique d'une particule à partir de la connaissance de r, p et θ. Quelquefois cependant nous connaissons plutôt les composantes (x, y, z) de $\vec{\mathbf{r}}$ et (p_x, p_y, p_z) de $\vec{\mathbf{p}}$. *(a)* Montrez que les composantes de l selon les axes x, y, z s'écriront ainsi:

$$l_x = yp_z - zp_y,$$
$$l_y = zp_x - xp_z,$$
$$l_z = xp_y - yp_x.$$

   (b) Montrez que, dans le cas d'une particule se déplaçant dans le plan x-y, le vecteur moment cinétique résultant ne possède qu'une composante l_z.
5. *(a)* Dans l'exemple 1, exprimez $\vec{\mathbf{r}}$ et $\vec{\mathbf{F}}$ en fonction de vecteurs unitaires, et calculez $\vec{\tau}$. Faites de même dans l'exemple 3. *(b)* Dans l'exemple 1, écrivez $\vec{\mathbf{p}}$ et $\vec{\mathbf{r}}$ avec des vecteurs unitaires, et déterminez $\vec{\mathbf{l}}$.
   Réponses: (a) $\vec{\tau} = +\vec{\mathbf{k}}mgb$; 3,5 $\vec{\mathbf{k}}$ N · m. *(b)* $\vec{\mathbf{l}} = +\vec{\mathbf{k}}mgbt$.

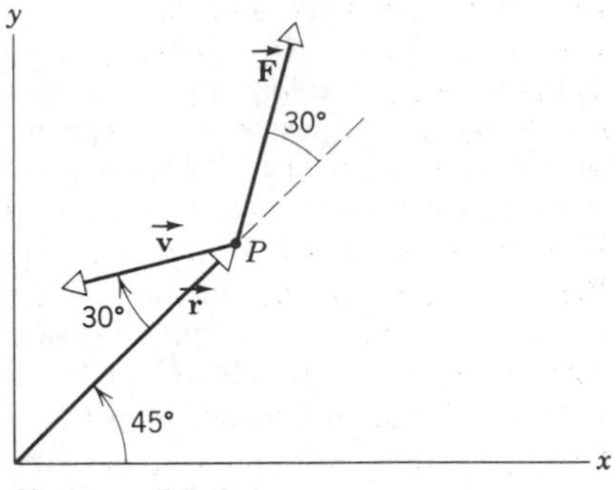

figure 12-24
Problème 3.

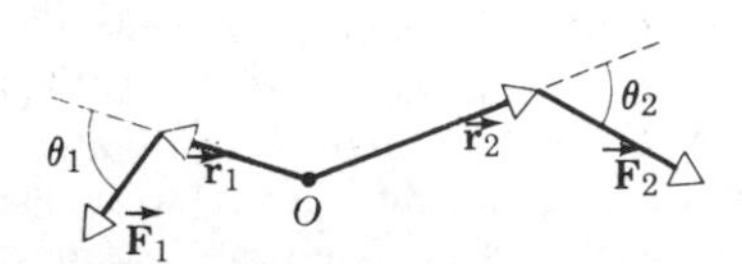

figure 12-25
Problème 6.

SECTION 12-4

6. Imaginez que les forces $\vec{\mathbf{F}}_1$ et $\vec{\mathbf{F}}_2$ (fig. 12-25) s'appliquent sur un corps solide pouvant tourner autour du point O. Les vecteurs $\vec{\mathbf{F}}_1$, $\vec{\mathbf{F}}_2$, $\vec{\mathbf{r}}_1$, $\vec{\mathbf{r}}_2$ étant contenus dans un même plan, trouvez la grandeur et l'orientation du moment résultant.
7. Deux particules de masse m et de vitesse v se déplacent en sens contraire selon deux lignes parallèles distantes de d. Montrez que le moment cinétique total du système est le même peu importe l'origine choisie.
8. Par de fines cordes de longueur l, on relie trois particules de masse m à un axe de rotation (fig. 12-26). Tout en demeurant alignées, les trois particules tournent autour de l'axe à une vitesse angulaire ω. *(a)* Évaluez le moment d'inertie du système par rapport à O. *(b)* Que vaut le moment cinétique de la deuxième particule? *(c)* Déterminez le moment cinétique de tout le système. Exprimez vos réponses en fonction de m, l et ω.
9. En utilisant la troisième loi de Newton, démontrez que la somme des moments intérieurs d'un système de particules est nulle.
10. *Relation entre le moment de force extérieur et le moment cinétique d'un système de particules par rapport au centre de masse.* Soit $\vec{\mathbf{r}}_{cm}$ le vecteur position du centre de masse C d'un système de particules par rapport à une origine O d'un système galiléen, et soit $\vec{\mathbf{r}}_i'$ le vecteur position de la particule i de masse m_i par rapport au centre de masse C; alors, $\vec{\mathbf{r}}_i = \vec{\mathbf{r}}_{cm} + \vec{\mathbf{r}}_i'$ (fig. 12-27). Définissez maintenant le moment cinétique total du système de particules par rapport au centre de masse C comme étant $\vec{\mathbf{L}}' = \sum \vec{\mathbf{r}}_i' \times \vec{\mathbf{p}}_i'$ où $\vec{\mathbf{p}}_i' = m_i\, d\vec{\mathbf{r}}_i'/dt$.

    (a) Montrez que $\vec{\mathbf{p}}_i' = m_i d\vec{\mathbf{r}}_i/dt - m_i d\vec{\mathbf{r}}_{cm}/dt = \vec{\mathbf{p}}_i - m_i\vec{\mathbf{v}}_{cm}$. *(b)* Montrez que $d\vec{\mathbf{L}}'/dt = \sum \vec{\mathbf{r}}_i' \times d\vec{\mathbf{p}}_i'/dt$. *(c)* Utilisez les résultats obtenus en *(a)* et en *(b)*, la troisième loi de Newton et la définition du centre de masse, et démontrez que $\vec{\tau}_{ext} = d\vec{\mathbf{L}}'/dt$, où $\vec{\tau}_{ext}$ constitue la somme de tous les moments de forces extérieurs s'exerçant sur le système et évalués par rapport au centre de masse.

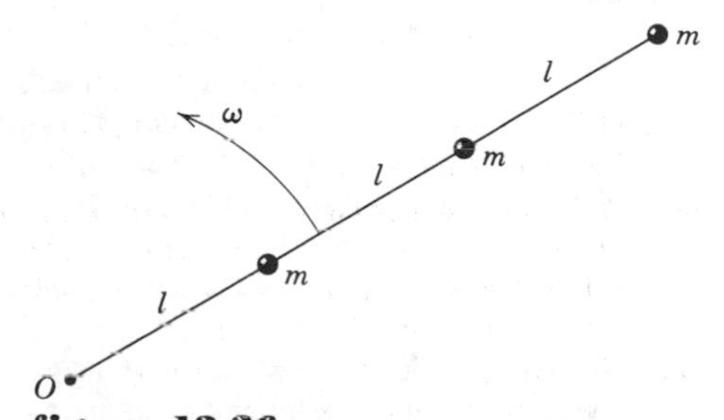

figure 12-26
Problèmes 8, 13.

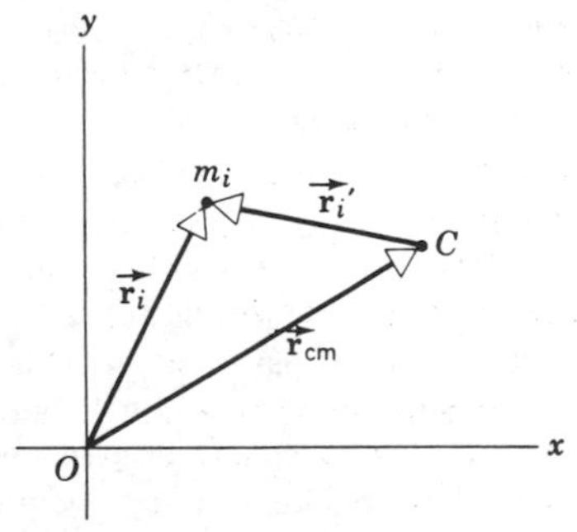

figure 12-27
Problème 10.

SECTION 12-5

11. Supposez que la Terre soit une sphère de densité uniforme. *(a)* Que vaut son énergie cinétique de rotation? Le rayon de la Terre est de 6,4 × 10³ km, et sa masse est

évaluée à $6{,}0 \times 10^{24}$ kg. *(b)* S'il était possible de harnacher cette énergie, pendant combien de temps la Terre fournirait-elle une puissance de 1,0 kW à chacun de ses $4{,}2 \times 10^9$ habitants?
Réponses: (a) $2{,}6 \times 10^{29}$ J. *(b)* $2{,}0 \times 10^9$ années.

12. La molécule d'oxygène, dont la masse est de $5{,}30 \times 10^{-26}$ kg, possède un moment d'inertie de $1{,}94 \times 10^{-46}$ kg · m² par rapport à un axe de symétrie perpendiculaire à la ligne joignant les atomes. Imaginez qu'une telle molécule dans un gaz se déplace à une vitesse moyenne de 500 m/s et que son énergie cinétique de rotation soit les deux tiers de son énergie cinétique de translation; évaluez sa vitesse angulaire moyenne.

13. Remplacez les cordes du problème 8 par des tiges homogènes ayant chacune une masse M. *(a)* Quel est le moment d'inertie du système par rapport à O? *(b)* Évaluez l'énergie cinétique de rotation du système.
Réponses: (a) $14\, ml^2 + 9\, Ml^2$. (b) $(7\, m + 9\, M/2)l^2\omega^2$.

14. *(a)* Montrez qu'un cylindre plein, de masse M et de rayon R, et un anneau de masse M et de rayon $R/\sqrt{2}$, possèdent la même inertie de rotation par rapport à un axe central. *(b)* On nomme rayon de giration la distance de l'axe de rotation au lieu des points où on pourrait concentrer toute la masse d'un corps sans changer son moment d'inertie. Si k désigne ce rayon, montrez que

$$k = \sqrt{I/M}.$$

C'est le rayon de « l'anneau équivalent ».

15. On suspend par une de ses extrémités une tige mince de longueur l et de masse m. On l'écarte de sa position d'équilibre et on la laisse osciller autour d'un axe horizontal. Si la tige atteint une vitesse angulaire ω à sa position la plus basse, calculez à quelle hauteur s'élève le centre de masse de la tige. Négligez le frottement et la résistance de l'air. *Réponse:* $l^2\omega^2/6\,g$.

16. *(a)* Démontrez que le moment d'inertie d'une tige mince de longueur l, autour d'un axe passant par son centre et perpendiculaire à sa longueur, est $Ml^2/12$ (voir le tableau 12-1). *(b)* En utilisant le théorème des axes parallèles, montrez que le moment d'inertie de la même tige autour d'un axe passant par une de ses extrémités et perpendiculaire à sa longueur vaut $Ml^2/3$.

17. *(a)* Montrez que la somme des moments d'inertie d'une surface plane quelconque autour de deux axes perpendiculaires contenues dans ce plan égale le moment d'inertie de la surface autour d'un axe passant par le point d'intersection des deux axes précédents et perpendiculaire au plan. *(b)* Appliquez ce résultat au calcul du moment d'inertie d'un disque par rapport à un diamètre. *Réponse: (b)* $MR^2/4$.

18. Démontrez que l'inertie de rotation d'une plaque rectangulaire de côtés a et b autour d'un axe perpendiculaire à la plaque et passant par son centre vaut $M(a^2 + b^2)/12$.

19. On laisse tomber sur le plancher un mètre que l'on tenait dans une position verticale. En supposant que l'extrémité en contact avec le sol ne glisse pas, calculez la vitesse de l'autre extrémité lorsqu'elle heurte le sol. *Réponse:* 5,4 m/s.

20. Une haute cheminée se fissure à sa base et tombe. Exprimez *(a)* l'accélération radiale et *(b)* l'accélération tangentielle du sommet de la cheminée en fonction de l'angle θ que fait la cheminée avec la verticale. *(c)* Est-ce que l'accélération linéaire résultante peut être supérieure à g? *(d)* La cheminée se brise pendant sa chute. Expliquez ce fait. (Voir « More on the Falling Chimney », par Albert A. Bartlett, dans *The Physics Teacher,* septembre 1976.)

SECTION 12-6

21. A un régime de 1800 min⁻¹, un moteur d'automobile fournit une puissance de $7{,}5 \times 10^4$ W. Quel moment de force développe-t-il? *Réponse:* 400 N · m.

22. Si la Terre ne tournait pas et qu'on voulait lui donner en un jour la vitesse angulaire qu'elle a présentement, *(a)* quel moment de force serait nécessaire? *(b)* quelle énergie devrait-on fournir? *(c)* quelle puissance moyenne serait requise?

23. Sur la jante d'une poulie ayant un rayon de 10 cm et un moment d'inertie de $1{,}0 \times 10^4$ g · cm², on applique tangentiellement une force variable $F = 0{,}50\,t + 0{,}30\,t^2$, où F est en newtons et t en secondes. Trouvez la vitesse angulaire de la poulie après 3,0 s si, initialement, elle était au repos. *Réponse:* $5{,}0 \times 10^2$ rad/s.

24. Une roue de masse M et de rayon de giration k (voir le problème 14) tourne autour d'un essieu horizontal passant au travers de son moyeu. Celui-ci frotte sur l'essieu de rayon a seulement au point le plus élevé, et le coefficient de frottement cinétique est μ_k. Après avoir imprimé à la roue une vitesse angulaire initiale ω_0, on la laisse

à elle-même. En supposant qu'elle décélère à un taux constant, calculez *(a)* le temps d'arrêt et *(b)* le nombre de tours qu'effectue la roue avant de s'immobiliser.

25. Une tige d'acier homogène, ayant une longueur de 1,20 m et une masse de 6,40 kg, est munie à chacune de ses extrémités d'une petite boule de 1,06 kg. La tige est contrainte de tourner dans un plan horizontal autour d'un axe vertical passant par son point milieu. A un instant donné, elle tourne à une fréquence de 39,0 s^{-1}, mais le frottement sur l'axe l'oblige à s'arrêter 32,0 s plus tard. En supposant que le moment exercé par la friction est constant, calculez *(a)* l'accélération angulaire, *(b)* le moment exercé par la friction, *(c)* le travail effectué par la friction et *(d)* le nombre de révolutions effectuées pendant les 32,0 s. *(e)* En supposant maintenant que le moment créé par la friction est variable, lesquelles des quantités *(a)*, *(b)*, *(c)* ou *(d)* peuvent être calculées sans autres informations? S'il y en a, donnez leur valeur.
Réponses: *(a)* $-7{,}67$ rad/s². *(b)* $-11{,}7$ N·m. *(c)* $4{,}58 \times 10^4$ J. *(d)* 624. *(e)* Le travail total effectué; $4{,}58 \times 10^4$ J.

26. Le moment cinétique d'un volant ayant un moment d'inertie de 0,125 kg·m² passe de 3,0 à 2,0 kg m²/s en 1,5 s. *(a)* Quelle est la valeur moyenne du moment de force agissant sur le volant pendant ce temps? *(b)* Calculez le nombre de tours qu'effectue le volant en supposant une accélération angulaire constante. *(c)* Quel travail a été accompli? *(d)* Quelle puissance moyenne a fourni le volant?

27. Des masses de 500 g et 460 g sont utilisées dans une machine d'Atwood (fig. 5-8). La poulie, montée sur un axe horizontal à l'aide de roulements à billes sans frottement, a un rayon de 5,0 cm. Lorsqu'on laisse aller le système, on observe que la masse la plus lourde tombe de 75 cm en 5,0 s. Calculez l'inertie de rotation de la poulie. *Réponse:* $1{,}4 \times 10^{-2}$ kg·m².

28. Une sphère creuse homogène tourne autour d'un axe vertical sans aucun frottement (fig. 12-28). Autour de l'équateur de la sphère, on enroule une fine corde qu'on relie à une masse m par l'intermédiaire d'une poulie. Quelle vitesse atteint la masse m en tombant d'une hauteur h à partir du repos?

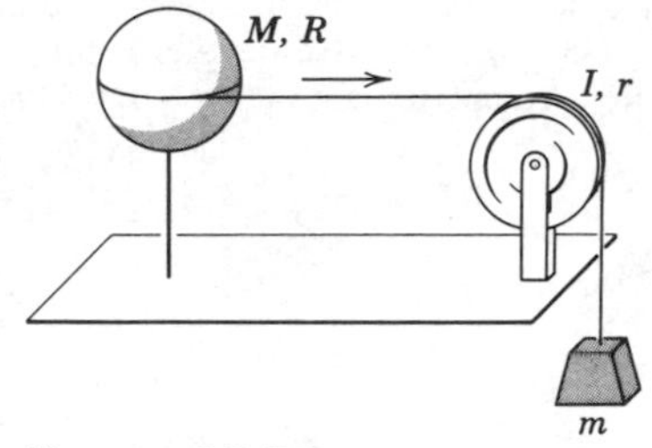

figure 12-28
Problème 28.

29. Sur un plan incliné à 30° par rapport à l'horizontale, on dépose un bloc de 25 N qu'on relie à un autre bloc de 80 N. La corde est parallèle au plan incliné et passe dans la gorge d'une poulie disposée au sommet du plan, de sorte que le bloc de 80 N est suspendu dans le vide. La poulie pèse 9 N, son rayon est de 10 cm et le coefficient de frottement cinétique entre le bloc et le plan vaut 0,10. Trouvez *(a)* l'accélération du bloc de 80 N et *(b)* la tension dans la corde de chaque côté de la poulie. Supposez que la poulie est un disque uniforme.
Réponses: *(a)* 5,8 m/s². *(b)* $T_{80} = 34$ N; $T_{25} = 31$ N.

SECTION 12-7

30. Un cerceau de 3,0 m de rayon et ayant une masse de 150 kg roule sur un plan horizontal. Quel travail doit-on fournir pour l'arrêter si la vitesse de son centre de masse est de 0,15 m/s?

31. Une automobile ayant une masse de 1700 kg accélère de 0 à 40 km/h en 10 s. Chaque roue a une masse de 32 kg et un rayon de giration (voir le problème 14) de 0,30 m. A la fin de l'intervalle de 10 s, trouvez *(a)* l'énergie cinétique de rotation de chacune des roues, *(b)* l'énergie cinétique totale de chaque roue, *(c)* l'énergie cinétique totale de l'automobile. *Réponses:* *(a)* 990 J. *(b)* 3000 J. *(c)* $1{,}1 \times 10^5$ J.

32. Montrez qu'un cylindre glissera sur un plan incliné d'angle θ si le coefficient de frottement statique entre le plan et le cylindre est inférieur à 0,33 tan θ.

33. Une échelle de 3,0 m est appuyée contre un mur et fait un angle de 60° avec le sol. Situez l'axe de rotation instantané lorsqu'elle se met à glisser.
Réponse: 1,5 m du mur, horizontalement, et $1{,}5\sqrt{3}$ m au dessus du sol, verticalement.

34. Une sphère roule sans glisser en remontant un plan incliné à 30°. Au bas du plan incliné, le centre de masse de la sphère se déplace à une vitesse de 5 m/s. *(a)* Quelle distance parcourt la sphère vers le haut du plan? *(b)* Calculez le temps nécessaire à la sphère pour revenir au bas du plan.

35. Un objet de rayon R et de masse m roule sans glisser sur un plan horizontal à une vitesse v et gravit ensuite un monticule de hauteur h. Si $h = 3v^2/4g$, *(a)* que vaut le moment d'inertie de l'objet? *(b)* quelle est la nature probable de cet objet?
Réponses: *(a)* $\frac{1}{2}mR^2$. *(b)* Un cylindre plein.

36. Une petite sphère roule sans glisser à l'intérieur d'une grande hémisphère dont l'axe de symétrie est à la verticale. La petite sphère est partie du repos du point le plus élevé de l'hémisphère. *(a)* Quelle est l'énergie cinétique de la petite sphère au bas

de l'hémisphère? Quelle fraction de cette énergie est de l'énergie de rotation? de translation? *(b)* Quelle force normale exerce la petite sphère sur l'hémisphère lorsqu'elle se trouve en bas? Soit r le rayon de la petite sphère, R le rayon de l'hémisphère et m la masse de la sphère.

37. Un disque de masse M et de rayon R repose à plat sur une surface horizontale sans frottement. A l'aide d'une corde enroulée autour du disque, on applique une force tangentielle $\vec{F}$. Décrivez le mouvement (de rotation et de translation) du disque. *Réponses:* $\alpha = 2\,F/MR$; $a = F/M$.

38. On enroule un ruban de masse négligeable autour d'un cylindre de masse M et de rayon R. On tire le ruban vers le haut à une vitesse qui permet au centre de masse du disque de ne pas bouger lorsque le ruban se déroule. *(a)* Que vaut la tension dans le ruban? *(b)* Quel travail est effectué sur le cylindre une fois qu'il a atteint une vitesse angulaire ω? *(c)* Quelle longueur de ruban s'est déroulée pendant ce temps?

39. Soit un cylindre de longueur L, de rayon R et de poids W. On enroule deux cordes près de chacun des bouts du cylindre et on attache ces cordes au plafond. Alors que les cordes sont bien verticales et le cylindre à l'horizontale, on lâche le cylindre (fig. 12-29). Trouvez *(a)* la tension dans chacune des cordes et *(b)* l'accélération linéaire du cylindre lors de sa chute. *Réponses: (a)* $W/6$. *(b)* $2g/3$.

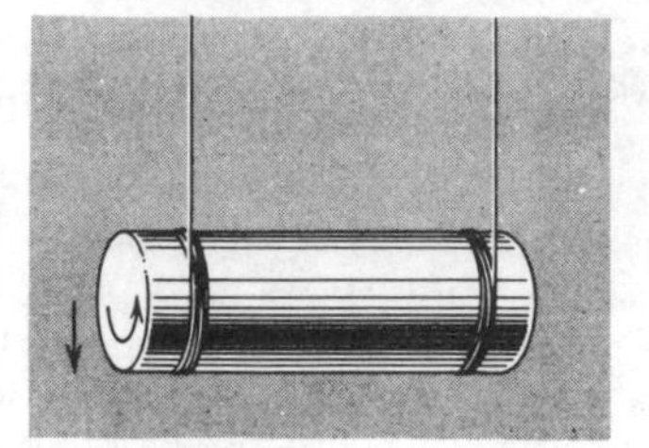
figure 12-29
Problème 39.

40. Une sphère homogène part du repos au sommet du rail illustré à la figure 12-30 et roule sans glisser jusqu'au moment de le quitter. Si $H = 60$ m et $h = 20$ m, et que la sphère quitte le rail à l'horizontale, déterminez à quelle distance du point A la sphère frappera le sol.

41. Un ruban flexible de longueur l est enroulé sur lui-même en rangs serrés. On le dépose sur un plan d'inclinaison θ et, après avoir attaché son extrémité libre au plan (fig. 12-31), on le laisse dévaler celui-ci en se déroulant. Montrez que le ruban se déroulera complètement en un temps $T = \sqrt{3l/g \sin\theta}$.

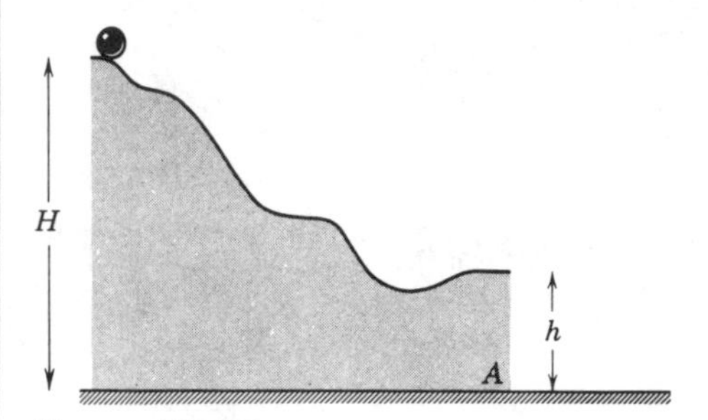

figure 12-30
Problème 40.

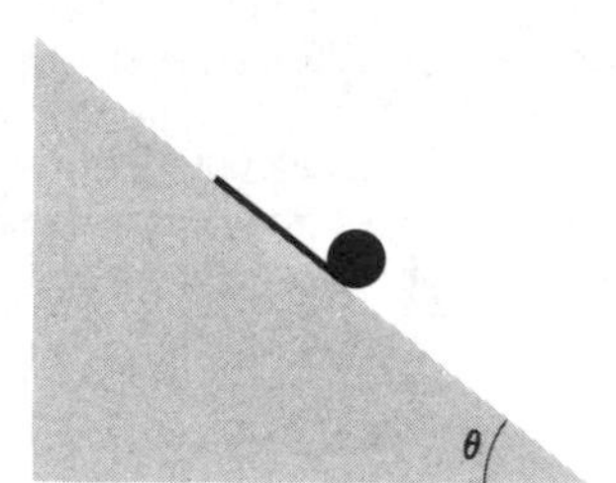

figure 12-31
Problème 41.

42. Une petite bille de masse m et de rayon r roule sans glisser le long du rail illustré à la figure 12-32, à partir d'un point quelconque sur sa section droite. *(a)* De quelle hauteur minimum par rapport au bas du rail doit-on relâcher la bille pour qu'elle puisse boucler la boucle de rayon R? (Supposez que $R \gg r$.) *(b)* Si on relâche la bille d'une hauteur de $6\,R$ au-dessus du bas du rail, quelle sera la valeur de la composante horizontale de la force s'exerçant sur lui au point Q?

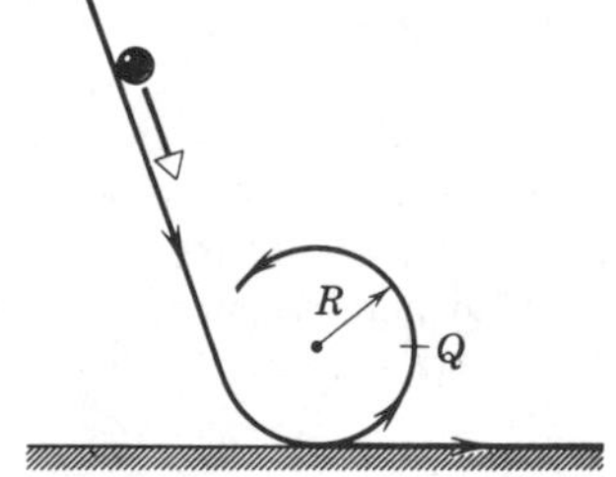

figure 12-32
Problème 42.

43. On fabrique un yo-yo à partir de deux disques homogènes de rayon R et de masse totale m. L'axe reliant les disques a un rayon très faible r. Un joueur de yo-yo enroule une corde de longueur $(L + R)$ autour de l'axe et relâche le yo-yo à partir du repos. En supposant que la corde est toujours à la verticale, *(a)* que vaut la tension dans la corde lors de la descente et de la montée du yo-yo? *(b)* Déterminez le temps nécessaire pour que le yo-yo retourne dans la main du joueur.

    Réponses: (a) $mgR^2/(R^2 + 2r^2)$ lors de la montée et de la descente.

    (b) $\dfrac{2}{r}\sqrt{L(2\,r^2 + R^2)/g}$.

44. On imprime à un cylindre plein homogène de rayon R une vitesse angulaire initiale ω_0 autour de son axe de symétrie. On le laisse ensuite tomber verticalement sur une table horizontale. Le cylindre se met alors à rouler tout en glissant. Quelle sera la vitesse du centre de masse du cylindre lorsque celui-ci roulera sans glisser?

45. Une fine corde est enroulée autour d'un cylindre de 7,6 cm de rayon ayant une masse de 23 kg. La corde passe sur une poulie de masse négligeable et retient un bloc de

4,5 kg (fig. 12-33); le plan sur lequel roule le cylindre est incliné à 30° par rapport à l'horizontale. Trouvez *(a)* l'accélération linéaire du cylindre vers le bas du plan et *(b)* la tension dans la corde. Supposez qu'il n'y a aucun glissement.
Réponses: (a) 0,47 m/s². *(b)* 48 N.

46. Une queue de billard frappe une bille (fig. 12-34). L'impulsion est appliquée horizontalement et sa ligne d'action passe par le centre de la bille. La vitesse initiale $\vec{v}_0$ de la bille, son rayon R, sa masse M et le coefficient de frottement μ entre la bille et la table sont des quantités connues. Quelle distance parcourra la bille avant d'arrêter de glisser?

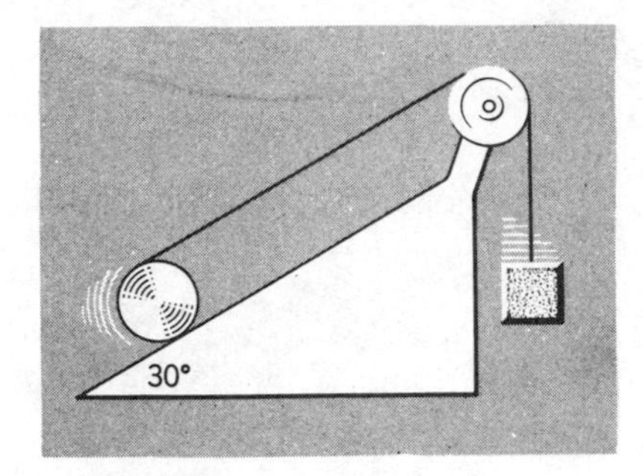

figure 12-33
Problème 45.

figure 12-34
Problème 46.

13 dynamique de rotation-II: conservation du moment cinétique

13-1 *INTRODUCTION*

Au chapitre 12, nous avons étudié la dynamique du mouvement de rotation d'un solide autour d'un axe immobile dans un système de référence galiléen. Nous avons vu que, dans ce cas particulier, nous pouvions résoudre la plupart des problèmes concernant la dynamique avec la relation scalaire $\tau = I\alpha$ dans laquelle on ne retient que la composante du moment selon l'axe de rotation.

Dans ce chapitre, nous considérerons d'abord la rotation d'un solide autour d'un axe qui *n'est pas fixe* dans un référentiel galiléen. Dans ce cas plus général, la solution des problèmes concernant la dynamique nécessitera la forme vectorielle de la relation du mouvement de rotation:

$$\vec{\tau} = d\vec{\mathbf{L}}/dt, \tag{12-9}$$

dans laquelle nous avons omis, pour simplifier, l'indice « ext » dans le symbole $\vec{\tau}_{\text{ext}}$.

Par la suite, nous reviendrons à l'étude de la rotation des particules et des solides autour d'axes immobiles. Mais, cette fois, nous examinerons de façon spéciale l'action des moments qui ont des composantes perpendiculaires à l'axe. Le point de départ de notre étude ne sera pas l'équation 12-17 ($\tau = I\alpha$) mais, une fois de plus, l'équation 12-9 ($\vec{\tau} = d\vec{\mathbf{L}}/dt$), qui est plus générale.

Enfin, nous nous arrêterons aux systèmes qui ne subissent l'influence d'aucun moment extérieur et nous introduirons le principe très important de la *conservation du moment cinétique*.

13-2 *LA TOUPIE*

La figure 13-1*a* nous fait voir une toupie qui tourne autour de son axe de symétrie; la pointe de la toupie demeure à l'origine d'un référentiel galiléen. Nous savons, pour l'avoir observé maintes fois, que l'axe de rotation de la toupie tourne autour d'un axe vertical de façon à décrire un cône. C'est un *mouvement de précession.* Voyons s'il est possible de prédire ce mouvement avec les principes

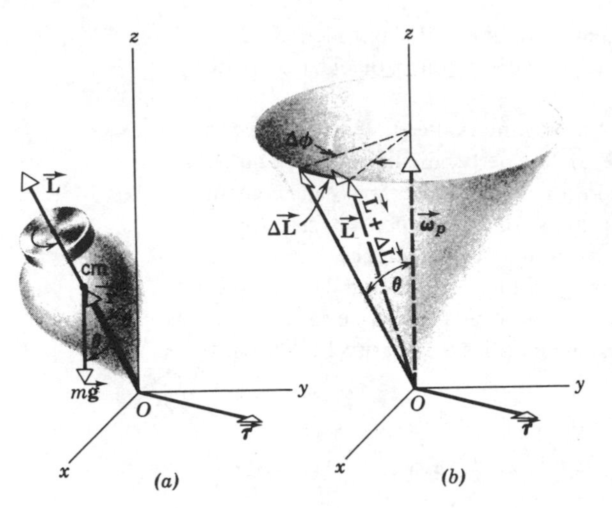

figure 13-1
(a) Le mouvement de précession d'une toupie. On voit le moment cinétique $\vec{\mathbf{L}}$, le poids $m\vec{\mathbf{g}}$ et le vecteur $\vec{\mathbf{r}}$ qui indique la position du centre de masse. *(b)* Le cône balayé par l'axe de la toupie qui précesse. La vitesse angulaire de précession ω_p pointe verticalement vers le haut.

de la mécanique classique, et surtout de calculer ω_p, la vitesse angulaire de précession.

La figure 13-1*a* nous montre la toupie à l'instant où elle tourne autour de son axe à une vitesse angulaire ω. Elle possède aussi un moment cinétique $\vec{\mathbf{L}}$ *par rapport à cet axe,* qui fait un angle θ avec la verticale.[1]

La toupie est soumise à l'action de deux forces: une force vers le haut exercée sur le pivot au point O, et une force vers le bas, la force de gravitation ou le poids qui s'exerce au centre de masse. La force agissant au point O ne peut créer de moment de force puisque le bras de levier par rapport à ce point est nul. La force gravitationnelle $m\vec{\mathbf{g}}$, toutefois, exerce un moment de force qui se traduit par:

$$\vec{\tau} = \vec{\mathbf{r}} \times \vec{\mathbf{F}} = \vec{\mathbf{r}} \times m\vec{\mathbf{g}},$$

où $\vec{\mathbf{r}}$ indique la position du centre de masse par rapport au pivot. Cette équation entraîne que $\vec{\tau}$ est perpendiculaire au plan formé par $\vec{\mathbf{r}}$ et $m\vec{\mathbf{g}}$. La règle de la main droite permet d'obtenir l'orientation du moment de force comme l'indique la figure 13-1*a*. Notez que $\vec{\tau}$, $\vec{\mathbf{L}}$ et $\vec{\mathbf{r}}$ tournent autour de l'axe avec une vitesse angulaire ω_p, pendant que la toupie accomplit son mouvement de précession.

Lorsqu'un moment de force agit sur un solide, il change le moment cinétique de ce corps selon la relation fondamentale (éq. 12-9)

$$\vec{\tau} = d\vec{\mathbf{L}}/dt. \tag{12-9}$$

Puisque $\vec{\mathbf{L}}$ est un vecteur, son orientation ou sa grandeur peuvent varier séparément ou simultanément. L'équation 12-9 nous montre que la *variation de* $\vec{\mathbf{L}}$ (c'est-à-dire $d\vec{\mathbf{L}}$) s'oriente selon $\vec{\tau}$. La figure 13-1*a* nous montre que $\vec{\tau}$ est *normal* à $\vec{\mathbf{L}}$; ainsi, la variation de $\vec{\mathbf{L}}$ qui provient du moment de force doit faire un angle droit avec $\vec{\mathbf{L}}$.

Pour une analyse quantitative, il nous faut observer la toupie pendant un temps Δt. Sur cet intervalle de temps, l'équation 12-9 nous dit que $\vec{\mathbf{L}}$ subira un changement

$$\Delta\vec{\mathbf{L}} = \vec{\tau}\,\Delta t \tag{13-1}$$

si Δt est suffisamment petit. La figure 13-1*b* illustre ce changement $\Delta\vec{\mathbf{L}}$. On remarque qu'il est, à l'instar de $\vec{\tau}$, normal à $\vec{\mathbf{L}}$. On montre aussi le cône que

[1] Le vecteur $\vec{\omega}$ pointe toujours suivant l'axe (fixe) de rotation d'un corps tournant sur lui-même, mais en général, il n'en va pas ainsi pour $\vec{\mathbf{L}}$ (voir la section 13-3). Pour des corps qui possèdent la symétrie par rapport à l'axe de rotation, toutefois, $\vec{\omega}$ et $\vec{\mathbf{L}}$ s'orientent tous deux selon cet axe que l'on suppose immobile. Dans le cas de la toupie de la figure 13-1, on peut considérer que $\vec{\omega}$ et $\vec{\mathbf{L}}$ sont coaxiaux si $\omega \gg \omega_p$, c'est-à-dire si la vitesse de précession est assez lente pour que l'axe, bien que mobile, change très lentement de direction.

balaie l'axe de la toupie dans son mouvement de rotation. Il s'agit bien sûr d'un diagramme des principales grandeurs physiques; c'est pourquoi on a omis de dessiner la toupie elle-même.

Le moment cinétique de la toupie à la fin de l'intervalle de temps Δt est la somme vectorielle de $\vec{L}$ et de $\Delta\vec{L}$. Puisque $\Delta\vec{L}$ est perpendiculaire à $\vec{L}$ et qu'on considère sa grandeur très petite par rapport à celle de $\vec{L}$, le nouveau moment cinétique a la même *grandeur* que l'ancien, mais son *orientation* diffère. Ainsi, la pointe du vecteur moment cinétique décrit une circonférence horizontale (fig. 13-1b). Puisque ce vecteur est toujours selon l'axe de rotation de la toupie, on peut en déduire qualitativement le mouvement de précession de la toupie.

On obtient la vitesse angulaire de précession en utilisant la figure 13-1b. On y voit que:

$$\omega_p = \Delta\phi/\Delta t.$$

Mais, puisque $\Delta L \ll L$, on peut dire que (voir l'équation 13-1)

$$\Delta\phi \cong \Delta L/L \sin\theta = \tau\ \Delta t/L \sin\theta$$

ou que

$$\omega_p = \Delta\phi/\Delta t = \tau/L \sin\theta. \qquad (13\text{-}2a)$$

Mais (fig. 13-1a)

$$\tau = rmg \sin(180° - \theta) = rmg \sin\theta,$$

ce qui nous donne

$$\omega_p = mgr/L. \qquad (13\text{-}2b)$$

Observez que la vitesse angulaire de précession est indépendante de θ et qu'elle est inversement proportionnelle à la grandeur du moment cinétique. Si le moment cinétique est grand, la vitesse angulaire de précession sera petite.

- **Notes**

On peut exprimer l'équation 13-2b sous la forme vectorielle. Récrivons d'abord l'équation 13-2a ainsi:

$$\tau = \omega_p L \sin\theta.$$

Dans la figure 13-1b, on voit que $\vec{\omega}_p$ est un vecteur qui pointe verticalement vers le haut et que θ est l'angle entre $\vec{\omega}_p$ et $\vec{L}$. On reconnaît donc que le membre de droite de cette équation constitue la grandeur du produit vectoriel $\vec{\omega}_p \times \vec{L}$. Cette équation, qui nous donne la grandeur de $\vec{\tau}$, peut s'écrire sous la forme vectorielle suivante:

$$\vec{\tau} = \vec{\omega}_p \times \vec{L}. \qquad (13\text{-}3)$$

C'est l'expression vectorielle la plus générale reliant la vitesse angulaire de précession à $\vec{\tau}$ et à $\vec{L}$; vous devriez voir qu'on peut en déduire facilement l'équation 13-2b. De plus, en se servant de la figure 13-1b, on peut voir, à l'aide de la règle de la main droite, que les facteurs du membre de droite de l'équation 13-3 sont dans le bon ordre, c'est-à-dire que $\vec{\omega}_p \times \vec{L}$ fournit correctement l'orientation et la grandeur de $\vec{\tau}$. •

EXEMPLE 1

Une étudiante tient une roue de bicyclette de façon à ce que son essieu soit horizontal (fig. 13-2a). Cette roue tourne avec une vitesse angulaire assez grande. Son professeur de physique lui demande de varier rapidement (pendant un temps Δt) la direction de l'essieu d'un angle $\Delta\theta$ au-dessus de l'horizontale, tout en cherchant à le maintenir dans un même plan vertical. Quels moments de force doit appliquer l'étudiante sur l'essieu si elle suit à la lettre les instructions de son professeur?

Cette étudiante se rend compte sûrement à partir de l'effort fourni par ses poignets qu'elle doit exercer un moment sur l'essieu pour le maintenir horizontal. Ce moment,

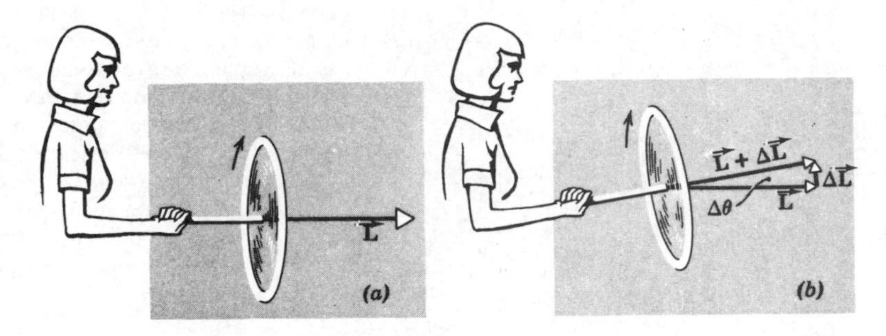

figure 13-2
(a) Une étudiante tient l'essieu d'une roue de bicyclette qui tourne rapidement et *(b)* elle incline l'essieu vers le haut, d'un angle θ avec l'horizontale.

qui annule l'effet de rotation de la force gravitationnelle qui s'exerce au centre de masse, s'oriente selon un axe horizontal et sort perpendiculairement du plan de la figure 13-2. L'étudiante doit appliquer ce moment que la roue tourne ou non.

Maintenant, si l'étudiante tourne l'essieu vers le haut, elle se rendra compte que la roue veut dévier vers sa droite, peut-être même brusquement, de telle sorte qu'il lui sera difficile de garder l'essieu dans le même plan vertical. Pour le tenir ainsi tout en l'inclinant vers le haut, l'étudiante doit exercer un moment sur l'essieu (autour d'un axe plus ou moins vertical) de façon à le ramener vers sa gauche. Voyons pourquoi.

En inclinant l'essieu, on change son moment cinétique $\vec{\mathbf{L}}$, pendant un temps Δt, d'une quantité $\Delta\vec{\mathbf{L}}$, comme l'illustre la figure 13-2*b*. Durant cet intervalle de temps, l'étudiante doit exercer sur la roue un moment moyen correspondant à l'équation 12-9:

$$\vec{\tau} = \Delta\vec{\mathbf{L}}/\Delta t\,.$$

La grandeur de $\vec{\tau}$ vaut:

$$\tau = \Delta L/\Delta t = L \sin \Delta\theta/\Delta t.$$

Ce moment moyen $\vec{\tau}$ a la même orientation que $\Delta\vec{\mathbf{L}}$, c'est-à-dire qu'il est dirigé approximativement vers le haut, si l'angle $\Delta\theta$ de la figure 13-2*b* n'est pas trop grand. On peut voir qu'un tel moment de force ferait dévier l'essieu vers la gauche si la roue ne tournait pas. L'étudiante doit appliquer ce moment pendant qu'elle incline l'essieu vers le haut lorsque la roue tourne; sinon, l'essieu ne demeurera pas dans un même plan vertical.

Vous auriez avantage à réaliser l'expérience de la roue de bicyclette lorsque vous étudiez les relations entre les vecteurs $\vec{\mathbf{L}}$, $\Delta\vec{\mathbf{L}}$ et $\vec{\tau}$. A défaut de roue, utilisez un gyroscope jouet, même s'il ne vous permet pas de ressentir l'effet de $\vec{\tau} = d\vec{\mathbf{L}}/dt$ produit par une roue qui tourne rapidement.

Il existe une analogie entre l'expérience de la figure 13-2 et une autre qui consiste à faire tourner, à vitesse constante, une grosse masse au bout d'une corde solide, dans un plan horizontal. Dans cette expérience, on demande de changer durant un temps Δt l'orientation de la quantité de mouvement $\vec{\mathbf{P}}$ de la masse, tout en maintenant sa grandeur inchangée. Pour ce faire, on doit appliquer une force radiale perpendiculaire à $\vec{\mathbf{P}}$ (selon $\Delta\vec{\mathbf{P}}$) vers l'intérieur de la circonférence. Dans l'expérience de la figure 13-2, l'étudiante doit, durant un intervalle de temps Δt, changer l'orientation du *moment cinétique* $\vec{\mathbf{L}}$ de la roue sans varier sa grandeur. Pour y arriver, elle doit appliquer un moment de force perpendiculaire à $\vec{\mathbf{L}}$ (selon $\Delta\vec{\mathbf{L}}$), c'est-à-dire vers le haut.[2]

13-3 *MOMENT CINÉTIQUE ET VITESSE ANGULAIRE*

Dans cette section, nous nous proposons d'étudier la relation entre le moment cinétique et la vitesse angulaire dans le cas des particules et des solides qui tournent autour d'un axe immobile dans un référentiel galiléen.

Considérons tout d'abord le cas d'une seule particule de masse m décrivant un cercle à vitesse v autour de l'axe des z d'un référentiel galiléen (fig 13-3). On peut considérer sa vitesse angulaire $\vec{\omega}$ orientée vers le haut selon l'axe des z. L'équation 12-3 nous donne l'expression de son moment cinétique $\vec{\mathbf{l}}$ par rapport à l'origine O du système de référence, c'est-à-dire:

$$\vec{\mathbf{l}} = \vec{\mathbf{r}} \times \vec{\mathbf{p}},$$

[2] A.E. Benfield approfondit cette analogie dans *American Journal of Physics*, septembre 1958. Voir aussi le problème 5.

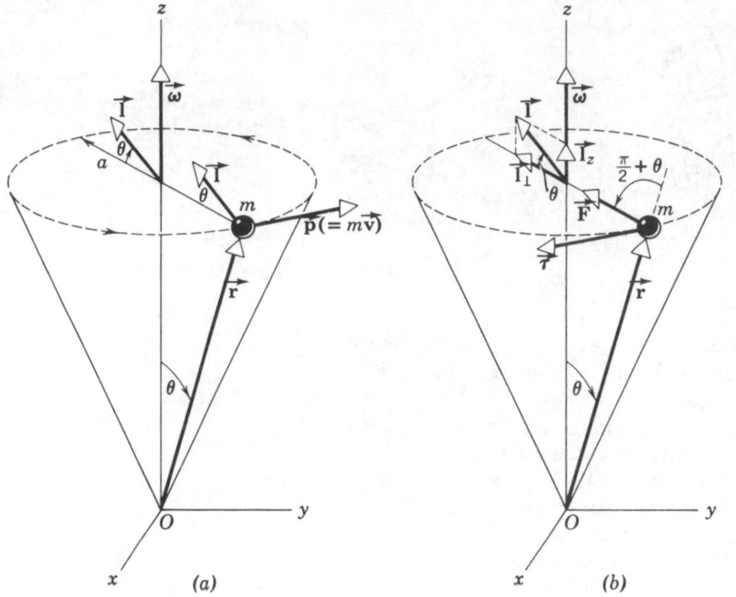

figure 13-3
(a) Une particule de masse m décrit, à vitesse v, un cercle de rayon a autour de l'axe des z d'un système de référence galiléen. $\vec{l}(=\vec{r}\times\vec{p})$ est le moment cinétique autour de O; on a aussi effectué une translation de ce vecteur au centre du cercle. *(b)* La même configuration sur laquelle apparaissent $\vec{l}$ et ses composantes, la force centripète $\vec{F}$ et le moment de force $\vec{\tau}$ par rapport à O.

où $\vec{r}$ et $\vec{p}$ $(= m\vec{v})$ apparaissent sur la figure 13-3*a*. Le vecteur $\vec{l}$ est perpendiculaire au plan formé par $\vec{r}$ et $\vec{p}$, ce qui signifie que $\vec{l}$ n'est pas parallèle à $\vec{\omega}$. Notez que $\vec{l}$ possède une composante vectorielle $\vec{l}_z$ parallèle à $\vec{\omega}$, et une autre, $\vec{l}_\perp$, perpendiculaire à $\vec{\omega}$. Notez aussi que si l'origine appartenait au plan de la trajectoire de la particule, $\vec{l}$ serait parallèle à $\vec{\omega}$. Le résultat parfois inattendu du non parallélisme de $\vec{l}$ et de $\vec{\omega}$ dans ce cas simple n'est pas sans causer certains problèmes. Toutefois, ce résultat est tout à fait en accord avec l'expression générale du moment $\vec{\tau} = d\vec{l}/dt$ agissant sur une particule. Le vecteur $\vec{l}$ varie avec le temps tout au long du mouvement; il s'agit d'un changement d'orientation et non de grandeur, comme c'était le cas pour le mouvement de précession de la toupie dans la section précédente. Puisque la valeur du membre de droite de la relation précédente, $d\vec{l}/dt$, n'est pas nulle, celle du membre de gauche ne l'est pas non plus; il en résulte un moment de force agissant sur la particule par rapport à l'origine O.

Il existe en effet un tel moment. Il faut nécessairement une force $\vec{F}$ (fig. 13-3*b*) pour que la particule décrive un cercle. On peut imaginer que $\vec{F}$ est la tension d'une corde légère qui lie la particule en rotation à l'axe des z. Le moment par rapport à O est fourni par $\vec{F}$ et on le calcule avec l'équation 12-1:

$$\vec{\tau} = \vec{r} \times \vec{F}.$$

Le moment $\vec{\tau}$ est tangent au cercle (perpendiculaire au plan formé par $\vec{r}$ et $\vec{F}$) et il pointe dans la direction illustrée sur la figure 13-3*b*, comme vous pouvez le vérifier vous-mêmes avec la règle de la main droite.

EXEMPLE 2

Montrez que la particule de la figure 13-3 obéit quantitativement à la relation

$$\vec{\tau} = d\vec{l}/dt.$$

La preuve est semblable à celle de la section 13-2 où l'on a étudié la toupie, puisque, du point de vue vectoriel, les deux problèmes sont identiques. Dans les deux cas, il s'agit du mouvement de précession d'un moment cinétique ($\vec{L}$ pour la toupie et $\vec{l}$ pour la particule de la figure 13-3) autour d'un axe vertical à un taux qu'on appelle ω_p pour la toupie et ω pour la particule. Dans chaque situation on retrouve un moment de force perpendiculaire au plan formé par $\vec{L}$ (ou $\vec{l}$) et $\vec{\omega}_p$ (ou $\vec{\omega}$).

Ainsi, vu l'identité formelle des deux problèmes, il suffit de s'assurer si la particule en rotation de la figure 13-3 obéit à l'équation vectorielle du mouvement de précession, soit $\vec{\tau} = \vec{\omega}_p \times \vec{L}$ (éq. 13-3). On a déduit cette équation de la relation $\vec{\tau} = d\vec{L}/dt$ (éq. 12-9), qui lui est d'ailleurs équivalente, pour analyser le mouvement de la toupie. Pour calculer la grandeur du moment, on peut écrire la relation $\vec{\tau} = \vec{\omega}_p \times \vec{L}$ sous la forme scalaire:

$$\tau = \omega l \sin (90° - \theta) = \omega l \cos \theta, \qquad (13\text{-}3)$$

dans laquelle nous avons substitué ω à ω_p, l à L. Notez de plus que l'angle entre $\vec{\omega}$ et $\vec{l}$ est $(90° - \theta)$. En utilisant pour τ et l la notation de la figure 13-3*a*, on peut écrire:

$$\tau = Fr \sin (90° + \theta) = [m\omega^2(r \sin \theta)](r)(\cos \theta)$$

et

$$l = rp \sin 90° = r(mv) = (r)(m)[\omega(r \sin \theta)],$$

dans laquelle $r \sin \theta$ donne le rayon a du cercle décrit par la particule, $(90° + \theta)$ l'angle entre $\vec{r}$ et $\vec{F}$ et 90° l'angle entre $\vec{r}$ et $\vec{p}$. En substituant ces deux expressions dans l'équation 13-3, on obtient:

$$m\omega^2 r^2 \sin \theta \cos \theta = \omega(m\omega r^2 \sin \theta) \cos \theta,$$

qui représente une identité. En ce qui a trait à la *grandeur*, nous avons établi la preuve désirée. Référez-vous à la figure 13-3 et voyez si *l'orientation* de $\vec{\tau}$ est bien celle de $d\vec{l}/dt$ (éq. 12-7) ou celle de $\vec{\omega} \times \vec{l}$ (éq. 13-2*b*).

Étudions la relation entre $\vec{l}_z$ et $\vec{\omega}$ pour la particule de la figure 13-3. L'exemple 2 nous révèle que:

$$l = mr^2\omega \sin \theta.$$

Sur la figure 13-3*b*, on peut voir que

$$l_z = l \sin \theta = m\omega r^2 \sin^2 \theta.$$

Mais $r \sin \theta = a$, le rayon du cercle décrit par la particule. On obtient donc l'expression:

$$l_z = ma^2\omega, \qquad (13\text{-}4)$$

dans laquelle ma^2 est le moment d'inertie I de la particule par rapport à l'axe des z. Ainsi,

$$l_z = I\omega, \qquad (13\text{-}5)$$

expression comparable à l'équation 12-18 ($L = I\omega$) décrivant la rotation d'un solide autour d'un axe immobile. Observez que la relation vectorielle $\vec{l} = I\vec{\omega}$ n'est pas exacte dans cette situation puisque $\vec{l}$ et $\vec{\omega}$ n'ont pas la même orientation. Toutefois, $\vec{l}_z$ et $\vec{\omega}$, quant à eux, pointent dans la même direction; on peut donc écrire l'équation 13-5 sous la forme vectorielle $\vec{l}_z = I\vec{\omega}$.

Ajoutons maintenant une deuxième particule de masse m au système de la figure 13-3. Plaçons de plus cette particule sur la même orbite mais dans une position diamétralement opposée à la première par rapport à l'axe de rotation. Donnons-lui enfin la même vitesse. Le moment cinétique $\vec{l}_2$ de cette seconde particule par rapport à O possédera la même grandeur que $\vec{l}_1$, le moment cinétique de la première; il fera, en outre, le même angle $(90° - \theta)$ avec l'axe des z. Son orientation, toutefois, différera. En effet, comme on le voit sur la figure 13-4*a*, $\vec{l}_2$ reposera dans le plan formé par $\vec{\omega}$ et $\vec{l}_1$ mais pointera dans le sens opposé à $\vec{l}_1$ par rapport à l'axe des z. L'angle entre les vecteurs $\vec{l}_1$ et $\vec{l}_2$ est donc de $180° - 2\theta$.

Le moment cinétique total $\vec{L}$ de l'ensemble des deux particules est la somme vectorielle des moments cinétiques de chacune des particules, c'est-à-dire $\vec{L} = \vec{l}_1 + \vec{l}_2$. Le vecteur résultant $\vec{L}$, comme l'illustre la figure 13-4*b*, pointe selon l'axe des z (dans la direction de $\vec{\omega}$) et sa grandeur est constante. Notez que cette affirmation demeure vraie peu importe l'endroit où on choisit l'origine O le long de l'axe de rotation.

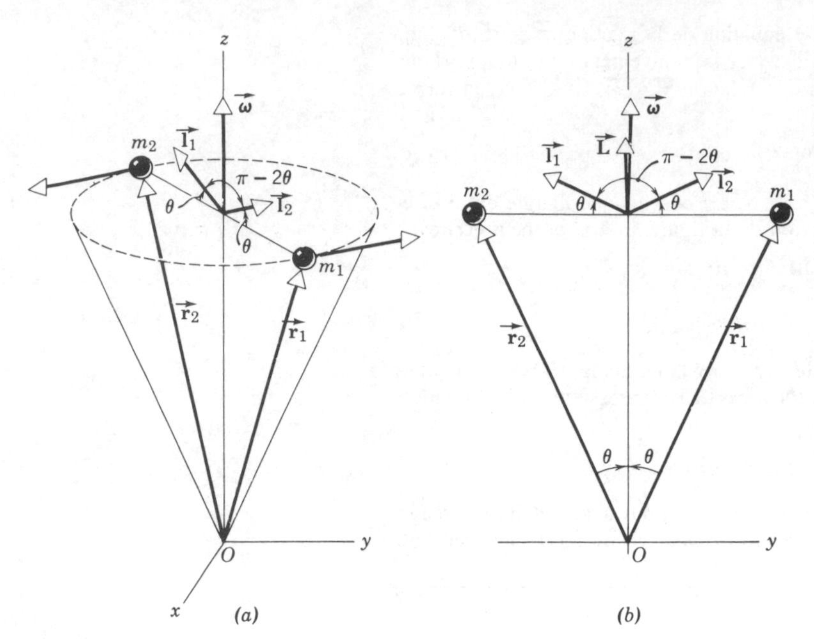

figure 13-4
(*a*) Deux particules de masse m en rotation, comme sur la figure 13-3, mais dans des positions diamétralement opposées.
(*b*) Une coupe transversale passant par les particules nous montre que le moment cinétique total $\vec{L}$ $(= \vec{l}_1 + \vec{l}_2)$ du système des deux particules pointe selon l'axe de rotation, dans la même direction que $\vec{\omega}$.

Le fait que $\vec{L}$ soit constant (en grandeur et en direction), dans le cas d'un système formé de deux particules, entraîne que $d\vec{L}/dt = 0$, qui, à son tour, entraîne que (éq. 12-9) $\vec{\tau} = 0$ pour ce système. Il faut vous convaincre (la figure 13-3*b* pourra vous être d'une grande utilité) que dans ce cas, les moments de force des deux particules par rapport à O sont égaux et opposés, ce qui entraîne que le moment agissant sur le système des deux particules est nul.

Le fait que $\vec{\omega}$ et $\vec{L}$ pointent dans la même direction dans ce problème, contrairement au cas d'une seule particule, peut s'expliquer en disant que, dans le système à deux particules, les masses sont les mêmes et qu'elles occupent des positions diamétralement opposées à une distance égale de l'axe de rotation.

On peut maintenant considérer notre système comme un solide composé de plusieurs particules. Si le corps est symétrique par rapport à l'axe de rotation (par symétrique on entend que, pour chaque élément de masse du corps, il doit y avoir un second élément de masse identique, diamétralement opposé et à une distance égale de l'axe de rotation), alors on pourra le considérer comme formé d'un ensemble de paires de particules semblables à celles qui ont fait l'objet de notre étude. Puisque $\vec{L}$ et $\vec{\omega}$ sont parallèles pour de telles paires, ils le seront aussi pour les solides possédant cette sorte de symétrie. Notez que, dans le tableau 12-1, tous les systèmes font face à ce critère, exception faite de f et j.

Pour des solides qui possèdent une telle symétrie, $\vec{L}$ et $\vec{\omega}$ sont parallèles; on peut donc écrire l'équation 12-18 ($L = I\omega$) sous la forme vectorielle suivante:

$$\vec{L} = I\vec{\omega}. \tag{13-6}$$

Il faut toutefois se rappeler que, si $\vec{L}$ tient lieu de moment cinétique *total,* l'équation 13-6 ne doit s'appliquer qu'aux solides symétriques par rapport à l'axe (fixe) de rotation.[3] Si $\vec{L}$ signifie la composante vectorielle du moment cinétique

[3] On a simplifié à outrance les considérations de symétrie. Tout solide, indépendamment de l'irrégularité de sa forme, possède trois axes perpendiculaires passant par son centre de masse autour de chacun desquels $\vec{L}$ et $\vec{\omega}$ ont la même orientation, étant reliés par $\vec{L} = I\vec{\omega}$. Il s'agit des *axes principaux.* L'axe d'un solide de révolution est toujours un axe principal comme le sont d'ailleurs tous ceux qui le croisent perpendiculairement au centre de masse. En général, toutefois, $\vec{L}$ et $\vec{\omega}$ pointent dans des directions différentes pour des axes non principaux. Voir Arnold Sommerfeld, *Mechanics,* chapitre IV, Academic Press, New-York (édition 1964).

suivant l'axe de rotation (c'est-à-dire qu'il signifie $\vec{L}_z$), alors l'équation 13-6 est équivalente à l'équation 12-8 et elle s'applique à tout solide, symétrique ou non, en rotation autour d'un axe immobile.

EXEMPLE 3

Dans l'exemple 5 du chapitre 12, trouvez l'accélération de la masse qui tombe, en appliquant directement l'équation 12-9 ($\vec{\tau} = d\vec{L}/dt$).

Le système de la figure 12-12, formé d'une roue M et d'une masse m, subit l'effet de deux forces extérieures, la force gravitationnelle $m\vec{g}$ vers le bas s'exerçant sur m et la force du roulement à billes de l'essieu du cylindre s'exerçant vers le haut. On considère l'essieu du cylindre comme l'origine du référentiel. La tension dans la corde est une force intérieure et n'agit pas sur le système (roue et masse). Seule la première des deux forces énumérées ($m\vec{g}$) exerce un moment de force par rapport à notre origine et sa grandeur vaut $(mg)R$.

Le moment cinétique du système par rapport à l'origine s'obtient à partir de l'équation

$$L = I\omega + (mv)R,$$

dans laquelle $I\omega$ est le moment cinétique du disque (symétrique) et $(mv)R$ est le moment cinétique (quantité de mouvement × bras de levier) de la masse, par rapport à l'origine. Ces deux termes pointent dans la même direction, c'est-à-dire qu'ils sortent perpendiculairement au plan de la figure 12-12.

En appliquant $\vec{\tau} = d\vec{L}/dt$ (sous sa forme scalaire) on obtient:

$$\begin{aligned}(mg)R &= \frac{d}{dt}(I\omega + mvR)\\ &= I(d\omega/dt) + mR(dv/dt)\\ &= I\alpha + mRa.\end{aligned}$$

Puisque $a = \alpha R$ et $I = \frac{1}{2}MR^2$, l'équation se ramène à la forme suivante:

$$mgR = (\tfrac{1}{2}MR^2)(a/R) + mRa,$$

à partir de laquelle on obtient l'accélération:

$$a = \frac{2\ mg}{M + 2m}.$$

EXEMPLE 4

Un haltère, qui fait un angle θ avec un axe de rotation immobile passant par le centre de la tige, constitue un exemple simple d'un solide asymétrique en rotation. La vitesse angulaire ω de la tige autour de l'axe est constante, et le vecteur $\vec{\omega}$ pointe selon l'axe comme on le voit sur la figure 13-5. L'expérience nous montre qu'un tel système est « déséquilibré » ou déjeté; et s'il n'était solidement attaché à l'axe vertical en C, il se briserait à haute vitesse. Il tendrait à se déplacer jusqu'à ce que θ égale 90°, position dans laquelle le système serait symétrique par rapport à l'axe.

(a) Montrez qualitativement que dans le cas d'asymétrie (fig. 13-5), $\vec{L}$ et $\vec{\omega}$ ne sont pas parallèles.

Chaque particule de masse m possède un moment cinétique par rapport à C qui équivaut à $\vec{r} \times \vec{p}$. A l'instant représenté sur la figure, la masse du haut entre perpendiculairement dans le plan de la page tandis que celle du bas en sort. Les vecteurs quantités de mouvement des deux masses sont donc égaux et opposés ainsi que leurs vecteurs position par rapport à C. Par conséquent, en appliquant la règle de la main droite au produit $\vec{r} \times \vec{p}$ on trouve que $\vec{l}$ est le même pour chaque particule et que le moment cinétique résultant $\vec{L}$ des deux masses à cet instant se trouve dans le plan de la page et perpendiculaire à la tige (fig. 13-5). Ainsi, $\vec{L}$ et $\vec{\omega}$ *ne sont pas* parallèles. Il est évident que le vecteur moment cinétique, bien que constant en grandeur, tourne autour de l'axe en même temps que le système.

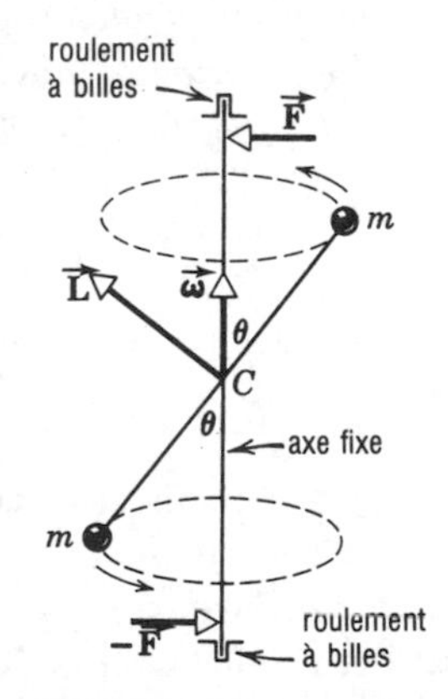

figure 13-5
Exemple 4.

(b) Le fait que $\vec{L}$ et $\vec{\omega}$ n'aient pas la même orientation est parfaitement cohérent avec la relation fondamentale $\vec{\tau} = d\vec{L}/dt$. Nous avons observé dans deux situations antérieures (section 13-2 et exemple 1) qu'un moment cinétique de grandeur constante, en rotation

autour d'un axe immobile, peut se trouver associé à un moment de force $\vec{\tau}$ perpendiculaire au plan formé par $\vec{L}$ et $\vec{\omega}$. A l'instant qu'illustre la figure 13-5, ce plan est celui de la figure. Existe-t-il un tel moment de force dans ce problème et, si oui, d'où vient-il?

Il existe en effet un tel moment, et il vient des forces latérales en déséquilibre exercées par les roulements à billes sur l'axe et transmises par lui à la tige reliant les masses. A l'instant qu'illustre la figure, l'extrémité supérieure de l'haltère tend à se déplacer vers la droite. L'axe est tiré vers la droite contre le roulement à billes du haut, qui exerce à son tour sur l'axe une force $\vec{F}$ vers la gauche. De même, l'extrémité inférieure de l'haltère tend à se déplacer vers la gauche. L'axe est tiré vers la gauche contre le roulement à billes qui à son tour exerce sur l'axe une force $-\vec{F}$ vers la droite. Le moment de force $\vec{\tau}$ par rapport à C qui résulte de ces forces sort perpendiculairement de la page, normal au plan formé par $\vec{L}$ et $\vec{\omega}$, en accord avec le mouvement de rotation de $\vec{L}$ (vous devriez le vérifier).

Les forces $\vec{F}$ et $-\vec{F}$ sont dans le plan de la figure 13-5 à cet instant. A mesure que tourne l'haltère, ces forces, et par conséquent ce moment $\vec{\tau}$, tournent avec lui de façon à ce que $\vec{\tau}$ demeure continuellement perpendiculaire au plan formé par $\vec{\omega}$ et $\vec{L}$ (comparez avec la figure 13-1). Les forces $\vec{F}$ et $-\vec{F}$, à cause de leur rotation, entraînent un « ballottement » dans les roulements à billes supérieur et inférieur. Les roulements doivent avoir une résistance suffisante. Dans le cas d'un solide symétrique en rotation, il n'y a pas de ballottement et l'axe tourne en douceur.

Le ballottement et les tensions internes posent des problèmes pratiques sérieux lorsque les objets comme les rotors des turbines doivent révolutionner à haute vitesse. Bien que conçus pour être symétriques, de tels rotors, à cause des petites erreurs de disposition des lames, peuvent être parfois légèrement asymétriques. On doit les rendre symétriques en ajoutant ou en retranchant des éléments de métal aux endroits appropriés. On réalise cet équilibrage en faisant tourner la roue dans une machine spéciale qui mesure le ballottement et qui indique automatiquement les corrections nécessaires. Nous sommes tous familiers avec les masses de plomb ajoutées à la jante des roues d'automobiles à des endroits précis pour réduire le ballottement des pneus mal équilibrés.

13-4 CONSERVATION DU MOMENT CINÉTIQUE

Au chapitre douze, nous avons trouvé que le taux de variation du moment cinétique total d'un système de particules autour d'un point fixe dans un référentiel galiléen (ou autour du centre de masse) est égal à la somme des moments de force extérieurs agissant sur ce système, c'est-à-dire:

$$\vec{\tau}_{\text{ext}} = d\vec{L}/dt. \qquad (12\text{-}9)$$

Supposons maintenant que $\vec{\tau}_{\text{ext}} = 0$; alors, $d\vec{L}/dt = 0$, de telle sorte que $\vec{L}$ égale une constante.

Lorsque la résultante des moments de force extérieurs agissant sur un système est nulle, le vecteur moment cinétique total d'un système demeure constant. C'est ce qu'on appelle *le principe de la conservation du moment cinétique*.

Dans un système à n particules, le moment cinétique total $\vec{L}$ autour d'un point quelconque vaut:

$$\vec{L} = \vec{l}_1 + \vec{l}_2 + \cdots + \vec{l}_n.$$

Lorsque le moment cinétique résultant est nul, on obtient

$$\vec{L} = \text{une constante} = \vec{L}_0, \qquad (13\text{-}7)$$

où $\vec{L}_0$ représente le vecteur moment cinétique total qui demeure constant. Les moments cinétiques de chacune des particules peuvent changer, mais leur somme vectorielle $\vec{L}_0$ n'en demeure pas moins constante en l'absence de moment de force extérieur résultant.

Le moment cinétique est une grandeur vectorielle; l'équation 13-7 équivaut donc à trois équations scalaires, une pour chaque direction des axes passant par le point de référence. La conservation du moment cinétique nous fournit trois conditions imposées au système auquel elle s'applique.

Pour un solide en rotation autour d'un axe, l'axe des z par exemple, immobile dans un référentiel galiléen, nous avons:

$$\vec{L}_z = I\vec{\omega}, \tag{13-6}$$

où $\vec{L}_z$ est la composante du moment cinétique selon l'axe de rotation et I, le moment d'inertie par rapport à cet axe. Il est possible que le moment d'inertie I d'un solide en rotation varie lorsqu'on change la disposition de ses constituants. Toutefois, si le moment de force extérieur résultant est nul, $\vec{L}_z$ doit demeurer constant; si I varie, ω doit changer pour compenser. Le principe de la conservation du moment cinétique s'exprime, dans ce cas, de la façon suivante:

$$I\omega = I_0\omega_0 = \text{une constante.} \tag{13-8}$$

L'équation 13-8 est valide, non seulement pour une rotation autour d'un axe fixe, mais aussi pour une rotation autour d'un axe passant par le centre de masse du système qui se déplace tout en demeurant parallèle à lui-même. (Voir le deuxième renvoi du chapitre 12.)

Les gymnastes, les plongeurs, les ballerines, les patineurs et combien d'autres personnes utilisent souvent ce principe. Puisque I est fonction du carré de la distance séparant chacune des parties du corps de l'axe de rotation, l'extension ou la flexion des membres peut le faire varier. Observez le plongeur[4] de la figure 13-6. Supposons qu'il possède, en quittant le plongeoir, une vitesse angulaire ω_0 autour d'un axe horizontal passant par le centre de masse, suffisante pour lui permettre d'effectuer un demi-tour avant de pénétrer dans l'eau. S'il veut plutôt effectuer un saut périlleux d'un tour et demi pendant le même temps, il doit tripler sa vitesse angulaire. Il n'y a pas, dans cette situation, de force extérieure sur le plongeur, mise à part la force gravitationnelle qui

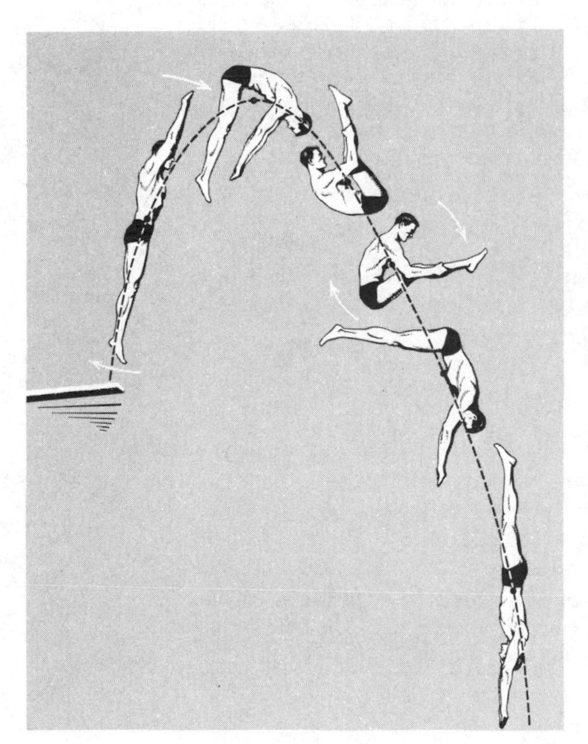

figure 13-6
Un plongeur quitte le plongeoir, les mains et les pieds étendus, avec une vitesse angulaire initiale quelconque. Puisqu'il n'y a aucun moment de force sur lui par rapport à son centre de masse, $L\,(= I\omega)$ demeure constant lorsqu'il est dans les airs. Lorsqu'il fléchit les mains et les pieds, ω augmente puisque L décroît. Lorsqu'il étend à nouveau ses membres, il reprend sa vitesse angulaire initiale. Remarquez le mouvement parabolique du centre de masse (commun à tous les mouvements à deux dimensions) sous l'influence de la gravité.

[4] Voir « The Mechanics of Swimming and Diving » par R. L. Page dans *The Physics Teacher,* février 1976, pour une analyse biomécanique intéressante.

n'exerce d'ailleurs aucun moment par rapport au centre de masse. Son moment cinétique demeure constant et $I_0\omega_0 = I\omega$. Puisque $\omega = 3\,\omega_0$, le plongeur doit changer son moment d'inertie par rapport au centre de masse, le faisant passer de la valeur initiale I_0 à la valeur I équivalente à $I_0/3$, ce qu'il accomplit en fléchissant les bras et les jambes vers le centre de son corps. Une vitesse angulaire initiale plus grande et une réduction meilleure de son moment d'inertie entraînent un plus grand nombre de révolutions dans un intervalle de temps donné.

Il faut noter que l'énergie cinétique de rotation du plongeur n'est pas constante. En effet, dans notre exemple, puisque

$$I\omega = I_0\omega_0$$

et que

$$I < I_0,$$

il s'ensuit que:

$$\tfrac{1}{2}I\omega^2 > \tfrac{1}{2}I_0\omega_0{}^2,$$

c'est-à-dire: l'énergie cinétique de rotation du plongeur *s'accroît*. Cette augmentation vient de ce que le plongeur doit effectuer un travail pour fléchir les membres.

De la même façon, le patineur et la ballerine doivent augmenter ou diminuer leur vitesse angulaire autour d'un axe vertical. Un chat tombe sur ses pattes grâce à ce même principe; sa queue, malgré son utilité dans cette situation, n'est toutefois pas essentielle.

EXEMPLE 5

On attache un objet de masse m à une corde légère qui passe dans un tube. On tient le tube d'une main et la corde de l'autre, puis l'objet est mis en mouvement circulaire de rayon r_1 à vitesse v_1. Enfin, on tire sur la corde au bout inférieur du tube de façon à diminuer le rayon du cercle de r_1 à r_2 (fig. 13-7). Trouvez la nouvelle vitesse linéaire v_2 et la nouvelle vitesse angulaire ω_2 de l'objet en fonction des valeurs initiales v_1, ω_1 et des deux rayons.

La force vers le bas exercée sur la corde devient une force radiale sur la masse. Une telle force n'exerce pas de moment sur l'objet par rapport au centre de rotation. Puisqu'aucun moment de force n'est exercé sur m, son moment cinétique dans cette direction est constant. Par conséquent,

le moment cinétique initial = le moment cinétique final,

$$mv_1r_1 = mv_2r_2,$$

et

$$v_2 = v_1\left(\frac{r_1}{r_2}\right).$$

Puisque $r_1 > r_2$, l'objet accélère en gagnant le centre. En fonction de la vitesse angulaire, se rappelant que v_1 égale $\omega_1 r_1$ et que v_2 égale $\omega_2 r_2$, on peut dire:

$$mr_1{}^2\omega_1 = mr_2{}^2\omega_2,$$

d'où

$$\omega_2 = \left(\frac{r_1}{r_2}\right)^2 \omega_1,$$

ce qui permet de constater une plus grande augmentation relative de la vitesse angulaire comparativement à celle de la vitesse linéaire (voir le problème 31). Quel est l'effet de la force gravitationnelle (le poids de l'objet) dans cette analyse?

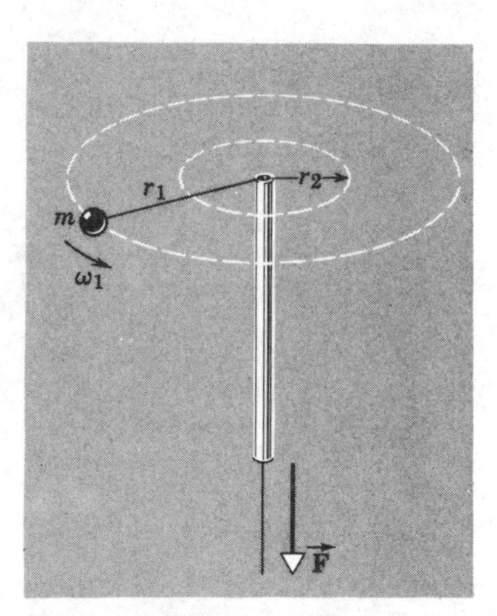

figure 13-7
Exemple 5. Une masse attachée au bout d'une corde décrit un cercle de rayon r_1, à une vitesse angulaire ω_1. La corde passe dans un tube. $\vec{F}$ joue le rôle de force centripète.

EXEMPLE 6

Un étudiant est assis sur un tabouret qui peut tourner autour d'un axe vertical. Il a les bras étendus horizontalement et tient dans chaque main une masse de 4,0 kg. Le professeur lui communique une vitesse angulaire de 0,50 s^{-1}. Supposez la friction négligeable, si bien qu'elle n'exerce aucun moment de force par rapport à l'axe de rotation. Supposez aussi que le moment d'inertie de l'étudiant demeure constant à 6,0 $kg \cdot m^2$ lorsqu'il plie les bras, et que le changement du moment d'inertie ne soit dû qu'aux masses que l'on rapproche de l'axe. Posez que la distance initiale séparant les masses de l'axe vaut 1,0 m et que la distance finale est réduite à 0,20 m. Trouvez la vitesse angulaire finale de l'étudiant.

La seule force extérieure est la force gravitationnelle; elle agit au centre de masse et n'exerce aucun moment par rapport à l'axe de rotation. Le moment cinétique par rapport à cet axe est donc constant et l'on peut dire:

le moment cinétique initial = le moment cinétique final,

$$I_0\omega_0 = I\omega.$$

De plus,

$$I = I_{\text{étudiant}} + I_{\text{masses}},$$

$$I_0 = 6{,}0 + 2 \cdot (4{,}0)(1{,}0)^2 = 14 \text{ kg} \cdot \text{m}^2$$

$$I = 6{,}0 + 2 \cdot (4{,}0)(0{,}20)^2 = 6{,}3 \text{ kg} \cdot \text{m}^2$$

$$\omega_0 = 0{,}50 \text{ r/s} = \pi \text{ rad/s}.$$

Par conséquent,

$$\omega = \frac{I_0}{I}\,\omega_0 = \frac{14}{6{,}3}\,\pi \text{ rad/s}$$

$$= 2{,}2\,\pi \text{ rad/s}$$

$$= 1{,}1 \text{ s}^{-1}.$$

La vitesse angulaire a plus que doublé. Si nous avions tenu compte de la diminution de I causée par la flexion des bras, nous aurions obtenu une vitesse angulaire finale encore plus grande.

Quel changement apporterait la force de friction? L'énergie cinétique est-elle conservée lorsque l'étudiant plie les bras puis les étend à nouveau, en l'absence de tout frottement? Expliquez vos réponses.

EXEMPLE 7

Voici une démonstration qui illustre bien la nature vectorielle de la loi de la conservation du moment cinétique.

Un étudiant se tient debout sur une plate-forme qui ne peut tourner qu'autour d'un axe vertical. Il tient dans ses mains l'essieu d'une roue de bicyclette de manière à ce que l'axe soit vertical. La roue tourne autour de cet axe vertical à une vitesse angulaire ω_0, tandis que la plate-forme et l'étudiant demeurent au repos. On demande à ce dernier de changer la direction de rotation de la roue. Qu'arrive-t-il?

Posons que le système est constitué de l'étudiant, de la plate-forme et de la roue. Le moment cinétique initial total est $I_0\vec{\omega}_0$, et il vient de la roue qui tourne, I_0 étant le moment d'inertie de la roue par rapport à l'axe. La vitesse angulaire $\vec{\omega}_0$ pointe verticalement vers le haut. La figure 13-8*a* nous montre l'état initial du système.

L'étudiant incline ensuite l'axe de la roue d'un angle θ avec la verticale (pour ce faire, il doit appliquer un moment de force qui est toutefois intérieur au système défini ci-haut; voir l'exemple 1). Puisque le moment de force ne possède pas de composante *extérieure*, la composante verticale du moment cinétique du système est conservée. Toutefois, la roue tourne maintenant autour d'un axe qui fait un angle θ avec la verticale, de telle sorte que sa contribution au moment cinétique vertical du système se réduit à $I_0\omega_0 \cos\theta$. L'étudiant et la plate-forme doivent donc suppléer à la baisse du moment cinétique, et pour cela, ils commencent à tourner autour d'un axe vertical. Ce moment complémentaire $I_p\omega_p$, ajouté à $I_0\omega_0 \cos\theta$, doit égaler le moment cinétique vertical initial du système, $I_0\omega_0$. Ainsi, on peut dire:

$$I_p\omega_p = I_0\omega_0(1 - \cos\theta).$$

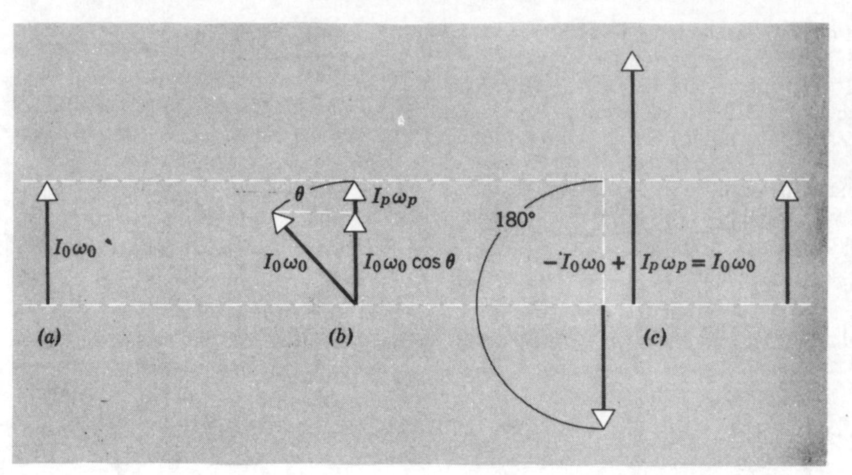

figure 13-8
Exemple 7. *(a)* Voici le moment cinétique initial du système. En *(b)* on a incliné la roue d'un angle θ. Puisqu'aucun moment de force extérieur n'a agi sur le système suivant la direction verticale, le moment cinétique reste inchangé dans cette direction. Le moment cinétique $(1 - \cos\theta)I_0\omega_0$ perdu par la roue est récupéré par le mouvement de rotation de la plate-forme et de l'étudiant. En *(c)*, on a incliné la roue de 180°. Le moment cinétique perdu vaut maintenant $2I_0\omega_0$, et comme précédemment, l'étudiant et la plate-forme tournent pour combler la perte.

C'est ce qu'illustre la figure 13-8*b*. Le facteur I_p est le moment cinétique de l'étudiant et de la plate-forme, et ω_p leur vitesse angulaire par rapport à l'axe vertical.

Si l'étudiant incline la roue d'un angle de 180°, lui et la plate-forme acquerront un moment cinétique vertical de $2\,I_0\omega_0$. Le moment cinétique vertical total demeure encore $I_0\omega_0$, comme on le voit sur la figure 13-8*c*.

Considérons maintenant le moment cinétique de la roue seule. Lorsque l'étudiant incline l'axe de la roue d'un angle θ, il exerce un moment de force pendant un temps Δt, le temps nécessaire pour réorienter l'essieu. La composante verticale de la réaction au moment de force agit sur l'étudiant; c'est de là que vient le moment cinétique vertical acquis par ce dernier et la plate-forme.

La roue que l'étudiant tient à un angle θ avec l'axe vertical précesse autour de cet axe tout comme la toupie de la figure 13-1. Dans les deux exemples, on doit fournir un moment de force horizontal qui demeure perpendiculaire au plan défini par l'axe vertical et l'axe de la roue. Dans le cas de la roue, c'est l'étudiant qui fournit ce moment de force.

L'analyse précise du mouvement de ce système découle de l'équation $\vec{\tau} = d\vec{\mathbf{L}}/dt$ et de la nature vectorielle des quantités en présence. Tenter une solution constituerait un exercice intéressant et profitable pour vous.

13-5 D'AUTRES ASPECTS DE LA CONSERVATION DU MOMENT CINÉTIQUE

• **Notes**

Le principe de la conservation du moment cinétique s'applique aussi bien à la physique atomique et nucléaire qu'aux espaces célestes et macroscopiques. Puisque la mécanique newtonienne ne s'applique pas au domaine atomique et nucléaire, on doit donc admettre que cette loi de la conservation est plus fondamentale que les lois de Newton. Dans notre étude de ce principe, nous avons dû formuler des hypothèses bien plus rigoureuses qu'il n'était nécessaire. C'est vrai, même dans le cadre de la mécanique classique. Notez le rôle clé joué par la troisième loi de Newton dans notre étude de ce principe de conservation. On a utilisé cette loi pour justifier l'hypothèse selon laquelle la somme des moments de force intérieurs était nulle. Il s'avéra nécessaire d'affirmer non seulement que les forces d'action et de réaction étaient égales et opposées (la forme « abrégée » de la troisième loi), mais aussi qu'elles s'exerçaient selon la droite joignant les deux particules (la forme « complète » de la troisième loi). On sait que cette dernière forme n'est pas respectée dans les interactions électromagnétiques. Toutefois, il est possible de prouver que la somme des moments internes d'un système de particules est nulle à partir de considérations beaucoup moins rigoureuses que celles impliquées dans la troisième loi.[5]

De la manière dont nous l'avons formulée, la loi de la conservation du moment cinétique s'applique à un système de corps lorsque l'on peut considérer ceux-ci comme des particules, c'est-à-dire chaque fois que l'on peut négliger les effets dus à la rotation de chacun des constituants du système. Même si chaque corps

[5] Voir E. Gerjuoy, *American Journal of Physics*, vol. 17, 477, (1949).

est en rotation, le principe de la conservation du moment cinétique tient toujours, pourvu que l'on introduise le moment cinétique associé à cette rotation. On ne pourra plus, toutefois, considérer ces corps comme des particules et décrire leur mouvement à l'aide de la dynamique des particules.

En physique atomique et nucléaire, nous savons que les particules élémentaires comme les électrons, les protons, les mésons, les neutrons, etc. (voir l'appendice I) possèdent un moment cinétique associé à leur mouvement de rotation sur eux-mêmes ou à leur mouvement orbital autour d'un point extérieur. Lorsque nous utilisons la loi de la conservation du moment cinétique, il nous faut inclure ce moment cinétique, que l'on appelle « spin », dans la somme totale. Les systèmes atomiques, moléculaires et nucléaires, présentent toutefois un aspect fondamental particulier: leurs moments cinétiques ne peuvent prendre que des valeurs discrètes, discontinues, au lieu d'un continuum de valeurs. On dit que le moment cinétique est *quantifié*. Le moment cinétique joue donc un rôle primordial dans la description du comportement de tels systèmes (voir les problèmes 9 et 10). Vous aborderez ces questions plus tard.

Si on considérait le Soleil, les planètes et les satellites comme des particules sans mouvement de rotation sur elles-mêmes, le moment cinétique du système

Tableau 13-1
Résumé des équations pour le mouvement de rotation

Numéro de l'équation	Équation	Remarques
	I. Définitions	
12-1	$\vec{\tau} = \vec{r} \times \vec{F}$	Moment d'une force résultante $\vec{F}$ sur une particule, par rapport à un point O.
	$\vec{\tau}_{ext} = \Sigma\vec{\tau}_i = \Sigma(\vec{r}_i \times \vec{F}_i)$	Moment de force extérieur résultant appliqué sur un système de particules, par rapport à un point O.
12-3	$\vec{l} = \vec{r} \times \vec{p}$	Moment cinétique d'une particule par rapport à un point O.
	$\vec{L} = \Sigma\vec{l}_i = \Sigma(\vec{r}_i \times \vec{p}_i)$	Moment cinétique résultant d'un système de particules autour d'un point O.
	II. Relations générales	
12-7	$\vec{\tau} = d\vec{l}/dt$	La loi du mouvement pour une particule sous l'action d'un moment de force. Il s'agit de la relation angulaire analogue à $\vec{F} = d\vec{p}/dt$ (éq. 9-12). L'équation 12-7 n'est valide que si $\vec{\tau}$ et $\vec{l}$ sont mesurés par rapport à un point O quelconque fixe dans un référentiel galiléen.
12-9	$\vec{\tau}_{ext} = d\vec{L}/dt$	La loi du mouvement pour un système de particules sous l'action d'un moment de force extérieur résultant $\vec{\tau}_{ext}$. Il s'agit de la relation angulaire analogue à $\vec{F} = d\vec{P}/dt$ (éq. 9-7). L'équation 12-9 n'est valide que si $\vec{\tau}_{ext}$ et $\vec{L}$ sont mesurés par rapport *(a)* à un point O quelconque fixe dans un référentiel galiléen ou *(b)* au centre de masse du système.
	III. Cas particulier d'un solide en rotation autour d'un axe immobile dans un référentiel galiléen (voir le renvoi 2, chap. 12)	
12-17	$\tau = I\alpha$	$\vec{\alpha}$ doit s'orienter selon l'axe; I doit aussi se référer à cet axe et τ est la composante scalaire de $\vec{\tau}_{ext}$ selon cet axe. Il s'agit de la relation angulaire analogue à l'équation du mouvement rectiligne: $F = ma$.
12-18	$L = I\omega$	$\vec{\omega}$ doit s'orienter selon l'axe; I doit aussi se référer à cet axe et L est la composante scalaire du moment cinétique $\vec{L}$ selon cet axe. Si l'axe de rotation possède une symétrie spéciale (c'est-à-dire s'il est un axe principal; voir le renvoi 3 du présent chapitre) $\vec{L}$ et $\vec{\omega}$ sont alors orientés selon l'axe. Il s'agit de la relation angulaire analogue à $P = Mv$ du mouvement rectiligne.

solaire ne serait pas constant. Mais ces corps possèdent des mouvements de rotation intrinsèques; en fait, la force des marées convertit une partie du moment cinétique intrinsèque en moment cinétique orbital pour les planètes et les satellites. Lorsque nous utilisons la loi de la conservation du moment cinétique, nous devons additionner aussi le spin. Cette loi joue un rôle prépondérant dans l'évaluation des théories sur l'origine du système solaire, de la contraction des étoiles géantes et d'autres problèmes en astronomie. Nous étudierons, au chapitre 16, quelques applications de la loi de la conservation du moment cinétique à l'astronomie.

Le fondement de cette façon plutôt simple d'analyser le moment cinétique total des systèmes atomiques ou astronomiques est en réalité un théorème (voir le problème 15). Ce théorème pose que le moment cinétique total $\vec{L}$ d'un système quelconque par rapport à l'origine d'un référentiel galiléen s'obtient par l'addition du moment cinétique par rapport au centre de masse (*spin*) et du moment cinétique du centre de masse par rapport à l'origine du référentiel (moment cinétique *orbital*).

Les lois de la conservation de l'énergie totale, de la quantité de mouvement et du moment cinétique sont fondamentales en physique, puisqu'elles sont valides dans toutes les théories physiques modernes. Nous aurons l'occasion de les utiliser souvent dans les chapitres ultérieurs. •

13-6 *RÉVISION*

L'étude des mouvements de rotation des particules et des solides est compliquée, au point de dépasser le niveau de ce cours. Il nous semble préférable de réunir en un tableau les équations traitant de la dynamique de rotation et de commenter les conditions où elles s'appliquent. C'est ce que nous avons effectué au tableau 13-1.

questions

1. Nous avons rencontré plusieurs grandeurs vectorielles jusqu'à maintenant, incluant la position, le déplacement, la vitesse, l'accélération, la force, la quantité de mouvement et le moment cinétique. Quelles sont les grandeurs dont la définition est indépendante du choix de l'origine du système de référence?
2. *(a)* Dans l'exemple 1, pourquoi le simple fait de tourner l'essieu vers le haut engendre-t-il un mouvement vers la droite de l'étudiant? *(b)* Si l'étudiant est attaché au plancher d'un vaisseau spatial qui dérive dans une région de l'espace libre de toute gravité, de quelle façon, s'il en est une, ces conditions affecteraient-elles le déroulement de l'expérience?
3. Si la toupie de la figure 13-1 ne tournait pas, elle basculerait. Si son moment cinétique est grand comparativement à la variation qu'apporte le moment de force, la toupie précesse. Que se produit-il entre-temps, lorsque la toupie tourne lentement?
4. Une toupie, dont une extrémité est une section de sphère (calotte sphérique) de grand rayon et l'autre, une tige sur laquelle peut pivoter la toupie, demeure sur sa surface sphérique lorsqu'elle ne tourne pas tandis qu'elle bascule de façon à tourner sur la tige lorsqu'on la met en rotation. Expliquez la situation. (Voir « The Tippy-Top », par George D. Freier, *The Physics Teacher*, janvier 1967). Si vous ne pouvez vous procurer une telle toupie, utilisez un oeuf à la coque bien cuit; vous observerez mieux que l'oeuf se tient « debout » sur une extrémité si vous dessinez un repère avec un crayon sur le bout pointu de l'oeuf.
5. Un physicien de renom (R.W. Wood), friand de mauvais tours, assembla un volant qui tournait rapidement dans une valise qu'il remit à un messager, avec instruction de le suivre. Selon vous, qu'advint-il quand il incita le messager à virer rapidement un coin? Expliquez la situation à l'aide de la relation $\vec{\tau} = d\vec{L}/dt$.
6. On doit redresser continuellement un avion monomoteur de manière à le maintenir en vol horizontal (le redressement s'effectue en élevant un aileron et en abaissant l'aileron opposé). Pourquoi cette opération est-elle nécessaire? Dans le cas d'un bimoteur, le redressement vous semble-t-il nécessaire lors de conditions normales de vol?

7. L'hélice d'un avion, vue de l'arrière, tourne dans le sens horaire. Lorsque le pilote relève le nez de l'avion après une descente en plongée, il est obligé de tourner le gouvernail de direction vers la gauche, au bas du plongeon, pour maintenir sa direction. Expliquez pourquoi.
8. Comment une longue tige peut-elle aider un funambule à garder son équilibre?
9. Vous marchez sur un rail étroit lorsque, soudainement, vous commencez à perdre l'équilibre. Si vous êtes sur le point de tomber à droite, comment devez-vous tourner votre corps pour reprendre l'équilibre? Expliquez pourquoi.
10. Décrivez, à l'aide de la relation $\vec{\tau} = d\vec{L}/dt$, la dynamique de rotation d'une roue sur un train rapide qui négocie un virage.
11. Pouvez-vous suggérer une théorie simple qui expliquerait la stabilité d'une bicyclette en marche? (Voir « The Stability of the Bicycle », par David E.H. Jones, *Physics Today,* avril 1970.)
12. Expliquez, à l'aide des notions de moment cinétique et de moment d'inertie, comment on peut augmenter le mouvement d'une balançoire. (Voir « Pumping on a Swing », par P.L. Tea et H. Falk, *American Journal of Physics,* décembre 1968; « On initiating the Motion in a Swing », par J. T. McMullan, *American Journal of Physics,* mai 1972 et « How Children Swing », par S. M. Curry, *American Journal of Physics,* octobre 1976.)
13. Pour permettre à une bille de billard de rouler sans glisser, la queue de billard doit la frapper, non pas au centre (c'est-à-dire à une hauteur au-dessus de la table égale au rayon R de la balle), mais exactement à une hauteur égale à $(2/5)R$ au-dessus du centre de la balle. Expliquez pourquoi. (Voir Arnold Sommerfeld, *Mechanics, Volume I of Lectures on Theorical Physics*, Academic Press, New-York, édition 1964, pp. 158-161, pour des informations supplémentaires sur la mécanique du billard. Voir aussi « Some Pitfalls in Demonstrating Conservation of Momentum », par H. L. Armstrong, *American Journal of Physics,* janvier 1968.)
14. Lorsqu'une balle frappe certains points sur un bâton, vous ressentez un coup sec dans les mains, et parfois, le bâton se brise. Expliquez pourquoi. (Voir « Batting the ball » par P. Kirkpatrick, *American Journal of Physics,* août 1963.)
15. Supposez qu'une tige homogène demeure en position verticale sur une surface sans friction. On souffle horizontalement sur l'extrémité inférieure. Décrivez le mouvement du centre de masse de la tige et de son extrémité supérieure.
16. Un cylindre tourne à une vitesse angulaire $\vec{\omega}$ autour d'un axe fixé à une de ses extrémités (fig. 13-9). Choisissez une origine appropriée et illustrez les vecteurs $\vec{L}$ et $\vec{\omega}$. Ces vecteurs sont-ils parallèles? Y a-t-il des considérations de symétrie en cause ici?

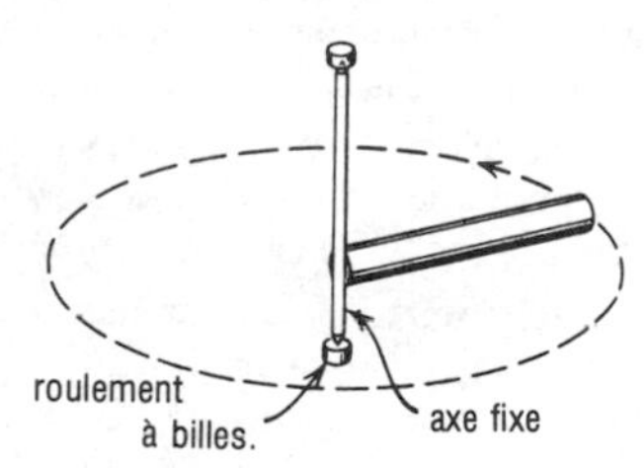

figure 13-9
Question 16.

17. Considérez le mouvement d'un ballon de football qui culbute dans les airs. Le moment cinétique par rapport au centre de masse du ballon est-il conservé durant l'envol? La grandeur ou la direction de la vitesse angulaire changent-elles par rapport à des axes fixes, soit dans l'espace, soit dans le ballon?
18. Au chapitre 1, on a cité la fonte de la calotte polaire comme étant une des causes possibles de la variation de la période de rotation de la Terre. Expliquez pourquoi.
19. Plusieurs grandes rivières coulent vers l'équateur. Quelle conséquence les sédiments qu'elles transportent entraînent-ils sur la rotation de la Terre?
20. La vitesse angulaire d'un homme sur une plate-forme tournante vaut ω. Il tient au bout de ses bras deux masses égales. Il laisse soudainement tomber les masses sans déplacer ses bras. Quel changement, s'il en est un, ceci apporte-t-il sur la vitesse angulaire? Le moment cinétique est-il conservé? Expliquez pourquoi.
21. A l'exemple 5 du présent chapitre, l'objet reprend-il sa vitesse initiale si on relâche soudainement la corde pour lui permettre de revenir à une circonférence de rayon r_1? Qu'arrive-t-il si quelqu'un tire la corde et la relâche soudainement plusieurs fois de suite? Expliquez cette situation à l'aide du théorème reliant l'énergie et le travail et celui reliant le moment de force au moment cinétique.
22. Une table circulaire tourne à vitesse constante ω sur un axe vertical, en l'absence de tout moment de force dû à la friction ou à un mécanisme d'entraînement. Sur la table, on dépose une casserole circulaire qui tourne avec elle (fig. 13-10). Le fond de la casserole est recouvert d'une couche de glace d'épaisseur uniforme qui tourne avec le reste. La glace fond sans qu'aucune goutte d'eau ne s'échappe. La nouvelle vitesse angulaire est-elle plus grande, la même, ou plus petite? Justifiez votre réponse.

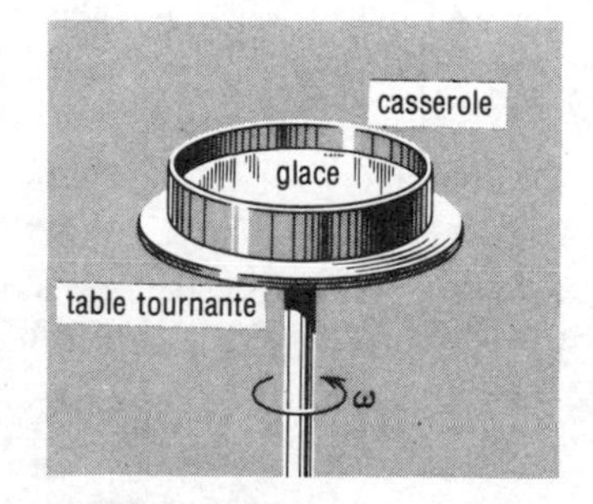

figure 13-10
Question 22.

problèmes

SECTION 13-1

1. On définit *l'impulsion angulaire* comme étant l'intégrale du moment de force par rapport au temps. En partant de la relation $\vec{\tau} = d\vec{L}/dt$, montrez que l'impulsion angulaire résultante égale la variation du moment cinétique. Il s'agit d'une relation analogue au théorème reliant l'impulsion et la quantité de mouvement.

SECTION 13-2

2. Une toupie tourne à 30 Hz (30 s^{-1}) autour d'un axe faisant un angle de 30° avec la verticale. Sa masse est de 0,50 kg et son moment d'inertie de $5{,}0 \times 10^{-4}$ kg · m². Le centre de masse se situe à 4,0 cm du pivot. Si la toupie tourne dans le sens horaire lorsqu'on la regarde par-dessus, quelle est la grandeur et la direction de sa vitesse angulaire de précession?
3. Un disque de 0,05 m de rayon, convenablement assemblé au centre d'un axe long de 0,12 m de façon à pouvoir tourner et précesser librement, constitue un gyroscope. Trouvez la vitesse de précession (en min^{-1}) si on soutient le gyroscope par une des extrémités de l'axe qui demeure horizontal et si le disque tourne à 1000 min^{-1}. *Réponse:* 43 min^{-1}.
4. On modifie le gyroscope du problème précédent en attachant une petite masse à l'extrémité de l'axe non soutenu. Trouvez la nouvelle vitesse de précession (en min^{-1}) en fonction du rapport suivant: r = masse ajoutée/masse du gyroscope.

SECTION 13-3

5. A partir de l'équation 11-20*b*, $\vec{a}_R = \vec{\omega} \times \vec{v}$, décrivant le mouvement circulaire d'une particule, montrez que la force nécessaire pour obtenir un mouvement circulaire uniforme vaut $\vec{F} = \vec{\omega} \times \vec{p}$. Considérez maintenant l'équation 13-2*b*, $\vec{\tau} = \vec{\omega}_p \times \vec{L}$, et montrez que le mouvement de précession de la toupie est un mouvement de rotation analogue au mouvement circulaire uniforme.
6. Deux roues A et B sont reliées par l'intermédiaire d'une courroie sur la figure 13-11. Le rayon de B est trois fois plus grand que celui de A. Déterminez le rapport des moments d'inertie I_A/I_B pour que les deux roues aient *(a)* le même moment cinétique et *(b)* la même énergie cinétique de rotation.

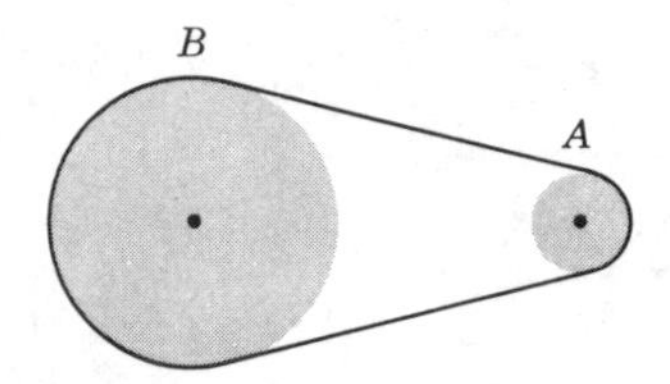

figure 13-11
Problème 6.

7. Démontrez la relation $\vec{L} = I\vec{\omega}$ pour le système à deux particules de la figure 13-4.
8. La figure 13-12 nous montre un solide symétrique en rotation autour d'un axe immobile. On a placé l'origine du système de coordonnées au centre de masse. En additionnant les contributions qu'apportent au moment cinétique tous les éléments de masse m_i constituant le solide, montrez que $\vec{L} = I\vec{\omega}$, où $\vec{L}$ est le moment cinétique total.

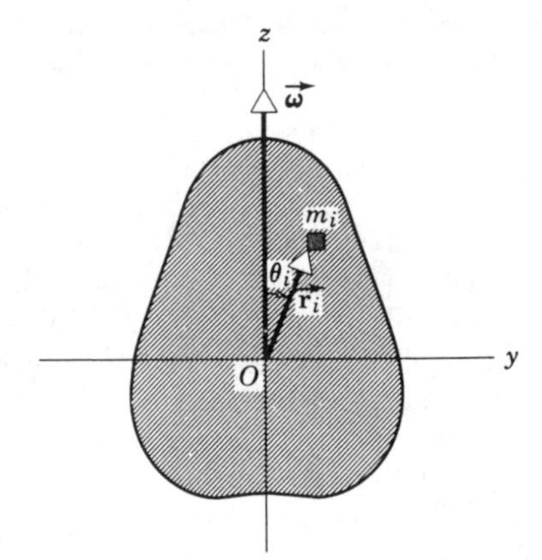

figure 13-12
Problème 8.

9. *(a)* Supposez que l'électron, dans l'atome d'hydrogène, décrit une orbite circulaire autour du proton. Si la force électrique $e^2/4\pi\epsilon_0 r^2$ (où e est la charge de l'électron, r le rayon de l'orbite, et ϵ_0 une constante) constitue la force centripète, montrez que le rayon de l'orbite est:

$$r = \frac{e^2}{4\pi\epsilon_0 m v^2},$$

où m représente la masse de l'électron et v, sa vitesse.

(b) Supposez maintenant que le moment cinétique de l'électron autour du noyau ne puisse égaler que des multiples entiers n de $h/2\pi$, où h est la *constante de Planck*. Montrez que les seules orbites électroniques possibles sont celles dont le rayon vaut

$$r = \frac{nh}{2\pi m v}.$$

(c) Combinez ces deux équations pour éliminer v, et montrez que les rayons des orbites qui répondent aux deux conditions précédentes valent

$$r = \frac{n^2 \epsilon_0 h^2}{\pi m e^2}.$$

Les rayons possibles sont donc proportionnels au carré des nombres entiers n = 1, 2, 3, etc. Lorsque $n = 1$, nous obtenons le plus petit r, et il vaut $0{,}528 \times 10^{-10}$ m.

10. En 1913, Niels Bohr émit l'hypothèse que le moment cinétique d'un système mécanique quelconque en rotation, de moment d'inertie I, ne pouvait prendre que des

valeurs multiples entières d'un nombre particulier $h/2\pi = 1{,}054 \times 10^{-34}$ J · s. En d'autres mots,

$$L = I\omega = n(h/2\pi),$$

où n est un entier positif ou zéro. Nous disons que L est quantifié, puisqu'il ne peut prendre de valeur intermédiaire quelconque. *(a)* Montrez que ce postulat entraîne que l'énergie cinétique du système en rotation prend uniquement des valeurs discontinues, c'est-à-dire que l'énergie cinétique est quantifiée. *(b)* Considérez le solide en rotation formé d'une masse qui décrit un cercle de rayon R. Avec quelles vitesses angulaires peut-elle tourner si le postulat s'avère fondé? Quelles valeurs d'énergie cinétique peut-elle posséder? *(c)* Dessinez un diagramme des niveaux d'énergie en fonction de n. Il devrait ressembler à celui de la figure 13-13. Certaines molécules diatomiques de basse énergie se comportent comme un tel solide en rotation.

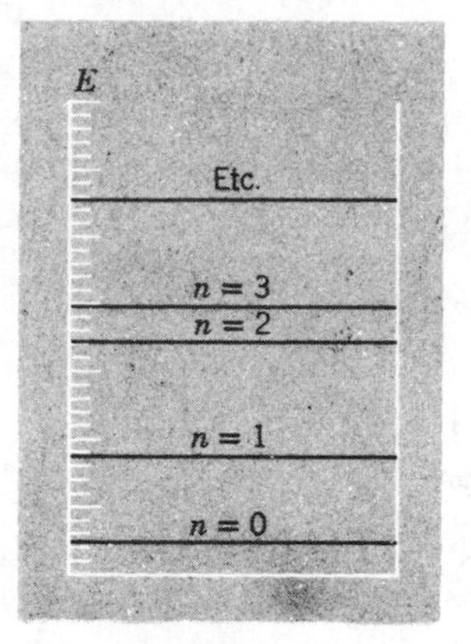

figure 13-13
Problème 10.

11. En utilisant les valeurs appropriées fournies en appendice, trouvez *(a)* le moment cinétique de la Terre en rotation sur elle-même et *(b)* le moment cinétique de la Terre dans son mouvement de rotation autour du Soleil.
Réponses: (a) $7{,}1 \times 10^{33}$ kg · m²/s, *(b)* $2{,}7 \times 10^{40}$ kg · m²/s.
12. Un bâton possède une masse de 5 kg et une longueur de 1,5 m. Il était initialement au repos sur une table horizontale sans friction avant de subir l'effet d'une impulsion horizontale de 15 N · s, perpendiculaire à sa longueur, à une distance de 0,5 m du centre. Déterminez le mouvement qui s'ensuit.
13. La Lune tourne autour de la Terre de façon telle qu'on voit toujours la même face de ce satellite. *(a)* Comment le moment cinétique orbital de la Lune et celui qui découle de sa rotation sur elle-même sont-ils reliés? *(b)* Par quel facteur devrait varier le moment cinétique de la Lune sur elle-même pour qu'on voie sa surface entière pendant l'intervalle d'un mois?
Réponses: (a) $L_s/L_o = (\frac{2}{5})(R_L/R_{T-L})^2$,
où L_s = moment cinétique sur elle-même
L_o = moment cinétique orbital
R_L = rayon de la Lune
R_{T-L} = distance Terre-Lune.
(b) Il devrait augmenter ou diminuer de moitié.
14. Un cylindre descend en roulant, sans glisser, un plan incliné d'un angle θ. Montrez, par l'application directe de l'équation 12-9 ($\vec{\tau} = d\vec{L}/dt$), que l'accélération du centre de masse vaut (2/3) $g \sin\theta$. Comparez cette méthode avec celle de l'exemple 10 du chapitre 12.
15. *Relation entre le moment cinétique total d'un système de particules et les moments cinétiques orbital et de rotation sur lui-même.* Le moment cinétique total d'un système de particules par rapport à l'origine O du référentiel galiléen se calcule à l'aide de l'expression $\vec{L} = \Sigma \vec{r}_i \times \vec{p}_i$, où $\vec{r}_i$ et $\vec{p}_i$ sont fonctions de O.
(a) Utilisez les relations $\vec{r}_i = \vec{r}_{cm} + \vec{r}_i'$ et $\vec{p}_i = m_i\vec{v}_{cm} + \vec{p}_i'$ rencontrées au problème 10 du chapitre 12 pour exprimer $\vec{L}$ en fonction des grandeurs $\vec{r}_i'$ et $\vec{p}_i'$ relatives au centre de masse C. *(b)* Utilisez la définition du centre de masse et celle du moment cinétique $\vec{L}'$ par rapport à ce même point (problème 10 du chapitre 12) pour obtenir $\vec{L} = \vec{L}' + \vec{r}_{cm} \times M\vec{v}_{cm}$. *(c)* Montrez qu'il est possible de considérer ce résultat comme étant la somme de deux moments cinétiques: celui qui est dû à la rotation du système sur lui-même (moment cinétique par rapport au centre de masse), et le moment cinétique orbital (moment cinétique du mouvement du centre de masse C par rapport à O, comme si toute la masse du système était concentrée en C).
16. Une feuille rectangulaire mince de longueur a et de largeur b tourne autour d'une de ses diagonales avec une vitesse angulaire ω, la diagonale qui lui sert d'axe de rotation étant immobile dans un système de référence galiléen. Trouvez la direction et la grandeur du moment cinétique $\vec{L}$ par rapport à une origine coïncidant avec le centre de masse.
17. L'axe du cylindre de la figure 13-14 est immobile. Le cylindre est initialement au repos. Le bloc de masse M se déplace sans frottement vers la droite avec une vitesse initiale v_1; il passe sur le cylindre et se retrouve peu après à la position indiquée par des pointillés. Au début du contact, le bloc a glissé sur le cylindre, puis grâce à la friction, le glissement a cessé totalement avant que M quitte le cylindre. Le rayon de ce dernier est R, son moment d'inertie I. Trouvez la vitesse finale v_2 en fonction de v_1, M, I et R. On peut arriver facilement au résultat en utilisant la relation entre l'impulsion et la variation de la quantité de mouvement.
Réponse: $v_1/(1 + I/MR^2)$.

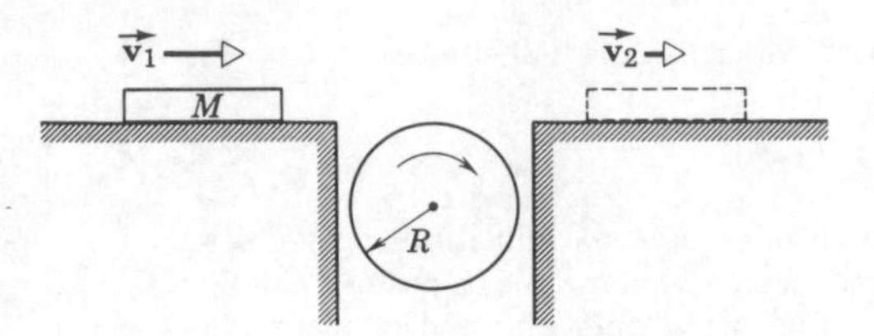

figure 13-14
Problème 17.

18. Un bâton, de longueur l et de masse M, est libre de se déplacer dans toutes les directions et repose sur une table sans friction. Une rondelle de hockey, de masse m, se déplace comme l'illustre la figure 13-15 à une vitesse v et entre en collision élastique. *(a)* Quelles grandeurs physiques se conservent dans cette collision? *(b)* Quelle doit être la masse m de la rondelle si cette dernière demeure immobile immédiatement après la collision?

19. On suspend verticalement une tige uniforme de longueur $2L$ en attachant un fil à une de ses extrémités. A quelle distance sous le point de suspension doit-on frapper la tige pour la mettre en mouvement oscillatoire sans qu'elle ne subisse de force de réaction horizontale au point d'attache? *Réponse:* $4\,L/3$.

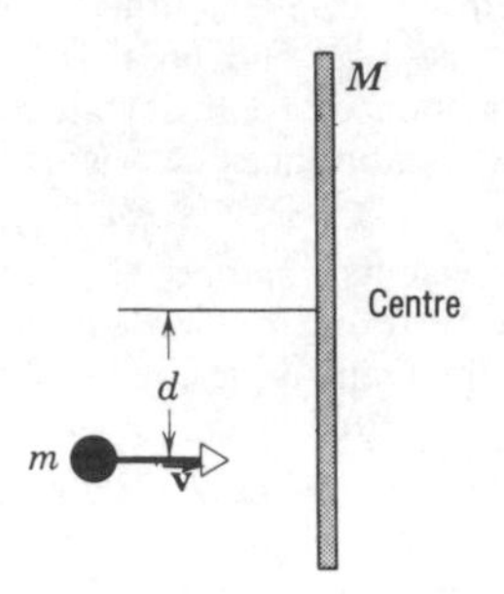

figure 13-15
Problème 18.

20. Deux axes fixes, perpendiculaires au plan de la figure 13-16, supportent des cylindres de rayon R_1 et R_2, de moment d'inertie I_1 et I_2 respectivement. La vitesse angulaire initiale du plus gros est ω_0. Le petit cylindre se déplace vers la droite, entre en contact avec le gros, et se met à tourner lentement sous l'effet de la force de frottement entre les deux cylindres. Lorsque le glissement entre les deux est disparu, ces derniers tournent à vitesses constantes dans des sens opposés. *(a)* Trouvez la vitesse finale ω_2 du petit cylindre en fonction de I_1, I_2, R_1, R_2 et ω_0. *(b)* Le moment cinétique total se conserve-t-il dans ce cas?

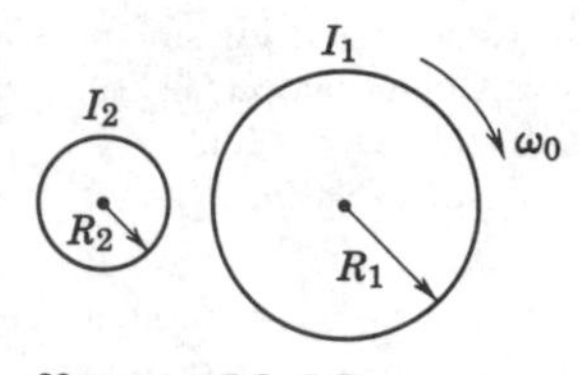

figure 13-16
Problème 20.

21. On donne une impulsion vive à une boule de billard initialement au repos. On maintient la queue de billard horizontalement à une distance h au-dessus de la ligne du centre (fig. 13-17). La boule quitte la queue avec une vitesse v_0, puis acquiert, sous l'effet du coup d'avant, une vitesse finale $(9/7)\,v_0$. Montrez que

$$h = (4/5)\,R,$$

où R est le rayon de la boule.

22. Au problème 21, imaginez qu'on applique une force $\vec{F}$ en-dessous de la ligne du centre. *(a)* Montrez qu'il est impossible avec ce coup de revers de réduire la vitesse vers l'avant à zéro avant que le roulement ne se produise, à moins que $h = R$. *(b)* Montrez qu'il est impossible de donner à la boule une vitesse vers l'arrière, sans que $\vec{F}$ n'ait une composante verticale vers le bas.

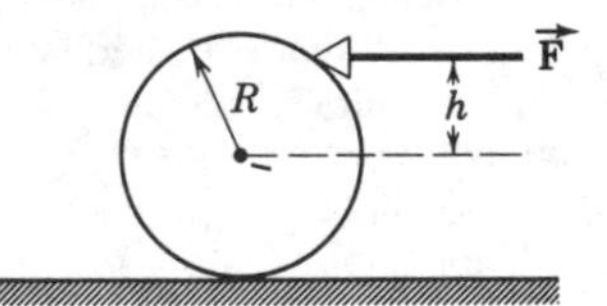

figure 13-17
Problème 21.

SECTION 13-4

23. Un homme est debout sur une plate-forme qui tourne sans friction à une vitesse de 1,0 révolution par seconde; il a les bras étendus et tient une masse dans chaque main. Le moment d'inertie total de la plate-forme, des masses et de l'homme dans cette position vaut 6,0 kg · m². En pliant les bras, l'homme réduit ce moment d'inertie total à 2,0 kg · m². *(a)* Quelle est la vitesse angulaire finale de la plate-forme? *(b)* De combien l'énergie cinétique a-t-elle augmenté?
Réponses: (a) 3,0 révolutions par seconde. *(b)* Par un facteur 3.

24. Deux patineurs de 50 kg chacun s'approchent l'un de l'autre selon des lignes parallèles distantes de 3,0 m. Ils possèdent des vitesses égales et opposées de 10 m/s. Le premier transporte une tige longue de 3,0 m que le deuxième attrape à l'extrémité opposée en passant. (Supposez que le frottement de la glace est négligeable). *(a)* Décrivez quantitativement le mouvement des patineurs ainsi réunis. *(b)* En tirant sur la tige, les patineurs réduisent leur distance à 1,0 m. Quel est alors leur mouvement? *(c)* Comparez les énergies cinétiques en *(a)* et en *(b)*. D'où vient la variation?

25. Une roue tourne avec une vitesse angulaire de 800 min^{-1} sur un essieu dont le moment d'inertie est négligeable. Une deuxième roue, initialement au repos et qui possède un moment d'inertie double de la première, est soudainement ajoutée sur le même essieu. *(a)* Déterminez la vitesse angulaire finale de l'ensemble. *(b)* Calculez la variation de l'énergie cinétique subie par le système.
Réponses: (a) 267 min^{-1}. *(b)* Le système perd les deux tiers de son énergie cinétique.

26. Une roue de bicyclette, dont on néglige la masse des rayons et celle de l'essieu, possède une jante mince qui a un rayon de 0,24 m et une masse de 4 kg. Elle peut tourner autour de son axe sans frottement. Un homme, debout sur une plate-forme libre de tourner sans friction, tient cette roue au-dessus de sa tête, l'axe étant vertical. Vue du dessus, la roue tourne dans le sens horaire à une vitesse de 57,7 rad/s, tandis que la plate-forme est initialement au repos. Le moment d'inertie total de la roue, de l'homme et de la plate-forme autour de l'axe vertical commun vaut 2,5 kg · m². *(a)* L'homme arrête soudainement la roue avec sa main (vitesse nulle de la roue par rapport à la plate-forme). Déterminez la vitesse angulaire (grandeur et direction) du système. *(b)* On répète l'expérience en introduisant de la friction entre l'essieu et la roue de bicyclette. Cette dernière part à la même vitesse que précédemment (57,7 rad/s) et s'arrête graduellement (par rapport à la plaque tournante) pendant que l'homme tient toujours la roue au-dessus de sa tête (la plate-forme tourne toujours sans friction). Décrivez ce qu'il advient du système, en essayant de fournir autant de renseignements quantitatifs que les données du problème le permettent.

27. Le rotor d'un moteur électrique possède un moment d'inertie I_m autour de son axe central égal à 2×10^{-3} kg · m². Le boîtier du moteur est fixé à l'axe d'une sonde spatiale qui possède un moment d'inertie $I_p = 12$ kg · m². Calculez le nombre de révolutions que doit effectuer le rotor du moteur si on veut que la sonde tourne de 30°. *Réponse:* 500 r.

28. Une expérience intéressante consiste à assembler les rails d'un petit train électrique sur une grande roue qui peut tourner sans friction autour d'un axe vertical. On dépose le train sur les rails et après s'être assuré qu'il est bien immobile, on met le contact. Le jouet atteint bientôt une vitesse constante v relative à la roue. Que vaut la vitesse angulaire ω de cette dernière si elle possède une masse M et un rayon R ? (Négligez la masse des rayons de cette roue.)

29. Une fille (masse M) se tient debout sur le rebord extérieur d'un manège (masse $10\,M$, rayon R, moment d'inertie I) immobile. Elle lance un caillou (masse m) dans une direction horizontale et tangente à la circonférence extérieure du manège qui peut tourner sans friction. La vitesse du caillou par rapport au sol est v. Quelles sont *(a)* la vitesse angulaire du manège et *(b)* la vitesse linéaire de la fille une fois le caillou lancé?
Réponses: (a) $mvR/(I + MR^2)$. *(b)* $vmR^2/(I + mR^2)$.

30. Dans une cour de récréation les élèves disposent d'un petit manège dont le rayon est de 1,5 m et la masse de 200 kg. Le rayon de giration (voir le problème 14 du chapitre 12) vaut 1,0 m. Un adolescent de 50 kg court à une vitesse de 3,0 m/s tangente à la circonférence extérieure du manège immobile, puis saute à pieds joints sur ce dernier. Négligez la friction entre les roulements à billes et l'essieu et trouvez la vitesse angulaire de l'adolescent et du manège.

31. Un disque uniforme et plat de masse M et de rayon R tourne à une vitesse ω_0 autour d'un axe horizontal passant par son centre. *(a)* Que valent son énergie cinétique et son moment cinétique? *(b)* Un petit morceau de masse m se détache soudainement de la circonférence extérieure du disque au moment précis où ce morceau peut s'élever verticalement au-dessus du point qu'il quitte (fig. 13-18). Quelle hauteur par rapport à ce point le morceau atteint-il avant de redescendre? *(c)* Quelle est la vitesse angulaire finale du disque brisé? son moment cinétique final? son énergie finale?
Réponses: (*a*) $MR^2\omega_0^2/4$; $MR^2\omega_0/2$. (*b*) $R^2\omega_0^2/2\,g$. (*c*) ω_0; $(M/2 - m)R^2\omega_0$; $(M/2 - m)R^2\omega_0^2/2$.

figure 13-18
Problème 31.

32. Un blatte de masse m court dans le sens anti-horaire sur une « suzanne » de cuisine (un disque monté sur un axe vertical) de rayon R et de moment d'inertie I. Sa vitesse (par rapport au sol) est v, tandis que la vitesse angulaire égale ω_0, dans le sens horaire. La blatte aperçoit soudainement une mie de pain devant elle et, bien sûr, s'arrête brusquement. *(a)* Quelle est la vitesse angulaire de la roue après l'arrêt de la blatte? *(b)* L'énergie se conserve-t-elle?

33. A l'exemple 5, comparez les énergies cinétiques de l'objet sur chacune des orbites. Utilisez le théorème reliant le travail et l'énergie pour expliquer quantitativement l'écart.

34. On dépose une particule à l'intérieur d'un bol hémisphérique de rayon r, lisse et immobile. On lui communique une vitesse horizontale suivant la paroi intérieure (fig. 13-19). On veut connaître la vitesse initiale v_0 qui permettra à la particule d'atteindre le bord du bol sans sortir. Exprimez v_0 en fonction de θ_0, la position angulaire initiale de la particule. (*Indice:* utilisez les principes de la conservation.)

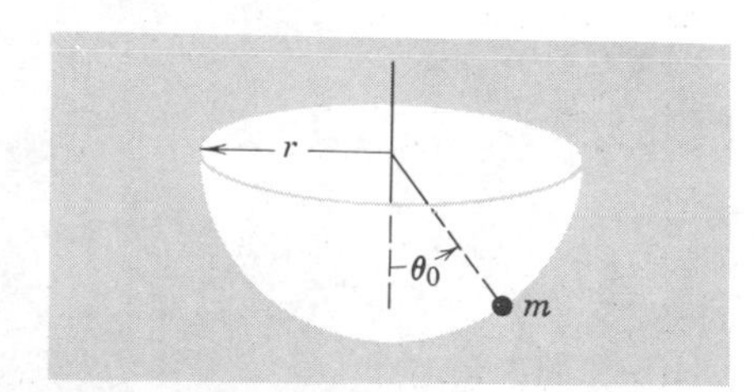

figure 13-19
Problème 34.

35. Sur une grande piste circulaire horizontale de rayon R, on dépose deux masses m et M, libres de glisser sans frottement. Entre ces deux masses, on a comprimé un ressort sans le lier, toutefois, ni à m, ni à M. Une corde retient initialement les deux masses. *(a)* Lorsqu'on coupe la corde, le ressort comprimé (sa masse est négligeable) lance les deux masses dans des directions opposées; le ressort lui-même demeure sur place. Les balles entrent en collision en se rencontrant à nouveau sur la piste (fig. 13-20). Où la collision a-t-elle lieu? (Il serait opportun d'exprimer votre réponse en fonction de l'angle décrit par M.) *(b)* Si l'énergie potentielle emmagasinée dans le ressort égale U_0, combien de temps s'est écoulé entre la rupture de la corde et la collision des masses? *(c)* En supposant une collision parfaitement élastique et de plein fouet, où les balles se frapperont-elles à nouveau après la première collision?
Réponses: *(a)* $2\pi m/(m+M)$ rad. *(b)* $[2\pi^2 mMR^2/(m+M)U_0]^{1/2}$. *(c)* Au point de départ.

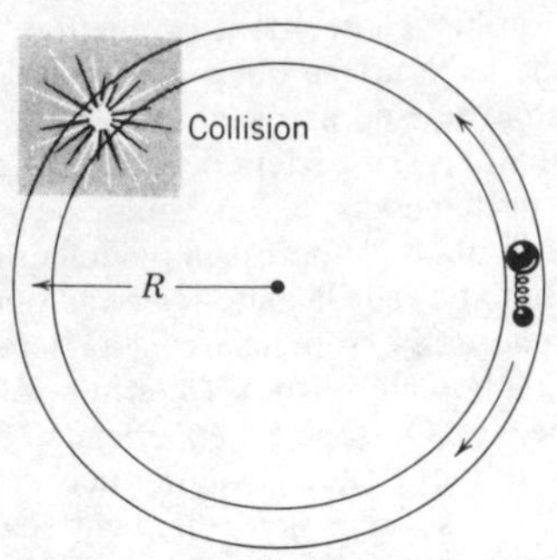

figure 13-20
Problème 35.

14
équilibre des solides

14-1 LES SOLIDES

L'ingénieur aux prises avec des problèmes de structures supposément rigides doit s'assurer qu'elles demeureront indéformables sous l'action des forces et des moments de force associés. Comme exemples de telles structures, mentionnons les tours supportant un pont suspendu, qui doivent être suffisamment résistantes pour ne pas s'effondrer sous son poids et celui des véhicules, ou le train d'atterrissage d'un avion qui ne doit pas rompre quand le pilote effectue un mauvais atterrissage. Mentionnons enfin qu'on ne désire certes pas voir plier les dents d'une fourchette quand l'on tente de couper un morceau de viande plutôt coriace. . .

Devant ce genre de problème, l'ingénieur doit se poser deux questions: (1) Quelles sont les forces et les moments de force agissant sur le solide que l'on suppose indéformable? (2) Selon le plan et les matériaux utilisés, la structure restera-t-elle rigide sous l'action de ces forces et de ces moments? Dans ce chapitre nous traitons uniquement la première question, mais l'étudiant en ingénierie approfondira la seconde lors de cours ultérieurs.

14-2 L'ÉQUILIBRE DES SOLIDES

Nous constatons que les présumés solides cités dans la section précédente (c'est-à-dire les tours, le train d'atterrissage et la fourchette) sont en *équilibre mécanique*. Un solide présente un tel équilibre si, dans un référentiel galiléen, (1) l'accélération linéaire de son centre de masse, $\vec{\mathbf{a}}_{cm}$, est nulle et (2) son accélération angulaire $\vec{\alpha}$ autour d'un axe fixe dans le référentiel est également nulle.

Cette définition n'exige pas que le corps soit au repos par rapport à l'observateur, mais plutôt qu'il ne subisse aucune accélération. Par exemple, son centre de masse peut se mouvoir avec un vecteur vitesse $\vec{\mathbf{v}}_{cm}$ uniforme, pendant que le corps tourne autour d'un axe fixe avec un vecteur vitesse angulaire $\vec{\omega}$ constant. Dans le cas d'un corps immobile ($\vec{v}_{cm} = 0$ et $\vec{\omega} = 0$), nous parlons généralement *d'équilibre statique*, le sujet principal de ce chapitre. Néanmoins, comme nous le verrons, les mêmes restrictions s'imposent aux forces et aux moments de force, qu'il s'agisse d'équilibre statique ou non. En outre, on peut transformer toute situation d'équilibre (non statique) en un cas d'équilibre statique par un choix approprié du système de référence.

L'équation 9-10 régit le mouvement de translation d'un solide de masse M:

$$\vec{F}_{ext} = M\vec{a}_{cm}.$$

Dans cette équation, $\vec{F}_{ext}$ représente la somme vectorielle de toutes les forces extérieures agissant sur le solide. Puisqu'à l'équilibre $\vec{a}_{cm} = 0$, voici la première condition d'équilibre (statique ou non): *la somme vectorielle de toutes les forces extérieures agissant sur un corps en équilibre doit être nulle.*

La condition (1) se traduit par

$$\vec{F} = \vec{F}_1 + \vec{F}_2 + \cdots = 0, \tag{14-1}$$

où on abandonne par commodité l'indice de $\vec{F}_{ext}$. Cette expression vectorielle entraîne trois équations scalaires:

$$\begin{aligned} F_x &= F_{1x} + F_{2x} + \cdots = 0, \\ F_y &= F_{1y} + F_{2y} + \cdots = 0, \\ F_z &= F_{1z} + F_{2z} + \cdots = 0, \end{aligned} \tag{14-2}$$

lesquelles signifient que la somme des composantes des forces suivant l'une ou l'autre des trois directions mutuellement perpendiculaires vaut zéro.

En second lieu, l'équilibre exige que $\vec{\alpha} = 0$ pour chaque axe. Puisque l'on associe l'accélération angulaire d'un solide au moment de force (rappelez-vous que $\tau = I\alpha$ pour un axe fixe), la deuxième condition d'équilibre (statique ou non) s'énonce ainsi: *la somme vectorielle de tous les moments de force agissant sur un corps en équilibre doit être nulle.*

La condition (2) se traduit par

$$\vec{\tau} = \vec{\tau}_1 + \vec{\tau}_2 + \cdots = 0. \tag{14-3}$$

Cette expression vectorielle implique trois équations scalaires:

$$\begin{aligned} \tau_x &= \tau_{1x} + \tau_{2x} + \cdots = 0, \\ \tau_y &= \tau_{1y} + \tau_{2y} + \cdots = 0, \\ \tau_z &= \tau_{1z} + \tau_{2z} + \cdots = 0, \end{aligned} \tag{14-4}$$

lesquelles signifient qu'à l'équilibre, la somme des composantes des moments de force s'exerçant sur le corps est nulle le long de chacune des trois directions mutuellement perpendiculaires.

Dans l'équation 14-3 on définit le moment résultant $\vec{\tau}$ par rapport à une origine particulière O et il doit être nul dans le cas d'équilibre mécanique. Les grandeurs τ_x, τ_y et τ_z (éq. 14-4), les composantes scalaires de $\vec{\tau}$, réfèrent à tout système de trois axes mutuellement perpendiculaires dont l'origine se trouve en O, peu importe l'orientation spatiale de ces axes. Cette observation découle de ce qu'un vecteur nul possède des composantes scalaires nulles quelle que soit l'orientation des axes du référentiel. Vous vous demandez sûrement si le choix d'une origine apparaît essentiel. La réponse est non car, dans le cas d'un corps en équilibre de translation, si $\vec{\tau} = 0$ pour une origine O donnée, alors il demeurera nul pour toute autre origine du référentiel (nous démontrerons ce résultat plus loin). Essentiellement, on satisfait la condition (2) pour un corps en équilibre de translation en démontrant *(a)* que $\vec{\tau} = 0$ par rapport à un point quelconque (éq. 14-3) ou *(b)* que les composantes du moment de force sont nulles selon trois axes *quelconques* mutuellement perpendiculaires (éq. 14-4).

- **Notions avancées**

Imaginons maintenant un solide en équilibre de translation tel que $\vec{F} = \vec{F}_1 + \vec{F}_2 + \cdots = 0$ (éq. 14-1). Nous désirons démontrer que le moment autour d'un point P quelconque vaudra zéro s'il est nul autour d'un certain point O (fig. 14-1). La figure illustre trois des n forces $\vec{F}_1, \vec{F}_2, \cdots, \vec{F}_n$, orientées différemment et dont l'action s'exerce en divers points d'un solide. On identifie l'origine de chaque force par un vecteur position, dont $\vec{r}_1$ constitue un exemple. Le vecteur $\vec{r}_p$ identifie le point arbitraire P et le vecteur $\vec{r}_1 - \vec{r}_p$ localise le point d'application de $\vec{F}_1$ par rapport à P.

L'équation 12-1 permet d'écrire le moment de force résultant autour de O de la manière suivante:

$$\vec{\tau}_O = \vec{r}_1 \times \vec{F}_1 + \vec{r}_2 \times \vec{F}_2 + \cdots + \vec{r}_n \times \vec{F}_n .$$

Pour celui autour de P nous écrivons:

$$\vec{\tau}_P = (\vec{r}_1 - \vec{r}_P) \times \vec{F}_1 + (\vec{r}_2 - \vec{r}_P) \times \vec{F}_2 + \cdots + (\vec{r}_n - \vec{r}_P) \times \vec{F}_n .$$

En développant ce dernier résultat, nous obtenons:

$$\vec{\tau}_P = [\vec{r}_1 \times \vec{F}_1 + \vec{r}_2 \times \vec{F}_2 + \cdots + \vec{r}_n \times \vec{F}_n] - [\vec{r}_P \times (\vec{F}_1 + \vec{F}_2 + \cdots + \vec{F}_n)].$$

Comme nous supposons la première condition d'équilibre satisfaite, le deuxième terme entre crochets disparaît, car $\vec{F}_1 + \vec{F}_2 + \cdots + \vec{F}_n = 0$. L'autre terme entre crochets correspond à $\vec{\tau}_O$, ce qui entraîne, dans ces conditions,

$$\vec{\tau}_P = \vec{\tau}_O .$$

Donc, pour tout corps en équilibre de translation, $\vec{\tau}_O = 0$ entraîne $\vec{\tau}_P = 0$, où P représente un point arbitraire. •

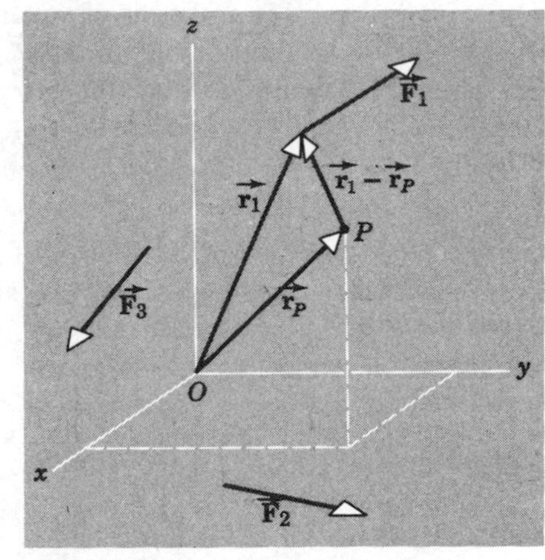

figure 14-1
Voici trois des n forces, $\vec{F}_1, \vec{F}_2, \vec{F}_3, \ldots \vec{F}_n$, agissant sur un solide (non illustré). Dans le texte nous démontrons que si $\tau = 0$ pour le point O, il en sera de même pour tout point P, en supposant le corps en équilibre de translation.

Les équations 14-2 et 14-4 traduisent *six conditions indépendantes* auxquelles les forces doivent se soumettre pour qu'un corps soit en équilibre. Ces expressions représentent une condition imposée à chacun des six degrés de liberté d'un solide: trois degrés de translation et trois de rotation.

Nous faisons souvent face à des problèmes où les forces reposent toutes dans un plan. Ici trois conditions seulement s'imposent aux forces: la somme de leurs composantes doit être nulle pour toute paire de directions perpendiculaires dans le plan, et la somme de leurs moments autour de tout axe perpendiculaire au plan doit égaler zéro. Ces conditions correspondent aux trois degrés de liberté du mouvement dans un plan, deux de translation et un de rotation.

Afin de simplifier les calculs nous nous limiterons presque toujours à des problèmes dans un plan. Ceci n'impose aucune restriction fondamentale sur les principes généraux. Et toujours par souci de commodité, nous n'étudierons que des cas d'équilibre statique, où les corps demeurent au repos dans un référentiel galiléen approprié.

14-3 *LE CENTRE DE GRAVITÉ*

L'une des forces que l'on rencontre dans l'étude du mouvement des solides est la gravité. En réalité, il ne s'agit pas d'une seule force mais bien de la résultante d'un nombre élevé d'entre elles, car chaque corpuscule du corps subit une force gravitationnelle. Si on imagine un objet de masse M divisé en un grand nombre de particules, disons n, la Terre exerce sur celle de masse m_i une force $m_i\vec{g}$. Celle-ci s'oriente vers le centre de la Terre. Si l'accélération $\vec{g}$ due à la gravité s'avère constante dans une région (c'est-à-dire si $\vec{g}$ possède la même grandeur et la même orientation en tout point de cette région), nous disons qu'il existe là un champ gravitationnel uniforme. Toutes les particules d'un solide placé dans un champ gravitationnel uniforme subissent donc le même $\vec{g}$ et toutes les forces de gravité correspondantes s'orientent parallèlement. Si l'on suppose l'uniformité du champ gravitationnel terrestre, il est possible de substituer l'ensemble de ces forces par une seule agissant au centre de masse de l'objet: $M\vec{g}$. Afin de prouver cette assertion, démontrons, ce qui revient au même, qu'une seule force $\vec{F} = -M\vec{g}$ agissant verticalement vers le haut peut annuler toutes celles dues à la pesanteur et orientées vers le bas, *pourvu que* $\vec{F}$ *s'applique au centre de masse du corps.*

La figure 14-2 illustre deux particules ou éléments de masse m_1 et m_2, choisis parmi les n obtenus de la division de l'objet. Au point O, on applique une force $\vec{F} = -M\vec{g}$ verticalement vers le haut. Il faut démontrer que le corps se trouve en équilibre mécanique *si* (et seulement si) le point O représente le centre de masse. Nous avons déjà satisfait à la première condition d'équilibre (éq. 14-1) en choisissant la grandeur et l'orientation de $\vec{F}$, c'est-à-dire

$$\vec{F} + m_1\vec{g} + m_2\vec{g} + \cdots + m_n\vec{g} = 0,$$

ou encore

$$\vec{F} = -(m_1 + m_2 + \cdots + m_n)\vec{g} = -M\vec{g},$$

ce qui correspond bien à notre supposition.

Il reste à prouver que $\vec{\tau} = 0$ pour tout point de l'objet, tel O par exemple. C'est la deuxième condition d'équilibre. Le choix de O comme origine nous assure que le moment de $\vec{F}$ sera nul autour de ce point car il n'existe alors aucun bras de levier. Le moment dû à la force gravitationnelle appliquée aux éléments de masse s'exprime comme suit:

$$\vec{\tau} = \vec{r}_1 \times m_1\vec{g} + \vec{r}_2 \times m_2\vec{g} + \cdots + \vec{r}_n \times m_n\vec{g},$$

que l'on peut récrire de la manière suivante (car m_1, m_2, etc. sont des scalaires):

$$\vec{\tau} = m_1\vec{r}_1 \times \vec{g} + m_2\vec{r}_2 \times \vec{g} + \cdots + m_n\vec{r}_n \times \vec{g}.$$

Puisque $\vec{g}$ est le même pour chaque terme, sa mise en facteur donne

$$\vec{\tau} = (m_1\vec{r}_1 + m_2\vec{r}_2 + \cdots + m_n\vec{r}_n) \times \vec{g}$$

$$= \left(\sum_1^n m_i\vec{r}_i\right) \times \vec{g},$$

où la somme tient compte de tous les éléments de masse du corps.

Maintenant, dans le cas où le point O se trouve au centre de masse de l'objet, la somme obtenue donne zéro. Ce résultat découle de la définition même du centre de masse (voir l'équation 9-5b et la discussion qui s'ensuit). Nous concluons que *si* le point O correspond au centre de masse, alors $\vec{\tau} = 0$, satisfaisant ainsi la seconde condition d'équilibre mécanique.[1]

Par conséquent, les forces gravitationnelles dont l'action s'exerce sur les éléments de masse constituant un solide sont équivalentes à une seule force égale à $M\vec{g}$, appliquée au centre de masse, et qui correspond au poids total du corps. On nomme *centre de gravité* le point d'application de cette force de gravité équivalente.

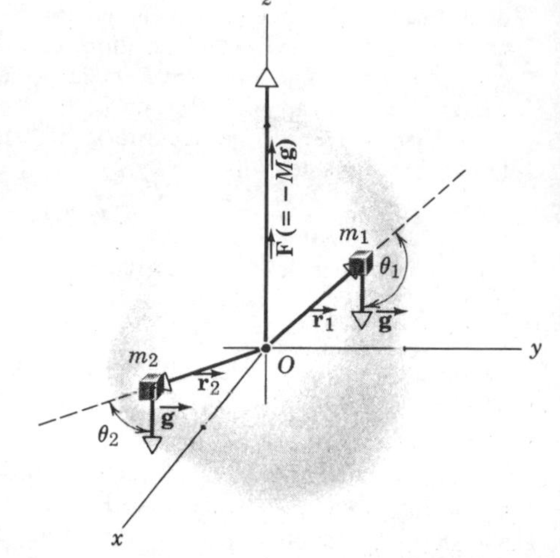

figure 14-2
On divise un corps de forme irrégulière en n éléments de masse parmi lesquels deux seulement sont illustrés. Nous prouvons dans le texte que, dans un champ gravitationnel uniforme, le corps peut être maintenu en équilibre de translation et de rotation par une seule force $\vec{F} = -M\vec{g}$, orientée verticalement vers le haut et agissant au centre de masse du corps.

- **Notes**

Le fait que le centre de gravité et le centre de masse coïncident découle de notre supposition concernant l'uniformité du champ gravitationnel $\vec{g}$, pour tous les points du solide. En réalité cela n'est pas rigoureusement vrai, car la grandeur de $\vec{g}$ varie avec la distance au centre de la Terre et, en plus, ce vecteur s'oriente

[1] On peut suspendre un corps par un point quelconque et il sera en équilibre de rotation (voir la figure 14-4). Cependant, le centre de masse est le *seul* point où $\vec{\tau} = 0$ pour toutes les orientations possibles du corps.

vers le centre de la Terre, quel que soit le point considéré (voir le chap. 16). Afin de constater cet effet, considérons une très longue tige rigide inclinée par rapport à la verticale et placée dans le champ gravitationnel terrestre (fig. 14-3). Le centre de gravité correspond au point où s'exerce la force de gravitation équivalente pour la tige. Si on applique en ce point une force égale mais opposée, le corps doit conserver son équilibre. Dans un champ uniforme, une force simple de grandeur Mg agissant au centre de masse suffirait à maintenir la tige en équilibre de translation et de rotation, mais comme le champ varie, la valeur de g pour m_1 est inférieure à celle pour m_n. Ceci entraîne que le point sur lequel on devra exercer la force équivalente au poids, pour maintenir la tige en équilibre, se situe un peu plus bas que le centre de masse, soit en P. En outre, si l'on change l'orientation du corps, cela affecte la position du point P requis pour l'application d'une force d'équilibre. Nous voyons ainsi que le centre de gravité offre réellement peu d'utilité dans un cas pareil. Non seulement ne coïncide-t-il pas avec le centre de masse, mais sa position varie par rapport au corps que l'on déplace. •

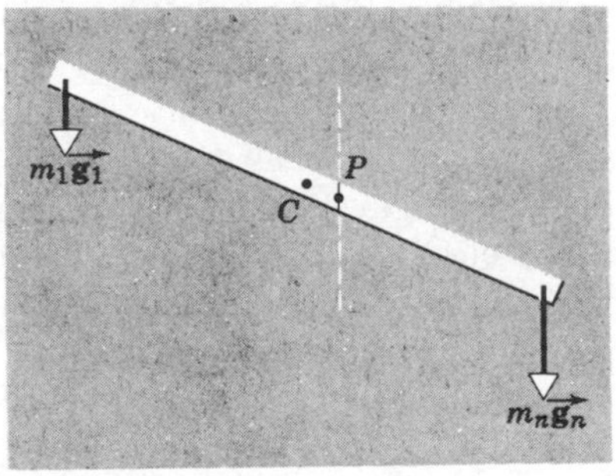

figure 14-3
Puisque le champ gravitationnel terrestre n'est pas uniforme, le centre de masse C et le centre de gravité P ne coïncident pas réellement.

En pratique, nous supposons $\vec{g}$ uniforme sur tout le corps considéré car, dans presque tous les problèmes de mécanique, il est question d'objets dont les dimensions sont faibles comparées aux variations de distances nécessaires pour observer une différence de $\vec{g}$ appréciable. On peut alors prendre le même point tant pour le centre de masse que pour le centre de gravité. En fait, cette coïncidence peut servir à déterminer expérimentalement le centre de masse d'objets de formes irrégulières. Par exemple, localisons celui d'une plaque de forme irrégulière (fig. 14-4). Pour ce faire, suspendons l'objet par un point A quelconque sur son pourtour, à l'aide d'une corde. Quand la plaque s'immobilise, son centre de gravité doit se situer sous le point de support quelque part sur la ligne Aa, car là seulement le moment de force produit par la corde et le poids donne zéro. Ensuite, nous suspendons la plaque par un autre point de son pourtour, le point B. Dans ce cas, le centre de gravité doit se situer quelque part sur la droite Bb. Le seul point commun aux lignes Aa et Bb étant le point d'intersection O, il s'agit du centre de gravité. Si nous suspendons maintenant l'objet par tout autre point de sa périphérie, tel C, la ligne verticale Cc passera par O. Puisque nous supposons un champ uniforme, le centre de masse coïncide avec le centre de gravité et se localise donc au point O.

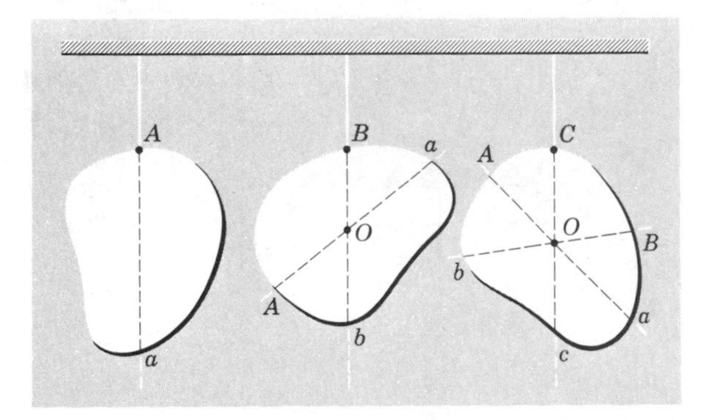

figure 14-4
Puisque le centre de masse se situe toujours directement sous le point de suspension, le fait de pendre une plaque par deux points différents permet de localiser O.

14-4 EXEMPLES D'ÉQUILIBRE

En appliquant les conditions d'équilibre ($\Sigma \vec{F}_i = 0$ et $\Sigma \vec{\tau} = 0$), on peut clarifier et simplifier la méthode de solution des problèmes en procédant comme nous l'indiquons maintenant.

Premièrement, nous traçons une frontière imaginaire autour du système en observation. Cela identifie clairement le corps ou le système de corps sur lequel nous appliquons les lois d'équilibre. Ce procédé permet *d'isoler le système* étudié.

Deuxièmement, nous traçons des vecteurs représentant la grandeur, l'orientation et le point d'application de toutes les forces *extérieures*. Ces forces proviennent de l'extérieur de la frontière imaginée en premier lieu. Par exemple, les forces gravitationnelles et les forces transmises par des cordes, des poutres, des fils et des tiges métalliques traversant la frontière, constituent des forces extérieures que l'on rencontre fréquemment. Lorsque vous êtes incertains de l'orientation d'une force, faites une coupure imaginaire du corps qui la transmet, au point de traversée de la frontière. Si les deux bouts obtenus de la coupure tendent à s'éloigner l'un de l'autre, la force agit vers l'extérieur. Dans le doute, choisissez l'orientation arbitrairement. En solutionnant le problème, une réponse négative pour la force considérée signifiera que son action s'exerce à l'opposé du sens choisi. Notez que nous avons besoin de considérer uniquement les forces extérieures agissant sur le système; toutes les forces intérieures s'annulent par paires.

Troisièmement, nous choisissons un système de coordonnées approprié et nous décomposons les forces extérieures selon ses axes avant même d'appliquer la première condition d'équilibre (éq. 14-2). Nous cherchons ainsi à simplifier les calculs. Habituellement le système de coordonnées préférable apparaît clairement.

Quatrièmement, nous choisissons un système de coordonnées approprié pour décomposer les moments de force extérieurs, avant d'appliquer la seconde condition d'équilibre (éq. 14-4). Ce choix vise une fois de plus à simplifier les calculs et nous pouvons même utiliser des systèmes de coordonnées différents dans l'application des deux conditions d'équilibre statique, si cela semble plus commode. Supposons, par exemple, qu'un axe traverse le point de rencontre de deux forces tout en étant perpendiculaire au plan qu'elles forment; ces forces n'auront par conséquent aucune composante de moment le long (ou autour) de cet axe. En général, pour qu'il y ait équilibre autour d'un axe quelconque, la somme des composantes des moments de force provenant de toutes les forces extérieures doit donner zéro. Les moments intérieurs s'annulant par paires, cela nous évite de les considérer.

EXEMPLE 1

(a) Une tige en acier homogène repose par ses extrémités sur deux balances (fig. 14-5). Si elle pèse 2,0 N, déterminez la lecture de chaque balance.

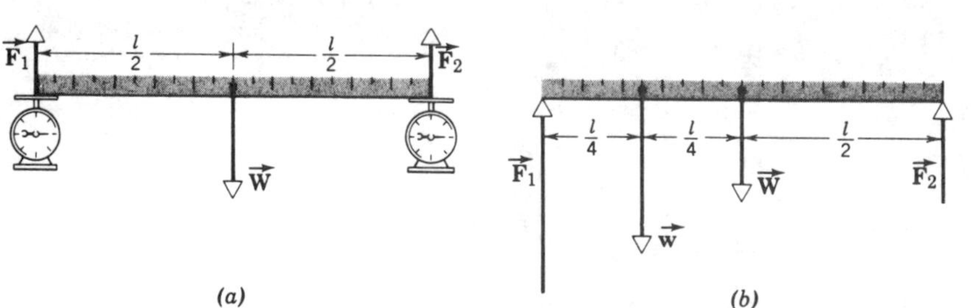

figure 14-5
(a) Exemple 1*a*. Une tige métallique homogène repose sur deux balances à ressort. *(b)* Exemple 1*b*. On suspend une masse à une distance $l/4$ de l'extrémité gauche.

La tige constitue notre système. Elle subit la force de gravitation $\vec{W}$ dirigée vers le centre de la Terre, en plus des forces $\vec{F}_1$ et $\vec{F}_2$, orientées vers le haut, que les balances exercent sur ses extrémités (fig. 14-5*a*). D'après la troisième loi de Newton, la force exercée par une balance sur la tige est égale et s'oppose à celle de la tige sur la balance. Ainsi, pour connaître les lectures des balances, nous devons déterminer les grandeurs de $\vec{F}_1$ et $\vec{F}_2$.

La condition d'équilibre de translation (éq. 14-1) pour ce problème s'écrit:

$$\vec{F}_1 + \vec{F}_2 + \vec{W} = 0.$$

Toutes les forces agissent verticalement de sorte que si nous décidons de placer l'axe des y sur la verticale, aucun autre axe n'est nécessaire. De ce choix découle l'équation scalaire suivante:

$$F_1 + F_2 - 2{,}0 \text{ N} = 0.$$

D'autre part, l'équilibre de rotation exige que la composante du moment de force résultant sur la tige soit nulle par rapport à *tout* axe. Nous avons vu pour cela qu'il suffit de montrer que les composantes du moment égalent zéro pour tout ensemble de trois axes mutuellement perpendiculaires. Elles valent certainement zéro pour toute paire d'axes perpendiculaires contenus dans le plan de la figure 14-5a (pourquoi?). Il reste donc à obtenir que le moment résultant soit nul par rapport à un axe quelconque normal au plan de la figure. A cet effet choisissons un axe passant par le centre de gravité. Alors, en considérant une rotation en sens horaire comme positive et une rotation anti-horaire comme négative, la condition d'équilibre de rotation (éq. 14-4) se traduit par

$$F_1\left(\frac{l}{2}\right) - F_2\left(\frac{l}{2}\right) + W(0) = 0,$$

d'où

$$F_1 - F_2 = 0.$$

En combinant ce résultat avec l'équation obtenue plus haut, nous trouvons

$$F_1 + F_2 = 2F_1 = 2F_2 = 2{,}0 \text{ N},$$

ce qui donne

$$F_1 = F_2 = 1{,}0 \text{ N}.$$

Donc, chaque balance indiquera 1,0 N, comme nous pouvions le prévoir.

Nous aurions obtenu le même résultat en choisissant un axe qui traverse une extrémité de la tige. Par exemple, cherchons les moments autour d'un axe traversant l'extrémité de droite. On découvre que

$$F_1(l) - W\left(\frac{l}{2}\right) + F_2(0) = 0,$$

d'où

$$F_1 = \frac{W}{2} = \frac{2{,}0 \text{ N}}{2} = 1{,}0 \text{ N}.$$

Si on introduit cette valeur dans l'équation $F_1 + F_2 = 2{,}0$ N, il est clair que $F_2 = 1{,}0$ N comme précédemment.

(b) Supposons que l'on place un bloc de 4,0 N à l'indication 25 cm de la tige. Quelles seront maintenant les lectures des balances?

La figure 14-5b illustre les forces extérieures appliquées sur la tige métallique, où $\vec{\mathbf{w}}$ représente celle que le bloc exerce. La première condition d'équilibre prend la forme suivante:

$$F_1 + F_2 - W - w = 0.$$

Comme $W = 2{,}0$ N et $w = 4{,}0$ N, nous obtenons

$$F_1 + F_2 = 6{,}0 \text{ N}.$$

Si l'on choisit un axe traversant l'extrémité gauche de la tige, la seconde condition d'équilibre se traduit par

$$w\left(\frac{l}{4}\right) + W\left(\frac{l}{2}\right) - F_2(l) = 0,$$

d'où découle le résultat

$$F_2 = 2{,}0 \text{ N}.$$

En introduisant cette valeur dans la première équation, nous obtenons

$$F_1 + 2{,}0 \text{ N} = 6{,}0 \text{ N},$$

ce qui donne

$$F_1 = 4{,}0 \text{ N}.$$

Nous voyons donc qu'à l'équilibre la balance de gauche indiquera 4,0 N et celle de droite, 2,0 N.

Dans ce problème, pourquoi obtient-on seulement deux conditions concernant les forces plutôt que trois, tel qu'on le prévoit normalement pour les problèmes où les forces reposent toutes dans le même plan?

EXEMPLE 2

(a) Une échelle de 20 m pesant 400 N est appuyée contre un mur, en un point situé à 16 m au-dessus du sol. Son centre de gravité se trouve à un tiers de sa longueur à partir du bas. Un homme de 700 N grimpe jusqu'au milieu de l'échelle. Supposons que le mur (et non le sol) n'offre aucun frottement. Déterminez les forces que le système exerce sur le sol et sur le mur.

La figure 14-6 illustre les forces agissant sur l'échelle. Le vecteur $\vec{\mathbf{W}}$ représente le poids de la personne et $\vec{\mathbf{w}}$, celui de l'échelle. Le sol applique une force $\vec{\mathbf{F}}_1$ sur cette dernière: $\vec{\mathbf{F}}_{1v}$ en est la composante verticale et $\vec{\mathbf{F}}_{1h}$, la composante horizontale (due au frottement). Comme le mur ne cause pas de friction, il ne peut exercer qu'une force normale à sa surface, $\vec{\mathbf{F}}_2$. Nous possédons les données suivantes:

$$W = 700 \text{ N}, \qquad w = 400 \text{ N},$$
$$a = 16 \text{ m}, \qquad c = 20 \text{ m}.$$

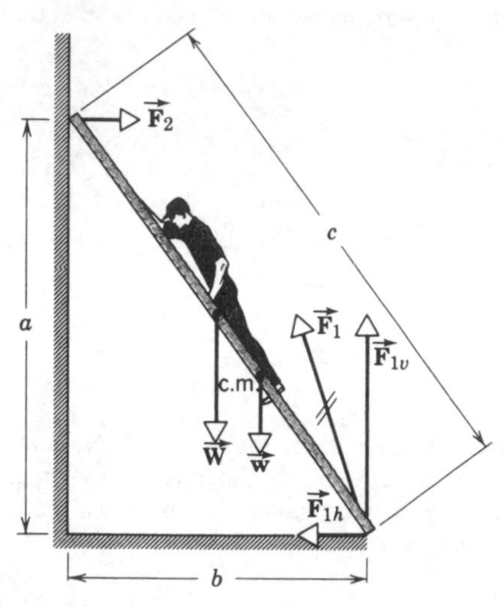

figure 14-6
Exemple 2.

La géométrie du problème permet d'établir que $b = 12$ m. La ligne d'action de $\vec{\mathbf{W}}$ intercepte le sol à une distance $b/2$ du mur et celle de $\vec{\mathbf{w}}$ l'intercepte à une distance $2b/3$.

Nous choisissons de placer notre axe des x parallèlement au sol et notre axe des y parallèlement au mur. Ainsi, les conditions d'équilibre de translation (éq. 14-2) imposées aux forces s'écrivent ainsi:

$$F_2 - F_{1h} = 0,$$
$$F_{1v} - W - w = 0.$$

Pour l'équilibre de rotation (éq. 14-4), le choix d'un axe passant par le point de contact avec le sol permet d'écrire

$$F_2(a) - W\left(\frac{b}{2}\right) - w\left(\frac{b}{3}\right) = 0.$$

En introduisant les données dans cette équation, on obtient

$$F_2(16 \text{ m}) - (700 \text{ N})\,\frac{12 \text{ m}}{2} - (400 \text{ N})\,\frac{12 \text{ m}}{3} = 0,$$

d'où

$$F_2 = 363 \text{ N},$$

et, d'après les deux premières équations,

$$F_{1h} = F_2 = 363 \text{ N},$$
$$F_{1v} = 700 \text{ N} + 400 \text{ N} = 1100 \text{ N}.$$

La troisième loi de Newton stipule que les forces exercées sur l'échelle par le sol et le mur s'opposent exactement à celles que l'échelle applique sur l'un et l'autre respectivement. En raison de cela, la force agissant sur le mur vaut 363 N, tandis que la force en action sur le sol a une composante vers le bas de 1100 N et une autre vers la droite de 363 N.

(b) Si le coefficient de frottement statique entre l'échelle et le sol est $\mu_s = 0{,}40$, sur quelle distance l'homme pourra-t-il grimper à l'échelle avant qu'elle ne commence à glisser?

Supposons que x représente la fraction de la longueur totale de l'échelle que l'homme peut grimper avant le début du glissement. Nos conditions d'équilibre prennent alors la forme

$$F_2 - F_{1h} = 0,$$
$$F_{1v} - W - w = 0,$$

et

$$F_2 a - Wbx - w\left(\frac{b}{3}\right) = 0.$$

Une fois les données introduites, ces équations deviennent

$$F_2(16 \text{ m}) = (700 \text{ N})(12 \text{ m})x + (400 \text{ N})(4 \text{ m}),$$

$$F_2 = (525x + 100) \text{ N},$$

d'où

$$F_{1h} = (525x + 100) \text{ N},$$

et, tout comme précédemment,

$$F_{1v} = 1100 \text{ N}.$$

La force maximale de frottement statique est donnée par

$$F_{1h} = \mu_s F_{1v} = (0{,}40)(1100 \text{ N}) = 440 \text{ N}.$$

Ainsi,

$$F_{1h} = (525x + 100) \text{ N} = 440 \text{ N}$$

et

$$x = \frac{340}{525} = \frac{68}{105}.$$

Connaissant x, on trouve que l'homme pourra grimper sur une distance de

$$(20 \text{ m})x = (20 \text{ m})\frac{68}{105} = 13 \text{ m}$$

avant que l'échelle ne commence à glisser.

Dans cet exemple, nous traitons l'échelle comme un objet unidimensionnel ayant un seul point de contact avec le mur et avec le sol. Si vous aviez à considérer le cas plus réaliste de deux points de contact à chaque extrémité de l'échelle, comment aborderiez-vous le problème?

EXEMPLE 3

Une poutre uniforme est fixée à un mur. Un câble d'acier relié au mur à une distance d au-dessus de la charnière retient l'autre extrémité de la poutre. Lorsque l'on suspend à l'aide d'une corde un poids w à l'extrémité de la poutre, cette dernière fait un angle de 30° par rapport à l'horizontale. Si la poutre possède une longueur l et un poids W, trouvez la tension dans le câble et les forces que la charnière exerce sur la poutre.

La figure 14-7 dépeint la situation avec toutes les forces appliquées sur la poutre. Le câble qui tire sur cette dernière forme un angle α avec l'horizontale, de manière à ce que sa tension $\vec{T}$ possède une composante horizontale $\vec{T}_h$ et une composante verticale $\vec{T}_v$. La force $\vec{F}$ que la charnière exerce sur la poutre présente également des composantes $\vec{F}_h$ et $\vec{F}_v$, respectivement horizontale et verticale. Le vecteur $\vec{W}$ est le poids de la poutre agissant en son centre de gravité, et $\vec{w}$, la tension dans la corde transmettant le poids de l'objet suspendu.

Choisissons de placer nos axes sur l'horizontale et sur la verticale. L'équilibre de translation se produira si

$$F_v + T_v - W - w = 0$$

et

$$F_h - T_h = 0.$$

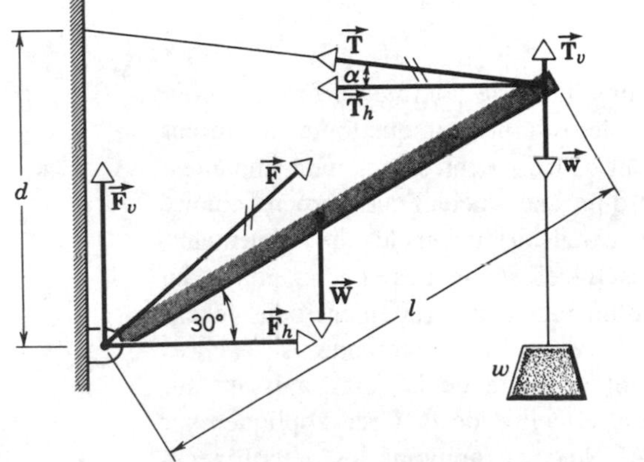

figure 14-7
Exemple 3.

D'autre part, imaginons un axe passant par le point d'intersection de $\vec{T}$ et $\vec{w}$ (pourquoi ce choix plutôt qu'un autre?). L'équilibre de rotation se traduit par l'expression

$$F_v(l \cos 30°) - F_h(l \sin 30°) - \frac{W(l \cos 30°)}{2} = 0.$$

Nos inconnues sont T_h, T_v, F_h et F_v. Afin de détailler davantage la solution de notre problème, donnons les valeurs suivantes aux autres paramètres:

$$W = 60 \text{ N}, \quad w = 40 \text{ N}, \text{ et } l = 3{,}0 \text{ m}, \quad d = 2{,}0 \text{ m}.$$

A l'aide de ces données nous déduisons les relations suivantes:

(1) $$F_v + T_v = 100 \text{ N},$$

(2) $$F_h = T_h,$$

et

$$F_v(3)(0{,}866) = F_h(1{,}5) + (60)(1{,}5)(0{,}866),$$

d'où

(3) $$F_v = F_h(5.0/8{,}66) + 30 \text{ N}.$$

Puisque nous avons quatre inconnues, une autre relation entre ces grandeurs devient nécessaire. Elle découle de ce que $\vec{T}_v$ et $\vec{T}_h$ s'additionnent pour donner le vecteur résultant $\vec{T}$ orienté le long du câble. Le câble exerce ou subit une force dont l'orientation ne peut être que suivant sa propre direction (notez toutefois que cette remarque ne s'applique pas à la poutre). La quatrième relation recherchée s'écrit ainsi:

$$T_v = T_h \tan \alpha,$$

où $\tan \alpha = (d - l \sin 30°)/l \cos 30° = 1{,}0/5{,}2$. Ainsi, l'expression devient:

(4) $$T_v = T_h/5{,}2.$$

Si on combine (1) et (4) cela donne

$$F_v = 100 \text{ N} - T_h/5{,}2.$$

De même, (2) et (3) donnent

$$F_v = T_h(5{,}0/8{,}66) + 30 \text{ N}.$$

Ces deux dernières équations permettent de découvrir que

$$T_h = 91{,}0 \text{ N} \quad \text{et} \quad F_v = 82{,}5 \text{ N}.$$

En substituant ces résultats dans (1) et (2), nous obtenons

$$F_h = 91{,}0 \text{ N} \quad \text{et} \quad T_v = 17{,}5 \text{ N}.$$

La tension dans le câble se calcule ainsi:

$$T = \sqrt{T_h^2 + T_v^2} = 92{,}7 \text{ N}.$$

Le câble subit donc une tension de 92,7 N pendant que la charnière exerce sur la poutre une force horizontale de 91,0 N et une force verticale de 82,5 N.

Dans les exemples précédents nous avons limité le nombre de forces inconnues au nombre d'équations indépendantes les reliant. Lorsque toutes les forces sont coplanaires, nous disposons seulement de trois expressions indépendantes, l'une pour l'équilibre de rotation autour d'un axe quelconque perpendiculaire au plan, et les deux autres pour l'équilibre de translation dans le plan. Cependant, nous faisons souvent face à plus de trois forces inconnues. Par exemple, en abandonnant la supposition irréalisable d'un mur sans frottement dans le cas de l'échelle rencontré à l'exemple 2*a*, il s'ensuit quatre grandeurs scalaires inconnues: les composantes horizontale et verticale de la force agissant sur l'échelle au point de contact avec le mur, et celles de la force appliquée sur l'échelle au point de contact avec le sol. Nous ne pouvons les déterminer à moins de formuler une quatrième relation entre ces inconnues. Par contre, si on attribue une valeur à l'une des forces inconnues, les trois autres peuvent être évaluées. Mais si nous sommes devant l'impossibilité de préciser une valeur particulière à l'une d'elles, alors il y a un nombre infini de solutions mathématiques possibles. Afin d'obtenir une solution unique au problème, cette situation nous oblige à chercher la relation indépendante additionnelle dont nous venons de parler.

L'automobile représente un autre exemple simple de ce genre de structures indéterminées. Dans ce cas, nous désirons connaître les forces que le sol exerce sur chacun des pneus, quand le véhicule est immobile sur une surface horizontale. En supposant que ces forces soient perpendiculaires au sol, nous distinguons quatre grandeurs scalaires inconnues. Toutes les autres forces, telles le poids de l'automobile et des passagers, agissent suivant la normale au sol. Ainsi nous possédons seulement trois équations indépendantes donnant les conditions d'équilibre: une pour l'équilibre de translation suivant la direction commune à toutes les forces et deux pour l'équilibre de rotation autour de deux axes perpendiculaires l'un à l'autre dans un plan horizontal. Une fois de plus la solution du problème demeure indéterminée mathématiquement. Un exemple similaire est illustré par une table dont les quatre pattes appuient sur le plancher.

Bien entendu, puisqu'il n'existe qu'une seule solution à tout problème physique réel, nous sommes contraints à rechercher une justification physique permettant d'établir une quatrième relation indépendante entre les forces, de manière à pouvoir résoudre le problème. Cette difficulté disparaît quand on se rend compte que les corps ne sont pas parfaitement rigides, contrairement à ce que l'on a admis implicitement jusqu'ici. En réalité, les structures considérées se déforment quelque peu sous l'action des forces. Par exemple, les pneus de l'automobile et le sol se déformeront, de même que l'échelle et le mur. Les lois concernant l'élasticité et les propriétés élastiques de la structure déterminent la nature de la déformation et fournissent la relation additionnelle nécessaire entre les quatre forces. Ainsi, une analyse complète requiert non seulement les lois de la mécanique des solides mais également celles concernant l'élasticité. Pendant les cours de formation en génie civil et mécanique, on rencontre beaucoup de problèmes semblables que l'on analyse de cette manière. Nous n'approfondirons pas davantage ce sujet ici.

- **Notions avancées**

14-5 *ÉQUILIBRE DES SOLIDES DANS UN CHAMP GRAVITATIONNEL*

Au chapitre 8 nous avons vu que la force gravitationnelle est conservative. Pour ce type de force, on définit une fonction énergie potentielle $U(x,y,z)$, où U est reliée à $\vec{F}$ par

$$F_x = -\partial U/\partial x, \qquad F_y = -\partial U/\partial y, \qquad F_z = -\partial U/\partial z.$$

Pour les points où $\partial U/\partial x$ vaut zéro, une particule soumise à cette force conservative sera en équilibre de translation suivant la direction x, ce qui entraîne que F_x égale zéro. De même, une particule sera en équilibre de translation suivant les directions y et z, aux points où $\partial U/\partial y$ et $\partial U/\partial z$ donnent respectivement zéro. La dérivée de U sera nulle en un point quand cette fonction possédera un extremum (maximum ou minimum) en ce point, ou encore quand elle demeurera constante par rapport à la coordonnée variable.

Lorsque U prend une valeur minimale, la particule démontre un équilibre *stable*; tout déplacement à partir de cette position engendrera une force de rappel tendant à ramener la particule à son point d'équilibre. Nous énonçons ceci d'une autre manière en disant que si un corps se trouve en état d'équilibre stable, un agent extérieur doit nécessairement effectuer un travail sur lui pour changer sa position. Il en résulte alors une augmentation de l'énergie potentielle du corps.

Lorsque U prend une valeur maximale, la particule démontre un équilibre *instable*; tout déplacement à partir de cette position engendrera une force tendant

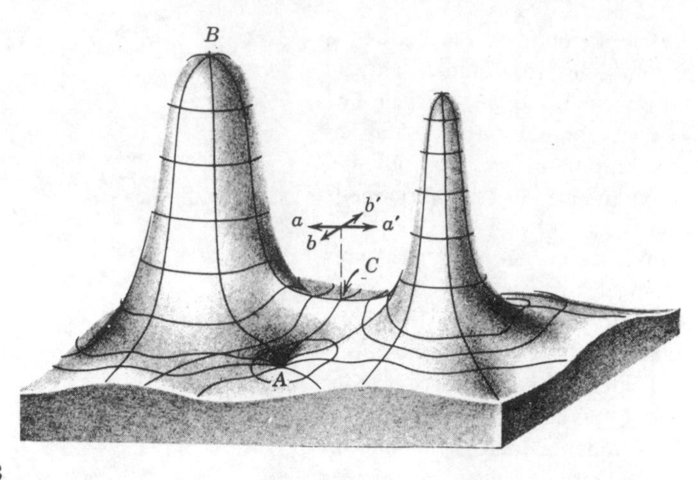

figure 14-8
Voici une surface de potentiel gravitationnel qui ressemble à une surface réelle. Une particule placée en A, B ou C demeure stationnaire et si l'on trace un plan tangent à l'un ou l'autre de ces points, il sera horizontal. En ces points nous disons qu'elle est en équilibre. Si on déplace légèrement la particule du point A, elle cherchera à y retourner; A représente un point *d'équilibre stable*. Si on la déplace tant soit peu du point B, elle tendra à s'éloigner davantage; B représente alors un point *d'équilibre instable*. Si on déplace faiblement la particule située au point C, suivant la direction aa', elle cherchera à retourner en ce point, tandis que, si on la bouge suivant la direction bb', elle tendra à augmenter l'écart. Nous appelons C un *point de selle* car cette surface offre l'apparence d'une selle. L'équilibre neutre que possède une particule en tout point d'une surface plane horizontale n'a pas été illustré.

à l'éloigner davantage de son point d'équilibre. Dans ce cas, aucun travail n'est requis de la part d'un agent extérieur pour modifier la position de la particule; le travail réalisé en déplaçant le corps provient de l'intérieur même du système et la force conservative qui l'engendre provoque ainsi une diminution de l'énergie potentielle.

Lorsque U est constante, la particule se trouve dans un état d'équilibre *neutre*. Cette situation implique qu'on peut la déplacer légèrement sans qu'elle ne subisse ni force de rappel ni force de répulsion.

Notez qu'une particule peut très bien se trouver en équilibre par rapport à une coordonnée sans pour autant l'être par rapport à une autre; citons, par exemple, le cas d'une balle en chute libre. De plus, une particule peut apparaître en équilibre stable par rapport à une coordonnée et en équilibre instable par rapport à une autre; mentionnons l'exemple de la particule située à un point de selle (fig. 14-8).

Toutes ces remarques s'appliquent aux particules, c'est-à-dire au mouvement de translation. Supposons maintenant que nous traitions le cas d'un solide. Il nous faut considérer l'équilibre de rotation aussi bien que celui de translation. Cependant, le problème d'un tel corps dans un champ gravitationnel est particulièrement simple car on peut considérer que *toutes les forces de gravité en action sur les particules du solide s'exercent en un seul point, qu'il s'agisse de translation ou de rotation*. Quand il est question d'équilibre sous des forces gravitationnelles, nous pouvons donc remplacer totalement le solide par une simple particule située au centre de gravité et possédant une masse équivalente.

Par exemple, considérons un cube immobile placé sur une table horizontale. La figure 14-9*a* montre le centre de gravité localisé au centre d'une section passant par le milieu du cube. Appliquons-lui une force de manière à le faire tourner, sans qu'il glisse, autour d'un axe situé sur une arête. Notez que nous effectuons un travail sur le cube car le centre de gravité est soulevé; cela accroît son énergie potentielle. En retirant la force, le cube tendra à retourner à sa position initiale et son gain d'énergie potentielle se transformera en énergie cinétique pendant le retour. Ainsi, cette position initiale en est une d'équilibre *stable*. On a indiqué par une ligne brisée le mouvement d'une particule de masse équivalente occupant le centre de gravité du cube. Nous voyons qu'elle possède une valeur minimale d'énergie potentielle au point d'équilibre stable, tel qu'exigé par la

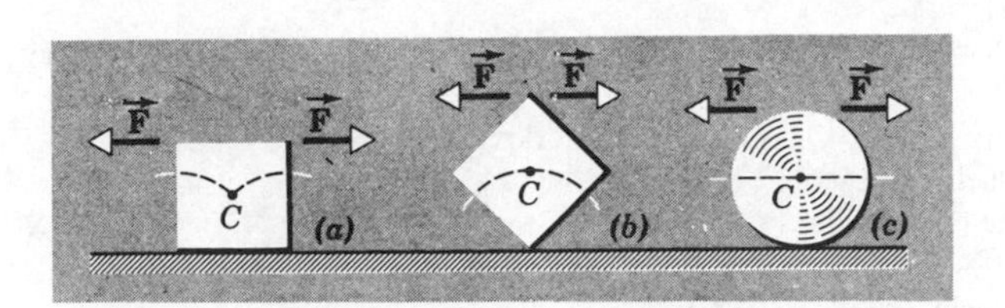

figure 14-9
L'équilibre d'un corps. *(a)* Un cube reposant sur l'une de ses faces se trouve en *équilibre stable* car, si une force horizontale $\vec{F}$ le fait pivoter par un bout, elle élève son centre de gravité C. *(b)* Un cube reposant sur une arête est en *équilibre instable,* car C s'abaisse aussitôt que $\vec{F}$ agit, *(c) L'équilibre neutre* d'un cylindre vient de ce que la force $\vec{F}$ ne parvient pas à abaisser ou à soulever son centre de gravité. Comparez ces critères d'équilibre à ceux donnés à la figure 14-8. Comment les critères des deux figures sont-ils reliés?

condition d'équilibre. Le solide maintiendra donc un équilibre stable si toute force qu'on lui applique peut soulever son centre de gravité mais non l'abaisser.

Si l'on pivote le cube pour lui faire occuper la position de la figure 14-9*b*, il est une fois de plus en équilibre. Il s'agit là d'une position d'équilibre *instable*. Même l'application de la plus faible force horizontale déséquilibrera le cube, l'obligeant ainsi à basculer et à perdre de l'énergie potentielle. La ligne brisée indique la trajectoire suivie par la particule de masse équivalente placée au centre de gravité. Au point d'équilibre instable, cette particule possède une valeur maximale d'énergie potentielle, tel que l'exige la condition d'équilibre. Nous pouvons conclure que le solide sera en équilibre instable si l'application de toute force horizontale tend à abaisser son centre de gravité.

Un cylindre roulant sur une table horizontale illustre le cas d'équilibre *neutre* (fig. 14-9*c*). Si l'on soumet le cylindre à une force horizontale quelconque, son centre de gravité demeure sur une ligne horizontale tout au long de son mouvement. L'énergie potentielle du cylindre est constante pendant le déplacement et il en va de même pour celle de la particule de masse équivalente que l'on situe au centre de gravité. Quand la force cesse, le système conserve l'état dans lequel il se trouve. Un solide sera donc en équilibre neutre si l'application de toute force horizontale n'élève ni n'abaisse son centre de gravité.

Dans quelles situations un solide *suspendu* présentera-t-il un équilibre stable? Quand un solide *suspendu* sera-t-il en équilibre instable ou neutre? •

questions

1. Les équations 14-1 et 14-3 traduisent-elles toutes deux les conditions nécessaires et suffisantes pour qu'il y ait équilibre mécanique? Qu'en est-il pour l'équilibre statique?
2. Une roue tournant à une vitesse angulaire constante $\vec{\omega}$ autour d'un axe fixe se trouve en équilibre mécanique car ni force extérieure résultante ni moment de force résultant n'agissent sur elle. Cependant, les particules qui constituent la roue subissent une accélération centripète $\vec{a}$ orientée vers l'axe. Puisque $\vec{a} \neq 0$, comment peut-on dire que la roue est en équilibre?
3. Donnez plusieurs exemples de corps qui ne se trouvent pas en équilibre même si la résultante de toutes les forces en action vaut zéro.
4. Si un corps ne présente pas d'équilibre de translation, le moment de force sera-t-il nul par rapport à un point quelconque s'il l'est déjà par rapport à un point particulier?
5. Lequel des hamacs se brisera probablement le premier à l'usage, celui que l'on tend ferme entre deux arbres ou celui que l'on fixe d'une manière plutôt lâche? Justifiez votre réponse.
6. On appuie l'extrémité supérieure d'une échelle contre un mur tandis que l'autre repose sur le sol. Si un homme y grimpe, la probabilité qu'elle glisse sera-t-elle plus grande s'il se trouve en haut ou en bas de l'échelle? Justifiez votre réponse.
7. Dans l'exemple 2, si nous avions considéré un mur rugueux, est-ce que les lois empiriques concernant le frottement auraient fourni la condition additionnelle nécessaire pour déterminer la force supplémentaire (verticale) que le mur exerce sur l'échelle?

8. Dans l'exemple 3, pourquoi n'est-il pas nécessaire de considérer le frottement au niveau de la charnière?
9. On suspend un cadre au mur à l'aide de deux cordes. Quelle orientation devra-t-on leur donner pour minimiser la tension? Quelle que soit l'orientation de chacune des cordes, montrez que le cadre pourra être en équilibre.
10. Montrez comment utiliser une balance à ressort pour peser des objets bien plus lourds que ne le permet la graduation maximale.
11. Le centre de masse et le centre de gravité d'un édifice coïncident-ils? Et dans le cas d'un lac? A quelles conditions la différence entre ces deux points devient-elle significative?
12. En l'absence de résistance de l'air, un objet qu'on lance sans lui communiquer de mouvement de rotation sur lui-même n'en acquerra pas pendant son trajet. Qu'implique cet énoncé concernant la position du centre de gravité?
14. Existe-t-il vraiment des solides indéformables?
15. Vous êtes assis sur la banquette du conducteur d'une automobile stationnée et on vous dit que le sol exerce des forces vers le haut, différentes sur chacun des quatre pneus. Discutez les facteurs intervenant pour établir si cette affirmation est vraie ou fausse.
16. Un bloc homogène repose sur une surface horizontale. Il a la forme d'un parallélépipède rectangle dont les côtés présentent le rapport 1:2:3. Sur laquelle de ses trois faces différentes sera-t-il le plus stable?
17. Un observateur dans un laboratoire constate qu'un virus (une particule) décrit un mouvement circulaire uniforme (c'est-à-dire un mouvement *accéléré*) dans le liquide qu'on a placé dans une centrifugeuse. Toutefois, si nous imaginons un observateur tournant avec la centrifugeuse, il déclarera que la particule *n'est pas accélérée*. Expliquez comment le virus peut se trouver en équilibre pour le second observateur et non pour le premier.
18. Au chapitre 5 nous avons *défini* la force en fonction de l'accélération en utilisant l'expression $\vec{\mathbf{F}} = m\vec{\mathbf{a}}$. Mais un corps en équilibre ne subit aucune accélération. Comment alors pouvons-nous accorder une signification quelconque aux forces agissant sur lui?

problèmes

SECTION 14-2

1. Lorsque trois forces seulement agissent sur un corps en équilibre, elles sont coplanaires et leurs lignes d'action se croisent en un point particulier, ou à l'infini. Démontrez.
2. A l'aide d'une corde, on attache à un mur lisse une sphère homogène de poids w et de rayon r. Le point de support se situe à une hauteur L au-dessus du centre de celle-ci (fig. 14-10). Déterminez *(a)* la tension dans la corde et *(b)* la force que le mur exerce sur la sphère.
3. Une sphère homogène de poids w se trouve coincée entre deux plans inclinés selon θ_1 et θ_2 (fig. 14-11). *(a)* En supposant qu'il n'y ait pas de frottement, déterminez la grandeur et l'orientation des forces que les plans exercent sur la sphère. *(b)* Si l'on tient compte de la friction, quel changement cela produira-t-il en principe?
Réponse: (a) $F_1 = w \sin \theta_2 / \sin (\theta_2 - \theta_1)$ et $F_2 = w \sin \theta_1 / \sin (\theta_2 - \theta_1)$, perpendiculaires à leur plan respectif.

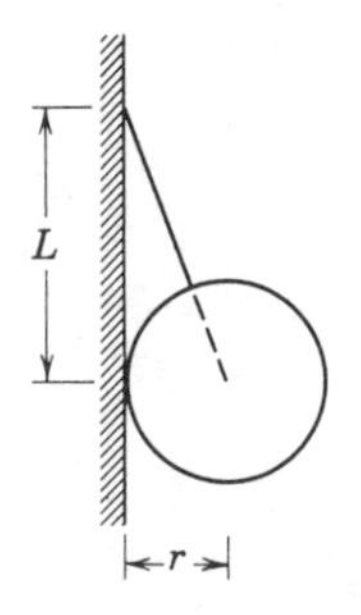

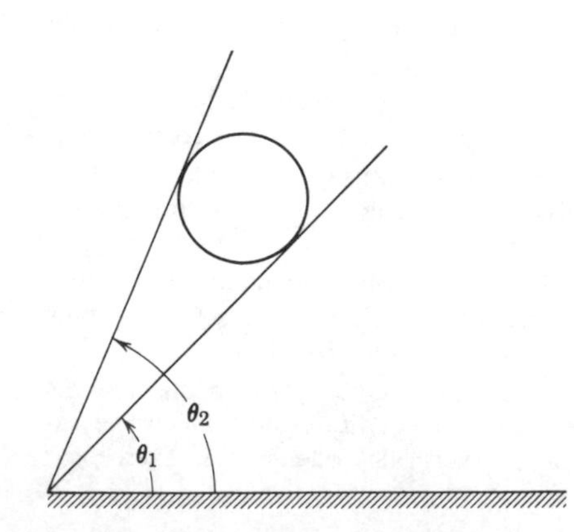

figure 14-10
Problème 2.

figure 14-11
Problème 3.

4. On place deux sphères lisses homogènes et identiques de poids W au fond d'un contenant rectangulaire (fig. 14-12). La ligne joignant leur centre fait un angle de 45° par rapport à l'horizontale. Déterminez, en fonction de W : *(a)* les forces que les parois du récipient exercent sur les sphères et *(b)* les forces mutuelles entre ces sphères.

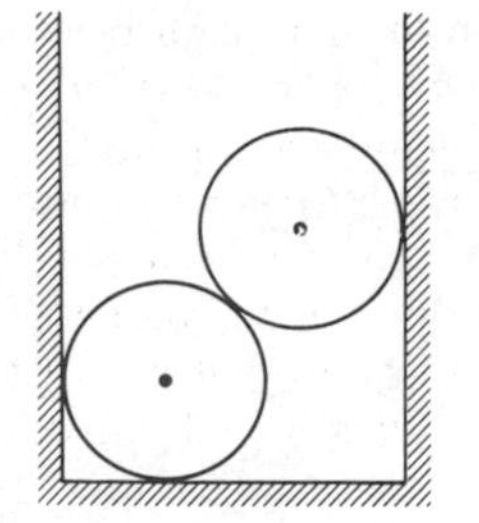

figure 14-12
Problème 4.

5. Une chaîne de poids W pend entre deux points fixes, A et B, situés au même niveau (fig. 14-13). *(a)* Trouvez le vecteur force qu'elle exerce sur chacune de ses extrémités. *(b)* Trouvez la tension dans la chaîne au point le plus bas.

   Réponses: *(a)* $\frac{W}{2\sin\theta}$, tangent à la chaîne. *(b)* $\frac{1}{2}W\cot\theta$.

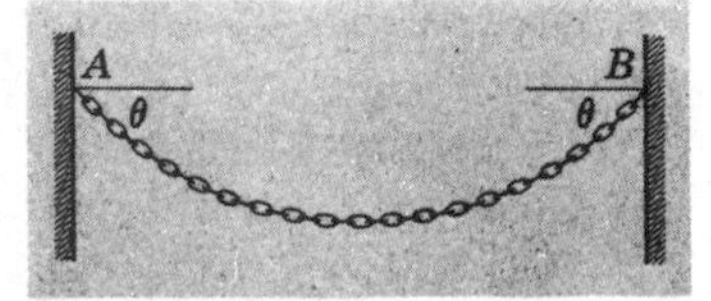

figure 14-13
Problème 5.

SECTION 14-3

6. La figure 14-14 montre une tige hétérogène dont le poids vaut W et que l'on a suspendue horizontalement à l'aide de deux ficelles. Ces dernières forment respectivement avec la verticale un angle θ de 36,9° et un angle ϕ de 53,1°. Si la tige a une longueur l de 6,1 m, à quelle distance x de son extrémité gauche se trouve le centre de gravité?

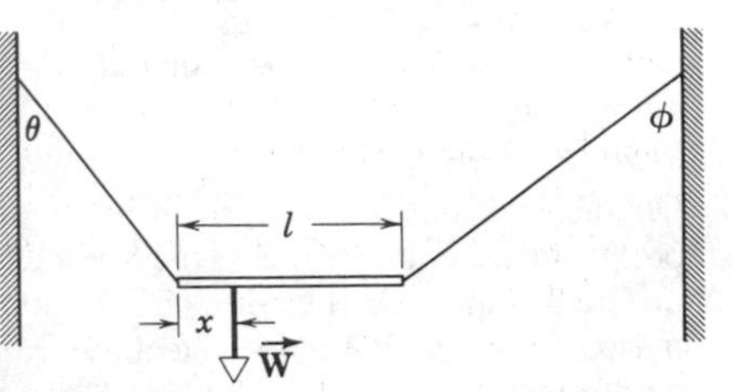

figure 14-14
Problème 6.

7. On enlève une section circulaire de rayon r sur un disque homogène de rayon R. Le centre du trou se trouve à $R/2$ de celui du disque. Localisez le centre de gravité de ce nouveau corps.

   Réponse: Le long de la droite joignant le centre du trou à celui du disque, à une distance $Rr^2/2\,(R^2 - r^2)$ du centre du disque.

SECTION 14-4

8. Trois hommes transportent une poutre. L'un d'eux supporte une extrémité tandis que les deux autres, placés de chaque côté de la poutre, la soutiennent à l'aide d'une traverse qu'ils ont située de manière à répartir la charge également entre les trois. Si l'on néglige la masse de la traverse, déterminez son emplacement.

9. Dans la figure 14-15, un homme essaie de tirer son automobile hors de la boue dans laquelle elle s'est enlisée. Il attache solidement l'une des extrémités d'une corde autour du parechoc avant et l'autre autour d'un poteau de téléphone situé à 20 m. Puis il pousse en travers de la corde avec une force de 600 N de façon à déplacer le centre de celle-ci sur 0,5 m. L'automobile bouge à peine. Quelle force la corde exerce-t-elle sur le véhicule? (La corde s'étire peu sous la tension.) *Réponse:* 6000 N.

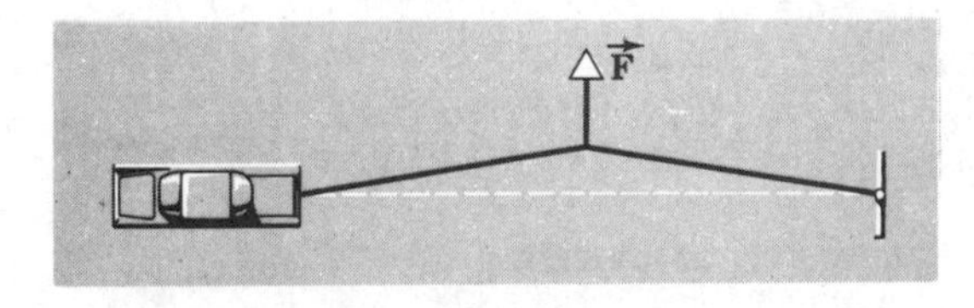

figure 14-15
Problème 9.

10. La figure 14-16 illustre une structure sur laquelle des forces $\vec{F}_1$, $\vec{F}_2$ et $\vec{F}_3$ s'exercent. Nous désirons l'équilibrer en appliquant en un point P une force dont les composantes sont $\vec{F}_h$ et $\vec{F}_v$. Nous savons que a = 2,0 m, b = 3,0 m, c = 1,0 m, F_1 = 20 N, F_2 = 10 N et F_3 = 5,0 N. Évaluez *(a)* F_h, *(b)* F_v et *(c)* d.

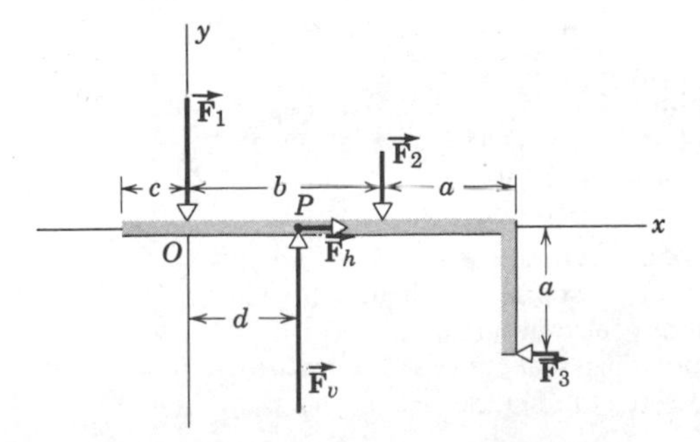

figure 14-16
Problème 10.

11. Quelle force devons-nous appliquer horizontalement sur l'axe d'une roue pour lui faire franchir un obstacle de hauteur h? La roue possède un rayon r et un poids W (fig. 14-17).
Réponse: $W\sqrt{h(2r-h)}/(r-h)$.

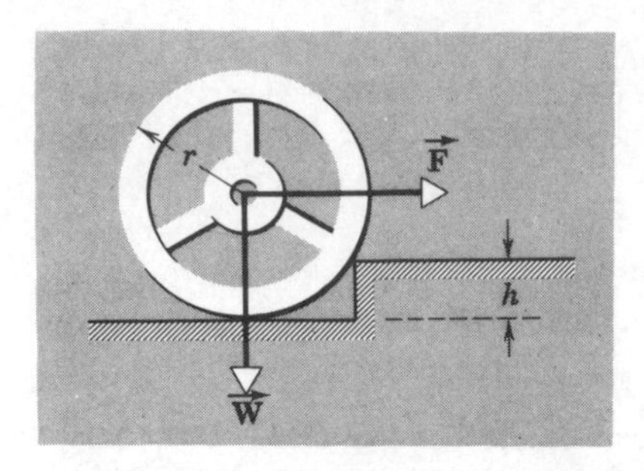

figure 14-17
Problème 11.

12. La trappe d'un plafond mesure 1,0 m de côté et possède une masse de 11 kg. Son centre de gravité se situe à 10 cm du centre, vers les pentures. Quelles forces agissent *(a)* sur les pentures et *(b)* sur le loquet?
13. Un mètre est en équilibre lorsqu'on le place sur la lame d'un couteau vis-à-vis de l'indication 50,0 cm. Si l'on superpose deux pièces de cinq cents sur l'indication 12,0 cm, il s'équilibre alors à la marque 45,5 cm. Chaque pièce possède une masse de 5,0 g. Quelle est la masse du mètre? Réalisez une expérience analogue en vérifiant votre réponse.
Réponse: 74,4 g.
14. On fabrique une balance en utilisant une tige rigide libre de tourner autour d'un point qui ne coïncide pas avec son centre. Elle est équilibrée grâce à des masses différentes que nous plaçons sur les plateaux fixés à ses bouts. Si nous déposons une masse inconnue m sur le plateau de gauche, il faut placer une masse m_1 sur celui de droite pour obtenir l'équilibre. De même, en déposant m sur le plateau de droite, une masse m_2 permet d'équilibrer la balance. Montrez que
$$m = \sqrt{m_1 m_2}.$$

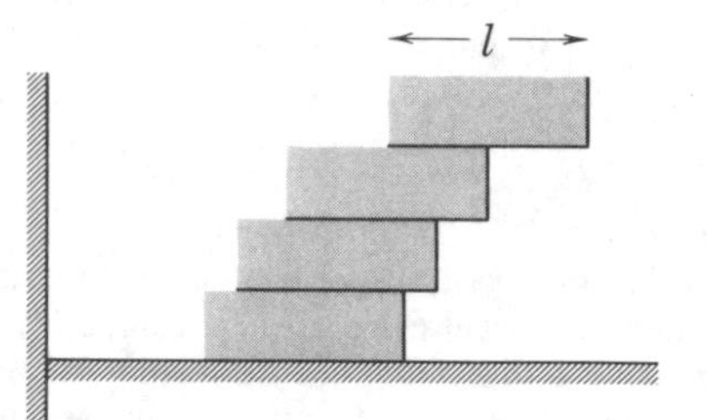

figure 14-18
Problème 18.

15. Considérez une automobile possédant une masse de 1360 kg dont l'empattement est de 305 cm. Son centre de gravité se situe à 178 cm derrière l'essieu avant. Déterminez la force que le sol horizontal exerce *(a)* sur chacune des roues avant et *(b)* sur chacune des roues arrières. (Supposez que chaque roue d'un même essieu subit une force identique.) *Réponses: (a)* 2780 N. *(b)* 3890 N.
16. Une boîte cubique de 1,5 m de côté contient une pièce de machinerie et l'on constate que le centre de gravité de la boîte et de son contenu se trouve à 0,3 m au-dessus de son centre géométrique. *(a)* Si l'on doit faire glisser la boîte vers le bas d'une rampe, quelle inclinaison maximale peut avoir cette dernière avant qu'elle ne bascule? *(b)* Quelle est la valeur maximale du coefficient de frottement statique qui permettra à peine à la boîte de commencer à glisser?

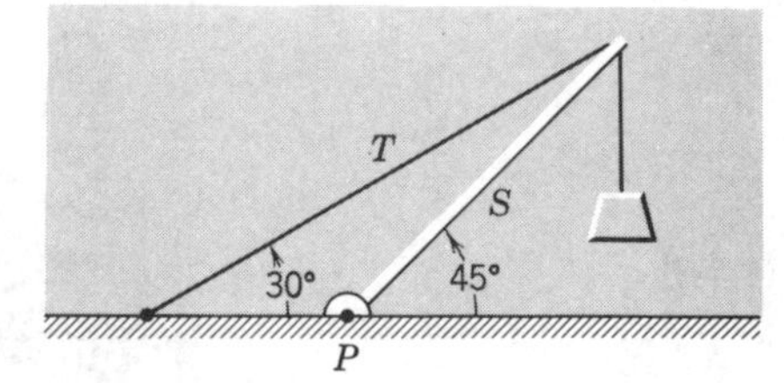

figure 14-19
Problème 19.

17. Une porte mesure 2,1 m de hauteur, 0,91 m de largeur et possède une masse de 27 kg. Deux charnières supportent son poids également, l'une étant fixée à 0,30 m du haut et l'autre à 0,30 m du bas de la porte. Supposons que son centre de gravité coïncide avec son centre géométrique. Quelles sont les composantes horizontale et verticale de la force que chaque charnière exerce sur la porte?
Réponses: 80 N horizontalement et 130 N verticalement; les charnières exercent des forces opposées.
18. On place l'une sur l'autre quatre briques de longueur l comme l'indique la figure 14-18. Montrez que les briques demeureront en équilibre jusqu'à un débordement *(a)* de $l/2$ pour celle du dessus, *(b)* de $l/4$ pour l'avant-dernière, et *(c)* de $l/6$ pour la deuxième.
19. La figure 14-19 illustre un système en équilibre. Une masse de 230 kg est suspendue à l'extrémité d'un mât S dont la masse vaut 45 kg. *(a)* Déterminez la tension T dans le câble. *(b)* Quelle force le pivot P exerce-t-il sur le mât?
Réponses: (a) 6800 N. *(b)* F_h = 5900 N et F_v = 6100 N.
20. Un madrier homogène de 6,0 m et pesant 450 N repose sur le sol tout en appuyant contre un rouleau sans friction (non illustré) au sommet d'un mur de 3,0 m de hauteur (fig. 14-20). Il demeure en équilibre pour tout angle $\theta \geqslant 70°$, mais glisse si $\theta < 70°$. *(a)* Tracez le diagramme des forces agissant sur ce madrier. *(b)* Évaluez le coefficient de frottement statique entre le sol et le madrier.

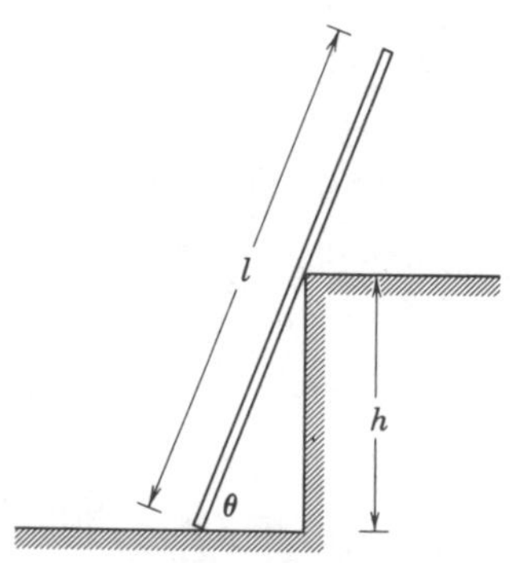

figure 14-20
Problème 20.

21. Considérons une tringle AB, de longueur l et de poids négligeable, que l'on a fixée à un mur vertical comme le montre la figure 14-21. Un fil d'acier CB retient son extrémité B en formant un angle θ avec l'horizontale. Nous déplaçons sur la tringle un objet de poids W dont la position par rapport au mur est représentée par x. *(a)* Que vaut la tension dans le fil d'acier en fonction de x? *(b)* Quelles sont les composantes horizontale et verticale de la force que le mur exerce sur la tringle?
Réponses: (a) $Wx/(l \sin \theta)$. (b) $Wx/(l \tan \theta)$. et $W(1 - x/l)$.

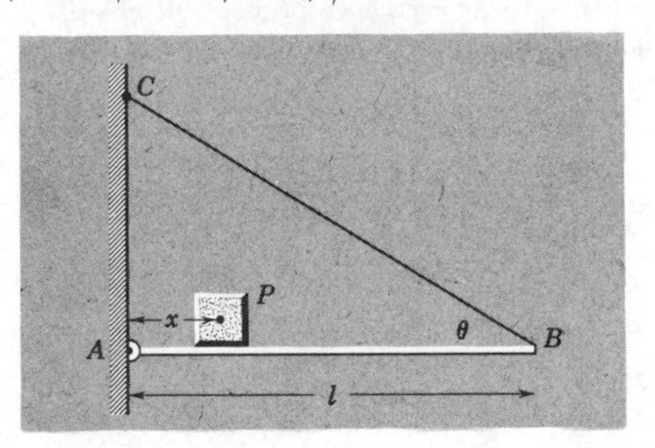

figure 14-21
Problème 21.

22. Une sphère homogène de rayon r et de poids W glisse sur le plancher sous l'action d'une force horizontale constante $\vec{P}$, que l'on applique par l'intermédiaire d'une corde (fig. 14-22). *(a)* Montrez que, si μ représente le coefficient de frottement cinétique entre le plancher et la sphère, la hauteur h est donnée par $h = r(1 - \mu W/P)$. *(b)* Montrez que la sphère n'est pas en équilibre de translation à de telles conditions. Existe-t-il un point par rapport auquel elle se trouve en équilibre de rotation? *(c)* Par un choix approprié de h, peut-on rendre la sphère à la fois en équilibre de rotation et de translation? Qu'en est-il si on oriente différemment la force $\vec{P}$? Expliquez votre réponse.

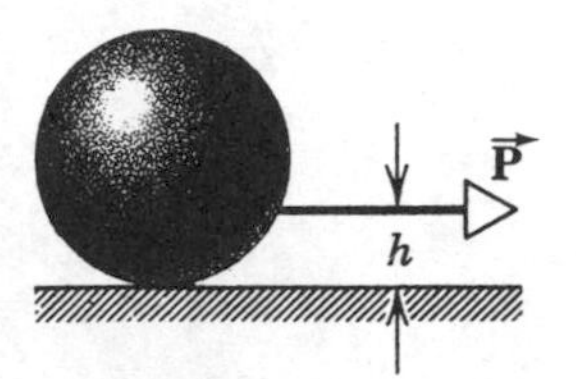

figure 14-22
Problème 22.

23. La figure 14-23 illustre un escabeau dont les montants AC et CE mesurent 2,4 m. BD, placé à mi-hauteur et long de 0,8 m, agit comme barre de retenue. Un homme de 800 N escalade 1,8 m le long de l'escabeau dont on ne tient pas compte du poids. Négligez le frottement au niveau du plancher. *(a)* Quelle tension la barre de retenue BD subit-elle? *(b)* Évaluez les forces que le plancher exerce sur l'escabeau. (*Indice:* en appliquant les conditions d'équilibre, isolez les parties de l'escabeau.)
Réponses: *(a)* 212 N. *(b)* $F_A = 500$ N et $F_E = 300$ N.

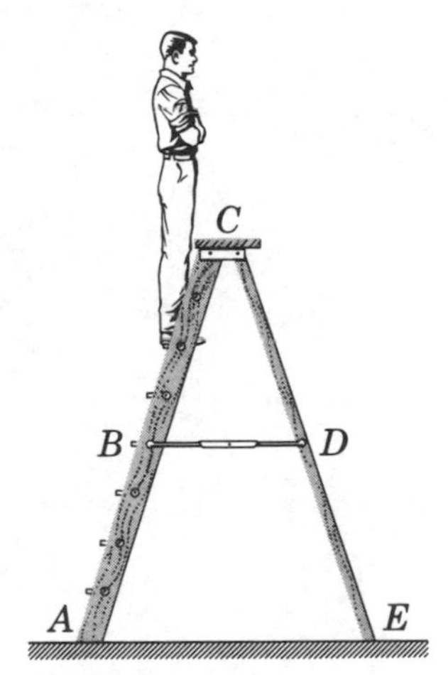

figure 14-23
Problème 23.

24. Une boîte cubique remplie de sable pèse 890 N. On désire la faire basculer en poussant horizontalement sur l'une de ses arêtes supérieures. *(a)* Quelle force minimale est requise pour y parvenir? *(b)* Déterminez le coefficient de frottement statique minimal nécessaire. *(c)* Existe-t-il une façon plus efficace pour basculer la boîte? Si oui, précisez la valeur de la plus faible force possible que l'on doit lui appliquer directement.

25. Le tendeur G permet d'appliquer une tension T dans la section AB du cadre carré $ABCD$ (fig. 14-24). Évaluez les tensions agissant dans les autres sections. Les tiges diagonales AC et BD ne se touchent pas en E. Des considérations de symétrie simplifient grandement la solution des problèmes de ce genre.
Réponse: AD, BC et DC subissent une tension T. tandis que les diagonales AC et BD sont comprimées par une force $\sqrt{2}\,T$.

26. Voici un problème bien connu (voir *Scientific American*, novembre 1964, p. 128). On dispose des briques homogènes les unes sur les autres de manière à obtenir un débordement maximal de chacune d'elles. On y parvient si le centre de gravité de la brique du haut se situe directement au-dessus du bord de celle immédiatement en dessous, si le centre de gravité commun aux deux briques supérieures se trouve sur la verticale passant par le bord de la brique qui les précède, etc. *(a)* Justifiez ce critère de débordement maximal. *(b)* Montrez qu'en poursuivant ce procédé, on pourrait empiler autant de briques qu'on le désirerait. *(c)* (Dans l'article mentionné ci-haut, Martin Gardner affirme: « En utilisant un jeu de 52 cartes, nous pouvons placer la première sur le bord de la table et empiler les autres pour obtenir un débordement maximal légèrement supérieur à $2^1/_4$ fois la longueur d'une carte . . . »). Supposons maintenant qu'au lieu de disposer les briques comme pour la question *(a)*, on les empile en laissant déborder chacune d'une fraction $1/n$ de la longueur de celle qui la précède. Les briques ont toutes la même longueur l. Quel nombre N de briques pouvons-nous empiler avant que le tout s'effondre? Vérifiez la plausibilité de votre réponse pour $n = 1$, $n = 2$, $n = \infty$.

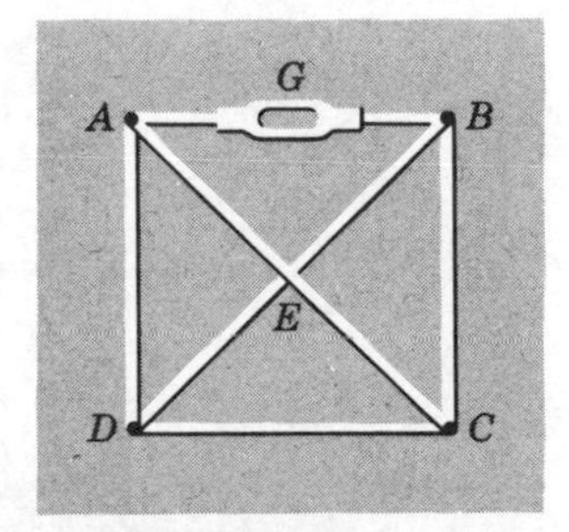

figure 14-24
Problème 25.

SECTION 14-5

27. Soit un bol de rayon de courbure r reposant sur une table horizontale rugueuse. Démontrez qu'il sera en équilibre stable par rapport au point central de sa base, seulement si le centre de masse de la matière que l'on y introduit ne se situe pas plus haut qu'une distance r au-dessus du centre du bol.

28. La figure 14-25 montre un cube homogène d'arête a en équilibre sur une surface sphérique de rayon r. En supposant la friction suffisante pour empêcher tout glissement, démontrez que le cube sera en équilibre stable si $r > a/2$.

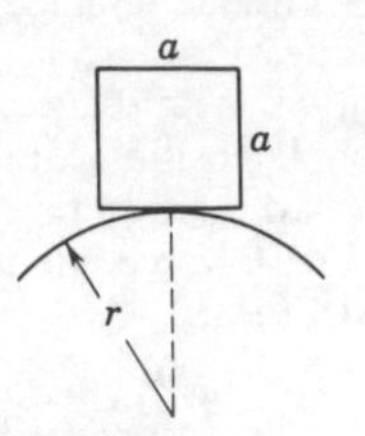

figure 14-25
Problème 28.

15
les oscillations

15-1 LES OSCILLATIONS

Un mouvement est *périodique* lorsqu'il se répète à intervalles réguliers. Comme nous le verrons au cours de ce chapitre, le déplacement d'une particule en mouvement périodique peut toujours s'exprimer à l'aide des fonctions sinus et cosinus. Et parce qu'on applique le terme harmonique aux expressions contenant ces fonctions, le mouvement périodique se nommera souvent mouvement *harmonique*.

Nous appelons *oscillation* ou *vibration* le mouvement de va-et-vient d'une particule sur la même trajectoire. Les cas sont multiples dans la nature. Citons le balancier d'une montre, une corde de violon, une masse suspendue à un ressort, les atomes dans les molécules ou dans les cristaux et les molécules d'air sous l'influence du son.

Plusieurs corps n'oscillent pas entre des limites précises à cause des forces de friction qui dissipent l'énergie du mouvement. Ainsi, une corde s'arrête éventuellement de vibrer et un pendule de balancer. On dira que ces mouvements harmoniques sont *amortis*. Bien qu'on ne puisse éliminer la friction des mouvements périodiques des objets macroscopiques, on peut souvent annuler son effet d'amortissement en ajoutant au système oscillant une énergie compensatrice. Le ressort d'une montre et le contre-poids d'une horloge grand-père fournissent de l'énergie externe à ces systèmes; c'est ainsi que le balancier et le pendule conservent leur mouvement comme s'ils étaient non amortis.

Le mouvement oscillatoire n'est pas l'apanage des systèmes mécaniques: les ondes radio, les micro-ondes et la lumière visible représentent des champs vectoriels magnétiques et électriques oscillants. Le circuit de syntonisation d'une radio et la cavité résonnante d'une source de micro-ondes constituent d'autres exemples. L'analogie est évidente, puisque ce sont les *mêmes équations mathématiques de base qui décrivent les oscillations mécaniques et électromagnétiques*. Nous ferons grand cas de cette analogie en électromagnétisme.

La *période T* d'un mouvement harmonique est le temps requis pour compléter un aller-retour, c'est-à-dire une *oscillation complète* ou un *cycle*. Le nombre d'oscillations (ou de cycles) par unité de temps constitue la *fréquence*. La fréquence est donc la réciproque de la période, ou

$$f = 1/T. \tag{15-1}$$

L'unité SI de fréquence, définie comme étant $\frac{1}{s}$ ou s^{-1}, est le cycle par seconde, ou *hertz* (Hz)[1]. Le point où ne s'exerce aucune force résultante sur la particule oscillante s'appelle la *position d'équilibre*. *Le déplacement* (linéaire ou angulaire) est la distance (linéaire ou angulaire) séparant, à chaque instant, la particule de sa position d'équilibre.

Arrêtons-nous au mouvement de va-et-vient d'une particule selon une droite, entre deux limites déterminées. Son déplacement $\vec{x}$ change périodiquement de grandeur et de sens. Il en est ainsi pour sa vitesse $\vec{v}$, son accélération $\vec{a}$ et même pour la force $\vec{F}$ agissant sur cette particule selon la relation $\vec{F} = m\vec{a}$.

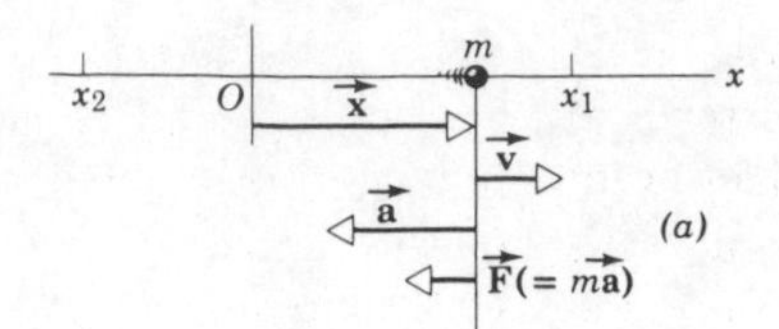

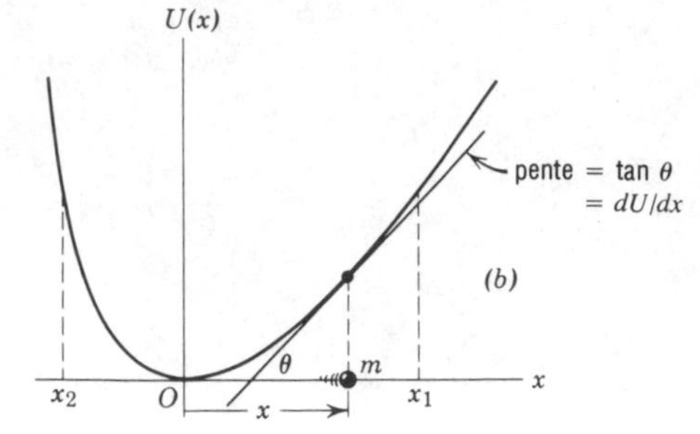

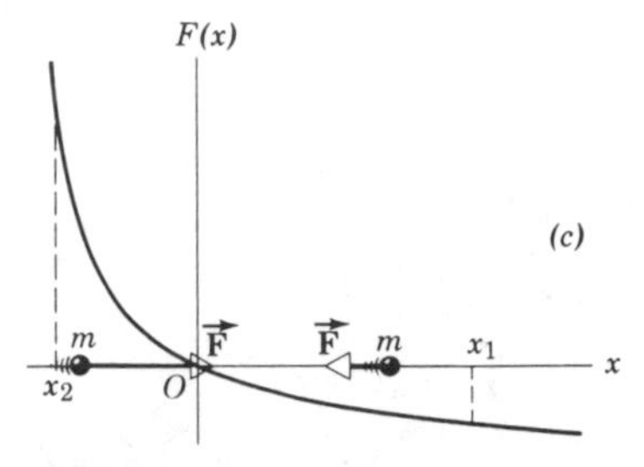

figure 15-1
(a) Une particule de masse m oscille selon un mouvement harmonique entre les points x_1 et x_2 autour d'une position d'équilibre O. *(b)* L'énergie potentielle de la particule en fonction de la position. L'expression $F = -dU/dx$ donne la force agissant sur la particule au point x. *(c)* La force agissant sur la particule en fonction de la position x; observez que la force est orientée vers la position d'équilibre.

• **Notes**

Les forces associées au mouvement harmonique appartiennent aux types les plus généraux de forces discutées jusqu'à maintenant. Dans les premiers chapitres, les forces étaient constantes (les accélérations aussi). Un peu plus loin, lorsque nous avons considéré des forces variables dans le temps, nous nous sommes arrêtés, en premier lieu, à l'une d'elles (et par conséquent à l'accélération qui lui est reliée) qui variait en direction et non en grandeur (la force centripète de la section 6-3) et, en second lieu, à une autre force (et, par conséquent, à une accélération) variant en grandeur et non en direction (la force d'impulsion de la section 10-1). Ici, dans l'étude du mouvement harmonique, la force et l'accélération varient toutes les deux en grandeur et en direction. •

En fonction de l'énergie, on peut dire qu'une particule en mouvement harmonique accomplit un va-et-vient autour d'un point (son point d'équilibre) où son énergie potentielle est minimale. Le pendule simple fournit un bon exemple; son énergie potentielle connaît un minimum au bas du balancement, c'est-à-dire au point d'équilibre. La figure 15-1*a* nous montre le cas général d'une particule oscillant entre les limites x_1 et x_2, O étant la position d'équilibre. Sur la figure 15-1*b*, on voit le graphique correspondant de l'énergie potentielle. On remarque le minimum d'énergie au point O. Pour obtenir, à partir de la fonction exprimant l'énergie potentielle, la force qui agit sur la particule à chacune des positions occupées, on fait appel à l'équation 8-7:

$$F = -dU/dx. \tag{8-7}$$

Le graphique correspondant apparaît à la figure 15-1*c*. La force, nulle au point d'équilibre O, pointe vers la droite (c'est-à-dire qu'elle est positive) lorsque la particule est à gauche de O, et pointe vers la gauche (c'est-à-dire qu'elle est négative) dans le cas contraire. La *force* est dite *de rappel* puisqu'elle agit de façon à accélérer la particule dans la direction de la position d'équilibre. Par conséquent, la position d'équilibre d'un mouvement harmonique est une position *d'équilibre stable*.

L'énergie mécanique totale d'un système oscillant est la somme de ses énergies cinétique et potentielle, soit

$$E = K + U, \tag{15-2}$$

[1] On appelle ainsi l'unité de fréquence en l'honneur de Heinrich Hertz (1857-1894), dont les travaux de recherche nous ont apporté la confirmation expérimentale des ondes électromagnétiques prédites théoriquement par James Clerk Maxwell (1831-1879).

dans laquelle E demeure constante en l'absence de force non conservatrice, la force de friction, par exemple. La figure 15-2 nous montre l'énergie E correspondant au mouvement de la figure 15-1. Notez qu'à la position illustrée, les énergies satisfont à l'équation 15-2. La particule ne franchit pas les limites x_1 et x_2 parce que, dans ces régions, U est plus grande que E, ce qui implique, comme le révèle l'équation 15-2, une énergie cinétique négative, ce qui est impossible. Dans un environnement donné, c'est-à-dire pour une fonction $U(x)$ connue, une particule en mouvement oscillatoire peut prendre des valeurs d'énergie différentes selon le mouvement initial fourni. Ainsi, l'énergie totale pourrait être E' au lieu de E, ce changement donnant x_1' et x_2' au lieu de x_1 et x_2 pour les nouvelles limites d'oscillation (fig. 15-2).

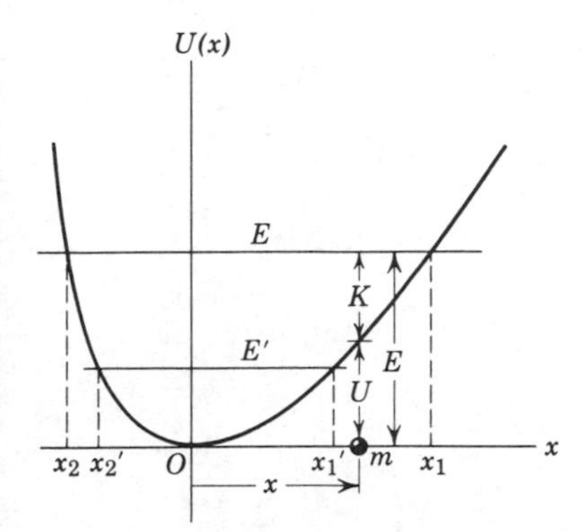

figure 15-2
Les deux niveaux horizontaux E et E' représentent les énergies mécaniques totales dans deux situations différentes du mouvement de la figure 15-1. Lorsque l'énergie totale diminue de E à E', les limites des oscillations passent à x_1' et x_2' respectivement.

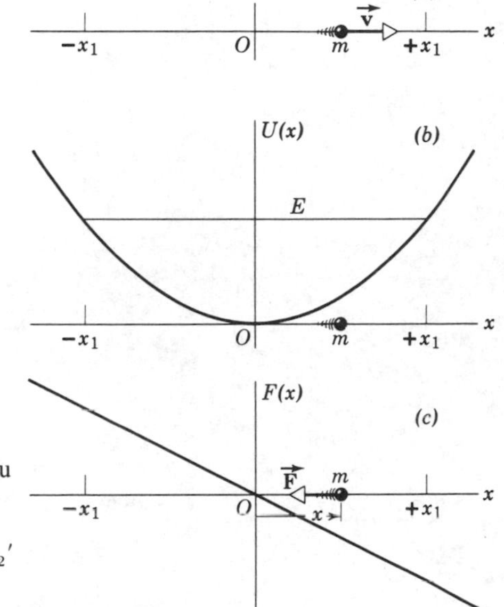

figure 15-3
(a) Une particule de masse m oscille selon un mouvement harmonique simple entre les points x_1 et $-x_1$ autour d'une position d'équilibre O. *(b)* L'énergie potentielle $U(x)$ et l'énergie mécanique totale E. *(c)* Le graphique de la force agissant sur la particule. Comparez attentivement cette figure avec la figure 15-1 qui illustre le cas général du mouvement harmonique.

15-2 *OSCILLATEUR HARMONIQUE SIMPLE*

Considérons une particule oscillant autour d'un point d'équilibre (fig. 15-3*a*) dont le potentiel varie suivant l'équation

$$U(x) = \tfrac{1}{2}kx^2, \qquad (15\text{-}3)$$

où k désigne une constante (fig. 15-3*b*). On obtient, à l'aide de l'équation 8-7, la force correspondante:

$$F(x) = -dU/dx = -d(\tfrac{1}{2}kx^2)/dx = -kx, \qquad (15\text{-}4)$$

comme l'illustre la figure 15-3*c*. Une telle particule en mouvement oscillatoire s'appelle un *oscillateur harmonique simple* et son mouvement est dit *harmonique simple*. Dans un tel mouvement, comme le montre l'équation 15-3, la courbe d'énergie potentielle varie en fonction du carré du déplacement et, selon l'équation 15-4, la force qui agit sur la particule est proportionnelle au déplacement, tout en lui étant opposée. Dans un mouvement harmonique simple, les limites d'oscillation sont à une distance égale de la position d'équilibre. Ce n'est pas vrai pour le cas plus général du mouvement de la figure 15-1, qui est harmonique, mais non harmonique simple. La grandeur du déplacement maximum, c'est-à-dire la quantité x_1 dans la figure 15-3, considérée toujours comme positive, s'appelle *l'amplitude* du mouvement harmonique simple.

Vous aurez sans doute reconnu dans l'équation 15-3, $[U(x) = \tfrac{1}{2}kx^2]$ l'expression de l'énergie potentielle d'un ressort idéal, comprimé ou étiré d'une distance x; consultez à cet effet la section 8-4. Dans cette section, on a défini un ressort idéal comme étant celui où $F = -kx$ décrit la force nécessaire pour étirer ou pour comprimer un ressort, k étant la constante d'élasticité du ressort.

Par conséquent, une masse m attachée à un ressort de constante d'élasticité k, et libre de se déplacer sur une surface horizontale sans friction, constitue un exemple d'oscillateur harmonique simple (fig. 15-4*b*). Remarquez qu'il existe une position (la position d'équilibre, fig. 15-4*a*) où le ressort n'exerce aucune force sur le corps. Si on déplace ce dernier vers la droite, comme sur la figure 15-4*a*, la force du ressort sur ce corps pointe vers la gauche et vaut $F = -kx$. Si, au contraire, on pousse le corps à gauche (comme sur la figure 15-4*c*), la force pointe vers la droite et vaut encore $F = -kx$. Dans chaque cas, il s'agit d'une *force* de *rappel*. Le *mouvement oscillatoire* de la masse est donc *harmonique simple*.

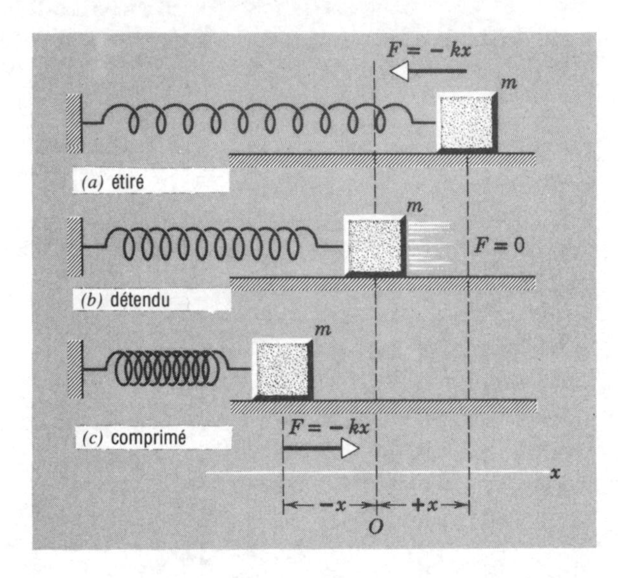

figure 15-4
Un oscillateur harmonique simple. On illustre dans chaque situation la force qu'exerce le ressort. Le bloc glisse sans frottement sur une surface horizontale.

Appliquons la deuxième loi de Newton, $F = ma$, au mouvement de la figure 15-4. On substitue à F l'expression $-kx$, (obtenue de l'équation 15-4) et on remplace l'accélération a par d^2x/dt^2 ($= dv/dt$); on trouve ainsi l'expression suivante:

$$-kx = m\frac{d^2x}{dt^2}$$

ou

$$\frac{d^2x}{dt^2} + \frac{k}{m}x = 0. \tag{15-5}$$

Cette équation contient des dérivées; il s'agit donc d'une *équation différentielle*. Résoudre l'équation consiste à trouver la fonction décrivant le déplacement x en fonction du temps qui satisfait cette équation. Lorsque nous connaissons la variation de x en fonction du temps, nous connaissons le mouvement de la particule. L'équation 15-5 s'appelle *l'équation du mouvement* de l'oscillateur harmonique simple. Nous résoudrons cette équation dans la section suivante et nous décrirons en détail le mouvement qui en découle.

Deux raisons particulières justifient l'importance que nous attachons au problème de l'oscillateur harmonique simple. En premier lieu, la plupart des problèmes impliquant des vibrations mécaniques se réduisent à celui de l'oscillateur harmonique simple aux faibles amplitudes de vibrations ou à une combinaison de telles vibrations. Ceci revient à dire que si nous considérons une portion suffisamment petite de la courbe décrivant la force de rappel de la figure 15-1*c* (autour de l'origine), elle se rapproche arbitrairement de la droite qui caractérise, comme le montre la figure 15-3c, le mouvement harmonique simple. En d'autres mots, la courbe de l'énergie potentielle de la figure 15-1b, qui représente le mouvement oscillatoire en général, se réduit à celle de la figure 15-3b, décrivant le mouvement harmonique simple, à condition de garder petite l'amplitude de vibration autour de la position d'équilibre O. En second lieu, comme nous l'avons indiqué, des équations comme l'équation 15-5 interviennent dans plusieurs problèmes physiques: en acoustique, en optique, en mécanique, en électricité et même en physique atomique. L'oscillateur harmonique simple se présente de la même façon dans plusieurs systèmes physiques.

L'équation 15-4 ($F = -kx$) est une relation empirique connue sous le nom de *loi de Hooke*. C'est un cas particulier d'une relation plus générale concernant la déformation des corps élastiques découverte par Robert Hooke (1635-1703)[2]. Cette relation concerne aussi bien les ressorts que les autres corps élastiques, pourvu que la déformation ne soit pas trop grande. Si on déforme le corps au-delà d'un certain point appelé sa *limite d'élasticité*, il ne retrouvera plus sa forme initiale lorsque cessera l'action de la force (fig. 15-5). Il appert que la loi de Hooke s'applique à la plupart des matériaux courants, utilisés à l'intérieur de leur limite d'élasticité. La région où les forces appliquées obéissent à la loi de Hooke s'appelle « région de proportionnalité directe ». Au-delà de la limite d'élasticité, il n'est plus possible de décrire la force par une fonction d'énergie potentielle, puisqu'elle dépend de plusieurs facteurs, dont la vitesse de déformation et les antécédents du corps.

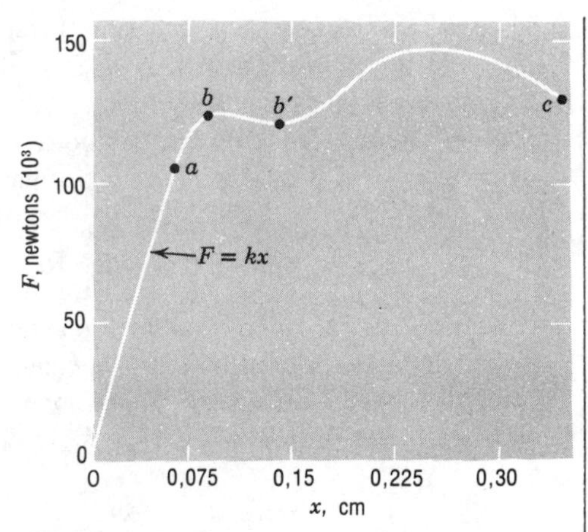

figure 15-5
Le graphique caractéristique de la force appliquée en fonction de l'élongation d'une barre d'aluminium sous tension. L'échantillon mesurait 0,30 m de longueur et 6,5 cm² de section. Observez que nous pouvons écrire $F = kx$ pour la portion Oa seulement, puisqu'au-delà de ce point, la pente n'est plus constante mais varie selon une courbe compliquée en fonction de x. A un certain point, b par exemple (la *limite d'élasticité*), l'échantillon ne reprend pas sa longueur initiale lorsqu'on retire la force. Entre b et b', l'élongation augmente en dépit du fait que la force demeure constante; la matière coule comme un liquide visqueux. Le point c constitue la limite extrême de l'élongation; tout accroissement subséquent brisera l'échantillon en deux. La force appliquée est égale en grandeur à la force de rappel, c'est pourquoi le signe moins n'apparaît pas dans la relation $F = kx$.

Notez que la force de rappel et la fonction de l'énergie potentielle d'un oscillateur harmonique sont identiques à celles d'un solide déformé selon une dimension dans la « région de proportionnalité directe ». Si on relâche le solide déformé, il vibrera comme l'oscillateur harmonique simple. Par conséquent, pour autant que l'amplitude de vibration soit assez petite, c'est-à-dire aussi longtemps que la déformation demeure dans la région de proportionnalité, les vibrations mécaniques se comportent exactement comme des oscillateurs harmoniques simples. Il est facile, pour généraliser cette étude, de montrer que tout problème comportant des vibrations de faibles amplitudes en trois dimensions se réduit à une combinaison d'oscillateurs harmoniques simples.

Les cordes ou les membranes vibrantes, les vibrations sonores, celles des atomes d'un cristal, les oscillations électriques ou acoustiques dans une cavité peuvent toutes se décrire d'une façon mathématiquement identique à un système d'oscillateurs harmoniques. L'analogie nous permet de résoudre les problèmes d'un domaine particulier au moyen des techniques développées ailleurs.

15-3 *MOUVEMENT HARMONIQUE SIMPLE*

Résolvons maintenant l'équation du mouvement de l'oscillateur harmonique simple, c'est-à-dire:

$$\frac{d^2x}{dt^2} + \frac{k}{m}x = 0. \tag{15-6}$$

Il faut se rappeler que tout système de masse m soumis à l'action d'une force $F = -kx$ obéit à cette équation. Dans le cas d'un ressort, la constante de proportionnalité k correspond à la constante d'élasticité du ressort, ce qui est une mesure de sa rigidité. Dans d'autres systèmes oscillants, la constante de proportionnalité peut dépendre des considérations physiques du problème, comme nous le verrons plus loin. On peut utiliser comme prototype le système oscillant de la masse attachée au ressort.

[2] Hooke exprima sa loi, pour la première fois, en 1676 dans un cryptogramme latin *ceiiinosssttuv*. Deux ans plus tard il le traduisit ainsi: *ut tensio sic vis*, que l'on traduit par: l'extension est proportionnelle à la force.

L'équation 15-6 est une équation différentielle. Elle consiste en une relation entre une fonction du temps, $x(t)$, et sa dérivée seconde d^2x/dt^2. Pour obtenir la position de la particule en fonction du temps, il nous faut donc trouver une fonction $x(t)$ qui satisfait cette relation.

Écrivons l'équation 15-6 sous la forme suivante:

$$\frac{d^2x}{dt^2} = -\left(\frac{k}{m}\right)x. \tag{15-7}$$

L'équation 15-7 requiert donc que $x(t)$ soit une fonction dont la dérivée seconde, compte tenu de la constante k/m, égale l'inverse additif de la fonction elle-même. Le calcul différentiel nous apprend que les fonctions sinus et cosinus possèdent cette propriété[3]. Par exemple,

$$\frac{d}{dt}\cos t = -\sin t \qquad \text{et} \qquad \frac{d^2}{dt^2}\cos t = -\frac{d}{dt}\sin t = -\cos t.$$

La multiplication de la fonction cosinus par une constante A n'affecte pas cette propriété. Eu égard au fait que la fonction sinus se comporte de la même façon et que l'équation 15-7 renferme une constante, essayons comme solution, la fonction

$$x = A\cos(\omega t + \phi). \tag{15-8}$$

Puisque

$$\cos(\omega t + \phi) = \cos\phi\cos\omega t - \sin\phi\sin\omega t = a\cos\omega t + b\sin\omega t,$$

on voit que la constante ϕ tient lieu d'une combinaison linéaire des solutions sinus et cosinus. Par conséquent, les constantes (pour le moment) inconnues A, ω et ϕ nous ont permis d'écrire une solution aussi générale que possible. Pour déterminer ces constantes, de telle sorte que l'équation 15-8 devienne réellement la solution de l'équation 15-7, nous dérivons deux fois la première par rapport au temps:

$$\frac{dx}{dt} = -\omega A\sin(\omega t + \phi)$$

et

$$\frac{d^2x}{dt^2} = -\omega^2 A\cos(\omega t + \phi).$$

En substituant ces égalités dans l'équation 15-7, on obtient:

$$-\omega^2 A\cos(\omega t + \phi) = -\frac{k}{m}A\cos(\omega t + \phi).$$

Si on choisit la constante ω de telle sorte que

$$\omega^2 = \frac{k}{m}, \tag{15-9}$$

alors

$$x = A\cos(\omega t + \phi)$$

devient réellement la solution de l'équation de l'oscillateur harmonique simple.

Les constantes A et ϕ sont encore indéterminées et, de ce fait, complètement arbitraires. Ceci signifie que tout choix de A et ϕ, quel qu'il soit, satisfera l'équation 15-7, ce qui permet à l'oscillateur une grande variété de mouvement. C'est en effet caractéristique de l'équation différentielle du mouvement de permettre la description, non pas d'un seul, mais d'un groupe ou d'une famille de mouvements possibles qui possèdent des aspects communs tout en différant

[3] Le mouvement harmonique est non seulement périodique mais aussi borné. Seules les fonctions sinus et cosinus (ou des combinaisons des deux) possèdent ces deux propriétés.

sur certains points. Dans ce cas, ω est commun aux mouvements possibles, tandis que A et ϕ les distinguent l'un de l'autre. Nous verrons plus loin que ce sont les conditions initiales d'un mouvement harmonique particulier qui déterminent A et ϕ.

Cherchons la *signification physique* de la constante ω. Si, dans l'équation 15-8, on accroît le temps t de $2\pi/\omega$, la fonction devient:

$$\begin{aligned} x &= A \cos [\omega(t + 2\pi/\omega) + \phi], \\ &= A \cos (\omega t + 2\pi + \phi), \\ &= A \cos (\omega t + \phi). \end{aligned}$$

Ainsi, la fonction se répète après un temps $2\pi/\omega$. Par conséquent, $2\pi/\omega$ est la *période* T du mouvement. Puisque $\omega^2 = k/m$, il s'ensuit que:

$$T = \frac{2\pi}{\omega} = 2\pi \sqrt{\frac{m}{k}}. \tag{15-10}$$

Tous les mouvements correspondant à l'équation 15-7 ont donc la même période; et c'est la masse m en oscillation et la constante d'élasticité k du ressort qui la déterminent. La *fréquence* f de l'oscillateur est le nombre de vibrations complètes par unité de temps, et elle vaut:

$$f = \frac{1}{T} = \frac{\omega}{2\pi} = \frac{1}{2\pi} \sqrt{\frac{k}{m}}. \tag{15-11}$$

Par conséquent,
$$\omega = 2\pi f = \frac{2\pi}{T}. \tag{15-12}$$

La quantité ω s'appelle la *fréquence angulaire*; elle diffère de la fréquence f par un facteur 2π. Sa dimension est l'inverse du temps (la même que la vitesse angulaire), et ses unités sont le radian par seconde. Dans la section 15-6, nous donnerons une signification géométrique à cette fréquence angulaire.

Le sens physique de la constante A est simple. La fonction cosinus varie de -1 à $+1$. Le *déplacement* x, à partir de la position d'équilibre $x = 0$, prend donc la valeur maximale A (voir l'équation 15-8). Nous appelons A, ou x_{max}, *l'amplitude du mouvement*. Puisque A n'est pas déterminée par notre équation différentielle, les mouvements peuvent prendre des amplitudes différentes tout en ayant la même période et la même fréquence. *La fréquence du mouvement harmonique simple est indépendante de son amplitude.*

La quantité $(\omega t + \phi)$ donne la *phase* du mouvement; la constante ϕ en est la *constante de phase* ou la *phase initiale*. Deux mouvements peuvent avoir même amplitude et même fréquence et différer de phase. Si $\phi = -\pi/2$, par exemple,

$$\begin{aligned} x &= A \cos (\omega t + \phi) = A \cos (\omega t - 90°) \\ &= A \sin \omega t, \end{aligned}$$

ce qui fait que le déplacement est nul au temps $t = 0$. Lorsque $\phi = 0$, le déplacement $x = A \cos \omega t$ est maximum à $t = 0$. Des déplacements initiaux différents correspondent à des constantes de phase particulières.

La position initiale et la vitesse de départ de la particule déterminent l'amplitude A et la constante de phase ϕ. Ces deux conditions initiales spécifieront A et ϕ exactement[4]. Une fois le mouvement lancé, toutefois, la particule oscillera avec une amplitude, une phase initiale et une fréquence qui ne varieront pas, à moins que d'autres forces ne viennent perturber le système.

[4] On peut ajouter à la constante de phase un multiple entier de 2π ou de 360°, et elle décrira le mouvement tout aussi bien.

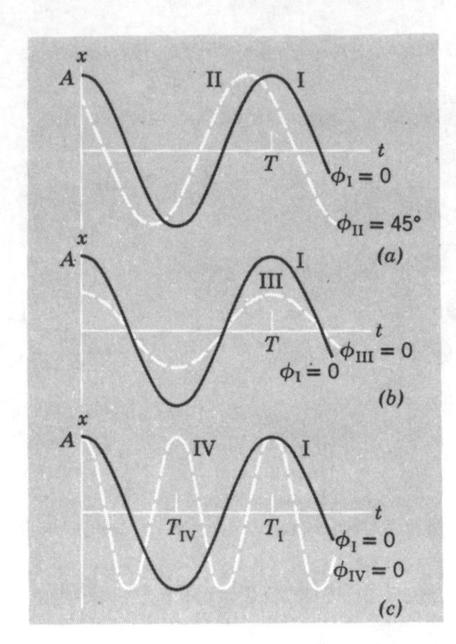

figure 15-6
Quelques solutions de l'équation de l'oscillateur harmonique simple. *(a)* Les deux solutions ont même amplitude et même période mais leur phase diffère de 45°. *(b)* Les deux solutions ont même période et même phase initiale. Leur amplitude diffère par un facteur de 2. *(c)* Les deux solutions ont même phase initiale et même amplitude, mais leur période diffère par un facteur de 2.

Dans la figure 15-6, nous avons tracé le déplacement x en fonction du temps t pour plusieurs mouvements harmoniques décrits par l'équation 15-8. On y fait trois comparaisons. Dans la figure 15-6a, I et II ont même amplitude et même fréquence tandis que leur phase diffère par $\phi = \pi/4 = 45°$. Dans la figure 15-6b, I et III ont même fréquence et même phase, mais diffèrent en amplitude par un facteur 2. En c, I et IV ont même amplitude et même constante de phase, mais leur fréquence diffère par un facteur 1/2, ou, ce qui est équivalent, leur période diffère par un facteur 2. Étudiez attentivement ces courbes pour vous familiariser avec la terminologie du mouvement harmonique simple.

La relation entre le déplacement, la vitesse et l'accélération constitue un autre caractère distinctif du mouvement harmonique simple. Comparons ces quantités à l'aide de la courbe I de la figure 15-6, qui est typique de ce mouvement. Sur la figure 15-7, nous traçons séparément le déplacement x, la vitesse $v = dx/dt$ et l'accélération $a = dv/dt = d^2x/dt^2$, tous trois en fonction du temps. Les équations sont respectivement les suivantes:

$$x = A \cos(\omega t + \phi),$$

$$v = \frac{dx}{dt} = -\omega A \sin(\omega t + \phi), \qquad (15\text{-}13)$$

$$a = \frac{dv}{dt} = -\omega^2 A \cos(\omega t + \phi).$$

Dans cette figure, on a posé $\phi = 0$. On a omis les unités et l'échelle du déplacement, de la vitesse et de l'accélération pour simplifier la comparaison. Notez, toutefois (éq. 15-13), que la valeur maximum du déplacement est A, celle de la vitesse, ωA, et celle de l'accélération, $\omega^2 A$.

Lorsque le déplacement est maximal, dans l'une ou l'autre direction, la vitesse est nulle puisqu'elle doit, à ce moment, inverser son sens. L'accélération à cet instant, comme la force de rappel, passe par un maximum, mais de sens opposé au déplacement. Lorsque le déplacement est nul, la vitesse de la particule est maximale et son accélération, nulle, correspond à une force de rappel nulle aussi. La vitesse s'accroît lorsque la particule tend vers la position d'équilibre et décroît lorsqu'elle se dirige vers son déplacement maximum, tout comme le pendule d'une horloge.

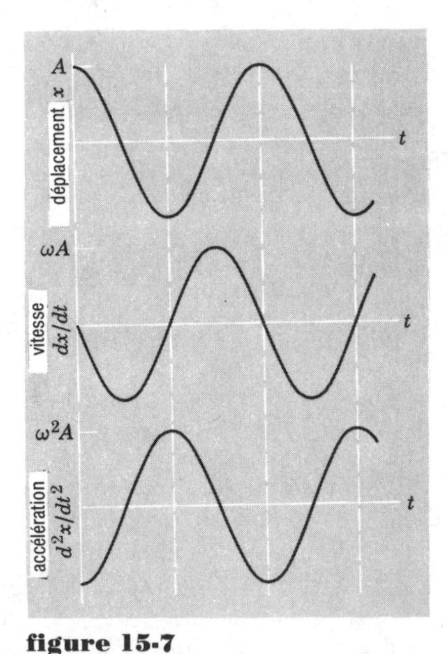

figure 15-7
Les relations entre le déplacement, la vitesse et l'accélération dans un mouvement harmonique simple. La phase initiale ϕ est nulle dans ce cas particulier puisque le déplacement est maximal à $t = 0$; voir l'équation 15-8.

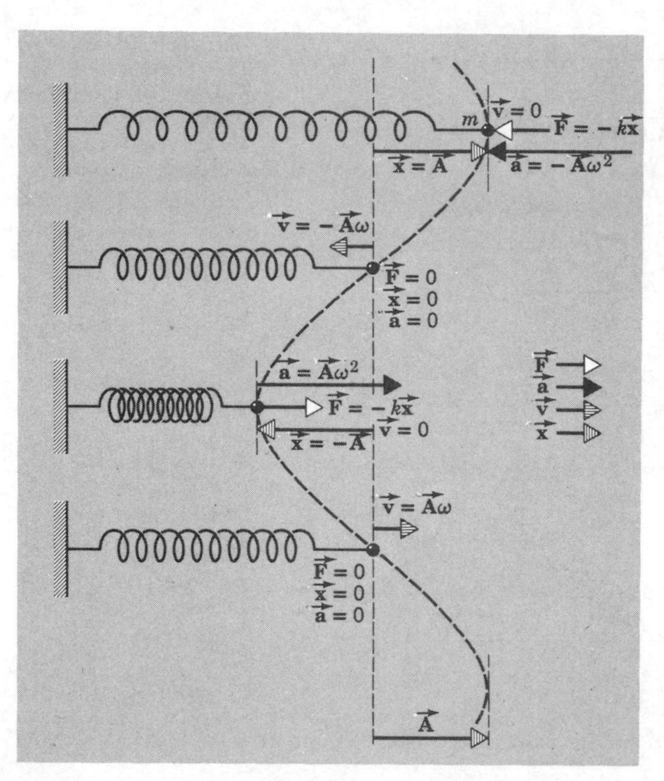

figure 15-8
La force agissant sur une particule en mouvement harmonique simple, ainsi que son accélération, sa vitesse et son déplacement. Comparez attentivement avec la figure 15-7.

La figure 15-8 nous montre les valeurs instantanées de $\vec{x}$, $\vec{v}$ et $\vec{a}$ à quatre moments différents du mouvement d'une particule en oscillation au bout d'un ressort.

15-4 *CONSIDÉRATION DE L'ÉNERGIE DANS L'ÉTUDE DU MOUVEMENT HARMONIQUE SIMPLE*

L'équation 15-2 nous dit que dans le mouvement harmonique (y inclus celui qu'on appelle simple) où n'intervient aucune force dissipative, l'énergie mécanique totale $E = K + U$ se conserve (demeure constante). On peut donc s'y arrêter en étudiant le cas particulier du mouvement harmonique simple, maintenant que nous connaissons l'expression de son déplacement:

$$x = A \cos(\omega t + \phi). \tag{15-8}$$

L'énergie potentielle à tout instant vaut:

$$U = \tfrac{1}{2}kx^2$$
$$= \tfrac{1}{2}kA^2 \cos^2(\omega t + \phi). \tag{15-14}$$

La valeur maximale de l'énergie potentielle est $\frac{1}{2}kA^2$. Pendant que le mouvement progresse, l'énergie potentielle varie de zéro à sa valeur maximum, comme le montrent les courbes de la figure 15-9*a* et 15-9*b*.

L'énergie cinétique à tout instant vaut $\frac{1}{2}mv^2$. En tirant parti des relations

$$v = dx/dt = -\omega A \sin(\omega t + \phi)$$

et

$$\omega^2 = k/m,$$

nous obtenons:

$$K = \tfrac{1}{2}mv^2,$$
$$= \tfrac{1}{2}m\omega^2 A^2 \sin^2(\omega t + \phi),$$
$$= \tfrac{1}{2}kA^2 \sin^2(\omega t + \phi). \tag{15-15}$$

La valeur maximale de l'énergie cinétique équivaut donc à $\frac{1}{2}kA^2$, ou $\frac{1}{2}m(\omega A)^2$, en accord avec la vitesse maximale ωA observée précédemment. Durant le

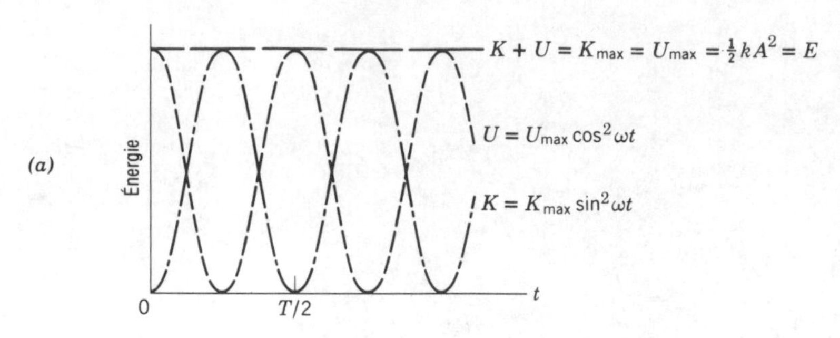

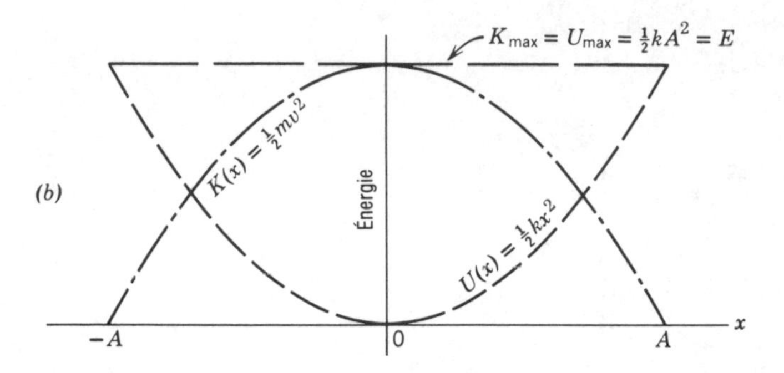

figure 15-9
Les énergies d'un oscillateur harmonique simple. *(a)* Les courbes de l'énergie potentielle (– – – –), de l'énergie cinétique (– · –) et de l'énergie totale (—— ——) en fonction du temps. *(b)* Les courbes des énergies potentielle, cinétique et totale en fonction du déplacement de chaque côté de la position d'équilibre. Comparez avec la figure 8-4.

mouvement, l'énergie cinétique passe de zéro à sa valeur maximale, comme le laissent voir les figures 15-9*a* et 15-9*b*.

L'énergie mécanique totale est la somme de l'énergie cinétique et de l'énergie potentielle. Des équations 15-14 et 15-15, il ressort que:

$$E = K + U = \tfrac{1}{2}kA^2 \sin^2 (\omega t + \phi) + \tfrac{1}{2}kA^2 \cos^2 (\omega t + \phi) = \tfrac{1}{2}kA^2. \qquad (15\text{-}16)$$

Nous voyons que l'énergie mécanique totale est constante, (on s'y attendait), et qu'elle vaut $\frac{1}{2}kA^2$. Au point où le déplacement est maximum, l'énergie cinétique est nulle, alors que l'énergie potentielle connaît sa valeur la plus grande, $\frac{1}{2}kA^2$. Au point d'équilibre, par contre, l'énergie potentielle est nulle tandis que l'énergie cinétique vaut $\frac{1}{2}kA^2$. À tous les autres points, les deux énergies contribuent à l'énergie totale qui égale toujours $\frac{1}{2}kA^2$. Les figures 15-9*a* et 15-9*b* montrent la constance de cette énergie totale. *L'énergie totale d'une particule en mouvement harmonique simple est proportionnelle au carré de l'amplitude du mouvement.* Il apparaît clairement à la figure 15-9*a* que l'énergie cinétique *moyenne* du mouvement sur une période égale exactement l'énergie potentielle *moyenne*, et que chacune de ces quantités équivaut à $\frac{1}{4}kA^2$.

De façon plus générale, on pourrait écrire l'équation 15-16 sous la forme suivante:

$$K + U = \tfrac{1}{2}mv^2 + \tfrac{1}{2}kx^2 = \tfrac{1}{2}kA^2, \qquad (15\text{-}17)$$

d'où l'on peut extraire la valeur de v:

$$v^2 = (k/m)(A^2 - x^2),$$

ou

$$v = \frac{dx}{dt} = \pm\sqrt{\frac{k}{m}(A^2 - x^2)}. \qquad (15\text{-}18)$$

Cette relation nous montre clairement que la vitesse est maximale à la position d'équilibre $x = 0$, tandis qu'elle s'annule au déplacement maximum $x = A$. En fait, à partir du principe de la conservation de l'énergie, (éq. 15-17, dans laquelle $\frac{1}{2}kA^2 = E$) et en intégrant l'équation 15-18, on peut obtenir le déplacement en fonction du temps. Le résultat est identique à l'équation 15-8 que nous avons déduite de l'équation différentielle du mouvement (voir le problème 29).

On discutera l'effet des forces dissipatives à la section 15-9.

EXEMPLE 1

Le ressort horizontal de la figure 15-4 s'écarte de 0,05 m de sa position d'équilibre lorsqu'on lui applique une force de 25 N. On lui attache alors une masse de 5,0 kg et on l'étire d'une longueur de 0,20 m le long d'une table horizontale sans frottement. On relâche ensuite le système, qui oscille selon un mouvement harmonique simple.

(a) Quelle est la constante d'élasticité du ressort?

Une force de 25 N appliquée au ressort l'étire de 0,05 m. Par conséquent,

$$k = F/x = 25 \text{ N}/0{,}05 \text{ m} = 5{,}0 \times 10^2 \text{ N/m}.$$

Pourquoi n'avoir pas utilisé $k = -F/x$?

(b) Quelle est la force exercée par le ressort sur la masse de 5 kg, au moment de relâcher le système?

Le déplacement du ressort vaut 0,20 m. Par conséquent, la force du ressort a la valeur suivante:

$$F = -kx = (-5 \times 10^2 \text{ N/m}) \times (0{,}20 \text{ m}) = -100 \text{ N}.$$

Le signe négatif signifie que la force est de sens opposé au déplacement.

(c) Quelle est la période d'oscillation?

$$T = 2\pi\sqrt{\frac{m}{k}} = 2\pi\sqrt{(5{,}0 \text{ kg})/(5{,}0 \times 10^2 \text{ N/m})} = \pi/5 \text{ s} = 0{,}63 \text{ s}.$$

Ce résultat correspond à une fréquence $f = 1/T$ de 1,6 Hz et à une fréquence angulaire $\omega = 2\pi f$ de 10 rad/s.

(d) Quelle est l'amplitude du mouvement?

Le déplacement maximum correspond au zéro de l'énergie cinétique et au maximum de l'énergie potentielle. Il s'agit de la condition initiale de l'oscillation. L'amplitude correspond donc au déplacement initial et vaut 0,20 m, c'est-à-dire $A = 0{,}20$ m.

(e) Quelle est la vitesse maximum du corps en oscillation?

Il s'ensuit, de l'équation 15-13, que $v_{\text{max}} = \omega A = (2\pi/T)A$; donc:

$$v_{\text{max}} = \left(\frac{2\pi}{\pi/5}\text{s}^{-1}\right)(0{,}20 \text{ m}) = 2{,}0 \text{ m/s}.$$

La vitesse est maximum à la position d'équilibre, c'est-à-dire à $x = 0$. On rencontre deux fois cette valeur au cours d'une période, cette vitesse devenant $-2{,}0$ m/s lorsque le corps passe à $x = 0$ après l'élan initial, et $+2{,}0$ m/s au retour.

(f) Que vaut l'accélération maximale du corps?

A l'aide de l'équation 15-13, on trouve:

$$a_{\text{max}} = \omega^2 A = (k/m)A = \frac{(5{,}0 \times 10^2 \text{ N/m})}{(5{,}0 \text{ kg})} \times (0{,}2 \text{ m}) = 20 \text{ m/s}^2.$$

L'accélération est maximum aux extrémités de la trajectoire, lorsque $x = \pm A$ et $v = 0$. Par conséquent, $a = -20$ m/s² à $x = +A$ et $+20$ m/s² à $x = -A$; l'accélération et le déplacement sont directement opposés.

(g) Calculez la vitesse, l'accélération, l'énergie potentielle et l'énergie cinétique du corps lorsqu'il a franchi la moitié de la distance séparant le point de départ de la position d'équilibre.

A ce point, $x = A/2 = 0{,}10$ m. De l'équation 15-18, il s'ensuit que:

$$v = -\frac{2\pi}{T}\sqrt{A^2 - x^2}$$

$$= -\frac{2\pi}{(\pi/5)}\sqrt{(0{,}2)^2 - (0{,}1)^2} \text{ m/s} = -\sqrt{3} \text{ m/s} = -1{,}7 \text{ m/s}.$$

$$a = -\frac{k}{m}x = -\frac{5{,}0 \times 10^2}{5{,}0} \times (0{,}1) \text{ m/s}^2 = -10 \text{ m/s}^2.$$

$$K = \tfrac{1}{2}mv^2 = (\tfrac{1}{2})(5{,}0 \text{ kg})(\sqrt{3} \text{ m/s})^2 = 7{,}5 \text{ J}.$$

$$U = \tfrac{1}{2}kx^2 = \tfrac{1}{2}(5 \times 10^2 \text{ N/m})(0{,}1 \text{ m})^2 = 2{,}5 \text{ J}.$$

(h) Calculez l'énergie totale du système.

Puisque l'énergie totale du système se conserve, on peut calculer sa valeur en un point quelconque du mouvement. En utilisant les résultats antérieurs on trouve:

$$E = K + U = (7{,}5 + 2{,}5) \text{ J} = 10 \text{ J} \qquad \text{au point } x = A/2,$$

$$E = U_{max} = \tfrac{1}{2} kx_{max}^2 = (\tfrac{1}{2})(5 \times 10^2 \text{ N/m}) \times (0{,}2 \text{ m})^2 = 10 \text{ J} \qquad \text{au point } x = A,$$

$$E = K_{max} = \tfrac{1}{2} mv_{max}^2 = (\tfrac{1}{2})(5 \text{ kg})(2{,}0 \text{ m/s})^2 = 10 \text{ J} \qquad \text{au point } x = 0.$$

(i) Exprimez le déplacement de la masse en fonction du temps.

En général, dans un mouvement harmonique simple,

$$x = A \cos(\omega t + \phi).$$

Nous savons déjà que:

$$A = 0{,}20 \text{ m et } \omega = 10 \text{ rad/s},$$

ce qui donne, pour le déplacement:

$$x = 0{,}20 \cos(10t + \phi).$$

Au temps $t = 0$, $x = 0{,}20$ m, d'où:

$$x = 0{,}20 \cos\phi = 0{,}20 \text{ m},$$

ce qui donne:

$$\phi = 0.$$

On obtient finalement:

$$x = 0{,}20 \cos 10t.$$

Cette expression, où x est en mètres, t en secondes et $10t$ en radians, décrit le mouvement de la masse.

15-5 APPLICATIONS DU MOUVEMENT HARMONIQUE SIMPLE[5]

On considérera ici quelques systèmes physiques qui se déplacent selon un mouvement harmonique simple. Nous en étudierons d'autres, ici et là tout au long du texte.

Le pendule simple. Un pendule simple est un système idéalisé formé d'une masse ponctuelle suspendue à une corde inextensible et sans poids. Écarté de sa position d'équilibre, puis relâché, le pendule oscille dans un plan vertical grâce à la gravité. Le mouvement est périodique et oscillatoire. Nous désirons déterminer sa période.

La figure 15-10 nous montre un pendule de longueur l et de masse m, qui s'écarte d'un angle θ par rapport à la verticale. Les forces qui s'exercent sur la masse sont $m\vec{g}$, la force gravitationnelle, et $\vec{T}$, la tension dans la corde. Choisissons deux axes: l'un tangent à la trajectoire circulaire du mouvement, l'autre parallèle au rayon, c'est-à-dire à la corde. Décomposons $m\vec{g}$ en deux composantes perpendiculaires: l'une, la composante radiale de grandeur $mg \cos\theta$, l'autre, la composante tangentielle égale à $mg \sin\theta$. Les composantes radiales des forces engendrent l'accélération centripète nécessaire pour maintenir la particule sur un arc circulaire. La composante tangentielle constitue

[5] Voir « A Repertoire of S.H.M. », par Eli Maor, *The Physics Teacher*, octobre 1972, pour une description complète des seize systèmes physiques qui possèdent un mouvement harmonique simple.

la force de rappel agissant sur m pour la ramener à la position d'équilibre. Par conséquent, la force de rappel est

$$F = -mg \sin \theta.$$

Notez que la force de rappel n'est pas proportionnelle au déplacement angulaire, mais plutôt à $\sin \theta$. Il n'en résulte donc pas un mouvement harmonique simple. Toutefois, si *l'angle θ est petit*, $\sin \theta$ est pratiquement égal à sa valeur exprimée en radians[6]. Le déplacement suivant l'arc est $x = l\theta$, et, *pour des petits angles*, il se rapproche d'un mouvement en ligne droite. Par conséquent, en supposant que

$$\sin \theta \cong \theta,$$

nous obtenons,

$$F = -mg\theta = -mg\frac{x}{l} = -\left(\frac{mg}{l}\right)x.$$

Pour de *petits déplacements*, la force de rappel est proportionnelle au déplacement et lui est opposée, critère du mouvement harmonique simple. La constante mg/l représente la constante k dans $F = -kx$. Vérifiez les dimensions de k et de mg/l. La période du pendule simple lorsque l'amplitude est petite égale donc:

$$T = 2\pi\sqrt{\frac{m}{k}} = 2\pi\sqrt{\frac{m}{mg/l}} \quad \text{ou} \quad T = 2\pi\sqrt{\frac{l}{g}}. \qquad (15\text{-}19)$$

Notez que la période est indépendante de la masse de la particule suspendue.

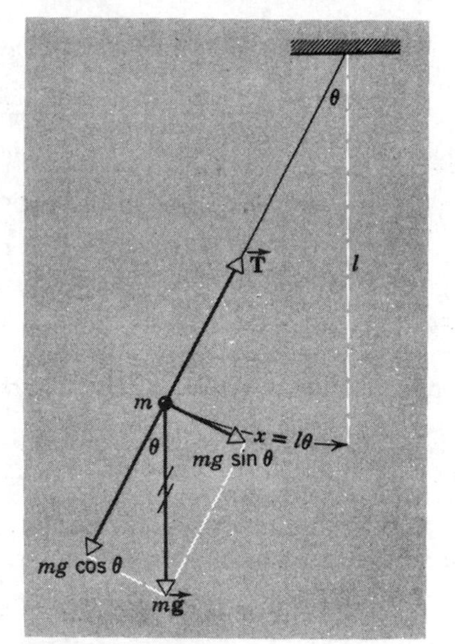

figure 15-10
Les forces en action sur le pendule simple sont la tension $\vec{T}$ et le poids $m\vec{g}$. On indique les grandeurs des composantes radiales et tangentielles de $m\vec{g}$.

• **Notes**

Lorsque l'amplitude des oscillations n'est plus suffisamment petite, on peut montrer que l'équation générale de la période est la suivante:

$$T = 2\pi\sqrt{\frac{l}{g}}\left(1 + \frac{1}{2^2}\cdot\sin^2\frac{\theta_m}{2} + \frac{1}{2^2}\cdot\frac{3^2}{4^2}\cdot\sin^4\frac{\theta_m}{2} + \cdots\right)\cdot \qquad (15\text{-}20)$$

Ici, θ_m représente le déplacement angulaire maximum, et les termes successifs deviennent de plus en plus petits. On peut donc obtenir la précision désirée dans le calcul de la période en prenant les termes requis dans la série infinie. Lorsque $\theta_m = 15°$, correspondant à un déplacement angulaire total de 30°, la vraie période diffère de celle obtenue avec l'équation 15-19 par moins de 0,5%.

Vu que sa période est pratiquement indépendante de son amplitude, le pendule simple s'avère utile pour marquer le temps. Même si des forces d'amortissement réduisent l'amplitude du balancement, sa période demeure à peu près inchangée. Dans une pendule, on libère de l'énergie par un mécanisme automatique pour contrer le frottement. On doit à Christian Huygens (1629-1695) ce procédé ingénieux.

Le pendule simple nous donne aussi un moyen commode de mesurer g, l'accélération gravitationnelle. Il n'est pas nécessaire de réaliser une expérience de chute libre; nous n'avons simplement qu'à mesurer l et T. •

Le pendule de torsion. Sur la figure 5-11, on aperçoit un disque suspendu à un fil métallique attaché à son centre de masse. Le fil est fixé solidement à un support immobile. A la position d'équilibre de ce dernier, on trace une ligne radiale OP. Si on tourne le disque dans un plan horizontal jusqu'à la position

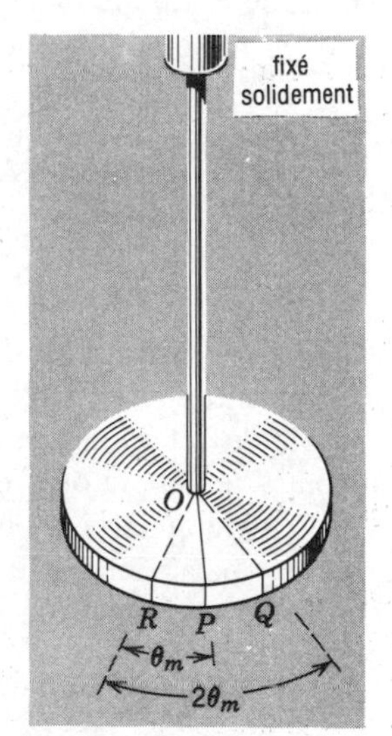

figure 15-11
Le pendule de torsion. La ligne qui relie le centre au point P oscille entre Q et R, balayant un angle $2\theta_m$, où θ_m est l'amplitude angulaire du mouvement.

[6] Par exemple:

θ	$\sin \theta$	différence, %
0° = 0,00000 rad	0,00000	0,00
2° = 0,03491 rad	0,03490	0,03
5° = 0,08727 rad	0,08716	0,24
10° = 0,17453 rad	0,17365	0,50
15° = 0,26180 rad	0,25882	1,14

radiale Q, le fil se tord et exerce un moment de force pour ramener le disque à la position P. C'est un moment de force de rappel. Lorsque la torsion est petite, on observe que le moment de rappel est proportionnel au déplacement angulaire (loi de Hooke), de telle sorte que

$$\tau = -\kappa\theta. \tag{15-21}$$

La constante κ dépend des propriétés du fil; on l'appelle *constante de torsion*. Le signe négatif nous indique que le moment est directement opposé au déplacement angulaire θ. L'équation 15-21 décrit la condition d'un *mouvement angulaire harmonique simple*.

L'équation du mouvement d'un tel système est:

$$\tau = I\alpha = I\frac{d\omega}{dt} = I\frac{d^2\theta}{dt^2},$$

ce qui donne, avec l'équation 15-21,

$$-\kappa\theta = I\frac{d^2\theta}{dt^2}$$

ou

$$\frac{d^2\theta}{dt^2} = -\left(\frac{\kappa}{I}\right)\theta. \tag{15-22}$$

Notez la similitude entre l'équation 15-22 du mouvement angulaire harmonique simple et l'équation 15-7 du mouvement linéaire harmonique simple. Les équations sont mathématiquement identiques. Nous n'avons que substitué le déplacement angulaire θ au déplacement linéaire x, le moment d'inertie I à la masse et la constante de torsion κ à la constante de rappel k. Avec ces correspondances, nous trouvons que la solution de l'équation 15-22 révèle une oscillation harmonique simple où la variable est θ, ce qui donne:

$$\theta = \theta_m \cos(\omega t + \phi). \tag{15-23}$$

Ici, θ_m est le déplacement angulaire maximum, c'est-à-dire l'amplitude de l'oscillation angulaire. Sur la figure 15-11, le disque oscille autour de la position d'équilibre $\theta = 0$ (la ligne OP), le domaine angulaire total étant $2\theta_m$ (de OQ à OR).

La période d'oscillation, par analogie avec l'équation 15-10, vaut:

$$T = 2\pi\sqrt{\frac{I}{\kappa}}. \tag{15-24}$$

Si on connaît κ et qu'on mesure T, il devient possible de déterminer le moment d'inertie de tout solide par rapport à l'axe de rotation. Si I est connu et qu'on mesure T, il est possible de déterminer la constante de torsion κ.

Plusieurs instruments de laboratoire mettent à profit les oscillations de torsion, notamment le galvanomètre. La balance de Cavendish est un pendule de torsion (chap. 16). Le balancier d'une montre représente un autre exemple de mouvement angulaire harmonique; le moment de rappel, dans ce cas, est fourni par le ressort spirale.

EXEMPLE 2

Une tige mince, longue de 0,10 m et ayant une masse de 0,10 kg, est suspendue par un fil de métal qui passe par son centre, perpendiculairement à la longueur de cette tige. On tord le fil et la tige entre en oscillation. On trouve que la période est de 2,0 s.

Lorsqu'on suspend, à ce fil, un corps plat en forme de triangle équilatéral en l'attachant au centre de masse, on trouve une période de 6,0 secondes. Trouvez le moment d'inertie du triangle par rapport à cet axe.

Le moment d'inertie de la tige est $Ml^2/12$ (tableau 12-1). Par conséquent,

$$I_{\text{tige}} = \frac{(0{,}10 \text{ kg})(0{,}10 \text{ m})^2}{12} = 8{,}3 \times 10^{-5} \text{ kg} \cdot \text{m}^2.$$

En utilisant l'équation 15-24, on peut dire que:

$$\frac{T_{\text{tige}}}{T_{\text{triangle}}} = \left(\frac{I_{\text{tige}}}{I_{\text{triangle}}}\right)^{1/2};$$

d'où

$$I_{\text{triangle}} = I_{\text{tige}} \left(\frac{T_{\text{triangle}}}{T_{\text{tige}}}\right)^2,$$

de telle sorte que

$$I_{\text{triangle}} = (8{,}3 \times 10^{-5} \text{ kg} \cdot \text{m}^2)\left(\frac{6{,}0 \text{ s}}{2{,}0 \text{ s}}\right)^2 = 7{,}5 \times 10^{-4} \text{ kg} \cdot \text{m}^2.$$

L'amplitude de l'oscillation affecte-t-elle la période dans ces deux cas?

Le pendule composé. Un pendule composé est un corps solide quelconque capable d'osciller librement dans un plan vertical autour d'un axe qui le traverse. Il s'agit d'une généralisation du pendule simple où une corde sans poids soutient une seule particule. Tous les pendules sont en réalité des pendules composés.

Nous choisissons, par commodité, un corps lamellé (un morceau de contreplaqué par exemple) et un axe d'oscillation perpendiculaire au plan de ce corps. Cette restriction n'enlève rien d'essentiel au problème.

La figure 15-12 nous montre un objet de forme irrégulière pivotant autour d'un axe horizontal qui passe en P et écarté de sa position d'équilibre d'un angle θ. La position d'équilibre est celle où le centre de masse C repose verticalement sous le pivot P. La distance de ce point P au centre de masse C égale d, le moment d'inertie de ce corps par rapport à P est I et sa masse, M. Le moment de rappel pour un déplacement angulaire θ vaut donc:

$$\tau = -Mgd \sin \theta;$$

il provient de la composante tangentielle de la force de gravité. Puisque τ est proportionnel à $\sin \theta$, au lieu de θ, la condition du mouvement harmonique simple ne tient pas. Cependant, pour de *petits déplacements*, $\sin \theta \cong \theta$, comme on l'a vu précédemment, ce qui nous justifie d'écrire:

$$\tau = -Mg\, d\, \theta,$$

c'est-à-dire:

$$\tau = -\kappa\theta,$$

où

$$\kappa = Mgd.$$

Mais

$$\tau = I\frac{d^2\theta}{dt^2} = I\alpha,$$

de sorte que

$$\frac{d^2\theta}{dt^2} = \frac{\tau}{I} = -\frac{\kappa}{I}\theta.$$

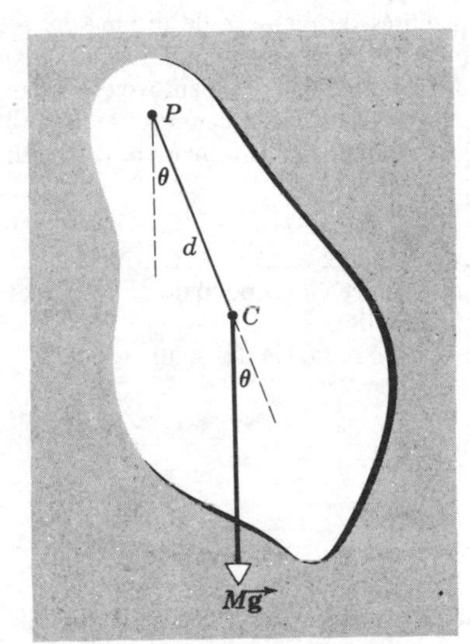

figure 15-12
Un pendule composé lamellé (deux dimensions), ayant son centre de masse en C, pivote en P et décrit un angle θ à partir de sa position d'équilibre (lorsque C est directement en-dessous de P). Son poids $m\vec{g}$ fournit le moment de force de rappel.

Par conséquent, la période du pendule composé oscillant avec une faible amplitude est

$$T = 2\pi\sqrt{\frac{I}{\kappa}} = 2\pi\sqrt{\frac{I}{Mgd}}. \qquad (15\text{-}25)$$

Aux grandes amplitudes, ce dernier possède encore un mouvement harmonique, mais non harmonique simple.

Notez que ce développement s'applique à tout objet lamellé, de *forme quelconque*, et peu importe la position du pivot. Un cas particulier de pendule composé consiste en une masse ponctuelle m suspendue à une corde sans poids de longueur l. Ici, $I = ml^2$, $M = m$, $d = l$, de sorte que

$$T = 2\pi\sqrt{\frac{I}{Mgd}} = 2\pi\sqrt{\frac{l}{g}},$$

ce qui est la période du pendule simple aux faibles amplitudes. On utilise souvent le pendule composé pour déterminer g avec précision.

- **Note**

On peut résoudre l'équation 15-25 pour le moment d'inertie; nous obtenons:

$$I = \frac{T^2Mgd}{4\pi^2}. \qquad (15\text{-}26)$$

Les quantités du membre de droite sont toutes mesurables directement. On peut déterminer le centre de masse par suspension comme on a pu le voir à la figure 14-4. Par conséquent, on peut trouver le moment d'inertie autour d'un axe (autre que celui passant par le centre de masse) d'un corps de forme quelconque, en le suspendant à cet axe à la manière d'un pendule composé. •

EXEMPLE 3

Trouvez la longueur d'un pendule simple dont la période est égale à celle d'un pendule composé particulier.

En égalant les périodes des deux pendules, on trouve:

$$T = 2\pi\sqrt{\frac{l}{g}} = 2\pi\sqrt{\frac{I}{Mgd}}$$

d'où:

$$l = \frac{I}{Md}. \qquad (15\text{-}27)$$

Par conséquent, aussi longtemps que l'on peut appliquer le principe de l'égalité des périodes, on peut considérer la masse d'un pendule composé comme concentrée en un point séparé du pivot par une distance $l = I/Md$. On appelle ce point le centre d'oscillation du pendule composé. Remarquez que ce point dépend de la localisation du pivot pour un corps donné.

EXEMPLE 4

On fixe le pivot d'un disque à sa jante (fig. 15-13). Trouvez sa période pour de faibles oscillations et la longueur du pendule simple équivalent.

Le moment d'inertie d'un disque autour d'un axe passant par son centre est $\frac{1}{2}Mr^2$, où r est le rayon et M la masse du disque. Le moment d'inertie par rapport au pivot placé sur la jante vaut:

$$I = \tfrac{1}{2}Mr^2 + Mr^2 = \tfrac{3}{2}Mr^2.$$

La période, avec $d = r$, est

$$T = 2\pi\sqrt{\frac{I}{Mgr}} = 2\pi\sqrt{\frac{3}{2}\frac{Mr^2}{Mgr}} = 2\pi\sqrt{\frac{3}{2}\frac{r}{g}},$$

et elle est indépendante de la masse du disque.

La longueur du pendule simple possédant la même période vaut:

$$l = \frac{I}{Mr} = \tfrac{3}{2}r,$$

c'est-à-dire les trois quarts du diamètre du disque. Le centre d'oscillation du disque qui pivote autour de P se trouve donc à O, à une distance de $\tfrac{3}{2}r$ sous le point d'attache. Le pendule simple équivalent doit-il posséder une masse particulière?

Si le pivot est à mi-distance entre la jante et le centre, comme en O, nous trouvons que $I = \tfrac{3}{4}Mr^2$ et $d = \tfrac{1}{2}r$. La période T est

$$T = 2\pi\sqrt{\tfrac{3}{2}r/g},$$

comme auparavant. Ceci illustre une propriété générale du centre d'oscillation O et du point de support P, qui veut que si le pendule pivote autour d'un nouvel axe passant par O, sa période demeure la même et P devient le nouveau centre d'oscillation.

Si le pivot était fixé au centre du disque, quelle serait sa période d'oscillation?

EXEMPLE 5

Le centre d'oscillation d'un pendule composé possède une autre propriété intéressante. Si une force d'impulsion (supposée horizontale et dans le plan d'oscillation) agit au centre d'oscillation, le point de support ne subit aucune réaction. Prouvez cette assertion pour une force d'impulsion $\vec{\mathbf{F}}$ vers la gauche au point O de la figure 15-13. Posez que le pendule est initialement au repos.

Il s'agit d'un cas où la translation et la rotation se combinent. (voir la section 12-7). Sous le seul effet de la translation, le point P se déplacerait vers la gauche avec une accélération

$$\vec{\mathbf{a}}_{\text{gauche}} = F/M.$$

Sous le seul effet de la rotation, il résulterait une accélération angulaire dans le sens horaire autour de C égale à

$$\begin{aligned}\alpha &= \tau/I \\ &= (F)(\tfrac{1}{2}r)/(\tfrac{1}{2}Mr^2) \\ &= F/Mr.\end{aligned}$$

A cause de cette accélération angulaire, P se déplacerait vers la droite avec une accélération

$$\begin{aligned}\vec{\mathbf{a}}_{\text{droite}} &= \alpha r \\ &= (F/Mr)(r) = F/M.\end{aligned}$$

Ainsi, $\vec{\mathbf{a}}_{\text{gauche}} = -\vec{\mathbf{a}}_{\text{droite}}$, et le point P demeure au repos.

Vu sous cet angle, le centre d'oscillation porte souvent le nom de *centre de percussion*. Les joueurs de base-ball savent très bien que s'ils ne frappent pas la balle au bon endroit (au centre de percussion), le bâton va leur « vibrer » dans les mains. La direction du « coup » change selon que l'impact se produit d'un côté ou de l'autre du point de percussion.

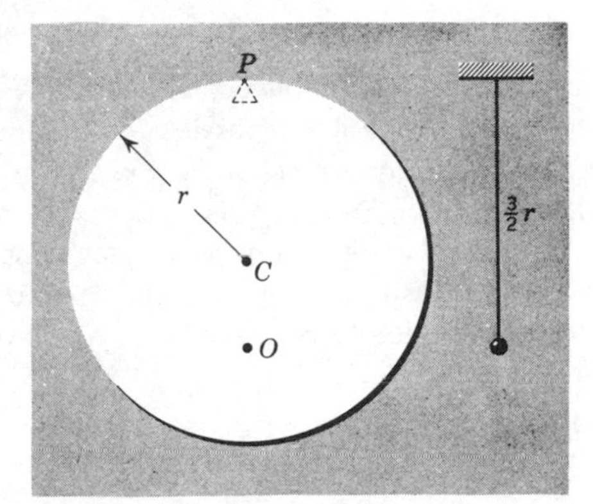

figure 15-13
Exemple 4. Un pendule composé formé d'un disque qui pivote autour d'un point P situé sur sa circonférence, comparé à un pendule simple de même période. O est le centre d'oscillation.

EXEMPLE 6

La période d'un disque de 10,2 cm de rayon exécutant de petites oscillations autour d'un pivot placé à la jante vaut 0,784 s. Trouvez la valeur de g, l'accélération gravitationnelle, à cet endroit.

A partir de $T = 2\pi\sqrt{\tfrac{3}{2}r/g}$, on obtient:

$$g = \frac{6\pi^2 r}{T^2}.$$

Avec $T = 0{,}784$ s et $r = 0{,}102$ m, on trouve:

$$g = \frac{6\pi^2 \cdot 0{,}102}{(0{,}784)^2}\ \text{m/s}^2 = 9{,}82\ \text{m/s}^2.$$

15-6 *RELATION ENTRE LE MOUVEMENT HARMONIQUE SIMPLE ET LE MOUVEMENT CIRCULAIRE UNIFORME*

Considérons la relation qui existe entre le mouvement harmonique simple suivant une ligne droite et le mouvement circulaire uniforme. Cette relation est utile pour décrire plusieurs aspects du mouvement harmonique simple. Elle apporte aussi une signification géométrique simple à la fréquence angulaire ω et à la constante de phase. Le mouvement circulaire uniforme est aussi un exemple de combinaison de mouvements harmoniques simples, un phénomène plutôt fréquent dans l'étude des ondes.

Sur la figure 15-14, Q est un point qui décrit un cercle de rayon A avec une vitesse angulaire ω, exprimée, disons, en radians/seconde. Le point P est la projection perpendiculaire de Q sur le diamètre horizontal, selon l'axe des x. Appelons Q le *point de référence*, et le cercle sur lequel il se déplace, le *cercle de référence*. Lorsque Q décrit des circonférences, P accomplit des mouvements de va-et-vient le long du diamètre horizontal. La composante x du déplacement de Q est toujours égale au déplacement de P; la composante x de la vitesse de Q est toujours la même que la vitesse de P; la composante x de l'accélération de Q est toujours identique à l'accélération de P.

Appelons ϕ l'angle entre le rayon OQ et l'axe des x au temps $t = 0$. A un instant plus tard t, l'angle entre OQ et l'axe des x vaut $\omega t + \phi$, et le point Q se déplace à la vitesse angulaire constante ω. La coordonnée x de Q, à tout instant, est donc:

$$x = A \cos (\omega t + \phi). \qquad (15\text{-}28)$$

Par conséquent, le mouvement du point P selon x est harmonique simple. On peut conclure qu'il est possible de décrire le *mouvement harmonique simple comme étant la projection le long d'un diamètre du mouvement circulaire uniforme.*

La fréquence angulaire ω du mouvement harmonique simple est la même que la vitesse angulaire du point de référence. La fréquence du mouvement harmonique simple correspond au nombre de révolutions par unité du temps

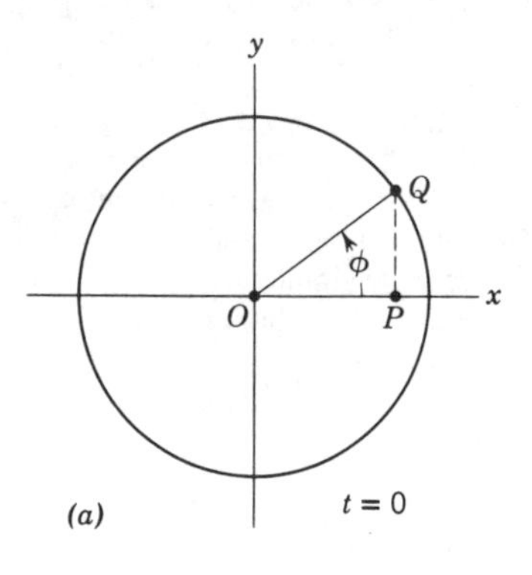

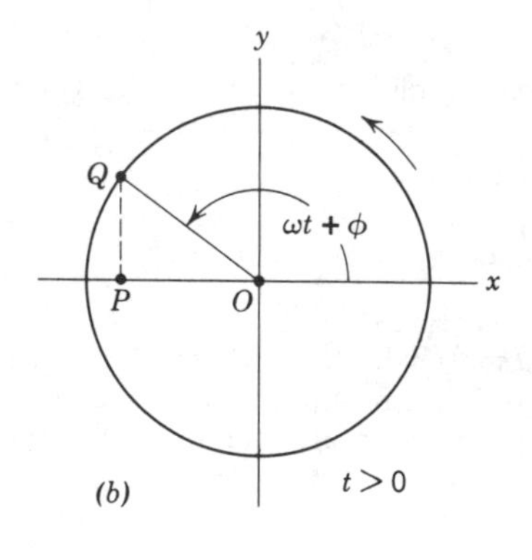

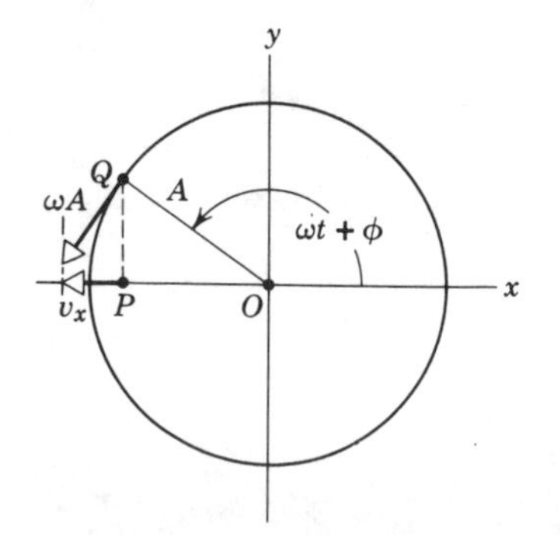

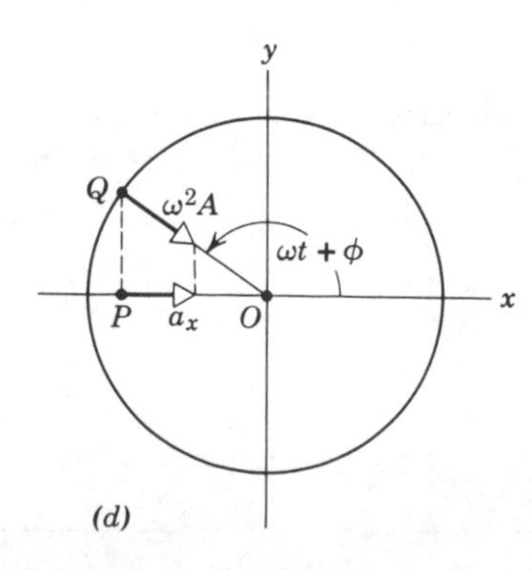

figure 15-14
La relation entre le mouvement harmonique simple et le mouvement circulaire uniforme. Q accomplit un mouvement circulaire uniforme tandis que P décrit un mouvement harmonique simple. La vitesse angulaire ω est la même pour P et Q. *(a, b)* La composante x du déplacement de Q est toujours égale au déplacement de P. *(c)* La composante x de la vitesse de Q égale toujours la vitesse de P. *(d)* La composante x de l'accélération de Q égale toujours l'accélération de P.

accompli par ce point de référence. Ainsi, $f = \omega/2\pi$, ou $\omega = 2\pi f$. Le temps d'une révolution complète de ce point est le même que la période T du mouvement harmonique simple, d'où $T = 2\pi/\omega$, ou $\omega = 2\pi/T$. La phase de ce dernier, $\omega t + \phi$, est l'angle entre OQ et l'axe des x à tout instant t (fig. 15-14*b*, *c*,*d*). L'angle ϕ entre OQ et l'axe des x à $t = 0$ (fig. 15-14*a*) est la constante de phase ou la phase initiale du mouvement. L'amplitude du mouvement harmonique simple est la même que le rayon du cercle de référence.

La grandeur de la vitesse tangentielle du point de référence Q vaut ωA. La composante x de sa vitesse (fig. 15-14*c*) est

$$v_x = -\omega A \sin(\omega t + \phi).$$

Cette relation donne une vitesse v_x négative lorsque Q et P se déplacent vers la gauche, et une vitesse v_x positive lorsqu'ils se dirigent vers la droite. Notez que v_x est nulle aux extrémités du mouvement harmonique simple, là où $\omega t + \phi$ est nul ou égal à π comme l'exige l'expression de la composante horizontale de la vitesse.

La direction de l'accélération de Q en mouvement circulaire uniforme est radiale et vers le centre du cercle; sa grandeur est $\omega^2 A$. L'accélération du point projeté P est la composante x de l'accélération du point de référence Q (fig. 15-14*d*). Par conséquent,

$$a_x = -\omega^2 A \cos(\omega t + \phi)$$

est l'expression de l'accélération du point P qui exécute un mouvement harmonique simple. Observez que a_x est nulle aux points du mouvement harmonique simple où $\omega t + \phi$ est égal à $\pi/2$ ou à $3\pi/2$.

Ces résultats sont tous identiques à ceux du mouvement harmonique simple selon l'axe des x; voyez les équations 15-13.

Si on avait considéré plutôt la projection perpendiculaire du point de référence sur l'axe des y, on aurait obtenu, pour le mouvement du point P selon y,

$$y = A \sin(\omega t + \phi). \tag{15-29}$$

Il s'agit encore d'un mouvement harmonique simple. Seule sa phase diffère de l'équation 15-28; en effet, si on remplace ϕ par $(\phi - \pi/2)$, alors $\cos(\omega t + \phi)$ devient $\sin(\omega t + \phi)$. Il est clair que la projection du mouvement circulaire uniforme sur un diamètre quelconque donne un mouvement harmonique simple.

Inversement, on peut décrire le mouvement circulaire uniforme comme une combinaison de deux mouvements simples. C'est en effet la combinaison de deux mouvements harmoniques de même amplitude et de même fréquence mais dont la phase diffère de 90° et qui oscillent selon des directions perpendiculaires. Lorsqu'une composante connaît son déplacement maximum, l'autre est au point d'équilibre. Si on combine ces composantes (éq. 15-28 et 15-29), on obtient directement la relation

$$r = \sqrt{x^2 + y^2} = A.$$

En écrivant les relations pour v_y et pour a_y (vous devriez l'effectuer), et en combinant les quantités correspondantes, nous obtenons aussi les relations

$$v = \sqrt{v_x^2 + v_y^2} = \omega A,$$

$$a = \sqrt{a_x^2 + a_y^2} = \omega^2 A.$$

Ces grandeurs correspondent aux grandeurs du déplacement, de la vitesse et de l'accélération du mouvement circulaire uniforme.

Il nous sera possible d'analyser plusieurs mouvements complexes, résultant des combinaisons de mouvements harmoniques simples individuels; le mouvement circulaire est un exemple simple. La section suivante présentera d'autres combinaisons de ce type de mouvement.

EXEMPLE 7

A l'exemple 1, nous avons étudié un corps en mouvement harmonique simple. L'équation du mouvement était

$$x = 0,20 \cos 10t,$$

où x était en mètres.

On peut aussi représenter ce mouvement comme une projection du mouvement circulaire uniforme selon un diamètre horizontal.

(a) Donnez les propriétés du mouvement circulaire uniforme correspondant.

L'équation 15-28 nous donne la composante horizontale du mouvement circulaire:

$$x = A \cos (\omega t + \phi).$$

Le rayon du cercle de référence est de 0,20 m, la phase initiale ou constante de phase ϕ vaut 0 et la vitesse angulaire ω est de 10 rad/s. On retrouve ainsi l'équation $x = 0,20 \cos 10t$ pour la projection horizontale.

(b) A partir du mouvement du point de référence, déterminez le temps requis au corps pour parvenir à un point situé à mi-distance entre sa position initiale et le centre du mouvement.

Lorsque le corps atteint ce point situé à mi-distance, le point de référence s'est déplacé d'un angle $\omega t = 60°$ (fig. 15-15). La vitesse angulaire est constante à 10 rad/s, de telle sorte que le temps requis pour parcourir 60° est:

$$t = \frac{60°}{\omega} = \frac{\pi/3 \text{ rad}}{10 \text{ rad/s}} = \frac{\pi}{30} \text{ s} = 0,1 \text{ s}.$$

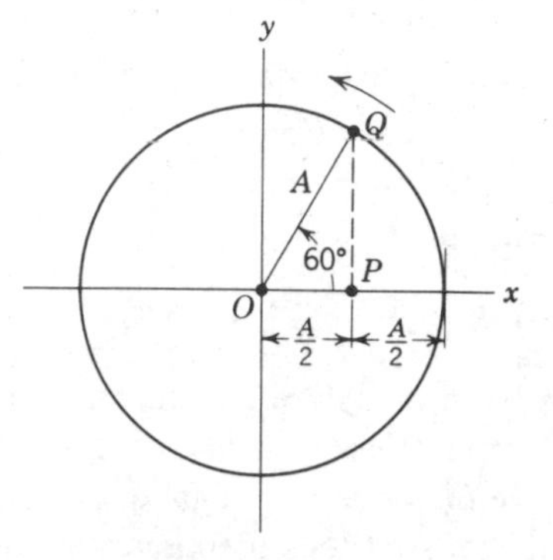

figure 15-15
Exemple 7. On voit les particules Q et P de la figure 15-14 quand $\omega t = 60°$. Connaissant ω, on peut trouver t.

On peut aussi calculer directement le temps à l'aide de l'équation du mouvement. Ainsi,

$$x = 0,20 \cos 10t \qquad \text{et} \qquad x = \frac{A}{2} = 0,10 \text{ m};$$

d'où:

$$0,10 = 0,20 \cos 10t,$$

c'est-à-dire:

$$10t = \cos^{-1}(\tfrac{1}{2}) = \pi/3.$$

Alors,

$$t = \frac{\pi}{30} \text{s} = 0,10 \text{ s}.$$

15-7 *COMBINAISONS DE MOUVEMENTS HARMONIQUES*

Il nous arrive souvent de combiner deux mouvements harmoniques simples perpendiculaires l'un à l'autre. Le mouvement résultant est la somme de deux oscillations indépendantes. Considérons tout d'abord le cas où les fréquences de vibrations sont identiques, comme ceci:

$$x = A_x \cos (\omega t + \phi_x),$$
et
$$y = A_y \cos (\omega t + \phi_y). \tag{15-30}$$

Les mouvements selon x et y ont toutefois des amplitudes et des phases différentes.

Si les constantes de phase sont les mêmes, c'est-à-dire $\phi_x = \phi_y = \phi$, le mouvement qui en résulte est une droite. On peut le montrer analytiquement en éliminant t des équations

$$x = A_x \cos(\omega t + \phi) \quad \text{et} \quad y = A_y \cos(\omega t + \phi),$$

ce qui donne, en les divisant l'une par l'autre,

$$y = (A_y/A_x)x.$$

On reconnaît l'équation d'une droite, avec A_y/A_x comme valeur de la pente. Dans la figure 15-16*a* et *b*, on illustre le mouvement résultant dans deux cas: $A_y/A_x = 1$ et $A_y/A_x = 2$. Dans ces cas, les déplacements x et y sont en même temps au point maximum ou au point minimum. Ils sont en phase.

Si les constantes de phase diffèrent, le mouvement combiné ne sera plus une droite. Si, par exemple, les constantes de phase diffèrent de $\pi/2$, le déplacement maximum de x survient lorsque le déplacement y est nul et vice versa. Lorsque les amplitudes sont égales, le mouvement est circulaire, sinon, il est elliptique. Les figures 15-16*c* et *d* montrent deux cas pour $\phi_x = \phi_y + \pi/2$: le premier avec $A_y/A_x = 1$, le second avec $A_y/A_x = 2$. Les figures 15-16*e* et *f* illustrent les situations où $\phi_x = \phi_y - \pi/4$, avec $A_y/A_x = 1$ et $A_y/A_x = 2$.

Toutes les combinaisons possibles de deux mouvements harmoniques simples perpendiculaires de même fréquence donnent des trajectoires *elliptiques*, le cercle et la ligne droite étant des cas particuliers d'une ellipse. La forme de l'ellipse ne dépend que du rapport des amplitudes, A_y/A_x, et de la différence de phase $\phi_x - \phi_y$ entre les oscillations. Le sens du mouvement est soit horaire,

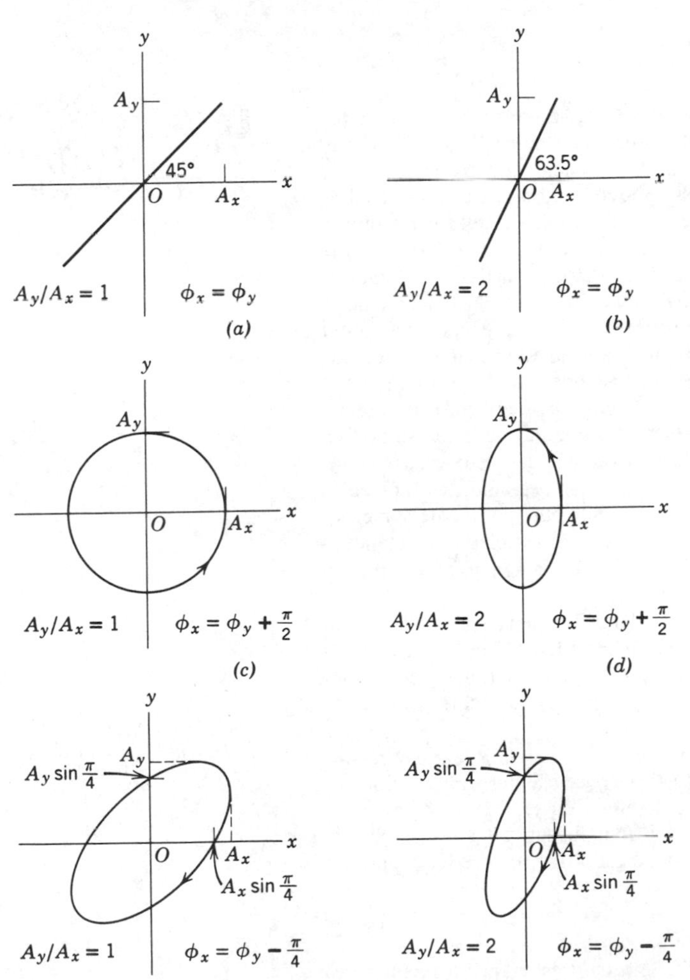

figure 15-16
Quelques mouvements harmoniques simples à deux dimensions. *(a)* Les amplitudes A_x et A_y sont identiques, de même que leur phase initiale. *(b)* L'amplitude de y vaut deux fois celle de x, leurs phases initiales demeurant les mêmes. *(c)* Leurs amplitudes sont égales mais x devance y d'un angle de phase de 90°. *(d)* Même chose qu'en *(c)* sauf que l'amplitude de y est le double de celle de x. *(e)* Les amplitudes sont égales mais x retarde sur y d'un angle de phase de 45°. *(f)* Même chose qu'en *(e)*, sauf que l'amplitude de y est le double de celle de x.

soit anti-horaire, selon que la phase de l'une ou l'autre des composantes est en avance.

L'oscilloscope nous fournit un moyen facile de produire ces figures. Dans cet instrument, on dévie un faisceau d'électrons à l'aide de deux champs électriques perpendiculaires l'un à l'autre. La force des champs varie sinusoïdalement à une même fréquence, mais avec des phases et des amplitudes qui peuvent varier. On amène de cette façon des électrons à tracer les figures variées, discutées ci-haut, sur un écran fluorescent. On peut aussi produire mécaniquement ces figures à l'aide d'un pendule qui oscille faiblement sans être confiné à un seul plan vertical. De telles combinaisons de deux mouvements harmoniques simples de même fréquence, à angle droit l'un de l'autre, sont particulièrement importantes dans l'étude de la lumière polarisée et des circuits électriques en courant alternatif.

Les combinaisons de deux mouvements harmoniques simples de même fréquence, dans la *même direction*, qui diffèrent d'amplitude et de phase, revêtent un intérêt spécial dans l'étude de la diffraction et de l'interférence de la lumière, du son et de la radiation électromagnétique. Si on combine à angle droit deux oscillations de *fréquences différentes*, il en résulte un mouvement plus compliqué. Le mouvement n'est même pas périodique, à moins que les fréquences ω_1 et ω_2 soient un rapport de deux entiers (voir le problème 49). On peut aussi combiner des oscillations de fréquences différentes, dans la même direction. L'étude de ce mouvement est important surtout dans le cas des vibrations sonores.

• **Notions avancées**

15-8 *LES OSCILLATIONS DE DEUX CORPS*

L'oscillateur de la figure 15-4 est constitué d'une masse attachée à un mur par l'intermédiaire d'un ressort de constante d'élasticité k. Le mur est fixé solidement à la Terre, de telle sorte qu'il s'agit réellement d'un système à deux corps, réunis par un ressort, l'un d'eux possédant une masse effective infinie. Ce support solide demeure au repos dans un système de référence galiléen, de telle sorte que la variation de longueur du ressort égale le déplacement de la masse m; l'autre extrémité du ressort ne bouge pas. On peut donc définir dans ce cas l'énergie potentielle de l'oscillateur de la figure 15-4 en fonction du déplacement x de la masse uniquement (voir les figures 15-3 et 15-9). Ceci équivaut encore à supposer qu'une extrémité du ressort est attachée à une masse infinie, de manière à ce que l'étirement du ressort soit déterminé par le seul mouvement de la masse m.

Nous rencontrons souvent dans la nature des systèmes de deux corps oscillants, dans lesquels il nous est impossible de considérer comme infinie la masse de l'un d'eux, ce qui nous oblige à tenir compte du mouvement des deux masses dans un système de référence galiléen approprié. Citons, par exemple, les molécules diatomiques de H_2, CO et HCl, qui peuvent osciller suivant leur axe de symétrie. Le couplage entre les atomes qui forment ces molécules est électromagnétique, mais on peut aussi, selon le but que l'on poursuit, les imaginer réunis par un petit ressort de masse négligeable.

Chose étonnante toutefois concernant les oscillateurs à deux corps, si on modifie légèrement la définition des termes et si on introduit un nouveau concept (celui de la masse réduite), on peut arriver à décrire leurs oscillations avec exactement les mêmes équations dérivées antérieurement pour le système à un corps de la figure 15-4. En voici la preuve.

La figure 15-17a nous montre deux corps, m_1 et m_2, réunis par un ressort (sans masse) de constante d'élasticité k; le système peut osciller sans friction sur une surface horizontale. On y indique les extrémités du ressort avec les coordonnées $x_1(t)$ et $x_2(t)$. La longueur du ressort à tout instant est $x_1 - x_2$. Si elle vaut l, lorsque le ressort est dans un état normal, c'est-à-dire ni étiré ni comprimé, alors la variation de longueur du ressort, $x(t)$, vaut:

$$x = (x_1 - x_2) - l. \qquad (15\text{-}31)$$

Selon que x est positif, égal à zéro ou négatif, le ressort est respectivement étiré, à sa longueur normale ou comprimé.

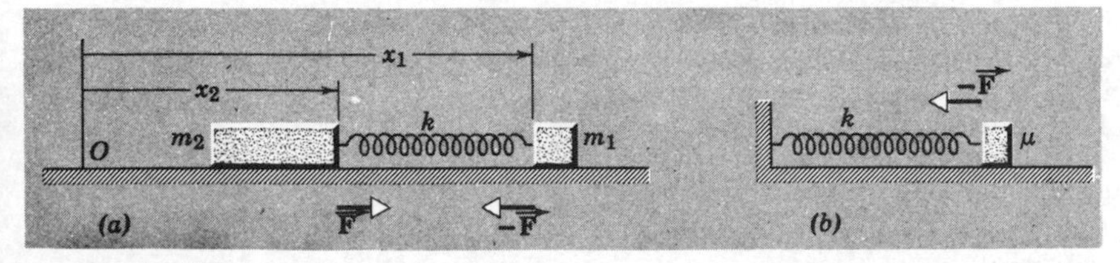

figure 15-17
(a) Deux corps de masse m_1 et m_2 sont reliés par un ressort de masse négligeable dont la longueur naturelle du ressort vaut l. *(b)* Un seul corps de masse μ (masse réduite) relié à un mur rigide par un ressort identique.

Dans la figure 15-17*a*, nous supposons, pour être plus concret, que le ressort est étiré, de telle sorte que $x > 0$. Nous y montrons aussi la force $\vec{F}$ exercée par le ressort sur m_2 et la force $-\vec{F}$ sur m_1. Ces forces, comme le montre la figure, sont égales et opposées; leur grandeur vaut $F = -kx$

L'application de la seconde loi de Newton, $F = ma$, aux masses m_1 et m_2, nous donne:

$$m_1 \frac{d^2x_1}{dt^2} = -kx$$

et

$$m_2 \frac{d^2x_2}{dt^2} = +kx.$$

Multiplions la première équation par m_1, la seconde par m_2, et soustrayons. Nous obtenons

$$m_1m_2 \frac{d^2x_1}{dt^2} - m_1m_2 \frac{d^2x_2}{dt^2} = -m_2kx - m_1kx,$$

qu'on peut écrire sous la forme

$$\frac{m_1m_2}{m_1 + m_2} \frac{d^2}{dt^2}(x_1 - x_2) = -kx. \qquad (15\text{-}32)$$

Appelons la quantité $m_1m_2/(m_1 + m_2)$, qui a les dimensions de masse, la *masse réduite* du système, et donnons-lui μ pour symbole, c'est-à-dire:

$$\mu = \frac{m_1m_2}{m_1 + m_2}. \qquad (15\text{-}33)$$

Puisque l est constante, $d^2(x_1 - x_2)/dt^2 = d^2x/dt^2$ (voir l'équation 15-31). L'équation 15-32 peut maintenant s'écrire ainsi:

$$\frac{d^2x}{dt^2} + \frac{k}{\mu} x = 0. \qquad (15\text{-}34)$$

Il s'agit d'une forme identique à l'équation 15-5 que l'on a développée pour l'oscillation d'un seul corps, comme le montre la figure 15-4. Soulignons deux différences: (1) x, dans l'équation 15-34, est le déplacement *relatif* des deux masses à partir de leurs positions d'équilibre (éq. 15-31) plutôt que le déplacement d'une seule masse par rapport à sa position d'équilibre; (2) μ est la *masse réduite* des deux blocs plutôt que la masse du bloc unique.

L'équation 15-33, que l'on peut écrire sous la forme

$$\mu = m_1 \frac{m_2}{m_1 + m_2} = m_2 \frac{m_1}{m_1 + m_2}$$

ou encore

$$\frac{1}{\mu} = \frac{1}{m_1} + \frac{1}{m_2},$$

nous fait réaliser que (pour des masses finies) μ est toujours *plus petite* que m_1 ou m_2, d'où son appellation de *masse réduite*. L'équation 15-34 nous conduit, en suivant un procédé similaire à celui qui a été élaboré après l'équation 15-6, à

$$f = \frac{1}{2\pi} \sqrt{\frac{k}{\mu}} \qquad \text{ou} \qquad T = 2\pi \sqrt{\frac{\mu}{k}} \qquad (15\text{-}35)$$

pour la fréquence et la période d'oscillation du système de la figure 15-17*a*. Il apparaît clairement que ce système possède la même fréquence et la même période qu'un bloc unique de masse μ attaché à un mur rigide par l'intermédiaire d'un ressort, comme le montre la figure 15-17*b*. En conséquence, l'oscillateur à deux corps de la figure 15-17*a* est équivalent à l'oscillateur à un corps de la figure 15-17*b*. Une des particules se déplace par rapport à l'autre comme si celle-ci était fixe et que la masse de la particule en mouvement était réduite à μ. Le concept de masse réduite s'applique souvent en physique.

On peut solutionner l'équation 15-34 de façon semblable à celle qui a été utilisée à la section 15-3. Nous obtenons les relations suivantes:

$$x = A \cos(\omega t + \phi),$$

$$v = dx/dt = -\omega A \sin(\omega t + \phi),$$

et

$$a = dv/dt = -\omega^2 A \cos(\omega t + \phi).$$

Elles sont identiques aux équations 15-13, compte tenu du fait que x, v et a représentent un déplacement, une vitesse et une accélération *relatives* aux deux blocs respectivement. Ainsi,

$$x = (x_1 - x_2) - l,$$

$$v = dx/dt = v_1 - v_2, \qquad (15\text{-}36)$$

$$a = dv/dt = a_1 - a_2,$$

dans lesquelles les indices réfèrent aux deux blocs.

L'énergie potentielle d'un oscillateur harmonique simple formé de deux corps est $U(x) = \frac{1}{2}kx^2$, ce qui nous montre bien, puisque x dépend des positions des deux masses (voir l'équation 15-36), que l'énergie potentielle est une caractéristique du système entier.

Plusieurs oscillateurs réels à deux corps, bien qu'harmoniques, ne sont pas harmoniques simples; leurs courbes de l'énergie potentielle, comme celle de la figure 8-7*a* qui réfère à une molécule diatomique, ne sont pas paraboliques. De tels oscillateurs se comportent, toutefois, comme s'ils étaient harmoniques simples dans des régions voisines de leur position d'équilibre. Notez aussi que x possède, dans la figure 8-7*a*, un sens différent de celui qu'on lui a assigné dans le chapitre actuel: il s'agit de la distance réelle plutôt que (fig. 15-36) de la différence entre la distance réelle et la distance à l'état d'équilibre. Ainsi, sur la figure 8-7*a*, l'équilibre stable ne correspond pas à $x = 0$ comme sur la figure 15-2, mais à $x = \sqrt[6]{2a/b}$. Cette différence n'est qu'un changement d'origine sur l'axe des x de la courbe de l'énergie potentielle, et n'a pas de signification fondamentale.

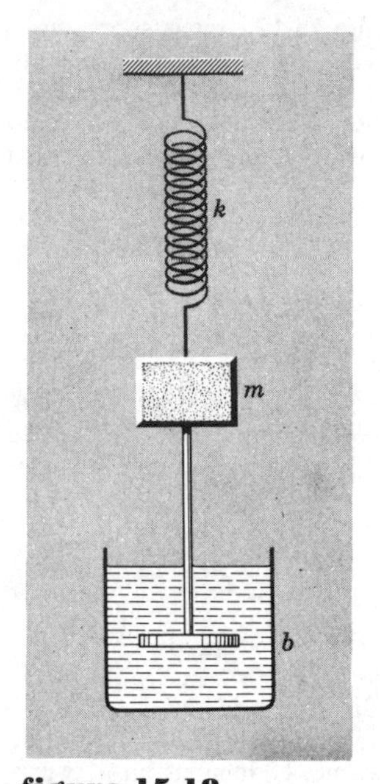

figure 15-18
Un oscillateur harmonique amorti. On attache un disque à la masse m et on immerge ce disque dans un fluide qui exerce une force de freinage $-b\, dx/dt$. La force élastique de rappel est $-kx$.

15-9 *LE MOUVEMENT HARMONIQUE AMORTI*

Jusqu'à maintenant, nous avons supposé qu'il n'y avait pas de force de friction sur l'oscillateur. Si on s'en tenait à cette hypothèse, un pendule ou une masse au bout d'un ressort oscillerait indéfiniment. En réalité, l'amplitude des oscillations décroît graduellement jusqu'à zéro sous l'effet de la friction. On dit que le mouvement est amorti par la friction, et on l'appelle *mouvement harmonique amorti*. La friction provient souvent de la résistance de l'air ou des forces intérieures. La grandeur de la force de frottement dépend habituellement de la vitesse. Dans la plupart des cas qui nous intéressent, la force de friction est proportionnelle à la vitesse du corps, mais elle est dirigée en sens contraire. La figure 15-18 illustre un exemple d'oscillateur amorti.

L'équation du mouvement de l'oscillateur harmonique simple amorti émane de la seconde loi du mouvement, $F = ma$, dans laquelle F équivaut à la somme de la force de rappel $-kx$ et de la force d'amortissement $-b\, dx/dt$. Dans cette dernière expression, b représente une constante positive. Nous obtenons donc

$$F = ma,$$

ou

$$-kx - b\frac{dx}{dt} = m\frac{d^2x}{dt^2},$$

ou

$$m\frac{d^2x}{dt^2} + b\frac{dx}{dt} + kx = 0. \qquad (15\text{-}37)$$

Si b est petit, la solution de cette équation différentielle (présentée ici sans preuve)[7] correspond à:

$$x = Ae^{-bt/2m} \cos(\omega' t + \phi), \tag{15-38}$$

où

$$\omega' = 2\pi f' = \sqrt{\frac{k}{m} - \left(\frac{b}{2m}\right)^2}. \tag{15-39}$$

La figure 15-19 est un graphique du déplacement x en fonction du temps t d'un mouvement oscillatoire légèrement amorti.

On peut interpréter la solution comme suit. Premièrement, la fréquence est plus petite, et la période plus longue, lorsque la friction est présente. La friction ralentit le mouvement, comme on pouvait s'y attendre. En l'absence de tout frottement, b serait nulle et ω' égalerait $\sqrt{k/m}$ ou ω, ce qui est la fréquence du mouvement harmonique non amorti. En présence de friction, ω' est plus petit que ω, comme on peut en juger à l'aide de l'équation 15-39. Deuxièmement, l'amplitude du mouvement décroît graduellement jusqu'à zéro. L'intervalle de temps τ durant lequel l'amplitude diminue jusqu'à $1/e$ de sa valeur initiale est le *temps de vie moyen* de l'oscillation. Le facteur amplitude correspond à $Ae^{-bt/2m}$, d'où $\tau = 2m/b$. Une fois de plus, en l'absence de friction, b serait nulle et l'amplitude garderait une valeur constante A en fonction du temps; le temps de vie serait infini.

Si la force de friction est suffisamment élevée, b devient si grand que l'équation 15-38 n'est plus une solution valide à l'équation du mouvement[7]. Le mouvement ne sera plus périodique du tout. Le corps reviendra simplement à sa position d'équilibre après avoir quitté son déplacement initial A.

Dans un mouvement harmonique amorti, l'énergie de l'oscillateur est dissipée graduellement par la friction et tombe à zéro avec le temps.

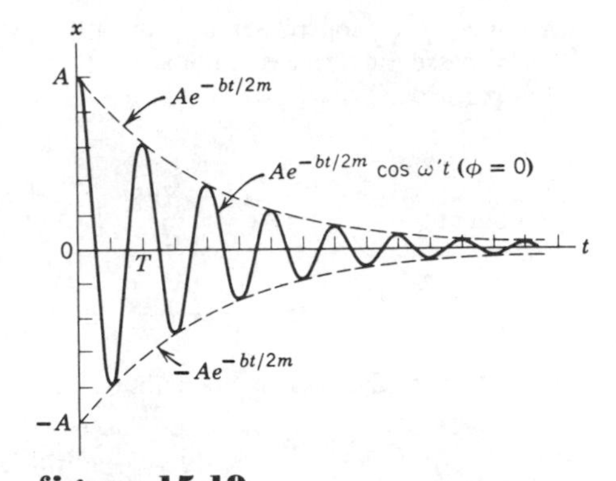

figure 15-19
Le graphique du mouvement harmonique amorti en fonction du temps. Le mouvement est oscillatoire avec un amplitude décroissante. On remarque que l'amplitude (– – –) qui égale A au départ décroît exponentiellement jusqu'à zéro lorsque $t \to \infty$.

15-10 *OSCILLATIONS FORCÉES ET RÉSONANCE*

Jusqu'à maintenant, nous n'avons discuté que les oscillations naturelles d'un corps, c'est-à-dire celles qui surviennent lorsqu'un corps est écarté de sa position d'équilibre puis relâché. Dans le cas d'une masse attachée à un ressort, la fréquence naturelle vaut:

$$\omega = 2\pi f = \sqrt{\frac{k}{m}}$$

en l'absence de friction, et

$$\omega' = 2\pi f' = \sqrt{\frac{k}{m} - \left(\frac{b}{2m}\right)^2},$$

en présence d'une petite force de friction bv.

La situation se présente différemment, toutefois, lorsque le corps est soumis à l'action d'une force extérieure oscillante. Par exemple, un pont vibre sous le pas cadencé des soldats, un moteur vibre à cause des impulsions périodiques dues à une irrégularité de l'essieu, un diapason vibre sous l'influence de la force périodique d'une onde sonore. Les oscillations qui en résultent sont dites *forcées*. La fréquence de ces oscillations forcées est celle de la *force extérieure* et non celle de la fréquence naturelle du corps. Toutefois, la réponse du corps dépend de la relation entre la fréquence forcée et la fréquence naturelle. Une suite de petites impulsions appliquées à une fréquence appropriée peut engendrer une grande amplitude. Un enfant sur une balançoire sait très bien qu'il peut parvenir à de grandes amplitudes en donnant des coups répétés au bon moment. Le problème des oscillations forcées est très général. Sa solution sert aussi bien l'acoustique et l'électricité (circuit en courant alternatif) que la physique atomique et la mécanique.

L'équation du mouvement de l'oscillateur forcé découle de la seconde loi du mouvement. En plus de la force de rappel $-kx$ et de la force d'amortissement $-b\ dx/dt$, il y a la force extérieure oscillatoire. Posons, pour simplifier, que la force appliquée est $F_m \cos \omega'' t$. Dans cette expression, F_m est la valeur maximale de la force extérieure, et ω'' ou $2\pi f''$, sa fréquence angulaire. Nous pouvons

[7] Voir, par exemple, K.R. Symon, *Mechanics*, troisième édition, Addison-Wesley Publishing Company, 1971, section 2-9.

imaginer, pour concrétiser le problème, que cette force s'applique directement sur la masse ou sur l'extrémité supérieure du ressort de la figure 15-18.

A partir de

$$F = ma,$$

on obtient
$$-kx - b\frac{dx}{dt} + F_m \cos \omega'' t = m\frac{d^2x}{dt^2},$$

ou
$$m\frac{d^2x}{dt^2} + b\frac{dx}{dt} + kx = F_m \cos \omega'' t. \qquad (15\text{-}40)$$

Voici (livrée sans preuve)[8] la solution de cette équation:

$$x = \frac{F_m}{G} \sin (\omega'' t - \phi), \qquad (15\text{-}41)$$

où
$$G = \sqrt{m^2(\omega''^2 - \omega^2)^2 + b^2\omega''^2}, \qquad (15\text{-}42)$$

et
$$\phi = \cos^{-1}\frac{b\omega''}{G}. \qquad (15\text{-}43)$$

Considérons qualitativement le mouvement qui en découle.

Notez (éq. 15-41) que le système vibre à la fréquence de la force d'entraînement, ω'', plutôt qu'à sa fréquence naturelle ω, et que le mouvement est harmonique et non amorti.

Le cas le plus simple est celui où il n'y a pas d'amortissement, ce qui signifie que $b = 0$ dans l'équation 15-42. Le facteur G, qui prend la valeur $|m(\omega''^2 - \omega^2)|$ pour $b = 0$, est grand quand la fréquence de la force d'entraînement ω'' est très différente de la fréquence naturelle non amortie ω du système, ce qui signifie que l'amplitude du mouvement résultant, F_m/G, est petite. A mesure que la fréquence d'entraînement se rapproche de la fréquence naturelle, c'est-à-dire lorsque $\omega'' \to \omega$, on voit que $G \to 0$ et que l'amplitude $F_m/G \to \infty$. En réalité, il existe toujours un peu d'amortissement, de sorte que l'amplitude d'oscillation, bien qu'elle puisse devenir grande, n'en demeure pas moins finie. Pour les oscillateurs amortis réels (pour lesquels $b \neq 0$ dans l'équation 15-42), il existe une valeur caractéristique de la fréquence d'entraînement où l'amplitude d'oscillation est maximum. Cette condition s'appelle *la résonance*, et la valeur ω'' où se produit la résonance[9] est la *fréquence résonante*. Plus l'amortissement est petit dans un système donné, plus la fréquence résonante se rapproche de la fréquence naturelle non amortie. Il arrive souvent que l'amortissement soit assez faible pour pouvoir considérer la fréquence résonante comme égale à la fréquence naturelle non amortie ω, sans trop d'erreurs. De même, pour un amortissement faible, on peut considérer comme égales les fréquences naturelles non amorties ω, ou $\sqrt{k/m}$, et amorties, ω' (voir l'équation 15-39), sans trop d'erreurs.

Nous avons dessiné à la figure 15-20 cinq courbes de l'amplitude des vibrations forcées en fonction du rapport de la fréquence d'entraînement ω'' sur la fréquence naturelle sans amortissement ω. Chacun des cinq tracés correspond à une valeur différente de la constante d'amortissement b. La courbe *(a)* nous montre l'amplitude lorsque $b = 0$, c'est-à-dire en l'absence de tout amortissement. Dans ce cas, comme nous l'avons remarqué, l'amplitude devient infinie à $\omega'' = \omega$, puisque le système absorbe continuellement de l'énergie sans en dissiper. En pratique, les situations sans friction sont inexistantes, de sorte que l'amplitude peut atteindre des valeurs grandes mais finies. Bien sûr, lorsque l'amplitude augmente au point que la loi de Hooke ne tient plus et qu'on excède la limite d'élasticité, le système n'obéit plus à l'équation 15-40. Il arrive souvent que le système se brise, comme ce fut le cas lors du désastre du pont de Tacoma (fig. 15-21). Les figures *(b)* et *(c)* donnent l'amplitude d'une vibration forcée pour deux situations d'amortissement croissant.

Le déplacement produit par une force constante F_m appliquée à un système qui possède une constante d'élasticité k est simplement F_m/k. Notez que (fig. 15-20)

[8] Ibid., section 2-10.

[9] La résonance, définie ici comme le phénomène se produisant à la fréquence où les oscillations forcées ont leur amplitude maximum, peut se définir autrement; par exemple, c'est le phénomène qui a lieu à l'instant où la transmission de la puissance de l'unité d'entraînement au système oscillant est maximale, ou bien à la fréquence où la vitesse de la masse est maximale. Les définitions ne sont pas équivalentes. Nous approfondirons ce sujet avec les oscillations électriques; voir le problème 55.

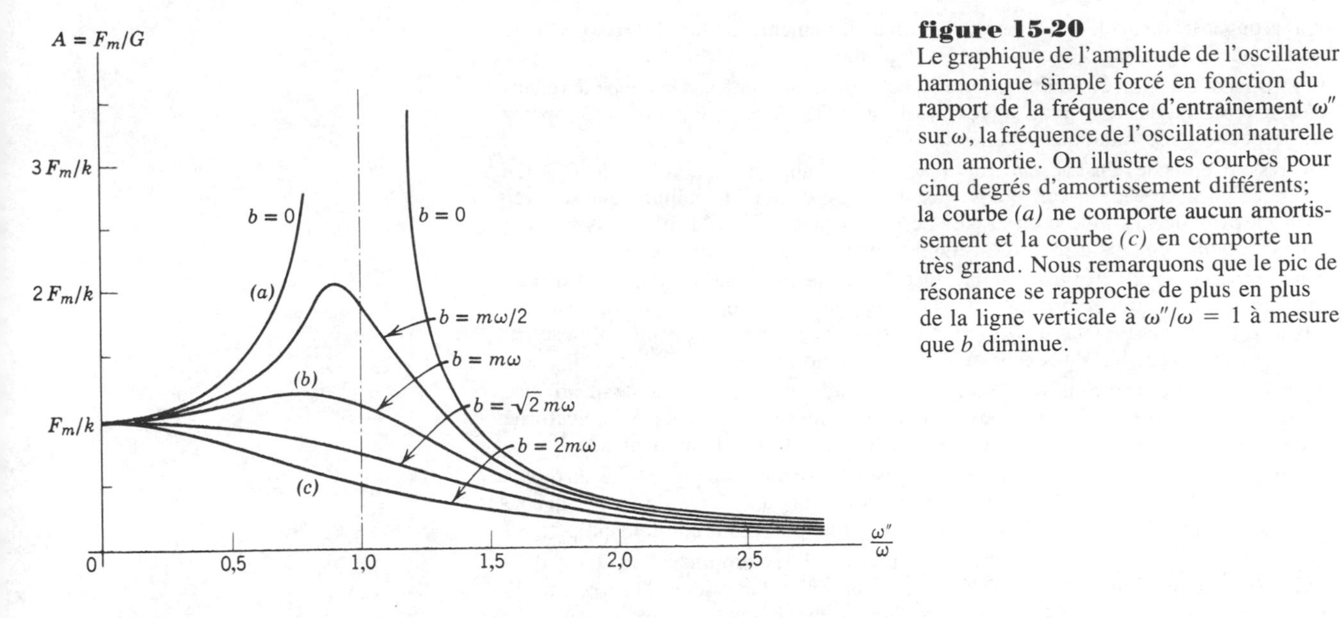

figure 15-20
Le graphique de l'amplitude de l'oscillateur harmonique simple forcé en fonction du rapport de la fréquence d'entraînement ω'' sur ω, la fréquence de l'oscillation naturelle non amortie. On illustre les courbes pour cinq degrés d'amortissement différents; la courbe *(a)* ne comporte aucun amortissement et la courbe *(c)* en comporte un très grand. Nous remarquons que le pic de résonance se rapproche de plus en plus de la ligne verticale à $\omega''/\omega = 1$ à mesure que b diminue.

figure 15-21
Le 1er juillet 1940, on complétait les travaux du pont Tacoma Narrows à Puget Sound, Washington, et on l'ouvrait à la circulation. Quatre mois plus tard, un vent modéré le mettait en oscillation jusqu'à ce que la traverse centrale se brise, et tombe dans la rivière. Le vent avait produit une force résultante qui fluctuait en résonance avec la fréquence naturelle d'oscillation de la structure, ce qui engendra une augmentation régulière de l'amplitude des oscillations jusqu'à détruire le pont.
A la suite de cet événement, on redessina plusieurs autres ponts de manière à les rendre aérodynamiquement stables.

l'amplitude des vibrations forcées est plutôt grande comparée à ce déplacement statique. Une colonne de soldats qui marchent en cadence en traversant un pont peut générer une amplitude assez grande pour devenir catastrophique s'il arrive par hasard que la fréquence des pas corresponde à une fréquence naturelle du pont. Voilà pourquoi les soldats rompent le pas en traversant un pont.

Les considérations de résonance prennent une grande importance dans plusieurs dispositifs électriques, acoustiques et atomiques. •

questions

1. Donnez quelques exemples de mouvements qui sont approximativement harmoniques simples. Pourquoi les mouvements harmoniques simples véritables sont-ils rares?
2. Un ressort de retenue typique d'une porte grillagée est sous tension lorsque la porte est close, c'est-à-dire lorsque les spires adjacentes se touchent et s'opposent à leur séparation. Un tel ressort obéit-il à la loi de Hooke?

3. Un plongeoir respecte-t-il, même approximativement, la loi de Hooke? Une trampoline? Un ressort hélicoïdal de fil de plomb?
4. On suspend une masse m à un ressort de constante d'élasticité k. On coupe le ressort en deux, la masse demeurant attachée à l'extrémité d'une des moitiés. Comparez les fréquences d'oscillation, dans les deux cas.
5. Un ressort possède, en l'absence de toute tension, une constante d'élasticité k. On l'étire, en lui accrochant un poids, jusqu'à une position d'équilibre qui se situe bien en deçà de la limite d'élasticité. Le ressort possède-t-il la même constante k pour des déplacements à partir de cette nouvelle position d'équilibre?
6. Supposons que vous disposiez d'un objet de masse inconnue et d'un ressort dont la constante d'élasticité vous est aussi inconnue. Montrez comment il vous est possible de prédire la période d'oscillation du système (masse et ressort) en mesurant simplement l'extension du ressort auquel on suspend l'objet.
7. Tout ressort réel a une masse. Expliquez qualitativement comment serait affectée notre expression de la période d'oscillation du système formé d'un objet accroché à un ressort si on tenait compte de la masse du ressort (voir le problème 31).
8. Est-il possible qu'un oscillateur ne soit pas harmonique simple même aux plus petites amplitudes? En d'autres mots, peut-on obtenir une force de rappel qui ne soit pas linéaire dans un oscillateur, même à des amplitudes arbitrairement petites?
9. Comment le fait de doubler l'amplitude affecte-t-il les propriétés suivantes d'un oscillateur harmonique simple: la période, la constante d'élasticité, l'énergie mécanique totale, la vitesse maximum et l'accélération maximum?
10. Quels changements sur un oscillateur harmonique contribueraient à doubler la vitesse maximum de la masse oscillante?
11. Quand on parle d'un échange d'énergie dans un système composé d'une masse et d'un ressort, il s'agit d'un transfert entre l'énergie potentielle U et l'énergie cinétique K, leur somme E demeurant constante (voir la figure 15-9). Au cours d'une démonstration qui consistait à faire osciller une masse entre deux ressorts sous tension, comme l'illustre la figure 15-23, un étudiant déclara: « La vitesse instantanée de la masse à une extrémité du mouvement est nulle; K égale donc zéro. Lorsque la masse repart vers le point d'équilibre, K augmente. De plus, puisque $U = \frac{1}{2}kx^2$ (éq. 8-11), les deux ressorts augmentent leur énergie potentielle puisque le signe de x (compression ou extension) n'importe pas. En conséquence, K et U augmentent toutes les deux. Comment leur somme, ou E, peut-elle être constante? » Relevez l'erreur dans cette argumentation.
12. Un individu est debout sur un pèse-personne (qu'on retrouve dans les salles de bains) qui repose sur une plate-forme suspendue à un grand ressort. Tout le système exécute un mouvement harmonique simple selon la verticale. Décrivez la variation de la lecture du pèse-personne durant une période du mouvement.
13. Ne serait-il jamais possible de construire un pendule simple?
14. Pourrait-on baser les grandeurs étalons de masse, de longueur et de temps sur les propriétés d'un pendule? Expliquez votre réponse.
15. Montrez que la période définie par l'équation 15-20 tend vers l'infini lorsque θ_m s'approche de 180°. Est-ce raisonnable?
16. Est-ce qu'un pendule qui oscille avec une grande amplitude possède une période plus longue ou plus courte que lorsqu'il oscille avec une petite amplitude? (Considérez les cas extrêmes; répondez qualitativement.)
17. Qu'advient-il de la fréquence d'une balançoire si les oscillations passent graduellement d'une amplitude grande à une amplitude petite?
18. Comment la période d'un pendule est-elle affectée lorsque son point de suspension est *(a)* déplacé horizontalement avec une accélération a; *(b)* déplacé verticalement vers le haut avec une accélération a; *(c)* déplacé verticalement vers le bas avec une accélération $a < g$? Lequel de ces trois cas, s'il en est un, s'applique à un pendule assemblé sur un chariot qui descend un plan incliné?
19. Pourquoi a-t-on exclu le cas d'un axe passant par le centre de masse en utilisant l'équation 15-26 pour déterminer I? Cette équation s'applique-t-elle à un tel axe? Comment pouvez-vous déterminer I dans le cas d'un tel axe avec les méthodes du pendule composé?
20. On remplit d'eau une sphère creuse par un petit trou qu'on y a percé. On suspend la sphère à un long fil, tout en laissant l'eau s'écouler lentement par le trou qui se trouve sous la sphère. On remarque que la période d'oscillation s'accroît au début, puis se met à décroître. Expliquez la situation.

21. *(a)* L'effet de la masse, m, de la corde attachée à la lentille de masse M d'un pendule est d'accroître la période, comparativement au pendule simple dans lequel $m = 0$. Expliquez le cas. *(b)* Bien que l'effet de la masse de la corde consiste à accroître la période d'un pendule, une corde de longueur l, qui oscille sans qu'aucune masse ($M = 0$) ne lui soit attachée, possède une période plus courte que celle d'un pendule simple de longueur l. Expliquez le cas. (Voir « Effect of the Mass of the Cord on the Periode of a Simple Pendulum », par H.L. Armstrong, *American Journal of Physics*, juin 1976.)
22. Deux pendules, constitués chacun d'un disque attaché à une tige légère, sont identiques, mis à part le couplage entre la tige et le disque. Dans le premier cas, le couplage est rigide, dans le second, des roulements à billes permettent au disque de tourner sans friction à l'extrémité de la tige. On suspend les deux pendules, on les écarte d'une même distance et on les relâche. Dans quel cas la période est-elle la plus grande? Expliquez votre réponse.
23. La fréquence d'oscillation d'un pendule de torsion changera-t-elle, par rapport à ce qu'elle est sur la Terre, si on le place sur la Lune? Qu'en est-il du pendule simple, de l'oscillateur formé d'un ressort et d'une masse, d'un pendule composé?
24. Comment peut-on utiliser un pendule pour tracer une sinusoïde?
25. Quelle combinaison de mouvements harmoniques simples donnerait un mouvement résultant dont la forme s'apparente au chiffre 8?
26. Y a-t-il un lien entre la fonction $F(x)$ au niveau moléculaire et la fonction macroscopique $F(x)$ d'un ressort?
27. *(a)* Dans quelles conditions la masse réduite d'un système de deux corps égale-t-elle la masse d'un des deux corps? Expliquez votre réponse. *(b)* Que devient la masse réduite si les deux corps sont de masse égale? *(c)* Les cas *(a)* et *(b)* donnent-ils les valeurs extrêmes de la masse réduite?
28. Pourquoi utilise-t-on souvent des mécanismes d'amortissement sur plusieurs machineries? Donnez un exemple.
29. Donnez quelques exemples de phénomènes courants où la résonance joue un rôle important.
30. L'effet de la Lune sur les marées océaniques est plus important que celui du Soleil (voir la question 18 du chapitre 16, par exemple). L'opposé est vrai, toutefois, pour les marées atmosphériques terrestres. Expliquez ce phénomène à l'aide des principes de la résonance, sachant que l'atmosphère a une période naturelle d'oscillation de 12 heures environ.

problèmes

SECTION 15-3

1. Un ressort allonge de 16 cm sous l'effet du poids d'un bloc de 4,0 kg. On enlève ce bloc pour en suspendre un autre de 0,50 kg, que l'on met en oscillation. Calculez la période de vibration. *Réponse:* 0,28 s.
2. Une masse de 2,0 kg est suspendue à un ressort. Une deuxième masse de 300 g, accrochée au-dessous de la première, ajoute 2,0 cm à l'élongation du ressort. On retire la masse de 300 g pour laisser l'autre osciller librement au bout du ressort. Calculez la période du mouvement.
3. La graduation d'une balance à ressort qui peut peser des objets de 0 à 100 N s'étend sur une distance de 10 cm. On suspend un paquet à cette balance, et on trouve qu'il oscille verticalement à une fréquence de 2,0 Hz. Quel est le poids du paquet? ($g = 10$ m/s².) *Réponse:* 63 N.
4. Si on ne tient compte que des oscillations verticales d'une automobile, on peut la considérer comme montée sur ressorts. Supposons qu'on ajuste ces derniers de façon à ce que la fréquence de vibration soit de 3,0 Hz. *(a)* Quelle est la constante d'élasticité du ressort si la masse de l'auto est de 1600 kg? *(b)* Que deviendra la fréquence de vibration de l'auto si cinq passagers dont la masse moyenne est de 80 kg chacun y prennent place?
5. *(a)* Montrez que les relations générales de la période et de la fréquence d'un mouvement harmonique simple quelconque peuvent prendre les formes suivantes:

$$T = 2\pi\sqrt{-\frac{x}{a}} \quad \text{et} \quad f = \frac{1}{2\pi}\sqrt{-\frac{a}{x}}.$$

(b) Montrez que les relations générales de la période et de la fréquence d'un mouvement harmonique simple quelconque peuvent s'écrire ainsi:

$$T = 2\pi\sqrt{-\frac{\theta}{\alpha}} \qquad \text{et} \qquad f = \frac{1}{2\pi}\sqrt{-\frac{\alpha}{\theta}}.$$

6. L'extrémité d'un ressort oscille avec une période de 2,0 s lorsqu'on lui attache une masse m. Lorsqu'on ajoute 2,0 kg à cette masse, on observe que la période devient 3,0 s. Trouvez la grandeur de m.
7. Une particule accomplit un mouvement harmonique simple autour d'un point d'équilibre $x = 0$. A $t = 0$, son déplacement x égale 0,37 m et sa vitesse est nulle. La fréquence de mouvement vaut 0,25 Hz. Déterminez *(a)* la période; *(b)* la fréquence angulaire; *(c)* l'amplitude; *(d)* le déplacement au temps t; *(e)* la vitesse au temps t; *(f)* la vitesse maximale; *(g)* l'accélération maximale; *(h)* le déplacement à $t = 3,0$ s; *(i)* la vitesse à $t = 3,0$ s.
   Réponses: *(a)* 4,0 s; *(b)* $\pi/2$ rad/s; *(c)* 0,37 cm; *(d)* 0,37 cos ($\pi t/2$) cm; *(e)* $-0,58$ sin ($\pi t/2$) cm/s; *(f)* 0,58 cm/s; *(g)* 0,91 cm/s^2; *(h)* zéro; *(i)* 0,58 cm/s.
8. Une masse de 0,10 kg ($W = mg = 0,98$ N) possède un mouvement harmonique simple. Son amplitude est de 1,0 m et sa période, 0,20 s. *(a)* Quelle est la valeur maximale de la force agissant sur cette masse? *(b)* Si les oscillations résultent de l'action d'un ressort, que vaut la constante d'élasticité?
9. Les fréquences de vibration des atomes d'un cristal à la température normale sont de l'ordre de 10^{13} Hz. Imaginons que les atomes sont réunis entre eux par des « ressorts ». Supposons en outre qu'on est en présence d'un atome d'argent qui est seul à vibrer à cette fréquence, les autres atomes demeurant immobiles. Calculez la constante d'élasticité d'un de ces ressorts. La masse d'une mole d'argent est de 108 g et il y a $6,02 \times 10^{23}$ atomes par mole. Supposez que chaque atome ne subit l'influence que de son voisin immédiat. *Réponse:* 710 N/m.
10. Un bloc repose sur un piston qui se déplace verticalement selon un mouvement harmonique simple. La période est de 1,0 s. *(a)* A quelle amplitude le bloc se sépare-t-il du piston? *(b)* Si le piston possède une amplitude de 5,0 cm, calculez la fréquence maximale qui permettrait au bloc de demeurer en contact avec le piston.
11. On dépose un bloc sur une surface horizontale qui accomplit un mouvement harmonique simple selon l'horizontale avec une fréquence de 2,0 Hz. Le coefficient de friction statique entre le bloc et le plan est de 0,50. Calculez l'amplitude maximale qui permettrait au bloc de demeurer sur le plan sans glisser.
    Réponse: 3,1 cm.
12. L'extrémité de l'une des branches d'un diapason qui vibre à 1000 Hz selon un mouvement harmonique simple possède une amplitude de 0,40 mm. *(a)* Trouvez la vitesse et l'accélération maximales de l'extrémité de la branche. *(b)* Calculez sa vitesse et son accélération lorsque le déplacement est de 0,20 mm. *(c)* Exprimez sa position en fonction du temps si elle est à l'équilibre lorsque $t = 0$.
13. L'équation $x = 6,0 \cos(3\pi t + \pi/3)$, où x est en mètres, t en secondes et l'argument de cosinus en radians, décrit le mouvement harmonique simple d'un corps. Quel est, au temps $t = 2,0$ s: *(a)* le déplacement, *(b)* la vitesse, *(c)* l'accélération et *(d)* la phase? Trouvez aussi *(e)* la fréquence et *(f)* la période du mouvement.
    Réponses: *(a)* 3,0 m, *(b)* -49 m/s, *(c)* -270 m/s^2, *(d)* 20 rad, *(e)* 1,5 Hz, *(f)* 0,67 s.
14. Un haut-parleur transmet un son musical grâce aux oscillations d'un diaphragme. Si l'amplitude des oscillations est limitée à $1,0 \times 10^{-3}$ mm, quelles fréquences produiront sur le diaphragme une accélération supérieure à g?
15. Deux particules exécutent un mouvement harmonique simple de même amplitude et de même fréquence selon deux droites parallèles. Elles se rencontrent lorsque la direction de leur vitesse est opposée en un point où leur déplacement vaut la moitié de leur amplitude. Quelle est leur différence de phase? *Réponse:* 120°.
16. Deux particules oscillent avec un mouvement harmonique simple selon un même segment de droite de longueur A. La période d'oscillation de chacune est de 1,5 s, mais leur phase diffère de 30°. *(a)* Quelle distance (exprimée en fonction de A) sépare ces particules 0,50 s après que celle qui est en retard sur l'autre a quitté une des extrémités de la trajectoire? *(b)* A ce moment précis, se déplacent-elles dans le même sens, l'une vers l'autre ou l'une à l'opposée de l'autre?
17. On coupe en deux morceaux égaux un ressort de masse négligeable dont la constante d'élasticité vaut 7,0 N/m. *(a)* Quelle est la constante d'élasticité de chacune des moitiés? *(b)* Les deux morceaux, suspendus séparément, supportent un bloc de masse M (fig. 15-22). Si le système oscille à une fréquence de 3,0 Hz, quelle est la valeur de la masse M? *Réponses:* *(a)* 14 N/m. *(b)* 79 g.

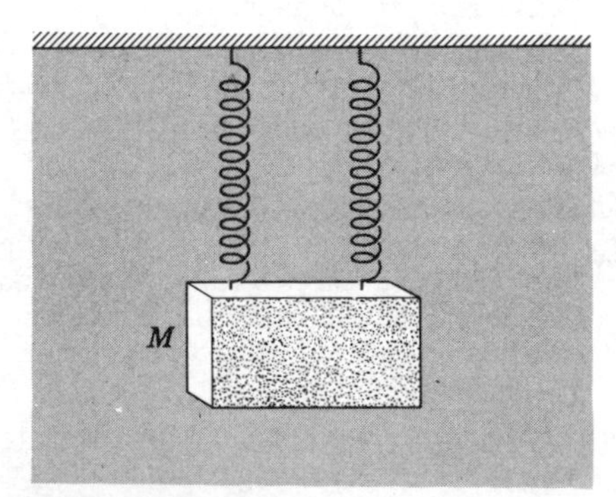

figure 15-22
Problème 17.

18. Un ressort homogène de longueur naturelle l possède une constante d'élasticité k. On coupe ce ressort en deux morceaux de longueur l_1 et l_2 respectivement, avec $l_1 = nl_2$, où n est un entier. Exprimez la constante d'élasticité k_1 et k_2 de chaque morceau en fonction de n et de k. Vérifiez votre réponse pour $n = 1$ et $n = \infty$.

19. Deux ressorts sont reliés à la même masse m, tout en étant attachés à des supports verticaux (fig. 15-23). Montrez que la fréquence d'oscillation, dans ce cas, peut s'exprimer ainsi:

$$f = \frac{1}{2\pi}\sqrt{\frac{k_1 + k_2}{m}}.$$

(L'analogue électrique de ce système est la combinaison de deux condensateurs en séries.)

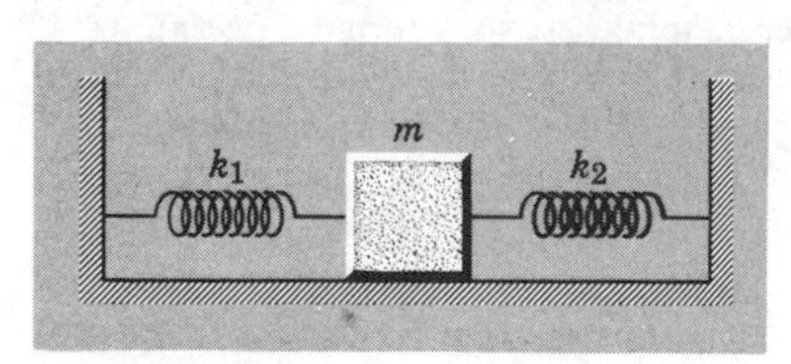

figure 15-23
Problème 19.

20. Deux masses identiques m et trois ressorts, identiques eux aussi, sont assemblés comme le montre la figure 15-24. *(a)* Si x_1 et x_2 représentent le déplacement de chaque masse de leur position d'équilibre, montrez que:

$$m\frac{d^2x_2}{dt^2} = k(x_1 - 2x_2)$$

et

$$m\frac{d^2x_1}{dt^2} = k(x_2 - 2x_1).$$

(b) Trouvez les fréquences de vibration du système, en supposant une solution de la forme $x_1 = A_1 \sin \omega t$ et $x_2 = A_2 \sin \omega t$.

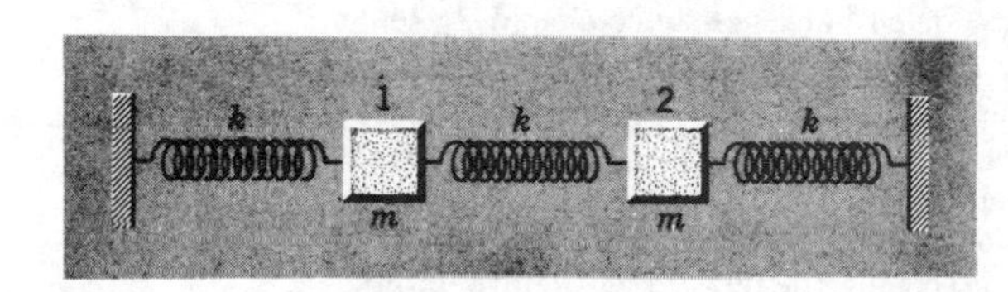

figure 15-24
Problème 20.

21. On attache, bout à bout, deux ressorts pour ensuite les relier à une masse comme l'illustre la figure 15-25. Le bloc glisse sans frottement. Si les constantes d'élasticité de chacun des ressorts sont k_1 et k_2, montrez que la fréquence d'oscillation de la masse m s'écrit ainsi:

$$f = \frac{1}{2\pi}\sqrt{\frac{k_1k_2}{(k_1 + k_2)m}}.$$

(L'analogue électrique de ce système consiste en un arrangement en parallèle de deux condensateurs.)

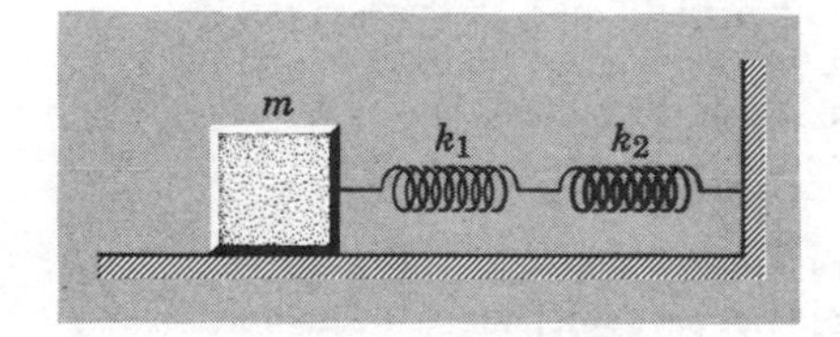

figure 15-25
Problème 21.

22. La force d'interaction entre deux atomes d'une certaine molécule diatomique peut s'écrire sous la forme $F = -a/r^2 + b/r^3$, où a et b sont des constantes positives, et où r désigne la distance séparant les atomes. Tracez un graphique de F en fonction de r, puis: *(a)* montrez que la distance à l'équilibre est b/a; *(b)* montrez que la constante de rappel vaut a^4/b^3 pour de petites oscillations de part et d'autre de la distance à l'équilibre; *(c)* trouvez la période de ce mouvement.

SECTION 15-4

23. Un ressort léger, dont la constante d'élasticité k égale 19 N/m, pend verticalement. On lui attache une masse de 0,20 kg et on la relâche. Supposez que le ressort n'était pas étiré lorsqu'on a relâché la masse. Trouvez: *(a)* de quelle distance, à partir de sa position initiale, est descendue la masse, *(b)* la fréquence d'oscillation et *(c)* l'amplitude du mouvement harmonique simple qui en résulte.
Réponses: (a) 0,11 m, *(b)* 1,6 Hz, *(c)* 0,11 m.

24. Un système formé d'un ressort et d'une masse en oscillation possède une énergie mécanique de 1,0 J, une amplitude de 0,10 m et une vitesse maximum de 1,0 m/s. Trouvez: *(a)* la constante d'élasticité du ressort; *(b)* la masse et *(c)* la fréquence d'oscillation.

25. *(a)* Lorsque le déplacement vaut la moitié de l'amplitude A, dans un mouvement harmonique simple, quelle fraction de l'énergie totale est sous forme d'énergie potentielle et quelle fraction de l'énergie totale est sous forme d'énergie cinétique? *(b)* Quel est le déplacement lorsque l'énergie cinétique égale l'énergie potentielle?
Réponses: (a) $\frac{1}{4}$ et $\frac{3}{4}$. *(b)* $A/\sqrt{2}$.

26. *(a)* Prouvez que, dans un mouvement harmonique simple, l'énergie cinétique moyenne et l'énergie potentielle moyenne sur une période du mouvement sont égales à $kA^2/4$ (fig. 15-9*a*). *(b)* Montrez que lorsque la moyenne est évaluée par rapport à la position occupée pendant un cycle, l'énergie potentielle moyenne vaut $\frac{1}{6}kA^2$ et l'énergie cinétique moyenne, $\frac{1}{3}kA^2$ (fig. 15-9*b*). *(c)* Expliquez physiquement pourquoi les résultats de *(a)* et de *(b)* diffèrent.

27. *Ressort vertical et champ gravitationnel uniforme*. Soit un ressort léger de constante d'élasticité k dans un champ gravitationnel uniforme. On attache une masse m à ce ressort. *(a)* Montrez que si $x = 0$ indique la position de relâche du ressort, la position d'équilibre statique équivaut à $x = mg/k$ (fig. 15-26). *(b)* Montrez que l'équation du mouvement de ce système est:

$$m\frac{d^2x}{dt^2} + kx = mg$$

et que la solution du déplacement en fonction du temps est: $x = A\cos(\omega t + \phi) + mg/k$, où $\omega = \sqrt{k/m}$. *(c)* Montrez que le système possède, dans le champ gravitationnel, les mêmes valeurs de ω, v, a, f et T qu'en l'absence de ce champ, la seule différence venant de la position d'équilibre qui a subi un déplacement de mg/k. *(d)* Considérez maintenant l'énergie du système, soit $\frac{1}{2}mv^2 + \frac{1}{2}kx^2 + mg(h-x) = \mathrm{C^{te}}$, et montrez que la dérivée par rapport au temps nous amène à l'équation du mouvement de *(b)*. *(e)* Montrez que lorsque la masse chute de sa position $x = 0$ à celle de l'équilibre statique $x = mg/k$, la moitié de l'énergie potentielle gravitationnelle perdue se transforme en énergie potentielle élastique, l'autre moitié devenant de l'énergie cinétique. *(f)* Considérez finalement le système en mouvement au point d'équilibre statique. Calculez séparément les variations des énergies potentielles gravitationnelle et élastique lorsque la masse s'élève d'une distance A et lorsqu'elle s'abaisse de la même distance. Montrez que la variation totale d'énergie potentielle est la même dans les deux cas, c'est-à-dire $kA^2/2$.

En considérant les résultats obtenus en *(c)* et en *(f)*, on observe qu'il est possible de ne pas tenir compte du champ gravitationnel uniforme dans l'analyse, en déplaçant la position de référence de $x = 0$ à $x_0 = x - mg/k = 0$. La nouvelle courbe de l'énergie potentielle $[U(x_0) = \frac{1}{2}kx_0^2 + \mathrm{C^{te}}]$ possède la même forme parabolique que celle de l'énergie potentielle en l'absence de champ gravitationnel.

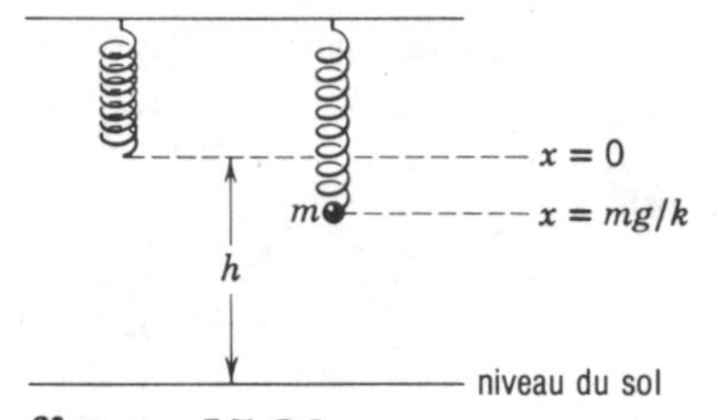

figure 15-26
Problème 27.

28. On suspend un bloc de 50 N à un ressort dont la constante d'élasticité est de 500 N/m. On tire du dessous une balle de 0,5 N qui atteint le bloc à une vitesse de 200 m/s et qui s'y loge. *(a)* Trouvez l'amplitude du mouvement harmonique qui en résulte. *(b)* Quelle fraction de l'énergie cinétique de la balle l'oscillateur harmonique réussit-il à emmagasiner? Y a-t-il de l'énergie perdue dans cette expérience? Expliquez votre réponse.

29. A partir de l'équation 15-17 de la conservation de l'énergie ($kA^2/2 = E$), trouvez l'expression du déplacement en fonction du temps par l'intégrale de l'équation 15-18. Comparez avec l'équation 15-8.

30. On attache un cylindre plein à un ressort horizontal sans masse de façon à ce qu'il puisse *tourner sans glisser* sur une surface horizontale (fig. 15-27). La constante d'élasticité du ressort est de 3,0 N/m. Si on relâche le système, initialement au repos, à une position où le ressort est étiré de 0,25 m, trouvez: *(a)* l'énergie cinétique de translation et *(b)* l'énergie cinétique de rotation du cylindre lorsqu'il passe

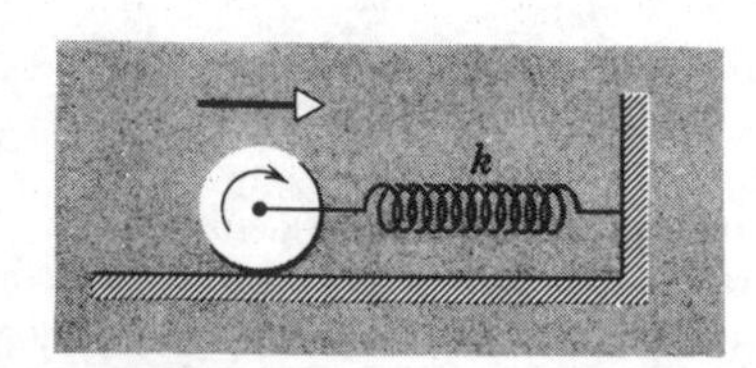

figure 15-27
Problème 30.

à la position d'équilibre. *(c)* Montrez que, dans ces conditions, le centre de masse du cylindre exécute un mouvement harmonique simple avec une période

$$T = 2\pi\ \sqrt{3M/2k},$$

où M est la masse du cylindre.

31. Si la masse m_r d'un ressort n'est pas négligeable, bien qu'elle soit petite comparée à la masse de l'objet qu'on lui suspend, la période du mouvement devient: $T = 2\pi\sqrt{(m + m_r/3)/k}$. Démontrez ce résultat. (*Suggestion:* la condition $m_r \ll m$ équivaut à l'hypothèse que le ressort s'étire proportionnellement selon sa longueur.) (Voir: H.L. Armstrong, *American Journal of Physics*, 37, 447, 1969, pour une solution complète dans le cas général.)

SECTION 15-5

32. Quelle est la longueur d'un pendule simple dont la période égale 1,0 s à un endroit où $g = 9{,}8$ m/s²?
33. Un pendule simple de 1,00 m de longueur accomplit 100 oscillations complètes en 204 s. Quelle est l'accélération gravitationnelle à cet endroit?
Réponse: 9,49 m/s².
34. Une sphère pleine de 2,0 kg et de 0,30 m de diamètre est attachée à un fil métallique. Trouvez la période de l'oscillation angulaire pour de petits déplacements si la constante de torsion du fil égale $6{,}0 \times 10^{-3}$ N · m/rad.
35. Un anneau de 0,80 m de rayon et pesant 40 N est suspendu à un clou fixé horizontalement. *(a)* Quelle est sa fréquence d'oscillation dans le cas où les déplacements sont petits? *(b)* Quelle est la longueur du pendule simple équivalent? ($g = 10$ m/s².) *Réponses: (a)* 0,40 Hz. *(b)* 1,6 m.
36. Déterminez la plus grande amplitude avec laquelle pourrait osciller un pendule simple si on veut que l'erreur sur la période calculée avec l'équation 15-19 ne dépasse pas 1,0%.
37. Une longue tige homogène de longueur l et de masse m est libre de tourner dans un plan horizontal autour d'un axe vertical passant par son centre. On attache, à une de ses extrémités, un ressort de constante d'élasticité k qu'on relie ensuite horizontalement à un mur fixe (fig. 15-28). Quelle est la période d'oscillation de la tige si on l'écarte légèrement de sa position d'équilibre pour ensuite la relâcher?
Réponse: $2\pi\ \sqrt{m/3k}$.

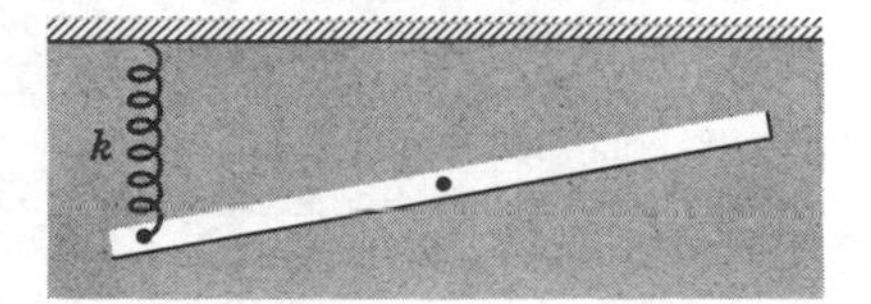

figure 15-28
Problème 37.

38. Le balancier d'une montre oscille avec une amplitude angulaire de π radians et une période de 0,50 s. Trouvez: *(a)* la vitesse angulaire maximale du balancier; *(b)* sa vitesse angulaire lorsque le déplacement est de $\pi/2$ rad et *(c)* son accélération angulaire lorsque le déplacement est de $\pi/4$ rad.
39. *(a)* A quelle fréquence oscille un pendule simple de 2,0 m de longueur? *(b)* Si on suppose que les amplitudes sont petites, que deviendrait sa fréquence dans un ascenseur qui accélère vers le haut à 2,0 m/s²? *(c)* Quelle serait sa fréquence en chute libre? *Réponses: (a)* 0,35 Hz. *(b)* 0,39 Hz. *(c)* Zéro.
40. On suspend un pendule simple de longueur l et de masse m au toit d'une automobile qui décrit à vitesse constante v un cercle de rayon R. Quelle sera la fréquence de ce pendule si les oscillations de faible amplitude s'accomplissent suivant une direction radiale autour du point d'équilibre?
41. Prouvez, pour le cas général du pendule composé de la figure 15-12, que les centres d'oscillation et de percussion coïncident. Les exemples 4 et 5 constituent des cas particuliers intéressants.
42. Un pendule est constitué d'une tige longue et mince, de longueur l et de masse m, qui pivote autour d'un point situé à une distance d de son centre. *(a)* Trouvez la période de ce pendule en fonction de d, l, m et g, dans le cas où l'amplitude est petite. *(b)* Montrez que la période est *minimale* lorsque $d = l/\sqrt{12} = 0{,}289\ l$.
43. On fabrique un disque de 1,0 m de diamètre à partir d'une feuille métallique. On en fait ensuite un pendule en perforant un trou pour y faire passer un clou qu'on fixe au mur. Soit l, la distance séparant le clou du centre du disque. *(a)* Pour quelles valeurs de l la période vaut-elle 1,7 s? *(b)* Quelle valeur devrait prendre l pour que la période devienne la plus petite possible?
Réponses: (a) 0,30 m; 0,42 m. *(b)* 0,35 m.
44. *(a)* Montrez que la tension maximale dans la corde d'un pendule, lorsque l'amplitude θ_m est petite, vaut $mg(1 + \theta_m{}^2)$. *(b)* A quelle position du pendule cette tension est-elle maximale?

SECTION 15-7

45. Deux champs électriques mutuellement perpendiculaires dévient les électrons d'un oscilloscope. Les équations:

$$x = A \cos \omega t \quad \text{et} \quad y = A \cos (\omega t + \phi_y)$$

donnent les déplacements horizontal et vertical subis par les électrons en fonction du temps t. Décrivez la trajectoire des électrons et déterminez l'équation correspondante lorsque *(a)* $\phi_y = 0°$; *(b)* $\phi_y = 30°$; *(c)* $\phi_y = 90°$.
Réponses: *(a)* une ligne droite, $y = \pm x$; *(b)* une ellipse, $y^2 - \sqrt{3}xy + x^2 = A^2/4$; *(c)* un cercle, $x^2 + y^2 = A^2$.

46. Esquissez la trajectoire d'une particule qui se déplace dans le plan x-y en accord avec les équations $x = A \cos (\omega t - \pi/2)$, $y = 2A \cos \omega t$, où x et y sont en mètres et t en secondes.

47. La figure 15-29 illustre le résultat de la combinaison de deux mouvements harmoniques simples: $x = A_x \cos \omega_x t$ et $y = A_y \cos (\omega_y t + \phi_y)$. *(a)* Quelle est la valeur de A_x/A_y? *(b)* Quelle est la valeur de ω_x/ω_y? *(c)* Quelle est la valeur de ϕ_y?
Réponses: *(a)* 1,0. *(b)* 0,50. *(c)* $\pm\pi/2$.

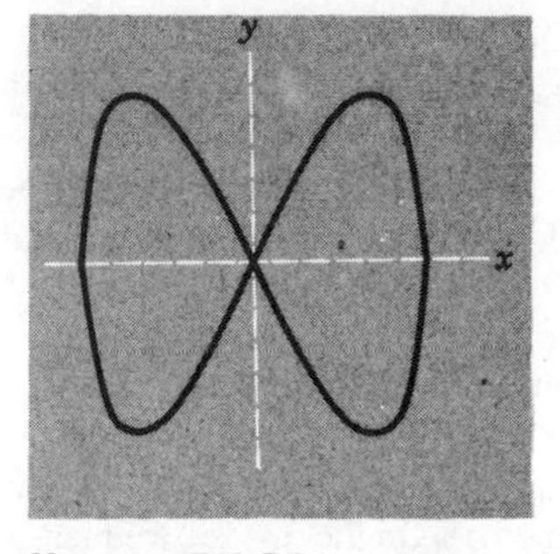

figure 15-29
Problème 47.

48. Une particule de masse m se déplace dans un plan fixe suivant la trajectoire $\vec{r} = \vec{i} A \cos \omega t + \vec{j} A \cos 3 \omega t$. *(a)* Dessinez la trajectoire de la particule. *(b)* Trouvez son moment cinétique en fonction du temps. *(c)* Quelle est la force agissant sur cette particule? *(d)* Trouvez l'expression de son énergie potentielle en fonction du temps. *(e)* Trouvez l'expression de son énergie totale en fonction du temps. *(f)* S'agit-il d'un mouvement périodique? Si oui, quelle en est la période?

49. *Figures de Lissajous.* Lorsqu'on combine des oscillations à angle droit l'une de l'autre, il n'est pas nécessaire que les fréquences du mouvement de la particule selon les directions x et y soient égales. Les équations 15-30 deviennent donc dans le cas général:

$$x = A_x \cos (\omega_x t + \phi_x) \qquad \text{et} \qquad y = A_y \cos (\omega_y t + \phi_y).$$

La trajectoire de la particule n'est plus une ellipse; on l'appelle *figure de Lissajous*, du nom de Jules Antoine Lissajous qui en fit le premier la démonstration, en 1857. *(a)* Si ω_x/ω_y est un nombre rationnel, de telle sorte que les fréquences angulaires ω_x et ω_y sont mesurables, alors la courbe est « fermée » et le mouvement se répète à intervalles réguliers. Supposez $A_x = A_y$ et $\phi_x = \phi_y$, et dessinez la figure de Lissajous dans les cas où $\omega_x/\omega_y = \frac{1}{2}, \frac{1}{3}, \frac{2}{3}$. *(b)* Posez que ω_x/ω_y est un nombre rationnel, $\frac{1}{2}, \frac{1}{3}, \frac{2}{3}$ par exemple, et montrez que la forme de la figure de Lissajous dépend de la différence de phase $\phi_x - \phi_y$. Tracez les courbes pour $\phi_x - \phi_y = 0$, $\pi/4$ et $\pi/2$ rad. *(c)* Si ω_x/ω_y n'est pas un nombre rationnel, la courbe n'est pas « fermée ». En substituant des valeurs de t dans les équations du mouvement, vous pouvez vous convaincre qu'après un temps assez long, la courbe aura passé par tous les points contenus dans un rectangle borné par $x = \pm A_x$ et $y = \pm A_y$, la particule ne passant jamais deux fois au même point avec la même vitesse. Pour être concret, posez que $\phi_x = 0$ en tout point.

SECTION 15-8

50. *(a)* Quelle est la masse réduite des molécules diatomiques suivantes: O_2, HCl et CO? Exprimez vos réponses en unités de masse atomique, la masse de l'atome d'hydrogène valant approximativement 1,00 u. *(b)* On sait que la fréquence fondamentale de vibration de la molécule de HCl est $f = 8{,}7 \times 10^{13}$ Hz. Quelle est la constante de rappel effective k du couplage des forces entre les atomes? En comparaison aux ressorts ordinaires, ce « ressort moléculaire » est-il relativement rigide ou non?

51. *(a)* Montrez que lorsque $m_2 \to \infty$ dans l'équation 15-33, $\mu \to m_1$. *(b)* Montrez que l'effet d'un mur non parfaitement immobile ($m_2 < \infty$) sur les oscillations de la masse m_1 attachée à une extrémité d'un ressort fixé à ce mur est de réduire la période, ou d'accroître la fréquence d'oscillation par rapport à *(a)*. *(c)* Montrez que lorsque $m_2 = m_1$, l'effet obtenu équivaut à couper le ressort en deux, chaque masse oscillant indépendamment autour du centre de masse situé au milieu.

52. Le ressort de la figure 15-17*a* possède une constante d'élasticité k de 250 N/m. Posons $m_1 = 1{,}0$ kg et $m_2 = 3{,}0$ kg. *(a)* Quelle est la fréquence d'oscillation de ce système à deux corps? *(b)* Quelle est le rapport K_1/K_2 de leurs énergies cinétiques?

53. Montrez que l'énergie cinétique de l'oscillateur à deux corps de la figure 15-17*a* équivaut à $K = \frac{1}{2}\mu v^2$, où μ est la masse réduite et $v (= v_1 - v_2)$, la vitesse relative.

Il est utile de noter que la quantité de mouvement se conserve lorsque le système oscille.

SECTION 15-9

54. Le système illustré à la figure 15-18 possède une masse de 1,5 kg et une constante d'élasticité k de 8,0 N/m. Supposez qu'on descende le bloc de 12 cm et qu'on le relâche. Si $-b\, dx/dt$, où $b = 0{,}23$ kg/s, donne la force de friction, trouvez le nombre d'oscillations qu'effectuera le bloc avant que l'amplitude ne devienne le tiers de sa valeur initiale.

SECTION 15-10

55. A partir de l'équation 15-41, trouvez la vitesse v $(= dx/dt)$ du mouvement oscillatoire forcé. Montrez que l'amplitude de la vitesse équivaut à

$$v_m = F_m/[(m\omega'' - k/\omega'')^2 + b^2]^{1/2}.$$

Les équations de la section 15-10 ont une forme identique à celles représentant un circuit électrique constitué d'une résistance R, d'une inductance L, et d'un condensateur C en séries avec une source électromotrice alternative $V = V_m \cos \omega'' t$. Ainsi, b, m, k et F_m sont analogues à R, L, 1/C et V_m respectivement; x et v sont analogues à la charge q et au courant i respectivement. En électricité, l'amplitude du courant i_m, analogue à l'amplitude de la vitesse v_m donnée ci-haut, sert à décrire la qualité de la résonance.

16
la gravitation

16-1 *HISTORIQUE*[1]

Depuis au moins l'époque des Grecs, deux problèmes ont fait l'objet de recherches: (1) la tendance des objets, tels les pierres, à tomber vers le sol lorsqu'on les relâche, et (2) les mouvements des planètes, incluant le Soleil et la Lune, qu'on classait, en ces temps-là, parmi ce type d'astres. Les anciens les considéraient indépendamment, sans entrevoir le moindre lien entre eux. L'une des réussites de Newton, en s'appuyant sur les travaux de ses prédécesseurs, fut de les voir clairement comme deux aspects d'un seul problème et soumis aux mêmes lois.

En 1665, Newton, alors âgé de 23 ans, quitta Cambridge pour Lincolnshire quand on ferma le collège en raison de la peste. Environ cinquante ans plus tard il écrivit: « . . . au cours de la même année (1665) je commençai à croire que la gravitation pouvait s'étendre jusqu'à l'orbite de la Lune. . . et en comparant la force requise pour maintenir la Lune sur son orbite à la force de gravité à la surface de la Terre, j'ai constaté une certaine similitude. »

Un jeune ami de Newton, William Stukeley, écrivit qu'en prenant le thé avec lui sous des pommiers, Newton avoua que le paysage était semblable à celui qui lui avait inspiré l'idée de la gravitation: « Pendant qu'il se trouvait assis et perdu dans ses réflexions, la chute d'une pomme[2] déclencha tout. . . et il commença alors à appliquer graduellement cette propriété gravitationnelle au mouvement de la Terre et des corps célestes. . .» (Voir la figure 16-1.)

Nous pouvons calculer l'accélération de la Lune vers la Terre en utilisant sa période de révolution et le rayon de son orbite, ce qui donne 0,00273 m/s² (voir l'exemple 4 au chapitre 4). Ce résultat est environ 3600 fois inférieur à g,

[1] Voir « A Background to Newtonian Gravitation », par V. V. Raman, *The Physics Teacher*, novembre 1972.
[2] On serait porté à croire que la pomme l'a vraiment atteint à la tête!

l'accélération due à la gravité près de la surface terrestre. Guidé par la troisième loi de Képler (voir plus loin, et consulter le problème 25), Newton chercha à expliquer cette différence en supposant que l'accélération d'un corps en chute libre était inversement proportionnelle au carré de sa distance à la Terre.

Mais que signifie la « distance à la Terre »? Newton en vint éventuellement à considérer que chaque particule de notre planète contribue à la force gravitationnelle qu'elle exerce sur les autres corps. Il osa même supposer que l'on pouvait traiter la masse de la Terre comme si elle se trouvait concentrée en son milieu (voir la section 16-6).

Par exemple, si nous pouvons traiter la Terre comme une particule par rapport au Soleil, il n'est toutefois pas évident que nous puissions la considérer ainsi par rapport à une pomme située à quelques mètres seulement au-dessus de sa surface. Mais, si l'hypothèse est valable, un corps en chute libre près de la surface terrestre se trouve à une distance du centre effectif d'attraction égale au rayon de la Terre, c'est-à-dire à 6380 km. La Lune se situe à 380 000 km environ de notre planète. L'inverse carré du rapport de ces distances donne $(6380/380\,000)^2 = 1/3600$; ce résultat se compare à celui obtenu pour le rapport des accélérations de la Lune et de la pomme. Cette similitude nous permet de croire qu'une même loi régit ces phénomènes, comme le pensa Newton.

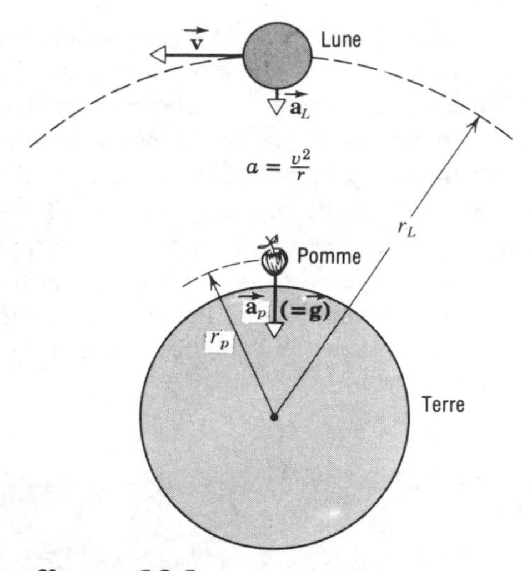

figure 16-1
La Lune et la pomme subissent tous les deux une accélération vers le centre de la Terre. Leur différence de mouvement provient de ce que seule la Lune possède une vitesse tangentielle.

Newton ne publia pas toutes ses conclusions avant 1678, quelque vingt-deux années après avoir conçu les fondements de sa théorie. Il le fit dans son oeuvre maîtresse, les *Principia*. Bien au-delà du problème de la pomme et de la Terre dont nous venons de parler, il existait une incertitude quant à la valeur du rayon terrestre, paramètre nécessaire dans les calculs. C'est finalement ce facteur qui incitait Newton à retarder la publication de ses résultats; homme timide et introspectif, il abhorrait la controverse. Bertrand Russel écrivit à son sujet: « S'il avait rencontré autant d'opposition que Galilée, il n'aurait probablement pas publié une seule ligne. » Edmund Halley, qui découvrit la fameuse comète portant aujourd'hui son nom, le força d'ailleurs à publier ses *Principia.* Le mathématicien Augustus DeMorgan écrivit au sujet de Halley: « . . . mais sans son influence sur Newton, ce travail n'aurait jamais été publié ni même écrit. . .».

Dans ses *Principia*, Newton ne se limita pas aux problèmes Terre-pomme et Terre-Lune; il étendit sa loi concernant la gravitation à tous les corps, comme nous le verrons à la prochaine section.

On peut discuter de la gravitation dans trois domaines se recoupant. (1) L'attraction gravitationnelle entre deux objets (par exemple, des boules de quille), quoique mesurable à l'aide de techniques à haute sensibilité, demeure trop faible pour être perçue par nos sens habituels. (2) L'attraction que la Terre exerce sur nous et sur tous les objets autour de nous constitue un facteur déterminant tout au long de notre vie, et seules des mesures exceptionnelles permettent d'y échapper. Les concepteurs des programmes spatiaux ont constamment à l'esprit la force gravitationnelle, car ils la considèrent comme un facteur central qui contrôle tout. (3) A l'échelle cosmique (c'est-à-dire dans le domaine du système solaire, de la naissance et de l'interaction des étoiles et des galaxies), la gravitation est de loin la force prédominante.

Les Grecs tentèrent les premiers d'expliquer sérieusement la cinématique du système solaire. Claude Ptomélée (deuxième siècle après J.-C.) développa un modèle géocentrique du système solaire dans lequel, comme le nom l'indique, la Terre demeure immobile au centre tandis que les planètes, incluant le Soleil et la Lune, tournent autour d'elle. Cette déduction ne doit pas nous surprendre, car la Terre semblait alors un corps des plus importants. Shakespeare s'y référait en disant: « . . . ce bon vieux système, la Terre. . .». Même de nos jours, on utilise un référentiel géocentrique pour l'enseignement de la navigation astronomique, et, dans la conversation courante, l'usage de certaines expressions comme par exemple « le lever du soleil », suppose un tel point de vue.

Puisque les orbites circulaires simples ne permettaient pas d'expliquer le mouvement complexe des planètes, Ptolémée imagina les épicycles. Dans un mouvement en épicycle, la planète se déplace sur un cercle dont le centre décrit lui-même un cercle centré sur la Terre (fig. 16-2*b*). Ptolémée dut recourir à plusieurs autres arrangements géométriques, mais tous respectaient le caractère sacré du cercle comme élément primordial des mouvements planétaires. Nous savons aujourd'hui que ce n'est pas le cercle mais bien l'ellipse qui constitue cet élément fondamental et que le Soleil occupe l'un des foyers de cette ellipse.

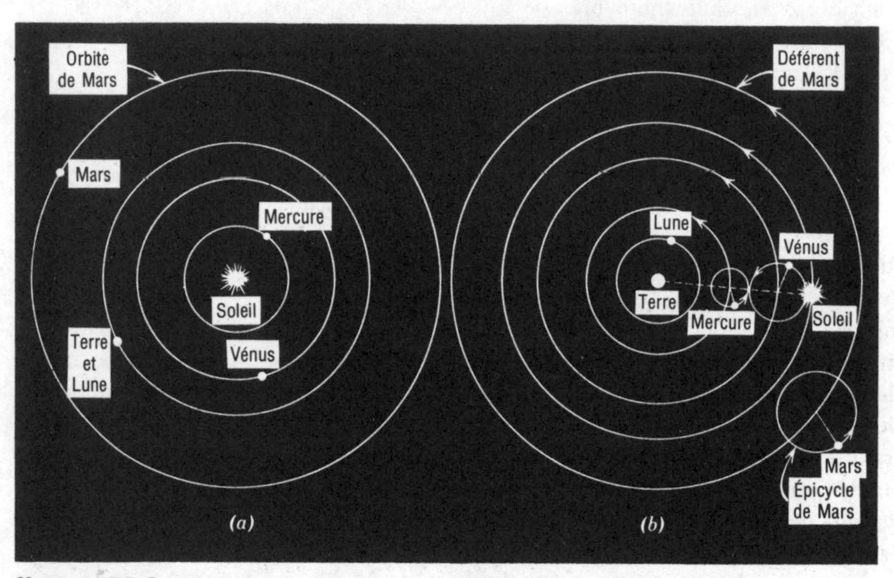

figure 16-2
(a) Voici le modèle copernicien du système solaire. Le Soleil se situe au centre et les planètes gravitent autour. *(b)* Voici le modèle ptolémaïque du système solaire. La Terre se trouve au centre et les planètes se déplacent autour d'elle. Désireux d'expliquer le mouvement complexe des planètes, les deux chercheurs introduisirent des figures géométriques qui compliquèrent leur représentation. En *(b)*, par exemple, Mars se déplace sur un épicycle, c'est-à-dire qu'il parcourt un cercle dont le centre décrit lui-même un cercle autour de la Terre. On n'a pas illustré les arrangements pour le moins aussi complexes que Copernic ajouta à son modèle. La différence fondamentale entre ces deux représentations vient de ce que le Soleil ou la Terre occupe la position centrale des mouvements planétaires. (Voir « The Crime of Galileo », par Giorgio De Santillana, Chicago, University of Chicago Press, 1955. Voir également « The Copernican Revolution », par Thomas S. Kuhn, Cambridge, Mass., Harvard University Press, 1957.)

Au seizième siècle, Nicolas Copernic (1473-1543) proposa un modèle héliocentrique dans lequel le Soleil occupait la position centrale, la Terre se déplaçant autour comme l'une de ses planètes (fig. 16-2*a*). On pourrait croire que, le modèle copernicien apparaissant si simple comparé à celui de Ptolémée, on a dû l'adopter tout de suite. Il n'en fut rien. Même Copernic croyait encore à l'importance majeure des cercles, et l'utilisation qu'il fit des épicycles, en plus d'autres agencements, compliqua son modèle autant que celui de Ptolémée; la figure 16-2*a* n'illustre pas son modèle au complet. En plaçant le Soleil au centre du système, il donna toutefois une description simplifiée et une explication plus naturelle de certains aspects du mouvement planétaire. Par-dessus tout, il posa le fondement indispensable sur lequel repose notre vision moderne du système solaire.

La controverse augmenta autour des deux théories, stimulant ainsi les astronomes à obtenir des mesures d'observation plus précises. Tycho Brahé[3] (1546-1601) obtint de telles données, et il fut le dernier grand astronome à observer sans l'aide d'un télescope[4]. Pendant près de vingt ans Johannes Képler (1571-1630), qui fut l'assistant de Brahé, analysa et interpréta les données recueillies sur les mouvements des planètes. Il découvrit d'importantes régularités dans leurs mouvements. On les connaît aujourd'hui sous le nom des *trois lois de Képler sur le mouvement planétaire*.

1. Toutes les planètes décrivent un mouvement elliptique dont le Soleil occupe l'un des foyers (la loi des orbites).
2. Une droite joignant une planète au Soleil balaie des aires égales en des temps égaux (la loi des aires).
3. Le carré de la période de révolution d'une planète autour du Soleil est proportionnelle au cube de la distance moyenne qui la sépare de celui-ci (la loi des périodes).

Les lois de Képler apportèrent un appui solide à la théorie de Copernic. Elles démontrèrent la grande simplicité avec laquelle on pouvait décrire les mouvements planétaires lorsqu'on considérait le Soleil comme corps de référence. Cependant, il s'agissait de lois empiriques qui décrivaient le mouvement observé des planètes sans aucune interprétation théorique. Képler n'introduisit pas de concept de force comme cause de telles périodicités.[5] Ce concept n'était d'ailleurs pas encore clairement formulé et, pour cette raison, les idées de Newton apparurent comme une grande réussite, car il *déduisit* les lois de Képler à partir de ses lois sur le mouvement et de celle sur la gravitation. La loi de Newton sur la gravitation stipule que chaque planète est attirée vers le Soleil par une force proportionnelle à sa masse et inversement proportionnelle au carré de la distance qui la sépare de celui-ci.

Ainsi, Newton expliquait le mouvement des planètes dans le système solaire et celui des corps tombant près de la surface de la Terre à l'aide d'un seul concept. Il réunit alors en une seule théorie les sciences de la mécanique céleste et de la mécanique terrestre, reconnues distinctes auparavant. L'importance scientifique réelle du travail de Copernic réside dans le fait que sa théorie héliocentrique permit à Newton d'accomplir cette synthèse[6]. Par la suite, en supposant la Terre en mouvement de rotation sur elle-même et autour du Soleil, il devint possible d'expliquer des phénomènes aussi divers que les mouvements diurne et annuel des étoiles, l'aplatissement de la Terre aux pôles, le comportement des vents prédominants, et bien d'autres que l'on n'avait pu relier d'une manière aussi simple dans une théorie géocentrique.

• Notes

Il est intéressant de réviser notre cheminement vers une meilleure compréhension du mouvement des corps dans le système solaire en fonction du programme que nous avons ébauché au début du chapitre 5 et qui concernait l'étude de la mécanique classique. Historiquement, on peut établir quatre étapes importantes.

1. Copernic avança que le Soleil, et non pas la Terre, se trouvait au centre du système solaire. Dans un langage moderne, nous disons qu'il nous donna alors

[3] Voir « Copernicus and Tycho », par Owen Gingerich, *Scientific American*, décembre 1973.
[4] Galilée construisit en 1609 le premier télescope utilisé à des fins scientifiques. A l'aide de cet instrument, il découvrit les lunes de Jupiter et les phases de Vénus. Galilée fut un fervent défenseur de la théorie copernicienne et l'appuya de ses observations. Newton inventa, pour sa part, un télescope de type réflecteur.
[5] Voir « How Did Kepler Discover His First Two Laws », par Curtis Wilson, *Scientific American*, mars 1972.
[6] Newton s'appuya certainement sur les (ou du moins s'inspira des) travaux de ses prédécesseurs. Parmi ces derniers, citons Galilée, Képler, Halley et Hooke.

un référentiel (le Soleil) beaucoup plus commode que celui utilisé auparavant (la Terre) pour décrire les mouvements du système solaire. Parmi d'autres avantages, le référentiel copernicien représente essentiellement un système de référence *galiléen*, car il reste immobile par rapport au Soleil sans toutefois tourner avec celui-ci. On ne peut en dire autant dans le cas d'un référentiel lié à la Terre quand il s'agit de problèmes où interviennent les mouvements planétaires.

2. Brahé mesura avec précision les mouvements des planètes « vus de la Terre ». Il accumula les données d'observation nécessaires à tout progrès éventuel.
3. Képler déduisit, en étudiant les données de Brahé, trois lois empiriques simples concernant le mouvement des planètes. En adoptant le référentiel de Copernic, il présenta sous une forme simple la cinématique des mouvements planétaires.
4. Newton découvrit, en plus des lois du mouvement pour les systèmes mécaniques en général, la loi de la force particulière s'appliquant au mouvement des planètes, et que l'on nomme « loi de la gravitation universelle ».

Ainsi, sur une période d'environ deux siècles, apparut (1) le système de référence approprié, (2) une information cinématique précise, (3) les lois empiriques du mouvement planétaire, et (4) les lois générales de la mécanique classique, en plus de la loi de la force propre à décrire tout mouvement planétaire. •

16-2 LA LOI DE LA GRAVITATION UNIVERSELLE

Deux particules quelconques de masses m_1 et m_2, séparées d'une distance r, exercent l'une sur l'autre une force attractive agissant le long de la droite qui les relie, et dont la grandeur vaut

$$F = G\frac{m_1 m_2}{r^2}, \tag{16-1}$$

où G représente une constante universelle, c'est-à-dire une constante valable peu importe les particules considérées.

Voilà la loi de la gravitation universelle de Newton. Afin de la comprendre clairement, nous croyons nécessaire d'apporter dès maintenant les précisions suivantes.

D'abord, les forces gravitationnelles entre deux particules constituent une paire action-réaction. La première particule exerce sur la seconde une force orientée vers elle-même le long de la droite joignant les deux. De même, la seconde particule exerce sur la première une force orientée vers elle-même suivant la droite qui les relie. Ces forces sont d'égale grandeur mais s'orientent en sens inverse.

On ne doit pas confondre la constante universelle G avec $\vec{\mathbf{g}}$, l'accélération d'un corps provenant de l'attraction gravitationnelle terrestre agissant sur lui. La constante G possède les dimensions L^3/MT^2 et il s'agit d'un scalaire; par contre, $\vec{\mathbf{g}}$ représente un vecteur de dimensions L/T^2 et n'est pas universel, ni même constant.

Notez que cette loi de Newton ne constitue pas une équation servant à définir l'une ou l'autre des grandeurs physiques impliquées (force, masse, ou longueur). Au chapitre 5 on a défini la force à partir de la deuxième loi de Newton, $\vec{\mathbf{F}} = m\vec{\mathbf{a}}$. Toutefois, le fondement de cette loi repose sur l'hypothèse que la force agissant sur une particule peut s'exprimer d'une manière simple, en fonction des propriétés de la particule et de son environnement, c'est-à-dire que l'on suppose l'existence de lois de force simples. La gravitation universelle représente une loi semblable. La constante G s'obtient expérimentalement et, une fois que nous connaissons sa valeur pour une paire d'objets donnés, nous pouvons l'utiliser dans la loi de la gravitation pour déterminer les forces entre deux autres corps quelconques.

L'équation 16-1 exprime la force entre des *particules*. Afin d'évaluer celle qui agit entre deux corps volumineux, par exemple la Terre et la Lune, nous devons considérer ces corps comme s'ils étaient formés de particules. Il faut alors calculer l'interaction de toutes les particules, et nous y parvenons grâce au calcul intégral. Le désir de résoudre de tels problèmes incita Newton, en partie du moins, à développer ce type de calcul. En général, on ne peut pas supposer pour des besoins d'ordre gravitationnel que toute la masse d'un corps se trouve au centre de masse. Cependant, cette hypothèse vaut pour les sphères uniformes (voir la preuve à la section 16-6) et nous l'utiliserons fréquemment.

La loi de la gravitation universelle renferme implicitement l'idée que la force entre deux particules est indépendante des autres objets présents dans l'environnement ou des propriétés de l'espace environnant. Jusqu'à présent toutes les déductions faites à partir de cette idée permettent de croire à son exactitude. Certains utilisèrent même ce fait pour introduire l'idée de l'existence possible « d'écrans gravitationnels. »

- **Note**

Nous pouvons exprimer la loi de la gravitation universelle sous une forme vectorielle. Posons que le vecteur position $\vec{r}_{12}$ s'oriente de la particule de masse m_1 vers celle de masse m_2, comme l'illustre la figure 16-3*a*. Voici la relation vectorielle donnant la grandeur et l'orientation de la force gravitationnelle $\vec{F}_{21}$ que m_1 *exerce sur* m_2:

$$\vec{F}_{21} = -G\frac{m_1 m_2}{r_{12}^3}\vec{r}_{12}, \tag{16-2a}$$

dans laquelle r_{12} représente la grandeur de $\vec{r}_{12}$. Le signe négatif de cette équation révèle que $\vec{F}_{21}$ pointe dans le sens inverse de $\vec{r}_{12}$; cela signifie qu'il s'agit d'une force *attractive*, m_2 subissant une force orientée vers m_1 (fig. 16-3). Nous pouvons récrire l'équation 16-2*a* de manière à faire voir la loi de l'inverse carré qu'elle exprime: $\vec{F}_{21} = -(Gm_1m_2/r_{12}^2)(\vec{r}_{12}/r_{12})$. Ici, le vecteur position, divisé par sa propre grandeur $(\vec{r}_{12}/r_{12})$, représente un vecteur unitaire $\vec{u}_r$ orienté selon $\vec{r}_{12}$. En déterminant la grandeur de chaque membre de l'équation, nous obtenons la forme scalaire de la loi d'attraction gravitationnelle correspondant à l'équation 16-1, car le facteur r_{12} au numérateur élimine un facteur de r_{12}^3 au dénominateur.

La force que m_2 *exerce sur* m_1 est clairement exprimée par la relation

$$\vec{F}_{12} = -G\frac{m_2 m_1}{r_{21}^3}\vec{r}_{21}. \tag{16-2b}$$

Puisque $\vec{r}_{21} = -\vec{r}_{12}$, dans l'équation 16-2, alors $\vec{F}_{12} = -\vec{F}_{21}$, comme nous pouvions le prévoir (fig. 16-3*c*). Ce résultat signifie que les forces d'attraction gravitationnelle entre deux corps forment une paire action-réaction. •

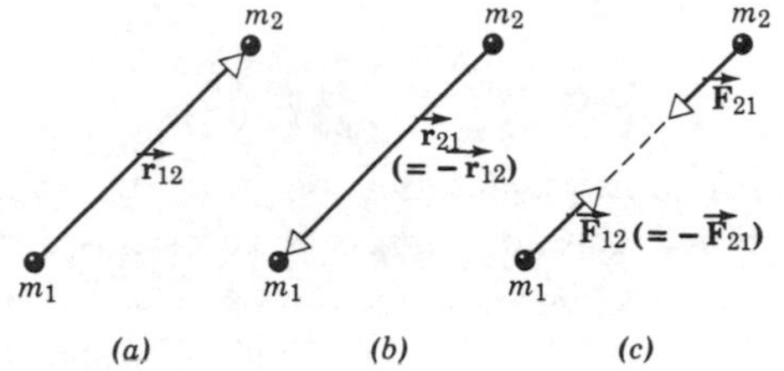

figure 16-3
La force $\vec{F}_{21}$ appliquée sur m_2 (par m_1) s'oriente dans le sens contraire au vecteur position $\vec{r}_{12}$ de m_2 par rapport à m_1. De même, la force $\vec{F}_{12}$ appliquée sur m_1 (par m_2) s'oriente dans le sens opposé au vecteur position $\vec{r}_{21}$ de m_1 par rapport à m_2. Puisque $\vec{F}_{21} = -\vec{F}_{12}$, ces forces forment une paire action-réaction.

16-3 LA CONSTANTE DE LA GRAVITATION UNIVERSELLE G

Afin de connaître la constante G, il faut déterminer la force d'attraction mutuelle de deux masses connues. En 1798, Lord Cavendish fit la première mesure précise de cette constante et, au dix-neuvième siècle, Poynting et Boys en augmentèrent la précision de manière significative. Actuellement nous acceptons la valeur suivante[7]:

$$G = 6{,}6720 \times 10^{-11}\ \mathrm{N \cdot m^2/kg^2},$$

précise à environ $0{,}0006 \times 10^{-11}\ \mathrm{N \cdot m^2/kg^2}$.

La figure 16-4 illustre la méthode de la déflexion maximale qui peut servir à mesurer cette constante universelle. Deux petites balles, ayant chacune une

[7] « A New Determination of the Constant of Gravitation », par A. H. Cook, *Contemporary Physics,* mai 1968, offre un bon aperçu des principes et des méthodes en usage.

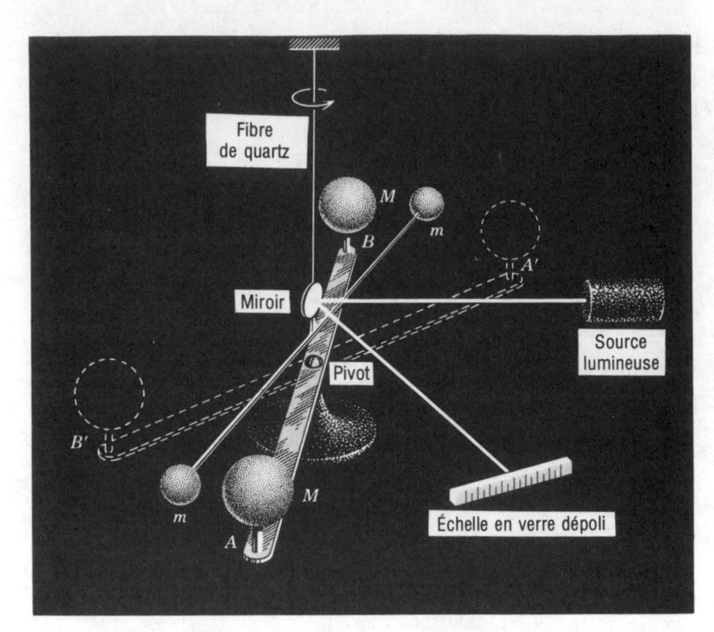

figure 16-4
Voici un schéma de la balance utilisée par Cavendish dans le but de vérifier expérimentalement la loi de la gravitation universelle de Newton. Les petites masses m sont suspendues à l'aide d'une fibre. Les grosses masses M peuvent pivoter sur un support stationnaire. Un miroir fixé à la fibre réfléchit l'image du filament de la lampe sur l'échelle graduée, de sorte que l'on puisse mesurer la moindre rotation des petites masses.

masse m, sont fixées aux bouts d'une tige métallique légère. A l'aide d'une fibre légère, on suspend le corps ainsi formé pour qu'il repose horizontalement. Puis on place deux grosses balles de masse M près des extrémités, de part et d'autre de la tige (aux points A et B), qui attirent les petites balles suivant la loi de la gravitation. Un moment de force agit sur cet « haltère », l'obligeant à tourner en sens anti-horaire (tel qu'observé du dessus). Si les grosses masses se trouvent en A' et B', l'haltère tourne dans le sens horaire. La fibre subit une torsion et s'oppose de ce fait aux moments de force impliqués. On détermine l'angle de torsion θ en observant la déflexion d'un faisceau lumineux réfléchi par un petit miroir attaché à la fibre. Connaissant les masses, leur distance de séparation et la constante de torsion, on peut calculer G à partir de la mesure obtenue pour l'angle de torsion. Puisque la force d'attraction s'avère très faible, la fibre doit posséder une constante de torsion particulièrement réduite pour permettre de déceler un déplacement. A l'exemple 1, nous donnons certaines valeurs permettant de calculer G.

Dans la balance de Cavendish de la figure 16-4, les masses ne sont certainement pas des particules. Cependant, puisqu'il s'agit de sphères homogènes, elles agissent gravitationnellement comme si toute leur masse se trouvait concentrée en leur centre (voir la section 16-6).

Les forces gravitationnelles entre les objets à la surface de la Terre sont si faibles comparées à l'attraction terrestre que nous les négligeons habituellement. Par exemple, deux objets sphériques de 100 kg chacun, séparés d'une distance de 1,0 m, s'attirent avec une force

$$F = \frac{Gm_1m_2}{r^2} = \frac{(6{,}67 \times 10^{-11}) \times (100) \times (100)}{(1{,}0)^2}\,\text{N}$$

$$= 6{,}7 \times 10^{-7}\,\text{N}.$$

On constate que l'expérience de Cavendish est véritablement très délicate à réaliser.

La Terre exerce une grande force gravitationnelle sur tous les objets situés près de sa surface, du fait de sa masse énorme. En vérité, nous calculons cette masse en utilisant la loi de la gravitation universelle et la valeur de G obtenue de l'expérience de Cavendish. Pour cette raison, on dit de Cavendish qu'il fut le premier à « peser » la Terre. Considérons la Terre, de masse M_T, et un objet quelconque, de masse m, à sa surface. La force d'attraction s'obtient à la fois de

$$F = mg$$

et de

$$F = \frac{GmM_T}{R_T^2},$$

où R_T symbolise le rayon terrestre et donne la distance entre les deux corps, et où g représente l'accélération due à la gravité près de la surface de la Terre. En combinant ces équations nous obtenons:

$$M_T = \frac{g\,R_T^2}{G} = \frac{(9{,}80\ \text{m/s}^2)(6{,}37 \times 10^6\ \text{m})^2}{6{,}67 \times 10^{-11}\ \text{N} \cdot \text{m}^2/\text{kg}^2} = 5{,}96 \times 10^{24}\ \text{kg}.$$

En divisant la masse de la Terre par son volume, pour obtenir sa masse volumique moyenne, on trouve 5,5 g/cm³, soit une densité relative de 5,5. Comme la masse volumique du roc à la surface est de beaucoup inférieure à ce résultat, nous concluons que l'intérieur contient des matériaux dont la masse volumique dépasse 5,5 g/cm³. L'expérience de Cavendish fournit de la sorte un renseignement sur la nature du coeur terrestre (voir la question 7 et le problème 16).

EXEMPLE 1

Supposons que chacune des petites sphères de la figure 16-4 possède une masse de 10,0 g et que la tige métallique mesure 50,0 cm de longueur. On a déterminé la période d'oscillation de ce système à torsion; elle vaut 769 s. Deux grosses sphères fixes de 10,0 kg sont situées près des petites, de manière à produire une torsion maximale. La déflexion angulaire de la tige suspendue vaut $3{,}96 \times 10^{-3}$ rad et on évalue à 10,0 cm la distance séparant une grosse sphère d'une petite. Calculez la constante de la gravitation universelle G.

L'équation 15-24 donne la période d'un mouvement oscillatoire engendré par une torsion:

$$T = 2\pi \sqrt{\frac{I}{\kappa}}.$$

En négligeant la masse de la tige, nous trouvons, pour l'haltère,

$$I = \Sigma\, mr^2 = (10{,}0\ \text{g})(25{,}0\ \text{cm})^2 + (10{,}0\ \text{g})(25{,}0\ \text{cm})^2$$

ou

$$I = 1{,}25 \times 10^{-3}\ \text{kg} \cdot \text{m}^2.$$

Comme $T = 769$ s, la constante de torsion a la valeur suivante:

$$\kappa = \frac{4\pi^2 I}{T^2} = \frac{(4\pi^2)(1{,}25 \times 10^{-3}\ \text{kg} \cdot \text{m}^2)}{(769\ \text{s})^2} = 8{,}34 \times 10^{-8}\ \text{kg} \cdot \text{m}^2/\text{s}^2.$$

L'expression $\tau = \kappa\theta$ relie l'angle de torsion au moment de force appliqué. La valeur de θ correspondant à une déflexion maximale est connue. La grandeur κ représente la constante de torsion.

Les grosses sphères exercent des forces gravitationnelles sur les petites, ce qui engendre le moment. Il sera maximal pour une distance de séparation donnée, quand la droite joignant leurs centres formera un angle droit avec la tige légère. *Chaque* petite balle subit une force

$$F = \frac{GMm}{r^2},$$

et le bras de levier de chacune des deux forces égale la moitié de la longueur de cette tige ($l/2$). Ainsi,

moment de force = force × bras de levier,

c'est-à-dire:

$$\tau = 2\frac{GMm}{r^2}\frac{l}{2}.$$

En introduisant cette formule dans $\tau = \kappa\theta$, nous obtenons:

$$G = \frac{\kappa\theta r^2}{Mml} = \frac{(8{,}34 \times 10^{-8}\ \text{kg} \cdot \text{m}^2/\text{s}^2)(3{,}96 \times 10^{-3}\ \text{rad})(0{,}100\ \text{m})^2}{(10{,}0\ \text{kg})(0{,}0100\ \text{kg})(0{,}500\ \text{m})}$$

$$= 6{,}63 \times 10^{-11}\ \text{N} \cdot \text{m}^2/\text{kg}^2.$$

Remarquez que ce résultat est inférieur d'environ 1% à la valeur acceptée. Qu'avons-nous négligé dans notre calcul qui pourrait expliquer cette différence?

• **Notes**

16-4 *MASSE GRAVITATIONNELLE ET MASSE D'INERTIE*

L'équation 16-1 montre que la force gravitationnelle agissant sur un corps est proportionnelle à sa masse. Cette proportionnalité constitue la raison pour laquelle on considère habituellement la théorie de la gravitation comme une partie de la mécanique, contrairement aux théories se rapportant à d'autres types de force (électromagnétique, nucléaire, etc.).

Grâce à cette proportionnalité, nous pouvons déterminer une masse en mesurant la force gravitationnelle qu'elle subit; voilà une conséquence importante. Nous y parvenons par l'emploi d'un dynamomètre (balance à ressort) ou en comparant, à l'aide d'une balance à fléau par exemple, les forces gravitationnelles ressenties par la masse inconnue et l'étalon; en d'autres mots, nous déterminons la masse d'un objet en le pesant. Cela nous fournit une méthode de mesure beaucoup plus commode que celle qui accompagne la définition originale de la masse (voir la section 5-4).

Mais ces deux méthodes mesurent-elles réellement la même propriété? On a utilisé le mot *masse* dans deux situations expérimentales différentes. Par exemple, en essayant de pousser un bloc immobile sur une surface horizontale sans frottement, nous constatons qu'il faut un certain effort pour le déplacer. Le bloc semble inerte et tend à rester au repos, ou s'il se déplace, il cherche à maintenir son mouvement. Comme la gravité n'intervient pas ici, le même effort serait nécessaire pour accélérer le bloc dans l'espace libre d'effet gravitationnel. La masse du bloc rend donc obligatoire l'application d'une force pour modifier le mouvement. Il s'agit du symbole m qui apparaissait dans $\vec{\mathbf{F}} = m\vec{\mathbf{a}}$ lors de nos premières expériences en dynamique. On la nomme *masse d'inertie*. Voyons maintenant une autre situation où la masse du bloc intervient. Par exemple, il faut fournir un effort simplement pour soutenir cet objet au-dessus de la Terre. Sans ce soutien, il tomberait vers le sol en subissant une accélération. La force nécessaire pour maintenir le bloc au repos doit égaler en grandeur la force d'attraction gravitationnelle imputée à la Terre. Quelle que soit l'importance de l'inertie, elle ne joue ici aucun rôle; par contre, cette propriété que possèdent les objets matériels de s'attirer les uns les autres (comme la Terre et le bloc) joue un rôle primordial. La force est donnée par l'expression suivante:

$$F = G\frac{m'M_T}{{R_T}^2},$$

où m' représente la *masse gravitationnelle* du bloc. *La masse gravitationnelle m' et la masse d'inertie m du bloc sont-elles vraiment identiques?*

Cherchons la réponse à cette question en considérant deux particules A et B dont les masses gravitationnelles m_A' et m_B' subissent l'influence d'une troisième particule C de masse gravitationnelle m_C'. Supposons que cette dernière se trouve à égale distance des deux autres. Alors, la force que C exerce sur A s'écrit

$$F_{AC} = G\frac{m_A'm_C'}{r^2},$$

et celle qu'elle exerce sur B,

$$F_{BC} = G\frac{m_B'm_C'}{r^2}.$$

Ces expressions entraînent que le rapport des forces gravitationnelles sur A et B égale le rapport de leur masse gravitationnelle, soit

$$\frac{F_{AC}}{F_{BC}} = \frac{m_A'}{m_B'}.$$

Si la Terre forme le corps C, alors F_{AC} et F_{BC} représentent ce que l'on a appelé le *poids* d'un corps. Ainsi,

$$\frac{W_A}{W_B} = \frac{m_A'}{m_B'}.$$

Ce résultat nous fait ainsi prendre conscience que la loi de la gravitation universelle renferme le renseignement suivant lequel les poids des corps situés au même endroit sur la Terre sont directement proportionnels à leur *masse gravitationnelle*.

Supposons maintenant que nous mesurions les masses d'inertie m_A et m_B des particules A et B par un procédé dynamique, par exemple en utilisant un ressort comme à la section 5-4. Ceci étant fait, nous laissons tomber les particules vers le sol à partir d'un point donné, puis nous mesurons leurs accélérations. Nous découvrons expérimentalement que des objets ayant une *masse d'inertie* différente tombent tous avec la même accélération g, produite par l'attraction gravitationnelle terrestre. Mais, puisque cette attraction gravitationnelle correspond aux poids des objets, la seconde loi du mouvement nous permet d'écrire

$$W_A = m_A g,$$

$$W_B = m_B g,$$

ou encore

$$\frac{W_A}{W_B} = \frac{m_A}{m_B}.$$

Autrement dit, les poids des corps placés au même endroit sur la Terre sont directement proportionnels à leur *masse d'inertie*. Ainsi, la masse d'inertie et la masse gravitationnelle sont au moins proportionnelles l'une à l'autre. En fait, elles semblent identiques.

Newton imagina une expérience pour mesurer l'équivalence apparente entre ces deux notions de masse. Revoyons la manière de déduire la période d'un pendule simple (voir la section 15-5): pour de petits angles d'oscillation, la période se calcule à l'aide de la formule suivante:

$$T = 2\pi \sqrt{\frac{ml}{m'g}},$$

où m réfère à la masse d'inertie du balancier du pendule et m' correspond à sa masse gravitationnelle, de sorte que $m'g$ donne l'attraction gravitationnelle subie par le balancier. La formule

$$T = 2\pi \sqrt{\frac{l}{g}}$$

s'obtient de la précédente si et seulement si $m = m'$, ce que nous avions supposé implicitement à ce moment-là.

Newton fabriqua un balancier de pendule en forme de coquille sphérique. Il plaça différentes substances à l'intérieur de ce balancier en prenant soin de toujours prendre des quantités de même *poids* qu'il mesura grâce à une balance. Newton s'assurait ainsi d'avoir dans chaque cas la même force appliquée au pendule pour le même angle. De plus, comme la forme extérieure ne changeait pas, la résistance de l'air subie par le balancier était identique d'un cas à l'autre. Si une substance en remplace une autre à l'intérieur du balancier, toute différence d'accélération ne peut provenir que d'une différence de masse *d'inertie*. La moindre divergence aurait dû se traduire par un changement dans la période du pendule. Mais Newton n'en constata aucun. La période demeurait inchangée et correspondait à $T = 2\pi\sqrt{l/g}$. Il conclut que $m = m'$, c'est-à-dire que les masses gravitationnelle et d'inertie s'équivalent.

En 1909, Eötvös imagina un appareil pouvant déceler une différence de 5 parties sur 10^9 entre deux forces gravitationnelles. Il obtint que des masses d'inertie égales subissent toujours des forces de gravité égales, à l'intérieur des limites de précision de son appareil. R.H. Dicke et ses collaborateurs réalisèrent en 1964 une expérience semblable à celle de Eötvös, mais plus raffinée, et accrurent la précision de l'expérience originale d'un facteur supérieur à cent.[8]

En physique classique, on considérait l'équivalence entre la masse gravitationnelle et la masse d'inertie comme un hasard sans signification profonde. Mais, en physique moderne, on la voit comme un facteur essentiel conduisant vers une compréhension plus fondamentale de la gravitation (voir la section 16-13). Elle permit d'ailleurs le développement de la théorie de la relativité générale. •

16-5 *VARIATIONS DE L'ACCÉLÉRATION GRAVITATIONNELLE*

Jusqu'à présent, on a considéré l'accélération g comme une constante. Toutefois, la loi de Newton sur la gravitation nous montre clairement qu'elle varie avec l'altitude, et, plus précisément, avec la distance au centre de la Terre. Nous avons d'ailleurs souligné ce fait dans notre discussion du problème de la pomme et de la Lune. Calculons la variation de g à mesure que l'on s'élève au-dessus de la surface terrestre. L'équation 16-1,

$$F = G\frac{m_1 m_2}{r^2},$$

dérivée par rapport à r, donne

$$dF = -2\frac{Gm_1 m_2}{r^3}\,dr.$$

En les divisant l'une par l'autre, ces expressions nous conduisent à

$$\frac{dF}{F} = -2\frac{dr}{r}.$$

Ainsi, la variation relative de F est le double de celle de r. Le signe négatif souligne que la force décroît lorsque l'éloignement augmente. Si l'on suppose que m_1, dans l'équation ci-dessus représente la masse de la Terre, et m_2, celle d'un objet, alors la force gravitationnelle agissant sur ce dernier et attribuable à la Terre est donnée par

$$F = m_2 g$$

et elle est orientée vers elle. La dérivée de cette expression devient

$$dF = m_2\,dg,$$

et le rapport des deux conduit au résultat suivant:

$$\frac{dF}{F} = \frac{dg}{g} = -2\frac{dr}{r}. \qquad (16\text{-}3)$$

Par exemple, en s'élevant à 16 km au-dessus de la surface terrestre, r passe de 6400 km à 6416 km, soit une variation relative de 1/400. La valeur de g à la surface changera de $-1/200$, ce qui correspond à passer de 980 cm/s^2 à 975 cm/s^2 environ.[9] L'accélération gravitationnelle demeure pour ainsi dire constante près de la surface terrestre à une latitude donnée. Cependant, elle varie de façon appréciable s'il s'agit d'altitudes très grandes comme, par exemple, dans le cas de l'orbite d'un satellite artificiel ou de celle de la Lune (voir à cet effet le tableau 16-1).

[8] Vous trouverez une révision intéressante de ce sujet en consultant « The Eötvös Experiment », par R. H. Dicke, *Scientific American*, décembre 1961.

[9] L'expression 16-3 représente une équation différentielle exacte. Si l'on remplace dr par une variation finie Δr, cela permet d'obtenir une bonne approximation, pourvu que $\Delta r/r$ soit très petit.

Tableau 16-1
Variations de g en fonction de l'altitude, à 45° de latitude

Altitude (m)	g (m/s²)	Altitude (m)	g (m/s²)
0	9,806	32 000	9,71
1 000	9,803	100 000	9,60
4 000	9,794	500 000	8,53
8 000	9,782	1 000 000*	7,41
16 000	9,757	380 000 000**	0,002 71

* Altitude typique de l'orbite d'un satellite.
** Rayon de l'orbite lunaire.

• Notes

Les mesures de g constituent une source essentielle d'information au sujet de la forme de la Terre. De manière à cerner le problème de plus près, nous ne considérons pas d'habitude la Terre elle-même mais plutôt une surface imaginaire fermée que l'on nomme *géoïde*. Dans les régions océaniques, le géoïde coïncide avec le niveau moyen de la mer et, dans les régions continentales, on considère qu'il prolonge ce niveau; en principe, on pourrait localiser sa position en creusant à travers les continents des petits canaux qui déterminent le niveau moyen de la mer. Le géoïde est une surface de potentiel gravitationnel constant et la direction d'un fil à plomb forme toujours un angle droit avec cette surface.

Les anciens Grecs croyaient à la rotondité de la Terre et l'un d'eux, Eratosthène (276-194 avant J.-C.), évalua son rayon à 7400 km, que l'on peut comparer à la valeur moderne, 6378 km. Plus tard on découvrit à la suite de mesures que le géoïde n'était pas une sphère mais plutôt un ellipsoïde de révolution aplati le long de l'axe de rotation de la Terre et bombé à l'équateur. En fait, le rayon équatorial dépasse le rayon polaire de 21 km. Cet aplatissement provient des effets centrifuges engendrés par la rotation de la Terre. Le géoïde ne présente pas une forme ellipsoïdale véritable car, si on le compare à l'ellipsoïde de révolution qui convient le mieux, sa surface se trouve à l'extérieur de celle-ci sous les masses montagneuses et à l'intérieur de celle-ci dans les régions océaniques.

La valeur de g doit s'accroître régulièrement au fur et à mesure que l'on s'éloigne de l'équateur (latitude 0°) vers l'un ou l'autre des pôles (latitude 90°), car ces derniers se trouvent plus près du centre de la Terre. Le tableau 16-2 montre les résultats obtenus. Cependant, environ la moitié de sa variation effective provient d'une autre source; il s'agit d'un effet produit par la rotation de la Terre (voir l'exemple 2). Si notre planète tournait assez rapidement, par exemple, les objets à sa surface près de l'équateur sembleraient sans poids; cela signifie que l'accélération gravitationnelle effective g, ou W/m, serait nulle. Pour toute vitesse de rotation inférieure à cette vitesse critique, g possède une valeur définie différente de zéro mais inférieure, toutefois, à celle que l'on obtiendrait au même point si la Terre ne tournait pas.

Tableau 16-2
Variation de g au niveau de la mer suivant la latitude

Latitude	g (m/s²)	Latitude	g (m/s²)
0°	9,780 39	50°	9,810 71
10°	9,781 95	60°	9,819 18
20°	9,786 41	70°	9,826 08
30°	9,793 29	80°	9,830 59
40°	9,801 71	90°	9,832 17

On observa en 1959 que l'orbite réelle du satellite artificiel terrestre Vanguard ne coïncidait pas véritablement avec celle qui avait été calculée à l'aide des valeurs de g basées sur un géoïde ellipsoïdal. On conclut que le géoïde se rapprochait non pas d'un ellipsoïde de révolution mais plutôt d'une surface légèrement semblable à celle d'une poire. La partie plus étroite de la « poire » se trouve dans l'hémisphère nord et s'élève à environ 15 m au-dessus de l'ellipsoïde de référence. C'est la valeur locale de g qui régit le mouvement instantané d'un satellite. Ainsi, un satellite artificiel de la Terre constitue une sonde des plus intéressantes pour explorer l'accélération gravitationnelle près de la surface de notre planète, et les résultats obtenus servent à déduire l'information pertinente concernant la forme de géoïde.[10] •

EXEMPLE 2

Effet de la rotation de la Terre sur g. La figure 16-5 montre un schéma de notre planète vue de la verticale au pôle nord. On représente aussi, à l'équateur, une masse m suspendue par un ressort. La masse subit l'attraction gravitationnelle $F = GmM_T/R_T^2$ orientée vers le bas, en plus de la force w vers le haut, imputée au ressort et correspondant à son poids apparent. Cet objet n'est pas en équilibre, car il subit une accélération centripète a_R pendant qu'il tourne avec la Terre. Néanmoins, une force résultante orientée vers le centre de la Terre doit agir sur lui. Par conséquent, la force d'attraction gravitationnelle F (le poids réel de l'objet) doit excéder la force w attribuable au ressort (le poids apparent de l'objet).

La deuxième loi du mouvement nous dit que

$$F - w = ma_R,$$

$$\frac{GM_Tm}{R_T^2} - mg = ma_R,$$

d'où

$$g = \frac{GM_T}{R_T^2} - a_R, \text{ à l'équateur.}$$

D'autre part, aux pôles, $a_R = 0$, ce qui réduit l'expression précédente à

$$g = \frac{GM_T}{R_T^2}$$

pour ces points particuliers.
Voilà donc la valeur de g que l'on obtiendrait, en supposant la planète sphérique, partout où la rotation de la Terre pourrait être négligeable.

En réalité, l'accélération centripète est orientée vers le centre de la Terre uniquement à l'équateur. Pour toute autre latitude, elle apparaît suivant la normale à l'axe de rotation. Une analyse détaillée demande donc que l'on étudie ce problème en deux dimensions. Toutefois, le cas limite se retrouve à l'équateur, et, en ce lieu

$$a_R = \omega^2 R_T = \left(\frac{2\pi}{T}\right)^2 R_T = \frac{4\pi^2 R_T}{T^2},$$

où ω représente la vitesse angulaire de la rotation de la Terre, T est la période et R_T, le rayon terrestre. En prenant les valeurs

$$R_T = 6{,}37 \times 10^6 \text{ m},$$

$$T = 8{,}64 \times 10^4 \text{ s},$$

nous trouvons:

$$a_R = 0{,}0336 \text{ m/s}^2.$$

Le tableau 16-2 permet de voir que cet effet suffit à expliquer plus de la demie de la différence entre les valeurs de g que l'on mesure aux basses et hautes latitudes.

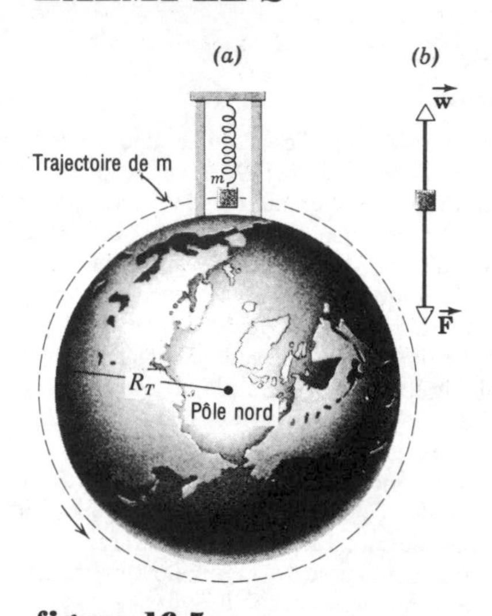

figure 16-5
Exemple 2. Effet de la rotation de la Terre sur le poids d'un objet que mesure une balance à ressort.

[10] Voir « Satellite Orbits and their Geophysical Implications », par D. G. King-Hele, *Contemporary Physics*, avril 1961; « Refining the Shape of the Earth », par D. G. King-Hele et G. E. Cook, *Nature*, 246, 86 (1973); et « The Shape of the Earth », par D. G. King-Hele, *Science*, 25 juin 1976.

16-6 *EFFET GRAVITATIONNEL D'UNE DISTRIBUTION SPHÉRIQUE DE LA MASSE*

• **Notions avancées**

Nous avons déjà utilisé le fait qu'une grosse sphère attire les particules extérieures comme si toute sa masse se trouvait concentrée en son centre. Prouvons ce résultat maintenant.

Soit une coquille sphérique homogène dont l'épaisseur t est faible comparée à son rayon r (fig. 16-6). Nous cherchons à évaluer la force gravitationnelle qu'elle exerce sur une particule extérieure P de masse m.

Dans ce problème nous supposons que chaque particule de la coquille agit sur P par l'intermédiaire d'une force proportionnelle à sa propre masse, inversement proportionnelle au carré de la distance qui les sépare et dirigée le long de la droite joignant leurs centres. Il faut déduire la force résultante sur P attribuable à toutes les particules de la coquille sphérique.

La petite portion de la coquille au point A attire m à l'aide d'une force $\vec{F}_1$. Diamétralement à l'opposé de A (au point B) et à la même distance de P, se trouve un segment identique exerçant sur m une force d'attraction $\vec{F}_2$. La résultante de ces deux forces sur la particule vaut $\vec{F}_1 + \vec{F}_2$. Notez, toutefois, que les composantes verticales de ces forces ($F_1 \sin \alpha$ et $F_2 \sin \alpha$) s'annulent mutuellement et que les composantes horizontales ($F_1 \cos \alpha$ et $F_2 \cos \alpha$) sont égales. En subdivisant la coquille sphérique de manière à former des paires de particules semblables, nous constatons aussitôt que toutes les forces transversales agissant sur m s'annulent par paires. Ainsi, un élément de masse situé dans l'hémisphère supérieur exerce une force sur m dont la composante verticale annulera celle de la force introduite par un élément de masse identique, mais qui occupe la position symétrique dans l'hémisphère inférieur. Par conséquent, nous pourrons définir la force résultante subie par la particule en tenant compte des seules composantes horizontales.

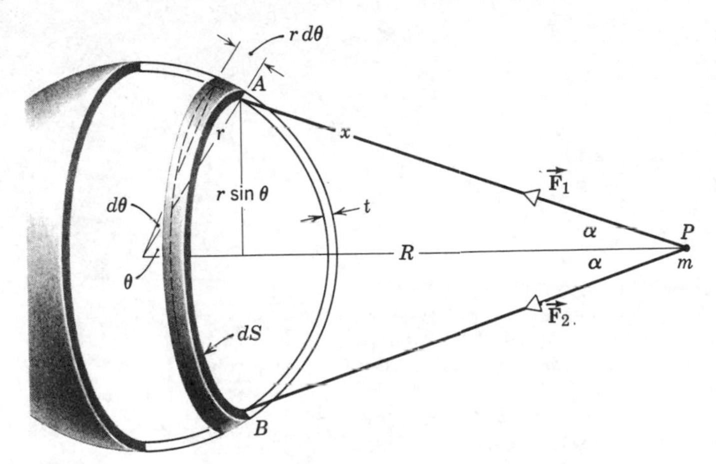

figure 16-6
Une particule de masse m subit l'attraction gravitationnelle d'une section dS d'une coquille sphérique.

Prenons comme élément de masse une bande circulaire de la coquille identifiée par dS sur la figure. Elle mesure $2\pi(r \sin \theta)$ de long, $r\, d\theta$ de large et possède une épaisseur t. Son volume se calcule ainsi:

$$dV = 2\pi t r^2 \sin \theta \, d\theta.$$

Symbolisons la masse volumique de la coquille par ρ, de sorte que la masse de la bande soit donnée par

$$dM = \rho \, dV = 2\pi t \rho r^2 \sin \theta \, d\theta.$$

La force subie par la particule m au point P et imputable à dM est horizontale et se traduit par

$$\begin{aligned} dF &= G \frac{m \, dM}{x^2} \cos \alpha \\ &= 2\pi G t \rho m r^2 \frac{\sin \theta \, d\theta}{x^2} \cos \alpha. \end{aligned} \tag{16-4}$$

Les variables x, α et θ sont reliées l'une à l'autre par l'expression

$$\cos \alpha = \frac{R - r \cos \theta}{x}. \tag{16-5}$$

Puisque, par la loi des cosinus,

$$x^2 = R^2 + r^2 - 2Rr\cos\theta, \tag{16-6}$$

nous avons alors

$$r\cos\theta = \frac{R^2 + r^2 - x^2}{2R}. \tag{16-7}$$

La dérivée de l'équation 16-6 donne

$$2x\,dx = 2Rr\sin\theta\,d\theta,$$

ou encore

$$\sin\theta\,d\theta = \frac{x}{Rr}\,dx. \tag{16-8}$$

Si on introduit l'équation 16-7 dans l'expression 16-5, puis le résultat obtenu et l'équation 16-8 dans la formule 16-4, cela permet d'éliminer θ et α et de trouver que

$$dF = \frac{\pi G t \rho m r}{R^2}\left(\frac{R^2 - r^2}{x^2} + 1\right) dx.$$

Voilà donc la force que la bande circulaire dS exerce sur la particule m.

Nous devons considérer maintenant tous les éléments de masse constitutifs de la coquille et faire la somme de toutes les bandes circulaires. Cette opération consiste à calculer l'intégrale par rapport à x pour la coquille sphérique; la variable x passe d'une valeur minimale $R - r$ à une valeur maximale $R + r$.

Puisque

$$\int_{R-r}^{R+r}\left(\frac{R^2 - r^2}{x^2} + 1\right) dx = 4r,$$

la force résultante prend la forme suivante:

$$F = \int_{R-r}^{R+r} dF = G\frac{(4\pi r^2 \rho t)m}{R^2} = G\frac{Mm}{R^2}, \tag{16-9}$$

où

$$M = (4\pi r^2 t \rho)$$

est la masse totale de la coquille. Ce résultat correspond exactement à celui que l'on obtiendrait pour la force entre deux *particules* de masse M et m, exercées d'une distance R. Nous avons réussi à prouver qu'*une coquille sphérique homogène attire une masse ponctuelle comme si sa propre masse se trouvait localisée en un point, le centre de la coquille.*

On peut considérer une sphère pleine comme si un grand nombre de coquilles concentriques la constituaient. Si chaque coquille est homogène, malgré que leur masse volumique puisse différer de celles des autres, le résultat obtenu ci-dessus s'applique à la sphère pleine. Ainsi, nous pouvons traiter les corps semblables à la Terre, à la Lune et au Soleil (à la condition qu'ils soient vraiment des sphères pleines) comme des particules ponctuelles en regard de tout objet extérieur.

Remarquez que notre démonstration convient seulement aux sphères homogènes et à celles dont la masse volumique varie en fonction du rayon uniquement.

Par ailleurs, une particule logée à *l'intérieur* d'une coquille sphérique ne subit *aucune* force. Ce résultat ne manque pas d'intérêt et, afin de le prouver, référons-nous à la figure 16-7 illustrant m à l'intérieur de la coquille. Notez que cette fois R est inférieur à r. Nos limites d'intégration par rapport à x valent $r - R$ et $R + r$. Mais, puisque

$$\int_{r-R}^{R+r}\left(\frac{R^2 - r^2}{x^2} + 1\right) dx = 0,$$

il s'ensuit que $F = 0$.

Même si cela n'apparaît pas évident, ce résultat demeure plausible, car les éléments de masse de la coquille situés de part et d'autre de la particule m agissent en sens contraire. L'annulation totale de la force vient de ce qu'elle varie comme l'inverse du carré de la distance entre deux particules (voir le problème 18). Le résultat obtenu entraîne des conséquences importantes que l'on discutera lors d'un cours sur l'électricité. On verra alors que la force électrique entre des particules chargées dépend aussi de l'inverse du carré de la distance. Dans le

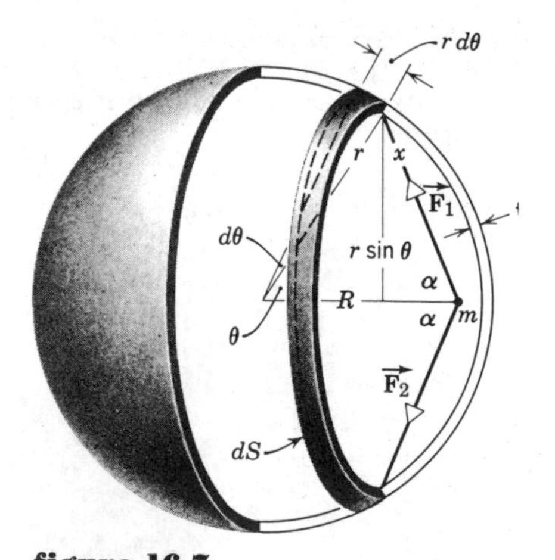

figure 16-7
Une particule de masse m subit l'attraction gravitationnelle d'une section dS d'une coquille sphérique. La particule se trouve à l'intérieur de la coquille.

domaine de la gravitation, le point suivant ne manque pas d'intérêt: *si on lui suppose une masse volumique constante*, la Terre exerce une force gravitationnelle diminuant au fur et à mesure que la particule s'enfonce à l'intérieur de la planète. On explique ce comportement par le fait que toutes les coquilles sphériques extérieures à la position de la particule, n'ont pas d'effet sur elle; la force gravitationnelle s'annule si la particule atteint le centre de la Terre. Ainsi, g prend une valeur maximale à la surface et décroît à partir de ce point en s'éloignant de la Terre ou en pénétrant vers le centre, *à la condition*, une fois de plus, *que notre planète possède une masse volumique constante*. Pouvez-vous imaginer une distribution symétrique et sphérique de la masse terrestre qui ne donne pas ce résultat?[11] (Voir le problème 16.)

EXEMPLE 3

Imaginons que l'on puisse creuser un tunnel à travers la Terre (fig. 16-8).

(a) Démontrez qu'une particule échappée dans le tunnel décrira un mouvement harmonique simple. Supposez que la Terre possède une masse volumique homogène et qu'il n'y a pas de frottement.

La force d'attraction gravitationnelle subie par la particule à une distance r du centre provient en totalité de la matière formant les coquilles sphériques intérieures à sa position. Les coquilles extérieures n'exercent aucune force sur elle. Représentons par ρ la masse volumique de la Terre, que l'on suppose constante. La masse qui se trouve à l'intérieur d'une sphère de rayon r est donnée par

$$M' = \rho V' = \rho \frac{4\pi r^3}{3}.$$

On peut traiter cette masse comme si elle se trouvait concentrée au milieu de la planète. Ainsi, la force agissant sur la particule de masse m s'écrit

$$F = \frac{-GM'm}{r^2}.$$

Le signe négatif révèle qu'il s'agit d'une force attractive orientée vers le centre de la Terre.

En substituant M' par son expression équivalente, on obtient

$$F = -G\frac{(\rho 4\pi r^3)m}{3r^2} = -\left(G\rho\frac{4\pi m}{3}\right)r = -kr.$$

Ici, k symbolise le facteur $G\rho 4\pi m/3$, qui est constant. La force apparaît donc comme étant proportionnelle à la distance qui sépare la particule du centre de la Terre, et elle est orientée vers le centre d'attraction. Ce résultat respecte la condition nécessaire au mouvement harmonique simple.

(b) Si on livrait du courrier par ce tunnel, combien de temps s'écoulerait entre le dépôt à une extrémité et la livraison à l'autre?

La période de ce mouvement harmonique simple se calcule ainsi:

$$T = 2\pi\sqrt{\frac{m}{k}} = 2\pi\sqrt{\frac{3m}{G\rho 4\pi m}} = \sqrt{\frac{3\pi}{G\rho}}.$$

Utilisons les valeurs $\rho = 5{,}51 \times 10^3$ kg/m³ et $G = 6{,}67 \times 10^{-11}$ N m²/kg². Nous obtenons:

$$T = \sqrt{\frac{3\pi}{G\rho}} = \sqrt{\frac{3\pi}{(6{,}67\times 10^{-11})(5{,}51\times 10^3)}}\ \text{s} = 5050\ \text{s} = 84{,}2\ \text{min}.$$

Le temps de livraison vaut la moitié de la période, soit 42 minutes. Remarquez qu'il ne dépend pas de la masse du courrier.

En vérité, la Terre ne possède pas de masse volumique uniforme. Si ρ variait en fonction de r, comment notre problème en serait-il affecté? •

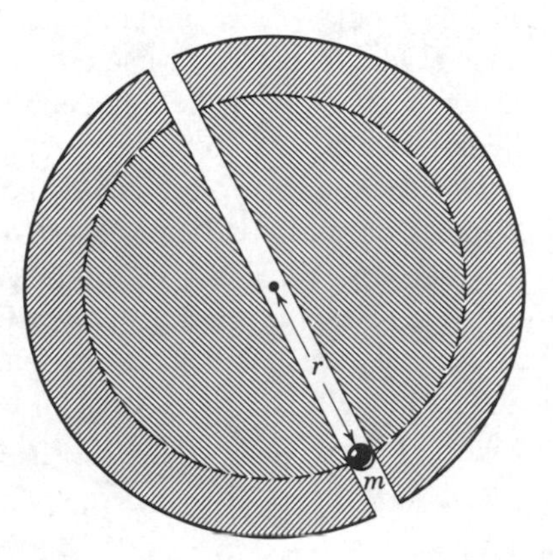

figure 16-8
Exemple 3. Une particule se déplace à l'intérieur d'un tunnel traversant la Terre.

[11] A ce sujet, consultez « Comment on the Radial Variation of g in a Spherically Symmetric Mass with Nonuniform Density », par K. Sundaralingam, *American Journal of Physics*, septembre 1974.

16-7 *LE MOUVEMENT DES PLANÈTES ET DES SATELLITES*

Nous pouvons déduire le mouvement des corps dans le système solaire à l'aide des lois de Newton. Comme Képler le fit ressortir (voir la section 16-1), toutes les planètes décrivent des trajectoires elliptiques où le Soleil occupe l'un des foyers. L'étude du cas particulier que représente l'orbite circulaire peut nous aider à mieux comprendre le mouvement planétaire plus général. Nous négligeons les forces entre les diverses planètes pour considérer seulement l'interaction du Soleil avec une planète donnée. Ces considérations s'appliquent aussi à l'étude du mouvement d'un satellite (naturel ou artificiel).

Imaginons deux corps sphériques de masses M et m se déplaçant sur des orbites circulaires grâce à l'influence de leur force de gravitation mutuelle. Le centre de masse de ce système à deux corps se situe le long de la droite qui les relie, en un point C tel que $mr = MR$ (fig. 16-9). Si aucune force extérieure n'a d'effet sur le système, le centre de masse ne subit pas d'accélération. Choisissons de placer l'origine de notre référentiel au point C. Les deux objets se meuvent à la même vitesse angulaire ω, le plus gros (M) décrivant une orbite de rayon R et le plus petit (m), une orbite de rayon r. Pour que cela se produise ainsi, la force gravitationnelle doit fournir l'accélération centripète nécessaire. Par ailleurs, puisque les forces gravitationnelles impliquées constituent une paire action-réaction, les forces centripètes correspondantes doivent être égales mais orientées en sens contraire, c'est-à-dire que $m\omega^2 r$ (la grandeur de la force centripète que M exerce sur m) doit égaler $M\omega^2 R$ (la grandeur de la force centripète que m exerce sur M). On vérifie rapidement cette égalité, car $mr = MR$. En conséquence, les deux corps maintiendront leur orbite circulaire si la force gravitationnelle subie par chacun égale la force centripète requise pour obtenir un tel mouvement, ce qui se traduit ainsi:

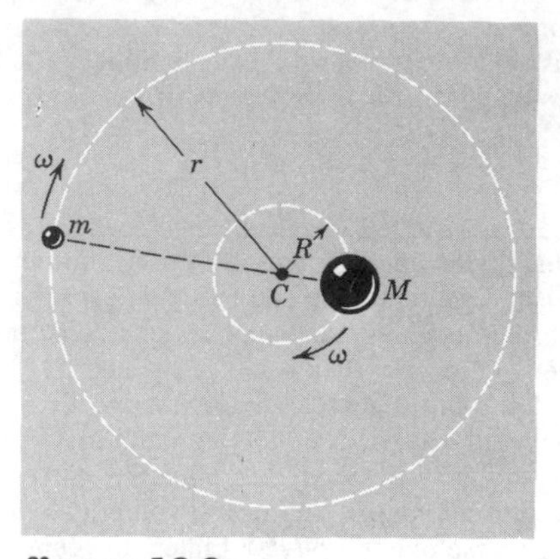

figure 16-9
Deux corps décrivent des orbites circulaires sous l'influence de leur attraction gravitationnelle commune. Ils possèdent la même vitesse angulaire ω.

$$\frac{GMm}{(R + r)^2} = m\omega^2 r. \tag{16-10}$$

Si l'un des corps possède une masse beaucoup plus grande que celle de l'autre, il se situera beaucoup plus près du centre de masse du système. C'est le cas du Soleil par rapport à une planète. Imaginons ainsi que R soit négligeable comparativement à r. L'équation 16-10 devient alors:

$$GM_s = \omega^2 r^3,$$

où M_s représente la masse du Soleil. En exprimant la vitesse angulaire en fonction de la période de révolution, $\omega = 2\pi/T$, nous obtenons:

$$GM_s = \frac{4\pi^2 r^3}{T^2}. \tag{16-11}$$

Il s'agit là d'une équation fondamentale décrivant le mouvement planétaire; elle s'applique aussi aux orbites elliptiques si nous définissons r comme étant la moitié du grand axe de l'ellipse.

Une conséquence immédiate de l'équation 16-11 vient de ce qu'elle prédit la troisième loi de Képler pour le cas particulier des orbites circulaires. Nous pouvons d'ailleurs la récrire sous la forme suivante:

$$T^2 = \frac{4\pi^2}{GM_s} r^3.$$

Notez que la masse de la planète n'intervient pas dans cette expression. Ici, le facteur $4\pi^2/GM_s$ est une constante valable pour toutes les planètes.

Quand on connaît la période T d'une planète et le rayon r de son orbite, l'équation 16-11 peut servir à déterminer la masse du Soleil. Par exemple, la période de la Terre autour de notre étoile vaut

$$T = 365 \text{ jours} = 3{,}15 \times 10^7 \text{ s},$$

et le rayon de son orbite,

$$r = 1{,}5 \times 10^{11} \text{ m}.$$

Ainsi,

$$M_s = \frac{4\pi^2 r^3}{GT^2} = \frac{(4\pi^2)(1{,}5 \times 10^{11} \text{ m})^3}{(6{,}67 \times 10^{-11} \text{ N} \cdot \text{m}^2/\text{kg}^2)(3{,}15 \times 10^7 \text{ s})^2} \cong 2{,}0 \times 10^{30} \text{ kg}.$$

Le Soleil possède donc une masse environ 300 000 fois supérieure à celle de la Terre. Le fait de négliger R face à r introduit une erreur très faible, car

$$R = \frac{m}{M} r = \frac{1}{300\,000} r \cong 500 \text{ km}; \qquad \frac{R}{r} 100\% \cong \frac{1}{3000} \text{ de } 1\%.$$

De la même manière, nous déterminons la masse de la Terre à partir de la période de révolution de la Lune et du rayon de son orbite (voir le problème 22).

L'équation 16-11 peut également servir à évaluer le rayon de l'orbite d'une planète quelconque du système solaire, connaissant sa période de révolution T autour du Soleil et la masse M_s de celui-ci. Puisque la période s'obtient aisément grâce à des observations astronomiques, ce procédé pour établir la distance entre une planète et le Soleil est très fiable.

L'équation 16-11 s'applique aussi au mouvement des satellites artificiels de la Terre; nous n'avons qu'à substituer la masse de cette dernière (M_T) à celle du Soleil (M_s).

D'autre part, la deuxième loi de Képler convient évidemment pour les orbites circulaires. Pour de telles orbites, ω et r demeurent constants, et ainsi la droite joignant une planète au Soleil balaie des aires égales en des temps égaux. Toutefois, pour une orbite elliptique ou de toute autre forme, r et ω varieront. Étudions ce cas plus général.

La figure 16-10 montre une particule sur une trajectoire arbitraire autour d'un point C. La partie hachurée indique l'aire balayée par le rayon r pendant un intervalle Δt très court. Si on néglige la petite région triangulaire du côté droit de la partie hachurée, l'aire du grand triangle donne $\frac{1}{2}(r\omega\,\Delta t)\cdot r$. À la limite, quand $\Delta t \to 0$, cette expression devient plus précise, car le petit triangle tend vers zéro plus rapidement que le grand. Le taux de variation instantané de l'aire balayée s'exprime ainsi:

$$\lim_{\Delta t \to 0} \frac{\frac{1}{2}(r\omega\,\Delta t)(r)}{\Delta t} = \tfrac{1}{2}\omega r^2.$$

Mais $m\omega r^2$ représente simplement le moment cinétique de la particule par rapport au point C. La deuxième loi de Képler, exigeant que l'aire soit balayée au

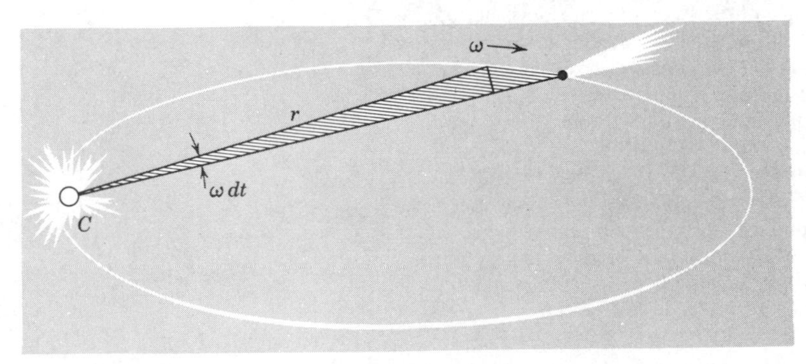

figure 16-10
Une comète parcourt une trajectoire elliptique dont le Soleil occupe l'un des foyers.[12] Pendant l'intervalle dt, elle (ou une planète) balaie un angle $d\theta = \omega dt$.

[12] « The Nature of Comets », par Fred L. Whipple, *Scientific American*, février 1974, présente une discussion fascinante concernant les propriétés et l'origine possible des comètes.

taux constant de $\frac{1}{2}\omega r^2$, équivaut donc à dire que *le moment cinétique de toute planète autour du Soleil reste constant*. Une force orientée vers C ne peut modifier le moment cinétique de la particule par rapport à ce point. Cette loi apparaît donc valable pour toute *force centrale*, c'est-à-dire dirigée vers le Soleil. Elle ne révèle toutefois pas comment ce type de force varie en fonction de la distance ou des propriétés des corps en présence.

Par contre, la première loi de Képler exige que la force gravitationnelle dépende précisément de l'inverse du carré de la distance entre les deux corps, soit $1/r^2$. Seule une telle force peut, semble-t-il, produire les orbites planétaires elliptiques dont le Soleil occupe l'un des foyers.

EXEMPLE 4

Une planète gravite autour du Soleil en décrivant une trajectoire elliptique d'excentricité e. Considérons le temps mis par la planète pour passer d'un point à un autre de son orbite, ces points correspondant aux extrémités du petit axe. Dans le cas où elle passe par le périhélie, quel est le rapport entre le temps nécessaire et sa période de révolution?

La figure 16-11 illustre ce problème. On a exagéré fortement l'excentricité de l'orbite elliptique de la planète. Selon la première loi de Képler, le Soleil se situe à l'un des foyers de l'ellipse. Le grand axe (de longueur $2a$) et le petit axe (de longueur $2b$) se croisent au centre C; la définition de l'excentricité permet de dire que la distance CF du centre de l'ellipse au foyer F est égale au produit ea. Notons qu'une orbite circulaire n'offre pas d'excentricité.

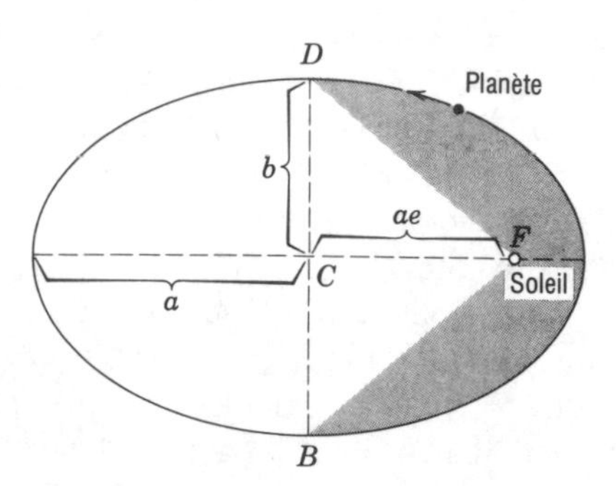

figure 16-11
Exemple 4. Une planète gravite autour du Soleil sur une orbite elliptique.

Symbolisons la période par T et le temps requis par la planète pour parcourir la distance entre B et D, en passant par le point le plus près du Soleil, par t. De plus, si A représente l'aire totale de l'ellipse, et A' l'aire ombrée, alors, d'après la conservation du moment cinétique (ou encore, selon l'énoncé équivalent de l'invariabilité du taux de balayage de l'aire), nous pouvons écrire:

$$\frac{A}{T} = \frac{A'}{t}.$$

Mais $A' = \frac{1}{2}A - A''$, où A'' égale l'aire du triangle BDF. Ainsi,

$$\frac{t}{T} = \frac{A'}{A} = \frac{\frac{1}{2}A - A''}{A} = \frac{1}{2} - \frac{A''}{A} = \frac{1}{2} - \frac{\frac{1}{2}(2b)(ae)}{\pi ab},$$

d'où découle le rapport recherché:

$$\frac{t}{T} = \frac{1}{2} - \frac{e}{\pi}.$$

Cette expression se réduit à $\frac{1}{2}$ dans le cas d'une orbite circulaire ($e = 0$). Pourquoi le rapport est-il inférieur pour des orbites elliptiques?

- **Note**

Les lois du mouvement de Newton et la loi de la gravitation universelle s'accordent totalement avec les observations astronomiques.[13] Dans nos calculs, nous avons considéré le mouvement d'une planète autour du Soleil comme s'il s'agissait d'un d'un problème « à deux corps ». Cependant, puisque la masse du Soleil est énorme comparée à celle d'une planète, nous avons pu négliger son mouvement et maintenir un degré de précision satisfaisant. Le problème se réduisit alors à celui d'un seul corps en orbite autour d'un centre de force. Pour obtenir plus de précision il faudrait inclure le mouvement du Soleil dans notre problème (voir le problème 28). En réalité, une analyse complète nous obligerait à tenir compte de l'effet produit par les autres planètes et satellites sur le mouvement du Soleil et de la planète étudiée. Le problème « à plusieurs corps » qui en résulte devient particulièrement complexe, mais nous parvenons à le résoudre jusqu'à un degré de précision élevé, grâce à des méthodes d'approximation. Les observations astronomiques confirment les résultats de tels calculs. •

[13] Le grand axe de l'orbite elliptique de Mercure tourne un peu plus rapidement que ne le prévoyait la mécanique newtonnienne, même en tenant compte de l'influence des autres planètes. La théorie de la relativité générale explique ce phénomène.

16-8 CHAMP GRAVITATIONNEL

Deux masses exercent des forces l'une sur l'autre, voilà un fait fondamental de la gravitation. Si nous le voulons, nous pouvons croire qu'il s'agit là d'une interaction directe des deux particules. Ce point de vus se nomme *action à distance*; les particules interagissent même si elles ne se touchent pas. D'autre part, le concept de *champ* permet de voir le phénomène d'une manière différente. Il introduit l'idée qu'une particule (masse) modifie l'espace qui l'entoure d'une certaine manière en créant un *champ gravitationnel*. Le champ agit sur toute particule qu'il touche en la soumettant à une force d'attraction gravitationnelle. Ainsi, quand nous traitons des forces entre particules, il joue le rôle d'intermédiaire. Cela nous amène à considérer dans notre problème deux parties distinctes. Premièrement, nous devons déterminer le champ produit par une distribution donnée de particules; deuxièmement, nous devons calculer la force qu'il applique à une autre particule située dans sa zone d'influence.

Par exemple, imaginons que la Terre soit une masse isolée. Si on amène un corps dans son voisinage, celui-ci subit une force de grandeur et d'orientation bien définies. Elle est orientée vers le centre de la Terre selon une ligne radiale, et sa grandeur vaut mg. Nous pouvons associer à chaque point de l'espace près de la surface terrestre un vecteur $\vec{g}$ représentant l'accélération que subirait un corps relâché à cet endroit. Nous appelons $\vec{g}$ *l'intensité du champ gravitationnel* au point considéré. Et, puisque

$$\vec{g} = \frac{\vec{F}}{m}, \tag{16-12}$$

nous définissons l'intensité du champ gravitationnel comme étant la force gravitationnelle par unité de masse en un point.[14] On obtient la force à l'aide du champ en multipliant $\vec{g}$ par la masse m de la particule placée en un point quelconque.

Le champ gravitationnel constitue un exemple de *champ vectoriel*, car on peut associer un vecteur à chacun de ses points. Il existe également des champs scalaires. Citons, par exemple, le champ de température à l'intérieur d'un solide conducteur de chaleur. Le champ gravitationnel engendré par une distribution fixe de matière représente un exemple de *champ stationnaire*, car sa valeur en un point donné ne change pas avec le temps.

La notion de champ est particulièrement utile pour comprendre les forces électromagnétiques entre des charges électriques en mouvement. Il offre des avantages distincts de ceux du concept d'action à distance, tant au niveau pratique que sur le plan conceptuel. A l'époque de Newton on ne l'utilisait pas. C'est Faraday qui le développa beaucoup plus tard pour s'en servir en électromagnétisme; par la suite on l'appliqua à la gravitation. Subséquemment, cette manière d'envisager les problèmes servit à traiter la gravitation dans la théorie de la relativité générale. Comme l'idée de champ revêt un caractère primordial dans le développement des théories de la physique, nous voulons familiariser l'étudiant assez tôt avec ce concept.

EXEMPLE 5

Au chapitre 15, nous avons trouvé que la formule permettant de trouver la période d'un pendule simple est $T = 2\pi\sqrt{l/g}$. En gardant à l'esprit que le champ gravitationnel terrestre n'est pas uniforme sur de grandes distances, contrairement à ce que

[14] L'équation 16-12 définit g comme la force gravitationnelle par unité de masse; sa valeur vaut GM/R^2 en un point P situé à une distance R du centre d'une masse M à symétrie sphérique. Ce g diffère de celui dont on parle aux tableaux 16-1 et 16-2 en ce que les valeurs inscrites là sont *effectives*, puisqu'elles tiennent compte de l'accélération centripète subie par un corps en mouvement autour de la Terre (voir à ce sujet l'exemple 2). Par exemple, la valeur effective de g vaut zéro à l'intérieur d'un satellite terrestre en orbite, comme nous avons d'ailleurs pu le voir à la télévision, lors d'émissions en provenance de tels satellites. Cela se produit parce que GM/R^2, de l'exemple 2, égale exactement a_R. Néanmoins, le champ gravitationnel à l'endroit où se trouve le satellite *n'est pas nul*, mais prend plutôt la valeur GM/R^2.

nous supposions pour de courtes distances, évaluez la période la plus longue qu'un pendule simple peut posséder dans le voisinage de la surface de la Terre.

Même si l'expression $T = 2\pi \sqrt{l/g}$, ne s'applique pas quand g varie sur la trajectoire du pendule, elle suggère que nous augmentions la longueur de celui-ci. Imaginons qu'il ait une longueur infinie. Le balancier se déplacerait alors sur un arc de cercle de rayon infini, c'est-à-dire suivant une ligne droite (fig. 16-12). Comme le champ gravitationnel s'oriente toujours vers le centre de la Terre, sa direction change en différents points de la trajectoire du pendule. Supposons que le balancier de masse m décrit un mouvement dont l'amplitude demeure faible comparée au rayon de la Terre R_T. Il se trouve alors toujours approximativement à la même distance R_T du centre d'attraction. Dans ce cas, la force F subie par m s'écrit ainsi:

$$F = \frac{GM_T m}{R_T^2} = mg,$$

et elle est orientée vers le centre de la Terre (de masse M_T). Sa composante dans la direction du mouvement du balancier se traduit par

$$F_x = F\cos\theta = -F\frac{X}{R_T} = -\frac{GM_T m}{R_T^3}\,x,$$

où le signe négatif indique que la force s'oppose au déplacement à partir de $x = 0$. Nous pouvons récrire cette équation ainsi:

$$F_x = -kx,$$

où $k = GM_T m/R_T^3 = C^{te}$.

La formule pour la période de l'oscillateur harmonique simple permet de trouver:

$$T = 2\pi\sqrt{\frac{m}{k}} = 2\pi\sqrt{\frac{m}{GM_T m/R_T^3}} = 2\pi\sqrt{\frac{R_T}{GM_T/R_T^2}} = 2\pi\sqrt{\frac{R_T}{g}},$$

car, à la surface de la Terre, $g = GM_T/R_T^2$. En introduisant $R_T = 6{,}37 \times 10^6$ m, et $g = 9{,}8$ m/s², nous obtenons $T = 84{,}3$ minutes comme valeur de la période la plus longue d'un pendule simple dans le voisinage de la surface terrestre (voir la question 37).

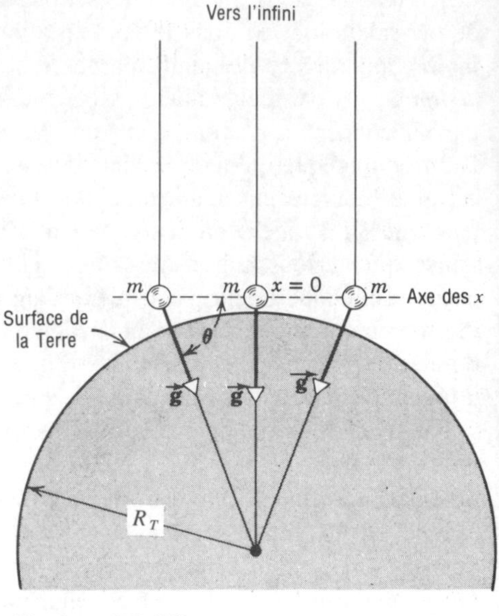

figure 16-12
Exemple 5. Un pendule simple dont le point de suspension se trouve à l'infini.

16-9 ÉNERGIE POTENTIELLE GRAVITATIONNELLE

Au chapitre 8, nous avons discuté de l'énergie potentielle gravitationnelle d'une particule (de masse m) et de la Terre (de masse M). Nous considérions alors le cas particulier d'une particule placée près de la surface terrestre afin de pouvoir supposer que la force gravitationnelle agissant sur elle demeurait constante peu importe sa position. Dans la présente section, nous retirons toute restriction de ce genre, et nous considérons des distances Terre-particule nettement supérieures au rayon terrestre.

L'équation 8-5b, récrite sous la forme

$$\Delta U = U_b - U_a = -W_{ab}, \tag{8-5b}$$

définit la variation d'énergie potentielle ΔU de tout système où agit une force conservative (par exemple, la gravité) qui passe d'une configuration a à une configuration b. Le terme W_{ab} représente le travail fait par la force conservative pendant le changement.

L'énergie potentielle du système pour une configuration b quelconque s'exprime alors par la relation suivante:

$$U_b = -W_{ab} + U_a. \tag{16-13}$$

Afin d'obtenir une valeur pour U_b, nous devons choisir (arbitrairement) la configuration a, et assigner une valeur tout aussi arbitraire à U_a, habituellement zéro.

Au chapitre 8, nous avons choisi comme configuration de référence du système Terre-particule la situation où la particule repose à la surface de la Terre, et nous lui avons attribué l'énergie potentielle $U_a = 0$. Quand la particule se trouve à une hauteur y au-dessus de la surface, l'énergie potentielle U $(= U_b)$ est donnée par l'équation 16-13:

$$U = -W_{ab} + 0 = -(-mg)(y) = mgy.$$

La force conservative impliquée pointe vers le bas et possède la valeur $(-mg)$, tandis que le déplacement de la particule par rapport au niveau de référence est orienté vers le haut $(+y)$; voilà comment s'explique la différence de signe de ces grandeurs.

Dans le cas plus général où la restriction $y \ll R_T$ ne s'impose pas, nous préférons choisir une configuration de référence plus commode, soit celle où la Terre et la particule sont infiniment loin l'une de l'autre. Nous donnons la valeur zéro à l'énergie potentielle du système dans cet état. Grâce à ce choix, la valeur zéro d'énergie potentielle correspond aussi à la situation où la force gravitationnelle est nulle. On effectua un choix comparable en situant le zéro d'énergie potentielle d'un ressort là où il ne subit aucune déformation, c'est-à-dire au point où la force de rappel s'annule.

Quand la particule de masse m se situe à une distance r du centre de la Terre, on trouve l'énergie potentielle du système à l'aide de l'équation 16-13, récrite sous la forme

$$U(r) = -W_{\infty r} + 0, \qquad (16\text{-}14)$$

dans laquelle $W_{\infty r}$ représente le travail effectué par la force conservative (la gravité) qui agit sur la particule pendant qu'elle se meut de l'infini jusqu'à la distance r. Pour simplifier le problème, nous supposons à ce stade-ci que la particule se déplace vers la Terre en suivant une droite radiale. La force gravitationnelle $F(r)$ agissant sur elle (en supposant $r \geqslant R_T$) deviendra $-GMm/r^2$, le signe négatif indiquant qu'il s'agit d'une force attractive, c'est-à-dire une force qui attire la particule vers la Terre. Nous pouvons alors préciser $U(r)$ à partir de l'équation 16-14:

$$\begin{aligned} U(r) &= -W_{\infty r} \\ &= -\int_{\infty}^{r} F(r)dr \\ &= -\int_{\infty}^{r} \left(-\frac{GMm}{r^2}\right)dr = -\frac{GMm}{r}\bigg|_{\infty}^{r} \\ &= -\frac{GMm}{r}. \end{aligned} \qquad (16\text{-}15)$$

Le signe donne une énergie potentielle négative pour toute distance finie; cela signifie qu'elle vaut zéro à l'infini et diminue à mesure que la distance de séparation décroît. Ce résultat vient de ce que la Terre exerce sur la particule une force gravitationnelle attractive. Comme la particule arrive de l'infini, cette force effectue un travail $W_{\infty r}$ positif, ce qui veut dire que $U(r)$ est négatif (éq. 16-14).

L'équation 16-15 est valable peu importe la trajectoire réelle suivie par la particule pour passer de l'infini jusqu'au point défini par le rayon r. Afin de prouver ce résultat, sectionnons une trajectoire quelconque en segments infinitésimaux disposés alternativement le long d'un rayon puis suivant la perpendiculaire à celui-ci, comme l'illustre la figure 16-13. Puisque la force rencontrée dans notre problème agit à angle droit par rapport à un déplacement le long de tout segment perpendiculaire (tel AB), elle ne produit aucun travail sur la particule en mouvement sur ces parties de trajectoires. Par contre, suivant les segments radiaux (tel *BC*), elle effectue des travaux efficaces qui s'additionnent pour donner le même résultat que celui obtenu dans le cas d'un mouvement rectiligne radial (tel *AE*). Ainsi, le travail nécessaire pour déplacer une particule d'un point à l'autre dans un champ gravitationnel est indépendant du trajet réel suivi pour relier ces points. La force gravitationnelle apparaît donc comme une force *conservative*.

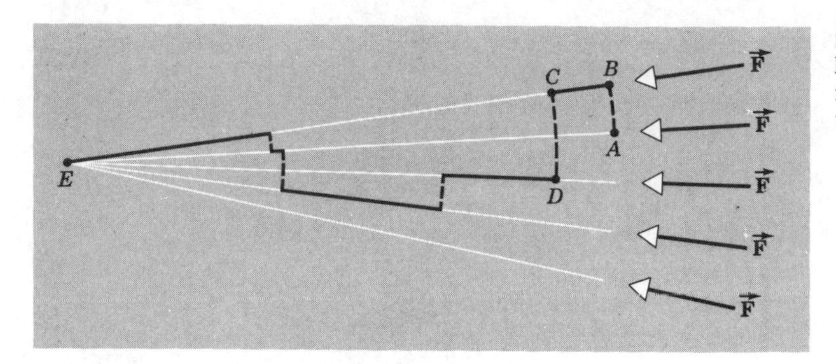

figure 16-13
Le travail nécessaire pour amener une masse de *A* jusqu'à *E* ne dépend pas du trajet suivi.

L'équation 16-15 montre que l'énergie potentielle de *M* et de *m* constitue une caractéristique du système formé de ces deux particules. L'énergie potentielle est une propriété du *système* plutôt que de l'un ou l'autre corps pris isolément. Elle varie si l'on déplace *M* ou *m*; chacun se trouve dans le champ gravitationnel de l'autre. En attribuer une partie à *M* et une autre à *m* n'a aucun sens. Néanmoins, nous discutons souvent de l'énergie potentielle d'un corps *m* (par exemple, une pierre ou une planète) situé dans le champ gravitationnel d'un corps beaucoup plus massif *M* (respectivement, la Terre ou le Soleil). Nous nous permettons de parler comme si la pierre ou la planète *possédait toute* l'énergie potentielle, car, lorsque cette énergie se transforme en énergie cinétique, le plus léger constituant du système à deux corps en acquiert pour ainsi dire la totalité. Le Soleil est tellement plus massif qu'une planète qu'il reçoit très difficilement toute quantité d'énergie cinétique; la même remarque s'adresse à la Terre dans le système Terre-pierre.

Par ailleurs, on peut dériver la force gravitationnelle de l'expression donnant l'énergie potentielle. Dans le cas des fonctions à symétrie sphérique, $F = -dU/dr$ (éq. 8-7). Cette relation forme la réciproque de la formule 16-15. Ainsi,

$$F = -\frac{dU}{dr} = -\frac{d}{dr}\left(-\frac{GMm}{r}\right) = -\frac{GMm}{r^2}. \qquad (16\text{-}16)$$

Le signe négatif montre qu'il s'agit d'une force attractive dont l'orientation radiale est l'inverse de celle du vecteur position de la particule considérée.

- **Note**

Si nous le désirons, nous pouvons associer un champ scalaire à la gravité. Définissons d'abord d'une manière plutôt générale le *potentiel gravitationnel V* comme étant *l'énergie potentielle gravitationnelle par unité de masse* d'un corps situé dans un champ gravitationnel. Alors, dans le cas d'un corps de masse *M* à symétrie sphérique,

$$V = \frac{U(r)}{m} = -\frac{GM}{r}. \qquad (16\text{-}17)$$

Par cette définition, on associe un nombre à chaque point de l'espace autour de la masse *M*. Le potentiel gravitationnel nous donne un *champ scalaire*, car il représente une grandeur scalaire. Pour connaître la force que ce champ exerce sur une particule de masse m, il suffit simplement de calculer $-dV/dr$ au point considéré, puis de multiplier par m. La force prend donc une valeur égale à $-mdV/dr$, et elle est orientée vers le centre de force M suivant une direction radiale. •

EXEMPLE 6

Vitesse de libération. Nous savons déterminer l'énergie potentielle gravitationnelle d'une particule de masse m, placée à la surface de la Terre, en prenant $U(R) = -GM_Tm/R_T$ (éq. 16-15). Le travail requis pour déplacer un corps de la surface de notre planète jusqu'à l'infini vaut GM_Tm/R_T, soit environ 6,0 × 10^7 J/kg. Si nous pouvions fournir à un projectile plus que cette quantité d'énergie, il quitterait alors la Terre sans jamais y revenir (négligeons ici la résistance de l'atmosphère terrestre). A mesure qu'un tel projectile s'éloigne, il perd de l'énergie cinétique et gagne de l'énergie potentielle, mais sa vitesse ne se réduit jamais à zéro. La vitesse initiale critique nécessaire pour obtenir ce résultat, et que l'on nomme *vitesse de libération* v_0, se trouve dans l'égalité suivante:

$$\tfrac{1}{2}mv_0^2 = \frac{GM_Tm}{R_T},$$

d'où l'on tire

$$v_0 = \sqrt{2\,\frac{GM_T}{R_T}} = 11{,}2 \text{ km/s}.$$

Si un projectile reçoit cette vitesse initiale, il s'échappe. Pour toute vitesse initiale inférieure à cette valeur, il reviendra, car son énergie cinétique devient nulle à une certaine distance finie de la Terre, ce qui l'oblige à retomber sur notre planète.[15]

Les molécules les plus légères que l'on découvre dans la haute atmosphère peuvent atteindre, par agitation thermique, des vitesses suffisamment élevées pour leur permettre de s'évader vers l'espace lointain. Il y a très longtemps, l'hydrogène gazeux devait faire partie de l'atmosphère terrestre mais, aujourd'hui, on n'en trouve plus. L'hélium gazeux se libère à un rythme régulier, mais la croûte terrestre produit des réactions radioactives qui remplacent presque entièrement le gaz échappé. A la surface du Soleil, la vitesse de libération est beaucoup trop élevée pour permettre à l'hydrogène de fuir son atmosphère. D'un autre côté, la Lune demande une vitesse de libération si faible qu'elle peut difficilement conserver une atmosphère (voir le problème 30).

16-10 ÉNERGIE POTENTIELLE D'UN SYSTÈME À PLUSIEURS PARTICULES

L'équation 16-14 définit l'énergie potentielle de deux particules situées à une distance r l'une de l'autre de la façon suivante:

$$U(r) = -W_{\infty r}, \tag{16-14}$$

où $W_{\infty r}$ représente le travail effectué *par la force gravitationnelle* lorsque les particules s'amènent à une distance r l'une de l'autre à partir de l'infini. Voici maintenant une autre interprétation possible de $U(r)$.

Imaginons qu'un agent extérieur équilibre la force gravitationnelle subie par chaque particule en appliquant, à tout instant, une force égale et de sens contraire à celle-ci. Le travail effectué par cette *force extérieure* pendant que les particules se déplacent de l'infini à une distance r vaut $-W_{\infty r}$ et non $W_{\infty r}$; cette observation découle du fait que les forces sont égales et opposées pour les mêmes déplacements. Nous pouvons alors interpréter l'équation 16-14 ainsi: *l'énergie potentielle d'un système de particules égale le travail que doit effectuer un agent extérieur pour construire le système à partir d'une configuration initiale servant de référence.*

Par exemple, si vous soulevez une pierre de masse m à une hauteur y par rapport à la surface de la Terre, vous jouez le rôle d'agent extérieur (en séparant la pierre et la Terre); le travail que vous faites en « construisant le système »

[15] Nous avons négligé les forces provenant des corps autres que la Terre. A des distances suffisamment grandes de cette dernière, nous ne pouvons plus utiliser le résultat simple obtenu pour le problème « à deux corps », car il faut tenir compte des forces gravitationnelles engendrées par la Lune, les planètes, le Soleil, etc. Dans un cas semblable de problème « à plusieurs corps », un projectile peut se soustraire à l'influence de la Terre en étant, par exemple, « capturé » par un autre corps céleste.

vaut $+mgy$, et il constitue en même temps son énergie potentielle. De même, le travail réalisé par un *agent extérieur* sur un corps de masse m, lorsque ce dernier se déplace de l'infini à une distance r de la Terre, est *négatif*, car l'agent doit exercer une force en sens contraire au déplacement; ce résultat s'accorde très bien avec l'équation 16-14.

Ces dernières considérations peuvent s'appliquer également à des systèmes constitués de plus de deux particules. Prenons le cas de trois corps de masses m_1, m_2 et m_3 que l'on suppose, au départ, infiniment éloignés l'un de l'autre. Le problème consiste à calculer le travail qu'un agent extérieur effectue pour construire la configuration de la figure 16-14. Amenons d'abord m_2 de l'infini à une distance r_{12} de m_1. Le travail fait pour contrer la force gravitationnelle que m_1 exerce sur m_2 vaut $-Gm_1m_2/r_{12}$. Amenons ensuite m_3 de l'infini à une distance r_{13} de m_1 et à une distance r_{23} de m_2. Les travaux produits à l'encontre des forces gravitationnelles exercées par m_1 sur m_3 et par m_2 sur m_3 valent respectivement $-Gm_1m_3/r_{13}$ et $-Gm_2m_3/r_{23}$. Le travail total pour construire le système constitue l'énergie potentielle de celui-ci, soit

$$-\left(\frac{Gm_1m_2}{r_{12}}+\frac{Gm_1m_3}{r_{13}}+\frac{Gm_2m_3}{r_{23}}\right).$$

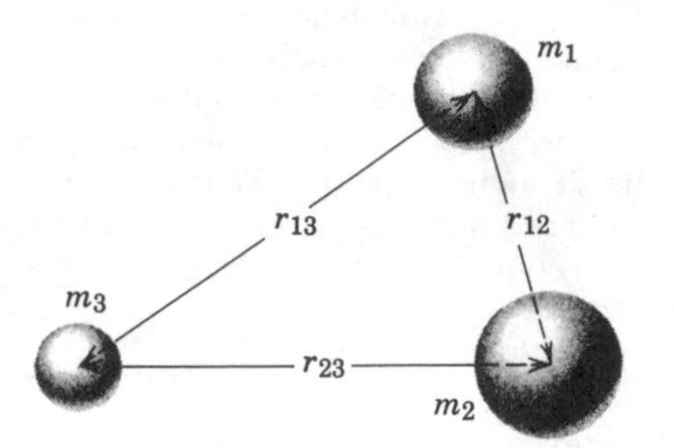

figure 16-14
On rapproche l'une de l'autre trois masses m_1, m_2 et m_3 initialement à l'infini.

Remarquez que ce processus n'implique aucune opération vectorielle.

Peu importe les trajectoires des corps et l'ordre suivi pour assembler le système, le même travail sera nécessaire pour construire la configuration de la figure 16-13 à partir de l'infini. Cependant, l'énergie potentielle doit être reliée au système dans son ensemble et non à un ou deux des constituants seulement. Si nous voulions dissocier le système en séparant les trois masses pour les ramener à une distance infinie l'une de l'autre, il nous faudrait fournir une énergie égale à

$$+\left(\frac{Gm_1m_2}{r_{12}}+\frac{Gm_1m_3}{r_{13}}+\frac{Gm_2m_3}{r_{23}}\right).$$

Celle-ci représente en quelque sorte l'énergie de liaison des masses dans la configuration illustrée.

Tout comme nous associons une énergie potentielle d'élasticité à la configuration d'un ressort (comprimé ou étiré) retenant une masse, ainsi nous associons une énergie potentielle gravitationnelle à celle d'un système de particules liées par des forces gravitationnelles. De même, si nous considérons que le ressort emmagasine l'énergie potentielle d'élasticité de la masse, nous pouvons croire que le champ gravitationnel du système de particules emmagasine l'énergie potentielle gravitationnelle. Tout changement de configuration, dans l'un ou l'autre cas, provoque une variation de l'énergie potentielle.

Nous retrouverons ces concepts lorsque nous étudierons les forces d'origine électrique, magnétique et nucléaire. Leur champ d'application s'étend à toute la physique. L'avantage de la méthode utilisant l'énergie sur celle utilisant la dynamique tient du fait que la première implique des grandeurs et des opérations scalaires contrairement à la deuxième où il s'agit de grandeurs et d'opérations vectorielles. La méthode utilisant l'énergie s'avère essentielle lorsque nous ignorons les forces réelles, situation fréquente en physique nucléaire.

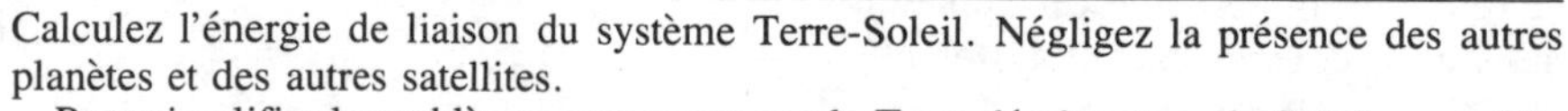

EXEMPLE 7

Calculez l'énergie de liaison du système Terre-Soleil. Négligez la présence des autres planètes et des autres satellites.

Pour simplifier le problème, supposons que la Terre décrit autour du Soleil une orbite circulaire de rayon r_{TS}. Pour amener la Terre et le Soleil de l'infini à une distance r_{TS} l'un de l'autre, il faut fournir un travail, opposé à la force gravitationnelle, égal à

$$-G\frac{M_SM_T}{r_{TS}} \cong -5{,}0 \times 10^{33}\ \mathrm{J},$$

où $M_S \cong 330\ 000\ M_T$, $M_T = 6{,}0 \times 10^{24}$ kg et $r_{TS} = 1{,}5 \times 10^{11}$ m. Le signe négatif révèle que la force de gravité est attractive et qu'elle effectue un travail. Un agent extérieur devrait fournir un travail équivalent pour séparer définitivement ces astres, à partir du repos. Mais, parce que l'énergie cinétique de la Terre sur son orbite vaut la moitié de l'énergie potentielle du système Terre-Soleil, la moitié seulement de ce travail serait nécessaire pour dissocier le système. Ainsi, le système Terre-Soleil possède une énergie de liaison égale à $2{,}5 \times 10^{33}$ J, en supposant que les corps soient immobiles après la séparation.

Comment la Lune et les autres planètes affectent-elles l'énergie de liaison de la Terre au système solaire?

16-11 *CONSIDÉRATIONS ÉNERGÉTIQUES SUR LE MOUVEMENT DES PLANÈTES ET DES SATELLITES*

Considérons de nouveau le mouvement d'un corps de masse m (une planète ou un satellite, par exemple) autour d'un corps massif de masse M (le Soleil ou la Terre, par exemple). Imaginons que la masse m décrive une orbite circulaire autour de M immobile dans un référentiel galiléen. L'énergie potentielle du système s'écrit ainsi:

$$U(r) = -\frac{GMm}{r},$$

où r représente le rayon de l'orbite. L'énergie cinétique du système vaut

$$K = \tfrac{1}{2}m\omega^2 r^2,$$

puisque M est au repos. De la formule qui précède l'équation 16-11, nous obtenons

$$\omega^2 r^2 = \frac{GM}{r},$$

d'où

$$K = \frac{1}{2}\frac{GMm}{r}.$$

L'énergie totale est la suivante:

$$E = K + U = \frac{1}{2}\frac{GMm}{r} - \frac{GMm}{r} = -\frac{GMm}{2r}. \qquad (16\text{-}18)$$

Cette énergie est constante et négative. L'énergie cinétique ne peut jamais prendre une valeur négative, mais l'équation 16-18 nous fait réaliser qu'elle doit devenir nulle lorsque r tend vers l'infini. Par contre, l'énergie potentielle est toujours négative, sauf à l'infini où elle devient nulle. Le fait que l'énergie totale soit négative révèle que nous avons affaire à un système lié: m ne peut pas s'échapper du champ d'attraction de M (fig. 16-15).

L'énergie totale demeure négative même pour des orbites elliptiques où r et ω varient. Elle demeure également constante, preuve que les forces gravitationnelles sont conservatives. Par conséquent, l'énergie totale et le moment cinétique total ne varient pas dans le mouvement planétaire. On qualifie d'ailleurs ces deux quantités de *constantes du mouvement*. Pour calculer l'orbite réelle d'une planète par rapport au Soleil, on écrit d'abord les relations de conservation puis on élimine le paramètre temps à l'aide des lois de la dynamique et de la gravitation. Il en résulte que les orbites planétaires sont elliptiques.

Dans les toutes premières théories atomiques, comme celle de Bohr pour l'atome d'hydrogène, ces mêmes relations servent à représenter le mouvement d'un électron autour d'un noyau. On les utilise également afin de décrire les orbites ouvertes (pour lesquelle l'énergie totale est positive), semblables à celles obtenues dans les expériences de Rutherford sur la diffusion des particules nucléaires chargées. On rencontre souvent des forces centrales dans les systèmes physiques, particulièrement celles qui varient comme l'inverse du carré de la distance.

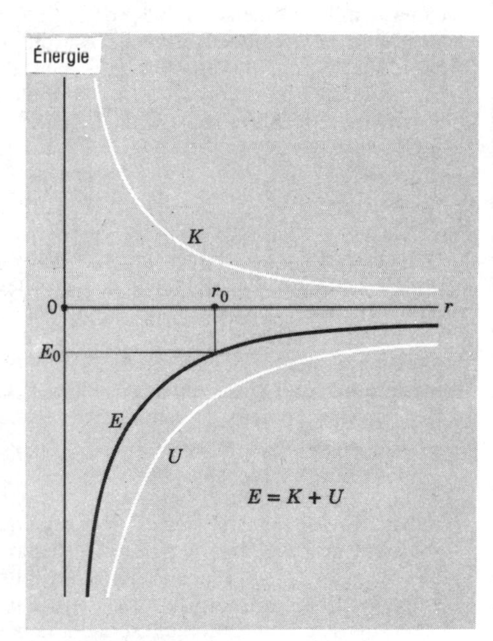

figure 16-15
Voici la courbe représentant l'énergie cinétique K, l'énergie potentielle U et l'énergie totale $E\ (= K + U)$ d'un corps en mouvement orbital circulaire. Une planète d'énergie totale $E_0 < 0$ demeurera sur une orbite de rayon r_0. Plus elle se trouve éloignée du Soleil, plus son énergie totale constante E est grande (c'est-à-dire, moins négative). Pour échapper au centre de force tout en conservant encore de l'énergie cinétique à l'infini, il faudrait une énergie positive.

• Notes

16-12 *LA TERRE, UN RÉFÉRENTIEL GALILÉEN*

En décrivant les expériences de base qui nous ont aidé à définir les notions de masse et de force, nous avons supposé l'existence d'un référentiel par rapport auquel on mesurait les accélérations. Si le système de référence était lui-même accéléré de façon erratique, nous ne pourrions observer aucune régularité dans nos mesures. En fait, nos expériences en laboratoire sont réalisées dans un référentiel lié à la Terre. Nous avons déjà discuté de l'effet produit sur nos mesures par la rotation de cette dernière autour de son axe. Quel effet le mouvement de translation de la Terre autour du Soleil, ou d'un autre corps céleste, peut-il engendrer?

L'accélération de la Terre par rapport au Soleil vaut $\omega^2 r \cong 6 \times 10^{-3}$ m/s². A première vue, on pourrait croire qu'une accélération aussi réduite suffirait à fausser les résultats d'expériences impliquant de faibles forces. Cependant, le fait qu'il n'en soit pas ainsi découle de l'universalité de la loi de la gravitation. Non seulement la Terre mais aussi toutes les masses utilisées en laboratoire sont accélérées vers le Soleil pratiquement au même taux.

Calculons l'erreur commise en négligeant l'accélération de la Terre sur son orbite autour du Soleil. L'accélération de notre planète vaut k/r^2, où k égale GM_S et r représente la distance entre les centres des corps considérés. Imaginons que l'on pèse à l'aide d'une balance un objet situé du côté de la Terre opposé au Soleil. Alors l'accélération additionnelle qu'ajoute l'influence du Soleil se traduit par

$$\frac{k}{(r + r_0)^2} = \frac{k}{r^2}\left(1 - \frac{2r_0}{r} + \cdots + \text{des termes négligeables}\right),$$

où r_0 est le rayon de la Terre. Nous trouvons ainsi une différence d'accélération inférieure à $(k/r^2)(2r_0/r)$; et, puisque $2r_0/r \cong 10^{-4}$, elle vaut moins d'un dix millième de l'accélération subie par la Terre, soit moins que 10^{-6} m/s². Donc, la différence des accélérations dues au Soleil correspond approximativement à un dix millionième de la valeur de g. La Lune a un effet de grandeur comparable sur l'objet. Par conséquent, seule une mesure réalisée avec une précision d'une partie sur un million nous obligerait à considérer sérieusement l'accélération subie par un référentiel relié à la Terre. A toutes fins utiles, cette dernière constitue un référentiel galiléen satisfaisant.

16-13 *LE PRINCIPE D'ÉQUIVALENCE*

Considérons deux systèmes de référence: dans le premier, S, non accéléré (référentiel galiléen), il existe un champ gravitationnel uniforme; dans le second, S', en accélération constante par rapport à un référentiel galiléen, il n'existe aucun champ gravitationnel. Dans sa théorie de la relativité générale, Albert Einstein a démontré que ces deux référentiels s'équivalent du point de vue physique, c'est-à-dire que toutes les expériences réalisées dans des conditions identiques à l'intérieur de chacun d'eux doivent donner les mêmes résultats. Il s'agit là du *principe d'équivalence*.

Imaginons un vaisseau spatial au repos dans un référentiel galiléen S où existe un champ gravitationnel uniforme, par exemple, à la surface de la Terre. A l'intérieur du vaisseau, les objets qu'on laisse tomber (une pomme par exemple) subissent une accélération $\vec{\mathbf{g}}$ dans le champ de force; les objets immobiles — tel un astronaute assis sur le plancher ou un colis retenu par un dynamomètre accroché au plafond — subissent une force exercée par le plancher ou le ressort respectivement, qui équilibre celle qui est due à la pesanteur.

Supposons maintenant que l'on actionne les fusées du vaisseau spatial et que celui-ci entre dans une région où il n'existe aucun champ gravitationnel. Donnons au vaisseau, notre nouveau référentiel S', une accélération $\vec{\mathbf{a}} = -\vec{\mathbf{g}}$ par rapport à S; en d'autres mots, le vaisseau s'éloigne de la Terre en accélérant dans une région où le champ gravitationnel terrestre (ou tout autre champ de gravité) est négligeable. Les conditions existant dans le vaisseau seront maintenant tout à fait semblables à celles qui prévalaient lorsqu'il reposait à la surface de la planète. A l'intérieur, une pomme que laisse tomber un astronaute subira une accélération $\vec{\mathbf{g}}$ vers le bas par rapport au vaisseau. En fait, puisque tous les corps soumis à aucune force se déplacent à vitesse constante par rapport au référentiel galiléen S, ils sembleront tomber avec la *même* accélération $\vec{\mathbf{g}}$ par rapport au vaisseau S'. De plus, tout objet immobile par rapport au vaisseau — tel un astronaute assis sur le plancher ou un colis suspendu à un dynamomètre accroché au plafond — subira une force identique à celle qui équilibrait son poids lorsque le vaisseau se trouvait stationnaire dans un champ gravitationnel (référentiel S).

En réalité, si l'astronaute ignorait que les fusées accélèrent son vaisseau par rapport à S, il conclurait avec raison à l'existence d'un champ gravitationnel. Il rendrait ce dernier responsable de l'accélération de la pomme en chute libre dans S'. De plus, ce même champ expliquerait pourquoi il est nécessaire d'exercer une force sur le colis (la tension dans le ressort) et sur l'astronaute (la poussée du plancher) pour leur permettre de demeurer au repos dans S'. A partir d'observations effectuées dans son propre système de référence, l'astronaute ne peut distinguer entre la situation où son vaisseau accélère par rapport à un référentiel galiléen, dans une région de champ gravitationnel nul, et celle où son vaisseau ne subit aucune accélération dans un référentiel galiléen où existe un champ gravitationnel constant. Les deux situations sont tout à fait équivalentes.

En s'appuyant sur le principe d'équivalence, Einstein fit remarquer que l'on ne peut pas parler d'accélération absolue pour un référentiel mais seulement d'accélération relative. De la même façon, la théorie de la relativité restreinte démontra qu'on ne peut pas parler de sa vitesse absolue d'un référentiel mais uniquement de la vitesse relative. Le principe d'équivalence nous amène également à poser l'égalité entre la masse gravitationnelle et la masse d'inertie. En effet, tous les corps, en l'absence de forces, se déplacent à vitesse constante par rapport à un référentiel galiléen, peu importe leur masse d'inertie, et ils devraient posséder la même accélération par rapport à un système de référence accéléré. Par conséquent, le principe d'équivalence entre S et S' nous conduit à conclure que tous les corps doivent tomber avec la même accélération dans un champ gravitationnel uniforme.

Cette discussion nous fait prendre conscience de la possibilité de recréer un champ gravitationnel constant au moyen d'un « champ d'accélération ». Il est également possible d'annuler un champ gravitationnel uniforme en se transportant dans un référentiel qui subit une accélération dans le même sens que le champ et dont la grandeur égale l'accélération engendrée par celui-ci. Une particule dont le mouvement subissait l'influence du champ gravitationnel devient libre dans ce nouveau référentiel. Par exemple, dans un satellite artificiel terrestre, une pomme laissée à elle-même restera en suspension dans le satellite, et l'astronaute lui-même ne percevra plus les forces qui équilibraient la gravité avant le lancement; il se sentira en état d'apesanteur. En général toutefois, les champs gravitationnels, tel celui de la Terre, ne sont pas uniformes dans l'espace, de telle sorte que l'on ne peut les remplacer uniquement en se transportant dans un référentiel accéléré par rapport à la source du champ. Pour reproduire entièrement le champ gravitationnel il faudrait un référentiel dont l'accélération varierait en tout point de l'espace. •

questions

1. Dans nos observations astronomiques et nos méthodes de navigation nous adoptons souvent un point de vue géocentrique (de Ptolémée), puisque nous référons souvent à la « sphère céleste »en rotation. Avons-nous raison? Si oui, quels principes doivent nous guider dans le choix d'un référentiel (copernicien ou ptolémaïque)? Quand devons-nous utiliser un système héliocentrique (copernicien)?
2. Si la force gravitationnelle agit sur tous les corps proportionnellement à leur masse, pourquoi un objet plus pesant ne tombe-t-il pas plus rapidement qu'un objet plus léger?
3. Comment varie le poids d'un objet en route de la Terre à la Lune? Sa masse change-t-elle?
4. A l'aide d'un marteau, vous frappez horizontalement un objet suspendu librement. Supposez que vous puissiez répéter l'expérience sur la Lune. Comparez les vitesses horizontales imprimées à l'objet sur la Terre et sur la Lune.
5. Obtiendrez-vous autant de sucre par kilogramme, au pôle et à l'équateur? Le poids de ce kilogramme serait-il le même?
6. Évaluez approximativement la force gravitationnelle entre un homme et une femme à une distance de 10 m. Refaites le calcul lorsqu'ils dansent. Comparez ces résultats au poids d'une personne moyenne.
7. Au lieu d'être une sphère de masse homogène, la Terre possède une plus forte concentration de masse près de son centre. En quoi cela peut-il affecter la variation de g en altitude?

8. A cause du renflement de la Terre près de l'équateur, la source du Mississipi, bien que située plus haut que le niveau de la mer, se trouve plus près du centre de la Terre que son embouchure. Comment ce fleuve peut-il couler dans ces conditions?
9. A cause de sa rotation, la Terre prend l'allure d'une sphère aplatie aux pôles. Un degré de latitude correspond-il à une plus grande distance au pôle ou à l'équateur? Pourquoi?
10. Pourquoi le mouvement d'un satellite artificiel nous renseigne-t-il plus sur la forme de la Terre que le mouvement de la Lune?
11. De quelle façon peut-on déterminer la masse de la Lune?
12. Imaginez deux horloges, l'une régularisée par un pendule et l'autre par un ressort. Marqueront-elles le temps de la même façon sur la Terre et sur Mars? Indiqueront-elles le même temps? Expliquez votre réponse. La masse de Mars égale un dixième de celle de la Terre, et son rayon est deux fois plus petit.
13. La deuxième loi de Képler et les observations du mouvement du Soleil nous révèlent que la Terre est plus près du Soleil en hiver qu'en été dans l'hémisphère nord. Pourquoi ne fait-il pas plus froid en été qu'en hiver?
14. Les orbites actuelles des planètes de notre système solaire sont-elles les seules possibles dans le cadre de la loi de la gravitation universelle? Les planètes d'une autre étoile, semblable à notre Soleil, décrivent-elles les mêmes trajectoires? Identifiez des facteurs qui ont pu influencer les orbites que nous observons actuellement.
15. Quelle relation existe-t-il entre la vitesse d'une planète sur son orbite (supposée circulaire) et le rayon de celle-ci?
16. La force gravitationnelle que le Soleil exerce sur la Lune est environ le double de celle exercée par la Terre. Pourquoi alors la Lune ne s'échappe-t-elle pas de l'emprise de la Terre (lors d'une éclipse de Soleil par exemple)?
17. Dites pourquoi le raisonnement suivant est faux. « Le Soleil attire tous les corps situés sur la Terre. A minuit, lorsque le Soleil se trouve de l'autre côté de la Terre, sa force d'attraction vient s'ajouter à celle que la Terre exerce sur un corps; à midi, par contre, le Soleil exerce, sur un corps, une attraction opposée à celle de la Terre. Par conséquent, tous les corps devraient peser plus à minuit (ou la nuit) et moins à midi (ou le jour).»
18. L'attraction conjuguée de la Lune et du Soleil sur la Terre cause les marées. L'effet du Soleil sur celles-ci est deux fois moindre que celui de la Lune. Cependant la force d'attraction du Soleil sur la Terre est 175 fois plus grande que celle de la Lune sur celle-ci. Comment expliquer alors l'influence prépondérante de la Lune sur les marées?
19. Si les marées lunaires ralentissent la rotation de la Terre (à cause de la friction), le moment cinétique de celle-ci diminue. A l'aide du principe de la conservation du moment cinétique, expliquez l'effet de ce ralentissement sur le mouvement de la Lune. Le Soleil et les marées solaires ont-ils une influence? (Voir « Tides and the Earth-Moon System », par Peter Goldreich, *Scientific American*, avril 1972, et « Tides on the British Seas », par Frank Sandon, *Physics Education,* juin 1975.)
20. Pensez-vous que l'énergie totale du système solaire soit constante? Que dire de son moment cinétique total? Expliquez vos réponses.
21. Un pendule simple fait partie de la masse satellisable d'une fusée. Indiquez comment variera sa période à partir du lancement jusqu'au moment de la mise sur orbite autour de la Terre.
22. Est-il vraiment obligatoire d'imprimer à une fusée une vitesse initiale de 40 000 km/h si on veut la libérer du champ gravitationnel de la Terre?
23. Les objets au repos à la surface de la Terre décrivent des trajectoires circulaires sur une période de 24 heures. Peut-on dire qu'ils sont « en orbite » au même titre qu'un satellite artificiel de la Terre? Pourquoi pas? Quelle devrait être la longueur du « jour » pour qu'ils deviennent vraiment en orbite?
24. D'un satellite artificiel de la Terre, on laisse tomber un objet. En négligeant la résistance de l'air, déterminez si l'objet touchera le sol; si oui, à quel endroit? En avant, directement au-dessous, ou en avant du satellite au moment de l'impact, ou directement au-dessous de l'endroit où était le satellite au moment du lancement de l'objet?
25. En négligeant la résistance de l'air et toutes les difficultés techniques, peut-on mettre en orbite un satellite en le lançant de la surface de la Terre avec un supercanon? Expliquez votre réponse.

26. L'orbite d'un satellite, dont le plan ne passerait pas par le centre de la Terre, pourrait-elle être qualifiée de stable?
27. Deux satellites sont placés sur des orbites circulaires dans le plan équatorial de la Terre; l'un tourne d'est en ouest et l'autre d'ouest en est. Un observateur terrestre notera-t-il une différence dans leur période de rotation?
28. Après la mise en orbite de Spoutnik I, on avait annoncé qu'il ne reviendrait pas sur Terre puisqu'il se consumerait en rentrant dans l'atmosphère. Comment se fait-il que ce phénomène ne s'est pas produit lorsqu'on l'a lancé dans l'atmosphère?
29. A quel moment les astronautes subissent-ils les plus fortes accélérations? Est-ce au moment du lancement ou lors de la rentrée dans l'atmosphère et du retour sur la Terre?
30. Les forces de friction sur un satellite dissipent son énergie totale. Montrez qu'il en résulte une orbite plus rapprochée de la Terre et une augmentation de l'énergie cinétique du satellite.
31. Un satellite artificiel tourne autour de la Terre sur une orbite circulaire. Comment changera son orbite si on actionne momentanément une de ses fusées *(a)* vers la Terre, *(b)* vers l'extérieur de la Terre, *(c)* vers l'avant, *(d)* vers l'arrière, *(e)* à angle droit par rapport au plan de l'orbite?
32. Dans un vaisseau spatial, quelles difficultés éprouveriez-vous à marcher, sauter ou boire?
33. Nous avons tous vu des émissions de télévision transmises à partir de capsules spatiales en orbite où nous avons été témoins d'objets flottant sous l'effet de l'apesanteur. Imaginez qu'un astronaute amarré à la capsule donne un coup de pied sur une boule de quille en suspension. Se heurtera-t-il le pied?
34. Si une planète, ayant une certaine densité, devenait plus grande, sa force d'attraction sur un objet situé à sa surface aurait tendance à augmenter, à cause de l'augmentation de la masse, mais l'éloignement plus grand de l'objet du centre de la planète aurait l'effet contraire. Quel serait l'effet prédominant?
35. Imaginez une sphère creuse d'épaisseur négligeable. Comparez le potentiel gravitationnel à l'intérieur et à sa surface. Que vaut le champ gravitationnel à l'intérieur?
36. On laisse tomber une pierre selon l'axe central d'un puits de mine très profond. Négligez la résistance de l'air mais tenez compte de la rotation de la Terre. La pierre va-t-elle suivre l'axe central dans sa chute? Sinon, décrivez son mouvement.
37. Expliquez qualitativement pourquoi les quatre phénomènes suivants possèdent la même période, soit 84 min (si la Terre est de densité uniforme): *(a)* la période de révolution d'un satellite à la surface de la Terre; *(b)* la période d'oscillation d'un colis voyageant dans un tunnel traversant la Terre; *(c)* la période d'un pendule simple de longueur égale au rayon de la Terre dans un champ uniforme de 9,8 N/kg; *(d)* la période d'un pendule simple de longueur infinie dans le champ gravitationnel réel.
38. L'aspect « action à distance » de la force gravitationnelle implique une action instantanée. De fait, les théories physiques actuelles supposent que la gravitation se propage à une vitesse finie, et on en tient compte dans l'élaboration de la théorie de la relativité générale qui vient modifier la physique classique. (Voir: « Gravitational Waves — a Progress Report », par Jonothan L. Logan, *Physics Today,* mars 1973, dans lequel on présente ces idées et les tentatives pour les vérifier expérimentalement.) Qu'adviendrait-il aux théories classiques si on faisait l'hypothèse que l'action n'est pas instantanée? (Voir également « Infinite Speed of Propagation of Gravitation in Newtonian Physics », par I. J. Good, *American Journal of Physics,* juillet 1975.)
39. Au lieu de considérer la gravité comme une force réelle, peut-on la considérer comme une force d'inertie résultant de l'accélération d'un référentiel quelconque par rapport à un référentiel galiléen?

problèmes

SECTION 16-2

1. A quelle distance de la Terre, selon un axe Terre-Soleil, un corps sera-t-il en équilibre sous l'action de ces deux astres? Le Soleil est situé à une distance de $1{,}5 \times 10^8$ km de la Terre et sa masse vaut $3{,}24 \times 10^5\, M_T$. *Réponse:* $2{,}6 \times 10^5$ km.

SECTION 16-3

2. Tantôt la Lune est en conjonction avec le Soleil, tantôt elle est en opposition avec lui. De combien varie (en %) l'accélération de la Terre vers le Soleil lorsque la Lune passe d'une position à l'autre?

SECTION 16-5

3. A quelle altitude, par rapport à la surface de la Terre, g atteindra-t-il une valeur de 4,9 m/s²? La masse de la Terre est de $6,0 \times 10^{24}$ kg et son rayon moyen de $6,4 \times 10^{6}$ m. *Réponse:* $2,6 \times 10^{6}$ m.
4. *(a)* Quelle serait, sur la Lune, la période du pendule marquant les secondes sur la Terre? La masse de la Lune vaut $7,35 \times 10^{22}$ kg et son rayon, 1720 km. *(b)* Pourquoi le pendule d'une horloge a-t-il une période de deux secondes et non d'une seconde?
5. On croit que certaines étoiles à neutrons (étoiles de forte densité) tournent à raison d'une révolution par seconde. Si le rayon d'une telle étoile vaut 20 km, quelle doit être la masse de l'étoile pour que des objets demeurent à sa surface sous l'influence de la force de gravité? *Réponse:* $4,7 \times 10^{24}$ kg.
6. On se rendit compte de la variation de g à la surface de la Terre lorsque Jean Richer, en 1672, transporta une pendule de Paris à Cayenne, en Guyanes françaises; elle perdit 2,5 min/jour. Si $g = 9,81$ m/s², à Paris, que vaut g à Cayenne?
7. Si la période d'un pendule est d'une seconde à l'équateur, que sera-t-elle au pôle sud? *Réponse:* 0,9974 s.
8. Deux masses égales m sont suspendues à une balance par des cordes de longueur différente, à la surface de la Terre (fig. 16-16). Si les cordes sont de masse négligeable et diffèrent d'une longueur h, *(a)* montrez que l'erreur commise lors de la pesée, due au fait que W' est plus près de la Terre que W, vaut $W' - W = 8\pi G\rho mh/3$ où ρ désigne la masse volumique moyenne de la Terre (5,5 g/cm³). *(b)* Calculez la différence de longueur h qui entraînera une erreur d'une partie dans un million.

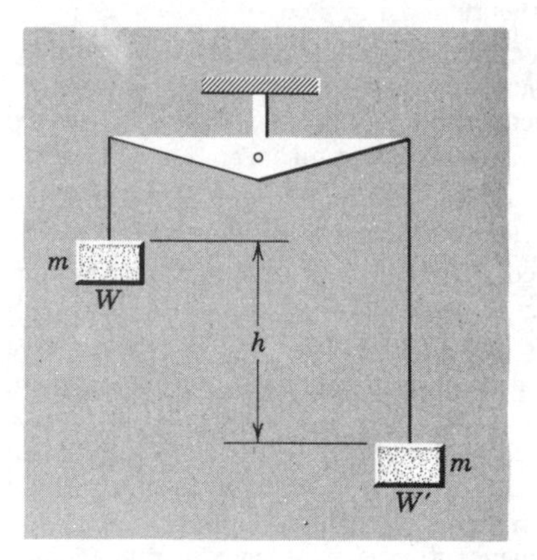

figure 16-16
Problème 8.

9. Un homme de science est en train de mesurer avec précision la valeur de g en un point de l'océan Indien (sur l'équateur) en chronométrant les mouvements d'un pendule construit avec soin. Pour assurer la stabilité de la base, il effectue les mesures dans un sous-marin submergé. Il note que la valeur de g obtenue, lorsque le sous-marin se dirige vers l'est à 16 km/h, diffère légèrement de celle obtenue lorsque le sous-marin se dirige vers l'ouest à la même vitesse. Expliquez cette différence et calculez l'incertitude relative $\Delta g/g$ de l'accélération gravitationnelle. *Réponse:* $6,6 \times 10^{-5}$.
10. On suspend un objet à un dynamomètre installé dans un bateau naviguant le long de l'équateur à une vitesse v. *(a)* Montrez que la lecture du dynamomètre s'approchera d'une valeur $W_0\ (1 \pm 2\omega v/g)$, où ω représente la vitesse angulaire de la Terre et W_0 est la lecture du dynamomètre lorsque le bateau est au repos. *(b)* Expliquez les signes + et −.

SECTION 16-6

11. Deux coquilles sphériques concentriques de densité uniforme et de masse M_1 et M_2 sont disposées comme le montre la figure 16-17. Trouvez la force exercée sur la particule de masse m lorsqu'elle est située à *(a)* $r = a$, *(b)* $r = b$, et *(c)* $r = c$. On mesure la distance r à partir du centre des coquilles. *Réponses:* (a) $G(M_1 + M_2)m/a^2$. (b) GM_1m/b^2. (c) Zéro.
12. Si on livrait le courrier en utilisant le tunnel de l'exemple 3, quelle vitesse enregistrerait-on au centre de la Terre?

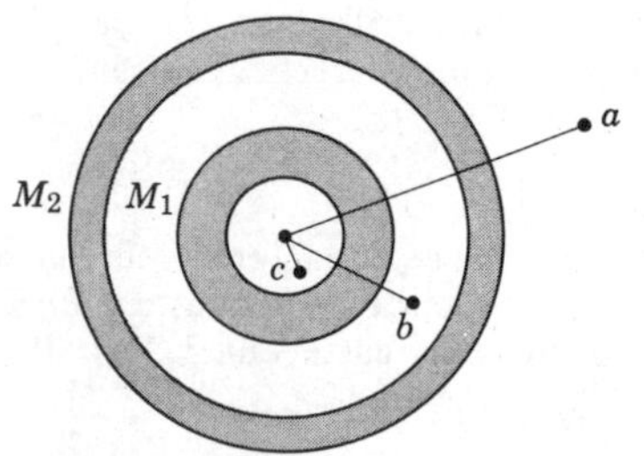

figure 16-17
Problème 11.

13. Le Soleil, dont la masse vaut $2{,}0 \times 10^{30}$ kg, tourne autour du centre de la galaxie de la Voie lactée, situé à $2{,}4 \times 10^{20}$ m plus loin. Il effectue une révolution à toutes les $2{,}5 \times 10^{8}$ années. En supposant que l'orbite est circulaire, estimez le nombre d'étoiles composant la Voie lactée. *Réponse:* $6{,}5 \times 10^{10}$.

14. Imaginez un référentiel galiléen dont l'origine réside au centre de masse du système composé de la Terre et d'un objet en chute libre. *(a)* Montrez que l'accélération de l'un ou l'autre des corps vers ce centre de masse est indépendante de la masse de chacun. *(b)* Montrez que l'accélération relative des deux corps dépend de la somme de leurs masses. Commentez l'affirmation voulant qu'un corps tombe vers la Terre avec une accélération indépendante de sa masse.

15. L'Université de Moscou posait le problème suivant dans un examen, en 1946 (voir fig. 16-18): une cavité sphérique est pratiquée à l'intérieur d'une sphère de plomb de rayon R, de telle sorte que la paroi de cette cavité est tangente à la surface extérieure de la sphère de plomb et passe par son centre. Lorsque la sphère de plomb est pleine, elle a une masse M. En vous appuyant sur la loi de gravitation universelle, évaluez la force d'attraction que ressentira une petite sphère de masse m située à une distance d du centre de la sphère de plomb sur la ligne joignant les centres des sphères et de la cavité.

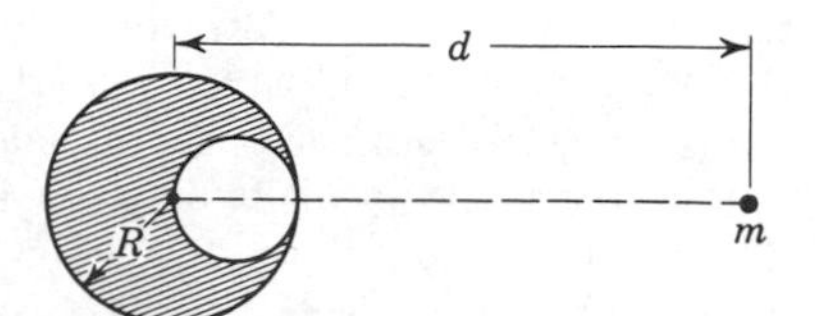

figure 16-18
Problème 15.

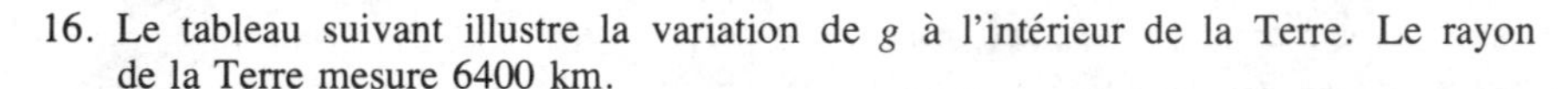

Réponse: $\dfrac{GmM}{d^2}\left[1 - \dfrac{1}{8(1 - R/2d)^2}\right]$.

16. Le tableau suivant illustre la variation de g à l'intérieur de la Terre. Le rayon de la Terre mesure 6400 km.

Profondeur (km)	g (m/s²)	Profondeur (km)	g (m/s²)
0	9,82	1400	9,88
33	9,85	1600	9,86
100	9,89	1800	9,85
200	9,92	2000	9,86
300	9,95	2200	9,90
413	9,98	2400	9,98
600	10,01	2600	10,09
800	9,99	2800	10,26
1000	9,95	2900	10,37
1200	9,91	4000	8,00

A l'intérieur du noyau central (au-delà de 2900 km), la valeur de g diminue (non linéairement) de 10,37 m/s² à zéro. On ne connaît pas avec certitude la variation réelle de g au-delà de 4000 km de profondeur. *(a)* Tracez qualitativement un graphique de g en fonction de r (où r est la distance à partir du centre de la Terre; donc r varie de 0 à 6400 km). *(b)* Expliquez clairement comment doit varier la densité de la Terre de sa surface à son centre pour que g varie de la sorte. *(c)* Posez $\rho = 1$ à la surface (sa valeur moyenne réelle est de 3,0 g/cm³) et tracez qualitativement un graphique de ρ en fonction de r. Supposez que ρ et g varient selon une symétrie sphérique.

17. *(a)* Imaginez un objet se déplaçant à l'intérieur d'un tunnel creusé à travers le globe terrestre mais qui ne soit pas un diamètre. Montrez qu'un tel mouvement est harmonique simple. *(b)* Calculez la période. *(c)* L'objet atteindra-t-il la même vitesse maximum que dans un tunnel passant par le centre de la Terre?
Réponses: (b) 84 min. *(c)* Non.

18. Considérez une particule située en un point P à l'intérieur d'une coquille sphérique de matière. Supposez que l'épaisseur et la densité de la coquille soient uniformes. En vous servant du point P comme sommet, tracez deux cônes étroits renversés qui interceptent des surfaces dA_1, et dA_2 sur la coquille (fig. 16-19). *(a)* Montrez que les éléments de masse des surfaces dA_1 et dA_2 exercent des forces égales et opposées sur la particule en P. *(b)* Montrez alors que la force gravitationnelle sur la particule en P, résultant de toute la masse de la coquille, sera nulle partout à l'intérieur de celle-ci. (C'est Newton qui a imaginé cette preuve.)

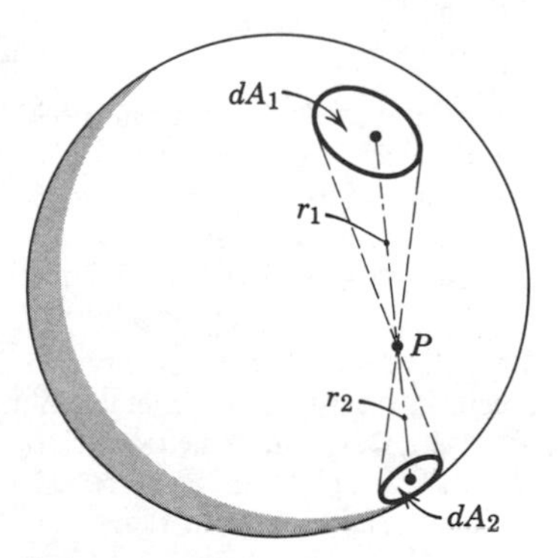

figure 16-19
Problème 18.

SECTION 16-7

19. *(a)* Est-il possible de mettre en orbite un satellite qui tourne autour de la Terre à la même vitesse angulaire que celle-ci, de sorte que le satellite demeure toujours

au-dessus d'un même point sur la Terre? *(b)* Quel sera le rayon de l'orbite d'un tel satellite, qualifié de géostationnaire?

Réponses: (a) Oui. Son orbite doit être dans le plan équatorial. *(b)* $4{,}2 \times 10^4$ km.

20. *(a)* Quelle vitesse horizontale doit-on imprimer à un satellite situé à 160 km au-dessus de la Terre pour le placer sur une orbite circulaire? *(b)* Calculez sa période de révolution. (Le rayon de la Terre vaut 6400 km.)
21. La distance moyenne entre Mars et le Soleil vaut 1,52 fois la distance de la Terre au Soleil. Calculez, en années, la période de révolution de Mars autour du Soleil.
Réponse: 1,87 année.
22. A partir de la période T et du rayon r de l'orbite de la Lune autour de la Terre, déterminez la masse de la Terre. $T = 27{,}3$ d et $r = 3{,}85 \times 10^5$ km.
23. *(a)* Un satellite A décrit une orbite circulaire de rayon R autour de la Terre et un satellite B, une orbite circulaire de rayon $4R$. Calculez le rapport de leurs périodes de révolution, T_A/T_B. *(b)* Un pendule et un système masse-ressort oscillent approximativement à la même fréquence à la surface de la Terre. Comparez leur fréquence si le pendule est placé dans le satellite A et le système masse-ressort dans le satellite B.
Réponses: (a) $T_A/T_B = \frac{1}{8}$. *(b)* La fréquence du pendule est nulle; la fréquence du système masse-ressort demeure la même.
24. Considérez un satellite artificiel sur une orbite circulaire autour de la Terre. Indiquez comment varient en fonction de r les caractéristiques suivantes du satellite: *(a)* sa période; *(b)* son énergie cinétique; *(c)* son moment cinétique; *(d)* sa vitesse.
25. Montrez comment, à partir de la troisième loi de Képler (section 16-1), Newton a pu déduire que la force gardant la Lune sur son orbite (supposée circulaire) doit varier selon l'inverse du carré de sa distance au centre de la Terre.
26. Un satellite en mouvement sur une orbite elliptique autour de la Terre possède un périgée (distance la plus rapprochée de la Terre) de 300 km au-dessus de la surface terrestre et un apogée (distance la plus éloignée de la Terre) de 2000 km. Calculez le rapport de sa vitesse orbitale à l'apogée et au périgée.
27. Trois corps identiques de masse M sont disposés aux sommets d'un triangle équilatéral de côté L. A quelle vitesse doivent-ils se déplacer si chacun, sous l'influence du champ gravitationnel des deux autres, décrit une orbite circulaire passant par les sommets du triangle sans que ne change sa position relative?
Réponse: $\sqrt{GM/L}$.
28. *(a)* Montrez que le problème à deux corps de la section 16-7 peut se ramener à un problème à un seul corps en utilisant la notion de masse réduite de la section 15-8. En d'autres mots, montrez qu'en posant $\mu = mM/(m+M)$ au lieu de m, il est possible de décrire le mouvement de m par rapport à M comme si M était l'origine de notre référentiel galiléen. *(b)* Nous avons supposé à la section 16-7 que R était négligeable par rapport à r. Montrez que cela équivaut à poser μ égal à m. *(c)* Comparez la masse réduite μ du système Terre-Soleil avec la masse de la Terre; comparez la masse réduite μ du système Terre-Lune avec la masse de la Lune. *(d)* Si on utilisait la masse réduite μ du système des deux corps au lieu de m, comment cela influencerait-il les équations de la section 16-7?

SECTION 16-9

29. Le diamètre moyen de Mars mesure 6900 km, et celui de la Terre, $1{,}3 \times 10^4$ km. La masse de Mars étant égale à $0{,}11\ M_T$, *(a)* comment se compare la masse volumique moyenne de Mars avec celle de la Terre? *(b)* Que vaut g sur Mars? *(c)* Quelle est la vitesse de libération sur Mars?
Réponses: (a) $\rho_M = 0{,}73\ \rho_T$. *(b)* 3,7 m/s². *(c)* 5,0 km/s.
30. *(a)* Montrez qu'une vitesse $v^2 > 2GM/r$ est la condition nécessaire pour qu'une molécule puisse s'échapper de l'atmosphère d'une planète. M et r désignent respectivement la masse de la planète et la distance séparant la molécule du centre de la planète. *(b)* Déterminez cette vitesse de libération dans le cas d'une molécule située dans l'atmosphère de la Terre à 1000 km au-dessus de sa surface. *(c)* Effectuez un calcul semblable pour Mars.
31. On estime qu'une étoile éteinte pourrait se contracter jusqu'à un certain rayon qu'on nomme rayon gravitationnel. Il est tel que le travail requis pour arracher une masse m_0 à la surface de l'étoile et l'amener à l'infini égalerait son énergie de masse m_0c^2. Montrez que le rayon gravitationnel du Soleil vaut GM_s/c^2, et calculez sa valeur en fonction du rayon actuel du Soleil. (Pour une explication de ce phénomène, lire « Black Holes: New Horizons in Gravitational Theory », par Philip C. Peters, *American Scientist,* septembre–octobre 1974.) *Réponse:* $2 \times 10^{-6}\ R_s$.

32. Montrez que la vitesse de la Terre qui la libérerait du Soleil à partir de la distance où elle se trouve de celui-ci égale $\sqrt{2}$ fois sa vitesse orbitale actuelle autour du Soleil.
33. A partir de la surface de la Terre, on lance un projectile verticalement à une vitesse initiale de 10 km/s. Négligez la friction de l'air et calculez la hauteur à laquelle s'élève le projectile au-dessus de la surface de la Terre si le rayon de celle-ci vaut 6400 km. *Réponse:* $2{,}6 \times 10^4$ km.
34. On accélère une fusée jusqu'à une vitesse $v = 2\sqrt{gR_T}$ près de la surface de la Terre, puis on l'oriente vers le haut. *(a)* Montrez qu'elle s'échappera du champ gravitationnel terrestre. *(b)* Montrez que sa vitesse, très loin de la Terre, vaudra $V = \sqrt{2gR_T}$.
35. Les physiciens ont déjà imaginé l'existence de corps de masse négative; pour ces corps hypothétiques, la masse m fait place à une masse $-m$ dans les équations de la physique. Imaginez deux particules de masse $+m$ et $-m$ à une distance d l'une de l'autre. Évaluez *(a)* la force exercée sur chacune et *(b)* l'accélération de chacune. En supposant que les deux particules soient initialement au repos, décrivez le mouvement subséquent et montrez qu'il ne viole pas les lois de la conservation de la quantité de mouvement et de l'énergie mécanique. De telles particules de masse négative n'ont pas encore été trouvées.
Réponses: *(a)* La force, d'après la loi de la gravitation de Newton, est répulsive. *(b)* Les accélérations, d'après la deuxième loi de Newton, s'orientent dans la même direction, de la masse négative vers la masse positive.
36. Une sphère de masse M et de rayon a possède une cavité concentrique de rayon b, comme le montre la figure 16-20. *(a)* En fonction de r et pour la région $0 \leq r \leq \infty$, tracez le graphique de la force F qu'exerce la sphère sur une particule de masse m située à une distance r de son centre. Considérez plus particulièrement les points $r = 0$, b, a et ∞. *(b)* Tracez la courbe de la fonction énergie potentielle $U(r)$ du système. *(c)* A partir de ces graphiques, comment pouvez-vous déduire ceux du champ et du potentiel gravitationnels créés par la sphère?

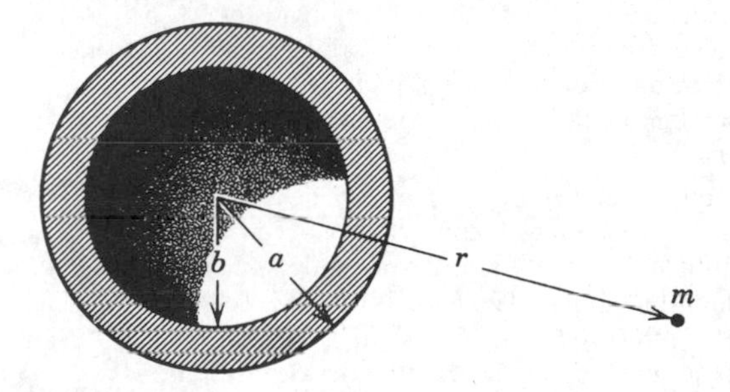

figure 16-20
Problème 36.

37. Deux particules de masse m et M sont initialement au repos à une distance infinie l'une de l'autre. Montrez qu'à chaque instant leur vitesse relative d'approche, due à l'attraction gravitationnelle, vaut $\sqrt{2G(M+m)/d}$, où d est la distance les séparant à cet instant.
38. Une comète décrit une trajectoire parabolique dont le Soleil est le foyer. A partir de sa position la plus rapprochée du Soleil, quel temps prendra-t-elle pour tourner d'un angle de 90° par rapport à celui-ci? Imaginez que la comète s'approche à une distance égale au rayon de l'orbite (supposée circulaire) de la Terre autour du Soleil. (Suggestion: voir l'exemple 4 et le problème 32.)

SECTION 16-10

39. Dans une étoile double, deux étoiles, ayant chacune une masse de 3×10^{30} kg, tournent autour de leur centre de masse commun situé à une distance de 10^{11} m de chacune. *(a)* Quelle est leur vitesse angulaire commune? *(b)* Imaginez qu'un météorite passe par ce centre de masse selon une direction perpendiculaire au plan de l'orbite des étoiles. Quelle doit être sa vitesse s'il veut échapper au champ gravitationnel de l'étoile double?
Réponses: *(a)* 2×10^{-7} rad/s. *(b)* 9×10^4 m/s.
40. Une masse de 800 kg et une autre de 600 kg sont éloignées de 0,25 m. *(a)* Que vaut le champ gravitationnel résultant des deux masses en un point situé à 0,20 m de la masse de 800 kg et à 0,15 m de la masse de 600 kg? *(b)* Que vaut le potentiel gravitationnel des deux masses au même point?

41. Deux masses, l'une de 200 g et l'autre de 800 g, sont distantes de 12 cm. *(a)* Trouvez la force gravitationnelle sur un objet de masse unitaire situé à 4,0 cm de la masse de 200 g, sur la ligne joignant les masses. *(b)* Calculez l'énergie potentielle de gravité par unité de masse en ce point. *(c)* Quel travail doit-on effectuer pour déplacer l'objet jusqu'en un point situé à 4,0 cm de la masse de 800 g sur la ligne joignant les centres?
Réponses: (a) Zéro. *(b)* -10×10^{-12} J/g. *(c)* $-5{,}0 \times 10^{-13}$ J.
42. Pour entreprendre un voyage interstellaire, un vaisseau spatial de 9×10^5 kg doit vaincre le champ gravitationnel du Soleil et de la Terre. *(a)* En partant d'une orbite située à 480 km au-dessus de la Terre, quelle énergie totale devra-t-on fournir au vaisseau spatial pour le libérer du champ gravitationnel du Soleil et de la Terre? Négligez tous les autres corps du système solaire. *(b)* Quelle fraction de cette énergie sert à vaincre le champ gravitationnel du Soleil?
43. *(a)* Exprimez l'énergie potentielle d'un corps de masse m dans le champ gravitationnel de la Terre et de la Lune. Désignez la masse de la Terre par M_T, la masse de la Lune par M_L, la distance du centre de la Terre par R et la distance du centre de la Lune par r. *(b)* En quel point, entre la Terre et la Lune, le champ résultant sera-t-il nul? *(c)* Évaluez le potentiel et le champ gravitationnels résultants à la surface de la Terre. *(d)* Faites le même calcul à la surface de la Lune.
Réponses: (a) $-Gm(M_T/R + M_L/r)$. *(b)* $3{,}4 \times 10^8$ m de la Terre. *(c)* $-6{,}3 \times 10^7$ J/kg; 9,8 m/s^2. *(d)* $-3{,}9 \times 10^6$ J/kg; 1,6 m/s^2.

SECTION 16-11

44. Deux satellites A et B de masse égale m gravitent sur une même orbite de rayon r autour de la Terre, à des vitesses égales et opposées qui provoqueront éventuellement leur collision (fig. 16-21). *(a)* Exprimez, en fonction de G, M_T, m et r, l'énergie mécanique totale $E_A + E_B$ du système (satellites et Terre) avant la collision. *(b)* Si la collision est complètement inélastique et que les deux satellites se soudent en une masse informe de 2 m, évaluez l'énergie mécanique totale immédiatement après la collision. *(c)* Décrivez le mouvement subséquent du système.

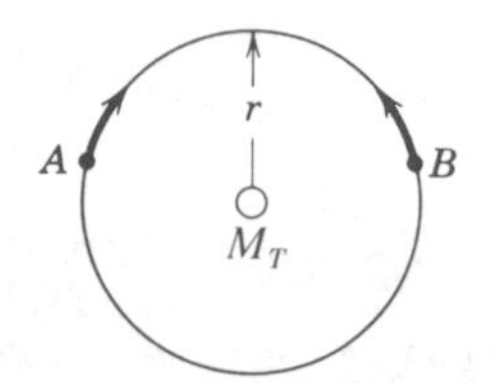

figure 16-21
Problème 44.

45. *(a)* L'énergie requise pour amener un satellite à une altitude de 1600 km par rapport à la Terre est-elle supérieure à l'énergie nécessaire pour le mettre en orbite une fois rendu à cette altitude? *(b)* Répondez à la même question pour une altitude de 3200 km. *(c)* Faites de même pour une altitude de 6400 km. Le rayon de la Terre est de 6400 km.
Réponses: (a) Non. *(b)* La même. *(c)* Oui.
46. On veut placer deux satellites A et B, ayant chacun une masse m, sur des orbites circulaires (ou presque) autour de la Terre. Le satellite A doit graviter à une altitude de 6400 km et le satellite B à une altitude de 19 200 km. Le rayon de la Terre mesure 6400 km (fig. 16-22). *(a)* Évaluez le rapport de l'énergie potentielle du satellite B à celle du satellite A, sur leur orbite respective. (Justifiez le résultat obtenu en évaluant le travail nécessaire pour amener chaque satellite de sa position sur l'orbite à l'infini.) *(b)* Calculez le rapport des énergies cinétiques des deux satellites sur leur orbite. *(c)* Quel satellite possède la plus grande énergie totale si chacun a une masse de 15 kg? Par quel facteur son énergie est-elle supérieure?

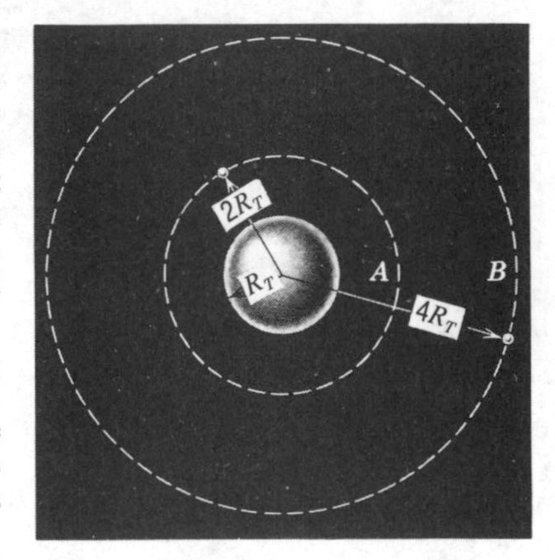

figure 16-22
Problème 46.

47. Deux étoiles tournent autour d'un centre de masse commun. Une des étoiles possède une masse M qui est le double de la masse m de l'autre, c'est-à-dire $M = 2\,m$. Les centres des étoiles sont séparés par une distance d beaucoup plus grande que le rayon moyen de chaque étoile. *(a)* Exprimez la période de rotation des étoiles autour de leur centre de masse en fonction de d, m et G. *(b)* Comparez les moments cinétiques des étoiles autour de leur centre de masse en calculant le rapport L_m/L_M. *(c)* Comparez les énergies cinétiques des deux étoiles en évaluant le rapport K_m/K_M.
Réponses: (a) $2\pi d^{3/2}/\sqrt{3Gm}$. *(b)* 2. *(c)* 2.
48. Un satellite de 220 kg se déplace initialement sur une orbite à peu près circulaire à une altitude de 640 km au-dessus de la surface de la Terre. *(a)* Déterminez sa vitesse. *(b)* Déterminez sa période. *(c)* Pour différentes raisons, le satellite perd de l'énergie mécanique au rythme moyen de $1{,}4 \times 10^5$ J à chaque révolution orbitale. En supposant que la trajectoire est un cercle dont le rayon diminue lentement, déterminez l'altitude du satellite, sa vitesse et sa période au bout de 1500 révolutions orbitales. *(d)* Quelle est la valeur moyenne de la force freinant le satellite? *(e)* Son moment cinétique est-il conservé?
49. Dans un champ de force centrale, une particule de masse m subit une force d'attraction de grandeur k/r^2, où k est une constante. Au moment où la particule se trouve à son apogée sur son orbite, à une distance a du centre du champ de force, sa vitesse vaut $\sqrt{k/2ma}$. Trouvez *(a)* son périgée et *(b)* la vitesse de la particule à cet endroit.
Réponse: (b) $3\sqrt{k/2ma}$.

SECTION 16-12

50. *Pendule de Foucault*. On suspend un pendule de façon à lui permettre une liberté d'oscillation dans toutes les directions. On peut ainsi refaire l'expérience que Foucault avait réalisé publiquement à Paris en 1851. En laissant osciller le pendule, on constate que son plan d'oscillation tourne lentement par rapport à un axe de référence sur le sol, même si la tension dans le fil et la force gravitationnelle exercée par la Terre sont contenues dans un plan vertical. *(a)* Montrez que c'est là une preuve que la Terre n'est pas un référentiel galiléen. *(b)* Montrez que la période de rotation du plan d'oscillation d'un pendule de Foucault, à une latitude d'angle θ, vaut $(24/\sin\theta)$ heures. *(c)* Expliquez le plus simplement possible le résultat obtenu à $\theta = 90°$ (aux pôles) et à $\theta = 0°$ (à l'équateur).

compléments

COMPLÉMENT I
RELATION ENTRE LES CINÉMATIQUES DE TRANSLATION ET DE ROTATION D'UNE PARTICULE EN MOUVEMENT DANS UN PLAN

A la section 11-6, nous avons étudié les relations entre les variables de translation et de rotation d'une particule en mouvement dans un plan. Celle-ci était contrainte de décrire une trajectoire circulaire autour d'un axe perpendiculaire à ce plan. Une telle particule pouvait appartenir à un solide en rotation autour d'un axe fixe. Levons maintenant cette restriction et considérons une particule qui effectue un mouvement quelconque dans un plan. Une planète décrivant une orbite elliptique autour du Soleil constitue un exemple.

Comme point de départ, nous adoptons l'équation 11-11, $\vec{\mathbf{r}} = \vec{\mathbf{u}}_r r$, dans laquelle, cependant, nous traitons r et $\vec{\mathbf{u}}_r$ comme des variables; la particule n'est plus assujettie à une trajectoire circulaire de rayon constant. En dérivant, on peut obtenir la vitesse, soit

$$\vec{\mathbf{v}} = \frac{d\vec{\mathbf{r}}}{dt} = \vec{\mathbf{u}}_r \frac{dr}{dt} + r\frac{d\vec{\mathbf{u}}_r}{dt}.$$

L'équation 11-13 nous enseigne que $d\vec{\mathbf{u}}_r/dt = \vec{\mathbf{u}}_\theta \omega$. On écrit alors

$$\vec{\mathbf{v}} = \vec{\mathbf{u}}_r \frac{dr}{dt} + \vec{\mathbf{u}}_\theta \omega r, \tag{I-1}$$

qui nous montre que $\vec{\mathbf{v}}$ possède deux composantes: une composante radiale, $v_r = dr/dt$, et une composante tangentielle, $v_\theta = \omega r$. Si r demeure constant, alors $dr/dt = 0$ et l'équation I-1 se ramène à l'équation 11-14a, comme il se doit.

Pour trouver l'accélération, dérivons l'équation I-1, en nous rappelant que les cinq quantités du membre de droite sont des variables. On obtient

$$\vec{\mathbf{a}} = \frac{d\vec{\mathbf{v}}}{dt} = \vec{\mathbf{u}}_r \frac{d^2r}{dt^2} + \frac{dr}{dt}\frac{d\vec{\mathbf{u}}_r}{dt} + (\vec{\mathbf{u}}_\theta)\left(\omega\frac{dr}{dt} + r\frac{d\omega}{dt}\right) + (\omega r)\left(\frac{d\vec{\mathbf{u}}_\theta}{dt}\right).$$

Mais $d\vec{\mathbf{u}}_r/dt = \vec{\mathbf{u}}_\theta \omega$, $d\vec{\mathbf{u}}_\theta/dt = -\vec{\mathbf{u}}_r \omega$ (voir l'équation 11-16), et $d\omega/dt = \alpha$. La substitution de ces valeurs et le réarrangement des termes nous donnent

$$\begin{aligned}\vec{\mathbf{a}} &= \vec{\mathbf{u}}_r\left(\frac{d^2r}{dt^2} - \omega^2 r\right) + \vec{\mathbf{u}}_\theta\left(\alpha r + 2\omega\frac{dr}{dt}\right) \\ &= \vec{\mathbf{u}}_r(a_r - \omega^2 r) + \vec{\mathbf{u}}_\theta(\alpha r + 2\omega v_r).\end{aligned} \tag{I-2}$$

De nouveau, si r est constant, alors $dr/dt = d^2r/dt^2 = 0$, et l'équation I-2 se ramène à l'équation 11-17 que nous avions déduite dans ce cas particulier.

Expliquons un peu la présence des deux nouveaux termes dans l'équation I-2, c'est-à-dire $\vec{\mathbf{u}}_r d^2r/dt^2$ et $\vec{\mathbf{u}}_\theta 2\omega\, dr/dt$. Nous pouvons saisir la signification du premier en imaginant que la particule se déplace dans le plan sans tourner autour d'un axe. On pose alors $\omega = \alpha = 0$ dans l'équation I-2, et on obtient

$$\vec{\mathbf{a}} = \vec{\mathbf{u}}_r \frac{d^2r}{dt^2} = \vec{\mathbf{u}}_r a_r,$$

ce qui représente l'accélération coutumière d'une particule en mouvement rectiligne. Ce terme, dans l'équation I-2, mesure donc l'accélération radiale due à la variation en grandeur de $\vec{\mathbf{r}}$, et l'autre accélération radiale est attribuable au changement de direction de $\vec{\mathbf{r}}$ lorsque la particule tourne.

Nous notons aussi la présence de deux termes dirigés selon θ. Le premier, $\vec{\mathbf{u}}_\theta \alpha r$, provient tout simplement de l'accélération angulaire α d'une particule en mouvement circulaire (r = constante); c'est l'accélération tangentielle de la section 11-5. Pour bien comprendre le deuxième terme $\vec{\mathbf{u}}_\theta 2\omega\, dr/dt$, imaginons un homme qui s'éloigne du centre d'un manège en marchant le long d'une ligne radiale peinte sur celui-ci. Le manège tourne à une vitesse angulaire ω constante, et son accélération angulaire est nulle. Si l'homme ne se déplace pas sur le manège ($d^2r/dt^2 = dr/dt = 0$, et r = constante), son accélération, ainsi perçue par un observateur au sol (voir l'équation I-2), est tout simplement l'accélération centripète $-\vec{\mathbf{u}}_r \omega^2 r$, dirigée vers le centre selon un rayon. Cependant, s'il marche vers l'extérieur, $dr/dt \neq 0$, et l'équation I-2 prévoit que l'observateur au sol mesurera également une accélération selon θ, soit $\vec{\mathbf{u}}_\theta 2\omega v_r$, où $v_r = dr/dt$. C'est ce qu'on nomme *accélération de Coriolis*. Elle provient du fait que, même si la vitesse angulaire de l'homme demeure constante, sa vitesse linéaire augmente lorsque r augmente. Convainquons-nous de son existence.[1]

Sur la figure I-1a, le point P représente l'homme au temps t et $t + \Delta t$. Au temps t, la composante radiale de sa vitesse vaut $\vec{\mathbf{v}}_r (= \vec{\mathbf{u}}_r dr/dt)$ et la composante tangentielle due à la rotation du manège, $\vec{\mathbf{v}}_\theta (= \vec{\mathbf{u}}_\theta \omega r)$. Un instant Δt plus tard, chacune de ces vitesses a changé. La vitesse radiale a changé de direction mais a conservé sa grandeur dr/dt. La vitesse tangentielle a modifié non seulement sa direction (nous savons comment en tenir compte par le biais de l'accélération centripète) mais aussi sa grandeur, qui est passée de ωr à $\omega(r + \Delta r)$, parce que l'homme se trouve maintenant en un point situé plus loin de l'axe de rotation.

La figure I-1b illustre cette variation de vitesse attribuable au changement de direction de la ligne radiale selon laquelle l'homme se déplace. Si $\Delta\theta$ est suffisamment petit,

$$\Delta v_r = v_r\, \Delta\theta.$$

En divisant par Δt et en faisant tendre celui-ci vers zéro, on obtient

$$a' = \frac{dv_r}{dt} = v_r \frac{d\theta}{dt} = v_r \omega.$$

Ce résultat constitue la moitié du terme $2\omega v_r$ de l'équation I-2. Cependant nous n'avons tenu compte que de la variation de la *vitesse radiale*; il y a aussi variation de la *vitesse tangentielle*.

Cette dernière est causée par le fait que l'homme s'éloigne du centre du manège selon une ligne radiale. Elle vaut

$$\Delta v_\theta = \omega(r + \Delta r) - \omega r = \omega \Delta r.$$

En divisant par Δt et en faisant tendre celui-ci vers zéro, on obtient

$$a'' = \frac{dv_\theta}{dt} = \omega \frac{dr}{dt} = \omega v_r.$$

Mais a' et a'' sont les grandeurs de deux vecteurs pointant dans la même direction, soit selon la direction d'accroissement de θ au point $P(t)$. L'accélération totale selon cette direction devient donc

$$a' + a'' = v_r \omega + \omega v_r = 2\omega v_r.$$

[1] Voir « The Coriolis Effect », par James E. McDonald, *Scientific American*, mai 1952, et aussi « The Case of the Coriolis Force », par Malcolm Correll, *The Physics Teacher*, janvier 1976.

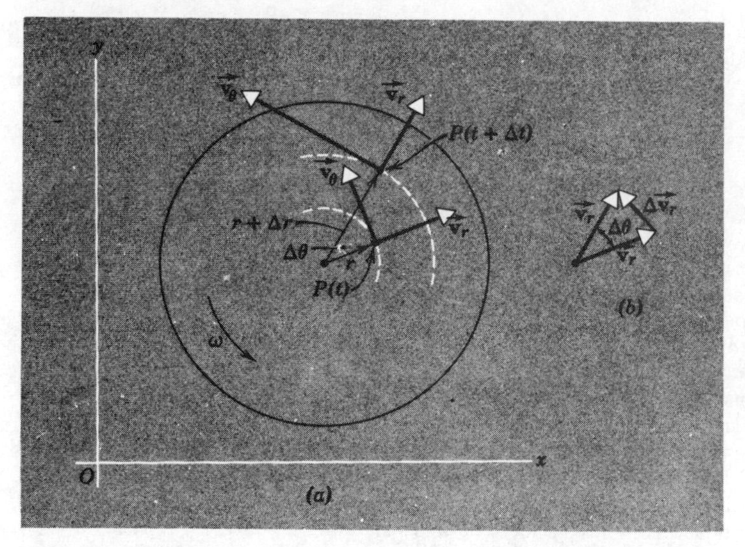

figure I-1
(a) Dans un référentiel galiléen $x - y$, un observateur est témoin du mouvement d'un manège tournant autour d'un axe fixe. Un homme marche à vitesse constante v selon une ligne radiale. Dans un intervalle Δt, cette ligne, vue par l'observateur au sol, tourne d'un angle $\Delta\theta$ et l'homme se déplace du point $P(t)$ au point $P(t + \Delta t)$. On illustre les composantes de sa vitesse selon r et θ. *(b)* Représentation de la variation Δv_r de la composante v_r de l'homme. Remarquez que, lorsque $\Delta t \to 0$, v_r s'oriente selon la direction θ en P.

C'est ce que nous voulions démontrer.

Une accélération selon θ (fig. I-1) nécessite une force dans la même direction. Pour l'homme s'éloignant du centre du manège selon une ligne radiale, c'est le frottement entre ses pieds et le plancher qui fournit cette force.

Rappelons-nous qu'il est plus facile de maîtriser la mécanique classique si nous analysons les phénomènes dans un référentiel galiléen. Ainsi, on peut relier les accélérations à des forces provenant d'objets que l'on peut identifier dans l'environnement. Cependant, il demeure possible d'appliquer les lois de la mécanique classique en utilisant un référentiel non galiléen tel un système en rotation. Le seul inconvénient réside dans la nécessité d'introduire les forces d'inertie, soit des forces que l'on ne peut relier à des objets de l'environnement et qu'un observateur d'un référentiel galiléen ne peut ressentir. A la section 6-4, nous avons constaté que la force centrifuge constituait une de ces forces d'inertie.

Considérons un observateur posté sur le manège, en train de regarder l'homme qui marche à une vitesse constante $v_r (= dr/dt)$ selon une ligne radiale. Pour lui, l'homme est en équilibre parce qu'il n'y a aucune accélération. Mais le plancher exerce une force (réelle) de frottement sur les pieds de l'homme. Cette force possède une composante $(-\vec{\mathbf{u}}_r F_r)$ qui s'oriente vers le centre du manège et une autre, $(\vec{\mathbf{u}}_\theta F_\theta)$, qui s'oriente selon θ, c'est-à-dire dans le sens de la rotation.

Du point de vue de l'observateur au sol, ces forces sont compréhensibles et, de fait, nécessaires. La force F_r est associée à l'accélération centripète $\omega^2 r$, et F_θ, à l'accélération de Coriolis $2\omega v_r$. Cependant, l'observateur du manège ne constate aucune de ces accélérations; par rapport à lui, l'homme est en équilibre. Comment concilier cela avec les forces de frottement s'exerçant sur les pieds de l'homme? Ce dernier est très conscient de ces forces; s'il ne se penche pas pour contrer leur moment, il tombera à la renverse.

L'observateur sur le manège doit conclure que deux forces d'inertie agissent sur l'homme et annulent les forces (réelles) de frottement. Une de ces forces d'inertie, la *force centrifuge*, est de grandeur F_r et s'oriente vers l'extérieur du manège selon un rayon. L'autre, la *force de Coriolis*, est de grandeur F_θ et s'oriente négativement selon θ, c'est-à-dire dans le sens contraire de la rotation. L'introduction de ces forces qui semblent « réelles » à l'observateur du manège, bien qu'il ne puisse les relier à des objets précis de l'environnement, lui permet d'appliquer la mécanique classique dans un référentiel en rotation (non galiléen). L'observateur au sol, dans un référentiel galiléen, ne peut détecter ces forces d'inertie. De fait, il n'en a pas besoin et ne doit pas non plus en tenir compte dans son analyse.

Les équations I-1 et I-2 donnent une description complète du mouvement d'une particule dans un plan. Pour être plus général, il nous faudrait trouver des équations aptes à décrire un mouvement à trois dimensions; nous ne tenterons pas de le faire ici car il nous faudrait introduire un troisième vecteur unitaire pour définir une troisième dimension.[2]

[2] Voir, par exemple, *Mechanics*, section 3-5, par Keith R. Symon, Addison-Wesley Publishing Co., 3e éd., 1971.

COMPLÉMENT II
VECTEURS POLAIRES ET VECTEURS AXIAUX

Des vecteurs tels $\vec{\omega}, \vec{\alpha}, \vec{\tau}$, et $\vec{l}$, que l'on nomme *vecteurs axiaux*, présentent un caractère différent de ceux que l'on nomme *vecteurs polaires*, tels $\vec{r}$, $\vec{v}$, $\vec{a}$, $\vec{F}$ et $\vec{p}$. Bien que rien ne nous oblige à tenir compte de cette différence dans ce livre, il peut être intéressant et instructif de s'y attarder brièvement.

Considérons un vecteur polaire typique, le vecteur $\vec{r}$. Si un étudiant quitte le gymnase pour se rendre à une salle de cours, son vecteur déplacement s'oriente du gymnase vers la salle de cours; il n'y a pas d'hésitation quant au choix de cette orientation. Il nous apparaît tout à fait naturel. Des remarques semblables s'appliquent aux autres vecteurs polaires mentionnés, soit $\vec{v}$, $\vec{a}$, $\vec{F}$ et $\vec{p}$.

Si un étudiant observe la rotation d'une roue autour d'un axe fixe, il peut associer un vecteur vitesse angulaire $\vec{\omega}$ à la roue et préciser son orientation par la règle de la main droite (voir la section 11-4). Cette orientation est purement conventionnelle et résulte d'une règle arbitraire. La règle de la main gauche aurait donné une orientation contraire. Dans le cas de la roue, c'est l'axe de rotation et le sens de rotation qui nous apparaissent tout à fait naturels. Que l'on choisisse le sens de $\vec{\omega}$ d'un côté ou de l'autre n'a pas tellement d'importance en autant que nous fassions preuve de cohérence. On peut dire la même chose de l'accélération angulaire $\vec{\alpha}$ et des autres vecteurs axiaux mentionnés, tels $\vec{\tau}(=\vec{r}\times\vec{F})$ et $\vec{l}(=\vec{r}\times\vec{p})$. C'est pourquoi il nous semble plus normal d'employer parfois l'expression « moment de force *autour* d'un axe » au lieu de « moment de force *selon* un axe », malgré leur signification identique. Tous les vecteurs définis par un produit vectoriel de deux vecteurs polaires sont des vecteurs axiaux, car leur orientation dépend de la règle (arbitraire) de la main droite.

Nous avons signalé que les lois physiques demeurent les mêmes dans des référentiels galiléens. A la section 2-5, nous avons démontré ce fait en effectuant des translations et des rotations de référentiels et nous avons constaté que les lois exprimées vectoriellement demeuraient invariantes lors de telles transformations. Nous avons observé aussi quelque chose de particulier lorsque nous changions le référentiel autrement, soit en remplaçant le référentiel droit par un référentiel gauche. Il existe un moyen très simple d'effectuer une telle transformation: construisez un système droit et regardez son image dans un miroir; vous aurez alors un système gauche (fig. II-1) à cause de la propriété bien connue d'un miroir d'inverser la gauche et la droite.

La figure II-1*a* illustre le vecteur déplacement qu'effectue un étudiant depuis le gymnase jusqu'à chacune de ses trois salles de cours. Le miroir renvoie une image montrant à nouveau un déplacement s'orientant du gymnase D vers une salle de cours C. Par contre, la figure II-1*b* illustre trois roues qui tournent selon trois orientations différentes. Si nous traçons les vecteurs $\vec{\omega}$ des roues et de leurs images en utilisant la règle

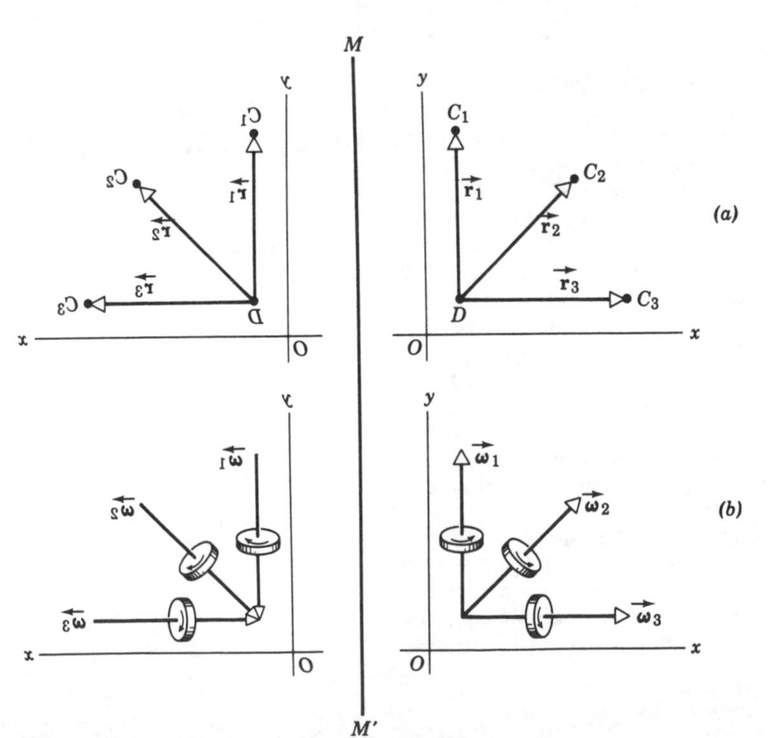

figure II-1
(a) A droite du miroir figurent les vecteurs polaires représentant les déplacements $\vec{r}_1$, $\vec{r}_2$ et $\vec{r}_3$ entre le gymnase D et les trois salles de cours C_1, C_2 et C_3. A gauche sont illustrées les images des points D, C_1, C_2 et C_3 ainsi que les vecteurs déplacements correspondants. *(b)* A droite du miroir, les *vecteurs axiaux* $\vec{\omega}_1$, $\vec{\omega}_2$, et $\vec{\omega}_3$ décrivent la rotation des trois roues illustrées. A gauche sont représentées les images des roues et leur vecteur vitesse angulaire choisi selon la règle de la main droite.

de la main droite, on s'aperçoit que les vecteurs sont ici inversés, tandis qu'ils ne l'étaient pas dans le cas des images de la figure II-1*a*. En effet, les vecteurs des images pointent vers l'origine au lieu de s'en éloigner. Les vecteurs polaires et axiaux se comportent donc différemment lorsqu'on change de référentiel en utilisant l'image d'un miroir! Ce comportement des vecteurs axiaux n'est pas difficile à comprendre. Imaginez que vous êtes en train d'appliquer la règle de la main droite à une roue qui tourne. Si vous regardez dans le miroir à ce moment, il vous semblera que vous êtes plutôt en train d'appliquer la règle de la main gauche parce que le miroir vous fait voir par réflexion une main gauche. Une règle de la main gauche donne, évidemment, un sens opposé à $\vec{\omega}$.

Par conséquent, un vecteur axial est un vecteur dont l'orientation dépend du choix d'un référentiel droit ou gauche. On le nomme parfois *pseudo-vecteur*. Un vecteur polaire est un vecteur dont le sens est indépendant du référentiel choisi. Les considérations que nous venons de faire ont pour but (1) d'insister sur le caractère arbitraire du choix de l'orientation d'un vecteur axial et (2) d'insister sur l'importance de vérifier l'invariance des phénomènes et des lois physiques lorsqu'on change de référentiel galiléen, que ce soit par translation, rotation ou réflexion par un miroir. A la section 2-5, nous avons cité quelques phénomènes qui n'étaient pas invariants sous une transformation par réflexion. Ce fait constitue, à certains points de vue, une violation d'une loi physique (loi de la conservation de la parité) qu'on avait crue infaillible, et il pose des problèmes d'envergure dont la solution peut entraîner une meilleure compréhension de notre univers physique.[1]

COMPLÉMENT III
RELATIVITÉ RESTREINTE — RÉSUMÉ[2]

III-1
Introduction

Nous voulons ici résumer les principales conclusions de la théorie de la relativité restreinte présentée par Einstein en 1905. Nous évitons toute preuve formelle et nous tentons tout simplement d'en faciliter la compréhension.

III-2
Les postulats (*SR*, section 1-9)

Toute la théorie d'Einstein et les conclusions qui en découlent reposent sur deux postulats.

a. Premier postulat. Au temps de Galilée, on savait que les lois physiques étaient les mêmes dans tout référentiel galiléen (voir la figure III-1 et la section 4-6). Cela signifie que tous les observateurs dans de tels référentiels, même s'ils mesurent des vitesses, des quantités de mouvement, etc., différentes lors d'un événement donné (une partie de billard, peut-être), énonceront les mêmes lois de la mécanique (conservation de la quantité de mouvement, etc.) et les mêmes conclusions (le gagnant) découleront de l'événement.

Einstein osa étendre ce principe d'invariance à toute la physique, en particulier à l'électromagnétisme. Le premier postulat d'Einstein s'énonce ainsi:

Les lois physiques sont invariantes dans tous les systèmes galiléens. Il n'existe aucun système privilégié.

b. Second postulat. Avant l'avènement de la théorie relativiste, la question suivante gênait bien des physiciens: si la vitesse de la lumière est de $2{,}988 \times 10^8$ m/s, par rapport à quoi est-elle mesurée? Pour les ondes sonores dans l'air, la réponse est simple: c'est par rapport au milieu (l'air) dans lequel elles se propagent. La lumière, cependant, se propage aussi dans le vide. Mais quand même, existe-t-il un milieu subtil (une sorte d'éther porteur de lumière) qui joue, vis-à-vis de la lumière, le même rôle que l'air vis-à-vis du son? Si un tel éther existe, pouvons-nous le détecter? Autrement, doit-on mesurer la vitesse de la lumière par rapport à la source lumineuse elle-même?

Toutes les expériences qui ont tenté de vérifier cette hypothèse se sont avérées vaines (voir *SR*, sections 1-5 à 1-8). C'est alors qu'Einstein fit preuve d'audace en énonçant son second postulat.

[1] Voir « The Overthrow of Parity », par Philip Morrison, *Scientific American*, avril 1957.

[2] Pour un traitement plus complet, du même niveau que ce volume, voir *Introduction to Special Relativity*, par Robert Resnick, John Wiley and Sons, Inc., New York, 1968. Nous référerons à cet ouvrage par les lettres *SR*.

La vitesse de la lumière est la même dans tous les systèmes galiléens.

L'existence de l'éther n'est alors plus nécessaire. Ce second postulat signifie, par exemple, que si vous considérez trois sources lumineuses, *(a)* une première, au repos par rapport à vous, *(b)* une deuxième, se dirigeant vers vous à une vitesse de 0,9 c, disons, et *(c)* une dernière s'éloignant de vous à 0,9 c, vous mesurerez la même vitesse pour la lumière provenant de chacune des trois sources.

On a vérifié expérimentalement ce second postulat (voir *SR*, p. 34) en utilisant comme source lumineuse en mouvement, des mésons π^0 obtenus d'un synchrotron à protons; ces mésons π^0 se déplacent alors à la vitesse de 0,999 75 c. Ils se désintègrent en émettant des radiations γ, c'est-à-dire des ondes électromagnétiques de même nature que la lumière et voyageant à la même vitesse. La mesure expérimentale des vitesses des radiations émises par ces sources ultra-rapides vint confirmer le second postulat d'Einstein; on trouva, à l'incertitude expérimentale près, une vitesse de propagation égale à c.

III-3
Relativité restreinte et mécanique de Newton (*SR*, section 2-8)

Plusieurs des conclusions de la relativité nous semblent irrationnelles du point de vue de nos expériences quotidiennes. Même le second postulat d'Einstein semble défier toute logique. Si vous attrapez une balle de base-ball lancée par un joueur *(a)* au repos par rapport à vous, *(b)* se déplaçant vers vous (en automobile, par exemple) à 50 km/h et *(c)* s'éloignant de vous à la même vitesse, vous vous attendez à des vitesses différentes de la balle dans chacun des cas. Mais si vous raisonnez de façon semblable en utilisant une source (le lanceur) qui émet de la lumière (des photons) vous contredisez alors le second postulat d'Einstein. Toutefois, l'expérience démontre que la vitesse de la lumière est la même dans chaque cas, ce qui confirme le postulat d'Einstein.

La solution de ce dilemme réside dans le fait que notre sens commun s'appuie sur des considérations pratiques très limitées. La gamme des vitesses que nous observons se résume à celles qui sont négligeables par rapport à la vitesse de la lumière. Par exemple, la vitesse orbitale d'un satellite terrestre est de 8000 m/s, ce qui nous semble très rapide, mais son rapport avec la vitesse de la lumière ($3{,}0 \times 10^8$ m/s) n'est que 0,000 027. Nous ne pouvons expérimenter personnellement les vitesses relativistes.

Par exemple, pour accélérer une personne moyenne (sans parler d'un vaisseau spatial) à une vitesse de 0,90 c, il faudrait une énergie correspondant à 13% de la consommation totale d'énergie aux États-Unis en 1971. Cependant, il est possible d'accélérer les particules élémentaires (électrons, mésons, protons, etc.) à de telles vitesses. Les électrons qu'émet l'accélérateur linéaire de 3 kilomètres de longueur de l'Université de Stanford possèdent des vitesses de 0,999 c, par exemple. Dans le domaine des particules élémentaires, la théorie de la relativité s'avère d'une nécessité absolue à la solution des problèmes de la mécanique.

Il s'ensuit que, dans la nature, il existe une limite que nous ne pouvons franchir; c'est la vitesse de la lumière c, la vitesse maximum avec laquelle on peut transmettre un signal. La physique classique ne prévoit pas de limite à la vitesse de transmission d'un signal, mais la nature agit autrement et ce serait illusoire d'espérer la contredire. L'expérience confirme que la vitesse limite est c, de sorte qu'elle joue, en relativité, le même rôle que l'infini en physique classique. Il est plus facile alors de comprendre que la vitesse finie d'une source lumineuse ne peut affecter la mesure de la vitesse d'un signal se propageant déjà à la limite permise.

Le monde qui nous entoure et que nous percevons par nos sens est celui de la mécanique de Newton, où $v \ll c$. Il s'agit donc d'un domaine bien particulier de la relativité, celui des vitesses faibles. De fait, on peut tester la théorie de la relativité en posant $c \to \infty$ (dans ce cas, $v \ll c$ est toujours vrai) et en vérifiant si les formules de la mécanique de Newton en découlent.

Le fait que la mécanique newtonienne soit un cas particulier n'atténue en rien son importance. C'est elle qui décrit les mouvements de notre système solaire, les marées, nos aventures dans l'espace, le comportement des balles de base-ball, etc. Elle donne de bons résultats dans le domaine où $v \ll c$, mais elle manque à la tâche lorsque les vitesses approchent celle de la lumière.

Peu de théories ont été vérifiées expérimentalement de façon aussi rigoureuse. Pensons seulement aux accélérateurs de particules. Leur conception, leur réalisation et leur fonctionnement relèvent des principes de la relativité, ce que la mécanique newtonienne ne saurait assurer. Les réacteurs nucléaires et, malheureusement, les bombes thermonucléaires constituent d'autres preuves tangibles.

Einstein disait qu'il n'y aurait jamais assez d'expériences pour prouver qu'il a raison mais qu'une seule suffirait à prouver qu'il a tort. Jusqu'à présent, cette expérience n'a pas été réalisée.

III-4

La transformation des équations (SR, section 2-2)

L'observation fondamentale que nous faisons en relativité (ou en mécanique newtonienne dans ce cas) est la suivante. Considérons des observateurs dans des systèmes galiléens différents S et S' (fig. III-1). Leurs axes x et x' coïncident et leurs axes y et y' demeurent parallèles lorsque S' se déplace vers la droite à une vitesse v par rapport à S; au temps $t = t' = 0$, les origines des systèmes coïncident. Chaque observateur S et S' décrit le même événement (l'éclair de magnésium d'un flash, par exemple) et lui attribue des coordonnées d'espace et de temps, soit x, y, z, t et x', y', z', t'. Quelles relations existe-t-il entre ces groupes de coordonnées que note chaque observateur?

Avant la relativité, ces relations s'écrivaient:

$$x' = x - vt \qquad y' = y$$
$$t' = t \qquad z' = z. \tag{III-1}$$

On les appelle *transformations de Galilée* (*SR*, section 1-2). Très exactes dans le domaine où $v \ll c$, elles ne tiennent plus lorsque $v \to c$.

En relativité, les relations correspondantes, appelées *transformations de Lorentz*, s'écrivent (*SR*, tableau 2-1)

$$x' = \frac{x - vt}{\sqrt{1 - (v/c)^2}} \qquad y' = y$$
$$t' = \frac{t - (v/c^2)x}{\sqrt{1 - (v/c)^2}} \qquad z' = z. \tag{III-2}$$

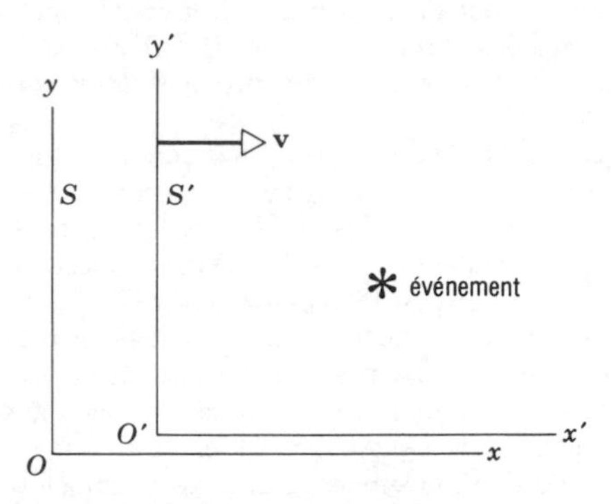

figure III-1
Deux référentiels galiléens parallèles dont les axes x et x' coïncident. S' se déplace vers la droite à une vitesse v par rapport a S. A $t = t' = 0$, les deux origines O et O' coïncident.

Précisons quelques faits concernant ces équations. *(a)* Les coordonnées d'espace et de temps sont étroitements liées. En particulier, le temps n'est pas le même pour chaque observateur; t' dépend autant de x que de t. *(b)* Lorsque $c \to \infty$, les transformations de Lorentz se ramènent à celles de Galilée. Finalement, *(c)* on doit avoir $v < c$, sinon les quantités x' et t' sont indéterminées ($v = c$) ou imaginaires ($v > c$). La vitesse de la lumière constitue la limite supérieure des vitesses des objets matériels.

On peut déduire les équations de Lorentz des deux postulats d'Einstein, comme tout le reste de la théorie de la relativité restreinte (*SR*, section 2-2).

III-5

Dilatation du temps et contraction des longueurs (SR, sections 2-3 et 2-4).

Imaginons que S' observe deux événements se produisant en un même endroit dans son référentiel. Il pourrait s'agir de l'enregistrement de deux positions successives de l'aiguille d'une horloge située en permanence à x'. En supposant que S' mesure l'intervalle de temps $\Delta t'$ entre ces deux événements, l'observateur S, qui perçoit un mouvement de l'horloge par rapport à lui, observe les deux mêmes événements et mesure un intervalle de temps différent Δt, soit

$$\Delta t = \frac{\Delta t'}{\sqrt{1 - (v/c)^2}}. \tag{III-3}$$

C'est un phénomène qu'on nomme *dilatation du temps* (puisque $\Delta t > \Delta t'$) et on dit communément que « les horloges en mouvement fonctionnent au ralenti. » L'observateur S mesure un intervalle de temps plus grand que celui indiqué par l'horloge en mouvement.

On a vérifié expérimentalement l'équation III-3 et elle s'est avérée juste. Dans une expérience, entre autres, des particules très rapides, nommées pions ($\pi \pm$), agissaient à titre « d'horloges en mouvement. » Les pions sont des particules radioactives et leur taux de désintégration est une mesure de leur aptitude à garder le temps (voir *SR*, exemple 3, p. 75)

Considérons maintenant une tige, disposée parallèlement aux axes x et x' et au repos dans le référentiel S'. Si S' mesure une tige de longueur $\Delta x'$, alors S, pour qui la tige est en mouvement, mesurera une longueur Δx telle que

$$\Delta x = \sqrt{1 - (v/c)^2}\, \Delta x'. \tag{III-4}$$

C'est le phénomène de *contraction des longueurs*, puisque $\Delta x < \Delta x'$.

La réalisation de l'accélérateur linéaire de l'Université de Stanford a permis de vérifier le phénomène de contraction des longueurs. A une vitesse de 0,999 975 c, chaque mètre du tunnel d'accélération ne mesure que 7,1 mm pour un observateur en mouvement avec l'électron. L'accélérateur ne pourrait pas fonctionner si on n'avait pas tenu compte de ces considérations.

La façon la plus simple de comprendre ces résultats – dilatation du temps et contraction d'une longueur – est de constater que l'observateur S' est au repos par rapport à ce qu'il mesure (l'horloge ou la tige) alors que les mêmes objets sont en mouvement par rapport à S. La relativité affirme donc que le *mouvement affecte nos mesures*. Si on place maintenant l'horloge et la tige au repos dans S, on s'aperçoit de nouveau que les mesures des observateurs S et S' diffèrent sauf que, cette fois-ci, $\Delta x' < \Delta x$ et $\Delta t' > \Delta t$. Ainsi, les résultats sont réciproques et aucun observateur n'est en possession de la vérité absolue.

Les deux observateurs s'accorderont sur deux points. (1) Ils mesureront la même *longueur au repos* de la tige, c'est-à-dire sa longueur lorsqu'elle est au repos par rapport à l'instrument de mesure de l'observateur. (2) Ils mesureront le même intervalle de temps s'écoulant entre deux positions successives de l'aiguille d'une horloge du moment que celle-ci est au repos dans leur référentiel.

Que le mouvement influence nos mesures n'a rien d'étrange, même en physique classique. Par exemple, la mesure de la fréquence d'une onde sonore ou lumineuse dépend du mouvement de la source par rapport à l'observateur; c'est l'effet Doppler, que chacun de nous connaît bien. De même, en mécanique, les mesures de vitesse, de quantité de mouvement, d'énergie cinétique de particules en mouvement diffèrent pour un observateur au sol ou dans un train en marche. Cependant, en physique classique, les mesures des longueurs et des intervalles de temps sont indépendantes des observateurs, ce qui n'est pas le cas en relativité. Non seulement l'expérience contredit la physique classique, mais la seule façon de vérifier l'invariance des lois physiques pour tous les observateurs c'est d'admettre la relativité de l'espace et du temps. En abandonnant le caractère absolu des lois physiques (seraient-elles alors des lois?), comme l'exigent les notions classiques de temps et de longueur, nous nous retrouverions dans un monde complexe et arbitraire. En comparaison, la relativité est simple et absolue.

III-6

Addition des vitesses relativistes et effet Doppler (sections 4-6, 6-5; *SR*, sections 2-6 et 2-7)

Imaginons que S observe une particule possédant une vitesse u' parallèle à l'axe x'. Quelle vitesse u mesurera l'observateur S? En utilisant les transformations de Galilée (équation III-1), on montre aisément que

$$u = u' + v. \tag{III-5}$$

Cette relation, qui nous semble évidente intuitivement, se révèle fausse hélas (sauf dans le cas bien particulier où $v \ll c$). La transformation de Lorentz, par contre, nous donne

$$u = \frac{u' + v}{1 + (u'v/c^2)}. \tag{III-6}$$

Lorsque $c \to \infty$, l'équation III-6 se ramène à l'équation III-5. Montrez que, si $u' < c$ et $v < c$, alors $u < c$ est toujours vrai. Il n'existe aucune possibilité de générer des vitesses $\geqslant c$ simplement en les additionnant.

A partir de l'équation III-6 régissant l'addition des vitesses relativistes, nous pouvons déduire l'équation décrivant l'effet Doppler. En physique classique, les résultats diffèrent selon que l'observateur est en mouvement par rapport à une source au repos ou selon que la source est en mouvement par rapport à un observateur au repos. En relativité, il n'existe aucune différence entre ces deux cas; seul le mouvement relatif v de la source et de l'observateur compte. Il résulte que

$$f = f' \sqrt{\frac{c \pm v}{c \mp v}}, \tag{III-7}$$

équation que l'expérience confirme. Ici f' désigne la fréquence de la source au repos dans S', et f la fréquence mesurée dans le référentiel S par rapport auquel la source se déplace à une vitesse v; les signes supérieurs correspondent au cas où la source et l'observateur vont l'un vers l'autre, et les signes inférieurs au cas où ils s'éloignent l'un de l'autre. L'équation III-7 décrit l'effet Doppler *longitudinal*, et v mesure la vitesse relative de la source et de l'observateur le long de la ligne qui les joint.

Un effet prévu par la relativité et non par la physique classique est l'effet Doppler *transversal*; c'est le cas où la vitesse relative v s'oriente perpendiculairement à la ligne joignant la source et l'observateur. L'équation est la suivante:

$$f = f' \sqrt{1 - v^2/c^2}. \tag{III-8}$$

Ce résultat, que vérifie l'expérience, peut s'interpréter comme une dilatation du temps; les horloges en mouvement semblent fonctionner au ralenti.

III-7
Masse, quantité de mouvement et énergie cinétique (sections 8-9, 9-3; *SR*, sections 3-3 et 3-5)

Nous avons vu que les mesures de temps et de longueur sont fonctions de la vitesse v. La masse serait-elle différente? La relativité nous dit que la masse relativiste d'une particule ayant une vitesse v par rapport à un observateur, vaut

$$m = \frac{m_0}{\sqrt{1-(v/c)^2}}, \tag{III-9}$$

où m_0 est la masse au repos, c'est-à-dire la masse mesurée lorsque la particule est au repos ($v = 0$) par rapport à l'observateur.

C'est m et non m_0 qu'il faut considérer lorsque l'on conçoit des aimants destinés à dévier des particules chargées. Ces techniques ont permis de vérifier l'équation III-9. De même, le rapport m/m_0 des électrons sortant de l'accélérateur linéaire de l'Université de Stanford vaut 60 000 lorsque $K = 30$ GeV.

Pour sauvegarder le principe de la conservation de la quantité de mouvement en relativité, il faut redéfinir ainsi la quantité de mouvement d'une particule de masse au repos m_0 et de vitesse v:

$$p = mv = \frac{m_0 v}{\sqrt{1-(v/c)^2}}.$$

Comme conséquence de toutes ces considérations, l'énergie cinétique relativiste ne s'écrit plus $\frac{1}{2}m_0v^2$, mais plutôt

$$K = mc^2 - m_0c^2 = m_0c^2\left(\frac{1}{\sqrt{1-(v/c)^2}} - 1\right). \tag{III-10}$$

Pouvez-vous montrer que $K \rightarrow \frac{1}{2}m_0v^2$ lorsque $c \rightarrow \infty$?

III-8
Équivalence masse-énergie (section 8-9; *SR*, section 3-6)

Un des résultats les plus connus de la relativité est celui de l'équivalence entre la masse et l'énergie, c'est-à-dire que la conservation de l'énergie totale suppose la conservation de la masse relativiste. La masse et l'énergie s'équivalent; ils constituent une quantité invariante qu'on nomme masse-énergie. La relation

$$E = mc^2 \tag{III-11}$$

exprime le fait que la masse-énergie peut s'écrire avec des unités d'énergie (E) ou avec des unités de masse ($m = E/c^2$). De fait, il est courant d'exprimer des masses en électron-volt pour faciliter les calculs d'énergie; par exemple la masse au repos d'un électron est de 0,51 MeV. Également, on peut assigner à des entités de masse nulle, comme des photons, une masse effective équivalente à leur énergie. A chaque forme d'énergie, il est possible d'associer une masse.

En physique classique, nous avons énoncé séparément deux principes de conservation: (1) la conservation de la masse (sens classique), comme dans les réactions chimiques et (2) la conservation de l'énergie. Les deux principes classiques sont confirmés expérimentalement dans les cas particuliers où les pertes ou les gains d'énergie d'un système sont négligeables par rapport à la masse au repos de celui-ci, de sorte que la variation relative de la masse au repos devient non mesurable.

Par exemple, la masse au repos de l'atome d'hydrogène vaut 1,007 97 u (= 938,8 MeV). Si on fournit l'énergie suffisante (13,58 eV) pour ioniser l'atome d'hydrogène, c'est-à-dire dissocier le proton et l'électron, la variation relative de la masse au repos vaudra

$$\frac{13{,}58 \text{ eV}}{938{,}8 \times 10^6 \text{ eV}} = 1{,}45 \times 10^{-8}$$

ou $1{,}45 \times 10^{-6}\%$, quantité trop petite pour être mesurée. Cependant, pour un deutéron, dont la masse au repos vaut 2,013 60 u (= 1876,4 MeV), il faut fournir une énergie de

2,22 MeV pour séparer le proton du neutron. La variation relative de la masse au repos du système donne

$$\frac{2{,}22 \text{ MeV}}{1876{,}4 \text{ MeV}} = 1{,}18 \times 10^{-3}$$

ou 0,12%, ce qui est mesurable. Les variations relatives de la masse au repos dans les réactions nucléaires sont du même ordre de grandeur de sorte qu'il devient nécessaire d'appliquer le principe de la conservation de l'énergie relativiste si on veut que la théorie et l'expérience s'accordent dans ces cas. La masse classique (au repos) n'est pas conservée, mais l'énergie totale (masse-énergie) l'est.

appendices

APPENDICE A
LE SYSTÈME INTERNATIONAL D'UNITÉS (SI).[1]

Unités de base SI

Grandeur	Unité	Symbole	Définition
longueur	mètre	m	Le mètre est la longueur égale à 1 650 763,73 longueurs d'onde, dans le vide, de la radiation correspondant à la transition entre les niveaux $2p_{10}$ et $5d_5$ de l'atome de krypton 86.
masse	kilogramme	kg	Le kilogramme est égal à la masse du prototype international du kilogramme conservé au Bureau international des poids et mesures.
temps	seconde	s	La seconde est la durée de 9 192 631 770 périodes de la radiation correspondant à la transition entre les deux niveaux hyperfins de l'état fondamental de l'atome de césium 133.
courant électrique	ampère	A	L'ampère est l'intensité d'un courant électrique constant qui, maintenu dans deux conducteurs parallèles, rectilignes, de longueur infinie, de section circulaire négligeable et placés à une distance de 1 mètre l'un de l'autre dans le vide, produirait entre ces conducteurs une force égale de 2×10^{-7} newton par mètre de longueur.

[1] Voir « Guide d'usage du système métrique », Conseil des ministres de l'Éducation (Canada), juillet 1976.

Unités de base SI (suite)

Grandeur	Unité	Symbole	Définition
température thermodynamique	kelvin	K	Le kelvin, unité de température thermodynamique, est la fraction 1/273,16 de la température thermodynamique du point triple de l'eau. N.B.: Le point triple de l'eau a une température de 0,01°C, d'où 0°C correspond à 273,15 K.
quantité de matière	mole	mol	La mole est la quantité de matière d'un système contenant autant d'entités élémentaires qu'il y a d'atomes dans 0,012 kg de carbone 12.
intensité lumineuse	candela	cd	La candela est l'intensité lumineuse, dans la direction perpendiculaire, d'une surface de 1/600 000 m² d'un corps noir à la température de congélation du platine, sous la pression de 101,325 kPa.

Unités dérivées portant des noms spéciaux

	Unité SI			
Grandeur	Unité	Symbole	Expression en fonction d'autres unités	Expression en unités de base
fréquence	hertz	Hz		s^{-1}
force	newton	N		$kg \cdot m/s^2$
pression	pascal	Pa	N/m^2	$kg/(m\ s^2)$
énergie, travail, quantité de chaleur	joule	J	$N \cdot m$	$kg \cdot m^2/s^2$
puissance, flux énergétique	watt	W	J/s	$kg \cdot m^2/s^3$
quantité d'électricité, charge électrique	coulomb	C		$A \cdot s$
potentiel électrique, différence de potentiel, force électromotrice	volt	V	W/A	$kg \cdot m^2/(A \cdot s^3)$
capacité	farad	F	C/V	$A^2 \cdot s^4/(kg \cdot m^2)$
résistance électrique	ohm	Ω	V/A	$kg \cdot m^2/(A^2 \cdot s^3)$
conductance	siemens	S	A/V	$A^2 \cdot s^3/(kg \cdot m^2)$
flux magnétique	weber	W	$V \cdot s$	$kg \cdot m^2/(A \cdot s^2)$
induction magnétique	tesla	T	Wb/m^2	$kg/(A \cdot s^2)$
inductance	henry	H	Wb/A	$kg \cdot m^2/(A^2 \cdot s^2)$

Symboles des unités de certaines grandeurs physiques

Symboles du SI

Unité	Symbole
ampère	A
candela	cd
coulomb	C
farad	F
henry	H
hertz	Hz
joule	J
kelvin	K
kilogramme	kg
mètre	m
mole	mol
newton	N
ohm	Ω
pascal	Pa
radian	rad
seconde	s
siemens	S
stéradian	sr
tesla	T
volt	V
watt	W
weber	Wb

Symboles d'autres grandeurs usuelles

Unité	Symbole
jour	d
électron-volt	eV
gramme	g
heure	h
minute (temps)	min
unité de masse atomique (unifiée)	u

APPENDICE B
CERTAINES CONSTANTES FONDAMENTALES DE LA PHYSIQUE[1]

Constante	Symbole	Valeur utilisée dans les calculs	Valeur la plus précise (1973)	
			Valeur[a]	Incertitude[b]
Vitesse de la lumière dans le vide	c	$3{,}00 \times 10^{8}$ m/s	2,997 924 58	0,004
Charge élémentaire	e	$1{,}60 \times 10^{-19}$ C	1,602 189 2	2,9
Masse au repos de l'électron	m_e	$9{,}11 \times 10^{-31}$ kg	9,109 534	5,1
Permittivité du vide	ϵ_0	$8{,}85 \times 10^{-12}$ F/m	8,854 187 818	0,008
Perméabilité du vide	μ_0	$1{,}26 \times 10^{-6}$ H/m	4π	–
Rapport e/m_e	e/m_e	$1{,}76 \times 10^{11}$ C/kg	1,758 804 7	2,8
Masse au repos du proton	m_p	$1{,}67 \times 10^{-27}$ kg	1,672 648 5	5,1
Rapport m_p/m_e	m_p/m_e	1840	1836, 151 52	0,38
Masse au repos du neutron	m_n	$1{,}68 \times 10^{-27}$ kg	1,674 954 3	5,1
Masse au repos du muon	m_μ	$1{,}88 \times 10^{-28}$ kg	1,883 566	5,6
Constante de Planck	h	$6{,}63 \times 10^{-34}$ J·s	6,626 176	5,4
Longueur d'onde de l'électron de Compton	λ_C	$2{,}43 \times 10^{-12}$ m	2,426 308 9	1,6
Constante molaire des gaz	R	8,31 J/mol·K	8,314 41	31
Constante d'Avogadro	N_A	$6{,}02 \times 10^{23}$/mol	6,022 045	5,1
Constante de Boltzmann	k	$1{,}38 \times 10^{-23}$ J/K	1,380 662	32
Volume molaire des gaz parfaits à TPN[c]	V_m	$2{,}24 \times 10^{-2}$ m³/mol	2,241 383	31
Constante de Faraday	F	$9{,}65 \times 10^{4}$ C/mol	9,648 456	2,8
Constante de Stefan-Boltzmann	σ	$5{,}67 \times 10^{-8}$ W/m²·K⁴	5,670 32	125
Constante de Rydberg	R	$1{,}10 \times 10^{7}$/m	1,097 373 177	0,075
Constante de gravitation universelle	G	$6{,}67 \times 10^{-11}$ m³/s²·kg	6,672 0	615
Rayon de Bohr	a_0	$5{,}29 \times 10^{-11}$ m	5,291 770 6	0,82
Moment magnétique de l'électron	μ_e	$9{,}28 \times 10^{-24}$ J/T	9,284 832	3,9
Moment magnétique du proton	μ_p	$1{,}41 \times 10^{-26}$ J/T	1,410 617 1	3,9
Magnéton de Bohr	μ_B	$9{,}27 \times 10^{-24}$ J/T	9,274 078	3,9
Magnéton nucléaire	μ_N	$5{,}05 \times 10^{-27}$ J/T	5,050 824	3,9

[a] Même unité et même puissance de dix que la valeur utilisée dans les calculs.
[b] Parties par million.
[c] Température et pression normales: 0°C et 101,3 kPa.

[1] Les valeurs indiquées dans ce tableau ont été tirées d'une liste plus longue préparée par E. Richard Cohen et B. N. Taylor, *Journal of Physics and Chemical Reference Data*, vol. 2, n° 4 (1973).
[2] Voir « A Pilgrim's Progress in Search of the Fundamental Constants », par J. W. M. Du Mond, *Physics Today*, octobre 1965, et « The Fundamental Physical Constants » par Taylor, Langenberg et Parker, *Scientific American*, octobre 1970.

APPENDICE C
DONNÉES RELATIVES AU SOLEIL, À LA TERRE ET À LA LUNE

Le Soleil

Masse	$1,99 \times 10^{30}$ kg
Rayon	$6,96 \times 10^{5}$ km
Masse volumique moyenne	1410 kg/m³
Accélération gravitationnelle à la surface	274 m/s²
Température à la surface	6000 K
Puissance rayonnante totale	$3,92 \times 10^{26}$ W

La Terre

Masse	$5,98 \times 10^{24}$ kg
Rayon équatorial	$6,378 \times 10^{6}$ m
Rayon polaire	$6,357 \times 10^{6}$ m
Rayon d'une sphère de même volume	$6,37 \times 10^{6}$ m
Masse volumique moyenne	5522 kg/m³
Accélération gravitationnelle[1]	9,806 65 m/s²
Vitesse orbitale moyenne	29 770 m/s
Vitesse angulaire	$7,29 \times 10^{-5}$ rad/s
Constante solaire[2]	1340 W/m²
Champ magnétique (à Montréal)	$5,6 \times 10^{-5}$ T
Moment dipolaire magnétique	$8,1 \times 10^{22}$ A·m²
Pression atmosphérique normale	101,325 kPa
Masse volumique de l'air sec à TPN[3]	1,29 kg/m³
Vitesse du son dans l'air sec à TPN	331,4 m/s

[1] C'est une valeur approximative de g à 45° de latitude et au niveau de la mer; elle a été adoptée en 1901 par la Conférence Générale des Poids et Mesures.

[2] C'est le taux d'énergie solaire que reçoit une surface de 1 m² disposée perpendiculairement aux rayons solaires et placée hors de l'atmosphère terrestre.

[3] TPN = température et pression normales = 0°C et 101,3 kPa.

La Lune

Masse	$7,36 \times 10^{22}$ kg
Rayon	1738 km
Masse volumique moyenne	3340 kg/m³
Accélération gravitationnelle à la surface	1,67 m/s²
Distance moyenne Terre-Lune	$3,80 \times 10^{5}$ km

APPENDICE D

LE SYSTÈME SOLAIRE[1]

	MERCURE	VENUS	TERRE	MARS	JUPITER	SATURNE	URANUS	NEPTUNE	PLUTON
Distance maximum du Soleil (10^6 km)	69,7	109	152,1	249,1	815,7	1507	3004	4537	7375
Distance minimum du Soleil (10^6 km)	45,9	107,4	147,1	206,7	740,9	1347	2735	4456	4425
Distance moyenne du Soleil (10^6 km)	57,9	108,2	149,6	227,9	778,3	1427	2869,6	4496,6	5900
Distance moyenne du Soleil (unités astronomiques – UA –)	0,387	0,723	1	1,524	5,203	9,539	19,18	30,06	39,44
Période de révolution	88 d	224,7 d	365,26 d	687 d	11,86 ans	29,46 ans	84,01 ans	164,8 ans	247,7 ans
Période de rotation	59 d	−243 d rétrograde	23 h 56 min 4 s	24 h 37 min 23 s	9 h 50 min 30 s	10 h 14 min	−11 h rétrograde	16 h	6 d 9 h
Vitesse orbitale (km/s)	47,9	35	29,8	24,1	13,1	9,6	6,8	5,4	4,7
Inclinaison de l'axe	$<28°$	3°	23°27′	23°59′	3°05′	26°44′	82°5′	28°48′	?
Inclinaison de l'orbite sur l'écliptique	7°	3,4°	0°	1,9°	1,3°	2,5°	0,8°	1,8°	17,2°
Eccentricité de l'orbite	0,206	0,007	0,017	0,093	0,048	0,056	0,047	0,009	0,25
Diamètre équatorial (km)	4880	12 104	12 756	6787	142 800	120 000	51 800	49 500	6000 (?)
Masse (Terre = 1)	0,055	0,815	1	0,108	317,9	95,2	14,6	17,2	0,1 (?)
Volume (Terre = 1)	0,06	0,88	1	0,15	1316	755	67	57	0,1 (?)
Densité (eau = 1)	5,4	5,2	5,5	4,0	1,3	0,7	1,2	1,7	?
Aplatissement	0	0	0,003	0,009	0,06	0,1	0,06	0,02	?
Atmosphère (principaux constituants)	aucun	CO_2	N_2 O_2	CO_2 Ar	H_2 He	H_2 He	H_2 He CH_4	H_2 He CH_4	aucun
Température moyenne à la surface visible (celsius) S = solide, N = nuages	jour: 350(S) nuit: −170(S)	−33 (N) 480 (S)	22 (S)	−23 (S)	−150 (N)	−180 (N)	−210 (N)	−220 (N)	−230(?)
Pression atmosphérique à la surface (kPa)	10^{-10}	9000	1000	0 6	?	?	?	?	?
Accélération gravitationnelle à la surface (Terre = 1)	0,37	0,88	1	0,38	2,64	1,15	1,17	1,18	?
Angle que sous-tend le diamètre du Soleil (mesuré à partir de la planète)	1°22′40″	44′15″	31′59″	21′	6′09″	3′22″	1′41″	1′04″	49″
Satellites connus	0	0	1	2	13	10	5	2	0

[1] Reproduction autorisée, à partir de l'article de Carl Sagan « The Solar System » dans *Scientific American*, septembre 1975.

APPENDICE E
TABLEAU PÉRIODIQUE DES ÉLÉMENTS

22 — Numéro atomique
Ti — Symbole de l'élément
47,9 — Masse atomique basée sur l'échelle ^{12}C

(Each cell: atomic number, **symbol**, atomic mass, then the electron numbers per shell as printed, in parentheses.)

	Métaux légers IA	IIA	IIIB	IVB	VB	VIB	VIIB	VIIIB	VIIIB	VIIIB	IB	IIB	Non-métaux IIIA	IVA	VA	VIA	VIIA	Gaz rares VIIIA
1	1 **H** 1,008 (1)	2 **He** 4,00 (2)																2 **He** 4,00 (2)
2	3 **Li** 6,94 (2, 1)	4 **Be** 9,01 (2, 2)											5 **B** 10,8 (2, 3)	6 **C** 12,01 (2, 4)	7 **N** 14,01 (2, 5)	8 **O** 16,00 (2, 6)	9 **F** 19,0 (2, 7)	10 **Ne** 20,2 (2, 8)
3	11 **Na** 23,0 (2, 8, 1)	12 **Mg** 24,3 (2, 8, 2)											13 **Al** 27,0 (2, 8, 3)	14 **Si** 28,1 (2, 8, 4)	15 **P** 31,0 (2, 8, 5)	16 **S** 32,1 (2, 8, 6)	17 **Cl** 35,5 (2, 8, 7)	18 **Ar** 39,9 (2, 8, 8)
4	19 **K** 39,1 (2, 8, 8, 1)	20 **Ca** 40,1 (2, 8, 8, 2)	21 **Sc** 45,0 (2, 8, 9, 2)	22 **Ti** 47,9 (2, 8, 10, 2)	23 **V** 50,9 (2, 8, 11, 2)	24 **Cr** 52,0 (2, 8, 13, 1)	25 **Mn** 54,9 (2, 8, 13, 2)	26 **Fe** 55,8 (2, 8, 14, 2)	27 **Co** 58,9 (2, 8, 15, 2)	28 **Ni** 58,7 (2, 8, 16, 2)	29 **Cu** 63,5 (2, 8, 18, 1)	30 **Zn** 65,4 (2, 8, 18, 2)	31 **Ga** 69,7 (2, 8, 18, 3)	32 **Ge** 72,6 (2, 8, 18, 4)	33 **As** 74,9 (2, 8, 18, 5)	34 **Se** 79,0 (2, 8, 18, 6)	35 **Br** 79,9 (2, 8, 18, 7)	36 **Kr** 83,8 (2, 8, 18, 8)
5	37 **Rb** 85,5 (2, 8, 18, 8, 1)	38 **Sr** 87,6 (2, 8, 18, 8, 2)	39 **Y** 88,9 (2, 8, 18, 9, 2)	40 **Zr** 91,2 (2, 8, 18, 10, 2)	41 **Nb** 92,9 (2, 8, 18, 12, 1)	42 **Mo** 95,9 (2, 8, 18, 13, 1)	43 **Tc** (99) (2, 8, 18, 13, 2)	44 **Ru** 101,1 (2, 8, 18, 15, 1)	45 **Rh** 102,9 (2, 8, 18, 16, 1)	46 **Pd** 106,4 (2, 8, 18, 18)	47 **Ag** 107,9 (2, 8, 18, 18, 1)	48 **Cd** 112,4 (2, 8, 18, 18, 2)	49 **In** 114,8 (2, 8, 18, 18, 3)	50 **Sn** 118,7 (2, 8, 18, 18, 4)	51 **Sb** 121,8 (2, 8, 18, 18, 5)	52 **Te** 127,6 (2, 8, 18, 18, 6)	53 **I** 126,9 (2, 8, 18, 18, 7)	54 **Xe** 131,3 (2, 8, 18, 18, 8)
6	55 **Cs** 132,9 (2, 8, 18, 18, 8, 1)	56 **Ba** 137,3 (2, 8, 18, 18, 8, 2)	57 **La** 138,9 (2, 8, 18, 18, 9, 2)	72 **Hf** 178,5 (2, 8, 18, 32, 10, 2)	73 **Ta** 180,9 (2, 8, 18, 32, 11, 2)	74 **W** 183,9 (2, 8, 18, 32, 12, 2)	75 **Re** 186,2 (2, 8, 18, 32, 13, 2)	76 **Os** 190,2 (2, 8, 18, 32, 14, 2)	77 **Ir** 192,2 (2, 8, 18, 32, 15, 2)	78 **Pt** 195,1 (2, 8, 18, 32, 17, 1)	79 **Au** 197,0 (2, 8, 18, 32, 18, 1)	80 **Hg** 200,6 (2, 8, 18, 32, 18, 2)	81 **Tl** 204,4 (2, 8, 18, 32, 18, 3)	82 **Pb** 207,2 (2, 8, 18, 32, 18, 4)	83 **Bi** 209,0 (2, 8, 18, 32, 18, 5)	84 **Po** 210 (2, 8, 18, 32, 18, 6)	85 **At** (210) (2, 8, 18, 32, 18, 7)	86 **Rn** (222) (2, 8, 18, 32, 18, 8)
7	87 **Fr** (223) (2, 8, 18, 32, 18, 8, 1)	88 **Ra** (226) (2, 8, 18, 32, 18, 8, 2)	89 **Ac** (227) (2, 8, 18, 32, 18, 9, 2)															

58 **Ce** 140,1 (2, 8, 18, 19, 9, 2)	59 **Pr** 140,9 (2, 8, 18, 21, 8, 2)	60 **Nd** 144,2 (2, 8, 18, 22, 8, 2)	61 **Pm** (147) (2, 8, 18, 23, 8, 2)	62 **Sm** 150,4 (2, 8, 18, 24, 8, 2)	63 **Eu** 152,0 (2, 8, 18, 25, 8, 2)	64 **Gd** 157,3 (2, 8, 18, 25, 9, 2)	65 **Tb** 158,9 (2, 8, 18, 26, 9, 2)	66 **Dy** 162,5 (2, 8, 18, 28, 8, 2)	67 **Ho** 164,9 (2, 8, 18, 29, 8, 2)	68 **Er** 167,3 (2, 8, 18, 30, 8, 2)	69 **Tm** 168,9 (2, 8, 18, 31, 8, 2)	70 **Yb** 173,0 (2, 8, 18, 32, 8, 2)	71 **Lu** 175,0 (2, 8, 18, 32, 9, 2)
90 **Th** 232,0 (2, 8, 18, 32, 18, 10, 2)	91 **Pa** (231) (2, 8, 18, 32, 20, 9, 2)	92 **U** 238,0 (2, 8, 18, 32, 21, 9, 2)	93 **Np** (237) (2, 8, 18, 32, 22, 9, 2)	94 **Pu** (242) (2, 8, 18, 32, 23, 9, 2)	95 **Am** (243) (2, 8, 18, 32, 24, 9, 2)	96 **Cm** (247) (2, 8, 18, 32, 25, 9, 2)	97 **Bk** 249 (2, 8, 18, 32, 26, 9, 2)	98 **Cf** (251) (2, 8, 18, 32, 27, 9, 2)	99 **Es** (254) (2, 8, 18, 32, 28, 9, 2)	100 **Fm** (253) (2, 8, 18, 32, 29, 9, 2)	101 **Md** (256) (2, 8, 18, 32, 30, 9, 2)	102 **No** (254)	103 **Lw** (256)

APPENDICE F
PARTICULES ÉLÉMENTAIRES[1]

Catégorie			Particule	Symbole: Particule	Symbole: Antiparticule	Spin	Charge, e	Nombre d'étrangeté	Masse au repos	Vie moyenne s	Mode principal de désintégration
–			Photon	γ	γ	1	0	0	0	Stable	–
LEPTONS			Électron	e^-	$\overline{e^-}$	$\frac{1}{2}$	∓ 1	0	0,5110	Stable	–
LEPTONS			Muon	μ^+	$\overline{\mu^+}$	$\frac{1}{2}$	± 1	0	105,7	$2{,}197 \times 10^{-6}$	$e + \nu + \overline{\nu}$
LEPTONS			Neutrino électronique	ν_e	$\overline{\nu_e}$	$\frac{1}{2}$	0	0	0	Stable	–
LEPTONS			Neutrino muonique	ν_μ	$\overline{\nu_\mu}$	$\frac{1}{2}$	0	0	0	Stable	–
HADRONS	MÉSONS		Pion	π^+	$\overline{\pi^+}$	0	± 1	0	139,6	$2{,}603 \times 10^{-8}$	$\mu + \nu$
HADRONS	MÉSONS			π^0	π^0	0	0	0	135,0	$8{,}28 \times 10^{-17}$	$\gamma + \gamma$
HADRONS	MÉSONS		Méson K	K^+	$\overline{K^+}$	0	± 1	± 1	493,7	$1{,}237 \times 10^{-8}$	$\mu + \nu$
HADRONS	MÉSONS			K^0	$\overline{K^0}$	0	0	± 1	497,7	$8{,}930 \times 10^{-11}$ $5{,}181 \times 10^{-8}$	$\pi^+ + \pi^-$ $\pi^0 + \pi^0 + \pi^0$
HADRONS	MÉSONS		Méson éta	η^0	η^0	0	0	0	548,8	?	$\gamma + \gamma$
HADRONS	BARYONS	NUCLÉON	Proton	p	$\overline{p}$	$\frac{1}{2}$	± 1	0	938,3	Stable	–
HADRONS	BARYONS	NUCLÉON	Neutron	n	$\overline{n}$	$\frac{1}{2}$	0	0	939,6	918	$p + e^- + \nu$
HADRONS	BARYONS		Particule lambda	Λ^0	$\overline{\Lambda^0}$	$\frac{1}{2}$	0	∓ 1	1116	$2{,}578 \times 10^{-10}$	$p + \pi^-$
HADRONS	BARYONS		Particule sigma	Σ^+	$\overline{\Sigma^+}$	$\frac{1}{2}$	$+1$	∓ 1	1189	$8{,}00 \times 10^{-11}$	$p + \pi^0$
HADRONS	BARYONS			Σ^0	$\overline{\Sigma^0}$	$\frac{1}{2}$	0	∓ 1	1192	$< 1{,}0 \times 10^{-14}$	$A^0 + \gamma$
HADRONS	BARYONS			Σ^-	$\overline{\Sigma^-}$	$\frac{1}{2}$	-1	∓ 1	1197	$1{,}482 \times 10^{-10}$	$n + \pi^-$
HADRONS	BARYONS		Particule xi	Ξ^0	$\overline{\Xi^0}$	$\frac{1}{2}$	0	∓ 2	1315	$2{,}96 \times 10^{-10}$	$\Lambda^0 + \pi^0$
HADRONS	BARYONS			Ξ^-	$\overline{\Xi^-}$	$\frac{1}{2}$	∓ 1	∓ 2	1321	$1{,}652 \times 10^{-10}$	$\Lambda^0 + \pi^-$
HADRONS	BARYONS		Particule oméga	Ω^-	$\overline{\Omega^-}$	$\frac{3}{2}$	∓ 1	∓ 3	1672	$1{,}3 \times 10^{-10}$	$\Xi^0 + \pi^-$

[1] Voir *(a)* « Review of Particle Properties », *Reviews of Modern Physics*, vol. 48, n° 2, partie II, avril 1976; *(b)* « Quarks with Color and Flavor », par Sheldon Lee Glashow, *Scientific American*, octobre 1975; *(c)* « The New Elementary Particles and Charm », par Lewis Ryder, *Physics Education*, janvier 1976, pour des renseignements plus complets. La physique des particules constitue un domaine bien défini de la physique contemporaine.

APPENDICE G
FACTEURS DE CONVERSION

Les facteurs de conversion peuvent être obtenus directement de la lecture des tableaux suivants: par exemple, 1 degré = $2{,}778 \times 10^{-3}$ tour, donc $16{,}7° = 16{,}7 \times 2{,}778 \times 10^{-3}$ tour. Le préfixe « ab » se rapporte aux unités électromagnétiques (emu) et le préfixe « stat » aux unités électrostatiques (esu). Repris et adaptés partiellement de G. Shortley et D. Williams, *Elements of Physics,* Prentice-Hall, Englewood Cliffs, N.J., 1965.

Angles dans un plan

	°	′	″	**rad**	tour
1 degré =	1	60	3600	$1{,}745 \times 10^{-2}$	$2{,}778 \times 10^{-3}$
1 minute =	$1{,}667 \times 10^{-2}$	1	60	$2{,}909 \times 10^{-4}$	$4{,}630 \times 10^{-5}$
1 seconde =	$2{,}778 \times 10^{-4}$	$1{,}667 \times 10^{-2}$	1	$4{,}848 \times 10^{-6}$	$7{,}716 \times 10^{-7}$
1 radian =	57,30	3438	$2{,}063 \times 10^{5}$	1	0,1592
1 tour =	360	$2{,}16 \times 10^{4}$	$1{,}296 \times 10^{6}$	6,283	1

Angle solide

1 sphère = 4π stéradians = 12,57 stéradians

Longueur

	cm	**m**	km	po	pi	mille
1 centimètre =	1	1×10^{-2}	1×10^{-5}	0,3937	$3{,}281 \times 10^{-2}$	$6{,}214 \times 10^{-6}$
1 mètre =	100	1	1×10^{-3}	39,3	3,281	$6{,}214 \times 10^{-4}$
1 kilomètre =	1×10^{5}	1000	1	$3{,}937 \times 10^{4}$	3281	0,6214
1 pouce =	2,540	$2{,}540 \times 10^{-2}$	$2{,}540 \times 10^{-5}$	1	$8{,}333 \times 10^{-2}$	$1{,}578 \times 10^{-5}$
1 pied =	30,48	0,3048	$3{,}048 \times 10^{-4}$	12	1	$1{,}894 \times 10^{-4}$
1 mille =	$1{,}609 \times 10^{5}$	1609	1,609	$6{,}336 \times 10^{4}$	5280	1

1 angström = 10^{-10} m
1 mille marin = 1852 m
= 1,151 mille = 6 076 pi
1 année-lumière = $9{,}4600 \times 10^{12}$ km
1 parsec = $3{,}084 \times 10^{13}$ km
1 fathom = 6 pi
1 verge = 3 pi
1 rod = 16,5 pi
1 mil = 10^{-3} po

Superficie

	m²	cm²	pi²	po²	circ mil
1 mètre carré =	1	1×10^{4}	10,76	1550	$1{,}974 \times 10^{9}$
1 centimètre carré =	1×10^{-4}	1	$1{,}076 \times 10^{-3}$	0,1550	$1{,}974 \times 10^{5}$
1 pied carré =	$9{,}290 \times 10^{-2}$	929,0	1	144	$1{,}833 \times 10^{8}$
1 pouce carré =	$6{,}452 \times 10^{-4}$	6,452	$6{,}944 \times 10^{-3}$	1	$1{,}273 \times 10^{6}$
1 circular mil =	$5{,}067 \times 10^{-10}$	$5{,}067 \times 10^{-6}$	$5{,}454 \times 10^{-9}$	$7{,}854 \times 10^{-7}$	1

1 mille carré = $2{,}788 \times 10^{8}$ pi²
1 barn = 10^{-28} m²
1 acre = 43 600 pi²

Volume

	m^3	cm^3	l	pi^3	po^3
1 mètre cube =	1	1×10^6	1000	35,31	$6{,}102 \times 10^4$
1 centimètre cube =	1×10^{-6}	1	$1{,}000 \times 10^{-3}$	$3{,}531 \times 10^{-5}$	$6{,}102 \times 10^{-2}$
1 litre =	$1{,}000 \times 10^{-3}$	1000	1	$3{,}531 \times 10^{-2}$	61,02
1 pied cube =	$2{,}832 \times 10^{-2}$	$2{,}832 \times 10^4$	28,32	1	1728
1 pouce cube =	$1{,}639 \times 10^{-5}$	16.39'	$1{,}639 \times 10^{-2}$	$5{,}787 \times 10^{-4}$	1

1 gallon américain = 4 pintes américaines = 8 chopines américaines
= 128 onces américaines = 231 po^3
1 gallon anglais (impérial) = 277,4 po^3 1 litre = 10^{-3} m^3

Masse

Les grandeurs qui se trouvent dans les sections ombrées ne sont pas des unités de masse, mais sont souvent utilisées comme telles. Quand on écrit 1 kg = 2,205 lb, on veut dire que c'est la *masse* qui *pèse* 2,205 lb dans le champ de pesanteur standard ($g = 9{,}80665$ m/s^2).

	g	**kg**	slug	u	oz	lb	tonne anglaise
1 gramme =	1	0,001	$6{,}852 \times 10^{-5}$	$6{,}024 \times 10^{23}$	$3{,}527 \times 10^{-2}$	$2{,}205 \times 10^{-3}$	$1{,}102 \times 10^{-6}$
1 kilogramme =	1000	1	$6{,}852 \times 10^{-2}$	$6{,}024 \times 10^{26}$	35,27	2,205	$1{,}102 \times 10^{-3}$
1 slug =	$1{,}459 \times 10^4$	14,59	1	$8{,}789 \times 10^{27}$	514,8	32,17	$1{,}609 \times 10^{-2}$
1 u =	$1{,}660 \times 10^{-24}$	$1{,}660 \times 10^{-27}$	$1{,}137 \times 10^{-28}$	1	$5{,}855 \times 10^{-26}$	$3{,}660 \times 10^{-27}$	$1{,}829 \times 10^{-30}$
1 once =	28,35	$2{,}835 \times 10^{-2}$	$1{,}943 \times 10^{-3}$	$1{,}708 \times 10^{25}$	1	$6{,}250 \times 10^{-2}$	$3{,}125 \times 10^{-5}$
1 livre =	453,6	0,4536	$3{,}108 \times 10^{-2}$	$2{,}732 \times 10^{26}$	16	1	0,0005
1 tonne anglaise =	$9{,}072 \times 10^5$	907,2	62,16	$5{,}465 \times 10^{29}$	$3{,}2 \times 10^4$	2000	1

Masse volumique

Les grandeurs qui se trouvent dans les sections ombrées sont des poids volumiques et de ce fait, ont des unités différentes des unités de masse volumique. Voir la note qui précède le tableau des masses.

	$slug/pi^3$	$\mathbf{kg/m^3}$	g/cm^3	lb/pi^3	lb/po^3
1 slug par pi^3 =	1	515,4	0,5154	32,17	$1{,}862 \times 10^{-2}$
1 kilogramme par mètre cube =	$1{,}940 \times 10^{-3}$	1	0,001	$6{,}243 \times 10^{-2}$	$3{,}613 \times 10^{-5}$
1 gramme par cm^3 =	1,940	1000	1	62,43	$3{,}613 \times 10^{-2}$
1 livre par pi^3 =	$3{,}108 \times 10^{-2}$	16,02	$1{,}602 \times 10^{-2}$	1	$5{,}787 \times 10^{-4}$
1 livre par po^3 =	53,71	$2{,}768 \times 10^4$	27,68	1728	1

Temps

	an	j	h	min	s
1 an =	1	365,2	$8{,}766 \times 10^3$	$5{,}259 \times 10^5$	$3{,}156 \times 10^7$
1 jour =	$2{,}738 \times 10^{-3}$	1	24	1440	$8{,}640 \times 10^4$
1 heure =	$1{,}141 \times 10^{-4}$	$4{,}167 \times 10^{-2}$	1	60	3600
1 minute =	$1{,}901 \times 10^{-6}$	$6{,}944 \times 10^{-4}$	$1{,}667 \times 10^{-2}$	1	60
1 seconde =	$3{,}169 \times 10^{-8}$	$1{,}157 \times 10^{-5}$	$2{,}778 \times 10^{-4}$	$1{,}667 \times 10^{-2}$	1

Vitesse

	pi/s	km/h	**m/s**	mi/h	cm/s	noeud
1 pied par seconde =	1	1,097	0,3048	0,6818	30,48	0,5925
1 kilomètre par heure =	0,9113	1	0,2778	0,6214	27,78	0,5400
1 mètre par seconde =	3,281	3,6	1	2,237	100	1,944
1 mille par heure =	1,467	1,609	0,4470	1	44,70	0,8689
1 centimètre par seconde =	$3{,}281 \times 10^{-2}$	$3{,}6 \times 10^{-2}$	0,01	$2{,}237 \times 10^{-2}$	1	$1{,}944 \times 10^{-2}$
1 noeud =	1,688	1,852	0,5144	1,151	51,44	1

1 noeud = 1 mille marin par heure　　1 mille par minute = 88,00 pi/s = 60,00 milles par heure

Force

Les grandeurs qui se trouvent dans les sections ombrées ne sont pas des unités de forces, mais sont souvent utilisées comme telles. Par exemple, si on écrit 1 gramme-force = 980,7 dynes, on veut dire qu'une *masse* de un *gramme* subit une force de 980,7 dynes dans le champ de pesanteur standard ($g = 9{,}80665\ m/s^2$).

	dyne	**N**	lb	pdl	gf	kgf
1 dyne =	1	1×10^{-5}	$2{,}248 \times 10^{-6}$	$7{,}233 \times 10^{-5}$	$1{,}020 \times 10^{-3}$	$1{,}020 \times 10^{-6}$
1 newton =	1×10^{5}	1	0,2248	7,233	102,0	0,1020
1 livre =	$4{,}448 \times 10^{5}$	4,448	1	32,17	453,6	0,4536
1 poundal =	$1{,}383 \times 10^{4}$	0,1383	$3{,}108 \times 10^{-2}$	1	14,10	$1{,}410 \times 10^{-2}$
1 gramme-force =	980,7	$9{,}807 \times 10^{-3}$	$2{,}205 \times 10^{-3}$	$7{,}093 \times 10^{-2}$	1	0,001
1 kilogramme-force =	$9{,}807 \times 10^{5}$	9,807	2,205	70,93	1000	1

Pression

	atm	dyne/cm²	po d'eau	cm de Hg	**Pa**	lb/po²	lb/pi²
1 atmosphère =	1	$1{,}013 \times 10^{6}$	406,8	76	$1{,}013 \times 10^{5}$	14,70	2116
1 dyne par cm² =	$9{,}869 \times 10^{-7}$	1	$4{,}015 \times 10^{-4}$	$7{,}501 \times 10^{-5}$	0,1	$1{,}450 \times 10^{-5}$	$2{,}089 \times 10^{-3}$
1 po d'eau à 4°C =	$2{,}458 \times 10^{-3}$	2491	1	0,1868	249,1	$3{,}613 \times 10^{-2}$	5,202
1 centimètre de mercure[1] à 0°C =	$1{,}316 \times 10^{-2}$	$1{,}333 \times 10^{4}$	5,353	1	1333	0,1934	27,85
1 pascal =	$9{,}869 \times 10^{-6}$	10	$4{,}015 \times 10^{-3}$	$7{,}501 \times 10^{-4}$	1	$1{,}450 \times 10^{-4}$	$2{,}089 \times 10^{-2}$
1 livre par po² =	$6{,}805 \times 10^{-2}$	$6{,}895 \times 10^{4}$	27,68	5,171	$6{,}895 \times 10^{3}$	1	144
1 livre par pi² =	$4{,}725 \times 10^{-4}$	478,8	0,1922	$3{,}591 \times 10^{-2}$	47,88	$6{,}944 \times 10^{-3}$	1

[1] Où l'accélération de la pesanteur standard vaut $9{,}80665\ m/s^2$.

1 bar = 10^6/cm²　　1 millibar = 10^3 dyne/cm² = 10^2 Pa

Énergie, travail, chaleur

Les grandeurs qui se trouvent dans les sections ombrées ne sont pas des unités d'énergie, mais sont incluses pour des raisons de commodité. Elles proviennent de la relation relativiste $E = mc^2$, qui donne l'équivalence entre la masse et l'énergie; les valeurs données représentent l'énergie libérée si un kilogramme, ou une unité de masse atomique (u), est complètement converti en énergie.

	Btu	erg	lb·pi	hp·h	**J**	cal	kW·h	eV	MeV	**kg**	**u**
1 British Thermal Unit =	1	$1{,}055 \times 10^{10}$	777,9	$3{,}929 \times 10^{-4}$	1055	252,0	$2{,}930 \times 10^{-4}$	$6{,}585 \times 10^{21}$	$6{,}585 \times 10^{15}$	$1{,}174 \times 10^{-14}$	$7{,}074 \times 10^{12}$
1 erg =	$9{,}481 \times 10^{-11}$	1	$7{,}376 \times 10^{-8}$	$3{,}725 \times 10^{-14}$	10^{-7}	$2{,}389 \times 10^{-8}$	$2{,}778 \times 10^{-14}$	$6{,}242 \times 10^{11}$	$6{,}242 \times 10^{5}$	$1{,}113 \times 10^{-24}$	670,5
1 livre-pied =	$1{,}285 \times 10^{-3}$	$1{,}356 \times 10^{7}$	1	$5{,}051 \times 10^{-7}$	1,356	0,3239	$3{,}766 \times 10^{-7}$	$8{,}464 \times 10^{18}$	$8{,}464 \times 10^{12}$	$1{,}509 \times 10^{-17}$	$9{,}092 \times 10^{9}$
1 horsepower-heure =	2545	$2{,}685 \times 10^{13}$	$1{,}980 \times 10^{6}$	1	$2{,}685 \times 10^{6}$	$6{,}414 \times 10^{5}$	0,7457	$1{,}676 \times 10^{25}$	$1{,}676 \times 10^{19}$	$2{,}988 \times 10^{-11}$	$1{,}800 \times 10^{16}$
1 joule =	$9{,}481 \times 10^{-4}$	1×10^{7}	0,7376	$3{,}725 \times 10^{-7}$	1	0,2389	$2{,}778 \times 10^{-7}$	$6{,}242 \times 10^{18}$	$6{,}242 \times 10^{12}$	$1{,}113 \times 10^{-17}$	$6{,}705 \times 10^{9}$
1 calorie =	$3{,}968 \times 10^{-3}$	$4{,}186 \times 10^{7}$	3,087	$1{,}559 \times 10^{-6}$	4,186	1	$1{,}163 \times 10^{-6}$	$2{,}613 \times 10^{19}$	$2{,}613 \times 10^{13}$	$4{,}659 \times 10^{-17}$	$2{,}807 \times 10^{10}$
1 kilowatt-heure =	3413	$3{,}6 \times 10^{13}$	$2{,}655 \times 10^{6}$	1,341	$3{,}6 \times 10^{6}$	$8{,}601 \times 10^{5}$	1	$2{,}247 \times 10^{25}$	$2{,}247 \times 10^{19}$	$4{,}007 \times 10^{-11}$	$2{,}414 \times 10^{16}$
1 électron-volt =	$1{,}519 \times 10^{-22}$	$1{,}602 \times 10^{-12}$	$1{,}182 \times 10^{-19}$	$5{,}967 \times 10^{-26}$	$1{,}602 \times 10^{-19}$	$3{,}827 \times 10^{-20}$	$4{,}450 \times 10^{-26}$	1	1×10^{-6}	$1{,}783 \times 10^{-36}$	$1{,}074 \times 10^{-9}$
1 million d'électron-volts =	$1{,}519 \times 10^{-16}$	$1{,}602 \times 10^{-6}$	$1{,}182 \times 10^{-13}$	$5{,}967 \times 10^{-20}$	$1{,}602 \times 10^{-13}$	$3{,}827 \times 10^{-14}$	$4{,}450 \times 10^{-20}$	1×10^{6}	1	$1{,}783 \times 10^{-30}$	$1{,}074 \times 10^{-3}$
1 kilogramme =	$8{,}521 \times 10^{13}$	$8{,}987 \times 10^{23}$	$6{,}629 \times 10^{16}$	$3{,}348 \times 10^{10}$	$8{,}987 \times 10^{16}$	$2{,}147 \times 10^{16}$	$2{,}497 \times 10^{10}$	$5{,}610 \times 10^{35}$	$5{,}610 \times 10^{29}$	1	$6{,}025 \times 10^{26}$
1 unité de masse atomique =	$1{,}415 \times 10^{-13}$	$1{,}492 \times 10^{-3}$	$1{,}100 \times 10^{-10}$	$5{,}558 \times 10^{-17}$	$1{,}492 \times 10^{-10}$	$3{,}564 \times 10^{-11}$	$4{,}145 \times 10^{-17}$	$9{,}31 \times 10^{8}$	931,0	$1{,}660 \times 10^{-27}$	1

Puissance

	Btu/h	lb·pi/s	hp	cal/s	kW	**W**
1 British thermal unit par heure =	1	0,2161	$3{,}929 \times 10^{-4}$	$7{,}000 \times 10^{-2}$	$2{,}930 \times 10^{-4}$	0,2930
1 livre-pied par seconde =	4,628	1	$1{,}818 \times 10^{-3}$	0,3239	$1{,}356 \times 10^{-3}$	1,356
1 horsepower =	2545	550	1	178,2	0,7457	745,7
1 calorie par seconde =	14,29	3,087	$5{,}613 \times 10^{-3}$	1	$4{,}186 \times 10^{-3}$	4,186
1 kilowatt =	3413	737,6	1,341	238,9	1	1000
1 watt =	3,413	0,7376	$1{,}341 \times 10^{-3}$	0,2389	0,001	1

Charge

	abcoul	A·h	**C**	statcoul
1 abcoulomb =	1	$2{,}778 \times 10^{-3}$	10	$2{,}998 \times 10^{10}$
1 ampère-heure =	360	1	3600	$1{,}079 \times 10^{13}$
1 coulomb =	0,1	$2{,}778 \times 10^{-4}$	1	$2{,}998 \times 10^{9}$
1 statcoulomb =	$3{,}336 \times 10^{-11}$	$9{,}266 \times 10^{-14}$	$3{,}336 \times 10^{-10}$	1

1 charge électronique = $1{,}602 \times 10^{-19}$ coulomb

Courant

	abamp	**A**	statamp
1 abampère =	1	10	$2{,}998 \times 10^{10}$
1 ampère =	0,1	1	$2{,}998 \times 10^{9}$
1 statampère =	$3{,}336 \times 10^{-11}$	$3{,}336 \times 10^{-10}$	1

Potentiel, force électromotrice

	abvolt	**V**	statvolt
1 abvolt =	1	1×10^{-8}	$3{,}336 \times 10^{-11}$
1 volt =	1×10^{8}	1	$3{,}336 \times 10^{-3}$
1 statvolt =	$2{,}998 \times 10^{10}$	299,8	1

Résistance

	abohm	Ω	statohm
1 abohm =	1	1×10^{-9}	$1{,}113 \times 10^{-21}$
1 ohm =	1×10^{9}	1	$1{,}113 \times 10^{-12}$
1 staohm =	$8{,}987 \times 10^{20}$	$8{,}987 \times 10^{11}$	1

Capacité

	abf	**F**	μF	statf
1 abfarad =	1	1×10^{9}	1×10^{15}	$8{,}987 \times 10^{20}$
1 farad =	1×10^{-9}	1	1×10^{6}	$8{,}987 \times 10^{11}$
1 microfarad =	1×10^{-15}	1×10^{-6}	1	$8{,}987 \times 10^{5}$
1 statfarad =	$1{,}113 \times 10^{-21}$	$1{,}113 \times 10^{-12}$	$1{,}113 \times 10^{-6}$	1

Inductance

	abhenry	**H**	μH	mH	stathenry
1 abhenry =	1	1×10^{-9}	0.001	1×10^{-6}	$1{,}113 \times 10^{-21}$
1 henry =	1×10^{9}	1	1×10^{6}	1000	$1{,}113 \times 10^{-12}$
1 microhenry =	1000	1×10^{-6}	1	0,001	$1{,}113 \times 10^{-18}$
1 millihenry =	1×10^{6}	0,001	1000	1	$1{,}113 \times 10^{-15}$
1 stathenry =	$8{,}987 \times 10^{20}$	$8{,}987 \times 10^{11}$	$8{,}987 \times 10^{17}$	$8{,}987 \times 10^{14}$	1

Flux magnétique

	maxwell	**Wb**
1 maxwell =	1	10^{-8}
1 weber =	10^{8}	1

Induction magnétique

	gauss	**T**	milligauss
1 gauss =	1	10^{-4}	1000
1 tesla =	10^{4}	1	10^{7}
1 milligauss =	0,001	10^{-7}	1

1 tesla = 1 weber/mètre carré

APPENDICE H
SIGNES ALGÉBRIQUES ET ALPHABET GREC

Signes et notations algébriques

$=$ égal à
$\cong$ égal environ à
$\neq$ différent de
$\equiv$ égal identiquement à, défini comme
$>$ supérieur à ($\gg$ très supérieur à)
$<$ inférieur à ($\ll$ très inférieur à)
$\geqq$ supérieur ou égal à
$\leqq$ inférieur ou égal à
$\pm$ plus ou moins
$\propto$ proportionnel à (loi de Hooke: $F \propto x$; $F = -kx$)
Σ signe de la somme
$\bar{x}$ valeur moyenne de x

Alphabet grec

Alpha	A	α	Nu	N	ν
Bêta	B	β	Xi	Ξ	ξ
Gamma	Γ	γ	Omicron	O	o
Delta	Δ	δ	Pi	Π	π
Epsilon	E	ϵ	Rhô	P	ρ
Zêta	Z	ζ	Sigma	Σ	σ
Êta	H	η	Tau	T	τ
Thêta	Θ	θ	Upsilon	Υ	υ
Iota	I	ι	Phi	Φ	ϕ, φ
Kappa	K	κ	Khi	X	χ
Lambda	Λ	λ	Psi	Ψ	ψ
Mu	M	μ	Oméga	Ω	ω

APPENDICE I
FORMULES MATHÉMATIQUES

Géométrie

Cercle de rayon r: circonférence $= 2\pi r$; superficie $= \pi r^2$.
Sphère de rayon r: superficie $= 4\pi r^2$; volume $= \frac{4}{3}\pi r^3$.
Cylindre circulaire droit de rayon r et de hauteur h:
superficie $= 2\pi r^2 + 2\pi rh$; volume $= \pi r^2 h$.

Équation quadratique et racines

$$\text{Si } ax^2 + bx + c = 0, \text{ alors } x = \frac{-b \pm \sqrt{b^2 - 4ac}}{2a}.$$

Fonctions trigonométriques de l'angle θ

$$\sin\theta = \frac{y}{r} \qquad \cos\theta = \frac{x}{r}$$

$$\tan\theta = \frac{y}{x} \qquad \cot\theta = \frac{x}{y}$$

$$\sec\theta = \frac{r}{x} \qquad \csc\theta = \frac{r}{y}$$

Y, x, r, y, θ, 0, X

Théorème de Pythagore

$$x^2 + y^2 = r^2$$

Identités trigonométriques

$$\sin^2\theta + \cos^2\theta = 1 \qquad \sec^2\theta - \tan^2\theta = 1 \qquad \csc^2\theta - \cot^2\theta = 1$$

$$\sin 2\theta = 2\sin\theta\cos\theta$$

$$\cos 2\theta = \cos^2\theta - \sin^2\theta = 2\cos^2\theta - 1 = 1 - 2\sin^2\theta$$

$$\sin\theta = \frac{e^{i\theta} - e^{-i\theta}}{2i} \qquad \cos\theta = \frac{e^{i\theta} + e^{-i\theta}}{2}$$

$$e^{\pm i\theta} = \cos\theta \pm i\sin\theta$$

$$\sin(\alpha \pm \beta) = \sin\alpha\cos\beta \pm \cos\alpha\sin\beta$$

$$\cos(\alpha \pm \beta) = \cos\alpha\cos\beta \mp \sin\alpha\sin\beta$$

$$\tan(\alpha \pm \beta) = \frac{\tan\alpha \pm \tan\beta}{1 \mp \tan\alpha\tan\beta}$$

$$\sin\alpha \pm \sin\beta = 2\sin\tfrac{1}{2}(\alpha \pm \beta)\cos\tfrac{1}{2}(\alpha \mp \beta)$$

Série de Taylor

$$f(x_0 + x) = f(x_0) + f'(x_0)x + f''(x_0)\frac{x^2}{2!} + f'''(x_0)\frac{x^3}{3!} + \cdots$$

Développement du binôme

$$(1 + x)^n = 1 + \frac{nx}{1!} + \frac{n(n-1)}{2!}x^2 + \cdots$$

Développement de la fonction exponentielle

$$e^x = 1 + x + \frac{x^2}{2!} + \frac{x^3}{3!} + \cdots$$

Développement de la fonction logarithmique

$$\ln(1 + x) = x - \tfrac{1}{2}x^2 + \tfrac{1}{3}x^3 - \cdots$$

Développements de fonctions trigonométriques (θ en radians)

$$\sin\theta = \theta - \frac{\theta^3}{3!} + \frac{\theta^5}{5!} - \cdots$$

$$\cos\theta = 1 - \frac{\theta^2}{2!} + \frac{\theta^4}{4!} - \cdots$$

Dérivées et intégrales indéfinies

Dans les formules qui suivent, u et v sont des fonctions quelconques de x, et a et m sont des constantes. A chaque intégrale on doit ajouter une constante d'intégration arbitraire. Vous trouverez dans le *Handbook of Chemistry and Physics* (Chemical Rubber Publishing Co.) des tables d'intégrales plus complètes.

1. $\dfrac{dx}{dx} = 1$
2. $\dfrac{d}{dx}(au) = a\dfrac{du}{dx}$
3. $\dfrac{d}{dx}(u + v) = \dfrac{du}{dx} + \dfrac{dv}{dx}$
4. $\dfrac{d}{dx}x^m = mx^{m-1}$

1. $\int dx = x$
2. $\int au\,dx = a\int u\,dx$
3. $\int (u + v)\,dx = \int u\,dx + \int v\,dx$
4. $\int x^m\,dx = \dfrac{x^{m+1}}{m+1} \qquad (m \neq -1)$

5. $\frac{d}{dx} \ln x = \frac{1}{x}$

6. $\frac{d}{dx}(uv) = u\frac{dv}{dx} + v\frac{du}{dx}$

7. $\frac{d}{dx} e^x = e^x$

8. $\frac{d}{dx} \sin x = \cos x$

9. $\frac{d}{dx} \cos x = -\sin x$

10. $\frac{d}{dx} \tan x = \sec^2 x$

11. $\frac{d}{dx} \cot x = -\csc^2 x$

12. $\frac{d}{dx} \sec x = \tan x \sec x$

13. $\frac{d}{dx} \csc x = -\cot x \csc x$

14. $\frac{d}{dx} \arctan x = \frac{1}{1+x^2}$

15. $\frac{d}{dx} \arcsin x = \frac{1}{\sqrt{1-x^2}}$

16. $\frac{d}{dx} \operatorname{arcsec} x = \frac{1}{x\sqrt{x^2-1}}$

5. $\int \frac{dx}{x} = \ln |x|$

6. $\int u\frac{dv}{dx}\,dx = uv - \int v\frac{du}{dx}\,dx$

7. $\int e^x\,dx = e^x$

8. $\int \sin x\,dx = -\cos x$

9. $\int \sin x\,dx = \sin x$

10. $\int \tan x\,dx = \ln |\sec x|$

11. $\int \cot x\,dx = \ln |\sin x|$

12. $\int \sec x\,dx = \ln |\sec x + \tan x|$

13. $\int \csc x\,dx = \ln |\csc x - \cot x|$

14. $\int \frac{dx}{1+x^2} = \arctan x$

15. $\int \frac{dx}{\sqrt{1-x^2}} = \arcsin x$

16. $\int \frac{dx}{x\sqrt{x^2-1}} = \operatorname{arcsec} x$

Produits vectoriels

Soit $\vec{\mathbf{i}}, \vec{\mathbf{j}}, \vec{\mathbf{k}}$, des vecteurs unitaires dans les directions x, y, z.

On a alors: $\vec{\mathbf{i}}\cdot\vec{\mathbf{i}} = \vec{\mathbf{j}}\cdot\vec{\mathbf{j}} = \vec{\mathbf{k}}\cdot\vec{\mathbf{k}} = 1, \quad \vec{\mathbf{i}}\cdot\vec{\mathbf{j}} = \vec{\mathbf{j}}\cdot\vec{\mathbf{k}} = \vec{\mathbf{k}}\cdot\vec{\mathbf{i}} = 0,$

$$\vec{\mathbf{i}}\times\vec{\mathbf{i}} = \vec{\mathbf{j}}\times\vec{\mathbf{j}} = \vec{\mathbf{k}}\times\vec{\mathbf{k}} = 0,$$

$$\vec{\mathbf{i}}\times\vec{\mathbf{j}} = \vec{\mathbf{k}}, \quad \vec{\mathbf{j}}\times\vec{\mathbf{k}} = \vec{\mathbf{i}}, \quad \vec{\mathbf{k}}\times\vec{\mathbf{i}} = \vec{\mathbf{j}}.$$

Tout vecteur $\vec{\mathbf{a}}$ dont les composantes suivant x, y et z sont a_x, a_y et a_z, peut s'écrire

$$\vec{\mathbf{a}} = a_x\vec{\mathbf{i}} + a_y\vec{\mathbf{j}} + a_z\vec{\mathbf{k}}.$$

Soit $\vec{\mathbf{a}}, \vec{\mathbf{b}}$ et $\vec{\mathbf{c}}$ trois vecteurs arbitraires de module a, b, c; alors

$$\vec{\mathbf{a}}\times(\vec{\mathbf{b}}+\vec{\mathbf{c}}) = \vec{\mathbf{a}}\times\vec{\mathbf{b}} + \vec{\mathbf{a}}\times\vec{\mathbf{c}}$$

$$(s\vec{\mathbf{a}})\times\vec{\mathbf{b}} = \vec{\mathbf{a}}\times(s\vec{\mathbf{b}}) = s(\vec{\mathbf{a}}\times\vec{\mathbf{b}}) \qquad (s = \text{un scalaire})$$

Soit θ le plus petit des angles entre les vecteurs $\vec{\mathbf{a}}$ et $\vec{\mathbf{b}}$; on a alors:

$$\vec{\mathbf{a}}\cdot\vec{\mathbf{b}} = \vec{\mathbf{b}}\cdot\vec{\mathbf{a}} = a_xb_x + a_yb_y + a_zb_z = ab\cos\theta$$

$$\vec{\mathbf{a}}\times\vec{\mathbf{b}} = -\vec{\mathbf{b}}\times\vec{\mathbf{a}} = \begin{vmatrix} \vec{\mathbf{i}} & \vec{\mathbf{j}} & \vec{\mathbf{k}} \\ a_x & a_y & a_z \\ b_x & b_y & b_z \end{vmatrix} = (a_yb_z - b_ya_z)\vec{\mathbf{i}} + (a_zb_x - b_za_x)\vec{\mathbf{j}} + (a_xb_y - b_xa_y)\vec{\mathbf{k}}$$

$$|\vec{\mathbf{a}}\times\vec{\mathbf{b}}| = ab\sin\theta$$

$$\vec{\mathbf{a}}\cdot(\vec{\mathbf{b}}\times\vec{\mathbf{c}}) = \vec{\mathbf{b}}\cdot(\vec{\mathbf{c}}\times\vec{\mathbf{a}}) = \vec{\mathbf{c}}\cdot(\vec{\mathbf{a}}\times\vec{\mathbf{b}})$$

$$\vec{\mathbf{a}}\times(\vec{\mathbf{b}}\times\vec{\mathbf{c}}) = (\vec{\mathbf{a}}\cdot\vec{\mathbf{c}})\vec{\mathbf{b}} - (\vec{\mathbf{a}}\cdot\vec{\mathbf{b}})\vec{\mathbf{c}}$$

APPENDICE J
TABLE DE FONCTIONS TRIGONOMÉTRIQUES

Degré	Radian	Sinus	Tangente	Cotangente	Cosinus		
0	0	0	0	∞	1.0000	1,5708	**90**
1	0,0175	0,0175	0,0175	57,290	0,9998	1,5533	89
2	0,0349	0,0349	0,0349	28,636	0,9994	1,5359	88
3	0,0524	0,0523	0,0524	19,081	0,9986	1,5184	87
4	0,0698	0,0698	0,0699	14,301	0,9976	1,5010	86
5	0,0873	0,0872	0,0875	11,430	0,9962	1,4835	**85**
6	0,1047	0,1045	0,1051	9,5144	0,9945	1,4661	84
7	0,1222	0,1219	0,1228	8,1443	0,9925	1,4486	83
8	0,1396	0,1392	0,1405	7,1154	0,9903	1,4312	82
9	0,1571	0,1564	0,1584	6,3138	0,9877	1,4137	81
10	0,1745	0,1736	0,1763	5,6713	0,9848	1,3963	**80**
11	0,1920	0,1908	0,1944	5,1446	0,9816	1,3788	79
12	0,2094	0,2079	0,2126	4,7046	0,9781	1,3614	78
13	0,2269	0,2250	0,2309	4,3315	0,9744	1,3439	77
14	0,2443	0,2419	0,2493	4,0108	0,9703	1,3265	76
15	0,2618	0,2588	0,2679	3,7321	0,9659	1,3090	**75**
16	0,2793	0,2756	0,2867	3,4874	0,9613	1,2915	74
17	0,2967	0,2924	0,3057	3,2709	0,9563	1,2741	73
18	0,3142	0,3090	0,3249	3,0777	0,9511	1,2566	72
19	0,3316	0,3256	0,3443	2,9042	0,9455	1,2392	71
20	0,3491	0,3420	0,3640	2,7475	0,9397	1,2217	**70**
21	0,3665	0,3584	0,3839	2,6051	0,9336	1,2043	69
22	0,3840	0,3746	0,4040	2,4751	0,9272	1,1868	68
23	0,4014	0,3907	0,4245	2,3559	0,9205	1,1694	67
24	0,4189	0,4067	0,4452	2,2460	0,9135	1,1519	66
25	0,4363	0,4226	0,4663	2,1445	0,9063	1,1345	**65**
26	0,4538	0,4384	0,4877	2,0503	0,8988	1,1170	64
27	0,4712	0,4540	0,5095	1,9626	0,8910	1,0996	63
28	0,4887	0,4695	0,5317	1,8807	0,8829	1,0821	62
29	0,5061	0,4848	0,5543	1,8040	0,8746	1,0647	61
30	0,5236	0,5000	0,5774	1,7321	0,8660	1,0472	**60**
31	0,5411	0,5150	0,6009	1,6643	0,8572	1,0297	59
32	0,5585	0,5299	0,6249	1,6003	0,8480	1,0123	58
33	0,5760	0,5446	0,6494	1,5399	0,8387	0,9948	57
34	0,5934	0,5592	0,6745	1,4826	0,8290	0,9774	56
35	0,6109	0,5736	0,7002	1,4281	0,8192	0,9599	**55**
36	0,6283	0,5878	0,7265	1,3764	0,8090	0,9425	54
37	0,6458	0,6018	0,7536	1,3270	0,7986	0,9250	53
38	0,6632	0,6157	0,7813	1,2799	0,7880	0,9076	52
39	0,6807	0,6293	0,8098	1,2349	0,7771	0,8901	51
40	0,6981	0,6428	0,8391	1,1918	0,7660	0,8727	**50**
41	0,7156	0,6561	0,8693	1,1504	0,7547	0,8552	49
42	0,7330	0,6691	0,9004	1,1106	0,7431	0,8378	48
43	0,7505	0,6820	0,9325	1,0724	0,7314	0,8203	47
44	0,7679	0,6947	0,9657	1,0355	0,7193	0,8029	46
45	0,7854	0,7071	1,0000	1,0000	0,7071	0,7854	**45**
		Cosinus	Cotangente	Tangente	Sinus	Radians	Degrés

index

N

O

P

Q

R